체크체크

Chunjae
Makes
Chunjae

▼

체크체크 [천재 노미숙] │ 중학 국어 2-2

저자	김희진, 문동열, 고윤경, 복주현
기획총괄	고명선
편집개발	권소영, 강인애, 김현아
디자인총괄	김희정
표지디자인	윤순미, 김지현, 이리호
내지디자인	박희춘, 이혜진
제작	황성진, 조규영

발행일	2019년 4월 15일 초판 2023년 3월 1일 5쇄
발행인	(주)천재교육
주소	서울시 금천구 가산로9길 54
신고번호	제2001-000018호
고객센터	1577-0902
교재 내용문의	(02)3282-1718
교재 구입문의	1522-5566

✓체크
체크

국어

중 **2**-2

STRUCTURE
구성과 특징

교과서 전 지문의 핵심 내용을 꼼꼼하게 짚어 줍니다.
꼭 알아야 할 개념 정리와 문제로 시험 적중률을 높였습니다.

---

1 학습 원리 및 개념 이해

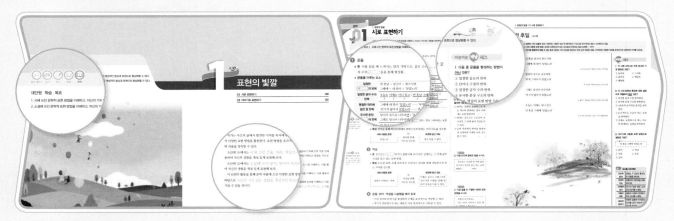

대단원 길잡이
- 단원별 중요 개념과 학습할 내용 훑어보기

개념 정리
- 각 소단원별 주요 개념을 꼼꼼하게 정리하여 제시
- **바로바로 개념 체크** 중요 개념 확인 문제

---

2 교과서 본문 학습   ## 3 학습 활동 엿보기

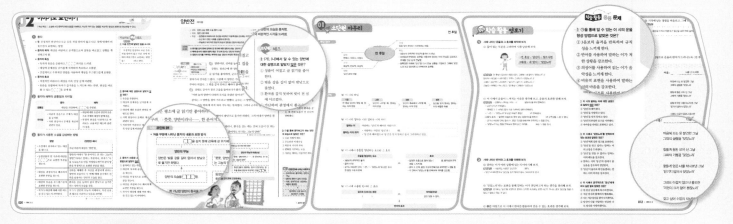

지문 학습 & 소단원 체크
- **소단원 체크** 각 지문에서 확인해야 할 포인트 점검 문제
- **시험 포인트** 빈칸 채우기로 내용 학습 확인

소단원 마무리
- 소단원별 핵심 내용 정리

- 교과서 학습 활동과 예시 답안 수록
- **학습 활동 응용 문제** 학습 목표가 반영된 학습 활동 관련 문제

4 문제로 단원 마무리

소단원 & 대단원 종합 문제

· **소단원 종합 문제** 소단원 전체를 아우르는 핵심 문제
· **대단원 종합 문제** 대단원의 내용을 종합적으로 점검하는 실전 문제

서술형 특강

· 시험에 나오는 유형의 서술형 문제
· 단계별 채점 기준으로 체계적인 서술형 대비

부록

꼼꼼한 개념 정리와 문제로 시험 적중률을 높였습니다.

서술형 특강

· 서술형 문항 대비 단답형,
  서술형, 논술형

시험 대비 문제

· 출제율이 높은 문제로 실전 대비

실전 모의고사

· 학습 능률 향상을 위한 단원별 핵심 문제

CONTENTS
차 례

듣기·말하기　읽기　쓰기　문법　문학

대단원 ｜ 학습 ｜ 목표

1. 시에 쓰인 문학적 표현 방법을 이해하고, 자신의 가치 있는 경험을 개성적인 발상과 표현으로 형상화할 수 있다.

2. 소설에 쓰인 문학적 표현 방법을 이해하고, 자신의 가치 있는 경험을 개성적인 발상과 표현으로 형상화할 수 있다.

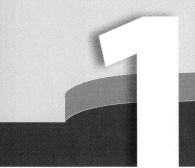

표현의 빛깔

　　작가는 자신의 삶에서 발견한 가치를 독자에게 창의적으로 전달하기 위해 문학 작품 안에서 다양한 표현 방법을 활용한다. 표현 방법을 효과적으로 활용하면 다채로운 빛깔을 지닌 문학 작품을 창작할 수 있다.

　　소단원 (1)에서는 시에 쓰인 운율, 반어, 역설의 특징과 효과를 이해하고, 이를 활용하여 자신의 경험을 개성 있게 표현해 보자.

　　소단원 (2)에서는 소설에 쓰인 풍자, 반어의 특징과 효과를 이해하고, 이를 활용하여 자신의 경험을 개성 있게 표현해 보자.

　　이 단원의 활동을 통해 문학 작품에 쓰인 다양한 표현 방법의 원리와 효과를 이해하고, 이를 바탕으로 자신의 가치 있는 경험을 개성적인 발상과 표현으로 형상화하는 능력을 기를 수 있을 것이다.

01 시로 표현하기

1. 표현의 빛깔

| 학습 목표 | 시에 쓰인 문학적 표현 방법을 이해하고, 자신의 가치 있는 경험을 개성적인 발상과 표현으로 형상화할 수 있다.

시험에 잘 나온대

■ 운율 형성 방법
예 이 시에서 운율을 형성한 방법으로 알맞은 것은?

1 운율

● **뜻** 시를 읽을 때 느껴지는 말의 가락으로, 같은 소리나 단어, 일정한 글자 수의 ① 등을 통해 형성됨.

● **운율을 이루는 요소**

일정한 ② 의 반복	먼 훗날 ∨ 당신이 ∨ 찾으시면 그때에 ∨ 내 말이 ∨ '잊었노라'
일정한 글자 수의 반복	<u>오늘도</u> <u>어제도</u> <u>아니 잊고</u> / <u>먼 훗날</u> <u>그때에</u> <u>'잊었노라'</u> 　3　　3　　　4　　　　3　　　3　　　4
동일한 위치에 같은 말 반복	그때에 내 말이 '잊었노라' …… '무척 그리다가 잊었노라' '믿기지 않아서 잊었노라' …… 먼 훗날 그때에 '잊었노라'
유사한 문장 ③ 의 반복	당신이 속으로 나무라면 / '무척 그리다가 잊었노라' // 그래도 당신이 나무라면 / '믿기지 않아서 잊었노라'
단어나 구절의 반복	먼 훗날 당신이 찾으시면 / 그때에 내 말이 '잊었노라' // 당신이 속으로 나무라면 / '무척 그리다가 잊었노라'

시험에 잘 나온대

■ 반어를 사용한 이유
예 이 시의 말하는 이가 의도와 반대되는 표현을 사용한 이유로 알맞은 것은?

2 반어

● **뜻** 실제로 표현하고자 하는 의도와 ④ 되는 말로 나타내는 표현 방법

● **특징** 반어를 통해 의도와 반대로 말함으로써 말하는 이의 의도를 강조함.

시에 사용된 표현		표현에 담긴 의도
잊었노라	➡ 반어를 통해 의도를 강조함.	결코 잊을 수 없다.

시험에 잘 나온대

■ 역설을 사용한 효과
예 이 시에서 다음과 같은 모순된 표현을 사용했을 때의 효과로 알맞은 것은?

3 역설

● **뜻** 겉으로는 ⑤ 되거나 불합리해 보이지만 실제로는 그 안에 삶의 진실을 담고 있는 표현 방법

● **특징** 모순된 표현 속에 감추어진 진실이나 진리를 통해 전달하고자 하는 의미를 강조함.

시에 사용된 표현		표현에 담긴 의도
결별이 이룩하는 축복	➡ 역설을 통해 의도를 강조함.	이별은 슬프고 고통스러운 것이지만 이별을 통해 영혼의 성숙을 이룰 수 있다.

4 운율·반어·역설을 사용했을 때의 효과

· 시의 정서와 분위기를 형성하며 주제를 효과적으로 전달할 수 있다.

· 작가가 전달하고자 하는 내용을 더욱 효과적으로 나타낼 수 있다.

· 독자에게 신선한 느낌과 강한 인상을 줄 수 있다.

답 | ① 반복 ② 음보 ③ 구조 ④ 반대 ⑤ 모순

바로바로 개념 체크

1 다음 중 운율을 형성하는 방법이 아닌 것은?
① 일정한 음보의 반복
② 단어나 구절의 반복
③ 일정한 글자 수의 반복
④ 유사한 문장 구조의 반복
⑤ 반어, 역설의 표현 방법 사용

2 반어에 대한 설명으로 맞으면 ○표, 틀리면 ×표 하시오.
(1) 반어는 실제로 표현하고자 하는 의도와 반대되는 말로 나타내는 표현 방법이다. (　　)
(2) 반어는 겉으로는 모순되어 보이지만 그 안에 삶의 진실을 담고 있다. (　　)
(3) 문학 작품에서 반어를 활용하여 표현하면 주제를 더욱 강조할 수 있다. (　　)

주관식

3 다음 빈칸에 알맞은 말을 쓰시오.

> 겉으로는 모순된 말 속에 삶의 진실이나 진리를 담고 있는 표현 방법은 (　　　)이다.

주관식

4 다음 밑줄 친 구절에 사용된 표현 방법을 쓰시오.

> 모란이 피기까지는
> 나는 아직 기다리고 있을 테요, 찬란한 슬픔의 봄을

먼 후일 | 김소월

소단원 포인트

❶ **말하는 이의 상황과 정서** 사랑하는 사람인 '당신'과 헤어졌으나 '당신'을 잊지 못하고 몹시 그리워하고 있음.
❷ **시에 사용된 표현 방법** 실제로 표현하고자 하는 속마음과 반대되는 말로 표현함. → 반어
❸ **반어를 활용하여 얻을 수 있는 효과** 말하는 이의 진심을 강조하고 인상 깊게 전달함, 임을 그리워하는 애절한 감정을 효과적으로 표현하여 주제를 강조함.

교과서 16쪽 ▶

먼 훗날 당신이 찾으시면
그때에 내 말이 '잊었노라'

▶ 먼 훗날 당신이 찾을 때, 말하는 이의 반응

당신이 속으로 나무라면
'무척 그리다가 잊었노라'

▶ 당신이 나무랄 때, 말하는 이의 반응

그래도 당신이 나무라면
'믿기지 않아서 잊었노라'

▶ 당신이 계속해서 나무랄 때, 말하는 이의 반응

오늘도 어제도 아니 잊고
먼 훗날 그때에 '잊었노라'

▶ 당신을 잊지 못하는 말하는 이의 애절한 마음

소단원 체크

1 이 시에 나타나는 주된 정서로 가장 알맞은 것은?

① 놀라움 　② 그리움
③ 즐거움 　④ 깨달음
⑤ 행복함

2 이 시의 표현상 특징에 대한 설명으로 적절하지 않은 것은?

① 비슷한 글자 수를 반복한다.
② 유사한 문장 구조를 반복한다.
③ 3음보의 규칙적인 율격을 반복한다.
④ 논리적으로 모순이 되는 표현을 반복한다.
⑤ 실제로 표현하고자 하는 의도와 반대되는 표현을 반복한다.

3 〈보기〉에 사용된 표현 방법으로 알맞은 것은?

┤ 보기 ├
　먼 훗날 그때에 '잊었노라'

① 반어 　② 역설
③ 직유 　④ 은유
⑤ 설의

tip 김소월 시의 특징

민요적 율격	3음보, 7·5조의 율격으로 운율을 형성함.
여성적 어조	전통적인 여인상을 떠올리게 함.
그리움의 정서	떠나간 임에 대한 그리움의 정서를 노래함.
이별의 정한	설움과 이별의 한(恨)이라는 정서를 노래함.
애상적 분위기	이별의 슬픔과 아쉬움의 정서를 담아 애상적 분위기를 형성함.

핵심 정리

먼 후일

갈래
현대시, 자유시, 서정시

성격
애상적, 민요적, 여성적

제재
'당신'과의 이별

주제
임을 잊지 못하고 그리워하는 마음

특징
• 3음보의 규칙적인 민요적 율격이 드러남.
• 속마음과 반대되는 표현을 사용하여 말하는 이의 진심을 강조하고, 주제를 인상 깊게 전달함.
• 불특정한 미래에 '당신'을 다시 만날 상황을 가정하고 그때에 '잊었노라'라고 말하겠다고 반복하여 표현함.

주요 포인트

❀ 이 시의 짜임

1연	2연	3연	4연
먼 훗날 당신이 찾을 때, 말하는 이의 반응	당신이 나무랄 때, 말하는 이의 반응	당신이 계속해서 나무랄 때, 말하는 이의 반응	당신을 잊지 못하는 말하는 이의 애절한 마음

❀ 이 시의 말하는 이와 말하는 이의 처지

말하는 이	사랑하는 '당신'과 헤어진 사람('나')
말하는 이의 처지	• 사랑하는 사람인 '당신'과 ( )함. • '당신'과 헤어졌으나 '당신'을 잊지 못하고 몹시 그리워하고 있음.

❀ 이 시에서 운율을 형성하는 요소와 그 효과

운율을 형성하는 요소	효과
• 3음보의 규칙적인 율격 • 글자 수의 ( ) • 같거나 비슷한 단어, '~면 / ~ '잊었노라'와 같은 유사한 문장 구조의 반복	• 일정한 호흡으로 끊어 읽는 ( )로 음악성과 규칙성을 느끼게 함. • 글자 수, 단어, 문장 구조의 반복으로 규칙적인 느낌을 줌. • 각 연에서 '잊었노라'를 반복하여 의미를 강조함.

❀ 이 시에 사용된 반어와 그 효과

겉으로 드러나는 표현	속마음(진심)
( )	결코 잊을 수 없다.

반어의 효과
• 임을 그리워하는 마음을 간절하게 표현함으로써 (   )를 강조함.
• 직설적인 표현으로는 나타내기 어려운 (   ) 감정을 효과적으로 표현함.

학습 활동 엿보기

1 시에 나타난 운율과 그 효과를 파악해 보자.

❶ 끊어 읽는 부분을 고려하여 시를 낭송해 보자.

> ㉠먼 훗날 ∨ 당신이 ∨ 찾으시면
> 그때에 ∨ 내 말이 ∨ '잊었노라'

예시 답안 먼 훗날∨당신이∨찾으시면 / 그때에∨내 말이∨'잊었노라' //
당신이∨속으로∨나무라면 / '무척∨그리다가∨잊었노라' //
그래도∨당신이∨나무라면 / '믿기지∨않아서∨잊었노라' //
오늘도∨어제도∨아니 잊고 / 먼 훗날∨그때에∨'잊었노라'

❷ 이 시에서 운율이 느껴지는 이유를 생각해 보고, 운율의 효과를 말해 보자.

예시 답안 • 운율이 느껴지는 이유: – (   )음보의 율격이 반복된다.
　– 같은 단어가 반복된다.
　– 대체로 3·3·4개의 글자 수로 이루어진 행이 반복된다.
　– '~면 / ~ '잊었노라'와 같은 비슷한 문장 (   )가 반복된다.
• 운율의 효과: – 일정한 호흡으로 끊어 읽는 3음보의 율격에서 (   )과 규칙성을 느낄 수 있다.
　– 같거나 비슷한 단어, 글자 수, 문장 구조를 반복하여 규칙적인 느낌을 준다.
　– '잊었노라'라는 말을 반복하여 말에 담긴 의미를 (   )하는 느낌을 준다.

2 시에 나타난 반어와 그 효과를 이해해 보자.

❶ 말하는 이가 어떤 상황에 있는지 이야기해 보자.

예시 답안 • 사랑하는 사람인 '당신'과 (   )했다.
• '당신'과 헤어졌으나 '당신'을 잊지 못하고 몹시 그리워하고 있다.

❷ '잊었노라'라는 표현을 통해 말하는 이가 전달하고자 하는 생각을 정리해 보자.

예시 답안 겉으로는 '당신'을 잊었다고 말하고 있지만 속으로는 오랜 시간이 지나도 결코 '당신'을 잊을 수 없다고 말하고 있는 것 같다.

❸ ❷를 바탕으로 이 시에서 반어를 활용하여 얻을 수 있는 효과를 생각해 보자.

예시 답안 • 실제로 표현하고자 하는 속마음과 반대되는 말로 표현함으로써 말하는 이의 (   )을 강조하고 인상 깊게 전달한다.
• 임을 그리워하는 애절한 감정을 효과적으로 표현하여 (   )를 강조한다.

학습 활동 응용 문제

1 ㉠을 통해 알 수 있는 이 시의 운율 형성 방법으로 알맞은 것은?

① 3음보의 율격을 반복하여 규칙성을 느끼게 한다.
② 반어를 사용하여 말하는 이가 처한 상황을 강조한다.
③ 의성어를 사용하여 읽는 이가 음악성을 느끼게 한다.
④ 비유적 표현을 사용하여 말하는 이의 마음을 강조한다.
⑤ 여성적 어조를 사용하여 말하는 이의 심리를 부드럽게 표현한다.

2 이 시의 말하는 이에 대한 설명으로 알맞지 <u>않은</u> 것은?

① '당신'과 헤어졌다.
② '당신'을 사랑하고 있다.
③ '당신'을 잊지 못하고 있다.
④ '당신'의 부당한 요구를 거부했다.
⑤ 속마음을 반대로 표현하고 있다.

3 이 시에서 '잊었노라'를 반복하여 얻는 효과로 알맞은 것은?

① '당신'에게 강한 경고를 표현한다.
② '당신'을 잊고 싶다는 말하는 이의 소망을 드러낸다.
③ '당신'을 잊을 수 없다는 말하는 이의 태도를 강조한다.
④ 말하는 이와 '당신'의 관계가 끝났음을 강조하여 전달한다.
⑤ '당신'이 돌아오게 만들겠다는 말하는 이의 의지를 강조한다.

4 이 시에서 궁극적으로 '당신'에게 하고 싶은 말로 알맞은 것은?

① 먼 훗날 당신에게 복수하겠어요.
② 지금 당신과 함께여서 행복해요.
③ 나는 지금 당신을 찾아 나서겠어요.
④ 당신이 나를 사랑하는 만큼만 나도 당신을 사랑하겠어요.
⑤ 먼 훗날이 되어도 당신에 대한 나의 그리움은 변함없어요.

3 운율과 반어를 활용하여 자신의 경험을 시로 표현해 보자.

❶ 기억에 남는 경험을 떠올리고, 그때 느낀 감정을 말해 보자.
예시 답안

> • 용돈을 아껴서 어렵게 산 물건을 하루 만에 잃어버려서 속상했던 적이 있다.

❷ ❶을 바탕으로 운율과 반어가 드러나도록 〈먼 후일〉의 모방시를 써 보자.
예시 답안

제목: _____ 너를 산 지 하루 _____

마음에 드는 옷 발견한 그날
그때의 설렘을 '잊었노라'

힘들게 용돈 모아 산 그날
그때의 기쁨을 '잊었노라'

힘들게 얻은 너를 떠나보낸 그날
'믿기지 않아서 잊었노라'

그래도 아깝지 않으냐 물으면
'미련이 크지 않아 괜찮노라'

갖고 싶어 수없이 되뇌었던
애타던 그 마음까지 '잊었노라'

❸ 완성한 모방시를 낭송하고, 시에 운율과 반어가 효과적으로 활용되었는지 짝과 이야기해 보자.
예시 답안 힘들게 용돈을 모아서 마음에 드는 옷을 샀는데 하루 만에 잃어버려 속상하고 안타까웠던 마음을 운율과 반어를 활용하여 재미있고 인상적으로 표현했다.

5 다음에서 운율을 형성한 방법이 아닌 것은?

> 마음에 드는 옷 발견한 그날
> 그때의 설렘을 '잊었노라'
>
> 힘들게 용돈 모아 산 그날
> 그때의 기쁨을 '잊었노라'

① 각 연의 끝에서 같은 단어를 반복한다.
② 각 연의 끝에서 의문형 표현을 반복한다.
③ 각 연의 2행에서 3음보의 율격을 반복한다.
④ 각 연의 2행에서 같은 글자 수를 반복한다.
⑤ 1연과 2연에서 유사한 문장 구조를 반복한다.

6 시에서 반어의 표현 방법을 활용할 때의 효과로 알맞지 않은 것은?

① 전달하고자 하는 주제를 강조할 수 있다.
② 반복을 통해 말의 가락을 형성할 수 있다.
③ 독자에게 신선한 느낌과 강한 인상을 줄 수 있다.
④ 시의 분위기와 정서를 효과적으로 형성할 수 있다.
⑤ 직설적으로 나타내기 어려운 감정을 효과적으로 표현할 수 있다.

주관식
7 용돈을 아껴서 어렵게 산 물건을 잃어버린 속상한 심정을 다음과 같이 표현했을 때, 사용된 표현 방법을 쓰시오.

> 그래도 아깝지 않으냐 물으면
> '미련이 크지 않아 괜찮노라'

낙화 | 이형기

교과서 20~21쪽 ▶

소단원 포인트
❶ 말하는 이의 상황과 정서 늦은 봄 꽃잎이 어지럽게 흩날리며 떨어지는 장면을 바라보며 이별에 대한 깨달음을 얻음.
❷ 시에 사용된 표현 방법 겉으로는 모순되거나 불합리해 보이지만 실제로는 그 안에 삶의 진실을 담고 있는 말로 표현함.
❸ 역설을 활용하여 얻을 수 있는 효과 참신하고 인상적인 느낌을 주며, 전달하고자 하는 주제를 강조함.

가야 할 때가 언제인가를
분명히 알고 가는 이의
뒷모습은 얼마나 아름다운가.
　　　　　　▶ 낙화를 통해 인식하는 이별의 아름다움

봄 한철
격정을 인내한
나의 사랑은 지고 있다.
　　　　　　▶ 이별의 상황을 인식함.

분분한 낙화……
① 여럿이 한데 뒤섞여 어수선한 ② 향기로운
㉠ 결별이 이룩하는 축복에 싸여
지금은 가야 할 때,
　　　　　　▶ 낙화를 통해 지금이 이별의 때임을 인식함.

무성한 녹음과 그리고
머지않아 열매 맺는
가을을 향하여
　　　　　　▶ 낙화의 결과

나의 청춘은 꽃답게 죽는다.
　　　　　　▶ 녹음과 열매를 위한 희생

헤어지자.
섬세한 손길을 흔들며
하롱하롱 꽃잎이 지는 어느 날
작고 가벼운 물체가 떨어지면서 잇따라 흔들리는 모양을 나타내는 말
　　　　　　▶ 이별(낙화)의 모습

나의 사랑, 나의 결별,
샘터에 물 고이듯 성숙하는
내 영혼의 슬픈 눈.
　　　　　　▶ 이별을 통한 영혼의 성숙

소단원 체크

1 이 시에 대한 이해로 알맞지 않은 것은?
① '가야 할 때'는 이별의 순간을 의미한다.
② '봄 한철'은 이별 후 영혼이 성숙한 시간을 의미한다.
③ '낙화'는 무성한 녹음과 열매를 맺기 위한 과정을 의미한다.
④ '가을'은 낙화의 결과로 열매를 맺는 성숙의 계절을 의미한다.
⑤ 이별은 슬프지만 이별을 통해 영혼이 성숙할 수 있다는 깨달음을 표현했다.

2 이 시에 대한 설명으로 옳은 것은?
① 사투리를 사용하여 화자의 정서를 드러낸다.
② 자연 현상을 인간의 삶과 연관 지어 표현한다.
③ 공감각적 이미지를 활용하여 대상의 모습을 묘사한다.
④ 시의 처음과 끝을 유사하게 반복하여 구조적 안정감을 준다.
⑤ 독자에게 말을 건네는 방식을 활용하여 친밀감을 형성한다.

학습활동 응용

3 ㉠에 사용된 표현 방법은?
① 직유　② 과장　③ 묘사
④ 설의　⑤ 역설

tip 반어와 역설의 공통점과 차이점

반어	역설
표현에 변화를 줌.	
화자의 상황이나 본심을 반대로 표현함으로써 의도를 강조함.	겉으로는 불합리하고 모순된 표현이지만 그 속에 삶의 진실을 담고 있음.

01 소단원 마무리

핵심 정리

낙화

주제
'결별'을 통해 삶의 성숙을 이룰 수 있다는 깨달음

특징
• 자연 현상과 인간의 삶을 연관 지어 꽃이 지는 모습을 통해 이별의 의미를 형상화함.
• 다양한 표현 방법(직유, 의인, 은유 등)을 사용하여 삶에 대한 깨달음을 표현함.
• 의미상 서로 어울리지 않는 말을 결합하여 새로운 의미를 만들어 냄으로써 전달하고자 하는 의미를 강조함.

갈래
현대시, 자유시, 서정시

성격
사색적, 서정적, 독백적

제재
낙화

주요 포인트

🌱 이 시의 짜임

1연	낙화를 통해 인식하는 이별의 ( )
2연	이별의 상황을 인식함.
3연	낙화를 통해 지금이 이별의 때임을 인식함.
4연	낙화의 결과
5연	녹음과 열매를 위한 희생
6연	이별(낙화)의 모습
7연	이별을 통한 영혼의 ( )

🌱 이 시에 나타난 자연 현상과 인간의 삶 사이의 연관성

자연 현상	인간의 삶
꽃이 피고 짐.	사랑과 ( )
( )를 맺음.	영혼의 성숙, 내면적 성장

⬇

자연 현상과 인간의 삶 사이의 연관성을 바탕으로 이별에 대한 (   )을 표현함.

🌱 이 시에 사용된 역설과 그 효과

결별	축복
슬픔, 고통스러움.	기쁨, 행복함.

⬇

'결별이 이룩하는 축복'
이별은 슬프고 고통스러운 것이지만 이별을 통해 (   )의 성숙을 이룰 수 있음.

⬇

역설의 효과
• 참신하고 인상적인 느낌을 줌.
• 전달하고자 하는 의미를 (   )함.

학습 활동 엿보기

1 시의 주요 내용을 파악하며 시를 감상해 보자.

❶ 말하는 이가 어떤 장면을 바라보고 있는지 말해 보자.

[예시 답안] 말하는 이는 늦은 봄 (　　　)이 어지럽게 흩날리며 떨어지는 장면을 바라보고 있다.

❷ 말하는 이가 자연 현상을 통해 표현하려는 의미를 정리해 보자.

[예시 답안]

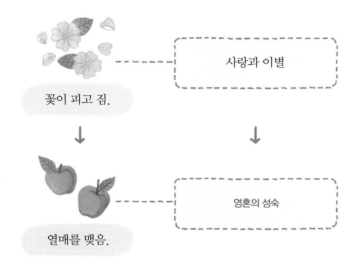

꽃이 피고 짐. → 사랑과 이별

열매를 맺음. → 영혼의 성숙

❸ 앞의 활동을 바탕으로 이 시의 주제를 이야기해 보자.

[예시 답안] 꽃이 지는 것이 '열매'라는 결과로 이어지듯이, 이별은 슬프고 고통스러운 체험이지만 그러한 체험을 통해 삶(영혼)의 (　　　)을 이룰 수 있다.

2 시에 나타난 역설과 그 효과를 이해해 보자.

❶ '결별'과 '축복'이라는 단어를 들으면 각각 어떤 느낌이 드는지 말해 보자.

[예시 답안] • 결별: 슬프다. 고통스럽다. 안타깝다. 등
• 축복: 기쁘다. 행복하다. 희망적이다. 등

❷ ❶을 바탕으로 다음 구절에 쓰인 표현 방법의 특징을 생각해 보자.

㉠결별이 이룩하는 축복

[예시 답안] 의미상 서로 어울리지 않는 말을 결합하여 (　　　) 의미를 만들어 냈다.

1 이 시에 대한 설명으로 적절하지 않은 것은?

① 사랑과 이별을 꽃이 피고 지는 것에 빗대어 표현했다.
② 말하는 이는 꽃잎이 어지럽게 떨어지는 장면을 바라보고 있다.
③ 영혼의 성숙, 내면적 성장을 열매를 맺는 것에 빗대어 표현했다.
④ 말하는 이는 자연 현상과 인간의 삶을 연관 지어 깨달음을 얻고 있다.
⑤ 말하는 이는 꽃이 떨어지는 모습을 보면서 변함없는 사랑을 다짐하고 있다.

2 이 시에서 '영혼의 성숙'을 비유적으로 표현한 시어는?

① 청춘　② 꽃잎　③ 열매
④ 뒷모습　⑤ 가야 할 때

학습 활동 응용
3 ㉠에 사용된 표현 방법에 대한 설명으로 알맞은 것은?

① 원관념을 보조 관념에 빗대어 함축적인 의미를 나타내는 표현 방법이다.
② 사람이 아닌 것을 사람처럼 표현하여 사실감을 느끼게 하는 표현 방법이다.
③ 자신의 심정과 반대로 표현하여 전달하고자 하는 의미를 강조하는 표현 방법이다.
④ 겉보기에는 논리적으로 모순되는 것 같으나 그 속에 삶의 중요한 진실을 담고 있는 표현 방법이다.
⑤ 비슷한 특성을 갖고 있는 대상에 빗대어 표현함으로써 독자가 쉽게 이해할 수 있도록 도와주는 표현 방법이다.

❸ ❷의 구절에 담긴 의미를 정리해 보자.

예시 답안 결별(이별)은 고통스럽고 힘든 체험이지만 그것을 경험하는 사람의 영혼(삶)을 성숙하게 하는 계기가 되므로 불행이 아니라 오히려 (   )이 될 수 있다.

❹ 앞의 활동을 바탕으로 이 시에 나타난 역설의 효과를 친구들과 이야기해 보자.

예시 답안 '결별'과 '축복'이라는 서로 어울리지 않는 말을 결합하여 참신한 느낌을 주고, 전달하고자 한 새로운 의미를 더욱 (   )해 준다.

❸ 역설을 활용하여 자신의 경험을 시로 표현해 보자.

❶ 상반된 특성이나 정서가 동시에 떠오르는 소재를 찾아보자.
예시 답안

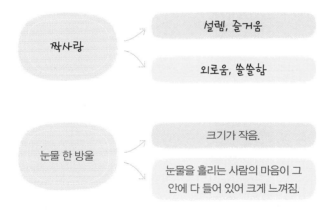

짝사랑 → 설렘, 즐거움
짝사랑 → 외로움, 쓸쓸함

눈물 한 방울 → 크기가 작음.
눈물 한 방울 → 눈물을 흘리는 사람의 마음이 그 안에 다 들어 있어 크게 느껴짐.

❷ ❶과 관련 있는 자신의 경험을 떠올리고 이를 정리해 보자.

예시 답안 친구와 사소한 일로 다툰 적이 있다. 그날 집에 돌아와 방에 혼자 앉아 있는데 눈물 한 방울이 떨어졌다. 그 눈물 안에 미안함, 후회, 속상함 등 내 마음이 모두 들어 있다고 생각하니 작은 눈물 한 방울이 크게 느껴졌다.

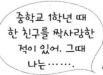

중학교 1학년 때 한 친구를 짝사랑한 적이 있어. 그때 나는……

🖊 주관식
4 '결별이 이룩하는 축복'에 사용된 표현 방법을 쓰시오.

5 이 시에 나타난 말하는 이의 생각으로 가장 알맞은 것은?
① 결별을 통해 영혼이 성숙할 수 있다.
② 결별의 시기를 알지 못하는 것이 축복이다.
③ 삶을 살아가면서 겪는 결별은 달갑지 않은 경험이다.
④ 꽃이 떨어지는 것은 필연적이지만 결별은 우연적이다.
⑤ 꽃이 떨어지는 것은 열매를 맺게 하지만 결별은 슬픔을 준다.

6 이 시에서 다음 밑줄 친 표현을 사용한 이유로 알맞은 것은?

> 분분한 낙화……
> <u>결별이 이룩하는 축복</u>에 싸여
> 지금은 가야 할 때,

① 만남과 헤어짐의 종교적 의미를 강조하기 위해서이다.
② '결별'을 통한 고독과 슬픔의 정서를 강조하기 위해서이다.
③ '결별'이 오히려 '축복'이 될 수 있다는 것을 강조하기 위해서이다.
④ '결별'의 순간에는 누구나 축복받는다는 것을 표현하기 위해서이다.
⑤ '낙화'의 의미를 소멸, 죽음과 연관 지어 주제를 전달하기 위해서이다.

❸ ❶, ❷를 바탕으로 역설을 활용하여 시적 표현을 만들어 보자.

짝사랑은 행복한 괴로움.
[예시 답안] 친구랑 다툰 날, 내가 흘린 작고도 큰 눈물 한 방울

❹ 앞의 활동을 바탕으로 시를 한 편 창작해 보자.
[예시 답안]

짝사랑

가끔이지만
네가 나를 바라보면 행복해.

가끔이지만
홀로 너를 생각하면 괴로워.

너무 행복하고 괴로운 것.
그건
짝사랑.

눈물 한 방울

친구랑 다투고
집에 간 날
눈에서 물이 나온다.
또르르 한 방울.

그 작은 방울 안에
슬픔도 있고
후회도 있고
속상함도 있다.

내 마음이
모두 들어 있다.

친구랑 다툰 날,
내가 흘린
작고도 큰
눈물 한 방울

❺ 자신이 쓴 시를 짝과 바꿔 읽고, 시에 역설이 효과적으로 활용되었는지 의견을
나누어 보자.
[예시 답안] "작고도 큰 눈물 한 방울"이라는 역설의 표현을 활용하여 작은 눈물 한 방울에 자신의 감정이 모
두 담겨 있다는 생각을 인상적으로 표현했다.

학습 활동 응용 문제

7 다음 밑줄 친 부분에 사용된 표현
방법은?

> 친구랑 다툰 날,
> 내가 흘린
> <u>작고도 큰</u>
> <u>눈물 한 방울</u>

① 역설　　　② 반어
③ 직유　　　④ 의인
⑤ 풍유

8 다음 중 역설이 사용되지 않은 것
은?

① 내 친구는 작은 거인이다.
② 우리들의 청춘은 아름답다.
③ 살고자 하면 죽고, 죽고자 하면
　산다.
④ 사람들을 이끌기 위해서는 그들
　의 뒤에서 걸어라.
⑤ 같은 것을 여러 번 보는 일은 언
　제나 새로운 것을 보게 해 준다.

생각 모으기

○ 이 단원에서 학습한 내용을 떠올리며 빈칸에 들어갈 적절한 말을
[보기]에서 찾아보자.

• 같은 단어나 비슷한 문장 구조를 반복하여 시의 ▢▢▢ 을/를 형성할
수 있다.

• ▢▢▢ 은/는 실제로 표현하고자 하는 의도와 반대되는 말로 나타내
는 표현 방법이다.

• 역설은 겉으로는 ▢▢▢ 되거나 불합리해 보이지만 실제로는 그 안
에 삶의 진실을 담고 있는 표현 방법이다.

• 다양한 문학적 표현 방법을 통해 자신의 생각이나 느낌을 ▢▢▢ 있
게 드러낼 수 있다.

[보기]

반어　　개성　　경험　　운율　　모순

○ 가, 나 의 표현 방법을 살펴보고, 각 표현 방법의 특징을 이야기해 보자.

> 가: 나를 잊어 줘.
> (나를 잊지 마⋯⋯.)
>
> 나: 너와 멀리 떨어져
> 있어도 나는 항상 네 곁에
> 있을 거야.

[예시 답안] • (가): 속마음과 (　　)로 표현하여 자신을 잊지 않기를 바라
는 마음을 (　　)했다.

• (나): '이별'과 '곁에 있음.'이라는 서로 어긋나는 내용을 결합하여 상대를 잊
지 않겠다는 (　　)를 (　　)했다.

소단원 **종합 문제**

[01~07] 다음 시를 읽고, 물음에 답하시오.

먼 훗날 당신이 찾으시면
㉠그때에 내 말이 '잊었노라'

당신이 속으로 나무라면
'무척 그리다가 잊었노라'

그래도 당신이 나무라면
'믿기지 않아서 잊었노라'

㉡오늘도 어제도 아니 잊고
먼 훗날 그때에 '잊었노라'

01 이 시에 대한 설명으로 알맞지 <u>않은</u> 것은?
(85)
① 말하는 이는 현재 '당신'과 이별한 상황이다.
② 말하는 이는 사랑하는 '당신'을 잊지 못하고 있다.
③ 과장된 표현을 통해 시인의 의도를 강조하고 있다.
④ 반복되는 요소를 활용하여 운율을 형성하고 있다.
⑤ 불특정한 미래에 '당신'을 만날 상황을 가정하여 말하는 이의 정서를 표현하고 있다.

02 이 시의 각 연에 대한 설명으로 알맞지 <u>않은</u> 것은?
(80)
① 1연: 불특정한 미래에 '당신'을 만나는 상황을 가정하여 '당신'을 그리워하고 있음을 표현했다.
② 2연: '당신'이 나무랄 때 말하는 이의 반응이 나타나 있다.
③ 3연: '당신'이 계속해서 나무랄 때 진심으로 '당신'을 잊을 것임을 다짐하고 있다.
④ 4연: 먼 훗날에도 '당신'에 대한 말하는 이의 마음이 변치 않을 것임을 반대로 표현했다.
⑤ 4연: 임을 잊지 못하고 그리워하는 말하는 이의 애절한 마음을 표현했다.

주관식
03 다음에 해당하는 시어를 찾아 쓰시오.
(90)
• 반복을 통해 운율을 형성함.
• '당신'을 잊지 못하는 화자의 마음을 반어적으로 표현함.

04 이 시에서 운율을 형성하는 요소와 그 효과로 알맞지 <u>않은</u> 것은?
(90)

운율을 형성하는 요소	• 3음보의 규칙적인 율격이 나타남. ……… ①
	• 같거나 비슷한 단어와 3·3·4개의 글자 수를 반복함. ……… ②
	• '그때에 내 말이'라는 시구를 각 연에서 반복함. ……… ③
효과	• 일정한 호흡으로 끊어 읽는 음보율로 음악성과 규칙성을 느끼게 함. ……… ④
	• 각 연에서 같은 단어를 반복하여 규칙적인 느낌을 주고 의미를 강조함. ……… ⑤

주관식
05 이 시의 운율을 고려하여 다음에서 끊어 읽을 부분을 바르게 표시하시오.
(85)

먼 훗날 당신이 찾으시면
그때에 내 말이 '잊었노라'

06 ㉠의 표면적 의미와 이면적 의미로 알맞은 것은?
(95)

	표면적 의미	이면적 의미
①	당신을 항상 그리워했다.	당신을 잊었다.
②	당신을 잊었다.	당신을 사랑하지 않는다.
③	결코 당신을 잊을 수 없다.	당신을 잊었다.
④	당신을 사랑한다.	한순간도 당신을 잊지 않겠다.
⑤	당신을 잊었다.	결코 당신을 잊을 수 없다.

 서술형 대비 문제

07 〈보기〉를 ㉡과 같이 바꾸어 표현했을 때의 효과를 쓰시오.
(90)
┤ 보기 ├
아주 먼 훗날이 되어도
나는 당신을 잊지 않을 것입니다.

조건 ㉡에 사용된 표현 방법과 그 개념을 언급할 것

[08~13] 다음 시를 읽고, 물음에 답하시오.

가야 할 때가 언제인가를
분명히 알고 가는 이의
㉠뒷모습은 얼마나 아름다운가.

봄 한철 / 격정을 인내한
나의 사랑은 지고 있다.

㉡분분한 낙화……
㉢결별이 이룩하는 축복에 싸여
지금은 가야 할 때,

무성한 녹음과 그리고
머지않아 열매 맺는 / 가을을 향하여

나의 청춘은 꽃답게 죽는다.

헤어지자. / ㉣섬세한 손길을 흔들며
㉤하롱하롱 꽃잎이 지는 어느 날

나의 사랑, 나의 결별,
샘터에 물 고이듯 성숙하는 / 내 영혼의 슬픈 눈.

08 이 시에 대한 설명으로 알맞지 **않은** 것은?
⑧⓪
① 시각적 심상이 주로 나타나 있다.
② 의문형 문장을 통해 의미를 강조하고 있다.
③ 자연 현상과 인간의 삶을 연결시키고 있다.
④ 직유법, 은유법, 의인법 등을 통해 대상을 효과적으로 표현하고 있다.
⑤ 시의 처음과 끝에 같은 내용을 반복하여 구조적인 안정감을 형성하고 있다.

09 이 시에서 자연 현상을 통해 표현하려는 인간의 삶이 바르게 연결되지 **않은** 것은?
⑨⓪

	자연 현상	인간의 삶
①	가을	풍요
②	봄	청춘 시절
③	꽃	사랑
④	낙화	이별
⑤	열매	영혼의 성숙

10 이 시의 말하는 이에 대한 설명으로 가장 알맞은 것은?
⑨⓪
① 낙화를 바라보며 사랑했던 사람을 그리워하고 있다.
② 떨어지는 꽃잎을 보며 자연에 대한 경외심을 느끼고 있다.
③ 떨어지는 꽃잎처럼 어지러운 세상에 대해 비판하고 있다.
④ 짧은 시간 피었다가 지는 꽃잎의 모습에서 인생의 무상함을 느끼고 있다.
⑤ 꽃잎이 어지럽게 흩날리는 장면을 바라보며 삶에 대한 깨달음을 얻고 있다.

11 ㉠~㉤에 대한 설명으로 적절하지 **않은** 것은?
⑨⑤
① ㉠: 설의법을 사용하여 떠나야 할 때를 알고 가는 이의 아름다움을 표현하고 있다.
② ㉡: 생략법을 사용하여 여운을 주고 있다.
③ ㉢: 역설을 사용하여 이별의 슬픔을 강조하고 있다.
④ ㉣: 의인법을 사용하여 떨어지는 꽃잎이 손길을 흔든다고 표현하고 있다.
⑤ ㉤: 의태어를 사용하여 낙화의 모습을 시각적으로 표현하고 있다.

12 다음 중 역설이 사용되지 **않은** 것은?
⑧⑤
① 이것은 소리 없는 아우성
② 나는 아직 기다리고 있을 테요, 찬란한 슬픔의 봄을.
③ 아아, 님은 갔지만 나는 님을 보내지 아니하였습니다.
④ 밤에 홀로 유리를 닦는 것은 / 외로운 황홀한 심사이어니
⑤ 식사하고 남은 음식물 쓰레기. / 봉툿값 아까워 그냥 버리네. / 당신은 절약의 달인

서술형 대비 문제

13 이 시의 주제 의식과 그것을 강조하기 위해 사용한 표현 방법을 쓰시오
⑨⓪
조건 '결별'에 대한 말하는 이의 태도가 잘 드러나는 시구를 찾고, 그 시구에 활용된 표현 방법을 제시할 것

02

1. 표현의 빛깔

이야기로 표현하기

| 학습 목표 | 소설에 쓰인 문학적 표현 방법을 이해하고, 자신의 가치 있는 경험을 개성적인 발상과 표현으로 형상화할 수 있다.

① 풍자

시험에 **잘** 나온대
■풍자의 효과
예 다음 중 풍자를 사용했을 때의 효과로 알맞지 않은 것은?

- **뜻** 부정적인 현상이나 모순 등을 직접 말하지 않고 다른 것에 빗대어 비웃으면서 표현하는 방법
- **풍자의 목적** 대상을 비판하고 공격함으로써 잘못을 바로잡고 상황을 개선하고자 함.
- **풍자의 특징**
  - 독자의 웃음을 유발하고, ① [   ] 의식을 드러냄.
  - 대상의 문제점을 날카롭게 지적하여 폭로하고 조롱함.
  - 간접적이고 우회적인 방법을 사용하여 대상을 우스꽝스럽게 표현함.
- **풍자의 효과**
  - 직접적인 비판보다 대상을 더욱 인상 깊게 비판함.
  - 웃음을 유발하여 독자가 즐거움을 느끼도록 하는 한편, 현실을 바로 볼 수 있는 ② [   ] 을 갖게 함.

② 풍자와 해학의 공통점과 차이점

시험에 **잘** 나온대
■풍자의 특징
예 다음 중 풍자에 대한 설명으로 가장 적절한 것은?

	풍자	해학
공통점	대상을 과장하여 ③ [ ] 을 유발함.	
차이점	• 비판적 웃음으로 주체가 대상을 공격함. • 사회 현상이나 문제점 개선과 관련이 있음.	• 대상에 대한 호감과 연민의 웃음으로 주체와 대상이 함께 웃음. • 부정적 현실을 낙천적으로 바라보는 포용적인 태도와 관련이 있음.

③ 풍자가 사용된 소설을 감상하는 방법

방법	〈양반전〉 예시
• 소설에서 풍자하고 있는 대상을 찾는다.	주된 비판의 대상은 '양반'임.
• 등장인물의 말 가운데 대상을 ④ [ ] 으로 표현한 부분을 찾는다.	양반의 아내가 "한 푼어치도 안 되는 그놈의 양반!"이라고 말하는 부분이나, 부자가 "나를 도둑놈으로 만들 작정입니까?"와 같이 양반을 부정적으로 표현한 부분을 찾음.
• 대상을 과장하거나 왜곡하여 표현한 부분을 찾는다.	신분을 매매한 후 자신을 과장되게 낮추는 양반의 모습이나 두 번째 매매 증서에서 권력을 남용하는 양반의 모습을 찾음.
• 대상의 모습을 우스꽝스럽게 표현한 부분을 찾는다.	환곡을 갚을 능력이 없어 밤낮으로 울기만 하는 양반의 모습을 찾음.
• 작가가 대상에 대해 어떤 태도를 갖고 있는지 파악한다.	작가가 양반의 무능과 허례허식, 특권 남용과 횡포를 비판하고 있음을 파악함.

답 | ① 비판 ② 통찰력 ③ 웃음 ④ 부정적

바로바로 개념 체크

주관식

1 다음 빈칸에 알맞은 말을 쓰시오.

> 부정적인 현상이나 모순 등을 직접 말하지 않고 다른 것에 빗대어 비웃으면서 표현하는 방법을 (   )라고 한다.

2 풍자에 대한 설명으로 알맞지 않은 것은?
① 웃음을 유발한다.
② 대상의 문제점을 날카롭게 지적한다.
③ 대상에 대한 호감과 연민을 바탕으로 한다.
④ 사회 현상이나 문제점 개선과 관련이 있다.
⑤ 직접적인 비판보다 대상을 더욱 인상 깊게 비판한다.

3 풍자가 사용된 소설을 감상하는 방법으로 알맞지 않은 것은?
① 풍자하고 있는 대상을 찾는다.
② 대상의 처지에 공감하는 부분을 찾는다.
③ 대상을 부정적으로 표현한 부분을 찾는다.
④ 대상을 과장하거나 왜곡되게 표현한 부분을 찾는다.
⑤ 작가가 대상에 대해 어떤 태도를 갖고 있는지 파악한다.

양반전 | 박지원

- 갈래 단편 소설, 한문 소설, 풍자 소설
- 제재 양반 신분 매매
- 특징 • 집권층의 허례허식과 위선을 비판하고 이용후생을 강조하는 작가의 의식이 잘 드러남.
  - 조선 후기 양반 사회를 신랄하게 풍자함.
  - 무능하고 부도덕한 양반의 모습과 양반을 선망의 대상으로 삼고 신분 상승을 노리는 평민 계급을 함께 비판함.
- 성격 비판적, 사실적, 풍자적
- 주제 양반들의 무능과 비생산성, 허례허식과 횡포에 대한 풍자

소단원 포인트

❶ **환곡을 갚지 못해 감옥에 갈 위기에 처한 양반의 모습** 양반의 무능과 비생산성을 풍자함.
❷ **매매 증서의 내용과 풍자 대상** 첫 번째 증서는 양반의 허례허식을 풍자하고, 두 번째 증서는 부당한 특권을 남용하는 양반의 모습을 풍자함.
❸ **양반이 되기를 거부하는 부자의 모습** 양반의 부당한 특권과 횡포를 간접적으로 비판하여 양반을 바라보는 작가의 비판적인 시각을 드러냄.

처음

교과서 30쪽 ▶

중요 포인트
· 양반의 처지
· 무능하고 비생산적인 양반의 모습

시험에 **잘** 나온대
▣ 양반의 처지
⭐ (가)를 통해 알 수 있는 양반의 처지로 알맞은 것은?

가 양반이란, 선비를 높여서 부르는 말이다.

강원도 정선군에 한 양반이 살고 있었다. 이 양반은 어질고 글 읽기를 좋아하여, 군수가 새로 부임할 때마다 몸소 그 집을 찾아가서 인사를 드렸다. 그런데 이 양반은 가난하여 해마다 관청의 환곡(還穀)을 꾸어다 먹었다. 그 빚을 갚지 못하고 해마다 쌓여서 천 섬에 이르렀다.

조선 시대에, 곡식을 저장했다가 백성들에게 봄에 꾸어 주고 가을에 이자를 붙여 거두던 일. 또는 그 곡식

▶ 꾸어 먹은 환곡이 천 섬에 이른 양반

나 강원도 감사가 정선 고을을 돌아보다가 환곡 장부를 조사하고 크게 노하였다.

"어떤 놈의 양반이 나라의 곡식을 축냈단 말이냐?"

감사는 그 양반을 잡아 가두라고 명했다. 군수는 그 양반이 가난해서 빚을 갚지 못하는 것을 딱하게 여겨 차마 가두지는 못하였다. 그러나 군수도 양반의 빚을 해결할 방법은 없었다.

양반은 빚을 갚을 길이 없어서 밤낮으로 울기만 하였다. 그의 아내가 양반을 몰아붙였다.

"당신은 평소에 글 읽기만 좋아하더니, 환곡을 갚는 데는 전혀 도움이 안 되는구려. ⊙쯧쯧, 양반이라니……, 한 푼어치도 안 되는 그놈의 양반!"

▶ 양반의 무능과 비생산성을 비판하는 아내

시험 포인트 01

● 처음 부분에 나타난 풍자의 내용과 표현 방식

┌──────────────────────────────┐
│ □□을 갚지 못해 감옥에 갈 위기에 처한 양반 │
└──────────────────────────────┘

양반의 무능	양반의 무능과 비생산성
양반은 빚을 갚을 길이 없어서 밤낮으로 울기만 하였다.	"쯧쯧, 양반이라니……, 한 푼어치도 안 되는 그놈의 양반!"
↓	↓
양반의 모습을 □□□함.	등장인물의 조롱하는 말과 빈정거리는 말투를 통해 양반의 부정적인 면을 □□함.

처음 소주제 한 가난한 양반이 환곡을 갚지 못해 곤경에 빠짐.

소단원 체크

1 (가), (나)에서 알 수 있는 양반에 대한 설명으로 알맞지 <u>않은</u> 것은?
① 성품이 어질고 글 읽기를 좋아한다.
② 빚을 갚을 길이 없어 밤낮으로 울었다.
③ 환곡을 갚지 못하여 빚이 천 섬에 이르렀다.
④ 가난하여 관청에서 환곡을 꾸어다 먹었다.
⑤ 양반이라는 신분이 환곡을 갚는 데 전혀 도움이 안 된다며 한탄했다.

2 ⊙을 통해 풍자하고자 하는 양반의 모습으로 알맞은 것은?
① 신분 차별적 태도
② 무능함과 비생산성
③ 학문적 지식의 부족
④ 변화를 거부하는 모습
⑤ 사람을 대하는 이중적인 태도

tip 〈양반전〉에 나타난 사회적 배경
· 경제적으로 몰락하는 양반이 생겨남.
· 양반의 권위가 점차 사라짐.
· 사회, 경제적으로 성장하는 평민 계층이 등장함.
↓
엄격했던 신분 질서가 붕괴되기 시작함.

중간

교과서 30쪽 ▶

중요 포인트
• 부자가 양반 신분을 사려는 이유
• 당시의 시대 상황
• 증서의 내용

시험에 **잘** 나온대
■ 소설에 드러난 사회상
01 (다)에서 알 수 있는 당시의 사회상으로 알맞은 것은?

다 그때 그 마을에 사는 부자가 그 양반의 소문을 듣고 가족과 의논하였다.

"양반은 아무리 가난해도 늘 귀한 대접을 받고, 우리는 아무리 잘살아도 항상 천한 대접을 받는다. 양반이 아니므로 말이 있어도 말을 타지 못한다. 또한 양반만 보면 굽실거리며 제대로 숨소리도 내지 못하고, 뜰아래 엎드려 절해야 하고, 코를 땅에 박고 무릎으로 기어가야 한다. 우리 신세가 가엾지 않느냐? 지금 저 양반이 환곡을 갚지 못해서 아주 난처하다고 한다. 그 형편으로는 도저히 양반의 신분을 지키지 못할 것이다. 그러니 우리가 그의 양반을 사서 양반 신분으로 살아 보자."

부자는 곧 양반을 찾아가 환곡을 대신 갚아 주겠다고 청하였다. 양반은 크게 기뻐하며 승낙하였다. 부자는 즉시 관청에 가서, 양반 대신 환곡을 갚았다.

▶ 양반의 신분을 사기 위해 환곡을 대신 갚은 부자

시험에 **잘** 나온대
■ 양반이 자신을 낮추는 이유
02 양반이 군수에게 자신을 낮추는 이유로 알맞은 것은?

라 군수는 양반이 천 섬이나 되는 환곡을 모두 갚자 몹시 놀랐다. 군수는 환곡을 갚게 된 사정을 알아보려고 양반을 찾아갔다. 그런데 뜻밖에 ㉠양반이 벙거지에
주로 졸병이나 하인이 쓰던 털로 만든 검고 두꺼운 모자
잠방이를 입고, 길에 엎드려 '소인(小人), 소인.' 하며 자신을 낮추지 않는가? 그뿐
옛날에 흔히 농사꾼들이 일할 때 입던 반바지
만 아니라 양반은 감히 군수를 쳐다보지도 못하였다. 군수가 깜짝 놀라 양반을 붙들고 물었다.

"그대는 어째서 이런 짓을 하시오?"

양반은 더욱 벌벌 떨면서 머리를 땅에 조아리며 아뢰었다.

"황송하옵니다. 소인이 저 자신을 욕되게 하려는 것이 아닙니다. 환곡을 갚느라고 이미 양반을 팔았으니, 이제는 이 마을의 부자가 양반입니다. 소인이 어찌 다시 양반 행세를 하겠습니까?"

군수는 감탄해서 말하였다.

"군자로구나, 부자여! 양반이로구나, 부자여! 부자이면서도 재물을 아끼지 않으니 의로운 일이요, 남의 어려움을 도와주니 어진 일이요, 천한 것을 싫어하고 귀한 것을 바라니 지혜로운 일이다. 이야말로 진짜 양반이로구나! 그러나 양반을 사고팔면서 증서를 작성하지 않았으니, 소송(訴訟)의 꼬투리가 될 수 있다. 그러니 고을 사람들을 불러 모아 증인으로 세우고, 증서를 만들어서 양반을 사고 판 일을 모두에게 알리도록 하자. 나도 당연히 증서에 서명을 하겠다."

군수는 관청으로 돌아와서, 고을의 양반과 농사꾼, 장고(匠人), 장사치들까지
손으로 물건을 만드는 일을 직업으로 하는 사람
모조리 불러 모았다. 그리고 부자를 높은 자리에 앉히고, 양반을 낮은 자리에 세워 두고는 다음과 같이 증서를 작성하였다.

교과서 날개 1. 부자가 양반 신분을 사려고 하는 이유를 말해 보자.
교과서 날개 응용

3 부자가 양반의 신분을 사고 싶어 하는 이유로 알맞은 것은?

① 군수에게 가족들이 서러움을 당하는 모습을 보았기 때문이다.
② 감사로부터 양반이 환곡을 갚게 하라는 명을 받았기 때문이다.
③ 환곡을 갚지 못하는 양반을 대가 없이 도와주고 싶어서이다.
④ 현실적인 경제관념이 없던 양반에게 사회 분위기를 알려 주기 위해서이다.
⑤ 양반은 늘 귀한 대접을 받는데 자신은 천한 대접을 받는 것에 한이 맺혔기 때문이다.

교과서 날개 2. 양반이 자신을 낮추는 이유는 무엇인가?
교과서 날개 응용

4 양반이 ㉠과 같이 행동한 이유로 알맞은 것은?

① 부자가 제시한 조건이었기 때문이다.
② 자신의 신분을 부자에게 팔았기 때문이다.
③ 군수가 환곡을 갚으라고 재촉했기 때문이다.
④ 감사가 군수의 권위에 대해 알려 주었기 때문이다.
⑤ 부자에게 신분을 팔았다는 사실을 숨기기 위해서이다.

5 (다), (라)를 통해 알 수 있는 당시의 시대 상황으로 알맞은 것은?

① 신분 제도가 전면 폐지되었다.
② 돈이 많으면 양반보다 더 대접받았다.
③ 신분 질서가 엄격하게 유지되고 있었다.
④ 돈을 주고 신분을 사고파는 것이 가능했다.
⑤ 양반이어도 돈이 없으면 사람들로부터 멸시받았다.

시험에 잘 나온대

■ 첫 번째 증서를 통해 풍자한 양반의 모습

40 이 글에서 첫 번째 신분 매매 증서를 통해 풍자하고자 한 양반의 모습으로 알맞지 않은 것은?

건륭(乾隆) 10년(1745년, 영조 21년) 9월에 이 증서를 만드노라.

　　청나라 연호

이 문서는 천 섬으로 양반을 사고팔아서 환곡을 갚은 것을 증명한다.

양반이란 여러 가지로 일컬어진다. 글을 읽으면 선비라 하고, 벼슬을 하면 대부(大夫)라 하고, 덕이 뛰어나면 군자라고 한다. 무관은 서쪽에 늘어서고 문관은 동쪽에 늘어서는데, 이것이 바로 양반이다. 따라서 선비, 대부, 군자, 무관, 문관 가운데에서 좋을 대로 부르면 된다.

더러운 일을 딱 끊고, 옛사람을 본받고, 높은 뜻을 가져야 한다. 매일 새벽에 일어나 등잔을 켜고서, 눈은 가만히 코끝을 내려 보고 발꿈치를 궁둥이에 모으고 앉아, 얼음 위에 박 밀듯이 《동래박의(東萊博議)》를 줄줄 외워야 한다. 배고픔과 추위를 참고 견디며,

　　말이나 글을 거침없이 줄줄 내리읽거나 내리외는 모양을 비유적으로 이르는 말
　　중국 남송의 여조겸이 《춘추좌씨전(春秋左氏傳)》을 풀이한 책

가난 타령은 아예 하지 말아야 한다. 어금니를 딱딱 마주치고 뒤통수를 톡톡 두드리며, 침을 입 안에 머금고 가볍게 양치질하듯이 삼켜야 한다. 소맷자락으로 털모자를 닦아 먼지를 떨어내어, 모자에 물결무늬가 뚜렷하게 해야 한다. 세수할 때는 주먹으로 비비지 말고, 입 냄새가 나지 않게 이를 잘 닦아야 한다. 소리를 길게 뽑아서 종을 부르며, 신발을 땅에 끌 듯이 느릿느릿 걸음을 옮겨야 한다. 《고문진보(古文眞寶)》, 《당시품휘(唐詩

　　중국 송나라 말기에 황견이 주나라 때부터 송나라 때까지의 시문(詩文)을 모아서 엮은 책

品彙)》를 깨알같이 베껴 쓰되, 한 줄에 백 자씩 써야 한다.

　　중국 명나라의 고병이 당나라의 시를 모아서 엮은 책

손에 돈을 쥐지 말고, 쌀값을 묻지 말고, 더워도 버선을 벗지 말고, 맨상투로 밥상에 앉지 말고, 밥보다 국을 먼저 먹지 말고, 물을 후루룩 마시지 말고, 젓가락으로 방아를 찧지 말고, 생파를 먹지 말고, 막걸리를 들이켠 다음 수염을 쭉 빨지 말고, 담배를 피울 때는 볼이 움푹 패도록 빨지 말아야 한다.

화가 난다고 아내를 때리지 말고, 그릇을 내던지지 말고, 아이들에게 주먹질을 하지 말고, 죽으라고 종놈을 야단치지 말아야 한다. 소와 말을 꾸짖되 그것을 판 주인까지 싸잡아 욕하지 말고, 아파도 무당을 부르지 말고, 제사 지낼 때 중을 부르지 말고, 추워도 화로에 곁불을 쬐지 말고, 말할 때 입에서 침을 튀기지 말고, 소 잡는 일을 하지 말고, 돈으로 노름을 하지 말아야 한다.

이러한 사항을 어기면, 이 증서를 토대로 관청에서 양반의 옳고 그름을 따질 것이다.

　　조선 시대에 지방의 수령을 보좌하던 자문 기관인 유향소(留鄕所)에 속한 직책, 고을의 좌수에 버금가는 자리

정선 군수가 서명하고, 좌수(座首)와 별감(別監)이 증인으로서 서명함.

　　조선 시대 지방의 자치 기구인 향청(鄕廳)의 우두머리

▶ 군수가 첫 번째 신분 매매 증서를 작성함.

6 이 글의 군수에 대한 설명으로 알맞지 않은 것은?

① 양반의 빚을 대신 갚아 준 부자를 칭찬한다.

② 부자에게 양반의 신분을 살 것을 제안한다.

③ 신분 매매 증서에 자신도 서명하겠다고 한다.

④ 신분 매매 증서에 양반으로서 해야 할 일을 나열한다.

⑤ 양반을 사고판 일을 모두에게 알리자고 제안한다.

교과서 날개 　3. 첫 번째 증서에 나타난 양반의 모습은 어떠한가?

교과서 날개 응용

7 첫 번째 증서에 나타난 '양반'의 모습이 아닌 것은?

① 소리를 길게 뽑아서 종을 부른다.

② 더워도 버선을 벗지 말아야 한다.

③ 화로에 곁불을 쬐되 춥다고 말해서는 안 된다.

④ 매일 새벽에 일어나 《동래박의》를 외워야 한다.

⑤ 더러운 일을 끊고, 옛사람을 본받고, 높은 뜻을 가져야 한다.

8 첫 번째 증서에서 알 수 있는 양반들이 중요시하는 요소는?

① 충절　　② 효도　　③ 겸손
④ 실용　　⑤ 체면

9 첫 번째 증서를 통해 주로 비판하고자 한 양반의 모습으로 알맞은 것은?

① 겉치레와 관념에 얽매여 있는 모습

② 유흥에 빠져 학문을 게을리하는 모습

③ 남을 돕지 않고 개인의 이익만 추구하는 모습

④ 권력을 이용하여 평민들에게 횡포를 부리는 모습

⑤ 경제적 어려움을 이기지 못하고 다른 사람에게 도움을 청하는 모습

마 이에 관청의 하인(下人)이 탁탁 도장을 찍는데, 그 소리는 마치 북을 치는 것 같고, 찍어 놓은 모양은 하늘에 별이 펼쳐진 것 같았다.

호장(戶長)이 증서를 다 읽고 나자, 부자는 어처구니가 없어서 한참이나 멍하니
조선 시대 각 관아의 벼슬아치 밑에서 일을 보던 사람 중 우두머리
있다가 말하였다.

"양반이라는 게 겨우 요것뿐입니까? 저는 양반이 신선 같다고 들었는데, 정말 이렇다면 너무 재미가 없는걸요. ㉠원하옵건대 제게 이익이 되도록 문서를 고쳐 주십시오."

그래서 문서를 다시 작성하였다.

> 하늘이 백성을 낳을 때 넷으로 구분하였다. 네 가지 백성 가운데 가장 높은 것이 선비이니, 이것이 곧 양반이다. 양반의 이익은 막대하다. 농사도 짓지 않고 장사도 하지 않는다. 글만 대충 읽어도 크게 되면 문과(文科)에 급제하고, 작아도 진사(進士)가 된다.
>
> 문과의 홍패(紅牌)는 팔뚝만 하지만, 여기에 온갖 물건이 갖추어져 있으니, 그야말로
> 과거의 문과 두 번째 시험에 합격한 사람의 성적, 등급, 성명을 붉은 색 종이에 먹으로 적어 주던 증서
> 돈 자루이다. 서른에야 진사가 되어 첫 벼슬을 얻더라도, 오히려 이름난 음관(蔭官)이
> 과거를 거치지 않고 조상의 공덕에 의해 맡은 벼슬. 또는 벼슬아치
> 되어 높은 벼슬자리에 오를 수 있다. 언제나 종들이 양산을 받쳐 주므로 귀밑이 희어지고, 설렁줄만 당기면 종들이 '예.' 하므로 뱃살이 처진다. 방에서는 귀걸이로 치장한 기
> 사람을 부르기 위해 처마 같은 곳에 달아 놓은 방울을 울릴 때 잡아당기는 줄
> 생과 노닥거리고, 뜰에서는 남아도는 곡식으로 학(鶴)을 기른다.
>
> 벼슬을 아니 하고 시골에 묻혀 살더라도 모든 일을 제멋대로 할 수 있다. 강제로 이웃의 소를 끌어다 먼저 자기 땅을 갈고, 마을의 일꾼을 잡아다 먼저 자기 논의 김을 맨들, 누가 감히 나에게 대들겠느냐? 네놈들 코에 잿물을 들이붓고, 머리끄덩이를 잡아 휘휘 돌리고, 귀밑 수염을 다 뽑아도 누가 감히 나를 원망하겠느냐?

▶ 부자의 요구로 신분 매매 증서를 다시 작성함.

시험 포인트 02

● '양반 매매 증서'의 내용과 풍자 대상

첫 번째 증서	두 번째 증서
• 양반으로서 지켜야 할 덕목과 행실을 나열함. • 체면을 지키기 위한 □□□□에 얽매여 있는 양반의 모습이 나타남.	• 무위도식하며 비생산적인 양반의 모습을 나열함. • 개인적인 이익만을 취하며 부당한 특권을 □□하는 양반의 모습이 나타남. • 다른 계층에 □□를 부리는 양반의 모습이 나타남.
겉치레와 형식적인 관념에만 얽매여 있는 양반의 모습 풍자	신분을 이용해 백성을 괴롭히고 부당한 특권을 남용하는 양반의 모습 풍자

중간 소주제 | 부자가 양반의 환곡을 대신 갚아 주고 그 대가로 양반의 신분을 사기로 하자 이를 알게 된 군수가 증서 작성을 제안하여 두 번에 걸쳐 양반 매매 증서를 작성함.

10 부자가 ㉠과 같이 말한 이유로 알맞은 것은?

① 평민일 때 당했던 서러움이 떠올랐기 때문에
② 양반이 누릴 수 있는 특권에 대한 언급이 없었기 때문에
③ 양반의 신분을 사는 가격이 너무 비싼 것 같았기 때문에
④ 신분을 매매하는 양반의 처지가 불쌍하게 느껴졌기 때문에
⑤ 신분 매매 후 양반과의 관계를 분명히 정리해야 했기 때문에

11 두 번째 증서에서 알 수 있는 양반의 모습이 아닌 것은?

① 농사를 짓지 않고 장사도 하지 않는다.
② 강제로 남의 소를 끌어다 자기 땅을 먼저 갈 수 있다.
③ 과거를 거치지 않고 높은 벼슬자리에 오를 수도 있다.
④ 가문의 수치인 홍패만 숨기면 막대한 이익을 취할 수 있다.
⑤ 마을의 일꾼을 잡아다 먼저 자기 논의 김을 매도 아무도 대들지 않는다.

교과서 날개 **4.** 두 번째 증서에서는 양반의 어떤 모습이 강조되고 있는가?
교과서 날개 응용

12 두 번째 증서를 통해 주로 비판하고자 한 양반의 모습으로 알맞은 것은?

① 체면을 지키기 위해 허례허식에 얽매여 있는 모습
② 형식에만 얽매여 진실을 밝히지 못하는 어리석은 모습
③ 신분을 이용해 백성을 괴롭히고 부당한 특권을 남용하는 모습
④ 신분 제도의 폐지를 주장하면서도 평민을 괴롭히는 이중적인 모습
⑤ 자신의 의견만 중시하고 다른 사람의 의견을 무시하는 권위적인 모습

교과서 36쪽 ▶

끝

중요 포인트
- 부자가 양반이 되기를 거부한 이유
- 양반을 바라보는 작가의 시각

시험에 잘 나온대
■ 부자가 양반이 되기를 거부한 이유
❶ 부자가 양반이 되기를 거부한 이유로 알맞은 것은?

바 부자는 증서 내용을 듣고 있다가 혀를 내둘렀다.

"그만두시오, 그만두시오. 참으로 맹랑하구먼. 나를 도둑놈으로 만들 작정입니까?"

부자는 머리를 흔들면서 떠나 버렸다. 그러고는 죽을 때까지 다시는 양반이 되고 싶다는 말을 입에 올리지 않았다.

▶ 부자가 양반이 되기를 포기함.

시험 포인트 03

● 끝부분에 나타난 풍자의 내용과 표현 방식

양반이 되기를 거부하는 부자의 모습
"그만두시오, 그만두시오. 참으로 맹랑하구먼. 나를 도둑놈으로 만들 작정입니까?"

- 양반의 부당한 특권과 횡포를 인물의 말을 통해 □□□으로 비판함.
- 양반을 바라보는 작가의 □□□ 시각이 단적으로 드러남.

끝 소주제 부자는 증서의 내용을 통해 양반의 허례허식과 부도덕함을 깨닫고 양반이 되기를 포기함.

교과서 날개 5. 부자가 양반이 되는 것을 포기한 이유를 생각해 보자.

교과서 날개 응용

13 (바)에서 부자가 양반이 되는 것을 포기한 이유로 알맞은 것은?

① 양반의 허례허식과 부도덕함을 깨달았기 때문이다.
② 자신이 양반의 체면을 지킬 수 없다고 생각했기 때문이다.
③ 물질을 하찮게 여기는 양반이 마음에 들지 않았기 때문이다.
④ 양반 신분을 매매하기에는 너무 많은 돈이 필요했기 때문이다.
⑤ 양반이 되어도 삶이 달라지지 않는다고 생각했기 때문이다.

주관식

14 당시 양반 계층에 대한 작가의 비판적 시각이 단적으로 드러나는 단어를 찾아 쓰시오.

tip 연암(燕巖) 박지원

조선 후기의 실학자로 호는 연암(燕巖)이다. 1780년 형인 박명원이 청나라 사신으로 갈 때, 그를 따라가 서민 생활에 도움이 되는 청나라의 기술 문물을 눈여겨보고 귀국하여 대작 《열하일기(熱河日記)》를 썼다. 〈양반전〉, 〈허생전〉, 〈호질〉 등의 한문 소설을 통해 고루하고 무능한 양반을 풍자하고, 독창적이고 사실적인 문장을 구사하여 문체 혁신의 표본이 되기도 했다.

생각 모으기

● 이 단원에서 학습한 내용을 떠올리며 빈칸에 들어갈 적절한 말을 **보기** 에서 찾아보자.

- 풍자는 현실의 부정적인 현상이나 모순 등을 빗대어 비웃으면서 ◻◻◻하는 표현 방법이다.
- 풍자는 대상의 부정적인 면을 우스꽝스럽게 표현함으로써 ◻◻을/를 유발한다.
- 문학 작품에서 풍자를 활용하면 전하려는 내용을 더욱 ◻◻하여 나타낼 수 있다.

보기
웃음   강조   비판   폭로

● **가**, **나** 에 나타난 표현 방법을 비교해 보고, 이를 바탕으로 풍자의 특징을 생각해 보자.

가 이동 통신사 약정, 휴대 전화 교체 부추겨

설문 조사 결과 휴대 전화 교체 주기가 평균 2년에 불과한 것으로 나타났다.

나 정해진 이별

새로운 시작

– 하상욱 단편 시집 '2년 약정' 중에서

예시 답안 (가)는 이동 통신사의 약정 제도가 휴대 전화 교체를 부추긴다는 현실의 문제를 (   ) 비판하고, (나)는 약정에 따른 휴대 전화 교체를 만남과 이별의 관계에 (   ) 비판하고 있다. 이를 통해 풍자가 (   )을 유발하며 부정적인 현상이나 모순 등을 (   )으로 비판하는 방법임을 알 수 있다.

● 다음은 소설 〈양반전〉의 주요 사건이다. 양반과 부자, 군수의 행동을 중심으로 내용을 정리해 보자.

〈양반전〉의 주요 사건 파악하기

정선 고을의 한 양반이 가난하여   을/를 갚지 못해 곤경에 빠짐.

같은 마을에 사는 부자가 양반 대신 천 섬이나 되는 환곡을 갚고 양반   의 신분을 삼.

          이/가 양반을 사고판 증서를 만들 것을 제안하고, 두 번에 걸쳐 증서를 작성함.

부자는 증서의 내용을 듣고 자신을 도둑놈   (으)로 만들 작정이냐며 그만두자고 함.

02 소단원 마무리

핵심 정리

양반전

주제
양반들의 무능과 비생산성, 허례허식과 횡포에 대한 풍자

특징
• 집권층의 허례허식과 위선을 비판하고 이용후생을 강조하는 작가의 의식이 잘 드러남.
• 조선 후기 양반 사회를 신랄하게 풍자함.
• 무능하고 부도덕한 양반의 모습과 양반을 선망의 대상으로 삼고 신분 상승을 노리는 평민 계급을 함께 비판함.

갈래
단편 소설, 한문 소설, 풍자 소설

성격
비판적, 사실적, 풍자적

제재
양반 신분 매매

주요 포인트

이 글의 짜임

처음	한 가난한 양반이 환곡을 갚지 못해 곤경에 빠짐.
중간	부자가 양반의 환곡을 대신 갚아 주고 그 대가로 양반의 신분을 사기로 하자 이를 알게 된 군수가 증서 작성을 제안하여 두 번에 걸쳐 양반 매매 증서를 작성함.
끝	부자는 증서의 내용을 통해 양반의 허례허식과 부도덕함을 깨닫고 양반이 되기를 포기함.

이 글의 등장인물

양반	• 경제적으로 무능하며 현실 대응 능력이 없음. • 가장 신랄한 ( )의 대상이 됨.
( )	무능한 양반을 비판하고 양반 계층의 권위를 부정함.
부자	• 조선 후기에 새롭게 등장한 신흥 세력의 전형 • ( )을 바탕으로 신분 상승을 꾀하지만, 양반의 실상을 알고 이를 포기함.
군수	양반과 부자 사이의 신분 매매 ( )를 작성함.

이 글에 나타난 시대적 상황

• 부유한 평민층이 등장함.
• 경제적으로 몰락한 양반이 생겨남.
• 돈으로 (   )을 사고파는 일이 가능해짐.

➡ 엄격하던 신분 질서가 무너져 가던 조선 후기(18세기)의 사회상

신분 매매 증서의 내용과 부자의 반응

	첫 번째 증서	두 번째 증서
내용	양반으로서 지켜야 할 일상적인 규범과 태도	양반이 누릴 수 있는 특권
부자의 반응	자신에게 이익이 되도록 문서를 고쳐 주기를 요구함.	양반을 도둑놈과 같다고 생각하며 양반 되기를 포기함.

⬇

• (   )와 형식적인 관념에만 얽매여 있는 양반의 모습을 풍자함.
• 신분을 이용해 백성을 괴롭히고 부당한 특권을 (   )하는 양반의 모습을 풍자함.

학습 활동 엿보기

1 작품 속 인물과 사회의 모습을 파악해 보자.

❶ 양반이 처한 상황을 중심으로 주변 인물의 입장이나 행동을 정리해 보자.

예시 답안

양반

어질고 [글 읽기] 을/를 좋아하지만, 빚을 갚지 못해 자신의 ＿＿＿ 을/를 팔게 됨.

양반 아내

> 글 읽기가 빚을 갚는 데 전혀 도움이 되지 않음을 ＿＿＿ 함.

부자

> 평소 천한 대접을 받는 것을 한탄하며 (＿＿＿)을 사려 하나, 양반의 실제 모습을 알게 되자 양반이 되기를 포기함.

군수

> 양반 신분을 사고관 일을 고을 사람들에게 알리자며 [증서] 을/를 작성함.

❷ 다음 증서의 내용을 통해 알 수 있는 양반의 모습을 말해 보자.

> ㉠손에 돈을 쥐지 말고, 쌀값을 묻지 말고, 더워도 버선을 벗지 말고……

> 강제로 이웃의 소를 끌어다 먼저 자기 땅을 갈고, 마을의 일꾼을 잡아다……

예시 답안 · 비생산적이고 (＿＿＿)과 형식을 중시하는 양반의 모습
· 신분을 이용하여 백성을 괴롭히고 (＿＿＿)를 부리는 양반의 모습

❸ 작품에 드러난 당시 사회의 모습을 이야기해 보자.

예시 답안 18세기 후반(조선 후기)에 경제적으로 (＿＿＿)하는 양반 계층이 생겨나면서 양반의 권위는 점차 사라져 갔고 부를 축적한 평민 계층이 등장하여 (＿＿＿)을 바탕으로 신분 상승을 도모하면서 신분 질서가 동요했다.

학습 활동 응용 문제

1 이 글의 등장인물에 대한 설명으로 적절하지 **않은** 것은?

① 부자: 평소 천한 대접을 받는 것을 한탄함.
② 양반 아내: 가난하지만 양반의 신조를 지지해 줌.
③ 군수: 양반 신분을 사고관 일에 대해 증서를 작성함.
④ 부자: 양반의 실제 모습을 알고 양반이 되기를 포기함.
⑤ 양반: 어질고 글 읽기를 좋아하지만 경제적으로 무능력함.

주관식

2 다음에 해당하는 인물을 쓰시오.

> · 현실적 생활 능력을 중시함.
> · 무능한 양반을 비판하는 작가의 목소리를 대변함.

학습 활동 응용

3 ㉠을 통해 알 수 있는 양반의 모습으로 알맞은 것은?

① 신분을 이용하여 횡포를 부림.
② 가난을 핑계로 양반 신분을 팖.
③ 더 높은 신분으로의 상승을 꾀함.
④ 비생산적이고 체면과 형식을 중시함.
⑤ 물질적인 가치를 가장 중요하게 여김.

4 이 글에 나타나는 당시 사회의 모습으로 알맞지 **않은** 것은?

① 양반의 권위가 사라져 갔다.
② 부를 축적한 평민 계층이 등장했다.
③ 경제적으로 몰락하는 양반이 생겼다.
④ 지나치게 높은 환곡 이자로 백성들이 살기 어려워졌다.
⑤ 경제력을 바탕으로 신분 상승을 도모하는 평민 계층이 등장했다.

❷ 다음 장면을 바탕으로 작품에 나타난 풍자와 그 효과를 이해해 보자.

ⓒ당신은 평소에 글 읽기만 좋아하더니, 환곡을 갚는 데는 전혀 도움이 안 되는구려. 쯧쯧, 양반이라니……, 한 푼어치도 안 되는 그놈의 양반!

양반 아내

ⓛ그만두시오, 그만두시오. 참으로 맹랑하구먼. 나를 도둑놈으로 만들 작정입니까?

부자

❶ 각 인물이 양반의 어떤 면을 비판하고 있는지 말해 보자.

예시답안 · 양반의 아내: 자신이 진 빚조차 해결하지 못하는 (   )하고 비생산적인 양반의 모습과 허울뿐인 양반의 권위를 비판하고 있다.

· 부자: 부당한 특권을 누리며 횡포를 일삼는 부도덕한 양반의 모습이 (   )과 다를 바 없다고 비판하고 있다.

❷ 각 인물의 말을 짝과 함께 다양한 말투로 읽고, 어떻게 읽었을 때 느낌이 가장 생생하게 전달되는지 이야기해 보자.

예시답안 · 양반의 아내: 한심하다는 말투, 무시하고 조롱하는 말투

· 부자: 어이가 없다는 말투, 황당하다는 말투

❸ ❶, ❷를 바탕으로 작품에서 양반의 모습을 어떤 방식으로 비판하고 있는지 살펴보자.

예시답안 양반의 모습을 조롱하고 비하하는 표현을 사용하여 (   )을 유발하며 양반의 무능함과 부도덕함을 (   )하고 있다.

❹ 앞의 활동을 바탕으로 풍자를 활용하여 얻을 수 있는 효과를 친구들과 이야기해 보자.

예시답안 · 직접 말하기 어려운 대상이나 현상의 부조리, 모순을 (   )으로 비판할 수 있다.

· 대상의 부정적인 면을 웃음을 통해 인상 깊게 제시하여 더욱 효과적으로 비판할 수 있다.

학습활동 응용 문제

5 이 글에 사용된 표현 방법으로 알맞은 것은?

① 속담을 인용하여 삶의 진실을 표현한다.

② 비유적 표현을 활용하여 대상의 모습을 세밀히 묘사한다.

③ 부자가 과거를 회상하는 장면을 역순행적으로 제시한다.

④ 작가의 생각과 반대되는 제목을 활용하여 주제를 강조한다.

⑤ 부정적인 현상이나 모순 등을 직접 말하지 않고 다른 것에 빗대어 비웃으면서 표현한다.

학습활동 응용
6 ⓒ에 가장 어울리는 말투는?

① 동정하고 연민하는 말투

② 반가워하며 감격하는 말투

③ 한심하고 조롱하는 말투

④ 상대방의 처지에 공감하는 말투

⑤ 체념하며 상황을 받아들이는 말투

학습활동 응용
7 작가가 ⓛ과 같이 표현한 이유로 알맞은 것은?

① 대상의 횡포를 비판하기 위해

② 변덕스러운 인물을 비판하기 위해

③ 사회 개혁을 위한 대안을 제시하기 위해

④ 대상에 대한 독자의 공감을 유도하기 위해

⑤ 대상에 대한 독자의 호기심을 유도하기 위해

③ 풍자를 활용하여 자신의 생각을 표현해 보자.

❶ 주변에서 비판하고 싶은 대상이나 상황을 찾아보자.

예시 답안 말로는 공부하겠다고 하면서 자꾸 공부와 관련 없는 일을 반복하며 해야 할 공부를 미루는 학생의 모습

사람들이 자연을 함부로 훼손하는 것 같아.

❷ ❶의 내용을 표현할 만화나 소설의 줄거리를 구성해 보자.

예시 답안 생략

❸ ❷의 내용을 풍자를 활용하여 개성 있게 표현해 보자.

나는 만화로 표현해야지!

예시 답안

❹ 친구들과 작품을 돌려 보고, 작품에 풍자의 의도가 잘 드러나는지 평가해 보자.

예시 답안 생략

8 다음 괄호에서 알맞은 말에 ○표 하시오.

(풍자, 역설)(이)란 사회의 부정적 현상이나 모순 등을 다른 것에 빗대어 비웃으면서 비판하는 것으로, 비판하는 바를 (직접적으로, 간접적으로) 말하지 않고 돌려서 표현하는 방법이다. 풍자는 단순히 문제를 지적하는 데에서 그치지 않고, 그것이 (강화, 개선) 되기를 바라는 의도를 포함하고 있다.

9 풍자를 사용하여 대상이나 상황을 비판하는 방법에 대한 설명으로 알맞지 <u>않은</u> 것은?

① 비판할 대상이나 상황을 선정한다.
② 대상이나 상황에 대한 구체적인 풍자 내용을 마련한다.
③ 풍자의 방법을 활용하여 내용을 개성 있게 표현한다.
④ 대상의 사실성을 강조할 수 있도록 과장된 표현은 사용하지 않는다.
⑤ 대상의 부정적인 면을 우스꽝스럽게 표현하여 웃음을 유발할 수 있다.

10 풍자를 사용했을 때의 효과로 알맞은 것은? (정답 2개)

① 역설적 표현을 사용하여 독자의 호기심을 자극한다.
② 직접적인 비판보다 대상을 더욱 인상 깊게 비판한다.
③ 대상을 구체적으로 묘사하여 생생하게 느껴지도록 한다.
④ 결말을 다양하게 해석할 수 있도록 하여 문학성을 높인다.
⑤ 웃음을 주면서도 현실을 바로 볼 수 있는 통찰력을 갖게 한다.

소단원 종합 문제

[01~04] 다음 글을 읽고, 물음에 답하시오.

가 강원도 정선군에 한 양반이 살고 있었다. 이 양반은 어질고 글 읽기를 좋아하여, 군수가 새로 부임할 때마다 몸소 그 집을 찾아가서 인사를 드렸다. 그런데 이 양반은 가난하여 해마다 관청의 환곡(還穀)을 꾸어다 먹었다. 그 빚을 갚지 못하고 해마다 쌓여서 천 섬에 이르렀다.

강원도 감사가 정선 고을을 돌아보다가 환곡 장부를 조사하고 크게 노하였다.

"어떤 놈의 양반이 나라의 곡식을 축냈단 말이냐?"

나 양반은 빚을 갚을 길이 없어서 밤낮으로 울기만 하였다. 그의 아내가 양반을 몰아붙였다.

"당신은 평소에 글 읽기만 좋아하더니, 환곡을 갚는 데는 전혀 도움이 안 되는구려. 쯧쯧, 양반이라니……, 한 푼어치도 안 되는 그놈의 양반!"

다 그때 그 마을에 사는 부자가 그 양반의 소문을 듣고 가족과 의논하였다.

"양반은 아무리 가난해도 늘 귀한 대접을 받고, 우리는 아무리 잘살아도 항상 천한 대접을 받는다. 양반이 아니므로 말이 있어도 말을 타지 못한다. 또한 양반만 보면 굽실거리며 제대로 숨소리도 내지 못하고, 뜰아래 엎드려 절해야 하고, 코를 땅에 박고 무릎으로 기어가야 한다. 우리 신세가 가엾지 않느냐? 지금 저 양반이 환곡을 갚지 못해서 아주 난처하다고 한다. 그 형편으로는 도저히 양반의 신분을 지키지 못할 것이다. 그러니 우리가 그의 양반을 사서 양반 신분으로 살아 보자."

부자는 곧 양반을 찾아가 환곡을 대신 갚아 주겠다고 청하였다. 양반은 크게 기뻐하며 승낙하였다. 부자는 즉시 관청에 가서, 양반 대신 환곡을 갚았다.

라 군수는 양반이 천 섬이나 되는 환곡을 모두 갚자 몹시 놀랐다. 군수는 환곡을 갚게 된 사정을 알아보려고 양반을 찾아갔다. 그런데 뜻밖에 양반이 벙거지에 잠방이를 입고, 길에 엎드려 '소인(小人), 소인.' 하며 자신을 낮추지 않는가? 그뿐만 아니라 양반은 감히 군수를 쳐다보지도 못하였다. 군수가 깜짝 놀라 양반을 붙들고 물었다.

"그대는 어째서 이런 짓을 하시오?"

양반은 더욱 벌벌 떨면서 머리를 땅에 조아리며 아뢰었다.

"황송하옵니다. 소인이 저 자신을 욕되게 하려는 것이 아닙니다. 환곡을 갚느라고 이미 양반을 팔았으니, 이제는 이 마을의 부자가 양반입니다. 소인이 어찌 다시 양반 행세를 하겠습니까?"

01 이 글에 나타난 '양반'에 대한 설명으로 알맞지 **않은** 것은?

① 부자에게 자신의 신분을 팔았다.
② 꾸어다 먹은 환곡이 천 섬에 이르렀다.
③ 빚을 갚을 길이 없어 밤낮으로 울기만 했다.
④ 군수가 부임할 때마다 양반에게 인사를 했다.
⑤ 아내의 비판을 받아들여 아내와 함께 빚을 갚고자 노력했다.

02 **양반의 '아내'에 대한 설명으로 적절한 것은?**

① 신분을 부자에게 매매하도록 양반을 설득한다.
② 양반에게 환곡을 갚을 수 있는 구체적인 해결 방법을 제시한다.
③ 경제력을 바탕으로 신분 상승을 노리는 평민 계층을 비판한다.
④ 무능력하고 비생산적인 양반을 비판하여 작가의 의식을 대변한다.
⑤ 양반의 어질고 글 읽기를 좋아하는 성품을 존중하며 양반의 의견을 지지한다.

> 작가가 양반 아내를 통해 비판하고자 했던 양반의 모습을 생각해 보아요.

03 이 글을 통해 알 수 있는 당시 사회의 모습으로 알맞지 **않은** 것은?

① 경제적으로 몰락한 양반들이 있었다.
② 경제적으로 부유한 평민들이 나타났다.
③ 물질적 가치가 정신적 가치보다 더 높게 인정받았다.
④ 신분 제도로 인해 양반이 아닌 사람들이 차별받았다.
⑤ 양반의 권위가 점차 사라지고 신분의 매매가 가능했다.

서술형 대비 문제

04 **(라)에서 '양반'이 '군수' 앞에서 자신을 낮춘 이유를 쓰시오.**

조건 양반이 자신을 낮추기 위해 사용한 표현을 언급할 것

[05~08] 다음 글을 읽고, 물음에 답하시오.

가 군수는 감탄해서 말하였다.

"군자로구나, 부자여! 양반이로구나, 부자여! 부자이면서도 재물을 아끼지 않으니 의로운 일이요, 남의 어려움을 도와주니 어진 일이요, 천한 것을 싫어하고 귀한 것을 바라니 지혜로운 일이다. 이야말로 진짜 양반이로구나! 그러나 양반을 사고팔면서 증서를 작성하지 않았으니, 소송(訴訟)의 꼬투리가 될 수 있다. 그러니 고을 사람들을 불러 모아 증인으로 세우고, 증서를 만들어서 양반을 사고판 일을 모두에게 알리도록 하자. 나도 당연히 증서에 서명을 하겠다."

군수는 관청으로 돌아와서, 고을의 양반과 농사꾼, 장인(匠人), 장사치들까지 모조리 불러 모았다. 그리고 ㉠부자를 높은 자리에 앉히고, 양반을 낮은 자리에 세워 두고는 다음과 같이 증서를 작성하였다.

나 양반이란 여러 가지로 일컬어진다. 글을 읽으면 선비라 하고, 벼슬을 하면 대부(大夫)라 하고, 덕이 뛰어나면 군자라고 한다. 무관은 서쪽에 늘어서고 문관은 동쪽에 늘어서는데, 이것이 바로 양반이다. 따라서 선비, 대부, 군자, 무관, 문관 가운데에서 좋을 대로 부르면 된다.

더러운 일을 딱 끊고, 옛사람을 본받고, 높은 뜻을 가져야 한다. 매일 새벽에 일어나 등잔을 켜고서, 눈은 가만히 코끝을 내려 보고 발꿈치를 궁둥이에 모으고 앉아, 얼음 위에 박 밀듯이 《동래박의(東萊博議)》를 줄줄 외워야 한다. 배고픔과 추위를 참고 견디며, 가난 타령은 아예 하지 말아야 한다. 어금니를 딱딱 마주치고 뒤통수를 톡톡 두드리며, 침을 입 안에 머금고 가볍게 양치질하듯이 삼켜야 한다. 소맷자락으로 털모자를 닦아 먼지를 떨어내어, 모자에 물결무늬가 뚜렷하게 해야 한다. 세수할 때는 주먹으로 비비지 말고, 입 냄새가 나지 않게 이를 잘 닦아야 한다. 소리를 길게 뽑아서 종을 부르며, 신발을 땅에 끌 듯이 느릿느릿 걸음을 옮겨야 한다.《고문진보(古文眞寶)》,《당시품휘(唐詩品彙)》를 깨알같이 베껴 쓰되, 한 줄에 백 자씩 써야 한다.

손에 돈을 쥐지 말고, 쌀값을 묻지 말고, 더워도 버선을 벗지 말고, 맨상투로 밥상에 앉지 말고, 밥보다 국을 먼저 먹지 말고, 물을 후루룩 마시지 말고, 젓가락으로 방아를 찧지 말고, 생파를 먹지 말고, 막걸리를 들이켠 다음 수염을 쭉 빨지 말고, 담배를 피울 때는 볼이 움푹 패도록 빨지 말아야 한다. 〈중략〉

이러한 사항을 어기면, 이 증서를 토대로 관청에서 양반의 옳고 그름을 따질 것이다.

정선 군수가 서명하고, 좌수(座首)와 별감(別監)이 증인으로서 서명함.

05 이 글의 내용과 일치하지 <u>않는</u> 것은?

① 양반을 이르는 말은 여러 가지이다.
② 양반은 밥보다 국을 먼저 먹어서는 안 된다.
③ 양반은 신발을 땅에 끌 듯이 느릿느릿 걸어야 한다.
④ 양반은 평민의 책인《동래박의》를 읽어서는 안 된다.
⑤ 군수는 증서를 만들어 양반을 사고판 일을 모두에게 알리자고 제안했다.

06 군수가 ㉠과 같이 한 이유로 가장 알맞은 것은?

① 부자가 양반의 신분을 샀기 때문에
② 감사가 지시한 사항을 이행하기 위해
③ 신분을 판 양반이 부탁한 것이기 때문에
④ 환곡을 갚지 않은 양반에게 벌을 주기 위해
⑤ 사람들에게 신분 매매가 가능하다는 것을 알려 주기 위해

신유형
07 (나)에 드러난 양반의 모습을 보여 주는 속담으로 가장 적절한 것은?

① 양반 때리고 볼기 맞는다.
② 양반은 하인이 양반시킨다.
③ 양반은 얼어 죽어도 짚불은 안 쬔다.
④ 양반은 세 끼만 굶으면 된장 맛 보잔다.
⑤ 양반은 가는 데마다 상이요, 상놈은 가는 데마다 일이라.

08 (나)를 통해 작가가 비판하고자 하는 양반의 모습으로 알맞은 것은?

① 친구 간의 신의를 지키지 않는 모습
② 체면보다 물질적인 욕심만 채우는 모습
③ 자신의 출세를 위해 권력에 아첨하는 모습
④ 비생산적이고 체면과 형식에 얽매여 있는 모습
⑤ 미래를 내다보지 못하고 눈앞의 일에만 급급해하는 모습

[09~13] 다음 글을 읽고, 물음에 답하시오.

가 이에 관청의 하인(下人)이 탁탁 도장을 찍는데, 그 소리는 마치 북을 치는 것 같고, 찍어 놓은 모양은 하늘에 별이 펼쳐진 것 같았다.

호장(戶長)이 증서를 다 읽고 나자, 부자는 어처구니가 없어서 한참이나 멍하니 있다가 말하였다.

"양반이라는 게 겨우 요것뿐입니까? 저는 양반이 신선 같다고 들었는데, 정말 이렇다면 너무 재미가 없는걸요. 원하옵건대 제게 이익이 되도록 문서를 고쳐 주십시오."

그래서 문서를 다시 작성하였다.

나 하늘이 백성을 낳을 때 넷으로 구분하였다. 네 가지 백성 가운데 가장 높은 것이 선비이니, 이것이 곧 양반이다. 양반의 이익은 막대하다. 농사도 짓지 않고 장사도 하지 않는다. 글만 대충 읽어도 크게 되면 문과(文科)에 급제하고, 작아도 진사(進士)가 된다.

문과의 홍패(紅牌)는 팔뚝만 하지만, 여기에 온갖 물건이 갖추어져 있으니, 그야말로 돈 자루이다. 서른에야 진사가 되어 첫 벼슬을 얻더라도, 오히려 이름난 음관(蔭官)이 되어 높은 벼슬자리에 오를 수 있다. 언제나 종들이 양산을 받쳐 주므로 귀밑이 희어지고, 설령 줄만 당기면 종들이 '예이.' 하므로 뱃살이 처진다. 방에서는 귀걸이로 치장한 기생과 노닥거리고, 뜰에서는 남아도는 곡식으로 학(鶴)을 기른다.

벼슬을 아니 하고 시골에 묻혀 살더라도 모든 일을 제멋대로 할 수 있다. 강제로 이웃의 소를 끌어다 먼저 자기 땅을 갈고, 마을의 일꾼을 잡아다 먼저 자기 논의 김을 맨들, 누가 감히 나에게 대들겠느냐? 네놈들 코에 잿물을 들이붓고, 머리끄덩이를 잡아 휘휘 돌리고, 귀밑 수염을 다 뽑아도 누가 감히 나를 원망하겠느냐?

다 부자는 증서 내용을 듣고 있다가 혀를 내둘렀다.

"그만두시오, 그만두시오. 참으로 맹랑하구먼. 나를 도둑놈으로 만들 작정입니까?"

부자는 머리를 흔들면서 떠나 버렸다. 그러고는 죽을 때까지 다시는 양반이 되고 싶다는 말을 입에 올리지 않았다.

09 (가)에서 부자가 문서를 고쳐 달라고 요청한 이유는?
① 관청의 하인이 도장을 찍었기 때문이다.
② 호장(戶長)이 문서의 내용을 읽었기 때문이다.
③ 도장을 찍어 놓은 모양이 하늘에 별이 펼쳐진 것 같았기 때문이다.
④ 문서의 내용이 자신에게 이익이 되지 않는다고 생각했기 때문이다.
⑤ 양반이 해야 할 일을 듣고 보니 그 내용이 신선 같았기 때문이다.

10 (나)에 나타난 양반의 모습으로 알맞은 것은?
① 농사나 장사에도 참여한다.
② 곡식이 남으면 백성들에게 나누어 준다.
③ 열심히 공부하지 않아도 과거에 급제할 수 있다.
④ 종을 부르기에 불편하여 설렁줄을 활용하지 않는다.
⑤ 어려서 진사가 되어야 높은 벼슬자리에 오를 수 있다.

11 (다)에서 부자가 양반이 되는 것을 포기한 이유로 알맞은 것은?
① 신분을 사고파는 것이 도둑놈 같다는 생각이 들었기 때문이다.
② 하늘이 백성을 넷으로 구분한 것이 부당하다고 생각했기 때문이다.
③ 양반이 되어도 누릴 수 있는 특권이 별로 없다는 생각이 들었기 때문이다.
④ 특권을 남용하여 백성을 괴롭히는 양반의 모습이 도둑놈 같았기 때문이다.
⑤ 양반의 신분이어도 서른이 되어야 진사가 될 수 있다는 것을 알았기 때문이다.

12 이 글을 읽은 독자의 반응으로 알맞지 않은 것은?
① 양반 신분을 사고파는 것을 소재로 삼았어.
② 부자는 경제력을 바탕으로 신분 상승을 꾀했어.
③ 신분 매매 증서의 내용을 통해 부당한 권력을 남용하는 양반을 비꼬았어.
④ 신분 매매 증서의 내용을 통해 양반 계층의 특권 의식을 더욱 강화하고 있어.
⑤ 무능하고 부도덕한 양반과 더불어 신분 상승을 노리는 평민 계급을 함께 비판하고 있다고 볼 수도 있겠어.

서술형 대비 문제

13 (다)에서 대상을 비판하는 방법과 그 효과를 쓰시오.
조건 1 (다)에서 비판하고자 하는 대상을 언급할 것
조건 2 (다)에서 대상을 비판하는 방법의 개념을 쓰고, 그 효과를 두 가지 쓸 것

| 활동 1 | 역설을 활용하여 개성 있게 표현하기 |

갈래	현대시, 자유시	성격	긍정적, 역설적
제재	벌레 먹은 나뭇잎
주제	• 남에게 베푸는 삶의 가치	• 남과 더불어 사는 삶의 아름다움
특징	• 벌레 먹은 자국이 선명한 나뭇잎을 바라보는 따뜻한 시선이 느껴짐. • 대상에 대한 깊이 있는 통찰을 담담한 어조로 풀어냄. • 역설적 표현을 활용하여 시의 주제를 강조함.

벌레 먹은 나뭇잎 | 이생진

㉠나뭇잎이 벌레 먹어서 예쁘다 ▶ 벌레 먹어서 예쁜 나뭇잎
　역설
귀족의 손처럼 상처 하나 없이
　　남에게 베풀 줄 모르기 때문에
매끈한 것은

어쩐지 베풀 줄 모르는

손 같아서 밉다 ▶ 벌레 먹은 나뭇잎과 대조되는 매끈한 나뭇잎

떡갈나무잎에 벌레 구멍이 뚫려서
　　나뭇잎이 자신의 것을 베풀어 벌레를 먹여 살린 흔적
그 구멍으로 하늘이 보이는 것은 예쁘다

상처가 나서 예쁘다는 것은

잘못인 줄 안다

그러나 남을 먹여 가며
　　남에게 베푸는 삶
살았다는 흔적은

별처럼 아름답다. ▶ 자신이 가진 것을 베풀어 남을 먹여 살리는 존재의 아름다움

시험 포인트

• 〈벌레 먹은 나뭇잎〉에 나타난 역설

| 나뭇잎이 벌레 먹어서 | ⟷ | 예쁘다 |

↓

나뭇잎이 벌레 먹어서 예쁘다

겉모습은 초라하고 보잘것없어 보이지만 자신이 가진 것을
남에게 베푸는 아름답고 가치 있는 존재임을 강조

1 내용과 표현을 중심으로 시를 감상해 보자.

❶ '벌레 먹은 나뭇잎'을 대하는 말하는 이의 태도가 어떤지 이야기해 보자.

예시답안 • 관심과 애정 어린 태도로 바라본다.
• 따뜻하고 긍정적인 시선으로 바라본다.

❷ 시에서 역설이 드러난 구절을 찾고, 그렇게 생각한 이유를 적어 보자.

예시답안 • 역설이 드러난 구절: 나뭇잎이 벌레 먹어서 예쁘다.
• 이유: '벌레 먹은 것'을 예쁘다고 표현하여 얼핏 모순되어 보이지만, 벌레에게 자신이 가진 것을 베풀 줄 아는 나뭇잎이 아름답고 가치 있는 존재라는 의미를 잘 담아내고 있다.

---

❸ 앞의 활동을 바탕으로 시의 주제를 정리해 보자.

예시답안 • 남에게 베푸는 삶이 가치 있다.
• 남과 더불어 사는 삶이 아름답다.

2 역설을 활용하여 광고 문구를 만들어 보자.

❶ 우리 주변에서 '벌레 먹은 나뭇잎'과 유사한 인물이나 사물을 찾아보고, 그렇게 생각한 이유를 적어 보자.

예시답안 • 신발: 낡아서 구겨지고 지저분하지만 내 발을 보호해 준다.
• 지우개: 늘 더럽고 지저분하지만 연필로 쓴 글씨를 깨끗하게 지워 준다.
• 할머니: 주름이 많아지고 허리도 굽으셨지만 나를 사랑으로 기르고 보살펴 주신다.

❷ ❶에서 떠올린 내용을 역설이 나타난 광고 문구로 만들어 보고, 역설이 잘 활용되었는지 친구들과 서로 평가해 보자.

예시답안 • 광고 문구: 지저분해서 멋있는 지우개
• 평가: 자기 몸이 더러워져도 항상 주변을 깨끗하게 만들어 주는 지우개의 특징을 잘 표현했다.

선택 학습 문제

★1 ㉠에 사용된 표현 방법에 대한 설명으로 알맞은 것은?

① 모순된 표현을 사용하여 주제를 강조한다.
② 속마음과 반대되는 표현으로 주제를 강조한다.
③ 원관념을 보조 관념에 빗대어 표현하는 방법으로 대상의 본질을 강조한다.
④ 사람이 아닌 것을 사람처럼 표현하는 방법으로 대상을 생동감 있게 표현한다.
⑤ 대상의 부정적인 면을 강조하여 개선하겠다는 의지를 풍자적으로 표현한다.

2 이 시의 말하는 이가 가장 가치 있게 여길 만한 삶의 모습은?

① 좌절하지 않고 계속해서 도전하는 삶
② 다른 사람의 잘못을 너그러이 용서하는 삶
③ 다른 사람에게 자신의 것을 나누고 베푸는 삶
④ 자신의 꿈을 이루기 위해 최선을 다해 노력하는 삶
⑤ 자신의 가치관과 신념을 굽히지 않는 지조 있는 삶

운수 좋은 날 | 현진건

- **갈래** 현대 소설, 단편 소설
- **배경** **시간:** 1920년대, **공간:** 서울 빈민가
- **제재** 인력거꾼 김 첨지의 하루
- **특징** • 비속어를 사용하여 현실감을 잘 드러냄.
  • 비 오는 날의 배경 묘사가 비극적인 사건 전개를 암시함.
  • 아내가 죽은 비극적인 날을 '운수 좋은 날'이라고 한 반어적인 표현을 통해 비극성을 고조시킴.

- **성격** 사실적, 반어적, 비극적
- **시점** 3인칭 전지적 시점
- **주제** 일제 강점기 하층민의 비참한 삶

발단 **가** 새침하게 흐린 품이 눈이 올 듯하더니 눈은 아니 오고 얼다가 만 비가 추적추
<교과서 46쪽>
전체적인 분위기 형성: 불길함, 음산함, 우울함.
적 내리는 날이었다.

▨: 시대적 배경(1920년대)을 알 수 있는 소재
이날이야말로 동소문 안에서 <u>인력거꾼</u> 노릇을 하는 김 첨지에게는 오래간만에도
주로 사람을 태우는 수레를 끄는 일을 직업으로 하는 사람
닥친 운수 좋은 날이었다. 문안에(거기도 문밖은 아니지만) 들어간답시는 앞집 마마
사대문 안
님을 <u>전찻길</u>까지 모셔다드린 것을 비롯으로 행여나 손님이 있을까 하고 정류장에서
운수 좋은 돈벌이의 시작   마음이 눈에 드러난 상태
어정어정하며 내리는 사람 하나하나에게 거의 비는 듯한 <u>눈결</u>을 보내고 있다가 마
인력거를 타 주기를 바라는 눈빛
침내 교원인 듯한 양복쟁이를 <u>동광학교(東光學校)</u>까지 태워다 주기로 되었다.

첫 번에 삼십 <u>전</u>, 둘째 번에 오십 전 ─ 아침 <u>댓바람</u>에 그리 흥치 않은 일이었다.
아주 이른 시간   나쁘지 않은
그야말로 재수가 옴 붙어서 근 열흘 동안 돈 구경도 못 한 김 첨지는 십 전짜리 <u>백</u>
재수가 지독하게 없어서
<u>동화</u> 서 <u>푼</u>, 또는 다섯 푼이 찰깍하고 손바닥에 떨어질 제 거의 눈물을 흘릴 만큼
기뻤다. 더구나 이날 이때에 이 팔십 전이란 돈이 그에게 얼마나 유용한지 몰랐
다. 컬컬한 목에 모주 한잔도 적실 수 있거니와 그보다도 앓는 아내에게 설렁탕 한
술을 거르고 남은 찌꺼기에 물을 타서 걸러낸 막걸리
그릇도 사다 줄 수 있음이다.   ▶ 오래간만에 아침부터 돈을 번 인력거꾼 김 첨지
아내에 대한 사랑, 가난 때문에 아픈 아내에게 설렁탕을 사다 주지 못하는 김 첨지의 처지
나 그의 아내가 기침으로 쿨룩거리기는 벌써 달포가 넘었다. 조밥도 굶기를 먹
한 달이 조금 넘는 기간
다시피 하는 형편이니 물론 약 한 첩 써 본 일이 없다. 구태여 쓰려면 못 쓸 바도
김 첨지의 가난한 형편
아니로되 그는 병이란 놈에게 약을 주어 보내면 재미를 붙여서 자꾸 온다는 자기
의 신조(信條)에 어디까지 충실하였다. 따라서 의사에게 보인 적이 없으니 무슨
김 첨지의 고지식한 성격을 간접적으로 제시   옆쪽으로
병인지는 알 수 없으되 반듯이 누워 가지고 일어나기는새로에 모로도 못 눕는 것
을 보면 중증은 중증인 듯. 병이 이토록 심해지기는 열흘 전에 조밥을 먹고 체한
아내의 병이 심함.

선택 **학습 문제**

1 이 글에 대한 설명으로 알맞지 않은 것은?

① 도시 하층민의 고단한 삶의 모습을 다루고 있다.
② 작품 바깥의 서술자가 등장인물의 내면 심리까지 전달한다.
③ 등장인물의 생김새를 바탕으로 인물 사이의 갈등을 암시한다.
④ 작품에 사용된 어휘를 통해 작품의 시대적 배경을 짐작할 수 있다.
⑤ 비 내리는 날을 배경으로 하여 음산하고 우울한 분위기를 조성한다.

2 이 글의 시대적 배경을 알려 주는 단어가 아닌 것은?

① 첩   ② 전, 푼
③ 백동화   ④ 인력거꾼
⑤ 동광학교

교과서 날개 **1.** 김 첨지의 생활 형편이 어떤지 짐작해 보자.
교과서 날개 응용

3 이 글을 통해 알 수 있는 김 첨지의 형편은?

① 밥을 자주 굶는 가난한 형편
② 매일 팔십 전씩 버는 넉넉한 형편
③ 아내에게 언제든 설렁탕을 사다 줄 수 있는 형편
④ 아내에게 약을 사 주지는 못하나 밥은 굶지 않는 형편
⑤ 아내가 아플 때마다 병원에 데려가 병을 고칠 수 있는 형편

때문이다. 그때도 김 첨지가 오래간만에 돈을 <u>얻어서</u> 좁쌀 한 되와 십 전짜리 나무
_{김 첨지의 궁핍한 생활}
한 단을 사다 주었더니,【김 첨지의 말에 의지하면 그년이 천방지축으로 냄비에 대
_{【 】: 비속어 사용 → 하층민의 삶을 사실적으로 드러냄.}
고 끓였다. 마음은 급하고 불길은 닿지 않아 채 익지도 않은 것을 그년이 숟가락은
고만두고 손으로 움켜서 두 <u>뺨</u>에 주먹 덩이 같은 혹이 불거지도록 누가 빼앗을 듯
_{겉으로 동글게 톡 비어져 나오도록}
이 처박질하더니만 그날 저녁부터 가슴이 땅긴다, 배가 켕긴다고 눈을 홉뜨고 지
랄병을 하였다. 그때 김 첨지는 열화와 같이 성을 내며,

"에이, 조랑복은 할 수가 없어, 못 먹어 병, 먹어서 병! 어쩌란 말이야. 왜 눈을
_{복을 받아도 오래 누리지 못하는 짧은 동안의 복. 조롱복}
　바루 뜨지 못해!"

하고 김 첨지는 앓는 이의 뺨을 한 번 후려갈겼다. 홉뜬 눈은 조금 <u>바루어졌건만</u>
_{비뚤어지거나 구부러지지 않도록 바르게 했건만}
이슬이 맺히었다. <u>김 첨지의 눈시울도 뜨끈뜨끈한 듯하였다.</u>
_{김 첨지의 성격: 겉으로는 쌀쌀맞지만 속정이 있음.}
　이 환자가 그러고도 먹는 데는 물리지 않았다. 사흘 전부터 설렁탕 국물이 마시
고 싶다고 남편을 졸랐다.

"이런! 조밥도 못 먹는 년이 설렁탕은, 또 처먹고 지랄병을 하게."

라고 야단을 쳐 보았건만 못 사 주는 마음이 시원치는 않았다.】
_{돈이 없기 때문. 아내에 대한 미안함과 안쓰러움.}
　인제 설렁탕을 사 줄 수도 있다. 앓는 어미 곁에서 배고파 보채는 개똥이(세 살 먹
_{모자람 없이 넉넉하였다.}
이)에게 죽을 사 줄 수도 있다 — <u>팔십 전을 손에 쥔 김 첨지의 마음은 푼푼하였다.</u>
_{돈이 생겨 아내와 개똥이에게 설렁탕과 죽을 사 줄 수 있게 되었기 때문}
▶ 아픈 아내에게 설렁탕을 사 줄 수 있다는 생각에 마음이 푼푼해진 김 첨지

시험 포인트 01

● 시대적 배경을 나타내는 소재

| 인력거꾼, 전찻길, 동광학교, 전, 백동화, 푼 | ➡ | 1920년대의 사회상을 드러냄. |

● 김 첨지의 생활 형편

| • 조밥도 굶기를 먹다시피 함.
• 김 첨지가 아픈 아내를 의사에게 보이거나 약 한 첩 쓰지 않음. | ➡ | 생활 형편이
몹시 어려움. |

발단 소주제　오랜만에 행운이 찾아와 큰돈을 벌게 된 김 첨지

전개 다
_{교과서 48쪽 ▶}
그러나 그의 행운은 그걸로 그치지 않았다. 땀과 빗물이 섞여 흐르는 목덜미
_{아침에 팔십 전을 번 것}　　　　　　　　　　　　　　_{인력거꾼의 고된 노동}
를 기름 주머니가 다 된 광목 수건으로 닦으며 그 학교 문을 돌아 나올 때였다. 뒤
에서 "인력거!" 하고 부르는 소리가 난다. 자기를 불러 멈춘 사람이 그 학교 학생
인 줄 김 첨지는 한 번 보고 짐작할 수 있었다. 그 학생은 다짜고짜로,

"남대문 정거장까지 얼마요?"

라고 물었다. 아마도 그 학교 기숙사에 있는 이로 <u>동기 방학</u>을 이용하여 귀향하려
_{겨울 방학}
함이리라. 오늘 가기로 작정은 하였건만 비는 오고 짐은 있고 해서 어찌할 줄 모르
다가 마침 김 첨지를 보고 뛰어나왔음이리라. 그렇지 않으면 왜 구두를 채 신지도
못해서 질질 끌고 비록 <u>고쿠라 양복</u>일망정 <u>노박이</u>로 비를 맞으며 김 첨지를 뒤쫓
_{일본 기타큐슈의 고쿠라 지방에서 생산되는 무명 옷감}　_{줄곧 계속하여}
아 나왔으랴.

---

4 김 첨지에 대한 설명으로 알맞은 것은?

① 인력거꾼이라는 자신의 직업을 부끄러워한다.
② 먹는 것을 밝히는 아내를 진심으로 원망한다.
③ 개똥이를 제대로 돌보지 않는 아내를 미워한다.
④ 겉으로는 화를 내면서도 속으로는 아내를 위한다.
⑤ 집안 형편이 나빠진 것이 병에 걸린 아내 때문이라고 생각한다.

5 이 글에서 비속어를 사용한 효과로 가장 알맞은 것은?

① 사건을 요약적으로 제시한다.
② 새로운 사건의 발생을 예고한다.
③ 어둡고 음산한 분위기를 형성한다.
④ 일제 강점기 하층민의 삶을 사실적으로 표현한다.
⑤ 힘든 삶을 해학으로 극복하고자 하는 인물의 태도를 강조한다.

6 이 글의 내용과 일치하는 것은?

① 김 첨지의 아내는 설렁탕을 먹고 체해서 병이 났다.
② 김 첨지는 돈을 벌면 항상 좁쌀을 사서 집에 들어갔다.
③ 남대문 정거장까지 가려는 손님은 나이가 지긋한 신사였다.
④ 김 첨지의 행운은 아침에 팔십 전을 번 것으로 끝나지 않았다.
⑤ 김 첨지는 돈을 벌었어도 아내에게 설렁탕을 사 줄 마음이 없었다.

"남대문 정거장까지 말씀입니까?"

하고 ㉠김 첨지는 잠깐 주저하였다. 그는 이 우중(雨中)에 우장(雨裝)도 없이 그

_{돈을 벌어야 하는 현실과 병든 아내를 돌봐야 하는 처지 사이의 내적 갈등}

먼 곳을 철벅거리고 가기가 싫었음일까? 처음 것, 둘째 것으로 그만 만족하였음일

_{앞집 마마님과 양복쟁이를 태워 준 것}

까? 아니다, 결코 아니다. 이상하게도 꼬리를 맞물고 덤비는 이 행운 앞에 조금 겁

_{김 첨지가 주저한 이유 ①}

이 났음이다. 그리고 집을 나올 제 아내의 부탁이 마음이 켕기었다 — 앞집 마마한

_{김 첨지가 주저한 이유 ②}

테서 부르러 왔을 제 병인은 그 뼈만 남은 얼굴에 유일의 생물 같은, 유달리 크고

움푹한 눈에 애걸하는 빛을 띠며,

"오늘은 나가지 말아요. 제발 덕분에 집에 붙어 있어요. 내가 이렇게 아픈

데……."

_{병든 아내의 애원 → 비극적 결말 암시}

라고 모깃소리같이 중얼거리고 숨을 거르렁거르렁하였다. 그때에 김 첨지는 대수

롭지 않은 듯이,

"압다, 젠장맞을 년, 별 빌어먹을 소리를 다 하네. 맞붙들고 앉았으면 누가 먹여

살릴 줄 알아."

_{아내의 애원에도 불구하고 먹고 살기 위해 일을 하러 감.}

하고 훌쩍 뛰어나오려니까 환자는 붙잡을 듯이 팔을 내저으며,

"나가지 말라도 그래. 그러면 일찍이 들어와요."

_{아내가 자신의 비극적 운명을 예감함.}

하고 목멘 소리가 뒤를 따랐다.

㉡정거장까지 가잔 말을 들은 순간에 경련적으로 떠는 손, 유달리 큼직한 눈,

_{아픈 아내의 상태가 걱정되고 불안함.}

울 듯한 아내의 얼굴이 김 첨지의 눈앞에 어른어른하였다.

▶ 남대문 정거장까지 가자는 손님의 말에 아픈 아내를 떠올리며 불안해하는 김 첨지

라 "그래, 남대문 정거장까지 얼마란 말이오?"

하고 학생은 초조한 듯이 인력거꾼의 얼굴을 바라보며 혼잣말같이,

"인천 차가 열한 점에 있고 그다음에는 새로 두 점이던가?"

_{오전 열한 시   오후 두 시}

라고 중얼거린다.

"일 원 오십 전만 줍시오."

_{현재의 돈으로 약 6~7만 원 정도}

이 말이 저도 모를 사이에 불쑥 김 첨지의 입에서 떨어졌다. 제 입으로 부르고도

스스로 그 엄청난 돈 액수에 놀랐다. 한꺼번에 이런 금액을 불러라도 본 지가 그

얼마 만인가! 그러자 그 돈 벌 욕기가 병자에 대한 염려를 사르고 말았다. 설마 오

_{욕심   돈을 벌 욕심에 아픈 아내에 대한 염려가 사라짐.}

선택 **학습 문제**

교과서 날개 2. 김 첨지가 잠깐 주저한 이유는 무엇인가?

교과서 날개 응용

7 ㉠의 이유로 알맞은 것은?

(정답 2개)

① 아픈 아내의 모습이 떠올랐기 때문이다.

② 비를 맞으며 일하기가 싫었기 때문이다.

③ 더 이상 돈을 벌고 싶지 않았기 때문이다.

④ 계속되는 행운에 조금 겁이 났기 때문이다.

⑤ 비를 맞은 손님의 모습이 우스꽝스러웠기 때문이다.

8 일을 나가지 말라는 아내의 말에 대한 김 첨지의 반응으로 알맞은 것은?

① 아내의 말을 존중하여 일을 나가지 않았다.

② 아내의 애원에도 불구하고 일을 하러 나갔다.

③ 아내가 애걸하는 이유를 알 수 없어 못마땅해 했다.

④ 돈을 많이 벌 것을 예감하고 아내의 말을 무시했다.

⑤ 아내에게 일을 나가야 하는 이유를 차근차근 설명했다.

교과서 날개 3. 아내의 얼굴을 떠올리는 김 첨지의 마음을 추측해 보자.

교과서 날개 응용

9 ㉡에서 김 첨지가 아내의 얼굴을 떠올리는 이유로 알맞은 것은?

① 아픈 아내가 걱정이 되었기 때문이다.

② 아내가 바라는 만큼 돈을 벌지 못했기 때문이다.

③ 많은 돈을 벌어 가면 아내가 기뻐할 것이기 때문이다.

④ 평소에 아내가 남대문 정거장에 가 보고 싶어 했기 때문이다.

⑤ 아내에게 설렁탕을 사 줄 생각에 기분이 좋아졌기 때문이다.

늘 내로 어뗘랴 싶었다. 무슨 일이 있더라도 제일 제이의 행운을 값친 것보다도 오
〔아내가 오늘 죽지는 않을 것이라고 생각함.〕

히려 곱절이 많은 이 행운을 놓칠 수 없다 하였다.
〔어떤 수나 양을 두 번 합한 만큼〕

"일 원 오십 전은 너무 과한데."

이런 말을 하며 학생은 고개를 기웃하였다.

"아니올시다. 이수(里數)로 치면 여기서 거기가 시오 리가 넘는답니다. 또 이런
〔거리를 '리(里)'의 단위로 나타낸 수〕

진날은 좀 더 주셔야지요."
〔비가 오는 날〕

하고 빙글빙글 웃는 차부(車夫)의 얼굴에는 숨길 수 없는 기쁨이 넘쳐흘렀다.
〔김 첨지〕   〔큰돈을 벌게 된 기쁨〕

"그러면 달라는 대로 줄 터이니 빨리 가요."

관대한 어린 손님은 이런 말을 남기고 총총히 옷도 입고 짐도 챙기러 제 갈 데로

갔다.

그 학생을 태우고 나선 김 첨지의 다리는 이상하게 거뿐하였다. 달음질을 한다
〔큰돈을 벌 생각에 발걸음과 마음이 가벼워짐. 김 첨지의 기쁜 마음을 간접적으로 제시〕

느니보다 거의 나는 듯하였다. 바퀴도 어떻게 속히 도는지 구른다느니보다 마치

얼음을 지쳐 나가는 스케이트 모양으로 미끄러져 가는 듯하였다. 언 땅에 비가 내

려 미끄럽기도 하였지만.   ▶ 망설이던 김 첨지가 일 원 오십 전을 받기로 하고 손님을 태움.

마 이윽고 끄는 이의 다리는 무거워졌다. 자기 집 가까이 다다른 까닭이다. 새삼
    〔아내에 대한 걱정 때문에〕   〔김 첨지의 심리적 갈등 유발〕

스러운 염려가 그의 가슴을 눌렀다.

"오늘은 나가지 말아요. 내가 이렇게 아픈데!"

이런 말이 잉잉 그의 귀에 울렸다. 그리고 병자의 움쑥 들어간 눈이 원망하는 듯
         〔아침에 했던 아내의 부탁이 떠오름.〕

이 자기를 노리는 듯하였다. 그러자 엉엉하고 우는 개똥이의 곡성을 들은 듯싶다.

딸꾹딸꾹하고 숨 모으는 소리도 나는 듯싶다······.
〔임종 직전 아내의 숨소리〕

"왜 이러우? 기차 놓치겠구먼."

하고 탄 이의 초조한 부르짖음이 간신히 그의 귀에 들어왔다. 언뜻 깨달으니 김 첨
         〔기차 시각에 늦을까 봐〕

지는 인력거 채를 쥔 채 길 한복판에 엉거주춤 멈춰 있지 않은가.
              〔아내를 걱정하는 김 첨지의 불안한 심리(내적 갈등이 심화됨.)〕

"예, 예."

하고 김 첨지는 또다시 달음질하였다. 집이 차차 멀어 갈수록 김 첨지의 걸음에는
                     〔집: 김 첨지의 갈등을 불러일으킴. ↔ 일: 김 첨지의 불안을 잊게 함.〕

다시금 신이 나기 시작하였다. 다리를 재게 놀려야만 쉴 새 없이 자기의 머리에 떠
              〔동작이 재빠르게〕

오르는 모든 근심과 걱정을 잊을 듯이.
    〔아내에 대한 걱정을 떨치려 일에 몰두함.〕   ▶ 불안해하던 김 첨지가 일에 몰두하며 아내에 대한 걱정을 잊으려 함.

바 정거장까지 끌어다 주고 그 깜짝 놀란 일 원 오십 전을 정말 제 손에 쥐매, 제

말마따나 십 리나 되는 길을 비를 맞아 가며 질퍽거리고 온 생각은 아니하고 거저

나 얻은 듯이 고마웠다. ㉠졸부나 된 듯이 기뻤다. 제 자식뻘밖에 안 되는 어린 손

님에게 몇 번 허리를 굽히며,

"안녕히 다녀오십시오."

라고 깍듯이 재우쳤다.   ▶ 일 원 오십 전을 벌고 기뻐하는 김 첨지
    〔빨리 몰아치거나 재촉했다.〕

---

10 (라)에서 남대문 정거장까지 가
는 학생을 태운 김 첨지의 기분으로
가장 알맞은 것은?

① 기쁨   ② 실망함.

③ 화가 남.   ④ 부끄러움

⑤ 자존심이 상함.

11 (마)에 대한 설명으로 적절하지
않은 것은?

① 집에 가까워지자 김 첨지의 다
  리는 무거워졌다.

② 집에서 멀어질수록 김 첨지의
  발걸음은 신이 났다.

③ 인력거를 탄 손님은 기차를 놓
  칠까 봐 김 첨지를 재촉했다.

④ 김 첨지는 아내에게 빨리 돌아
  가기 위해 다리를 재게 놀렸다.

⑤ 김 첨지는 집에 가까워지자 일
  을 나가지 말라는 아내의 부탁
  이 떠올랐다.

교과서 날개 **4.** 김 첨지의 걸음에 다시 신이
난 이유를 말해 보자.

12 김 첨지가 ㉠과 같이 기뻐하는
이유는?

① 큰돈을 벌었기 때문이다.

② 집에 빨리 돌아갈 수 있기 때문
  이다.

③ 개똥이의 얼굴이 떠올랐기 때
  문이다.

④ 아내가 아침에 부탁한 것이 떠
  올랐기 때문이다.

⑤ 어린 손님이 요금보다 돈을 더
  많이 주었기 때문이다.

사 그러나 빈 인력거를 털털거리며 이 우중에 돌아갈 일이 꿈밖이었다. 노동으
막막했다.
로 하여 흐른 땀이 식어지자 굶주린 창자에서, 물 흐르는 옷에서 어슬어슬 한기
괜찮고
(寒氣)가 솟아나기 비롯하매 ㉠일 원 오십 전이란 돈이 얼마나 괴치 않고 괴로운
돈의 이중성(큰돈이지만 벌기 어려움.)
것인 줄 절절히 느끼었다. 정거장을 떠나가는 그의 발길은 힘 하나 없었다. 온몸
춥거나 두려워 몸을 궁상맞게 옴츠러들이며
이 옹송그려지며 당장 그 자리에 엎어져 못 일어날 것 같았다.
고된 노동으로 체력이 고갈됨.
　"젠장맞을 것, 이 비를 맞으며 빈 인력거를 털털거리고 돌아를 간담? 이런 빌어

먹을, 비가 왜 남의 상관을 딱딱 때려!"
김 첨지를 더욱 고단하게 함.　'얼굴'을 속되게 이르는 말
　그는 몹시 화증을 내며 누구에게 반항이나 하는 듯이 게걸거렸다. 그럴 즈음에
상스러운 말로 소리를 지르며 불평스럽게 떠들었다.
그의 머리엔 또 새로운 광명이 비쳤나니 그것은, '이러구 갈 게 아니라 이 근처를
다른 손님을 태울 수 있다는 희망　　　　　　　　　빈 인력거로
빙빙 돌며 차 오기를 기다리면 또 손님을 태우게 되는지도 몰라.'란 생각이었다.
오늘은 운수가 괴상하게도 좋으니까 그런 요행이 또 한 번 없으리라고 누가 보증
뜻밖에 얻는 행운
하랴. 꼬리를 굴리는 행운이 꼭 자기를 기다리고 있다고 내기를 해도 좋을 만한 믿
음을 얻게 되었다. 그렇다고 정거장 인력거꾼의 등쌀이 무서우니 정거장 앞에 섰
김 첨지의 구역이 아니기 때문에(정거장 인력거꾼들의 텃새 때문에)
을 수는 없었다. 그래 그는 이전에도 여러 번 해 본 일이라 바로 정거장 앞 전차 정
류장에서 조금 떨어지게, 사람 다니는 길과 전찻길 틈에 인력거를 세워 놓고 자기
는 그 근처를 빙빙 돌며 형세를 관망하기로 하였다.
한발 물러나서 어떤 일이 되어 가는 형편을 바라보기로
　　　　　▶ 빈 인력거를 끌고 돌아가려던 김 첨지가 정거장 근처에서 손님을 태우기로 마음먹음.

아 얼마 만에 기차는 왔고 수십 명이나 되는 손이 정류장으로 쏟아져 나왔다. 그
중에서 손님을 물색하는 김 첨지의 눈엔 양머리에 뒤축 높은 구두를 신고 망토까
지 두른 기생퇴물인 듯, 난봉 여학생인 듯한 여편네의 모양이 띄었다. 그는 슬근
언행이 허황하고 착실하지 못하여 행실이 좋지 않은 사람
슬근 그 여자의 곁으로 다가들었다.
　"아씨, 인력거 아니 타시랍시오?"
　그 여학생인지 뭔지가 한참은 매우 태깔을 빼며 입술을 꼭 다문 채 김 첨지를 거
교만한 태도　　　　　　　　　　　　　인력거꾼을 무시하는 모습
들떠보지도 않았다. 김 첨지는 구걸하는 거지나 무엇같이 연해연방 그의 기색을
살피며,
끊임없이 잇따라 자꾸
　"아씨, 정거장 애들보다 아주 싸게 모셔다드리겠습니다. 댁이 어디신가요?"
하고 추근추근하게 그 여자의 들고 있는 일본식 버들고리짝에 제 손을 대었다.
　"왜 이래. 남 귀치않게."
　소리를 벽력같이 지르고는 돌아선다. 김 첨지는 어랍쇼 하고 물러섰다.
손님을 태우려다가 실패함.
　　　　　　　　▶ 김 첨지가 난봉 여학생인 듯한 손님을 태우려다가 실패함.

자 전차가 왔다. 김 첨지는 원망스럽게 전차 타는 이를 노리고 있었다. 그러나
전차를 타지 못하는 사람을 태우려고
그의 예감은 틀리지 않았다. 전차가 빡빡하게 사람을 싣고 움직이기 시작하였을
전차를 못 타는 사람이 있으리라는 예감
제 타고 남은 손 하나가 있었다. 굉장하게 큰 가방을 들고 있는 걸 보면 아마 붐비
는 차 안에 짐이 크다 하여 차장에게 밀려 내려온 눈치였다. 김 첨지는 대어 섰다.
　"인력거를 타시랍시오?"

---

13 ㉠에 대한 설명으로 알맞지 않은 것은?
① 김 첨지에게 기쁨을 안겨 준 돈이다.
② 액수가 큰 만큼 벌기는 괴로웠던 돈이다.
③ 평소에 김 첨지가 쉽게 벌 수 없는 큰돈이다.
④ 아내에게 벌어다 주기로 아침에 약속한 돈이다.
⑤ 김 첨지를 어린 손님에게 굽실거리게 만든 돈이다.

14 (사)~(자)의 내용으로 알맞지 않은 것은?
① 김 첨지는 정거장에서 조금 떨어져서 손님을 기다렸다.
② 김 첨지는 빈 인력거로 돌아가지 않기 위해 손님을 기다렸다.
③ 김 첨지는 난봉 여학생인 듯한 이를 인력거에 태우지 못했다.
④ 김 첨지는 전차가 떠난 뒤 전차에 타지 못한 손님을 태우고자 했다.
⑤ 일본식 버들고리짝을 든 사람은 비 오는 날 인력거를 태워 준 김 첨지에게 고마움을 느꼈다.

15 (사)~(자)에 반영된 사회의 모습으로 알맞지 않은 것은?
① 전차가 등장하고 이용자가 많았다.
② 인력거꾼이 많아 영역 다툼을 했다.
③ 서양식 옷차림을 한 사람이 등장했다.
④ 억압된 현실에 대해 저항하는 세력이 생겼다.
⑤ 인력거꾼은 사회적으로 지위가 높은 직업이 아니었다.

한동안 값으로 승강이를 하다가 육십 전에 인사동까지 태워다 주기로 하였다.
_{흥정을 하다가}
인력거가 무거워지며 그의 몸은 이상하게도 가벼워졌다. 그리고 또 인력거가 가
_{인력거의 무게 변화로 김 첨지의 심리를 묘사함.}
벼워지니 몸은 다시금 무거워졌건만 이번에는 마음조차 초조해 온다. 집의 광
경이 자꾸 눈앞에 어른거려 인제 요행을 바랄 여유도 없었다. 나뭇등걸이나 무
_{김 첨지의 불안감이 고조됨.}
엇 같고 제 것 같지도 않은 다리를 연해 꾸짖으며 갈팡질팡 뛰는 수밖에 없었다.
'저놈의 인력거꾼이 저렇게 술이 취해 가지고 이 진 땅에 어찌 가노?'라고, 길 가
는 사람이 걱정을 하리만큼 그의 걸음은 황급하였다. 흐리고 비 오는 하늘은 어
_{음산한 배경을 통해 김 첨지의 불행을 암시함.}
둠침침하게 벌써 황혼에 가까운 듯하다. 창경원 앞까지 다다라서야 그는 턱에 닿
은 숨을 돌리고 걸음도 늦추잡았다. 한 걸음, 두 걸음 집이 가까워 갈수록 그의
마음조차 괴상하게 누그러웠다. 그런데 그 누그러움은 안심에서 오는 게 아니요,
㉠자기를 덮친 무서운 불행을 빈틈없이 알게 될 때가 <u>박두한</u> 것을 두려워하는
_{기일이나 시기가 가까이 닥쳐온}
마음에서 오는 것이다. 그는 불행에 다닥치기 전 시간을 얼마쯤이라도 늘이려고
_{불행(아내의 죽음)을 회피하고 싶은 김 첨지의 심리}
<u>버르적거렸다.</u> 기적에 가까운 벌이를 하였다는 기쁨을 할 수 있으면 오래 지니고
_{고통스러운 일이나 어려운 고비에서 벗어나려고 팔다리를 내저으며 큰 몸을 자꾸 움직였다.}
싶었다. 그는 두리번두리번 사면을 살피었다. 그 모양은 마치 자기 집 — 곧 불행
을 향하고 달려가는 제 다리를 제힘으로는 도저히 어찌할 수가 없으니 누구든지
_{아픈 아내가 있는 집에 대한 김 첨지의 불안한 심리}
나를 좀 잡아 다고, 구해 다고 하는 듯하였다.
_{집에 가기를 두려워하는 김 첨지의 심리}   ▶ 아내의 죽음을 예감하고 불안감을 느끼는 김 첨지

시험 포인트 02

● 김 첨지의 내적 갈등

돈을 벌어야 하는 현실	⟷	아픈 아내에 대한 걱정

● 김 첨지의 심리와 걸음 속도

	김 첨지의 심리	걸음 속도
집과 가까워짐.	아내에 대한 걱정 심화	걸음이 느려짐.
집과 멀어짐.	걱정을 떨쳐 버리고 돈을 벌기 위해 일에 집중함.	걸음이 빨라짐.

● 인력거의 무게와 김 첨지의 심리

인력거가 무거워짐.	인력거가 가벼워짐.
• 돈을 번다는 생각에 아내에 대한 걱정을 잠시 잊음. • 힘이 나며 몸이 가볍게 느껴짐.	• 아내에 대한 걱정에 불안감이 커짐. • 힘이 빠지며 몸이 무겁게 느껴짐.

전개 소주제 거듭되는 행운에 왠지 모를 불안감을 느끼는 김 첨지

16 (자)에 나타난 김 첨지에 대한 설명으로 알맞지 <u>않은</u> 것은?

① 집이 가까워질수록 마음이 불안해졌다.
② 집의 광경이 어른거려 불안함을 느꼈다.
③ 많은 돈을 벌었다는 기쁨을 오래 지니고 싶었다.
④ 자신에게 닥쳐올 불행에 대해 예감하지 못했다.
⑤ 다른 사람들이 술 취했다고 생각했을 정도로 갈팡질팡 뛰었다.

17 인력거의 무게에 따른 김 첨지의 심리 변화로 알맞은 것은?

① 인력거가 무거워지면 마음이 무거워진다.
② 인력거가 가벼워지면 발걸음이 가벼워진다.
③ 인력거가 가벼워지면 마음이 홀가분해진다.
④ 인력거의 무게는 김 첨지의 심리에 영향을 미치지 않는다.
⑤ 인력거가 무거워지면 돈을 번다는 생각에 몸이 가벼워진다.

주관식
18 내용의 흐름을 고려하여 ㉠이 의미하는 바를 쓰시오.

위기 **차** 그럴 즈음에 마침 길가 선술집에서 그의 친구 치삼이가 나온다.【그의 우글
교과서 52쪽 ▶
【 】: 치삼이의 외양 묘사
우글 살찐 얼굴에 주홍이 도는 듯, 온 턱과 뺨을 시커멓게 구레나룻이 덮였거든.】

【노르땡땡한 얼굴이 바짝 말라서 여기저기 고랑이 파이고 수염도 있대야 턱 밑
〔 〕: 김 첨지의 외양 묘사
에만 마치 솔잎 송이를 거꾸로 붙여 놓은 듯한】김 첨지의 풍채하고는 기이한 대
겉으로 드러나 보이는 사람의 모양
상을 짓고 있었다.

　　"여보게, 김 첨지. 자네 문안 들어갔다 오는 모양일세그려. 돈 많이 벌었을 테니

한잔 빨리게."

　　뚱뚱보는 말라깽이를 보던 맡에 부르짖었다. 그 목소리는 몸집과 딴판으로 연
치삼이　　　김 첨지　　　어떤 일을 하는 바로 그 순간
하고 싹싹하였다. 김 첨지는 이 친구를 만난 게 어떻게 반가운지 몰랐다. ⊙자기
치삼이를 반가워하는 김 첨지의 심리 직접 제시
를 살려 준 은인이나 무엇같이 고맙기도 하였다.

　　"자네는 벌써 한잔한 모양일세그려. 자네도 오늘 재미가 좋아 보이."

하고 김 첨지는 얼굴을 펴서 웃었다.

　　"압다, 재미 안 좋다고 술 못 먹을 낸가? 그런데 여보게, 자네 온몸이 어째 물독
온종일 비를 맞으며 인력거를 끌었기 때문
에 빠진 생쥐 같은가? 어서 이리 들어와 말리게."

　　카 선술집은 훈훈하고 뜻뜻하였다. 추어탕을 끓이는 솥뚜껑을 열 적마다 뭉게뭉
게 떠오르는 흰 김, 석쇠에서 뼈지짓뼈지짓 구워지는 너비아니, 굴이며 제육이며 간
이며 콩팥이며 북어며 빈대떡……. 이 너저분하게 늘어놓은 안주 탁자, 김 첨지는
갑자기 속이 쓰려서 견딜 수 없었다. 마음대로 할 양이면 거기 있는 모든 먹음먹이
음식을 보자 온종일 굶은 허기가 밀려듦.　　　　　　　　　　　먹음직한 음식들
를 모조리 깡그리 집어삼켜도 시원치 않았다. 하되 배고픈 이는 우선 분량 많은 빈
대떡 두 개를 쪼이기로 하고 추어탕을 한 그릇 청하였다. 주린 창자는 음식 맛을 보
더니 더욱더욱 비어지며 자꾸자꾸 들이라 들이라 하였다. 순식간에 두부와 미꾸라
지 든 국 한 그릇을 그냥 물같이 들이키고 말았다. 셋째 그릇을 받아 들었을 제 덥히
던 막걸리 곱빼기 두 잔이 데워졌다. 치삼이와 같이 마시자 원원이 비었던 속이라
불안감을 일시적으로 해소하고, 돈에 대한 혐오감을 분출하는 계기　　어떤 사물이 전해 내려온 그 처음부터. 또는 그 본디부터
찌르르하고 창자에 퍼지며 얼굴이 화끈하였다. 눌러 곱빼기 한 잔을 또 마셨다.
불안감을 해소하기 위해 계속해서 술을 마심.
▶ 선술집에서 치삼이와 음식을 먹고 술을 마시는 김 첨지

선택 **학습 문제**

19 (차)에서 치삼이와 김 첨지의 외
양을 대조적으로 묘사한 효과로 알
맞은 것은?

① 김 첨지의 비참한 삶을 효과적
으로 보여 준다.

② 치삼이와 김 첨지의 변함없는
우정을 강조한다.

③ 서로를 반가워하는 마음을 구
체적으로 보여 준다.

④ 김 첨지에게 연민을 느끼는 치삼
이의 다정한 마음을 강조한다.

⑤ 치삼이와 김 첨지의 성격이 비
슷하다는 것을 간접적으로 보
여 준다.

교과서 날개 **5.** 김 첨지가 치삼을 반가워하
는 이유는 무엇인가?

교과서 날개 응용

20 김 첨지가 치삼이를 ⊙과 같이
생각한 이유로 알맞은 것은?

① 치삼이에게 아내의 진료를 부
탁할 수 있기 때문이다.

② 치삼이에게 자신이 번 큰돈을
자랑할 수 있기 때문이다.

③ 치삼이가 김 첨지에게 경제적
으로 큰 도움을 준 적이 있기
때문이다.

④ 자신이 일을 나갈 때마다 치삼
이가 개똥이를 보살펴 주었기
때문이다.

⑤ 자신이 예견한 아내의 죽음에
대한 불안감을 조금 늦출 수 있
기 때문이다.

주관식

21 (카)에서 다음에 해당하는 소재
를 찾아 쓰시오.

> 김 첨지가 아내에 대한 불안함을
> 일시적으로 해소하는 계기가 됨.

타 김 첨지의 눈은 벌써 개개풀리기 시작하였다. 석쇠에 얹힌 떡 두 개를 숭덩숭
덩 썰어서 볼을 불룩거리며 또 곱빼기 두 잔을 부어라 하였다.
<small>연한 물건을 조금 큼직하고 거칠게 자꾸 빨리 써는 모양</small>

치삼은 의아한 듯이 김 첨지를 보며,

"여보게, 또 붓다니, 벌써 우리가 넉 잔씩 먹었네. 돈이 사십 전일세."
<small>치삼이가 술값을 걱정함.</small>

라고 주의시켰다.

"아따 이놈아, 사십 전이 그리 끔찍하냐? 오늘 내가 돈을 막 벌었어. 참 오늘 운

수가 좋았느니."
<small>손님을 연이어 태움.</small>

"그래 얼마를 벌었단 말인가?"

"삼십 원을 벌었어, 삼십 원을! 이런 젠장맞을, 술을 왜 안 부어? 괜찮다, 괜찮
<small>김 첨지가 자신이 돈을 많이 벌었다고 이야기함.</small>
아, 막 먹어도 상관이 없어. 오늘 돈 산더미같이 벌었는데."

"어, 이 사람 취했군. 고만두세."
<small>삼십 원을 벌었다는 김 첨지의 말을 믿지 않음.</small>

"이놈아, 그걸 먹고 취할 내냐? 어서 더 먹어."

하고는 치삼의 귀를 잡아치며 취한 이는 부르짖었다. 그리고 술을 붓는 열오륙 세

됨 직한 중대가리에게로 달려들며,
<small>머리를 빡빡 깎은 사람을 놀림조로 이르는 말</small>

"이놈, 왜 술을 붓지 않아?"

라고 야단을 쳤다. 중대가리는 희희 웃고 치삼을 보며 문의하는 듯이 눈짓을 하였
다. 주정꾼이 이 눈치를 알아보고 화를 버럭 내며,
<small>김 첨지의 말을 의심하는 태도</small>
<small>김 첨지</small>

"이 오라질 놈들 같으니. 이놈, 내가 돈이 없을 줄 알고."

하자마자 허리춤을 훔칫훔칫하더니 일 원짜리 한 장을 꺼내어 중대가리 앞에 펄
<small>자신의 말을 믿지 못하는 중대가리의 반응에 돈을 집어 던짐.</small>
쩍 집어 던졌다. 그 사품에 몇 푼 은전이 잘그랑하며 떨어진다.
<small>어떤 동작이나 일이 진행되는 바람이나 겨를</small>

"여보게, 돈 떨어졌네. 왜 돈을 막 끼얹나?"

이런 말을 하며 치삼은 일변 돈을 줍는다. 김 첨지는 취한 중에도 돈의 거처를
<small>한편</small>
살피려는 듯이 눈을 크게 떠서 땅을 내려 보다가 불시에 제 하는 짓이 너무 더럽다
<small>은전에도 쩔쩔매는 김 첨지</small> <small>돈을 잃어버릴까 봐 쩔쩔매는 모습</small>
는 듯이 고개를 소스라치자 더욱 성을 내며,
<small>자신에 대한 혐오감</small>

"봐라, 봐! 이 더러운 놈들아! 내가 돈이 없나. 다리 뼉다구를 꺾어 놓을 놈들 같

으니."

하고 치삼의 주워 주는 돈을 받아,

"이 원수엣돈! 이 육시를 할 돈!"
<small>가난과 아내의 병이 돈 때문이라고 생각함. → 가난한 삶에서 느끼는 서러움과 증오감이 극에 달함.</small>

하면서 팔매질을 친다. 벽에 맞아 떨어진 돈은 다시 술 끓이는 양푼에 떨어지며 정

당한 매를 맞는다는 듯이 쨍하고 울었다. ▶ 술에 취해 울분을 느끼며 돈을 팔매질 치는 김 첨지
<small>돈이 정당한 매를 맞음. → 돈에 대한 작가의 비판적 의식이 드러남.</small>

파 곱빼기 두 잔은 또 부어질 겨를도 없이 말려 가고 말았다. 김 첨지는 입술과

수염에 붙은 술을 빨아들이고 나서 매우 만족한 듯이 그 솔잎 송이 수염을 쓰다듬

으며,

"또 부어, 또 부어." / 라고 외쳤다.

선택 학습 문제

22 (타)에 나타나는 인물들의 모습
으로 알맞은 것은?

① 김 첨지는 일 원짜리를 치삼이
에게 준다.

② 중대가리는 치삼이의 돈을 훔
칠 궁리를 한다.

③ 치삼이는 술값이 많이 나올 것
에 대해 걱정하지 않는다.

④ 김 첨지는 사람들에게 많은 돈
을 벌었다고 큰소리를 친다.

⑤ 치삼이는 돈을 많이 벌었다는
김 첨지의 말을 그대로 믿는다.

교과서 날개 6. 돈을 팔매질 치는 행동에 담
긴 김 첨지의 마음을 짐작해 보자.
교과서 날개 응용

23 (타)에서 알 수 있는 돈에 대한
김 첨지의 생각으로 알맞은 것은?

① 사회를 개혁할 수 있는 수단이다.

② 은전까지 모아야 부자가 될 수
있다.

③ 가난과 아내의 죽음을 불러오
는 원인이다.

④ 다른 사람과 서로 나누며 살아
야 하는 것이다.

⑤ 돈이 지배하는 세상이지만 자신
은 돈에 휘둘리지 않겠다.

24 돈을 팔매질 치는 김 첨지의 행
동을 통해 작가가 드러내고자 한 것
은?

① 사회 개혁의 필요성

② 돈에 대한 하층민의 울분

③ 많은 돈을 번 김 첨지의 기쁨

④ 이상향을 추구하는 김 첨지의
의지

⑤ 가난에서 벗어나려는 김 첨지
의 노력

또 한 잔 먹고 나서 김 첨지는 치삼의 어깨를 치며 ㉠문득 깔깔 웃는다. 그 웃음 소리가 어떻게 컸던지 술집에 있는 이의 눈은 모두 김 첨지에게로 몰리었다. ㉡웃는 이는 더욱 웃으며,

"여보게 치삼이, 내 우스운 이야기 하나 할까? 오늘 손을 태우고 정거장에 가지 않았겠나?" / "그래서?"

"갔다가 그저 오기가 안됐데그려. 그래 전차 정류장에서 어름어름하며
　　　　　　　　　　　　　　　　　　　　　말이나 행동을 똑똑하게 분명히 하지 못하고 자꾸 우물쭈물하며
손님 하나를 태울 궁리를 하지 않았나? 거기 마침 마마님이신지 여학생이신지(요새
웃음을 파는 여자를 속되게 이르는 말　　　　　　　　　　서구 문물이 도입된 1920년대의 사회상
야 어디 논다니와 아가씨를 구별할 수가 있던가.) 망토를 잡수시고 비를 맞고
서 있겠지. 슬근슬근 가까이 가서 인력거 타시랍시오 하고 손가방을 받으려
까 내 손을 탁 뿌리치고 빽 돌아서더만 '왜 남을 이렇게 귀찮게 굴어!' 그 소리야
말로 ㉢꾀꼬리 소리지, 허허."
　　　'듣기 싫은 소리'였다는 것을 반어적으로 표현

김 첨지는 교묘하게도 정말 꾀꼬리 같은 소리를 내었다. 모든 사람은 일시에 웃었다.

"빌어먹을 깍쟁이 같은 년, 누가 저를 어쩌나. '왜 남을 귀찮게 굴어!' 어이구, 소
자신을 무시했던 여인에게 불만을 표현함.
리가 채신도 없지, 허허."
　　　　　　　　　　　　　　　　　　　　　　▶ 낮에 있었던 일을 이야기하며 웃는 김 첨지

(하) 웃음소리들은 높아졌다. 그러나 그 웃음소리들이 사라지기 전에 김 첨지는
　　　　　　　　　　　　　　　극도로 불안한 김 첨지의 심리 상태
훌쩍훌쩍 울기 시작하였다. 치삼은 어이없이 주정뱅이를 바라보며,
　　　　　　　　　　　　　　　　　　　김 첨지

"금방 웃고 지랄을 하더니 우는 건 또 무슨 일인가?"

김 첨지는 연해 코를 들여마시며,

"우리 마누라가 죽었다네."
　　아내의 죽음을 예감함.

"뭐, 마누라가 죽다니, 언제?"

"이놈아, 언제는, 오늘이지."

"에끼, 미친놈, 거짓말 말아."

"거짓말은 왜? 참말로 죽었어 참말로…… 마누라 시체를 집에 뻐들쳐 놓고 내
가 술을 먹다니, 내가 죽일 놈이야, 죽일 놈이야."
아픈 아내를 두고 나와 술을 마신 것에 대한 자책감 + 아내가 죽었을지도 모른다는 불안감
하고 김 첨지는 엉엉 소리를 내어 운다.
　　　　　　　　　　　　　　　　　　　　　　▶ 아내가 죽었다며 우는 김 첨지

(거) 치삼은 흥이 조금 깨어지는 얼굴로,

"원, 이 사람이, 참말을 하나, 거짓말을 하나? 그러면 집으로 가세, 가."
　　　　　　　김 첨지의 말을 반신반의(半信半疑)함.
하고 우는 이의 팔을 잡아당기었다.

치삼의 잡는 손을 뿌리치더니 ㉣김 첨지는 눈물이 글썽글썽한 눈으로 싱그레 웃는다.

"죽기는 누가 죽어?" / 하고 득의가 양양.
　　　　　　　　　　　아무 탈 없이 멀쩡하게

"죽기는 왜 죽어? 생때같이 살아만 있단다. 그년이 밥을 죽이지. 인제 나한테 속
　　　　　　　아내가 죽지 않았다고 믿고 싶은 마음
았다, 인제 나한테 속았다."

하고, ㉤어린애 모양으로 손뼉을 치며 웃는다.
　　　　　급격한 행동 변화를 통해 김 첨지의 불안한 심리를 표현함.

선택 **학습 문제**

25 ㉠~㉤ 중, 아내에 대한 불안감을 떨치기 위한 김 첨지의 행동이 아닌 것은?

① ㉠　　② ㉡　　③ ㉢
④ ㉣　　⑤ ㉤

26 (하)에서 김 첨지가 했을 생각으로 가장 알맞은 것은?

① 아내가 차려 주는 따뜻한 밥상이 그리워.
② 자꾸 집에 들어오라는 아내가 너무 귀찮아.
③ 집에 있는 아내가 죽었을까 봐 너무 불안해.
④ 아내가 개똥이를 별 탈 없이 보살피고 있겠지?
⑤ 우리 가족을 가난하게 만든 아내가 원망스러워.

27 (하)의 김 첨지와 치삼이의 대화에 대한 설명으로 알맞은 것은?
　　　　　　　　　　　　　　(정답 2개)

① 김 첨지의 처지를 배려하는 치삼이의 인물됨이 드러난다.
② 아내가 죽었을지도 모른다는 김 첨지의 불안감이 나타난다.
③ 치삼이에게 신세를 지고 있는 김 첨지의 처지가 드러난다.
④ 치삼이가 김 첨지의 말을 믿지 않는 이유를 구체적으로 제시한다.
⑤ 아픈 아내를 두고 나와 술을 마신 것에 대한 김 첨지의 자책감이 드러난다.

"이 사람이 정말 미쳤단 말인가? 나도 아주먼네가 앓는단 말은 들었는데."

하고 치삼이도 어느 불안을 느끼는 듯이 김 첨지에게 또 돌아가라고 권하였다.

【"안 죽었어. 안 죽었대도 그래."
【 】: 아내가 죽지 않았기를 바라는 마음

김 첨지는 화증을 내며 확신 있게 소리를 질렀으되 그 소리엔 안 죽은 것을 믿으려고 애쓰는 가락이 있었다.】기어이 일 원어치를 채워서 곱빼기 한 잔씩 더 먹고 나왔다. 궂은비는 의연히 추적추적 내린다.

▶ 아내가 죽지 않았기를 바라는 김 첨지
불길한 분위기 형성, 사건의 비극성 암시

시험 포인트 03

● '돈'에 대한 김 첨지의 심리

"이 원수엣돈! 이 육시를 할 돈!"

↓

김 첨지의 심리	• 돈에 대한 분노와 원망 • 아내의 병과 가난에 대한 한탄
돈의 역할	• 김 첨지가 얻길 원하면서도 원망하는 이중성을 지닌 소재 • 가난과 아내의 죽음을 초래한 원인

● 김 첨지의 과장된 행동

• 낮에 있었던 일을 말하며 큰 소리로 웃음. • 아내가 죽었다며 훌쩍이며 울기 시작함. • 치삼이가 자신에게 속았다며 손뼉을 치며 웃음. • 화를 내며 아내가 죽지 않았다고 말함.

↓

• 불안감을 떨치기 위한 과장된 행동 • 아내의 죽음을 예감한 불안감과 아내가 살아 있기를 바라는 기대감이 교차함.

위기 소주제 | 귀가를 늦추고 친구와 술을 마시면서 애써 불안감을 떨치려고 하는 김 첨지

절정 **너** ㉠김 첨지는 취중에도 설렁탕을 사 가지고 집에 다다랐다.【집이라 해
【 】: 김 첨지의 궁핍한 처지
도 물론 셋집이요, 또 집 전체를 세 든 게 아니라 안과 뚝 떨어진 행랑방 한 칸을 빌려 든 것인데 물을 길어 대고 한 달에 일 원씩 내는 터이다.】만일 김

첨지가 주기를 띠지 않았던들 한 발을 대문 안에 들여놓았을 제 그곳을 지배하는
무시무시한 정적 — 폭풍우가 지나간 뒤의 바다 같은 정적에 다리가 떨리었으리
아내의 죽음을 암시함.
라. 쿨룩거리는 기침 소리도 들을 수 없다. 그르렁거리는 숨소리조차 들을 수 없
다. 다만 이 무덤 같은 침묵을 깨뜨리는 — 깨뜨린다느니보다 한층 더 침묵을 깊게
아내의 죽음
하고 불길하게 하는 빡빡 하는 그윽한 소리, ㉡어린애의 젖 빠는 소리가 날 뿐이
다. 만일 청각이 예민한 이 같으면 그 빡빡 소리는 빨 따름이요, 꿀떡꿀떡하고 젖
넘어가는 소리가 없으니, 빈 젖을 빤다는 것도 짐작할는지 모르리라.

☞주관식
28 (거)에서 불안하고 음산한 분위기를 형성하며, 사건의 비극성을 암시하는 문장을 찾아 쓰시오.

교과서 날개 **7.** 설렁탕을 사서 집으로 돌아가는 김 첨지의 마음이 어떨지 생각해 보자.
교과서 날개 응용
29 김 첨지가 ㉠과 같이 행동한 이유로 알맞은 것은?
① 아내가 설렁탕을 먹고 싶어 했기 때문이다.
② 아내에게 잘못한 것을 사과하기 위해서이다.
③ 개똥이가 설렁탕을 먹고 싶어 했기 때문이다.
④ 치삼이가 설렁탕을 사 가지고 가라고 조언했기 때문이다.
⑤ 설렁탕을 사면 또 다른 행운이 올 것 같은 예감이 들었기 때문이다.

교과서 날개 **8.** '무덤 같은 침묵'은 무엇을 의미하는지 말해 보자.

30 ㉡에 대한 설명으로 알맞은 것은?
① 사건에 대한 작가의 평가를 드러낸다.
② 청각적 심상을 통해 비극성을 고조시킨다.
③ 등장인물 간의 갈등을 청각적으로 묘사한다.
④ 과거를 회상하고 있던 등장인물을 현실로 돌아오게 한다.
⑤ 아내가 죽지 않았으면 하는 김 첨지의 희망을 감각적으로 묘사한다.

혹은 김 첨지도 이 불길한 침묵을 짐작했는지도 모른다. 그렇지 않으면 대문에 들어서자마자 전에 없이,
_{아내의 죽음}

"이년, 남편이 들어오는데 나와 보지도 안 해, 이년!"
_{아내의 죽음에 대한 불안감을 떨치고자 하는 김 첨지의 모습}
이라고 고함을 친 게 수상하다. 이 고함이야말로 제 몸을 엄습해 오는 무시무시한 증을 쫓아 버리려는 허장성세(虛張聲勢)인 까닭이다.
_{실속은 없으면서 큰소리치거나 허세를 부림.}
▶ 설렁탕을 사 들고 집으로 돌아와 정적 속에서 불길함을 느끼는 김 첨지

더 하여간 김 첨지는 방문을 왈칵 열었다. 구역을 나게 하는 추기 — 떨어진 삿
_{추깃물. 송장이 썩어서 흐르는 물}
자리 밑에서 올라온 먼지내, 빨지 않은 기저귀에서 나는 똥내와 오줌내, 가지각색
_{갈대를 엮어서 만든 자리}
때가 켜켜이 앉은 옷 내, 병인의 땀 썩은 내가 섞인 추기가 무딘 김 첨지의 코를 찔
_{김 첨지의 아내}
렀다.

방 안에 들어서며 설렁탕을 한구석에 놓을 사이도 없이 주정꾼은 목청을 있는 대로 다 내어 호통을 쳤다.
_{불안감을 떨치려는 김 첨지의 과장된 행동}

"이년, 주야장천(晝夜長川) 누워만 있으면 제일이야. 남편이 와도 일어나지를 못해!"
_{밤낮으로 쉬지 않고 연달아}

라고 소리와 함께 발길로 누운 이의 다리를 몹시 찼다. 그러나 발길에 차이는 건 사람의 살이 아니고 나뭇등걸과 같은 느낌이 있었다. 이때에 빡빡 소리가 응아 소
_{김 첨지의 아내}
_{김 첨지가 아내의 죽음을 확인함.}
리로 변하였다. 개똥이가 물었던 젖을 빼어 놓고 운다. 운대도 온 얼굴을 찡그려 붙여서 운다는 표정을 할 뿐이다. 응아 소리도 입에서 나는 것이 아니고 마치 배
_{소리 내어 울 기력조차 없는 개똥이의 모습을 통해 비극성을 고조시킴.}
속에서 나는 듯하였다. 울다가 목도 잠겼고 또 울 기운조차 시진한 것 같다.
_{기운이 빠져 없어진}
▶ 호통을 치며 아내의 다리를 차는 김 첨지

시험 포인트 04

● 아내의 죽음 묘사

청각적 심상	• 무덤 같은 침묵 • 빡빡 소리(개똥이 젖 빠는 소리), 응아 소리(개똥이 우는 소리)
후각적 심상	구역을 나게 하는 추기(먼지내, 똥내와 오줌내, 옷 내, 땀 썩은 내)
촉각적 심상	나뭇등걸과 같은 느낌

↓

• 구체적인 심상을 이용하여 묘사함.
• 1920년대 하층민의 비참한 삶의 모습을 보여 줌.
• 아내의 죽음을 암시하며, 장면의 비극성을 고조시킴.

절정 소주제 설렁탕을 사 들고 집으로 가서 무서운 정적을 느끼는 김 첨지

결말 **러** 발로 차도 그 보람이 없는 걸 보자 남편은 아내의 머리맡으로 달려들어 그야
_{교과서 58쪽 ▶}
말로 까치집 같은 환자의 머리를 꺼들어 흔들며,

"이년아, 말을 해, 말을! 입이 붙었어? 이년!"

"······."

"으응, 이것 봐, 아무 말이 없네." / "······."

"이년아, 죽었단 말이냐, 왜 말이 없어?"
_{아내의 죽음을 믿고 싶지 않음.}

선택 학습 문제

31 (너)에서 집에 돌아온 김 첨지가 큰소리를 치는 이유로 알맞은 것은?
① 개똥이가 큰 소리로 울고 있었기 때문이다.
② 나와 보지 않는 아내에게 화가 많이 났기 때문이다.
③ 집에서 밥만 축내고 있는 아내가 얄미웠기 때문이다.
④ 집에서 나는 고약한 냄새에 기분이 상했기 때문이다.
⑤ 아내의 죽음에 대한 불안감을 쫓아 버리기 위해서이다.

32 (더)에서 김 첨지가 느꼈을 기분으로 알맞지 않은 것은?
① 아내가 죽은 슬픔
② 아내가 죽었을 것 같은 불안감
③ 가난 때문에 죽은 아내에 대한 연민
④ 집에 돌아와 가족에게 느끼는 안락함
⑤ 아내를 죽음에 이르게 한 자신에 대한 자책감

33 이 글의 내용을 참고할 때, 빈칸에 들어갈 말을 알맞게 짝지은 것은?

> 김 첨지에게 (㉠)을 많이 버는 행운이 이어지는 동안, (㉡)는 홀로 죽었다.

	㉠	㉡
①	시간	아내
②	돈	아내
③	돈	치삼이
④	시간	치삼이
⑤	돈	개똥이

"……."

"으응, 또 대답이 없네. 정말 죽었나 보이."

이러다가 누운 이의 흰창이 검은창을 덮은, 위로 치뜬 눈을 알아보자마자,
_{아내의 죽음을 확인함.}

"이 눈깔! 이 눈깔! 왜 나를 바라보지 못하고 천장만 보느냐? 응."

하는 말끝엔 목이 메었다. 그러자 산 사람의 눈에서 떨어진 닭똥 같은 눈물이 죽은
_{김 첨지의 눈물}
이의 뻣뻣한 얼굴을 어룽어룽 적신다. 문득 김 첨지는 미친 듯이 제 얼굴을 죽은
_{아내의 얼굴}
이의 얼굴에 한데 비비대며 중얼거렸다.

"설렁탕을 사다 놓았는데 왜 먹지를 못하니, 왜 먹지를 못하니? 괴상하게도 오
_{돈을 많이 벌어서 운수가 좋다고 생각했던 날 아내가 죽는 불행이 발생함. → 제목과는 다른 반어적 결말}
늘은 운수가 좋더니만……."

▶ 아내의 죽음을 확인하고 눈물을 흘리는 김 첨지

시험 포인트 05

● 설렁탕의 상징적 의미

> · 아내가 먹고 싶어 했으나 지독한 가난 때문에 사 먹을 수 없던 음식
> · 겉으로는 무뚝뚝하지만 속으로는 아내를 사랑하는 김 첨지의 마음을 보여 줌.

⬇

> 아내의 죽음이라는 결말의 비극성을 강조함.

● 제목 '운수 좋은 날'에 나타난 반어

겉으로 드러나는 의미	실제로 표현하려는 의미
행운이 계속되어 돈을 많이 벌게 된 운수 좋은 날	아내가 죽은 불행하고 비참한 날

⬇

> · 아내의 죽음이 지니는 비극성을 더욱 강조함.
> · 일제 강점기 하층민의 비참한 삶을 강조함.

● 제목을 통해 드러나는 작가의 의도

> 1920년대 일제 강점기 하층민의 비참한 생활상(우리 민족의 비극적인 삶의 모습)을 효과적으로 드러냄.

결말 소주제 아내의 죽음을 확인하고 비통해하는 김 첨지

선택 **학습 문제**

34 (러)에서 다음과 같은 역할을 하는 소재를 찾아 쓰시오.

> · 하층민의 가난한 생활상을 드러냄.
> · 아내에 대한 김 첨지의 사랑을 의미함.
> · 결말의 비극성을 강조함.

35 이 글의 내용으로 보아, 제목 '운수 좋은 날'에 대한 설명으로 알맞은 것은?

① 역설적 표현을 사용하여 작품의 역사적 의미를 강조한다.

② 시각적 심상을 사용하여 아내의 죽음을 사실적으로 묘사한다.

③ 내용과 반대되는 말로 표현하여 작품의 비극성을 강조한다.

④ 비유적인 표현을 사용하여 등장인물에 대한 평가를 드러낸다.

⑤ 함축적인 표현을 사용하여 작품의 배경인 1920년대의 사회상을 구체적으로 제시한다.

tip 〈운수 좋은 날〉의 작가 현진건

대구광역시 출생(1900~1943)으로, 호는 빙허(憑虛)이다. 1921년 동인지 《백조》를 발간하면서 본격적인 작품 활동을 시작했다. 단편 소설 〈빈처〉, 〈술 권하는 사회〉 등을 통해 사실주의적 기법을 선보였으며, 〈운수 좋은 날〉, 〈고향〉 등을 통해 일제 강점기 서민들의 비참한 삶의 모습을 사실적으로 그려 냈다.

1 작품의 내용을 파악해 보자.

❶ 하루 동안 김 첨지에게 일어난 일을 정리해 보자.

예시 답안

앓아누운 [아내] 을/를 두고 일을 하러 집을 나섬.

빗속에서 여러 손님을 태워다 주고 [돈] 을/를 많이 벌게 됨.

[귀가] 을/를 미루고 친구 치삼과 술을 마심.

설렁탕을 사 들고 집에 가지만 아내의 죽음을 확인하고 눈물을 흘림.

❷ 다음과 같은 행동에서 드러나는 김 첨지의 마음을 생각해 보자.

집에 가까워지면 다리가 무거워짐.

집에서 멀어지면 걸음에 신이 남.

예시 답안 아픈 아내를 염려하는 마음에 아내가 있는 집에 가까워지면 마음이 불안하고 초조해지면서 다리가 무거워진다. 하지만 집에서 멀어지면 잠시나마 아내 걱정에서 벗어나게 되어 걸음에 다시 신이 난다.

2 작품에 사용된 표현 방법의 특징을 이해해 보자.

❶ 하루 동안 김 첨지에게 일어난 행운과 불행을 적어 보자.

예시 답안

김 첨지의 행운	김 첨지의 불행
• 앞집 마님과 양복쟁이를 각각 전찻길과 학교까지 태워다 주고 팔십 전을 받음. • 학생을 남대문 정거장까지 태워다 주고 일 원 오십 전을 받음. • 큰 가방을 든 사람을 인사동까지 태워다 주고 육십 전을 받음. → 오랜만에 연이어 손님을 인력거에 태워 돈을 많이 벎.	아내의 죽음

❷ **❶**을 바탕으로 김 첨지의 하루가 '운수 좋은 날'인지 생각해 보고, 그렇게 생각한 이유를 말해 보자.

예시 답안 김 첨지의 하루는 '운수 좋은 날'이 아니라 오히려 가장 비극적인 날이라고 생각한다. 표면상으로는 돈을 많이 벌어서 운수 좋은 날처럼 보였지만 결과적으로는 아내의 죽음이라는 큰 불행을 맞이했기 때문이다.

❸ 이 작품의 제목에 사용된 표현 방법의 특징과 효과를 이야기해 보자.

예시 답안 김 첨지의 비극적인 하루를 '운수 좋은 날'이라고 반대로 표현했으므로 이 작품의 제목에는 반어의 표현 방법이 사용되었다. 이를 통해 김 첨지의 하루가 비참하고 불행한 날이라는 의미를 강조하고 비극적 정서를 심화하는 효과를 거두고 있다.

3 반어를 활용하여 나의 하루를 개성 있게 표현해 보자.

❶ 최근 기억에 남는 하루를 떠올려 보고, 중요한 사건을 정리해 보자.

예시 답안
- 언제, 어디서 있었던 일인가?: 며칠 전 엄마와 아빠가 여행을 가신 날 집에서 있었던 일
- 누구와 함께 겪은 일인가?: 동생
- 무슨 일이 있었는가?: 동생이 집안일을 돕지 않아 나 혼자 너무 바쁘고 힘들었다.

❷ **❶**의 사건이 나에게 어떤 의미가 있었는지 생각해 보자.

예시 답안 맏이라는 이유로 집안일을 도맡아 하는 것은 불공평하다는 생각을 하게 되었다.

❸ 앞의 활동을 바탕으로 내가 겪은 하루를 일기로 쓰고, 반어를 활용하여 제목을 붙여 보자.

예시 답안 　제목: 평등했던 어느 하루

오늘은 엄마와 아빠가 여행을 가셔서 집을 비우신 날이었다. 전날 밤 부모님께서는 내가 맏이이니 동생을 잘 챙겨서 함께 아침을 먹고 학교에 가라고 당부하셨다.

그런데 아침이 되었는데도 동생이 늑장을 부리고 일어나지 않아서 나 혼자 아침을 준비해야 했다. 게다가 늦게 일어난 동생이 밥을 먹고 씻는 동안 설거지 역시 나 혼자 해야만 했다.

오후에 집에 돌아와서도 상황은 마찬가지였다. 먼저 집에 온 동생이 집을 잔뜩 어질러 놓고 치우지 않은 바람에 나는 가방을 내려놓고 청소부터 시작해야 했다. 저녁을 먹은 뒤 동생에게 설거지를 부탁하려고 했지만, 동생은 컴퓨터를 하며 내 말을 들은 척도 하지 않았다.

오늘처럼 부모님이 안 계시는 날에는 내가 맏이라는 이유로 동생 몫까지 일해야 할 때가 많다. 불평등하다는 생각이 들어 조금은 속이 상했던, 잊지 못할 하루였다.

잠깐 어휘 학습

1 시로 표현하기

📖 '이별'과 관련된 단어 중 알맞은 것을 골라 문장을 완성하고, 그 뜻을 사전에서 조사하여 나의 단어장을 만들어 보자.

이별(離別)　　작별(作別)　　결별(訣別)
석별(惜別)　　송별(送別)

나의 단어장

- 이별: 「명사」 서로 갈리어 떨어짐.
- 작별: 「명사」 인사를 나누고 헤어짐. 또는 그 인사
- 송별: 「명사」 떠나는 사람을 이별하여 보냄.
- 결별: 「명사」 기약 없는 이별을 함. 또는 그런 이별
- 석별: 「명사」 서로 애틋하게 이별함. 또는 그런 이별

(1) 지수는 가족과 길게 이야기를 나누지 못하고 　작별 , 송별　 했다.

(2) 이 그림은 중국 사신을 성대하게 　송별 , 이별　 하는 장면을 담고 있다.

(3) 현우는 졸업식에서 눈물을 흘리며 친구들과 　결별 , 석별　 의 정을 나누었다.

2 이야기로 표현하기

📖 '웃음'과 관련된 단어와 그 뜻을 확인하고, 빈칸에 적절한 말을 넣어 보자.

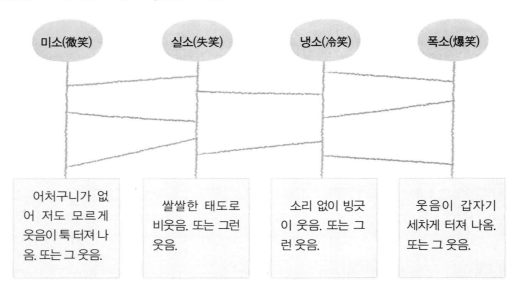

| 미소(微笑) | 실소(失笑) | 냉소(冷笑) | 폭소(爆笑) |

어처구니가 없어 저도 모르게 웃음이 툭 터져 나옴. 또는 그 웃음.

쌀쌀한 태도로 비웃음. 또는 그런 웃음.

소리 없이 빙긋이 웃음. 또는 그런 웃음.

웃음이 갑자기 세차게 터져 나옴. 또는 그 웃음.

오늘 친구들과 박물관에 다녀왔다. 가장 인상 깊게 본 유물은 '신라의 　　　　'로 불리는 기와인데, 살짝 웃는 모습이 특히 좋았다. 그런데 친구가 이 기와에 나타난 표정을 우스꽝스럽게 흉내 내는 모습이 무척 재미있어서 　　　　를 터뜨렸다.

모아모아 **대단원 마무리 체크**

01 시로 표현하기

01 ( )은 시를 읽을 때 느껴지는 말의 가락으로, 같은 소리나 단어, 일정한 글자 수의 ( ) 등을 통해 형성된다.

02 ( )는 실제로 표현하고자 하는 의도와 반대되는 말로 표현하는 방법이다.

03 ( )은 겉으로는 모순되거나 불합리해 보이지만 실제로는 그 안에 삶의 진실을 담고 있는 표현 방법이다.

〈먼 후일〉

04 이 시에서 운율을 형성한 방법을 모두 고르시오.

> ㉠ 유사한 문장 구조를 반복함.
> ㉡ 같거나 비슷한 단어를 반복함.
> ㉢ 3음보의 규칙적인 율격을 사용함.
> ㉣ 임을 그리워하는 간절한 마음을 표현함.
> ㉤ 3·3·4개의 글자 수로 이루어진 행을 반복함.

05 이 시의 말하는 이는 사랑하는 사람인 '당신'과 ( )했지만, '당신'을 잊지 못하고 ( )하고 있다.

06 말하는 이가 '당신'을 잊지 못했음을 반대로 표현한 시어를 쓰시오.

07 '잊었노라'는 겉으로는 '당신'을 ( )고 말하고 있지만 속으로는 오랜 시간이 지나도 결코 '당신'을 잊을 수 ( )는 말하는 이의 마음을 표현한 것이다.

08 다음은 이 시에서 반어를 활용하여 얻은 효과이다. 빈칸에 알맞은 말을 쓰시오.
(1) 임을 그리워하는 마음을 간절하게 표현함으로써 ( )를 강조한다.
(2) 직설적인 표현으로는 나타내기 어려운 ( ) 감정을 효과적으로 표현한다.

09 이 시는 불특정한 미래에 '당신'을 다시 만날 상황을 ( )하고, 그때에 '잊었노라'라고 말하겠다고 ( )하여 표현함으로써 '당신'을 결코 잊을 수 없다는 속마음을 강조한다.

10 이 시의 주제를 쓰시오.

〈낙화〉

11 이 시의 말하는 이는 늦은 봄 ( )이 어지럽게 흩날리며 떨어지는 장면을 바라보고 있다.

12 이 시의 말하는 이에 대한 설명으로 알맞은 것을 모두 고르시오.

> ㉠ 이별을 담담하게 받아들이고 있다.
> ㉡ 이별의 의미를 새롭게 인식하고 있다.
> ㉢ 떠나는 이를 붙잡고 싶은 소망을 드러내고 있다.
> ㉣ 자연의 섭리에 불응하고자 하는 태도를 드러내고 있다.
> ㉤ 자연 현상을 보며 사랑과 이별의 과정을 떠올리고 있다.

13 이 시에 대한 설명으로 맞으면 ○표, 틀리면 ×표 하시오.
(1) 자연 현상과 인간의 삶을 연관 지어 표현했다. ( )
(2) 꽃이 피고 지는 것은 '사랑과 이별'을 의미한다. ( )
(3) 열매를 맺는 것은 '이별의 슬픔'을 의미한다. ( )
(4) 낙화는 열매를 맺기 위해 반드시 거쳐야 하는 과정이다. ( )

14 다음은 이 시에 사용된 시구에 대한 설명이다. 빈칸에 알맞은 말을 쓰시오.

> 결별이 이룩하는 축복

(1) 의미상 서로 어울리지 않는 말을 결합하여 ( ) 의미를 만들어 냈다.
(2) ( )은 고통스럽고 힘든 체험이지만, 영혼을 ( )하게 하는 계기가 되므로 불행이 아니라 오히려 ( )이 될 수 있다는 것을 의미한다.
(3) ( ) 느낌을 주고, 전달하고자 하는 새로운 의미를 더욱 ( )한다.

15 다음에서 역설이 사용된 표현을 모두 고르시오.

> ㉠ 작고도 큰 눈물 한 방울
> ㉡ 죽어도 아니 눈물 흘리우리다.
> ㉢ 우리에게 이 어둠이 얼마나 환희입니까?
> ㉣ (지각한 학생에게 선생님이) 일찍도 왔구나!
> ㉤ 임은 갔지만 나는 임을 보내지 아니하였습니다.

16 이 시의 주제를 쓰시오.

02 이야기로 표현하기

17 (　　　　)는 부정적인 현상이나 모순 등을 직접 말하지 않고 다른 것에 빗대어 비웃으면서 비판하는 표현 방법이다.

18 풍자는 대상을 비판하고 공격함으로써 잘못을 바로잡고 상황을 (　　　　)하는 것을 목적으로 한다.

19 다음은 풍자를 사용했을 때의 효과이다. 빈칸에 알맞은 말을 쓰시오.
(1) 직접적인 비판보다 대상을 더욱 (　　　) 깊게 비판한다.
(2) (　　　)을 유발하여 독자가 즐거움을 느끼도록 한다.
(3) 독자에게 현실을 바로 볼 수 있는 (　　　)을 갖게 한다.

〈양반전〉
20 다음을 이 소설의 내용에 따라 순서대로 배열하시오.

> ㉠ 한 가난한 양반이 환곡을 갚지 못해 곤경에 빠짐.
> ㉡ 부자가 증서의 내용을 듣고 양반이 되기를 포기함.
> ㉢ 부자가 양반의 환곡을 대신 갚아 주고 그 대가로 양반의 신분을 사기로 함.
> ㉣ 부자와 양반이 신분을 매매했다는 것을 알게 된 군수가 증서 작성을 제안하여 두 번에 걸쳐 매매 증서를 작성함.

21 이 글에 나타난 사회상에 대한 설명으로 맞으면 ○표, 틀리면 ×표 하시오.
(1) 양반의 권위가 점차 사라졌다. (　　　)
(2) 경제적으로 몰락하는 양반이 생겨났다. (　　　)
(3) 엄격했던 신분 질서가 붕괴하기 시작했다. (　　　)
(4) 경제적으로 성장한 평민 계층이 등장했다. (　　　)
(5) 고을에서 일어나는 모든 일은 군수를 통해 감사에게 전해졌다. (　　　)

22 빚을 갚을 길이 없어서 매일 우는 양반을 다음과 같이 비판한 인물은?

> "당신은 평소에 글 읽기만 좋아하더니, 환곡을 갚는 데는 전혀 도움이 안 되는구려. 쯧쯧, 양반이라니……, 한 푼어치도 안 되는 그놈의 양반!"

23 양반의 환곡을 대신 갚아 주고 양반의 신분을 사기로 한 인물은?

24 첫 번째 증서에는 체면을 지키기 위해 (　　　)에 얽매여 있는 양반의 모습이 나타난다.

25 첫 번째 증서에 언급된 양반의 모습을 모두 고르시오.

> ㉠ 더러운 일은 끊고, 옛사람을 본받고, 높은 뜻을 갖는다.
> ㉡ 배고픔과 추위를 참고 견디며, 가난 타령을 하지 않는다.
> ㉢ 덕이 뛰어난 군자가 될 수 있게 다른 사람들에게 선행을 베푼다.
> ㉣ 추울 때는 곁불을 쬘 수 있으나, 더울 때는 냇가에 들어갈 수 없다.

26 두 번째 증서에 대한 설명으로 맞으면 ○표, 틀리면 ×표 하시오.
(1) 무위도식하며 비생산적인 양반의 모습이 나열되어 있다. (　　　)
(2) 개인적인 이익만을 취하며 부당한 특권을 남용하는 양반의 모습이 나타난다. (　　　)
(3) 다른 계층에게 호의를 베푸는 양반의 모습이 나타난다. (　　　)

27 두 번째 증서에 언급된 양반의 모습을 모두 고르시오.

> ㉠ 스스로 농사를 짓고, 장사도 한다.
> ㉡ 강제로 이웃의 소를 끌어다 먼저 자기 땅을 간다.
> ㉢ 서른에 진사가 되어도 오히려 높은 벼슬자리에 오른다.
> ㉣ 방에서는 기생과 노닥거리고, 뜰에서는 남아도는 곡식으로 학을 기른다.

28 다음은 신분 매매 증서를 통해 풍자하고자 한 내용을 정리한 것이다. 빈칸에 알맞은 말을 쓰시오.

첫 번째 증서	(　　　)와 형식적인 (　　　)에만 얽매여 있는 양반의 모습 풍자
두 번째 증서	(　　　)을 이용해 백성을 괴롭히고 부당한 특권을 (　　　)하는 양반의 모습 풍자

29 이 글은 양반의 모습을 조롱하고 비하하는 표현을 사용하여 (　　　)을 유발하며 양반의 무능함과 부도덕함을 (　　　)하고 있다.

30 이 글의 주제를 쓰시오.

대단원 종합 문제

[01~06] 다음 시를 읽고, 물음에 답하시오.

가 먼 훗날 당신이 찾으시면
　그때에 내 말이 '잊었노라'

　당신이 속으로 나무라면
　'무척 그리다가 잊었노라'

　그래도 당신이 나무라면
　'믿기지 않아서 잊었노라'

　오늘도 어제도 아니 잊고
　먼 훗날 그때에 '잊었노라'

나 ㉠나뭇잎이 벌레 먹어서 예쁘다
　귀족의 손처럼 상처 하나 없이
　매끈한 것은
　어쩐지 베풀 줄 모르는
　손 같아서 밉다
　떡갈나무잎에 벌레 구멍이 뚫려서
　그 구멍으로 하늘이 보이는 것은 예쁘다
　상처가 나서 예쁘다는 것은
　잘못인 줄 안다
　그러나 남을 먹여 가며
　살았다는 흔적은
　별처럼 아름답다.

01 **(가)와 (나)에 대한 설명으로 알맞지 않은 것은?**
　① (가)는 (나)와 달리 반어가 활용되었다.
　② (가)는 (나)와 달리 시적 화자가 표면에 드러난다.
　③ (가)는 (나)와 달리 대상에 대한 그리움이 드러난다.
　④ (가)와 (나)는 모두 사람이 아닌 것을 사람처럼 표현하고 있다.
　⑤ (나)는 (가)와 달리 모순된 표현 안에 삶의 진실을 담고 있는 표현 방법이 활용되었다.

⊂주관식⊃
02 (가)에서 '당신'을 그리워하는 말하는 이의 마음을 반대로 표현한 시어를 찾아 쓰시오.

03 **(가)의 운율 형성 방법에 대한 설명으로 알맞지 않은 것은?**
　① '잊었노라'라는 시어를 반복한다.
　② '……면 / …… 잊었노라'와 같은 유사한 문장 구조를 반복한다.
　③ '먼 훗날 당신이 찾으시면'과 같이 3음보로 끊어 읽을 수 있는 시행을 반복한다.
　④ '그래도 당신이 나무라면'과 같이 불특정한 미래에 '당신'을 만날 상황을 가정한다.
　⑤ '오늘도 어제도 아니 잊고'와 같이 대체로 3·3·4개의 글자 수로 이루어진 행을 반복한다.

04 **(나)에 대한 설명으로 알맞지 않은 것은?**
　① '벌레 먹은 나뭇잎'과 '매끈한 나뭇잎'이 대조된다.
　② '벌레 먹은 나뭇잎'에 대한 긍정적인 정서가 드러난다.
　③ 떡갈나무잎에 구멍을 뚫는 '벌레'에 대한 부정적인 태도가 나타난다.
　④ 남과 더불어 사는 삶의 아름다움, 남에게 베푸는 삶의 가치에 대해 말하고 있다.
　⑤ '벌레 먹은 나뭇잎'이 예쁜 이유는 자신이 가진 것을 벌레에게 베풀었기 때문이다.

05 **㉠과 같은 표현을 활용했을 때의 효과로 가장 알맞은 것은?**
　① 자신의 잘못을 성찰하는 태도를 드러낸다.
　② 나뭇잎의 상처 난 모양을 구체적으로 묘사한다.
　③ '벌레 먹은 나뭇잎'과 '귀족의 손'의 공통점을 드러낸다.
　④ 구멍으로 보이는 하늘의 아름다움을 섬세하게 나타낸다.
　⑤ 구멍 난 나뭇잎이 아름다운 존재라는 점을 효과적으로 드러낸다.

서술형 대비 문제

06 (가)에서 말하는 이가 '잊었노라'라는 표현을 사용하여 얻을 수 있는 효과를 쓰시오.
　조건 '잊었노라'의 표면적·이면적 의미를 모두 언급할 것

[07~12] 다음 시를 읽고, 물음에 답하시오.

가야 할 때가 언제인가를
분명히 알고 가는 이의
뒷모습은 얼마나 아름다운가.

봄 한철
격정을 인내한
나의 사랑은 지고 있다.

분분한 낙화……
⊙결별이 이룩하는 축복에 싸여
지금은 가야 할 때,

무성한 녹음과 그리고
머지않아 ⓛ열매 맺는
가을을 향하여

나의 청춘은 꽃답게 죽는다.

헤어지자.
섬세한 손길을 흔들며
하롱하롱 꽃잎이 지는 어느 날

나의 사랑, 나의 결별,
샘터에 물 고이듯 성숙하는
내 영혼의 슬픈 눈.

07 이 시에 대한 설명으로 알맞지 않은 것은?
① 말하는 이는 이별의 상황을 인식하고 있다.
② 말하는 이는 자연 현상을 통해 깨달음을 얻고 있다.
③ 이별에 대한 말하는 이의 긍정적인 인식이 나타나 있다.
④ 꽃다웠던 청춘의 시절로 돌아가고 싶은 말하는 이의 바람이 나타난다.
⑤ 말하는 이는 꽃잎이 어지럽게 흩날리며 떨어지는 장면을 바라보고 있다.

08 이 시에 사용된 표현 방법이 아닌 것은?
① 반어　　② 역설　　③ 은유
④ 직유　　⑤ 설의

09 이 시에서 '꽃이 피고 지는 것'이 의미하는 바로 가장 적절한 것은?
① 사랑과 이별
② 다가올 봄에 대한 기대감
③ 사랑하는 이에 대한 그리움
④ 꽃이 지는 것에 대한 아쉬움
⑤ 자연과 함께 살고 싶은 소망

10 ⊙에 대한 설명으로 알맞은 것은?
① 꽃잎이 떨어지는 상황을 구체적으로 묘사한다.
② '결별'과 '축복'은 비슷한 느낌을 주는 시어이다.
③ 서로 어울리지 않는 말을 결합하여 독자에게 참신한 느낌을 준다.
④ 사랑하는 사람과 '결별'하고 있는 말하는 이의 상황을 구체적으로 제시한다.
⑤ '결별'을 부정적으로 바라보는 말하는 이의 태도와 긍정적으로 바라보는 일반적인 태도를 대조한다.

11 ⓛ에 대한 설명으로 알맞은 것은?
① 낙화의 과정을 의미하는 것으로, '이별'을 의미한다.
② 낙화의 결과로 얻어지는 것으로, '영혼의 성숙'을 의미한다.
③ 낙화에 대한 말하는 이의 부정적인 태도를 단적으로 드러낸다.
④ 말하는 이가 원하는 대상으로, 이상향에 대한 말하는 이의 의지를 상징한다.
⑤ 낙화의 결과로 얻어지는 결과물이지만, 말하는 이에게는 '슬픔을 주는 존재'를 의미한다.

서술형 대비 문제

12 말하는 이가 자연 현상을 통해 깨달은 바를 바탕으로 이 시의 주제를 쓰시오.

[13~16] 다음 글을 읽고, 물음에 답하시오.

가 강원도 정선군에 한 양반이 살고 있었다. 이 양반은 어질고 글 읽기를 좋아하여, 군수가 새로 부임할 때마다 몸소 그 집을 찾아가서 인사를 드렸다. 그런데 이 양반은 가난하여 해마다 관청의 환곡(還穀)을 꾸어다 먹었다. 그 빚을 갚지 못하고 해마다 쌓여서 천 섬에 이르렀다.

강원도 감사가 정선 고을을 돌아보다가 환곡 장부를 조사하고 크게 노하였다.

"어떤 놈의 양반이 나라의 곡식을 축냈단 말이냐?"

〈중략〉

양반은 빚을 갚을 길이 없어서 밤낮으로 울기만 하였다. 그의 아내가 양반을 몰아붙였다.

㉠"당신은 평소에 글 읽기만 좋아하더니, 환곡을 갚는 데는 전혀 도움이 안 되는구려. 쯧쯧, 양반이라니……, 한 푼어치도 안 되는 그놈의 양반!"

나 그때 그 마을에 사는 부자가 그 양반의 소문을 듣고 가족과 의논하였다.

"양반은 아무리 가난해도 늘 귀한 대접을 받고, 우리는 아무리 잘살아도 항상 천한 대접을 받는다. 양반이 아니므로 말이 있어도 말을 타지 못한다. 또한 양반만 보면 굽실거리며 제대로 숨소리도 내지 못하고, 뜰아래 엎드려 절해야 하고, 코를 땅에 박고 무릎으로 기어가야 한다. 우리 신세가 가엾지 않으냐? 지금 저 양반이 환곡을 갚지 못해서 아주 난처하다고 한다. 그 형편으로는 도저히 양반의 신분을 지키지 못할 것이다. 그러니 우리가 그의 양반을 사서 양반 신분으로 살아 보자."

부자는 곧 양반을 찾아가 환곡을 대신 갚아 주겠다고 청하였다. 양반은 크게 기뻐하며 승낙하였다. 부자는 즉시 관청에 가서, 양반 대신 환곡을 갚았다.

다 군수는 양반이 천 섬이나 되는 환곡을 모두 갚자 몹시 놀랐다. 군수는 환곡을 갚게 된 사정을 알아보려고 양반을 찾아갔다. 그런데 뜻밖에 양반이 벙거지에 잠방이를 입고, 길에 엎드려 '소인(小人), 소인.' 하며 자신을 낮추지 않는가? 그뿐만 아니라 양반은 감히 군수를 쳐다보지도 못하였다. 군수가 깜짝 놀라 양반을 붙들고 물었다.

"그대는 어째서 이런 짓을 하시오?"

양반은 더욱 벌벌 떨면서 머리를 땅에 조아리며 아뢰었다.

"황송하옵니다. 소인이 저 자신을 욕되게 하려는 것이 아닙니다. 환곡을 갚느라고 이미 양반을 팔았으니, 이제는 이 마을의 부자가 양반입니다. 소인이 어찌 다시 양반 행세를 하겠습니까?"

13 이 글의 등장인물에 대한 설명으로 알맞지 않은 것은?

① 부자: 경제력을 바탕으로 신분 상승을 꾀한다.
② 부자: 조선 후기에 새롭게 등장한 신흥 세력이다.
③ 양반: 경제적으로 무능하며 현실 대응 능력이 없다.
④ 아내: 무능한 양반을 비판하고 양반 계층의 권위를 부정한다.
⑤ 군수: 백성을 착취하는 지배 계층으로, 가장 신랄한 풍자의 대상이다.

14 ㉠에 대한 설명으로 알맞은 것은?

① 조선 후기 계층 간의 갈등이 단적으로 드러난다.
② 양반의 신념을 존중하는 아내의 태도가 드러난다.
③ 양반의 비생산성과 무능함을 직접적으로 비판한다.
④ 양반 계층을 비판하고자 하는 작가의 의식을 반어적으로 표현한다.
⑤ 궁핍한 생활에서도 삶에 대한 강한 의지를 잃지 않는 아내의 태도가 드러난다.

15 (다)에서 양반이 군수에게 머리를 조아리는 이유로 알맞은 것은?

① 부자에게 자신의 신분을 팔았기 때문이다.
② 원래부터 군수에게 머리를 조아렸기 때문이다.
③ 군수가 환곡을 갚으라고 재촉할 것을 알았기 때문이다.
④ 부자가 대신 환곡을 갚아 준 것이 부끄러웠기 때문이다.
⑤ 천 섬이나 되는 환곡을 갚을 능력이 되지 않았기 때문이다.

서술형 대비 문제

16 (나)를 참고하여 부자가 양반의 신분을 사려고 한 이유를 쓰시오.

[17~20] 다음 글을 읽고, 물음에 답하시오.

가 더러운 일을 딱 끊고, 옛사람을 본받고, 높은 뜻을 가져야 한다. 매일 새벽에 일어나 등잔을 켜고서, 눈은 가만히 코끝을 내려 보고 발꿈치를 궁둥이에 모으고 앉아, 얼음 위에 박 밀듯이 《동래박의(東萊博議)》를 줄줄 외워야 한다. 배고픔과 추위를 참고 견디며, 가난 타령은 아예 하지 말아야 한다. 어금니를 딱딱 마주치고 뒤통수를 톡톡 두드리며, 침을 입 안에 머금고 가볍게 양치질하듯이 삼켜야 한다. 소맷자락으로 털모자를 닦아 먼지를 떨어내어, 모자에 물결무늬가 뚜렷하게 해야 한다. 세수할 때는 주먹으로 비비지 말고, 입 냄새가 나지 않게 이를 잘 닦아야 한다. 소리를 길게 뽑아서 종을 부르며, 신발을 땅에 끌 듯이 느릿느릿 걸음을 옮겨야 한다. 《고문진보(古文眞寶)》, 《당시품휘(唐詩品彙)》를 깨알같이 베껴 쓰되, 한 줄에 백 자씩 써야 한다.

손에 돈을 쥐지 말고, 쌀값을 묻지 말고, 더워도 버선을 벗지 말고, 맨상투로 밥상에 앉지 말고, 밥보다 국을 먼저 먹지 말고, 물을 후루룩 마시지 말고, 젓가락으로 방아를 찧지 말고, 생파를 먹지 말고, 막걸리를 들이켠 다음 수염을 쭉 빨지 말고, 담배를 피울 때는 볼이 움푹 패도록 빨지 말아야 한다.

나 하늘이 백성을 낳을 때 넷으로 구분하였다. 네 가지 백성 가운데 가장 높은 것이 선비이니, 이것이 곧 양반이다. 양반의 이익은 막대하다. 농사도 짓지 않고 장사도 하지 않는다. 글만 대충 읽어도 크게 되면 문과(文科)에 급제하고, 작아도 진사(進士)가 된다.

문과의 홍패(紅牌)는 팔뚝만 하지만, 여기에 온갖 물건이 갖추어져 있으니, 그야말로 돈 자루이다. 서른에야 진사가 되어 첫 벼슬을 얻더라도, 오히려 이름난 음관(蔭官)이 되어 높은 벼슬자리에 오를 수 있다. 언제나 종들이 양산을 받쳐 주므로 귀밑이 희어지고, 설령 줄만 당기면 종들이 '예이.' 하므로 뱃살이 처진다. 방에서는 귀걸이로 치장한 기생과 노닥거리고, 뜰에서는 남아도는 곡식으로 학(鶴)을 기른다.

벼슬을 아니 하고 시골에 묻혀 살더라도 모든 일을 제멋대로 할 수 있다. 강제로 이웃의 소를 끌어다 먼저 자기 땅을 갈고, 마을의 일꾼을 잡아다 먼저 자기 논의 김을 맨들, 누가 감히 나에게 대들겠느냐? 네놈들 코에 잿물을 들이붓고, 머리끄덩이를 잡아 휘휘 돌리고, 귀밑 수염을 다 뽑아도 누가 감히 나를 원망하겠느냐?

다 부자는 증서 내용을 듣고 있다가 혀를 내둘렀다.
"그만두시오, 그만두시오. 참으로 맹랑하구먼. 나를 도둑놈으로 만들 작정입니까?"
부자는 머리를 흔들면서 떠나 버렸다. 그러고는 죽을 때까지 다시는 양반이 되고 싶다는 말을 입에 올리지 않았다.

★17 ◁주관식▷
(가)에 대한 설명으로 알맞은 것을 모두 고르시오.

> ㉠ 겉치레와 형식적인 관념에만 얽매여 있는 양반의 모습을 풍자한다.
> ㉡ 체면을 지키기 위해 허례허식을 따르는 양반의 모습이 나타난다.
> ㉢ 양반으로서 지켜야 할 덕목과 행실을 나열하여 양반의 지조 있는 삶을 강조한다.
> ㉣ 양반에게는 예의를 갖추고, 평민은 함부로 대하는 부자의 위선적인 모습을 비판한다.
> ㉤ 양반 계층이 몰락하는 과정을 사실적으로 묘사하여 신분 제도의 중요성을 강조한다.

★18 (나)에 대한 설명으로 알맞지 **않은** 것은?
① 무위도식하며 비생산적인 양반의 모습을 언급한다.
② 다른 계층에 횡포를 부리는 양반의 모습이 나타난다.
③ 개인적인 이익만을 취하며 자신의 권력을 이용하는 양반의 모습이 나타난다.
④ 신분을 이용해 백성을 괴롭히고 부당한 특권을 남용하는 양반의 모습을 풍자한다.
⑤ 양반의 횡포에 부당함을 겪는 평민의 억울함을 직접적으로 제시하여 신분 제도의 부당함을 폭로한다.

19 이 글에 반영된 작가의 태도로 알맞은 것은?
① 조선 시대 과거 제도의 개혁을 촉구한다.
② 양반과 평민의 신분 차별이 없어져야 한다고 주장한다.
③ 학문에 관심이 없고 물질만을 추구하는 평민을 비판한다.
④ 비생산적이며 특권을 남용하는 양반을 비판적으로 바라본다.
⑤ 비생산적인 양반에게 농사를 짓는 방법에 대해 구체적으로 알려 주고자 한다.

서술형 대비 문제

20 (다)에 나타나는 부자의 모습을 통해 비판하고자 한 내용을 서술하시오.
조건 1 (나)의 내용을 바탕으로 쓸 것
조건 2 양반에 대한 비판을 단적으로 드러내는 단어를 언급할 것

[21~24] 다음 글을 읽고, 물음에 답하시오.

가 앞집 마마한테서 부르러 왔을 제 ㉠병인은 그 뼈만 남은 얼굴에 유일의 생물 같은, 유달리 크고 움푹한 눈에 애걸하는 빛을 띠며,

"오늘은 나가지 말아요. 제발 덕분에 집에 붙어 있어요. 내가 이렇게 아픈데……."

라고 모깃소리같이 중얼거리고 숨을 거르렁거르렁하였다. 그때에 김 첨지는 대수롭지 않은 듯이,

㉡"압다, 젠장맞을, 별 빌어먹을 소리를 다 하네. 맞붙들고 앉았으면 누가 먹여 살릴 줄 알아."

하고 홱 뛰어나오려니까 환자는 붙잡을 듯이 팔을 내저으며,

"나가지 말라도 그래. 그러면 일찍이 들어와요."

하고 목멘 소리가 뒤를 따랐다.

정거장까지 가잔 말을 들은 순간에 경련적으로 떠는 손, 유달리 큼직한 눈, 울 듯한 아내의 얼굴이 김 첨지의 눈앞에 어른어른하였다.

나 ㉢그 학생을 태우고 나선 김 첨지의 다리는 이상하게 거뿐하였다. 달음질을 한다느니보다 거의 나는 듯하였다. 바퀴도 어떻게 속히 도는지 구른다느니보다 마치 얼음을 지쳐 나가는 스케이트 모양으로 미끄러져 가는 듯하였다. 언 땅에 비가 내려 미끄럽기도 하였지만.

이윽고 끄는 이의 다리는 무거워졌다. 자기 집 가까이 다다른 까닭이다. 새삼스러운 염려가 그의 가슴을 눌렀다.

"오늘은 나가지 말아요. 내가 이렇게 아픈데!"

이런 말이 잉잉 그의 귀에 울렸다. 그리고 ㉣병자의 움쑥 들어간 눈이 원망하는 듯이 자기를 노리는 듯하였다. 그러자 엉엉하고 우는 개똥이의 곡성을 들은 듯싶다. 딸꾹딸꾹하고 숨 모으는 소리도 나는 듯싶다……

다 그렇다고 정거장 인력거꾼의 등쌀이 무서우니 정거장 앞에 섰을 수는 없었다. 그래 그는 이전에도 여러 번 해 본 일이라 바로 정거장 앞 전차 정류장에서 조금 떨어지게, 사람 다니는 길과 전찻길 틈에 인력거를 세워 놓고 자기는 그 근처를 빙빙 돌며 형세를 관망하기로 하였다.

얼마 만에 기차는 왔고 수십 명이나 되는 손이 정류장으로 쏟아져 나왔다. 그중에서 손님을 물색하는 김 첨지의 눈엔 ㉤양 머리에 뒤축 높은 구두를 신고 망토까지 두른 기생퇴물인 듯, 난봉 여학생인 듯한 여편네의 모양이 띄었다. 그는 슬근슬근 그 여자의 곁으로 다가들었다.

"아씨, 인력거 아니 타시랍시오?"

그 여학생인지 뭔지가 한참은 매우 태깔을 빼며 입술을 꼭 다문 채 김 첨지를 거들떠보지도 않았다.

---

21 김 첨지에 대한 설명으로 알맞지 않은 것은?
(80)
① 일을 하면서도 아내의 얼굴을 떠올렸다.
② 나가지 말라는 아내를 제쳐 두고 일을 나갔다.
③ 태깔을 빼며 난봉 여학생인 듯한 손님을 태우려고 하지 않았다.
④ 전차 정류장에서는 조금 떨어지게 서서 손님을 태우려고 했다.
⑤ 주로 사람을 태우는 수레를 끄는 일을 직업으로 하는 사람이다.

22 ㉠~㉤에 대한 설명으로 알맞지 않은 것은?
(95)
① ㉠: 김 첨지의 아내를 가리킨다.
② ㉡: 김 첨지는 일을 나가야 하는 이유를 아내에게 친절하게 이야기하고 있다.
③ ㉢: 손님을 태우자 돈을 번다는 생각에 김 첨지의 다리가 거뿐해졌다.
④ ㉣: 아픈 아내를 집에 두고 나온 것에 대해 김 첨지가 죄책감을 느끼고 있다.
⑤ ㉤: 신문물이 들어와 여성의 차림새가 변했다는 것을 알 수 있다.

23 (나)에서 김 첨지의 다리가 무거워지는 이유는?
(90)
① 빨리 가자고 재촉하는 손님을 태웠기 때문이다.
② 집이 가까워지자 집에 있는 아내가 염려되었기 때문이다.
③ 오늘은 나가지 말라며 보채던 개똥이의 얼굴이 아른거렸기 때문이다.
④ 움쑥 들어간 눈을 하고 자기를 노리는 듯한 손님의 시선을 느꼈기 때문이다.
⑤ 다리가 얼음을 지쳐 나가는 스케이트 모양으로 미끄러져 가는 듯했기 때문이다.

24 (다)에 반영된 사회의 모습으로 알맞은 것은?
(85)
① 인력거꾼은 사회적으로 지위가 높은 직업이었다.
② 신분이나 나이와는 관계없이 상대방을 존중했다.
③ 사람들은 전차보다는 인력거를 더 많이 이용했다.
④ 여성을 차별하여 여성들은 인력거를 탈 수 없었다.
⑤ 인력거꾼이 많아 손님을 태우기 위한 경쟁이 심했다.

[25~28] 다음 글을 읽고, 물음에 답하시오.

가 한 걸음, 두 걸음 집이 가까워 갈수록 그의 마음조차 괴상하게 누그러웠다. 그런데 그 누그러움은 안심에서 오는 게 아니요, ㉠자기를 덮친 무서운 불행을 빈틈없이 알게 될 때가 박두한 것을 두려워하는 마음에서 오는 것이다. 그는 불행에 다닥치기 전 시간을 얼마쯤이라도 늘이려고 버르적거렸다. 기적에 가까운 벌이를 하였다는 기쁨을 할 수 있으면 오래 지니고 싶었다. 그는 두리번두리번 사면을 살피었다. 그 모양은 마치 자기 집 — 곧 불행을 향하고 달려가는 제 다리를 제힘으로는 도저히 어찌할 수가 없으니 누구든지 나를 좀 잡아 다고, 구해 다고 하는 듯하였다.

나 그럴 즈음에 마침 길가 선술집에서 그의 친구 치삼이가 나온다. 그의 우글우글 살찐 얼굴에 주홍이 돋는 듯, 온 턱과 뺨을 시커멓게 구레나룻이 덮였거든, 노르탱탱한 얼굴이 바짝 말라서 여기저기 고랑이 파이고 수염도 있대야 턱 밑에만 마치 솔잎 송이를 거꾸로 붙여 놓은 듯한 김 첨지의 풍채하고는 기이한 대상을 짓고 있었다.

"여보게, 김 첨지. 자네 문안 들어갔다 오는 모양일세그려. 돈 많이 벌었을 테니 한잔 빨리게."

뚱뚱보는 말라깽이를 보던 맡에 부르짖었다. 그 목소리는 몸집과 딴판으로 연하고 싹싹하였다. 김 첨지는 이 친구를 만난 게 어떻게 반가운지 몰랐다. 자기를 살려 준 은인이나 무엇같이 고맙기도 하였다.

다 "여보게, 돈 떨어졌네. 왜 돈을 막 끼었나?"

이런 말을 하며 치삼은 일변 돈을 줍는다. 김 첨지는 취한 중에도 돈의 거처를 살피려는 듯이 눈을 크게 떠서 땅을 내려 보다가 불시에 제 하는 짓이 너무 더럽다는 듯이 고개를 소스라치자 더욱 성을 내며,

"봐라, 봐! 이 더러운 놈들아! 내가 돈이 없나. 다리 뻑다구를 꺾어 놓을 놈들 같으니."

하고 치삼의 주워 주는 돈을 받아,

"이 원수엣돈! 이 육시를 할 돈!"

하면서 팔매질을 친다.

라 "이 눈깔! 이 눈깔! 왜 나를 바라보지 못하고 천장만 보느냐? 응."

하는 말끝엔 목이 메었다. 그러자 산 사람의 눈에서 떨어진 닭똥 같은 눈물이 죽은 이의 뻣뻣한 얼굴을 어룽어룽 적신다. 문득 김 첨지는 미친 듯이 제 얼굴을 죽은 이의 얼굴에 한데 비비대며 중얼거렸다.

㉡"설렁탕을 사다 놓았는데 왜 먹지를 못하니, 왜 먹지를 못하니? 괴상하게도 오늘은 운수가 좋더니만……."

25 ㉠에 대한 설명으로 알맞은 것은?

① 김 첨지가 아내의 죽음을 예감하고 불안감을 느끼고 있다.

② 김 첨지가 하루 동안 많은 돈을 번 기쁨을 만끽하고 있다.

③ 김 첨지가 곧 자신의 불행을 예감했지만 긍정적으로 극복하고자 한다.

④ 김 첨지가 곧 아내와 개똥이를 볼 수 있다는 생각으로 불안한 마음을 다잡고 있다.

⑤ 김 첨지가 무서운 불행을 떨쳐 낼 수 있는 방법에 대해 다른 사람에게 조언을 구하고 있다.

26 (나)에 대한 설명으로 알맞지 않은 것은?

① 김 첨지는 치삼이를 만난 것을 기뻐했다.

② 치삼이는 김 첨지보다 먼저 선술집에 와 있었다.

③ 치삼이는 김 첨지와는 다른 풍채를 가지고 있었다.

④ 김 첨지는 풍채와 달리 연하고 싹싹한 목소리를 갖고 있었다.

⑤ 김 첨지는 노르탱탱하고 여기저기 고랑이 파인 얼굴을 하고 있다.

27 고난도 (다)에서 알 수 있는 돈에 대한 김 첨지의 태도로 알맞은 것은?

① 돈을 많이 벌지 못한 치삼이에게 연민을 느낀다.

② 돈만 열심히 벌다가 죽은 아내에 대해 미안함을 느낀다.

③ 아내의 죽음과 맞바꿀 만큼 가치 있는 것이라고 생각한다.

④ 가난과 아내의 병이 모두 돈 때문이라고 생각하여 울분을 느낀다.

⑤ 자신이 사회적으로 성공할 수 있는 기회를 만들어 주는 고마운 존재로 느낀다.

서술형 대비 문제

28 ㉡을 바탕으로 이 글의 제목인 '운수 좋은 날'의 의미와 사용된 표현 방법의 효과를 서술하시오.

조건 1 제목에 사용된 표현 방법을 쓸 것

조건 2 '운수 좋은 날'의 겉으로 드러나는 의미와 실제로 표현하려는 의미를 모두 쓸 것

잠깐! 서술형 특강

01 시로 표현하기

01 시에 사용된 표현 방법과 운율 형성 방법 이해하기
다음 시를 읽고, 물음에 답하시오.

> ㉠먼 훗날 당신이 찾으시면
> 그때에 내 말이 '잊었노라'
>
> 당신이 속으로 나무라면
> '무척 그리다가 잊었노라'
>
> 그래도 당신이 나무라면
> '믿기지 않아서 잊었노라'
>
> 오늘도 어제도 아니 잊고
> 먼 훗날 그때에 '잊었노라'

(1) 이 시의 말하는 이가 처한 상황을 쓰시오. [4점]

　조건 　말하는 이가 이 상황에 대해 느끼는 감정을 언급할 것

(2) 〈보기〉와 ㉠을 비교하여, ㉠과 같이 표현했을 때의
효과를 쓰시오. [5점]

　보기
> 먼 훗날 당신이 찾으시면
> 그때에 내 말이 '잊지 못했노라'

　조건 　㉠에 사용된 표현 방법을 쓸 것

(3) 이 시에서 운율을 형성한 방법을 두 가지 쓰고, 그
효과를 쓰시오. [4점]

02 시에 사용된 표현 방법과 그 효과 이해하기
다음 시를 읽고, 물음에 답하시오.

> 가야 할 때가 언제인가를
> 분명히 알고 가는 이의
> 뒷모습은 얼마나 아름다운가.
>
> 봄 한철
> 격정을 인내한
> 나의 사랑은 지고 있다.
>
> 분분한 낙화……
> ㉠결별이 이룩하는 축복에 싸여
> 지금은 가야 할 때,
>
> 무성한 녹음과 그리고
> 머지않아 열매 맺는
> 가을을 향하여
>
> 나의 청춘은 꽃답게 죽는다.
>
> 헤어지자.
> 섬세한 손길을 흔들며
> 하롱하롱 꽃잎이 지는 어느 날
>
> 나의 사랑, 나의 결별,
> 샘터에 물 고이듯 성숙하는
> 내 영혼의 슬픈 눈.

(1) 이 시의 말하는 이가 자연 현상을 통해 표현하고자
한 의미를 쓰시오. [5점]

　조건 1 　'꽃이 피고 지는 것'과 '열매를 맺는 것'의 의미를 각각 언급할 것
　조건 2 　시의 주제와 연관 지어 쓸 것

(2) ㉠에 사용된 표현 방법을 쓰고, 이와 같은 표현 방법
을 사용한 효과를 쓰시오. [6점]

　조건 　㉠에 사용된 표현 방법의 개념을 쓸 것

02 이야기로 표현하기

풍자를 통해 비판하고자 하는 내용 파악하기

03 다음 글을 읽고, 물음에 답하시오.

> **가** 강원도 감사가 정선 고을을 돌아보다가 환곡 장부를 조사하고 크게 노하였다.
> "어떤 놈의 양반이 나라의 곡식을 축냈단 말이냐?"
> 감사는 그 양반을 잡아 가두라고 명했다. 군수는 그 양반이 가난해서 빚을 갚지 못하는 것을 딱하게 여겨 차마 가두지는 못하였다. 그러나 군수도 양반의 빚을 해결할 방법은 없었다.
> 양반은 빚을 갚을 길이 없어서 밤낮으로 울기만 하였다. 그의 아내가 양반을 몰아붙였다.
> ㉠"당신은 평소에 글 읽기만 좋아하더니, 환곡을 갚는 데는 전혀 도움이 안 되는구려. 쯧쯧, 양반이라니……, 한 푼어치도 안 되는 그놈의 양반!"
>
> **나** 더러운 일을 딱 끊고, 옛사람을 본받고, 높은 뜻을 가져야 한다. 매일 새벽에 일어나 등잔을 켜서, 눈은 가만히 코끝을 내려 보고 발꿈치를 궁둥이에 모으고 앉아, 얼음 위에 박 밀듯이 《동래박의(東萊博議)》를 줄줄 외워야 한다. 배고픔과 추위를 참고 견디며, 가난 타령은 아예 하지 말아야 한다. 어금니를 딱딱 마주치고 뒤통수를 톡톡 두드리며, 침을 입 안에 머금고 가볍게 양치질하듯이 삼켜야 한다. 소맷자락으로 털모자를 닦아 먼지를 떨어내어, 모자에 물결무늬가 뚜렷하게 해야 한다. 세수할 때는 주먹으로 비비지 말고, 입 냄새가 나지 않게 이를 잘 닦아야 한다. 소리를 길게 뽑아서 종을 부르며, 신발을 땅에 끌 듯이 느릿느릿 걸음을 옮겨야 한다. 《고문진보(古文眞寶)》, 《당시품휘(唐詩品彙)》를 깨알같이 베껴 쓰되, 한 줄에 백 자씩 써야 한다.

(1) 양반의 아내가 ㉠을 통해 비판하고자 한 것을 쓰시오. [3점]

....

....

(2) (나)에 언급된 양반의 모습을 바탕으로 작가가 비판하고자 한 양반의 모습을 쓰시오. [3점]

....

....

풍자를 통해 알 수 있는 작가의 시각 이해하기

04 다음 글을 읽고, 물음에 답하시오.

> **가** 문과의 홍패(紅牌)는 팔뚝만 하지만, 여기에 온갖 물건이 갖추어져 있으니, 그야말로 돈 자루이다. 서른에야 진사가 되어 첫 벼슬을 얻더라도, 오히려 이름난 음관(蔭官)이 되어 높은 벼슬자리에 오를 수 있다. 언제나 종들이 양산을 받쳐 주므로 귀밑이 희어지고, 설렁줄만 당기면 종들이 '예이.' 하므로 뱃살이 처진다. 방에서는 귀걸이로 치장한 기생과 노닥거리고, 뜰에서는 남아도는 곡식으로 학(鶴)을 기른다.
> 벼슬을 아니 하고 시골에 묻혀 살더라도 모든 일을 제멋대로 할 수 있다. 강제로 이웃의 소를 끌어다 먼저 자기 땅을 갈고, 마을의 일꾼을 잡아다 먼저 자기 논의 김을 맨들, 누가 감히 나에게 대들겠느냐? 네놈들 코에 잿물을 들이붓고, 머리끄덩이를 잡아 휘휘 돌리고, 귀밑 수염을 다 뽑아도 누가 감히 나를 원망하겠느냐?
>
> **나** 부자는 증서 내용을 듣고 있다가 혀를 내둘렀다.
> "그만두시오, 그만두시오. 참으로 맹랑하구먼. 나를 도둑놈으로 만들 작정입니까?"
> 부자는 머리를 흔들면서 떠나 버렸다. 그러고는 죽을 때까지 다시는 양반이 되고 싶다는 말을 입에 올리지 않았다.

(1) (가)에 언급된 양반의 모습을 바탕으로 작가가 비판하고자 한 양반의 모습을 쓰시오. [3점]

....

....

....

(2) (나)에서 양반이 되기를 거부하는 부자의 모습을 통해 알 수 있는 양반에 대한 작가의 시각을 쓰시오. [5점]

조건 양반의 부당한 특권과 횡포를 비유적으로 표현한 단어를 언급할 것

....

무엇을 풍자한 그림일까?

제국주의 열강의 이권 침탈과 영토 분할 풍자 ▶

청일 전쟁에서 청나라가 패배한 뒤, 여러 나라가 청나라를 나누어 가지려고 대립한 역사적 상황을 풍자한 그림이다.

▲ 프랑스 일간지
《르 프티 주르날》 삽화, 1898

◀ 프랑스 혁명 이전의 신분 제도 풍자

제1 신분인 성직자, 제2 신분인 귀족이 프랑스 토지와 재산의 대부분을 소유하고 있었던 반면, 제3 신분인 평민은 그들의 횡포 아래 고통스러워했던 현실을 풍자한 그림이다.

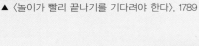
▲ 〈놀이가 빨리 끝나기를 기다려야 한다〉, 1789

◀ 부패한 정치 현실 풍자

소설 《걸리버 여행기》의 한 장면으로, 소인국 사람들이 하찮은 일로 다투는 모습을 통해 당시 사소한 문제로 논쟁을 벌이던 영국 정치의 현실을 풍자한 그림이다.

다윈과 진화론 풍자 ▶

다윈이 진화론을 발표했을 때, 다윈의 주장을 믿지 않는 이들이 그를 '원숭이의 후손'이라고 조롱하며 풍자한 그림이다.

▲ 미국 풍자 잡지 《더 호닛》
삽화, 1871

▲ 나디르 퀸토, 소설 《걸리버 여행기》
삽화, 1997

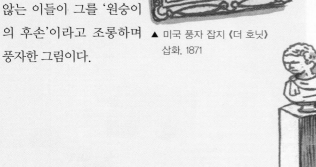

우리가 살아가는 세상을
나만의 방식으로 표현해 볼까요?

듣기·말하기　읽기　쓰기　문법　문학

대단원 | 학습 | 목표

1. 읽기의 가치와 중요성을 깨닫고 읽기를 생활화하는 태도를 지닐 수 있다.
2. 생각이나 느낌, 경험을 드러내는 다양한 표현을 활용하여 글을 쓸 수 있다.

읽고 쓰는 즐거움

　　우리는 다양한 글을 읽고 쓰면서 세상과 소통한다. 여러 분야의 글을 읽으며 유용한 지식을 얻거나 새로운 가치를 깨닫기도 하고, 자신의 생각이나 느낌, 경험을 다양한 표현에 담아 글로 쓰기도 한다.

　　소단원 (1)에서는 읽기가 우리의 삶에서 어떤 가치를 지니는지 살펴보고, 읽기를 생활화하는 다양한 방법을 찾아서 실천해 보자.

　　소단원 (2)에서는 속담, 격언이나 명언, 관용 표현 등 다양한 표현의 활용 효과를 이해하고, 참신한 표현을 활용하여 글을 써 보자.

　　이 단원의 활동을 통해 읽기의 중요성을 되새기며 읽기를 생활화하고, 글의 내용에 어울리는 다양한 표현을 활용할 수 있을 것이다.

01

2. 읽고 쓰는 즐거움
읽기의 가치와 중요성

| 학습 목표 | 읽기의 가치와 중요성을 깨닫고 읽기를 생활화하는 태도를 지닐 수 있다.

1 수필

- 뜻 글쓴이가 생활 속에서 경험하거나 생각한 것을 일정한 [①] 없이 자유롭게 쓴 비교적 짧은 글

2 수필의 특징

시험에 잘 나온대
■수필의 특징
예 다음과 같은 글의 특징으로 알맞지 않은 것은?

[②]인 글	글쓴이의 개성이 글에 직접적으로 드러남.
비전문적인 글	누구나 쉽게 쓸 수 있는 대중적인 글임.
자기 고백적인 글	글쓴이의 생각과 느낌을 솔직하게 표현함.
[③]인 글	일상생활의 무엇이든 글감이 될 수 있음.
사색과 통찰의 글	사물이나 인생에 대한 글쓴이의 깊이 있는 사색과 통찰이 담겨 있음. 예리한 관찰력으로 사물을 꿰뚫어 봄.

3 읽기의 가치와 중요성

시험에 잘 나온대
■읽기의 가치와 중요성
예 읽기의 가치와 중요성에 대한 설명으로 알맞은 것은?

- 읽기를 활용하여 여가를 즐기고 마음의 휴식을 느낄 수 있다.
  일이 없어 남는 시간
- 글 속에서 다양한 삶의 모습을 접하며 자신을 성찰할 수 있다.
- 읽기를 통해 인류가 오랫동안 축적해 온 지식과 경험을 얻을 수 있다.
  지식, 경험, 자금 따위를 모아서 쌓음.
- 몰랐던 사실을 새롭게 깨닫고 더욱 높은 수준의 정신세계를 만들어 갈 수 있다.

4 읽기의 생활화

- 읽기에 긍정적 태도를 지니고 일상생활에서 꾸준히 글을 읽는 습관을 길러야 한다.
- 자신이 흥미나 관심을 느끼는 글 또는 자신의 수준에 맞는 책을 골라 읽는 습관을 길러야 한다.
- 독서 모임, 독서 토론, 책과 관련된 장소 탐방 등 꾸준히 할 수 있는 [④]을 찾아 실천해야 한다.
- 읽기를 생활화하는 방법: 자기 전 10분 책 읽기, 한 달에 한 권씩 책 읽기, 독서 기록장 쓰기 등

5 읽기가 우리에게 주는 도움

- 지적 수준을 높여 준다.
- 새로운 사실을 알게 해 준다.
- 다양한 [⑤] 경험을 하게 해 준다.

6 독서 방법과 관련된 단어

정독	뜻을 새겨 가며 자세히 읽는 방법
속독	책을 빠른 속도로 읽는 방법
발췌독	책에서 자신에게 필요한 부분만 찾아 골라 읽는 방법
통독	처음부터 끝까지 훑어 읽는 방법

바로바로 개념 체크

1 수필의 특성으로 알맞지 않은 것은? (정답 2개)

① 주로 객관적인 내용을 다룬다.
② 글쓴이의 개성과 가치관이 나타난다.
③ 누구나 쓸 수 있는 비전문적인 글이다.
④ 일정한 형식에 따라 체계적으로 쓴 글이다.
⑤ 주변에서 일어나는 사소한 일도 글감이 될 수 있다.

2 읽기에 대한 설명으로 맞으면 O표, 틀리면 ×표 하시오.

(1) 다양한 지식과 경험을 얻을 수 있다. ( )
(2) 꾸준히 글을 읽는 습관을 길러야 한다. ( )
(3) 글 속에서 다양한 삶의 모습을 접할 수 있다. ( )
(4) 자신의 수준보다 어려운 책을 선택하여 더 높은 수준의 정신세계를 만들어야 한다. ( )

주관식
3 다음 빈칸에 알맞은 말을 쓰시오.

> 일상생활에서 꾸준히 글을 읽는 습관을 가지고 다양한 독서 활동을 하는 태도를 '읽기의 ( )'라고 한다.

답 | ① 형식 ② 개성적 ③ 신변잡기적 ④ 독서 활동 ⑤ 간접

맛있는 책, 일생의 보약 | 성석제

소단원 포인트

❶ 무협지와 고전의 차이점 주인공 이름만 기억에 남는 무협지와 달리 고전은 주인공과 관련하여 계속 생각하게 하고 읽을수록 새로운 맛이 우러나옴.

❷ 글쓴이가 생각하는 고전의 매력 문장이 아름다움, 정신세계가 한층 더 넓어지고 수준이 높아지는 듯함.

❸ 책 읽기의 가치 인간의 지극한 정신문화, 그 높고 그윽한 세계에 닿을 수 있게 해 주며, 진정한 인간으로 나아가는 통로가 됨.

처음

교과서 74쪽 ▶

시험에 잘 나온대
■ 글쓴이의 경험
◎ 다음 중 글쓴이의 경험에 해당하지 않는 것은?

중요 포인트
• 글쓴이가 도서반을 선택한 이유
• 글쓴이가 도서반에서 하게 된 활동

가 사방이 산으로 둘러싸인 곳에서 태어나 아침에 눈을 떠서 저녁에 감을 때까지 늘 산을 보아야 하는 곳에서 중학교 1학년까지를 보내고 2학년 봄, 서울의 남쪽 관악산이 올려다보이는 중학교에 전학을 했다. 담임 선생님은 미술 선생님이었는데 특별 활동 시간으로 산악반을 맡고 있기도 했다. 매주 화요일 6교시, 일주일에 단 한 시간 활동하는 그 '특별'한 '활동'은 내 취향과는 아무런 상관 없이 시간 내내 산과 학교 사이를 뛰어

하고 싶은 마음이 생기는 방향, 또는 그런 경향

오가는 산악반으로 정해졌다.　　　　▶ 전학을 온 후 자신의 취향과는 상관 없이 산악반 활동을 함.

나 3학년이 되면서 비로소 내가 좋아하는 특별 활동을 선택할 기회가 왔다. 나는 산악반의 경험에 비추어, 되도록 몸을 많이 움직이지 않는 특별 활동반을 점찍었는데 그게 바로 도서반이었다. 도서반 담당 선생님은 특별 활동의 첫날, 도서반이 할 일을 아주 짧고 쉽게 설명해 주었다.

"여러분 곁에는 책이 있다. 그 책 중에서 자기 마음에 드는 책을 골라서 읽고 수업이 끝나는 종소리가 울리면 가면 된다."

그리고 선생님 본인이 마음에 드는 책을 골라서 자리를 잡고 읽는 것으로 시범을 보여 주었다. 나는 책을 고르러 가는 아이들의 뒤를 따라가서 한자로 제목이 씌어 있어서 아이들이 거의 손을 대지 않는 책 가운데 하나를 꺼내 들었다.

▶ 도서반 활동 시간에 아이들이 거의 손을 대지 않는 책을 읽으려 함.

시험 포인트 01

● 글쓴이의 경험

중학교 3학년 때 특별 활동반으로 □□□을 선택함.	➡	아이들이 거의 손을 대지 않는 책을 꺼내 듦.

처음 소주제 중학교 3학년 때 특별 활동 시간에 도서반에서 책을 읽는 활동을 하게 됨.

중간

교과서 74쪽 ▶

시험에 잘 나온대
■ 고전과 무협지의 비교
◎ 고전과 무협지를 비교한 내용으로 알맞은 것은?

중요 포인트
• 고전과 무협지의 공통점과 차이점
• 고전 작품의 매력

다 그 책은 《한국 고전 문학 전집》 같은 묵직한 제목 아래 편집된 수십 권의 연속물 가운데 한 권이었다. 반드시 읽어야 한다는 것을 강조하는 고전 대부분이 그렇듯 책 표지는 사람의 손을 거의 거치지 않아서 깨끗했다. 지은이는 '박지원', 내가 처음으로 펴 든 대목은 〈허생전〉이었다.

소단원 체크

1 글쓴이가 특별 활동으로 도서반을 선택한 이유로 가장 알맞은 것은?
① 담임 선생님의 영향을 받아서
② 전학을 오게 되어 선택권이 없었기 때문에
③ 되도록 몸을 움직이지 않고 싶었기 때문에
④ 평소 움직임이 많은 외부 활동을 좋아했기 때문에
⑤ 중학교에 들어와 고전을 가까이하기로 결심했기 때문에

2 '나'에 대한 설명으로 가장 알맞은 것은?
① 아이들이 거의 손 대지 않은 책을 골랐다.
② 자유롭게 책을 읽는 도서반 활동에 불만이 많았다.
③ 도서반 선생님의 지도로 고전에 관심을 갖게 되었다.
④ 서울의 남쪽 관악산이 올려다보이는 곳에서 태어났다.
⑤ 산과 학교 사이를 뛰어다니며 자연을 보는 것을 좋아했다.

교과서 날개 1. 고전의 책 표지가 대부분 깨끗한 이유를 생각해 보자.

tip 박지원의 소설
〈양반전〉, 〈허생전〉, 〈호질〉은 조선 정조 때의 문장가이자 실학자인 박지원이 쓴 소설이다. 이 작품들은 조선 시대 풍자 문학을 대표하는 한문 단편 소설로, 실학사상을 바탕으로 무능한 지배층과 양반 사회를 날카로운 풍자와 익살스러운 해학을 통해 비판하고 있다.

나이가 두 자리 숫자가 되면서 무협지에 빠지기 시작해서 전학 오기 전 국내에 출간된 대부분의 무협지를 읽었다고 생각하고 있던 내게, 한문 문장을 번역한 예스러운 문체는 별 거부감이 없었다. 내용 역시 익숙했다. '허생'이라는 인물이 깊고 고요한 곳에 숨어 있으면서 실력을 쌓은 뒤에 일단 세상에 나갈 일이 생기자 한바탕 멋지게 세상을 뒤흔들어 놓고는 다시 제자리로 돌아온다. 무협지에서도 흔히 볼 수 있는 방식이었다. ▶ 처음 고전 작품을 접하고 무협지와의 공통점을 인식함.

시험에 **잘** 나온대
■ 고전의 가치
예 글쓴이가 생각하는 고전의 가치로 알맞은 것은?

라 〈허생전〉 다음에는 〈호질〉, 〈양반전〉도 있었다. 책이 꽤 두꺼웠으니 박지원의 저작 가운데 상당 부분이 책에 들어 있었을 것이다. 그런데 그 책 속의 주인공

예술이나 학문에 관한 책이나 작품 등을 지음. 또는 그 책이나 작품

들은 내가 읽었던 수많은 무협지의 주인공과는 달라도 많이 달랐다. 무협지를 읽고 나면 주인공 이름 말고는 기억에 남는 게 없는데, ⓐ박지원의 소설은 주인공이 다음에 어떻게 되었을지 궁금해지고 내가 주인공이라면 어떻게 했을지 자꾸만 생각하게 만들었다. 한두 번 씹으면 단맛이 다 빠져 버리는 무협지와는 달리 그 책의 내용은 읽을수록 새로운 맛이 우러나왔다. 보석처럼 단단하고 품위 있는 문장은 아름답기까지 했다. 책을 읽으면서 내 정신

세계가 무슨 보약을 먹은 듯이 한층 더 넓어지고 수준이 높아지는 듯한 느낌이 들었다. 일주일에 단 한 시간, 도서관에서 단 한 권의 책을 거듭 펴서 읽었을 뿐인데도.

▶ 무협지와 다른 고전의 매력을 느낌.

시험에 **잘** 나온대
■ 글쓴이가 고전을 읽으며 느낀 즐거움
예 글쓴이가 고전을 읽으면서 느낀 즐거움으로 알맞은 것은?

마 중학교 3학년 1학기 특별 활동 시간에 나는 몇백 년 전 글을 쓴 사람의 숨결이 글을 다리로 하여 내게로 건너와 느껴지는 경험을 처음 해 보았다. 무엇보다 중요한 것은 그것이 무척 재미있었다는 것이다. 읽으면 내 피와 살이 되는 고전, 맛있는 고전, 내가 재미를 들인 최초의 고전이 우리의 조상이 쓴 것이라는 데에서 나오는 뿌듯함까지 맛볼 수 있었다.

3학년 2학기가 되었을 때 특별 활동 시간은 없어졌다. 내가 1학기의 특별 활동 시간에 읽은 것은 박지원의 책이 전부였다. 하지만 내가 지금 소설을 쓰고 있는 것은 바로 그 책 때문이라고 생각한다. 특별하지 않은 특별 활동 시간에 읽은 아주 특별한 그 책이 내 일생을 바꾸었다. ▶ 고전을 읽는 즐거움과 고전을 읽은 경험이 삶에 미친 영향

소단원 **체크**

주관식
3 (다)에서 고전과 무협지의 공통점을 두 가지 찾아 쓰시오.

4 글쓴이가 생각하는 고전의 특징으로 알맞은 것은? (정답 2개)
① 문장이 품위 있고 아름답다.
② 한 번만 읽어도 내용을 쉽게 파악할 수 있다.
③ 글을 읽은 후, 기억에 남는 내용이 많지 않다.
④ 책의 내용을 읽을수록 새로운 맛이 우러나온다.
⑤ 실생활에 바로 응용할 수 있는 지식을 담고 있다.

교과서 날개 2. 글쓴이가 책을 보약이라고 표현한 이유는 무엇인가?
교과서 날개 응용
5 ⓐ을 읽은 글쓴이의 감상으로 가장 적절한 것은?
① 내 정신세계가 한층 더 확장되는 느낌이 들었어.
② 내 수준보다 내용이 너무 어렵다는 생각이 들었어.
③ 조상들의 실제 삶을 있는 그대로 확인할 수 있었어.
④ 무협지의 주인공들과 비슷한 이름이 많아 친근한 느낌이 들었어.
⑤ 여러 번 반복해서 읽는 것보다는 한 번을 빠르게 훑어보는 게 중요하다는 생각이 들었어.

주관식
6 특별 활동 시간에 읽은 박지원의 책이 글쓴이의 일생에 미친 영향을 쓰시오.

● 고전과 무협지의 공통점·차이점과 고전의 매력

공통점	차이점
• □□을 번역한 예스러운 문체 • 인물의 행적과 사건 전개 방식	• 주인공의 이름만 기억에 남는 무협지와 달리 고전은 □□□과 관련하여 계속 생각하게 함. • 고전은 읽을수록 새로운 맛이 우러나옴.

↓

고전의 매력
• 보석처럼 단단하고 품위 있는 문장은 아름답기까지 함. • 고전을 읽으면 정신세계가 □□을 먹은 듯이 한층 더 넓어지고 수준이 높아지는 듯함.

중간 소주제 | 박지원의 고전 소설을 읽으며 책을 읽는 즐거움을 느낌.

끝

교과서 76쪽 ▶

시험에 **잘** 나온대

■글의 주제
예 글쓴이가 이 글을 통해 강조하고 있는 것은?

중요 포인트
• 책 읽기의 가치
• 책 속에 길이 있다는 말의 의미

바 누구에게나 그런 일이 일어날 수 있다. 모르고 지나갈 수도 있다. 어떤 책을 계기로 인간의 지극한 정신문화, 그 높고 그윽한 세계에 닿고 그의 일원이 되는 것은 겪어 보지 못한 사람은 알 수 없는 행복을 안겨 준다. 이 세상에 인간으로 나서 인간으로 살면서 인간다운 삶을 살고 드높은 가치를 추구하는 길을 책이 보여 준다. 책은 지구상에서 인간이라는 종(種)만이 알고 있는, 진정한 인간으로 나아가는 통로이다. 그래서 사람들은 말하는지도 모른다. ㉠책 속에 길이 있다고.

▶ 책 읽기의 가치와 중요성

시험 **포인트 03**

● 책 읽기의 가치

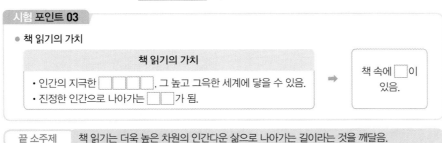

책 읽기의 가치	
• 인간의 지극한 □□□□, 그 높고 그윽한 세계에 닿을 수 있음. • 진정한 인간으로 나아가는 □□가 됨.	➡ 책 속에 □이 있음.

끝 소주제 | 책 읽기는 더욱 높은 차원의 인간다운 삶으로 나아가는 길이라는 것을 깨달음.

7 (바)를 통해 확인할 수 있는 내용은?
① 읽기의 과정
② 읽기의 방법
③ 읽기의 가치
④ 읽기의 종류
⑤ 읽기의 개념

8 ㉠의 의미로 가장 적절한 것은?
① 책에는 독자의 경험이 있는 그대로 담겨 있다.
② 책 읽기를 통해 진정한 인간으로 나아갈 수 있다.
③ 책 읽기는 재미를 느낄 수 있는 흥미로운 활동이다.
④ 책 읽기는 소설가가 될 수 있는 가장 손쉬운 방법이다.
⑤ 독서를 통해 자신이 모르고 저질렀던 실수를 만회할 수 있다.

생각 모으기

◉ 이 단원에서 학습한 내용을 떠올리며 다음 설명이 맞으면 ○ 표시를, 맞지 않으면 × 표시를 해 보자.

• 읽기는 우리의 정신을 성장하게 하고 삶의 질을 높여 준다. ....

• 좋은 글과의 만남을 통해 삶의 가치관이나 진로가 달라질 수 있다.

• 읽기를 생활화하려면 어려운 책 위주로 많이 읽어야 한다. ....

• 독서 모임을 통해 책을 꾸준히 읽으면 읽기를 생활화할 수 있다. ..

◉ 다음과 같은 고민을 하는 친구에게 해 줄 수 있는 조언을 마련해 보자.

책을 많이 읽어야 한다는데, 도대체 책 읽기가 왜 중요하지? 나는 책이 지루하고 어렵기만 한데 말이야.

예시 답안 | 책을 읽으면 새로운 (   )을 쌓는 즐거움을 느낄 수 있어. 또한 고민을 해결하는 방법을 찾거나 마음에 위안을 주는 구절도 발견할 수 있지. 책 속 인물이 만약 나였다면 어땠을지 상상하는 과정에서 삶의 (   )를 발견할 수도 있어.

● 다음은 수필 〈맛있는 책, 일생의 보약〉의 작가와 면담한 내용이다. 작가와의 면담 내용을 바탕으로 글의 내용을 정리해 보자.

작가님, 대답해 주세요!

 독자들의 질문에 작가가 답해 주는 작가와의 대화 시간!
기대되시지요? 지금 시작합니다.

✿ 특별히 기억에 남는 학창 시절의 활동이 있나요?

　네, 중학교 3학년 때 특별 활동 시간에 했던 　도서반　 활동이 아직도 기억에 남습니다.

✿ 어떤 활동을 하셨는지 구체적으로 말씀해 주세요.

　박지원의 　　　　　을/를 읽고 계속해서 〈호질〉, 〈양반전〉 등을 읽었습니다.

✿ 그 작품들의 어떤 점이 인상 깊으셨나요?

　작품의 내용과 문체는 즐겨 읽던 　　　　　와/과 비슷했지만 다른 점도 있었어요. 고전은 읽을수록 새로운 　맛　 이/가 우러나오고, 제 정신세계가 더 넓어지고 수준이 높아지는 듯한 느낌이 들었습니다.

✿ 우리도 작가님과 같은 경험을 할 수 있을까요?

　누구에게나 그런 일이 일어날 수 있어요. 　　　　　은/는 진정한 인간으로 나아가는 통로이니까요. 여러분도 하루빨리 책 속에서 길을 찾을 수 있기를 바랍니다.

01 소단원 마무리

핵심 정리

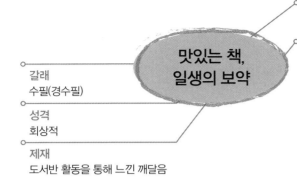

맛있는 책,
일생의 보약

갈래
수필(경수필)

성격
회상적

제재
도서반 활동을 통해 느낀 깨달음

주제
읽기의 가치와 중요성

특징
• 글쓴이는 박지원의 고전 소설을 읽으며 읽기의 가치와 중요성을 깨달음.
• 글쓴이가 소설가가 될 수 있었던 계기가 드러남.
• 자신의 경험을 바탕으로 독서가 인간다운 삶을 가능하게 하는 길임을 강조함.

주요 포인트

🌱 이 글의 구성

처음
중학교 3학년 때 특별 활동 시간에 ( )에서 책을 읽는 활동을 하게 됨.

>

중간
박지원의 고전 소설을 읽으며 책을 읽는 ( )을 느낌.

>

끝
책 읽기는 더욱 높은 차원의 인간다운 삶으로 나아가는 ( )이라는 것을 깨달음.

🌱 글쓴이가 생각하는 고전 소설과 무협지의 공통점과 차이점

공통점	• 한문 문장을 번역한 ( ) 문체 • 인물의 행적과 사건 전개 방식	
차이점	**무협지**	**고전 소설**
	• 한두 번 읽으면 새로운 맛이 없음. • 읽고 나면 주인공 이름 말고는 기억에 남는 것이 없음.	• 주인공과 관련하여 계속 생각하게 함. • 읽을수록 새로운 맛이 우러나옴.

🌱 글쓴이가 생각하는 고전의 매력

• 보석처럼 단단하고 품위 있는 문장은 아름답기까지 함.
• 고전을 읽으면 정신세계가 ( )을 먹은 듯이 한층 더 넓어지고 수준이 높아지는 듯함.

🌱 책 읽기의 가치

책 읽기의 가치
• 지극한 ( ), 그 높고 그윽한 세계에 닿을 수 있음. • 인간만이 알고 있는 ( ) 인간으로 나아가는 통로임.

책 속에 길이 있음.

① 글의 내용을 파악하며 물음에 답해 보자.

❶ 글쓴이가 특별 활동 시간에 어떤 활동을 했는지 말해 보자.

예시 답안 도서반 활동을 하는 시간 동안 마음에 드는 (　　　)을 골라 읽었다.

❷ 글쓴이가 고전을 읽으며 어떤 즐거움을 느꼈는지 정리해 보자.

읽은 책		고전을 읽는 즐거움
예시 답안 〈허생전〉, 〈호질〉, 〈양반전〉 등	→	• 무협지와 달리 읽을수록 새로운 맛이 우러나옴. • 예시 답안 문장이 단단하고 품위 있으며 아름다움. • 책을 읽으면서 정신세계가 더 넓어지고 수준이 높아지는 듯함. • 글을 쓴 사람의 숨결이 전해짐. • 우리 조상이 쓴 것이라는 뿌듯함을 느낌.

❸ 특별 활동 시간에 읽은 책이 글쓴이의 일생을 어떻게 바꿨는지 적어 보자.

예시 답안 (　　　)가 되는 계기가 되었다.

② 읽기의 가치와 중요성을 생각해 보자.

❶ 글쓴이가 생각하는 읽기의 가치를 정리해 보자.

> • 책을 읽으면 지극한 정신문화를 체험할 수 있다.
> • 예시 답안 인간다운 삶을 살고 드높은 (　　　)를 추구하는 길을 보여 준다.
> • 인간만이 알고 있는, 진정한 인간으로 나아가는 (　　　)이다.

❷ 다음 글의 글쓴이가 생각하는 읽기의 가치를 살펴보고, 공감이 가는 부분이 있는지 이야기해 보자.

> 　책 읽기는 타자(他者)라는 거울을 빌려서 자기를 비춰 보는 과정이라고 할 수 있습니다. 자기를 돌아보고 성찰하면서 자기 생각을 확장하는 것이지요. 또 새로운 것과 접속하고 자기 삶의 쇄신을 이루어 가는 과정이기도 하고요. 책 읽기를 통해 자기 삶을 보다 의미 있게 만들어 갑니다. 또 나뿐만 아니라 남에게도 도움이 되는 이타주의적인 삶의 중요성을 깨우칠 수도 있습니다. 한마디로 책 읽기란 좀 더 나은 사람이 되려는 하나의 방식이라고 생각합니다.
> *그릇된 것이나 묵은 것을 버리고 새롭게 함.*
> – 장석주, 《내가 읽은 책이 곧 나의 우주다》

예시 답안 책 읽기를 통해 삶을 더욱 (　　　) 있게 만들 수 있다는 내용에 공감한다. 책을 통해 다른 사람들의 다양한 경험과 생각을 접함으로써 책을 읽는 사람 역시 자기 삶을 더욱 풍성하고 의미 있게 만들 수 있을 것 같다.

학습 활동 응용 문제

1 글쓴이가 고전을 접하게 된 계기는?
① 특별 활동으로 도서반 활동을 하게 되었다.
② 중학생이 읽어야 할 도서 목록에서 선택했다.
③ 친한 친구가 먼저 읽고 감명받은 책을 추천받았다.
④ 한문 문학 작품을 읽고 싶어서 일부러 찾아 읽었다.
⑤ 국어 시간에 선생님이 고전을 읽어 오라고 숙제를 내셨다.

2 글쓴이가 고전을 읽으며 느낀 점이 아닌 것은?
① 문장이 우아하고 기품이 있군.
② 나의 수준이 높아지는 것 같아.
③ 읽을수록 더 어렵게 느껴지는걸.
④ 우리 선조가 쓴 작품이라니 뿌듯해.
⑤ 작가의 숨결이 전해지는 것 같아.

3 중학교 3학년 때 읽은 책이 글쓴이의 인생에 미친 영향으로 알맞은 것은?
① 소설가가 되는 계기가 되었다.
② 삶을 반성하는 계기가 되었다.
③ 다양한 독서 방법을 깨닫게 했다.
④ 도덕적으로 올바른 삶의 방향을 깨닫게 했다.
⑤ 다른 사람에게 긍정적인 영향을 미칠 수 있는 방법을 알려 주었다.

4 읽기에 대한 글쓴이의 생각과 일치하지 않는 것은?
① 지극한 정신문화를 체험하게 한다.
② 진정한 인간으로 나아가게 한다.
③ 드높은 가치를 추구하는 길을 보여 준다.
④ 삶을 더욱 풍성하고 의미 있게 만든다.
⑤ 슬픔을 극대화하여 인간의 한계를 깨닫게 한다.

❸ 일상생활에서 읽기의 가치와 중요성을 느낀 경험을 친구들과 이야기해 보자.

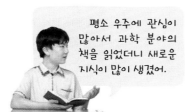

평소 우주에 관심이 많아서 과학 분야의 책을 읽었더니 새로운 지식이 많이 생겼어.

나는 힘든 일이 있을 때 시집을 읽고 마음의 위안을 얻었어.

예시 답안 ·수학 분야의 책을 읽으며 평소 어렵고 지루하게만 생각했던 수학에 흥미를 느낄 수 있었다. 또한 수학 시간에 배웠던 내용을 더욱 정확하게 이해할 수 있었다.
·소설 《완득이》를 읽으며 다문화 가정의 친구들을 돌아보게 되었고, 읽기를 통해 사회 문제를 바라보는 관점을 형성할 수 있다는 것을 알게 되었다.

❸ 읽기를 생활화하는 방법을 찾아 실천해 보자.

❶ 주변에서 책이나 글을 많이 읽는 사람의 읽기 습관을 알아보자.

내 친구 가영이는 매일 아침 20분씩 책을 꾸준히 읽어.

우리 할아버지께서는 각 분야에서 화제가 되는 책을 매주 확인하고 메모해 두셔.

예시 답안 ·쉬는 시간이나 점심시간 등 틈 날 때마다 책을 읽는다.
·책 한 권을 다 읽고 나면 그 책과 관련된 감상을 자신의 블로그에 기록한다.

❷ ❶에서 알아본 읽기 습관과 나의 읽기 습관을 비교해 보고, 읽기를 생활화하기 위해 어떤 노력을 해야 할지 친구들과 이야기해 보자.
예시 답안 ·나는 평소에 수행 평가나 독후감 숙제 때문에 꼭 읽어야 하는 책만 억지로 읽었는데 이제부터는 내가 스스로 읽고 싶은 책을 꾸준히 읽는 습관을 길러야겠다.
·나는 이전에 읽은 책의 내용을 잘 기억하지 못하는데, 앞으로는 책을 읽은 감상을 꼼꼼하게 기록하는 습관을 길러야겠다.

❸ 읽기를 생활화하는 다양한 독서 활동을 찾아 친구들과 함께 실천해 보자.

- ☐ 매일 아침에 10분씩 책 읽기.
- ☐ 독서 통장 기록하기.
- ☐ 독서 모임 활동하기.
- ☐ 책과 관련된 장소 탐방하기.
- ☐ ‑‑‑‑‑‑‑‑‑‑‑‑‑‑‑‑‑‑‑‑‑‑‑‑
- ☐ ‑‑‑‑‑‑‑‑‑‑‑‑‑‑‑‑‑‑‑‑‑‑‑‑

예시 답안 ·한 달에 책 한 권 읽기.
·우리 반 독서 신문 만들기.
·우리 동네 도서관의 독서 행사에 참여하기.

학습 활동 응용 문제

5 일상생활 속 읽기의 가치와 중요성에 대한 설명으로 알맞지 않은 것은?
① 유용한 지식을 얻을 수 있다.
② 마음의 위안을 얻을 수 있다.
③ 새로운 분야에 흥미를 느낄 수 있다.
④ 독서량을 두고 친구들과 경쟁할 수 있다.
⑤ 사회 문제 및 현상을 바라보는 관점을 형성할 수 있다.

6 읽기를 생활화하는 태도로 보기 어려운 것은?
① 한 달에 한 권씩 책 읽기
② 독서 일기와 독서 기록장 쓰기
③ 친구들과 독서 토론 모임 만들기
④ 시험 범위에 해당하는 내용을 암기하기
⑤ 동네 도서관의 독서 행사에 자주 참여하기

7 다음 중 올바른 읽기 습관으로 보기 어려운 것은?
① 신문을 즐겨 읽으며 여러 사람의 생각을 접한다.
② 글에서 강조하는 글쓴이의 생각을 그대로 수용하며 읽는다.
③ 책을 읽은 후 그와 관련된 자신의 생각을 블로그에 기록한다.
④ 책을 읽고 난 후 그 책과 관련된 감상을 자신의 말로 표현해 본다.
⑤ 자신이 알던 내용, 새롭게 알게 된 내용, 더 알고 싶은 내용을 정리하며 읽는다.

 **학습 활동** **응용** **문제**

즐거운 책 읽기

독서 모임 만들어 책 읽기

교과서 81쪽 ▶ | 독서 모임 만들기 | 친구들과 독서 모임을 만들어 보자.

예시 답안

모임 이름	우리는 책벌레	
구성원	이상민, 김은주, 박서현	
모이는 날	매주 금요일 방과 후 1시간	
모이는 장소	우리 학교 도서관	

| 도서 목록 만들기 | 친구들과 함께 읽고 싶은 책을 골라서 도서 목록을 정리해 보자.

예시 답안

책 제목	함께 읽고 싶은 이유
《식탁 위의 세계사》 (이영숙)	음식과 관련된 역사적 사실을 통해 세계사를 쉽고 재미있게 알아보고 싶어서
《안녕하십니까? 민주주의》 (홍명진)	민주주의를 깊이 있게 알아보고 싶어서
《정재승의 과학 콘서트》 (정재승)	과학을 좀 더 재미있게 공부하고 싶어서

| 독서 대화 준비하기 | 도서 목록에서 책을 한 권 고르고, 친구들과 이야기하고 싶은 내용을 메모하면서 읽어 보자.

예시 답안

● 책 제목: 《식탁 위의 세계사》 (이영숙)

날짜	읽은 쪽수	기억에 남는 내용이나 느낀 점
○○월 ○○일	44 ~ 61 쪽	콜럼버스가 신대륙에 살고 있던 사람들을 무자비하게 살육했다는 점에 주목하여 콜럼버스의 날을 폐지해야 한다는 움직임이 일고 있다는 내용이 기억에 남는다. 유럽 사람들의 입장에서는 신대륙을 '발견'한 것이지만, 그곳에 원래부터 살던 사람들의 입장에서는 '침략'을 당한 것이 아닐까? 강한 자의 입장에서 서술된 역사의 문제점과 관련하여 친구들과 이야기를 나누고 싶다.

8 '독서 모임 만들기' 단계에서 해야 할 활동으로 거리가 <u>먼</u> 것은?
① 독서 모임의 이름 정하기
② 모임 장소와 시간 정하기
③ 독서 활동 일지 정리하기
④ 친구들과 독서 모임 구성하기
⑤ 독서 모임의 간단한 활동 계획 세우기

9 독서 모임에서 읽을 책을 선정하는 기준으로 가장 알맞은 것은?
① 발췌독이 가능한 책인가?
② 유명한 작가가 쓴 책인가?
③ 모둠장의 취향에 맞는 책인가?
④ 시험에 많이 출제되는 책인가?
⑤ 모둠원의 흥미와 관심사에 맞는 책인가?

10 친구들과 독서 대화를 나누기 위해 준비할 내용으로 적절하지 <u>않은</u> 것은?
① 책에서 인상 깊은 구절
② 책을 읽고 난 후 느낀 점
③ 기억에 남는 내용과 이유
④ 독서 모임 만들기의 중요성
⑤ 책을 읽고 새롭게 알게 된 점

tip **읽기의 중요성**
• 책 속에 담겨 있는 지식과 정보를 얻을 수 있음.
• 책의 내용을 통해 감동과 깨달음 등의 즐거움을 느낌.

↓

읽는 이의 정신을 성장시키고 삶의 질을 높임.

친구들과 독서 대화하기 책을 읽은 감상을 친구들과 함께 이야기해 보자.

● 인상 깊은 내용을 말하며 대화 열기

예시 답안

이름	인상 깊은 내용	이유
이상민	"하지만 요즘에는 콜럼버스가 신대륙에 발을 들이고는 그곳에 살고 있던 사람들을 무자비하게 살육한 사실을 상기하면서, 콜럼버스의 날을 폐지해야 한다는 움직임도 일고 있지." (55쪽)	원주민이 삶의 터전을 빼앗긴 것이 안타까웠다.
김은주	"하여간 유럽으로 흘러들어 간 감자는 처음에는 그렇게 사람들이 좋아하지 않아서 돼지 사료나 전쟁 포로들의 식량으로만 사용했다. 그러다 별 이상이 없는 것이 확인되자 점차 더 널리 먹게 된 거지." (15쪽)	16세기 스페인 탐험가들이 감자를 유럽에 들여왔을 때, 유럽 사람들이 감자와 관련하여 엉뚱하게 오해한 내용이 재미있게 느껴졌다.
박서현	"우리가 아는 바나나는 먹음직하고 탐스러운 과일이지만 동시에 대표적인 오염 작물로 알려져 있어.", "보통 닷새마다 한 번씩 살충제를 뿌리니까. 1년이면 60일이나 살포를 하는 셈이야." (141~142쪽)	내가 좋아하는 바나나를 생산하는 데 살충제와 제초제가 많이 사용된다는 점이 놀라웠다.

● 다양한 방법으로 깊이 있는 대화 나누기

말풍선: 독서 대화를 할 때 말하는 내용이 책의 어느 부분과 연관되어 있는지 구체적으로 밝히는 것이 좋아.

- 책을 읽고 새롭게 알게 된 것 말하기.
- 각자 궁금한 내용을 두 가지씩 말하고 함께 답 찾기.
- 글쓴이가 독자에게 무슨 생각을 전하려 했는지 자유롭게 말하기.
- 책의 내용과 비슷한 사건이나 주변 사람의 경험을 찾아 소개하기.
- 책을 읽고 얻은 정보를 실생활에서 활용하는 방법 떠올리기.

예시 답안 생략

● 활동 일지를 정리하며 대화 마무리하기

예시 답안

날짜	○○월 ○○일	장소	학교 도서관
모인 사람	이상민, 김은주, 박서현		
함께 읽은 책	《식탁 위의 세계사》(이영숙)		
대화 내용	• 이상민: 콜럼버스가 신대륙을 발견한 것에 긍정적인 영향만 있는 줄 알았는데, 그곳에 살고 있던 원주민들의 문명이 파괴되고 심지어는 목숨을 잃기도 했다는 부정적인 면을 알게 되어 놀라웠다. • 김은주: 아메리카 대륙을 처음 발견한 사람이 콜럼버스라고 알고 있었는데, 아메리카 대륙에는 이미 원주민이 살고 있었고 더 오래전에 아메리카 대륙에 도착한 사람들이 있다는 학설도 있으므로, 콜럼버스를 아메리카 대륙을 유럽에 최초로 알린 사람 정도로 표현하는 것이 정확하다는 점을 새롭게 알게 되었다. • 박서현: 1500년에 포르투갈 사람들이 원주민이 살고 있는 브라질을 발견한 것도 콜럼버스의 신대륙 발견과 비슷한 사건인데, 그때에도 원주민들의 삶이 억압당하는 상황이 있었는지 알아보고 싶다.		

11 읽은 책에 대해 친구들에게 이야기할 내용으로 적절하지 <u>않은</u> 것은?

① 책에서 이해가 잘 되지 않았던 부분
② 모둠원의 취향에 맞는 책을 고르는 방법
③ 책의 내용 중 기억에 남는 구절과 그 이유
④ 글을 읽고 새롭게 알게 된 내용과 더 알고 싶은 내용
⑤ 글쓴이의 생각과 자신의 생각이 달라 의문이 생겼던 부분

12 친구들과 독서 대화를 나눴을 때의 효과로 알맞은 것은? (정답 2개)

① 책을 빠르게 읽을 수 있다.
② 능동적인 읽기 태도를 기를 수 있다.
③ 책의 내용을 깊이 있게 이해할 수 있다.
④ 지역적인 정서나 친근감을 느낄 수 있다.
⑤ 친구들에게 자신의 지식수준을 자랑할 수 있다.

13 친구들과 독서 대화를 나눌 때의 태도로 바람직하지 <u>않은</u> 것은?

① 궁금한 내용에 대해 친구들과 함께 답을 찾는다.
② 책의 주제에 대한 자신의 생각을 자유롭게 말한다.
③ 글쓴이의 생각보다는 자신의 생각이 옳다는 것을 주장한다.
④ 책을 읽고 깨달은 정보를 일상생활에서 실천하는 방안을 소개한다.
⑤ 책의 내용과 비슷한 사건이나 주변 사람의 경험을 찾아 친구들에게 소개한다.

독서 모임 소식지 만들기

활동 일지를 바탕으로 소식지를 만들어 우리 독서 모임을 다른 친구들에게 홍보해 보자.

● 독서 모임 소식지의 형식 정하기

예시답안 생략

● 독서 모임 소식지에 담을 내용 마련하기

☐ 우리 독서 모임 소개
☐ 이번 모임에서 읽은 책
☐ 다음 모임에서 읽을 책
☐ 독서 모임의 다양한 활동
☐ ------------------------------------
☐ ------------------------------------

예시답안 생략

● 독서 모임 소식지 만들기

예시답안 생략

점검하기

독서 모임의 활동을 점검하고 앞으로의 독서 계획을 세워 보자.

● 독서 모임 점검하기

• 책 읽기를 좋아하게 되었나요?
• 재미있었던 점과 아쉬운 점은 무엇인가요?
• 앞으로도 계속 독서 모임에 참여하고 싶은가요?

예시답안 생략

● 앞으로의 독서 계획 세우기

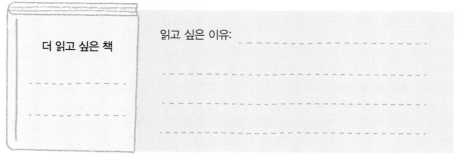

예시답안 생략

14 독서 모임 소식지에 담을 내용으로 적절하지 않은 것은?

① 다양한 활동 사진
② 앞으로의 활동 계획
③ 재미있었던 독후 활동
④ 모임에서 읽은 책의 내용
⑤ 도서의 구입 경로 및 가격

주관식

15 다음을 독서 모임을 만들어 책을 읽는 과정에 따라 순서대로 배열하시오.

㉠ 점검하기
㉡ 독서 대화하기
㉢ 도서 목록 만들기
㉣ 독서 모임 만들기
㉤ 독서 대화 준비하기
㉥ 독서 모임 소식지 만들기

16 읽기에 대한 설명으로 적절하지 않은 것은?

① 읽기는 인간의 삶을 성장하게 한다.
② 좋은 글을 통해 마음의 위안을 얻을 수 있다.
③ 좋은 글을 읽게 되면 삶의 가치관이 달라질 수 있다.
④ 독서 모임을 통해 독서를 꾸준히 하는 습관을 기를 수 있다.
⑤ 읽기를 생활화하기 위해서는 자신의 수준보다 쉬운 책을 선정하여 읽어야 한다.

소단원 종합 문제

[01~05] 다음 글을 읽고, 물음에 답하시오.

가 사방이 산으로 둘러싸인 곳에서 태어나 아침에 눈을 떠서 저녁에 감을 때까지 늘 산을 보아야 하는 곳에서 중학교 1학년까지를 보내고 2학년 봄, 서울의 남쪽 관악산이 올려다보이는 중학교에 전학을 했다. 담임 선생님은 미술 선생님이었는데 특별 활동 시간으로 산악반을 맡고 있기도 했다. 매주 화요일 6교시, 일주일에 단 한 시간 활동하는 그 '특별'한 '활동'은 내 취향과는 아무런 상관 없이 시간 내내 산과 학교 사이를 뛰어 오가는 산악반으로 정해졌다.

나 3학년이 되면서 비로소 내가 좋아하는 특별 활동을 선택할 기회가 왔다. 나는 산악반의 경험에 비추어, 되도록 몸을 많이 움직이지 않는 특별 활동반을 점찍었는데 그게 바로 ㉠도서반이었다. 도서반 담당 선생님은 특별 활동의 첫날, 도서반이 할 일을 아주 짧고 쉽게 설명해 주었다.

"여러분 곁에는 책이 있다. 그 책 중에서 자기 마음에 드는 책을 골라서 읽고 수업이 끝나는 종소리가 울리면 가면 된다."

그리고 선생님 본인이 마음에 드는 책을 골라서 자리를 잡고 읽는 것으로 시범을 보여 주었다. 나는 책을 고르러 가는 아이들의 뒤를 따라가서 한자로 제목이 씌어 있어서 아이들이 거의 손을 대지 않는 책 가운데 하나를 꺼내 들었다.

다 그 책은 《한국 고전 문학 전집》 같은 묵직한 제목 아래 편집된 수십 권의 연속물 가운데 한 권이었다. 반드시 읽어야 한다는 것을 강조하는 고전 대부분이 그렇듯 ㉡책 표지는 사람의 손을 거치지 않아서 깨끗했다. 지은이는 '박지원', 내가 처음으로 펴 든 대목은 〈허생전〉이었다.

라 나이가 두 자리 숫자가 되면서 무협지에 빠지기 시작해서 전학 오기 전 국내에 출간된 대부분의 무협지를 읽었다고 생각하고 있던 내게, 한문 문장을 번역한 예스러운 문체는 별 거부감이 없었다. 내용 역시 익숙했다. '허생'이라는 인물이 깊고 고요한 곳에 숨어 있으면서 실력을 쌓은 뒤에 일단 세상에 나갈 일이 생기자 한바탕 멋지게 세상을 뒤흔들어 놓고는 다시 제자리로 돌아온다. 무협지에서도 흔히 볼 수 있는 방식이었다.

01 이와 같은 글의 특성으로 알맞은 것은? (정답 2개)
⑧⑤
① 글쓴이의 개성과 가치관이 잘 드러난다.
② 제재가 다양하고 형식이 자유로운 편이다.
③ 글쓴이 개인보다는 글쓴이가 속한 집단의 의견을 대변한다.
④ 주관적 감상보다는 객관적 정보를 전달하는 데 목적이 있다.
⑤ 글쓴이의 경험을 바탕으로 하며, 일기, 수기, 건의문 등이 이에 속한다.

02 이 글의 중심이 되는 글쓴이의 경험으로 가장 알맞은 것은?
⑨⓪
① 고향을 떠나 새로운 친구를 사귄 경험
② 도서반 친구들과 함께 무협지를 즐겨 읽었던 경험
③ 특별 활동 시간에 산과 학교 사이를 뛰어 오갔던 경험
④ 중학교 시절 특별 활동 반에서 고전 소설을 읽은 경험
⑤ 도서반 선생님으로부터 소설가로서의 재능을 인정받은 경험

03 ㉠에 대한 설명으로 알맞은 것은?
⑧⓪
① 일과 중에 매일 한 시간씩 운영되었다.
② '나'의 취향과는 아무런 상관 없이 정해졌다.
③ 몸을 많이 움직이는 산악반 활동과는 거리가 멀었다.
④ 중학교 2학년부터 3학년까지 '나'가 몸담은 특별 활동반이다.
⑤ 선생님은 본인이 마음에 드는 책을 아이들에게 직접 골라 주었다.

04 ㉡의 이유로 가장 적절한 것은?
⑨⓪
① 평소 국어 수업에서 많이 배웠기 때문에
② 내용이 모두 한문으로 쓰여 있었기 때문에
③ 대부분의 고전 작품을 이미 읽었기 때문에
④ 고전은 어렵고 지루할 것이라는 편견 때문에
⑤ 평소 도서관에서는 고전을 접할 수 없기 때문에

05 이 글에 나타난 고전과 무협지의 공통점으로 알맞은 것은?
⑨⑤
① 현실 비판적인 성격을 지닌다.
② 근대적이고 세련된 문체를 사용한다.
③ 인물의 행적을 중심으로 사건이 전개된다.
④ 내용에 쉽게 빠져들지만 쉽게 흥미를 잃는다.
⑤ 예로부터 반드시 읽어야 한다고 강조되어 왔다.

[06~10] 다음 글을 읽고, 물음에 답하시오.

가 〈허생전〉 다음에는 〈호질〉, 〈양반전〉도 있었다. 책이 꽤 두꺼웠으니 박지원의 저작 가운데 상당 부분이 책에 들어 있었을 것이다. 그런데 그 책 속의 주인공들은 내가 읽었던 수많은 무협지의 주인공과는 달라도 많이 달랐다. 무협지를 읽고 나면 주인공 이름 말고는 기억에 남는 게 없는데, 박지원의 소설은 주인공이 다음에 어떻게 되었을지 궁금해지고 내가 주인공이라면 어떻게 했을지 자꾸만 생각하게 만들었다. 한두 번 씹으면 단맛이 다 빠져 버리는 무협지와는 달리 그 책의 내용은 읽을수록 새로운 맛이 우러나왔다. 보석처럼 단단하고 품위 있는 문장은 아름답기까지 했다. 책을 읽으면서 내 정신세계가 무슨 보약을 먹은 듯이 한층 더 넓어지고 수준이 높아지는 듯한 느낌이 들었다.

나 중학교 3학년 1학기 특별 활동 시간에 나는 몇백 년 전 글을 쓴 사람의 숨결이 글을 다리로 하여 내게로 건너와 느껴지는 경험을 처음 해 보았다. 무엇보다 중요한 것은 그것이 무척 재미있었다는 것이다. 읽으면 내 피와 살이 되는 고전, 맛있는 고전, 내가 재미를 들인 최초의 고전이 우리의 조상이 쓴 것이라는 데에서 나오는 뿌듯함까지 맛볼 수 있었다.

다 3학년 2학기가 되었을 때 특별 활동 시간은 없어졌다. 내가 1학기의 특별 활동 시간에 읽은 것은 박지원의 책이 전부였다. 하지만 내가 지금 소설을 쓰고 있는 것은 바로 그 책 때문이라고 생각한다. 특별하지 않은 특별 활동 시간에 읽은 아주 특별한 그 책이 내 일생을 바꾸었다.

라 누구에게나 그런 일이 일어날 수 있다. 모르고 지나갈 수도 있다. 어떤 책을 계기로 인간의 지극한 정신문화, 그 높고 그윽한 세계에 닿고 그의 일원이 되는 것은 겪어 보지 못한 사람은 알 수 없는 행복을 안겨 준다. 이 세상에 인간으로 나서 인간으로 살면서 인간다운 삶을 살고 드높은 가치를 추구하는 길을 책이 보여 준다. 책은 지구상에서 인간이라는 종(種)만이 알고 있는, 진정한 인간으로 나아가는 통로이다. 그래서 사람들은 말하는지도 모른다. (㉠)고.

06 이 글의 내용과 일치하는 것은? (정답 2개)
80
① 독서는 인간만 할 수 있는 활동이 아니다.
② 고전에는 우리 선조들의 숨결이 담겨 있다.
③ 책을 읽으면 보약을 먹은 것과 같은 신체적인 변화를 느낄 수 있다.
④ 책은 인간다운 삶을 살게 하고, 드높은 가치를 추구하는 길을 보여 준다.
⑤ 글쓴이는 고전은 지루하고 재미없지만 읽으면 피와 살이 된다고 여겼다.

07 중학교 시절의 글쓴이에 대한 설명으로 알맞은 것은?
90
① 친구들과 독서 모임을 만들어서 운영했다.
② 재미있는 내용의 책을 고르기 위해 노력했다.
③ 도서반 활동을 통해 고전의 매력을 알게 되었다.
④ 매일 도서관에서 박지원의 작품들만 골라 읽었다.
⑤ 특별 활동 시간에 본격적으로 소설을 쓰기 시작했다.

08 다음 중 글쓴이가 자신의 직업을 소설가로 선택하는 것에
85 가장 큰 영향을 미친 것은?
① 유명한 소설가에게 들었던 조언
② 어린 시절 읽었던 무협지의 내용
③ 특별 활동 시간에 읽은 박지원의 책
④ 여러 권의 고전 소설을 거듭 읽었던 일
⑤ 도서반의 일원이 되기로 결심했던 경험

09 고난도 ㉠에 가장 어울리는 말은?
85
① 책 속에 길이 있다
② 서당 개 삼 년에 풍월을 읊는다
③ 가까운 무당보다 먼 데 무당이 용하다
④ 하기 싫은 일은 오뉴월에도 손이 시리다
⑤ 백 번 듣는 것이 한 번 보는 것만 못하다

서술형 대비 문제

10 글쓴이가 특별 활동 시간의 활동을 통해 깨달은 점을 서술
90 하시오.
조건 글쓴이가 특별 활동 시간에 한 활동을 언급할 것

02 다양한 표현 활용하여 글 쓰기

| 학습 목표 | 생각이나 느낌, 경험을 드러내는 다양한 표현을 활용하여 글을 쓸 수 있다.

① 다양한 표현의 종류와 정의

속담	예로부터 전해 오는, 짧으면서도 ① ⬜⬜⬜ 을 담고 있는 말 예 세 살 적 버릇이 여든까지 간다.
격언이나 명언	오랜 역사적 생활 체험을 통해 이루어진 인생의 교훈이나 경계 등을 간결하게 표현한 짧은 글 예 시간은 금이다, 아는 것이 힘이다.
② ⬜⬜⬜	둘 이상의 단어가 합쳐져 원래의 뜻과는 전혀 다른 새로운 뜻으로 굳어져서 쓰이는 표현 예 미역국을 먹다, 발이 넓다.

② 참신하게 표현하는 방법

- ③ ⬜⬜⬜적 발상으로 새로운 표현 만들기
- 속담, 격언이나 명언, 관용 표현 등을 활용하거나 모방하기

③ 다양한 표현을 활용했을 때의 효과

- 글의 표현이 다채로워진다.
- 독자의 관심과 흥미를 불러일으킬 수 있다.
- 글쓴이의 의도를 효과적으로 전달할 수 있다.
- 생각이나 느낌, 경험을 더욱 인상 깊고 생생하게 표현할 수 있다.

④ 다양한 표현을 활용하여 감상문을 쓰는 과정

글감 정하기	자신의 경험 중 글로 표현하고 싶은 의미 있는 경험을 떠올려 보고 그 경험을 통해 느낀 감상을 중심으로 글감 마련하기

↓

내용 마련하기	• 글에 담을 내용을 바탕으로 개요를 작성하기 • 글의 내용에 어울리는 다양한 표현 구상하기

↓

④ ⬜⬜⬜⬜을 활용하여 글 쓰기	자신의 감상을 표현하기에 알맞은 속담, 격언이나 명언, 관용 표현, 창의적인 발상을 통한 참신한 표현을 활용하여 글 쓰기

↓

고쳐쓰기	글을 쓴 의도를 고려하여 다양한 표현의 효과가 잘 드러나도록 고쳐 쓰기

↓

평가하기	다음의 기준에 따라 글쓰기 과정과 내용 점검하기 • 글로 쓰고 싶은 생각이나 느낌, 경험이 잘 드러났는가? • 짜임새 있게 구성하여 생각을 효과적으로 드러냈는가? • 속담, 격언이나 명언, 관용 표현 등을 활용하여 인상적으로 표현했는가? • 창의적인 발상으로 자신만의 참신한 표현을 만들어 적절하게 활용했는가?

답 | ① 교훈 ② 관용 표현 ③ 창의 ④ 다양한 표현

바로바로 개념 체크

주관식

1 다음에서 설명하는 표현의 종류를 쓰시오.

(1) 예로부터 전해오는 조상들의 지혜와 교훈을 담고 있는 짧은 표현 ( )

(2) 둘 이상의 단어가 합쳐져 원래의 뜻과는 전혀 다른 새로운 뜻으로 굳어져서 쓰이는 표현 ( )

2 다양한 표현을 활용하여 글을 쓸 때 얻을 수 있는 효과가 아닌 것은?

① 독자의 관심과 흥미를 끌 수 있다.
② 글쓴이의 경험을 생생하게 나타낼 수 있다.
③ 복잡한 상황을 길고 장황하게 설명할 수 있다.
④ 글쓴이의 생각이나 느낌을 인상 깊게 표현할 수 있다.
⑤ 글쓴이가 나타내고자 하는 바를 효과적으로 전달할 수 있다.

주관식

3 다음을 다양한 표현을 활용하여 글을 쓰는 과정에 따라 순서대로 배열하시오.

ㄱ 평가하기
ㄴ 고쳐쓰기
ㄷ 글감 정하기
ㄹ 내용 마련하기
ㅁ 다양한 표현을 활용하여 글 쓰기

지금은 쉼표가 필요할 때

소단원 포인트
① 다양한 표현의 종류 속담, 격언이나 명언, 관용 표현, 창의적 발상으로 만든 새로운 표현
② 다양한 표현의 활용 효과 인상 깊고 생생하게 표현함, 독자의 흥미와 관심을 불러일으킴, 글쓴이의 의도를 효과적으로 전달함.

① 다음 대화를 살펴보고, 글을 쓸 때 활용할 수 있는 다양한 표현을 알아보자.

교과서 90쪽 ▶

태경: 현지야, 어제 아버지와 등산 다녀왔다며?

현지: 응, 처음에는 억지로 따라가서 싫었는데, 막상 산에 오르니 기분이 상쾌해져서 좋았어.

태경: 국어 시간에 수필을 쓸 때 너는 그 경험을 소재로 삼으면 되겠네.

현지: 운동도 하고 글감도 찾고, 한마디로 ㉠꿩 먹고 알 먹기이지.

태경: 꿩 먹고 알 먹기? 너 그런 표현도 쓸 줄 알아?

현지: 글을 쓸 때 다양한 표현을 활용하면 좋을 것 같아서 조사 좀 해 봤지. 한번 볼래?

> **속담** 예로부터 전해 오는, 짧으면서도 교훈을 담고 있는 말.
> 예 서당 개 삼 년에 풍월을 읊는다.
>
> **격언이나 명언** 오랜 역사적 생활 체험을 통해 이루어진 인생의 교훈이나 경계 등을 간결하게 표현한 짧은 글. 예 황금 보기를 돌같이 하라.
>
> **관용 표현** 둘 이상의 단어가 합쳐져 원래의 뜻과는 전혀 다른 새로운 뜻으로 굳어져서 쓰이는 표현. 예 코를 납작하게 만들다.
>
> ☆ 글을 쓸 때 다양한 표현을 활용하면 좋은 점
> ● 내 생각이나 느낌을 좀 더 인상 깊게 표현할 수 있다.
> ● 독자의 흥미와 관심을 불러일으키기 쉽다.
> → 글을 통해 드러내고 싶은 의도를 좀 더 효과적으로 전달할 수 있다.

태경: 글을 쓸 때 활용할 수 있는 표현이 다양하구나. 나는 이번에 충치 때문에 겪은 일을 글로 쓰려고 하는데, 네가 찾은 명언을 바꿔서 "초콜릿 보기를 돌같이 하라."라고 제목을 붙이면 재미있겠다.

현지: 오, 정말 참신하다! 나도 다양한 표현을 더 찾아보고, 너처럼 나만의 멋진 표현을 만들어 활용해야겠어.

❶ 현지가 조사한 다양한 표현의 의미를 찾아보자.

> ● 서당 개 삼 년에 풍월을 읊는다.: 어떤 분야의 지식과 경험이 전혀 없는 사람이라도 그 부문에 오래 있으면 얼마간의 지식과 경험을 갖게 된다는 것을 비유적으로 이르는 말.
> ● (예시 답안) 황금 보기를 돌같이 하라.: 고려 말기의 명장이자 재상인 최영에게 아버지가 유언으로 남긴 말로, (   )하게 살아가라는 의미를 담고 있음.
> ● 코를 납작하게 만들다.: (   )를 죽이다.

소단원 체크

📝 주관식

1 글을 쓸 때 활용할 수 있는 다양한 표현의 종류를 세 가지 쓰시오.

학습 활동 응용
2 ㉠에 대한 설명으로 알맞은 것은? (정답 2개)

① 유명한 사람이 남긴 말이다.

② 동음이의어를 활용하여 주제를 강조하고 있다.

③ 한 가지 일로 두 가지 이상의 이득을 본다는 뜻이다.

④ 비교적 짧은 시기에 걸쳐 여러 사람의 입에 오르내리는 말이다.

⑤ 비슷한 표현으로 '도랑 치고 가재 잡고', '누이 좋고 매부 좋고' 등이 있다.

3 다음과 같은 표현에 대한 설명으로 가장 알맞은 것은?

> • 숨이 턱에 닿다.
> • 코를 납작하게 만들다.

① 창의적 발상으로 만든 새로운 표현이다.

② 전달하려는 내용을 직접적으로 표현한다.

③ 생활에 지침이 될 만한 가르침을 담고 있다.

④ 예로부터 전해져 내려오는, 교훈이 담긴 말이다.

⑤ 원래의 뜻과는 다른 새로운 뜻으로 굳어져서 쓰이는 표현이다.

❷ 짝과 함께 주제를 하나 정하여, 그와 관련된 속담, 격언이나 명언, 관용 표현을 찾아 발표해 보자.

예시 답안 • 주제: 노력
• 관련된 표현: – 속담: 하늘은 스스로 돕는 자를 돕는다.
– 격언: 노력은 배신하지 않는다.
– 명언: 천재는 1퍼센트의 영감과 99퍼센트의 노력으로 이루어진다. (에디슨)
– 관용 표현: 땀을 흘리다.

❸ 글을 쓸 때 다양한 표현을 활용하면 어떤 점이 좋은지 이야기해 보자.

예시 답안 • 생각이나 느낌을 더 인상 깊게 표현할 수 있다.
• 독자의 (   )와 관심을 불러일으킬 수 있다.
• 글쓴이의 (   )를 효과적으로 전달할 수 있다.

❷ 현지가 글을 쓸 때 활용하려는 표현의 의미를 살펴보자.

교과서 92쪽 ▶

처음

☆ 아버지와 등산하게 된 이유
  주말에 시험공부를 하려고 했는데, 아버지께서 등산을 가자고 하셔서 동네 뒷산에 억지로 따라갔다.

> 산에 억지로 따라가는 것이 불만인 나의 마음을 재미있게 표현하고 싶어.
> → 울며 겨자 먹기.

중간

☆ 등산하면서 느낀 어려움
  급하게 올라가려니 힘들어서 포기하고 중간에 내려가고 싶었다.

> 급하게 오르다 호흡이 가빠져서 힘들었던 순간을 생생하게 묘사하고 싶어.
> → ㉠숨이 턱에 닿다.

☆ 아버지의 가르침
  아버지께서 가르쳐 주신 대로 천천히 걸으니 계단을 올라가는 것이 힘들지 않았다.

> 아버지께서 가르쳐 주신 대로 천천히 걸으며 깨달은 점을 인상적으로 표현해야지.
> → 급히 먹는 밥이 목이 멘다.

☆ 정상에 올라 느낀 상쾌함
  정상에 올라 탁 트인 풍경을 바라보니 시험공부 때문에 쌓인 스트레스가 풀리고 머리가 맑아지는 것 같았다.

> 정상에 올라 느꼈던 상쾌함을 더욱 멋지게 표현하면 좋겠다.
> → 건강한 신체에 건강한 정신이 깃든다.

끝

☆ 등산을 다녀와서 깨달은 점
  공부하느라 마음의 여유를 잃었던 나 자신을 되돌아볼 수 있었다.

> 나만의 참신한 표현으로 느낀 점을 전달해 봐야지. 속담이나 명언 등을 변형해서 새로운 표현을 만들어 보는 것도 좋겠어.

4 다음 중 전달하려는 내용이 다른 하나는?
① 백지장도 맞들면 낫다.
② 노력은 성공의 어머니이다.
③ 하늘은 스스로 돕는 자를 돕는다.
④ 죄에는 벌이 오고 노력하면 보상이 온다.
⑤ 신은 우리가 성공할 것을 요구하지 않는다. 우리가 노력할 것을 요구할 뿐이다.

5 글을 쓸 때 다양한 표현을 활용하여 얻을 수 있는 효과가 아닌 것은?
① 독자의 흥미를 유발할 수 있다.
② 독자의 관심을 불러일으킬 수 있다.
③ 글의 짜임을 체계적으로 드러낼 수 있다.
④ 자신의 의도를 효과적으로 전달할 수 있다.
⑤ 자신의 생각을 더 인상 깊게 표현할 수 있다.

학습 활동 응용
6 현지가 ㉠과 같은 표현을 사용하려는 이유로 알맞은 것은?
① 정상에서 느꼈던 상쾌함을 멋지게 표현하기 위해서
② 경험을 통해 깨달은 점을 인상적으로 표현하기 위해서
③ 산에 따라가는 것이 불만이었다는 것을 재미있게 표현하기 위해서
④ 속담을 변형한 참신한 표현을 활용하여 느낀 점을 전달하기 위해서
⑤ 산에 급하게 오르다 호흡이 가빠져서 힘들었던 순간을 생생하게 묘사하기 위해서

① 현지가 글을 쓸 때 활용하려는 표현의 종류와 의미를 조사해 보자.

예시 답안

활용하려는 표현	표현의 종류	의미
• (㉠)	속담	싫은 일을 억지로 마지못해 함을 비유적으로 이르는 말.
• 숨이 턱에 닿다.	관용 표현	몹시 ( )이 차다.
• ㉡급히 먹는 밥이 목이 멘다.	속담	너무 급히 서둘러 일을 하면 잘못하고 실패하게 됨을 비유적으로 이르는 말.
• 건강한 신체에 건강한 정신이 깃든다.	( )	고대 로마의 시인 '유베날리스'의 명언으로, 완전한 건강이란 육체와 정신이 함께 건강한 상태를 의미하는 것임을 표현한 말.

② **①**의 표현들이 현지가 전달하려고 하는 내용과 어울리는지 말해 보자.

예시 답안 • "울며 겨자 먹기."는 마지못해 아버지를 따라나선 현지의 심정에 잘 어울리는 (   )이다.
• "숨이 턱에 닿다."는 급하게 산에 오르다가 숨이 찬 현지의 (   )에 잘 어울리는 관용 표현이다.
• "급히 먹는 밥이 목이 멘다."는 아버지와의 등산을 통해 현지가 (   )을 전달하기에 적절한 속담이다.
• "건강한 신체에 건강한 정신이 깃든다."는 정상에 오른 현지의 상쾌한 기분을 표현하기에 적절한 명언이다.

③ **①**의 표현들을 대신할 수 있는 다른 표현을 찾아보고, 친구들이 찾은 표현과 비교해 보자.

예시 답안 "건강한 신체에 건강한 정신이 깃든다."라는 명언을, 상쾌하여 마음이나 기분이 거뜬하다는 의미를 지닌 "머리가 가볍다."라는 관용 표현으로 바꾸고 싶다. 등산으로 스트레스가 풀리고 머리가 맑아진 느낌을 더욱 생생하고 구체적으로 전달할 수 있을 것 같기 때문이다.

③ 현지가 글을 고쳐 쓰는 과정을 살펴보자.

교과서 94쪽 ▶

아버지와 함께 한 등산
~~지금은 쉼표가 필요할 때~~

독자의 관심을 끌고, 내가 깨달은 점이 잘 드러나도록 제목을 바꿔야지.

지난 일요일 아침, 아버지께서 내 방문을 두드리시더니 아침을 먹고 같이 동네 뒷산에 가자고 하셨다. 나는 시험공부 때문에 시간이 없어서 안 된다고 버텼지만, 결국 울며 겨자 먹기로 아버지를 따라나섰다.

아버지께서 산을 오르다 보이는 나무를 가리키며 말을 거셨지만 나는 들은 척도 하지 않고 앞만 보고 걸어 올라갔다. 빨리 등산을 끝내고 집에 가고 싶은 마음뿐이었다. 아버지는 나의 이런 모습을 ⟨언짢아하시며⟩ 말씀하셨다. → 혀를 차시며

"혀를 차다."라는 관용 표현을 활용해서 생생하게 표현해 보자.

"현지야, 등산은 그렇게 경주하듯이 하는 게 아니다."

그런 아버지께 이 정도는 ⟨쉬운 일이라고⟩으스대며 앞서가는 것도 잠시, 경사진 길을 올라가다 보니 숨이 턱에 닿아 걸음이 느려졌다. 올라 → 누워서 떡 먹기라고

간결하면서도 인상적인 표현이 되도록 "누워서 떡 먹기."라는 속담을 써 보자.

갈수록 운동화가 천근만근 무겁게 느껴졌다. 뒤따라오시던 아버지께 이제 더는 못 가겠다고, 그만 내려가자고 떼를 썼다.

소단원 체크

학습활동 응용
7 ㉠에 들어가기에 가장 적절한 표현은?
① 울며 겨자 먹기.
② 고생 끝에 낙이 온다.
③ 다 된 밥에 재 뿌리기.
④ 갓 쓰고 자전거 타는 격.
⑤ 우는 아이 떡 하나 더 준다.

학습활동 응용
8 ㉡을 대신할 수 있는 표현으로 가장 적절한 것은?
① 급한 불을 끄다.
② 급할수록 돌아가라.
③ 가랑비에 옷 젖는 줄 모른다.
④ 목마른 사람이 우물을 판다.
⑤ 구슬이 서 말이라도 꿰어야 보배다.

9 현지가 글을 고쳐 쓰는 과정에 대한 설명으로 적절하지 않은 것은?
① 관용 표현을 활용하여 내용을 생생하게 표현하고자 한다.
② 속담을 사용하여 내용을 간결하고 인상적으로 표현하고자 한다.
③ 아버지의 말씀을 삭제하여 자신의 의도를 효과적으로 전달하고자 한다.
④ 독자의 관심을 끌고 자신이 깨달은 점이 잘 드러나도록 제목을 바꾸고자 한다.
⑤ 생각이나 느낌, 경험을 인상적이고 구체적으로 나타낼 수 있도록 표현을 바꾸고자 한다.

"너무 급하게 올라와서 힘든 거다. 천천히 쉬엄쉬엄 걸어 보자."

아버지는 힘들어지면 잠깐 쉬었다가 올라가자고 하셨다. 더는 못 올라갈 것 같았지만, 아버지의 숨소리에 내 호흡을 맞추고 걷다 보니 어느새 정상이 눈앞에 있었다. 아버지는 "급히 먹는 밥이 목이 멘다."라는 속담처럼 너무 서두르면 오히려 목표를 이룰 수 없다는 것을 알려 주고 싶으셨던 것이 아닐까?

산 정상에 올라 탁 트인 마을 풍경을 바라보니 시험공부 때문에 쌓인 스트레스가 ㉠모두(씻은 듯이) 사라졌다. 시원한 바람에 머리가 맑아지는 것을 느끼며 "건강한 신체에 건강한 정신이 깃든다."라는 말을 실감했다.

아버지와 등산을 하면서 적당한 휴식이 목표를 달성하는 데 도움이 된다는 것을 깨달았다. 독일의 정치인 비스마르크는 "청년들이여 일하라, 좀 더 일하라, 끝까지 열심히 일하라."라고 말했다. 나는 "쉬어라, 좀 더 쉬어라, 충분히 쉬고 공부하라."라고 말하고 싶다. 우리에게는 지금 쉼표가 필요하기 때문이다. 다음 주에는 내가 먼저 아버지께 뒷산에 오르자고 말씀드려야겠다.

> 후련했던 순간을 더욱 구체적으로 전달하려면 "씻은 듯이"라는 관용 표현으로 바꾸는 것이 좋겠어.

❶ 현지가 글의 제목을 바꾼 이유를 말해 보자.
[예시 답안] 독자의 (   )을 끌고 등산을 하며 (   )을 더욱 효과적으로 드러내기 위해서이다.

❷ 현지가 고쳐 쓴 표현을 원래의 문장과 비교하고, 그 효과를 생각해 보자.
[예시 답안]

- 혀를 차다. : '마음이 언짢거나 유감의 뜻을 나타내다.'라는 뜻의 (   )으로, 원래의 문장과 비교하여 현지의 태도를 마음에 들어 하지 않는 아버지의 심리를 더욱 생생하고 구체적으로 표현해 준다.

- 누워서 떡 먹기. : 하기가 매우 쉬운 것을 비유적으로 이르는 (   )으로, 원래의 문장과 비교하여 산에 오르는 일을 쉽게 여긴 현지의 태도를 간결하고 (   )으로 나타낸다.

- 씻은 듯이 : '(   )'라는 뜻의 관용 표현으로, 정상에 오른 순간 현지가 느낀 후련함을 더욱 (   )이고 실감 나게 나타낸다.

❸ 현지가 활용한 다음 표현이 전달하고자 하는 내용을 적절하게 나타내고 있는지 적어 보자.

> 나는 "㉡쉬어라, 좀 더 쉬어라, 충분히 쉬고 공부하라."라고 말하고 싶다.

[예시 답안] 유명한 사람의 (   )을 활용하여 표현함으로써 독자의 관심과 흥미를 끌 수 있을 뿐만 아니라 적당한 (   )의 필요성을 강조하려는 현지의 의도를 잘 드러내 주고 있다.

학습 활동 응용

10 ㉠을 대체하기 위해 사용한 '씻은 듯이'의 의미로 가장 적절한 것은?
① 무섭게
② 항상 바쁘게
③ 매우 아쉽게
④ 아주 깨끗하게
⑤ 극도로 긴장되게

주관식

11 다음은 현지가 고쳐 쓴 관용 표현에 대한 설명이다. 빈칸에 알맞은 말을 각각 쓰시오.

(1) 현지는 '(   )'라는 관용 표현을 사용하여 현지의 태도를 마음에 들어 하지 않는 아버지의 심리를 구체적으로 표현했다.

(2) 현지는 '(   )'라는 관용 표현을 사용하여 정상에 오른 순간 느낀 후련함을 실감 나게 나타냈다.

학습 활동 응용

12 ㉡에 대한 설명으로 알맞지 않은 것은?
① 글쓴이가 새롭게 만든 참신한 표현이다.
② 독자의 관심과 흥미를 유발하는 표현이다.
③ 유명한 사람의 명언을 변형하여 만들어 낸 표현이다.
④ 적당한 휴식의 필요성을 강조하려는 의도가 드러난다.
⑤ 오랜 역사적 생활 체험을 통해 이루어진 인생의 교훈이 담겨 있는 표현이다.

❹ 내가 현지의 글을 고쳐 쓴다면 어느 부분을 어떤 표현으로 바꾸고 싶은지 이야기해 보자.

예시 답안 • "눈 깜짝할 사이"라는 관용 표현을 활용해서 "어느새 정상이 눈앞에 있었다."라는 문장을 "눈 깜짝할 사이에 정상에 도착했다."로 고쳐 쓰고 싶다.

• "나는 "쉬어라, 좀 더 쉬어라, 충분히 쉬고 공부하라."라고 말하고 싶다." 대신 비스마르크의 명언을 반박하는 영어 속담을 추가해서 "나는 비스마르크에게 이렇게 말해 주고 싶다. "일만 하고 놀지 않으면 바보가 된다."라고."로 고쳐 쓰고 싶다.

④ 현지가 완성한 다음 글을 읽고 물음에 답해 보자.

교과서 96쪽 ▶

지금은 쉼표가 필요할 때

지난 일요일 아침, 아버지께서 내 방문을 두드리시더니 아침을 먹고 같이 동네 뒷산에 가자고 하셨다. 나는 시험공부 때문에 시간이 없어서 안 된다고 버텼지만, 결국 울며 겨자 먹기로 아버지를 따라나섰다.

아버지께서 산을 오르다 보이는 나무를 가리키며 말을 거셨지만 나는 들은 척도 하지 않고 앞만 보고 걸어 올라갔다. 빨리 등산을 끝내고 집에 가고 싶은 마음뿐이었다. 아버지는 나의 이런 모습에 혀를 차시며 말씀하셨다.

"현지야, 등산은 그렇게 경주하듯이 하는 게 아니다."

그런 아버지께 이 정도는 (　　　㉠　　　)라고 으스대며 앞서가는 것도 잠시, 경사진 길을 올라가다 보니 숨이 턱에 닿아 걸음이 느려졌다. 올라갈수록 운동화가 천근만근 무겁게 느껴졌다. 뒤따라오시던 아버지께 이제 더는 못 가겠다고, 그만 내려가자고 떼를 썼다.

"너무 급하게 올라와서 힘든 거다. 천천히 쉬엄쉬엄 걸어 보자."

아버지는 힘들어지면 잠깐 쉬었다가 올라가자고 하셨다. 더는 못 올라갈 것 같았지만, 아버지의 숨소리에 내 호흡을 맞추고 걷다 보니 어느새 정상이 눈앞에 있었다. 아버지는 "급히 먹는 밥이 목이 멘다."라는 속담처럼 너무 서두르면 오히려 목표를 이룰 수 없다는 것을 알려 주고 싶으셨던 것이 아닐까?

산 정상에 올라 탁 트인 마을 풍경을 바라보니 시험공부 때문에 쌓인 스트레스가 씻은 듯이 사라졌다. 시원한 바람에 머리가 맑아지는 것을 느끼며 "건강한 신체에 건강한 정신이 깃든다."라는 말을 실감했다.

아버지와 등산을 하면서 적당한 휴식이 목표를 달성하는 데 도움이 된다는 것을 깨달았다. 독일의 정치인 비스마르크는 "청년들이여 일하라, 좀 더 일하라, 끝까지 열심히 일하라."라고 말했다. 나는 "쉬어라, 좀 더 쉬어라, 충분히 쉬고 공부하라."라고 말하고 싶다. 우리에게는 지금 쉼표가 필요하기 때문이다. 다음 주에는 내가 먼저 아버지께 뒷산에 오르자고 말씀드려야겠다.

❶ 현지가 글을 통해 말하고자 하는 바를 생각해 보자.

예시 답안 적당한 (　　　)은 목표를 달성하는 데 도움이 된다.

❷ 현지가 글을 쓰면서 활용한 표현들이 글의 내용과 흐름에 어울리는지 이야기해 보자.

예시 답안 내용에 어울리는 속담과 관용 표현을 적절하게 인용했고, 특히 명언을 (　　　)적으로 재해석하여 만든 새로운 표현으로 글에서 전달하고자 하는 (　　　)를 효과적으로 뒷받침했다.

소단원 체크

13 현지가 쓴 글에 대한 설명으로 가장 알맞은 것은?

① 설득을 목적으로 한다.
② 객관적 사실을 전달한다.
③ 개인적 깨달음이 담겨 있다.
④ 실제 있음 직한 일을 꾸며 썼다.
⑤ 사회 현상에 대한 개인의 의견을 제시한다.

학습 활동 응용 🔲주관식

14 문맥상 ㉠에 들어가기에 알맞은 속담을 쓰시오.

15 현지에 대한 설명으로 알맞은 것은?

① 아버지보다 정상에 빨리 올랐다.
② 산 정상에 오르지 못하고 포기했던 경험이 있다.
③ 시험공부보다는 아버지와의 시간을 더 소중하게 여겼다.
④ 시험에 대한 스트레스를 풀기 위해 등산을 가게 되었다.
⑤ 아버지와의 등산을 통해 휴식의 필요성에 대해 깨달았다.

16 현지가 글에 활용한 표현이 아닌 것은?

① 창의적 발상을 통한 참신한 표현
② 인생의 교훈이나 경계 등을 간결하게 담은 표현
③ 예로부터 민간에 전하여 오는 교훈이 담긴 짧은 말
④ 특정 집단 안에서 비밀을 유지하기 위해 다른 집단의 사람들이 이해할 수 없게 만든 표현
⑤ 둘 이상의 낱말이 어울려 원래의 뜻과는 전혀 다른 새로운 뜻으로 굳어져서 쓰이는 표현

❸ 다음 기준에 따라 현지의 글을 평가해 보자.

평가 기준	별점
글로 쓰고 싶은 생각이나 느낌, 경험을 잘 드러냈는가?	☆ ☆ ☆ ☆ ☆
짜임새 있게 구성하여 생각을 효과적으로 드러냈는가?	☆ ☆ ☆ ☆ ☆
속담, 격언이나 명언, 관용 표현 등을 활용하여 인상적으로 표현했는가?	☆ ☆ ☆ ☆ ☆
창의적인 발상으로 자신만의 참신한 표현을 만들어 적절하게 활용했는가?	☆ ☆ ☆ ☆ ☆

예시 답안 생략

다양한 표현을 활용하여 감상문 쓰기

교과서 98쪽 ▶ **글감 정하기** 자신의 감상을 담아 글로 표현하고 싶은 경험을 떠올려 보자.

예시 답안 최근 가족과 함께 발레 공연 〈백조와 호수〉를 감상한 경험

내용 마련하기 글에 담을 내용을 바탕으로 개요를 작성하고, 글에 활용할 표현을 떠올려 보자.

● 개요 작성하기
예시 답안

처음	발레 〈백조의 호수〉 소개
중간	• 발레 〈백조의 호수〉의 전체 줄거리 • 작품에서 가장 인상적인 장면 • 무용수의 동작과 연기에서 느낀 점
끝	공연을 보고 느낀 감동과 나의 생각

● 글에 활용할 표현 떠올리기
예시 답안

● **속담, 격언이나 명언, 관용 표현 인용하기.**
  – 발레 〈백조의 호수〉가 유명한 작품이라는 내용을 표현할 때 관용 표현 "손가락 안에 꼽히다."를 인용함.
  – 지그프리트 왕자가 마법사에게 속아 백조가 아닌 흑조에게 사랑을 맹세하는 장면을 표현할 때 속담 "마른하늘에 날벼락."을 인용함.
  – 연속으로 32바퀴를 회전하는 발레리나의 모습을 보고 그간의 노력을 떠올릴 때 명언 "성공은 매일 반복한 작은 노력의 합이다."를 인용함.

● **속담, 격언이나 명언, 관용 표현을 창의적으로 바꾸기.**
  인생은 짧고, 예술은 길다. → 공연은 짧고, 감동은 길다.

● **창의적인 발상으로 나만의 참신한 표현 만들기.**
  슬프도록 아름다운 비밀의 호숫가 – 애절한 음악과 푸른빛의 조명, 순백의 발레리나들이 연기하는 백조의 군무가 한데 어우러진 아름다운 장면에서 지그프리트 왕자와 오데트 공주의 비극적인 사랑이 더욱 슬프게 느껴지는 감상을 담은 참신한 표현을 만듦.

소단원 체크

17 다양한 표현을 사용하여 자신의 감상을 표현한 글을 평가하는 기준으로 알맞지 않은 것은?
① 글로 쓰고 싶은 생각이나 느낌, 경험을 잘 드러냈는가?
② 짜임새 있게 구성하여 생각을 효과적으로 드러냈는가?
③ 모든 사람이 알고 있는 보편적인 표현만을 사용했는가?
④ 속담, 격언이나 명언, 관용 표현 등을 활용하여 인상적으로 표현했는가?
⑤ 창의적인 발상으로 자신만의 참신한 표현을 만들어 적절하게 활용했는가?

18 다음 중 현지의 글에 대한 평가로 적절한 것은?
① 글의 주제가 분명하게 드러나 있지 않다.
② '깨달음 → 경험'의 2단 구성으로 이루어져 있다.
③ 내용에 어울리지 않는 관용 표현을 사용한 부분이 있다.
④ 시대의 흐름에 맞는 유행어와 줄임말 등을 활용하고 있다.
⑤ 명언을 창의적으로 재해석하여 만든 새로운 표현을 활용하고 있다.

19 다음에 해당하는 글쓰기 단계는?

개요를 작성하고 글의 내용에 어울리는 다양한 표현을 구상한다.

① 고쳐쓰기
② 평가하기
③ 글감 정하기
④ 초고 작성하기
⑤ 내용 마련하기

| 다양한 표현을 활용하여 글 쓰기 | 앞에서 마련한 표현을 활용하여 자신의 감상을 담은 글을 써 보자. |

예시 답안 슬프도록 아름다운 비밀의 호숫가

〈백조의 호수〉는 손가락 안에 꼽히는 유명한 발레 작품으로, 모스크바 볼쇼이 극장의 관리인이 쓴 발레 대본에 작곡가 차이콥스키가 음악을 붙여 1887년에 처음 공연된 이래 꾸준히 사랑받아 오고 있다. 발레 〈백조의 호수〉를 소개하는 텔레비전 프로그램을 보고 언젠가는 꼭 이 공연을 직접 보고 싶다고 생각했는데, 부모님께서 이런 나의 바람을 아시고 모처럼 우리 가족이 다 함께 발레 〈백조의 호수〉를 감상할 기회를 마련해 주셨다. 공연이 시작되자 푸르스름한 조명과 익숙한 멜로디가 흐르면서 나는 환상의 세계로 빠져들었다.

사냥을 하던 지그프리트 왕자는 백조를 쫓아 숲속 호숫가에 갔다가 때마침 인간의 모습으로 변하는 백조를 보게 된다. 그 백조는 마법에 걸려 낮에는 백조로, 밤에는 인간으로 살아가는 오데트 공주로, 왕자는 오데트를 보고 사랑에 빠진다. 사랑의 맹세로 마법을 풀 수 있다는 이야기를 들은 왕자는 다음 날 있을 무도회에서 오데트와의 결혼을 발표할 것을 맹세한다. 하지만 무도회에서 오데트를 기다리던 왕자에게 마른하늘에 날벼락이 떨어진다. 마법사의 계략으로 왕자는 오데트와 똑같이 생긴 흑조 오딜에게 사랑의 맹세를 하고 만 것이다.

나는 발레리나들의 실감 나는 연기에 숨이 멎을 듯했다. 여러 백조가 무대를 가득 메우고 아름답게 춤을 추는 모습은 황홀하기까지 했다. 또 흑조 오딜이 발끝으로 서서 32바퀴를 회전하는 장면에서 그동안 열심히 연습했을 발레리나의 모습이 떠올라 "성공은 매일 반복한 작은 노력의 합이다."라는 말을 실감했다. 마법사의 저주는 결국 풀리지 않았고, 왕자와 백조의 사랑은 슬프게 끝나고 만다. 슬프고 처절한 음악이 흐르는 호숫가에서 사랑의 아픔을 표현하는 백조의 모습이 머릿속에서 떠나지 않는다. 히포크라테스는 "인생은 짧고, 예술은 길다."라고 말했지만, 나는 "공연은 짧고, 감동은 길다."라고 말하고 싶다.

| 고쳐쓰기 | 자신이 쓴 글을 읽으며 다양한 표현의 효과가 잘 드러나도록 고쳐 써 보자. |

예시 답안

고치고 싶은 부분	고친 표현
• 익숙한 멜로디 • 사냥을 하던 지그프리트 왕자는 백조를 쫓아 숲속 호숫가에 갔다가 때마침 인간의 모습으로 변하는 백조를 보게 된다. 그 백조는 마법에 걸려 낮에는 백조로, 밤에는 인간으로 살아가는 오데트 공주로, 왕자는 오데트를 보고 사랑에 빠진다.	• 귀에 익은 멜로디 • 가는 날이 장날이라고, 백조를 쫓던 왕자는 때마침 인간의 모습으로 변하는 백조를 보게 된다. 그 백조는 마법에 걸려 낮에는 백조로, 밤에는 인간으로 살아가는 오데트 공주로, 왕자는 오데트에게 첫눈에 반하고 만다.

| 평가하기 | 다음 기준에 따라 자신이 쓴 글을 평가해 보자. |

평가 기준	별점
글로 쓰고 싶은 생각이나 느낌, 경험을 잘 드러냈는가?	☆ ☆ ☆ ☆ ☆
짜임새 있게 구성하여 생각을 효과적으로 드러냈는가?	☆ ☆ ☆ ☆ ☆
속담, 격언이나 명언, 관용 표현 등을 활용하여 인상적으로 표현했는가?	☆ ☆ ☆ ☆ ☆
창의적인 발상으로 자신만의 참신한 표현을 만들어 적절하게 활용했는가?	☆ ☆ ☆ ☆ ☆

예시 답안 생략

 소단원 체크

20 다음에 대한 설명으로 알맞은 것은?

> 히포크라테스는 "인생은 짧고, 예술은 길다."라고 말했지만, 나는 "공연은 짧고, 감동은 길다." 라고 말하고 싶다.

① 속담을 인용하여 삶의 지혜를 전달한다.
② 명언을 활용하여 백조의 아름다움을 묘사한다.
③ 명언을 창의적으로 바꾸어 공연의 감동을 표현한다.
④ 관용 표현을 활용하여 공연에서 느낀 감동을 전달한다.
⑤ 격언을 활용하여 발레리나의 실감 나는 연기를 묘사한다.

주관식
21 다음에 사용된 표현의 종류를 쓰시오.

> 가는 날이 장날이라고, 백조를 쫓던 왕자는 때마침 인간의 모습으로 변하는 백조를 보게 된다.

주관식
22 다음 중 다양한 표현을 활용하여 자신의 감상을 담은 글을 쓸 때 유의해야 할 점으로 알맞은 것을 모두 고르시오.

ⓐ 주관적인 표현을 사용하지 않는다.
ⓑ 내용이 산만해지지 않도록 표현의 활용을 자제한다.
ⓒ 자신의 의도를 잘 전달할 수 있는 표현을 찾아 활용한다.
ⓓ 독자의 흥미를 끌 수 있는 표현을 최대한 많이 사용한다.
ⓔ 자신의 생각이나 느낌을 생생하게 드러낼 수 있는 표현을 활용한다.

핵심 정리

🌱 현지가 글에 활용한 표현과 그 의미

속담	( )	싫은 일을 억지로 마지못해 함을 비유적으로 이르는 말
	누워서 떡 먹기.	하기가 매우 쉬운 것을 비유적으로 이르는 말
	급히 먹는 밥이 목이 멘다.	너무 급히 서둘러 일을 하면 잘못하고 ( )하게 됨을 비유적으로 이르는 말
격언이나 명언	건강한 신체에 건강한 정신이 깃든다.	고대 로마의 시인 '유베날리스'의 명언으로, 완전한 건강이란 육체와 ( )이 함께 건강한 상태를 의미하는 것임을 표현한 말
( )	( )	마음이 언짢거나 유감의 뜻을 나타내다.
	숨이 턱에 닿다.	몹시 숨이 차다.
	씻은 듯이	아주 깨끗하게
창의적 발상을 통한 참신한 표현	• 지금은 쉼표가 필요할 때 • 쉬어라, 좀 더 쉬어라, 충분히 쉬고 공부하라.	

⬇

효과
• 글쓴이의 의도를 효과적으로 전달할 수 있음. • 독자의 ( )와 관심을 불러일으킬 수 있음. • 자신의 생각이나 느낌, 경험 등을 더욱 ( ) 깊고 생생하게 표현할 수 있음.

주요 포인트

🌱 현지가 쓴 글의 주제

• 적당한 ( )은 목표를 달성하는 데 도움이 된다.

🌱 현지가 글을 쓰면서 활용한 다양한 표현의 적절성

• 내용에 어울리는 속담과 관용 표현을 적절하게 인용함.
• 명언을 창의적으로 ( )하여 만든 새로운 표현으로 글에서 전달하고자 하는 주제를 효과적으로 뒷받침함.

생각 모으기

◉ 이 단원에서 학습한 내용을 떠올리며 빈칸에 들어갈 적절한 말을 보기 에서 찾아보자.

• 속담, 격언이나 명언, ▦▦▦ 을/를 활용하면 생각이나 느낌을 효과적으로 전달할 수 있다.
• 창의적인 발상으로 자신만의 ▦▦▦ 한 표현을 만들면 더욱 인상적인 글을 쓸 수 있다.
• 다양한 표현을 활용하여 글을 쓸 때에는 글의 내용과 ▦▦▦ 에 맞게 표현하는 것이 중요하다.

보기
관용 표현   의도   인용   참신

◉ 참신한 표현이 주는 효과를 생각해 보자.

가 절전! 전기를 아낍시다.

나 지구와 북극곰을 지켜 주세요!

예시 답안 (나)와 같이 창의적인 발상을 통해 ( )하게 표현하면 (가)와 같이 내용을 직설적으로 전달할 때보다 읽는 사람의 ( )과 ( )를 끌 수 있고, 전달하고자 하는 ( )를 더욱 효과적으로 드러낼 수 있다.

소단원 **종합 문제**

[01~04] 다음 글을 읽고, 물음에 답하시오.

가 태경: 현지야, 어제 아버지와 등산 다녀왔다며?

현지: 응, 처음에는 억지로 따라가서 싫었는데, 막상 산에 오르니 기분이 상쾌해져서 좋았어.

태경: 국어 시간에 수필을 쓸 때 너는 그 경험을 소재로 삼으면 되겠네.

현지: 운동도 하고 글감도 찾고, 한마디로 ㉠꿩 먹고 알 먹기이지.

태경: 꿩 먹고 알 먹기? 너 그런 표현도 쓸 줄 알아?

현지: 글을 쓸 때 다양한 표현을 활용하면 좋을 것 같아서 조사 좀 해 봤지. 한번 볼래?

> **속담** 예로부터 전해 오는, 짧으면서도 교훈을 담고 있는 말.
> **예** ㉡서당 개 삼 년에 풍월을 읊는다.
>
> **격언이나 명언** 오랜 역사적 생활 체험을 통해 이루어진 인생의 교훈이나 경계 등을 간결하게 표현한 짧은 글.
> **예** ㉢황금 보기를 돌같이 하라.
>
> **관용 표현** 둘 이상의 단어가 합쳐져 원래의 뜻과는 전혀 다른 새로운 뜻으로 굳어져서 쓰이는 표현.
> **예** ㉣코를 납작하게 만들다.

태경: 글을 쓸 때 활용할 수 있는 표현이 다양하구나. 나는 이번에 충치 때문에 겪은 일을 글로 쓰려고 하는데, 네가 찾은 명언을 바꿔서 ㉤"초콜릿 보기를 돌같이 하라."라고 제목을 붙이면 재미있겠다.

현지: 오, 정말 참신하다! 나도 다양한 표현을 더 찾아보고, 너처럼 나만의 멋진 표현을 만들어 활용해야겠어.

나

처음	☆ **아버지와 등산하게 된 이유** ⓐ주말에 시험공부를 하려고 했는데, 아버지께서 등산을 가자고 하셔서 동네 뒷산에 억지로 따라갔다.
중간	☆ **등산하면서 느낀 어려움** 급하게 올라가려니 힘들어서 포기하고 중간에 내려가고 싶었다. ☆ **아버지의 가르침** 아버지께서 가르쳐 주신 대로 천천히 걸으니 계단을 올라가는 것이 힘들지 않았다. ☆ **정상에 올라 느낀 상쾌함** 정상에 올라 탁 트인 풍경을 바라보니 시험공부 때문에 쌓인 스트레스가 풀리고 머리가 맑아지는 것 같았다.
끝	☆ **등산을 다녀와서 깨달은 점** 공부하느라 마음의 여유를 잃었던 나 자신을 되돌아볼 수 있었다.

01 ㉠~㉤의 의미가 바르게 연결된 것은?

① ㉠: 한 가지 일을 하여 두 가지 이상의 이익을 얻음.

② ㉡: 어떤 분야에 대한 기본 지식이 없으면 그 부문에 오래 있더라도 전문성을 갖추기 어려움.

③ ㉢: 겉만 그럴듯하고 실속이 없는 경우를 비유적으로 표현함.

④ ㉣: 잘난 체하고 뽐내는 기세가 있음.

⑤ ㉤: 남의 허물이나 언행을 교훈으로 삼음.

02 ⓐ와 관련하여 사용하기에 가장 적절한 표현은?

① 머리가 가볍다.

② 숨이 턱에 닿다.

③ 울며 겨자 먹기.

④ 급히 먹는 밥이 목이 멘다.

⑤ 건강한 신체에 건강한 정신이 깃든다.

03 (나)는 현지가 글을 쓰기 전에 작성한 개요이다. 이를 바탕으로 글을 쓸 때 다양한 표현을 활용하는 방법으로 적절하지 않은 것은?

① '등산하면서 느낀 어려움'을 강조하기 위해 '누이 좋고 매부 좋고'를 활용한다.

② 속담이나 명언을 변형한 참신한 표현으로 등산을 다녀와서 깨달은 점을 전달한다.

③ '급히 먹는 밥이 목이 멘다.'를 활용하여 아버지께서 천천히 걸으라고 가르쳐 주신 점을 강조한다.

④ 정상에 올라 느꼈던 상쾌함을 '건강한 신체에 건강한 정신이 깃든다.'라는 명언을 사용하여 표현한다.

⑤ '숨이 턱에 닿다.'를 활용하여 산에 급하게 오르다가 호흡이 가빠져 힘들었던 순간을 생생하게 묘사한다.

서술형 대비 문제

04 (가)의 내용을 참고하여 글에 다양한 표현을 활용할 때의 효과를 두 가지 쓰시오.

조건 각각 완결된 문장으로 쓸 것

_____

_____

[05~09] 다음 글을 읽고, 물음에 답하시오.

가
아버지와 함께 한 등산

지난 일요일 아침, 아버지께서 내 방문을 두드리시더니 아침을 먹고 같이 동네 뒷산에 가자고 하셨다. 나는 시험공부 때문에 시간이 없어서 안 된다고 버텼지만, 결국 울며 겨자 먹기로 아버지를 따라나섰다.

아버지께서 산을 오르다 보이는 나무를 가리키며 말을 거셨지만 나는 들은 척도 하지 않고 앞만 보고 걸어 올라갔다. 빨리 등산을 끝내고 집에 가고 싶은 마음뿐이었다. 아버지는 나의 이런 모습에 ㉠언짢아하시며 말씀하셨다.

"현지야, 등산은 그렇게 경주하듯이 하는 게 아니다."

나 그런 아버지께 이 정도는 ㉡누워서 떡 먹기라고 으스대며 앞서가는 것도 잠시, 경사진 길을 올라가다 보니 숨이 턱에 닿아 걸음이 느려졌다. 올라갈수록 운동화가 천근만근 무겁게 느껴졌다. 뒤따라오시던 아버지께 이제 더는 못 가겠다고, 그만 내려가자고 떼를 썼다.

"너무 급하게 올라와서 힘든 거다. 천천히 쉬엄쉬엄 걸어 보자."

아버지는 힘들어지면 잠깐 쉬었다가 올라가자고 하셨다. 더는 못 올라갈 것 같았지만, 아버지의 숨소리에 내 호흡을 맞추고 걷다 보니 어느새 정상이 눈앞에 있었다. 아버지는 "급히 먹는 밥이 목이 멘다."라는 속담처럼 너무 서두르면 오히려 목표를 이룰 수 없다는 것을 알려 주고 싶으셨던 것이 아닐까?

다 산 정상에 올라 탁 트인 마을 풍경을 바라보니 시험공부 때문에 쌓인 스트레스가 ㉢씻은 듯이 사라졌다. 시원한 바람에 머리가 맑아지는 것을 느끼며 "건강한 신체에 건강한 정신이 깃든다."라는 말을 실감했다.

아버지와 등산을 하면서 적당한 휴식이 목표를 달성하는 데 도움이 된다는 것을 깨달았다. 독일의 정치인 비스마르크는 ⓐ"청년들이여 일하라, 좀 더 일하라, 끝까지 열심히 일하라."라고 말했다. 나는 ⓑ"쉬어라, 좀 더 쉬어라, 충분히 쉬고 공부하라."라고 말하고 싶다. 우리에게는 지금 쉼표가 필요하기 때문이다. 다음 주에는 내가 먼저 아버지께 뒷산에 오르자고 말씀드려야겠다.

05 이 글에서 말하고자 하는 바로 가장 알맞은 것은?
① 건강한 신체를 기르는 습관을 가져야 한다.
② 적당한 휴식은 목표를 달성하는 데 도움이 된다.
③ 목표를 성취하기 위해서는 미리미리 준비해야 한다.
④ 자신의 한계를 극복하기 위해 계속해서 도전해야 한다.
⑤ 목표를 이루기 위해서는 자기 자신과의 싸움에서 이겨야 한다.

06 이 글의 제목을 다음과 같이 고쳐 쓸 때 기대할 수 있는 효과는? (정답 2개)

> 지금은 쉼표가 필요할 때

① 독자의 관심과 흥미를 끌 수 있다.
② 글쓴이가 깨달은 점이 보다 잘 드러난다.
③ 글 전체 내용을 구체적으로 확인할 수 있다.
④ 사실을 있는 그대로 담백하게 표현할 수 있다.
⑤ 유명한 사람의 말을 인용하여 신뢰성을 높일 수 있다.

07 ㉠을 대신하기에 가장 알맞은 관용 표현은?
① 혀를 차시며
② 눈을 흘기며
③ 목에 힘을 주며
④ 엎드려 절 받듯
⑤ 바람 앞의 등불처럼

> 관용 표현은 원래의 뜻과는 전혀 다른 새로운 뜻으로 굳어져서 쓰이는 표현임을 생각해 보아요.

08 ㉡과 ㉢에 대한 설명으로 알맞은 것은?
① ㉡은 현지의 태도를 인상적으로 표현한 것이다.
② ㉡과 ㉢은 동일한 상황을 나타내는 표현이다.
③ ㉡과 ㉢에는 예로부터 전해 오는 교훈이 담겨 있다.
④ ㉢은 아버지의 심리를 생생하고 구체적으로 표현한 것이다.
⑤ ㉢을 '모두'로 대체하면 후련했던 순간을 더욱 생생하게 전달할 수 있다.

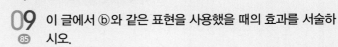

서술형 대비 문제

09 이 글에서 ⓑ와 같은 표현을 사용했을 때의 효과를 서술하시오.
조건 1 다양한 표현의 종류 중 ⓐ가 어디에 속하는지 쓰고, 그 개념을 밝힐 것
조건 2 ⓐ와 ⓑ의 관계를 설명할 것
조건 3 ⓑ의 사용 효과를 주제와 관련지어 쓸 것

활동 1 나에게 맞는 책 읽기 방법 찾기

갈래	네이버캐스트 〈지서재, 지금의 나를 만든 서재〉 중 일부
제재	책과 관련된 생각과 책을 읽는 방법
주제	책을 읽는 다양한 방법과 책을 읽어야 하는 이유
특징	• 다양한 독서 방법을 소개함. • 다양한 분야의 명사들이 책과 관련된 생각을 제시함.

음악인
전제덕

가 책을 처음 펼쳤을 때 보이는 차례를 굉장히 중요하게 생각합니다. 작가들이 차례의 제목을
차례를 중요하게 생각함.
대충 붙여 놓았다고 생각하지 않거든요. 제목 속에 먼 미래도 보이고, 가까운 앞날도 보이는 것 같아서 일단 그 제목들을 상당히 중요하게 생각합니다. 그리고 좀 긴 책은 작가 서문을 꼭
보지요. *서문을 통해 작가가 하고 싶은 이야기를 파악함.* 작가가 이야기하고 싶은 것들이 서문 안에 얼마만큼은 들어가 있다고 보거든요.

영화 평론가
이동진

나 땅을 깊게 파려면 일단 넓게 파야 해요. 처음부터 깊게만 파려고 하면, 깊이 파는 데 한계가 있어요. 저는 독서도 똑같다고 생각해요. 예를 들어서 좋은 영화 평론가가 되려면 영화책만 100권을 읽을 게 아니라, 영화책 10권, 소설책 20권, 시집 10권, 자연 과학서 10권, 이런 식으로 100권을 봐야 한다고 봐요. *넓고 다양한 분야의 책을 고르게 읽어야 한다고 생각함.* 하나만 아는 것은 아무것도 모르는 것과 같으니까요.

물리학자
정재승

다 저는 책들과 책들 사이의 관계에 굉장히 관심이 많아요. 책의 지도를 머릿속에 그린다고 할까요? 이 책은 이 책 자체로서 의미가 있다기보다는, 그전에 나온 책을 극복하고자, 혹은 지지하고자, 그것이 진실이 아님을 밝히고자 나오는 등 책들 사이에 연관 관계가 있거든요. 때로는 한 작가가 쓴 책들이 서로 연결되기도 하고, 한 주제의 책들이 또다시 연결되기도 하고…… 그런 책들의 관계를 따라가면서 계속 책을 읽는 것, *책들 사이의 연관 관계를 생각하며 읽음.* 그것이 제가 평소에 하는 독서법입니다.

시험 포인트

● 각 인물의 책 읽기 방법

음악인 전제덕	책의 차례, 작가의 서문을 통해 작가가 하고 싶은 이야기가 무엇인지 파악하기
영화 평론가 이동진	넓고 다양한 분야의 책을 고르게 읽기
물리학자 정재승	책들 사이의 연관 관계(같은 작가가 쓴 책, 같은 주제의 책 등)를 따라가며 읽기

1 각 인물이 책을 읽는 방법을 정리해 보자.

예시 답안
• (가): 책의 차례, 작가의 서문을 읽으며 작가가 하고 싶은 이야기가 무엇인지 파악한다.
• (나): 자신이 관심 있는 특정 분야의 책만 보는 것이 아니라 넓고 다양한 분야의 책을 고르게 읽는다.
• (다): 같은 작가가 쓴 책, 같은 주제의 책 등 책들 사이의 연관 관계를 따라가면서 계속 책을 읽는다.

2 책을 읽는 다양한 방법을 친구들과 함께 찾아보자.

❶ 나는 평소에 읽고 싶은 책을 어떻게 고르는지 친구들에게 말해 보자.

예시 답안
• 평소 관심 있는 분야의 책 중에서 제목과 표지를 보면서 호기심이 생기는 책을 골라 읽는다.
• 책을 소개하는 글이나 대형 서점의 책 광고 등을 보고 재미있을 것 같은 책을 선택해서 읽는다.

❷ 친구들의 이야기를 듣고, 자신이 책을 읽을 때 활용하고 싶은 방법을 정리해 보자.

예시 답안
• 나는 평소에 학교 과제를 할 때에만 억지로 책을 읽어서 자발적으로 책을 골라 읽은 경험이 별로 없다. 그래서 책 제목과 표지를 보면서 책의 내용을 상상하고 호기심이 생기는 책을 골라서 스스로 읽는 습관을 기르고 싶다.
• 인터넷에서 서평을 연재하는 블로그를 활용하면 나와 같은 책을 읽은 사람들과 감상을 공유하고, 비슷한 관심사를 지닌 사람들이 주로 어떤 책을 읽는지 살펴볼 수 있어서 매우 유용할 것 같다.

3 2를 바탕으로 읽기를 생활화하기 위한 다짐을 담아 '나의 독서 좌우명'을 만들고 실천해 보자.

예시 답안
• 입에 쓴 약이 몸에 좋다! 재미없는 책도 끝까지 읽으려고 노력하자.
• 가랑비에 옷 젖듯이 하루에 10분씩 꾸준히 책을 읽는 습관을 기르자.
• 지금 내가 읽는 책들이 미래의 나를 만든다. 내 꿈을 이룰 수 있는 책을 찾아 열심히 읽자.

선택 학습 문제

★**1** (가)에서 제시한 독서 방법으로 알맞은 것은?

① 여러 권의 책을 다양하게 읽기
② 한 권의 책을 반복적으로 읽기
③ 책들 사이의 연관 관계를 생각하며 읽기
④ 책의 차례와 서문을 중요하게 생각하며 읽기
⑤ 책의 제목과 표지가 마음에 드는 책 골라 읽기

2 (가)~(다)에서 다음과 같은 독서 방법을 강조한 사람을 쓰시오.

> 넓고 다양한 분야의 책 고르게 읽기

활동 2 | 광고를 모방하여 자신의 생각과 느낌 표현하기

갈래	인쇄 광고	성격	공익적, 설득적

주제	• (가): 올바른 인터넷 댓글 문화를 만들어 나가자. • (나): 겨울철 에너지 위기를 해결하기 위해 내복을 입자.

특징	• (가): 속담을 변형하고, 광고 문구의 형태를 댓글이 계속 달리는 모양으로 구성하여 주제를 참신하게 전달함. • (나): 동음이의어를 활용한 창의적 발상이 나타남.

시험 포인트

• (가)의 표현상 특징과 의도

속담	→	광고 문구
윗물이 맑아야 아랫물이 맑다.	변형	윗글이 맑아야 아랫글이 맑다.

↓

좋은 댓글을 달아 올바른 인터넷 댓글 문화를 만들자.

• (나)의 표현상 특징과 의도

내복(內服)	⇒ 동음이의어 ⇐	내복(內服)
약 등을 먹음.		속옷 위에 껴입는 방한용 옷

↓

내복을 입어 겨울철 난방 에너지를 절감하자.

1 광고에 쓰인 표현과 그 효과를 살펴보자.

❶ 가, 나에서 전달하려는 내용과 표현의 특징을 말해 보자.

예시 답안

	전달하려는 내용	표현의 특징
가	좋은 댓글을 달아 올바른 인터넷 댓글 문화를 만들자.	익숙한 속담인 "윗물이 맑아야 아랫물이 맑다."를 변형하여 '윗글'과 '아랫글'의 관계를 나타내는 표현을 만듦.
나	내복을 입어 겨울철 난방 에너지를 절감하자.	동음이의어 '내복(內服)'을 활용하여 참신한 표현을 만듦.

❷ 가, 나의 표현이 광고의 의도를 효과적으로 전달하고 있는지 이야기해 보자.

예시 답안 • (가): 기존의 속담을 변형하여 인터넷 댓글 문화를 개선하려는 의도를 인상적으로 전달하고 있다.

• (나): 동음이의어를 활용한 창의적 발상으로 내복을 입어 겨울철 난방 에너지를 절감하자는 주장을 설득력 있게 전달하고 있다.

2 광고에 쓰인 다양한 표현을 모방하여 자신의 생각과 느낌을 친구들에게 전달해 보자.

❶ 주변에서 다양한 표현이 쓰인 광고를 찾아보고, 그 표현의 특징을 파악해 보자.

예시 답안 • 광고: 〈흐르는 세월은 멈출 수 없지만 흐르는 물은 멈출 수 있습니다〉(대한민국 공익 광고제 학생부 동상 수상작(2009), 한국방송광고진흥공사)

• 표현의 특징: '세월'과 '물'을 서로 대비되도록 표현하여 물을 아껴 써야 한다는 주제를 더욱 강조하고 있다.

❷ ❶에서 찾은 광고를 모방하여 학교생활이나 사회 문제와 관련한 자신의 생각과 느낌을 표현해 보자.

예시 답안 흐르는 세월은 멈출 수 없지만 시끄러운 수다는 멈출 수 있습니다.

❸ ❷에서 만든 표현을 사회관계망 서비스에 올려 친구들과 공유해 보자.

예시 답안 생략

선택 학습 문제

1 (가), (나)에 대한 설명으로 가장 알맞은 것은?

① (가): 다의어를 활용한 창의적 발상이 나타난다.

② (가): 예로부터 전해져 내려온 교훈이 담긴 표현을 활용하고 있다.

③ (가): 상품 및 서비스에 대한 정보를 소비자에게 널리 알려 그것을 구매하도록 설득하는 데 목적이 있다.

④ (나): 둘 이상의 단어가 합쳐져 원래의 뜻과는 전혀 다른 새로운 뜻으로 굳어져서 쓰이는 표현을 활용했다.

⑤ (나): 글자 크기와 색깔, 효과음 등을 활용하여 깊은 인상을 남기고 있다.

2 (나)에서 주제를 효과적으로 드러내기 위해 활용한 방법은?

① 뜻이 서로 비슷한 말을 제시함.

② 서로 반대되는 뜻을 가진 말을 활용함.

③ 소리는 같지만 뜻이 다른 낱말을 활용함.

④ 의미상 다른 단어를 포함하는 낱말을 제시함.

⑤ 두 가지 이상의 관련된 의미로 쓰이는 하나의 낱말을 활용함.

잠깐 어휘 학습

❶ 읽기의 가치와 중요성

📖 '독서'와 관련된 사자성어의 뜻을 알아보고, 가, 나에 어울리는 사자성어를 찾아보자.

✓ **등화가친(燈火可親):** 등불을 가까이할 만하다는 뜻으로, 서늘한 가을밤은 등불을 가까이 하여 글 읽기에 좋음을 이르는 말.

✓ **위편삼절(韋編三絶):** 공자가 주역을 즐겨 읽어 책의 가죽끈이 세 번이나 끊어졌다는 뜻으로, 책을 열심히 읽음을 이르는 말.

✓ **주경야독(晝耕夜讀):** 낮에는 농사짓고 밤에는 글을 읽는다는 뜻으로, 어려운 여건 속에서도 꿋꿋이 공부함을 이르는 말.

✓ **형설지공(螢雪之功):** 반딧불·눈과 함께 하는 노력이라는 뜻으로, 고생을 하면서 부지런하고 꾸준하게 공부하는 자세를 이르는 말.

가
어느새 가을인가 봐. 날이 선선해서 책 읽기 좋네.

나
이 책이 정말 재미있어서 열 번도 넘게 읽었더니 표지가 다 뜯어졌어.

❷ 다양한 표현 활용하여 글 쓰기

📖 '글'과 관련된 표현과 그 뜻을 알맞게 연결하고, 가, 나에 어울리는 표현을 골라 보자.

글이 짧다. •
• 글을 모르거나 아는 것이 넉넉하지 못하다.

얼음에 박 밀듯 •
• 글이나 글씨를 쓰다.

붓을 대다. •
• 말이나 글을 거침없이 줄줄 내리읽거나 내리외는 모양을 비유적으로 이르는 말.

가
와! 어려운 글자가 많은데도 막힘없이 정말 잘 읽네?

→ 얼음에 (   ) 밀듯

나
내가 글을 몰라서 편지를 읽지 못하겠구나. 대신 읽어 주겠니?

글이 (   ). ←

모아모아 대단원 마무리 체크

01 읽기의 가치와 중요성

01 ( )는 우리의 정신을 성장하게 하고 삶의 질을 높여 주는 활동으로, 좋은 글과의 만남을 통해 삶의 가치관이나 진로가 달라질 수 있다.

02 다음은 읽기의 가치와 중요성에 대한 설명이다. 빈칸에 알맞은 말을 쓰시오.
(1) 글 속에서 다양한 삶의 모습을 접하며 자신을 ( )할 수 있다.
(2) 읽기를 활용하여 여가를 즐기고 마음의 ( )을 느낄 수 있다.
(3) 읽기를 통해 인류가 오랫동안 축적해 온 ( ) 과 ( )을 얻을 수 있다.
(4) 몰랐던 사실을 새롭게 깨닫고 더욱 높은 수준의 ( )를 만들어 갈 수 있다.

03 다음 중 읽기의 생활화에 대한 설명으로 맞으면 ○표, 틀리면 ×표 하시오.
(1) 읽기에 긍정적인 태도를 지니고 일상생활에서 꾸준히 글을 읽는 습관을 가져야 한다. ( )
(2) 자신의 수준보다 어려운 책을 골라 읽는 습관을 길러야 한다. ( )
(3) 독서 모임이나 독서 토론과 같이 꾸준히 할 수 있는 독서 활동을 해야 한다. ( )

〈맛있는 책, 일생의 보약〉

04 이 글은 글쓴이의 경험과 깨달음이 담겨 있는 ( ) 이다.

05 고전은 어렵고 지루하다는 ( ) 때문에 학생들이 고전에는 거의 손을 대지 않아 고전의 책 표지가 대부분 깨끗했다.

06 글쓴이가 처음 읽은 고전 작품의 제목은?

07 이 글의 글쓴이에 대한 설명으로 맞으면 ○표, 틀리면 ×표 하시오.
(1) 중학교 시절 내내 도서반 활동을 했다. ( )
(2) 중학교 3학년 특별 활동 시간에 도서반에서 마음에 드는 책을 골라 읽는 활동을 했다. ( )
(3) 도서반에서 아이들이 많이 읽는 책 위주로 골라 읽으며 독서 활동을 했다. ( )

(4) 특별 활동 시간에 박지원의 고전 소설을 읽으며 책을 읽는 즐거움을 느꼈다. ( )
(5) 무협지와는 다른 고전의 매력을 발견했다. ( )

08 글쓴이는 책을 읽으면서 정신세계가 한층 더 넓어지고 수준이 높아지는 듯한 느낌이 들었기 때문에 책을 '( )'이라고 표현했다.

09 글쓴이는 특별 활동 시간에 읽은 박지원의 고전 소설의 영향으로 독서의 가치와 중요성을 깨닫고 ( ) 의 길을 걷게 되었다.

10 다음은 글쓴이가 고전을 읽으며 느낀 즐거움을 정리한 것이다. 빈칸에 알맞은 말을 쓰시오.
(1) 글을 쓴 사람의 ( )이 전해짐.
(2) ( )이 단단하고 품위 있으며 아름다움.
(3) 우리 조상이 쓴 것이라는 ( )을 느낌.
(4) 무협지와 달리 읽을수록 ( ) 맛이 우러나옴.
(5) 책을 읽으며 정신세계가 더 넓어지고 ( )이 높아지는 듯함.

11 다음은 글쓴이가 생각하는 고전과 무협지의 공통점과 차이점을 정리한 것이다. 빈칸에 알맞은 말을 쓰시오.

공통점	차이점
• ( )을 번역한 예스러운 문체 • 인물의 행적과 사건 전개 방식	• 주인공의 이름만 기억에 남는 ( )와 달리 ( )은 주인공과 관련하여 계속 생각하게 함. • ( )은 읽을수록 새로운 맛이 우러나옴.

12 다음은 글쓴이가 생각하는 읽기의 가치를 정리한 것이다. 빈칸에 알맞은 말을 쓰시오.
(1) 책을 읽으면 지극한 ( )를 체험할 수 있다.
(2) 인간만이 알고 있는, ( ) 인간으로 나아가는 통로이다.
(3) 인간다운 삶을 살고 드높은 가치를 추구하는 ( )을 보여 준다.

13 책을 읽으면 인간의 지극한 정신문화, 그 높고 그윽한 세계에 닿을 수 있고, 진정한 인간으로 나아가는 ( )가 되기 때문에 책 속에는 길이 있다.

02 다양한 표현 활용하여 글 쓰기

14 다음을 다양한 표현을 활용하여 자신의 감상을 담은 글을 쓰는 과정에 맞게 배열하시오.

> ㉠ 글로 표현하고 싶은 경험을 떠올려 본다.
> ㉡ 다양한 표현을 활용하여 감상을 담은 글을 쓴다.
> ㉢ 다양한 표현의 효과가 잘 드러나도록 고쳐 쓴다.
> ㉣ 글에 담을 내용을 바탕으로 개요를 작성하고, 글에 활용할 표현을 떠올려 본다.

15 다음 설명과 관련 있는 표현을 쓰시오.
(1) 예로부터 전해 오는, 짧으면서도 교훈을 담고 있는 말 ( )
(2) 둘 이상의 단어가 합쳐져 원래의 뜻과는 전혀 다른 새로운 뜻으로 굳어져서 쓰이는 표현 ( )
(3) 오랜 역사적 생활 체험을 통해 이루어진 인생의 교훈이나 경계 등을 간결하게 표현한 글 ( )

16 다음은 글을 쓸 때 활용할 수 있는 다양한 표현의 효과를 정리한 것이다. 빈칸에 알맞은 말을 쓰시오.
(1) 글쓴이의 ( )를 효과적으로 전달할 수 있다.
(2) 독자의 ( )와 ( )을 불러일으킬 수 있다.
(3) 생각이나 느낌을 더 ( ) 깊고 생생하게 표현할 수 있다.

〈지금은 쉼표가 필요할 때〉

17 다음은 현지가 조사한 다양한 표현이다. 〈보기〉에서 관련된 것을 골라 그 기호를 쓰시오.

> ┤ 보기 ├
> ㉠ '기를 죽이다.'라는 의미의 관용 표현
> ㉡ 고려 말기의 명장이자 재상인 최영에게 아버지가 유언으로 남긴 말로, 청렴결백하게 살아가라는 의미의 명언
> ㉢ 어떤 분야의 지식이나 경험이 전혀 없는 사람이라도 그 부문에 오래 있으면 얼마간의 지식과 경험을 갖게 된다는 것을 비유적으로 이르는 속담

(1) 코를 납작하게 만들다. ( )
(2) 황금 보기를 돌같이 하라. ( )
(3) 서당 개 삼 년에 풍월을 읊는다. ( )

18 현지가 완성한 수필에 대한 설명으로 맞으면 ○표, 틀리면 ×표 하시오.
(1) 현지가 아버지와 함께 등산한 경험과 그때 느낀 점을 제시하고 있다. ( )

(2) 속담, 명언, 관용 표현 등 다양한 표현을 사용하고 있다. ( )
(3) 목표를 달성하기 위해서는 쉬지 않고 노력해야 한다는 깨달음을 전달하고 있다. ( )
(4) 명언을 창의적으로 재해석하여 만든 새로운 표현이 이 글에서 전달하고자 하는 주제를 효과적으로 뒷받침한다. ( )

19 현지가 다음 내용을 효과적으로 전달하기 위해 활용하려는 표현을 〈보기〉에서 골라 그 기호를 쓰시오.

> ┤ 보기 ├
> ㉠ 울며 겨자 먹기.
> ㉡ 숨이 턱에 닿다.
> ㉢ 급히 먹는 밥이 목이 멘다.
> ㉣ 건강한 신체에 건강한 정신이 깃든다.

(1) 산에 억지로 따라가는 것이 불만인 나의 마음을 재미있게 표현하고 싶어. ( )
(2) 급하게 오르다 호흡이 가빠져서 힘들었던 순간을 생생하게 묘사하고 싶어. ( )
(3) 아버지께서 가르쳐 주신 대로 천천히 걸으며 깨달은 점을 인상적으로 표현해야지. ( )
(4) 정상에 올라 느꼈던 상쾌함을 더욱 멋지게 표현하면 좋겠다. ( )

20 현지가 다음과 같이 글의 제목을 수정한 이유를 쓰시오.

> 아버지와 함께 한 등산 → 지금은 쉼표가 필요할 때

(1) 독자의 ( )을 끌기 위해
(2) 자신이 ( )이 잘 드러나도록 표현하기 위해

21 현지는 유명한 사람의 ( )을 변형하여 새롭게 표현함으로써 독자의 관심과 흥미를 끌고, 적당한 휴식의 ( )을 강조하고 있다.

22 다음은 다양한 표현을 활용하여 쓴 글을 평가하는 기준이다. 빈칸에 알맞은 말을 쓰시오.
(1) 글로 쓰고 싶은 생각과 느낌, ( )을 잘 드러냈는가?
(2) ( ) 있게 구성하여 생각을 효과적으로 드러냈는가?
(3) 속담, 격언이나 명언, 관용 표현 등을 활용하여 ( )으로 표현했는가?
(4) 창의적인 발상으로 자신만의 ( ) 표현을 만들어 적절하게 활용했는가?

대단원 종합 문제

[01~05] 다음 글을 읽고, 물음에 답하시오.

가 사방이 산으로 둘러싸인 곳에서 태어나 아침에 눈을 떠서 저녁에 감을 때까지 늘 산을 보아야 하는 곳에서 중학교 1학년 까지를 보내고 2학년 봄, 서울의 남쪽 관악산이 올려다보이는 중학교에 전학을 했다. 담임 선생님은 미술 선생님이었는데 특별 활동 시간으로 산악반을 맡고 있기도 했다. 매주 화요일 6교시. 일주일에 단 한 시간 활동하는 그 '특별'한 '활동'은 내 취향과는 아무런 상관 없이 시간 내내 산과 학교 사이를 뛰어 오가는 산악반으로 정해졌다.

나 3학년이 되면서 비로소 내가 좋아하는 특별 활동을 선택할 기회가 왔다. 나는 산악반의 경험에 비추어, 되도록 몸을 많이 움직이지 않는 특별 활동반을 점찍었는데 그게 바로 도서반이었다. 도서반 담당 선생님은 특별 활동의 첫날, 도서반이 할 일을 아주 짧고 쉽게 설명해 주었다.

"여러분 곁에는 책이 있다. 그 책 중에서 자기 마음에 드는 책을 골라서 읽고 수업이 끝나는 종소리가 울리면 가면 된다."

그리고 선생님 본인이 마음에 드는 책을 골라서 자리를 잡고 읽는 것으로 시범을 보여 주었다. 나는 책을 고르러 가는 아이들의 뒤를 따라가서 한자로 제목이 씌어 있어서 아이들이 거의 손을 대지 않는 책 가운데 하나를 꺼내 들었다.

다 ⊙그 책은 《한국 고전 문학 전집》 같은 묵직한 제목 아래 편집된 수십 권의 연속물 가운데 한 권이었다. 반드시 읽어야 한다는 것을 강조하는 고전 대부분이 그렇듯 책 표지는 사람의 손을 거의 거치지 않아서 깨끗했다. 지은이는 '박지원', 내가 처음으로 펴 든 대목은 〈허생전〉이었다.

나이가 두 자리 숫자가 되면서 무협지에 빠지기 시작해서 전학 오기 전 국내에 출간된 대부분의 무협지를 읽었다고 생각하고 있던 내게, 한문 문장을 번역한 예스러운 문체는 별 거부감이 없었다. 내용 역시 익숙했다. '허생'이라는 인물이 깊고 고요한 곳에 숨어 있으면서 실력을 쌓은 뒤에 일단 세상에 나갈 일이 생기자 한바탕 멋지게 세상을 뒤흔들어 놓고는 다시 제자리로 돌아온다. 무협지에서도 흔히 볼 수 있는 방식이었다.

01 이와 같은 글의 특성으로 알맞지 <u>않은</u> 것은? (정답 2개)

⑧⑤ ① 인물, 사건, 배경을 중심으로 꾸며 쓴 글이다.
② 글쓴이의 생각과 문체 등에서 개성이 드러난다.
③ 인물의 삶을 관찰하여 객관적으로 서술한 글이다.
④ 전문성을 필요로 하지 않아 누구나 쓸 수 있는 글이다.
⑤ 일상에서 보고, 듣고, 느낀 모든 것이 소재가 될 수 있다.

02 중학교 시절의 글쓴이에 대한 설명으로 알맞은 것은?

⑧⑤ ① 소설가가 되기 위해 도서반에 들어갔다.
② '허생'에 대해 평소 궁금증을 가지고 있었다.
③ 일주일에 한 번씩 도서관에 가는 것이 취미였다.
④ 처음 읽은 고전 작품은 박지원의 〈허생전〉이었다.
⑤ 중학교에 전학 가자마자 고전 작품을 읽기 시작했다.

03 ⊙에 대한 글쓴이의 생각 및 태도로 가장 알맞은 것은?

⑨⑤ ① 선생님이 읽는 모습을 보고 본받고 싶었다.
② 평소 어렵고 재미없다는 편견을 가지고 있었다.
③ 무협지에 비해 작품의 내용이 밋밋하게 느껴졌다.
④ 무협지를 많이 읽었던 터라 문체가 낯설지 않았다.
⑤ 처음 접해 보는 작품의 내용 전개 방식이 신선하게 느껴졌다.

신유형

04 이 글을 바탕으로 글쓴이가 강연한다고 할 때, 글쓴이가 독자에게 할 만한 이야기와 거리가 <u>먼</u> 것은?

⑧⑤ ① 저는 중학교 2학년 때 다른 학교로 전학을 가게 되었습니다.
② 도서반 활동을 하며 처음으로 고전 작품을 접하게 되었습니다.
③ 중학교 2학년 때에는 산악반, 3학년 때에는 도서반 활동을 했습니다.
④ 중학교 3학년 때에는 몸을 많이 움직이지 않는 특별 활동반을 하고 싶어 도서반을 선택했습니다.
⑤ 마음에 드는 책을 골라서 읽으라는 선생님의 말씀에 저는 친구들 사이에서 인기 있는 책 중에서 한 권을 선택했습니다.

05 읽기에 대한 설명으로 적절하지 <u>않은</u> 것은? (정답 2개)

⑨⓪ ① 여가 시간을 즐기는 데 읽기를 활용할 수 있다.
② 읽기를 생활화하려면 어려운 책 위주로 많이 읽어야 한다.
③ 읽기는 삶의 가치관이나 진로에 별다른 영향을 끼치지 않는다.
④ 읽기를 통해 글 속에서 다양한 삶의 모습을 접하며 자신을 성찰할 수 있다.
⑤ 책 읽기를 통해 몰랐던 사실을 새롭게 깨달을 수 있고, 인류가 축적해 온 지식을 얻을 수 있다.

읽기의 필요성과 가치, 중요성을 생각해 보아요.

[06~10] 다음 글을 읽고, 물음에 답하시오.

가 〈허생전〉 다음에는 〈호질〉, 〈양반전〉도 있었다. 책이 꽤 두꺼웠으니 박지원의 저작 가운데 상당 부분이 책에 들어 있었을 것이다. 그런데 그 책 속의 주인공들은 내가 읽었던 수많은 무협지의 주인공과는 달라도 많이 달랐다. 무협지를 읽고 나면 주인공 이름 말고는 기억에 남는 게 없는데, 박지원의 소설은 주인공이 다음에 어떻게 되었을지 궁금해지고 내가 주인공이라면 어떻게 했을지 자꾸만 생각하게 만들었다. 한두 번 씹으면 단맛이 다 빠져 버리는 무협지와는 달리 그 책의 내용은 읽을수록 새로운 맛이 우러나왔다. 보석처럼 단단하고 품위 있는 문장은 아름답기까지 했다. 책을 읽으면서 내 정신세계가 무슨 보약을 먹은 듯이 한층 더 넓어지고 수준이 높아지는 듯한 느낌이 들었다. 일주일에 단 한 시간, 도서관에서 단 한 권의 책을 거듭 펴서 읽었을 뿐인데도.

나 중학교 3학년 1학기 특별 활동 시간에 나는 몇백 년 전 글을 쓴 사람의 숨결이 글을 다리로 하여 내게로 건너와 느껴지는 경험을 처음 해 보았다. 무엇보다 중요한 것은 그것이 무척 재미있었다는 것이다. 읽으면 내 피와 살이 되는 고전, 맛있는 고전, 내가 재미를 들인 최초의 고전이 우리의 조상이 쓴 것이라는 데에서 나오는 뿌듯함까지 맛볼 수 있었다.

3학년 2학기가 되었을 때 특별 활동 시간은 없어졌다. 내가 1학기의 특별 활동 시간에 읽은 것은 박지원의 책이 전부였다. 하지만 내가 지금 소설을 쓰고 있는 것은 바로 그 책 때문이라고 생각한다. 특별하지 않은 특별 활동 시간에 읽은 아주 특별한 그 책이 내 일생을 바꾸었다.

다 누구에게나 그런 일이 일어날 수 있다. 모르고 지나갈 수도 있다. 어떤 책을 계기로 인간의 지극한 정신문화, 그 높고 그윽한 세계에 닿고 그의 일원이 되는 것은 겪어 보지 못한 사람은 알 수 없는 행복을 안겨 준다. 이 세상에 인간으로 나서 인간으로 살면서 인간다운 삶을 살고 드높은 가치를 추구하는 길을 책이 보여 준다. 책은 지구상에서 인간이라는 종(種)만이 알고 있는, (㉠)이다. 그래서 사람들은 말하는지도 모른다. 책 속에 길이 있다고.

---

06 글쓴이가 고전을 읽으며 느낀 점이 <u>아닌</u> 것은?

① 문장이 아름답고 품위 있어.
② 우리 조상이 쓴 것이라니 뿌듯해.
③ 나의 정신세계가 넓어지는 것 같아.
④ 무협지와 같이 읽을수록 새로운 맛이 우러나는 것 같아.
⑤ 내가 주인공이라면 어떻게 했을지 자꾸만 생각하게 되네.

---

07 〈주관식〉
(가)에서 글쓴이가 읽기의 가치를 표현하기 위해 '책'을 비유적으로 표현한 단어를 찾아 쓰시오.

---

08 문맥상 ㉠에 들어가기에 가장 적절한 구절은?

① 효율적인 의사소통 수단
② 인간의 문화유산 전수 방법
③ 진정한 인간으로 나아가는 통로
④ 인간의 지적 능력을 높일 수 있는 최선의 방법
⑤ 지식을 글로 표현하여 적거나 인쇄하여 묶어 놓은 것

---

09 이 글의 글쓴이가 소설가가 된 계기로 알맞은 것은?

① 고전을 읽으며 글을 재미있게 쓰는 방법을 익혔다.
② 도서반 활동을 하는 동안 글쓰기에 관한 책을 많이 읽었다.
③ 특별 활동 시간에 읽은 박지원의 책을 통해 독서의 가치와 중요성을 깨달았다.
④ 특별 활동 시간에 글을 쓰며 자신이 소설가로서의 자질을 갖추고 있다는 것을 깨달았다.
⑤ 도서반 선생님께서 글을 잘 쓴다고 칭찬해 주셔서 그 이후로 소설가가 되기 위해 꾸준히 노력했다.

서술형 대비 문제

10 글쓴이가 생각하는 고전의 특징을 무협지와 비교하여 쓰시오.

조건 (가)의 내용을 바탕으로 무협지와 다른 고전의 특징을 두 가지 쓸 것

[11~15] 다음 글을 읽고, 물음에 답하시오.

지금은 쉼표가 필요할 때

지난 일요일 아침, 아버지께서 내 방문을 두드리시더니 아침을 먹고 같이 동네 뒷산에 가자고 하셨다. 나는 시험공부 때문에 시간이 없어서 안 된다고 버텼지만, 결국 **울며 겨자 먹기**로 아버지를 따라나섰다.

아버지께서 산을 오르다 보이는 나무를 가리키며 말을 거셨지만 나는 들은 척도 하지 않고 앞만 보고 걸어 올라갔다. 빨리 등산을 끝내고 집에 가고 싶은 마음뿐이었다. 아버지는 나의 이런 모습에 **혀를 차시며** 말씀하셨다.

"현지야, 등산은 그렇게 경주하듯이 하는 게 아니다."

그런 아버지께 이 정도는 ㉠누워서 떡 먹기라고 으스대며 앞서가는 것도 잠시, 경사진 길을 올라가다 보니 **숨이 턱에 닿아** 걸음이 느려졌다. 올라갈수록 운동화가 천근만근 무겁게 느껴졌다. 뒤따라오시던 아버지께 이제 더는 못 가겠다고, 그만 내려가자고 떼를 썼다.

"너무 급하게 올라와서 힘든 거다. 천천히 쉬엄쉬엄 걸어 보자."

아버지는 힘들어지면 잠깐 쉬었다가 올라가고자 하셨다. 더는 못 올라갈 것 같았지만, 아버지의 숨소리에 내 호흡을 맞추고 걷다 보니 ㉡어느새 정상이 눈앞에 있었다. 아버지는 "**급히 먹는 밥이 목이 멘다.**"라는 속담처럼 너무 서두르면 오히려 목표를 이룰 수 없다는 것을 알려 주고 싶으셨던 것이 아닐까?

산 정상에 올라 탁 트인 마을 풍경을 바라보니 시험공부 때문에 쌓인 스트레스가 **씻은 듯이** 사라졌다. 시원한 바람에 머리가 맑아지는 것을 느끼며 "건강한 신체에 건강한 정신이 깃든다."라는 말을 실감했다.

아버지와 등산을 하면서 적당한 휴식이 목표를 달성하는 데 도움이 된다는 것을 깨달았다. 독일의 정치인 비스마르크는 "청년들이여 일하라, 좀 더 일하라, 끝까지 열심히 일하라."라고 말했다. 나는 "쉬어라, 좀 더 쉬어라, 충분히 쉬고 공부하라."라고 말하고 싶다. 우리에게는 지금 쉼표가 필요하기 때문이다. 다음 주에는 내가 먼저 아버지께 뒷산에 오르자고 말씀드려야겠다.

11 이 글에 대한 설명으로 알맞지 않은 것은?

① 제목을 통해 독자의 관심을 끌고 있다.
② 명언을 변형한 참신한 표현을 활용하고 있다.
③ 관용 표현을 통해 내용을 생생하게 표현하고 있다.
④ 글쓴이의 생각을 논리적으로 전개하여 주장을 강조하고 있다.
⑤ 아버지와 함께 등산을 다녀온 경험을 바탕으로 깨달음을 전달하고 있다.

12 ㉠을 통해 알 수 있는 글쓴이의 태도로 가장 알맞은 것은?

① 등산을 가치 있게 여긴다.
② 적당한 휴식을 중요시한다.
③ 천천히 산을 오르려고 한다.
④ 아버지에게 버릇없이 대한다.
⑤ 산에 오르는 일을 쉽게 여긴다.

13 이 글에 사용된 다양한 표현에 대한 설명으로 적절하지 않은 것은? (정답 2개)

① '울며 겨자 먹기'는 아버지를 흔쾌히 따라나선 '나'의 심정을 드러내는 관용 표현이다.
② '혀를 차시며'는 '나'의 태도를 마음에 들어 하지 않는 아버지의 심리를 효과적으로 드러내는 관용 표현이다.
③ '숨이 턱에 닿아'는 급하게 산에 오르다가 몹시 숨이 찬 '나'의 상황에 잘 어울리는 관용 표현이다.
④ '급히 먹는 밥이 목이 멘다.'는 아버지와의 등산을 통해 '나'가 깨달은 점을 전달하기에 적당한 표현이다.
⑤ '씻은 듯이'는 등산에 대한 '나'의 아쉬움을 드러내는 관용 표현이다.

14 다음 중 ㉡의 의미로 가장 알맞은 것은?

① 산 넘어 산이었다.
② 눈 둘 곳을 몰랐다.
③ 정상의 모습이 눈에 익었다.
④ 산의 모습이 눈길을 끌었다.
⑤ 눈 깜짝할 사이에 정상에 도착했다.

15 글쓴이가 이 글을 통해 말하고자 하는 바를 한 문장으로 쓰시오.

[16~19] 다음 글을 읽고, 물음에 답하시오.

가 음악인 전제덕: 책을 처음 펼쳤을 때 보이는 차례를 굉장히 중요하게 생각합니다. 작가들이 차례의 제목을 대충 붙여 놓았다고 생각하지 않거든요. 제목 속에 먼 미래도 보이고, 가까운 앞날도 보이는 것 같아서 일단 그 제목들을 상당히 중요하게 생각합니다. 그리고 좀 긴 책은 작가 서문을 꼭 보지요. 작가가 이야기하고 싶은 것들이 서문 안에 얼마만큼은 들어가 있다고 보거든요.

영화 평론가 이동진: 땅을 깊게 파려면 일단 넓게 파야 해요. 처음부터 깊게만 파려고 하면, 깊이 파는 데 한계가 있어요. 저는 독서도 똑같다고 생각해요. 예를 들어서 좋은 영화 평론가가 되려면 영화책만 100권을 읽을 게 아니라, 영화책 10권, 소설책 20권, 시집 10권, 자연 과학서 10권, 이런 식으로 100권을 봐야 한다고 봐요. 하나만 아는 것은 아무것도 모르는 것과 같으니까요.

물리학자 정재승: 저는 책들과 책들 사이의 관계에 굉장히 관심이 많아요. 책의 지도를 머릿속에 그린다고 할까요? 이 책은 이 책 자체로서 의미가 있다기보다는, 그전에 나온 책을 극복하고자, 혹은 지지하고자, 그것이 진실이 아님을 밝히고자 나오는 등 책들 사이에 연관 관계가 있거든요. 때로는 한 작가가 쓴 책들이 서로 연결되기도 하고, 한 주제의 책들이 또 다시 연결되기도 하고……. 그런 책들의 관계를 따라가면서 계속 책을 읽는 것, 그것이 제가 평소에 하는 독서법입니다.

나

다

16 (가)에 나타난 사람들의 독서 방법으로 알맞지 <u>않은</u> 것은?

① 음악인 전제덕: 차례의 제목을 중요하게 생각하며 읽는다.

② 음악인 전제덕: 서문을 통해 작가가 하고 싶은 이야기가 무엇인지 파악하며 읽는다.

③ 영화 평론가 이동진: 넓고 다양한 분야의 책을 고르게 읽는다.

④ 영화 평론가 이동진: 자신이 관심 있는 특정 분야의 책을 가장 주되게 읽는다.

⑤ 물리학자 정재승: 책 사이의 연관 관계를 생각하며 읽는다.

신유형

17 (나)의 광고 제작자 A씨와 (다)의 광고 제작자 B씨의 대화로 적절하지 <u>않은</u> 것은?

A씨: 저는 광고를 통해 ㉠인터넷 댓글 문화를 개선하려는 의도를 전달하려고 했어요. B씨는 광고를 통해 무엇을 나타내고자 했나요?

B씨: 저는 ㉡'내복을 입어 겨울철 난방 에너지를 절감하자.'는 내용을 전달하려고 했어요. A씨는 ㉢설득력을 높이기 위해 창의적 발상을 활용했군요.

A씨: 네. 저는 ㉣익숙한 속담을 변형해서 저의 의도를 인상적으로 전달하고자 했어요.

B씨: 그랬군요. 저는 ㉤오랜 역사적 생활 체험을 통해 이루어진 인생의 교훈이나 경계 등을 간결하게 표현한 짧은 글을 사용해서 주제를 강조했지요.

① ㉠　② ㉡　③ ㉢　④ ㉣　⑤ ㉤

고난도

18 다음 표현의 종류와 의미가 바르게 연결된 것은?

	표현	종류	의미
①	꿩 먹고 알 먹기.	격언	한 가지 일을 하여 두 가지 이상의 이익을 보게 됨.
②	글이 짧다.	관용 표현	아는 것이 많음.
③	황금 보기를 돌같이 하라.	명언	청렴결백하게 살아가라.
④	코를 납작하게 만들다.	격언	기를 죽이다.
⑤	서당 개 삼 년에 풍월을 읊는다.	속담	말이나 글을 거침없이 줄줄 내리 읽거나 내리외는 모양

19 다음과 같은 표현에 대한 설명으로 알맞은 것은?

• 붓을 대다.: 글이나 글씨를 쓰다.

• 눈 깜짝할 사이: 매우 짧은 순간

• 손가락 안에 꼽히다.: 어떤 단체나 무리 중에서 몇 되지 아니하게 특별하다.

① 교훈이나 유래를 담고 있는 한자 성어

② 사리에 맞는 훌륭한 말로 널리 알려진 말

③ 예로부터 전해 오는, 짧으면서도 교훈을 담고 있는 말

④ 둘 이상의 단어가 합쳐져 원래의 뜻과는 전혀 다른 새로운 뜻으로 굳어져서 쓰이는 표현

⑤ 오랜 역사적 생활 체험을 통해 이루어진 인생의 교훈이나 경계 등을 간결하게 표현한 짧은 글

잠깐! 서술형 특강

01 읽기의 가치와 중요성

글의 세부 내용 파악하기

01 다음 글을 읽고, 물음에 답하시오.

나는 책을 고르러 가는 아이들의 뒤를 따라가서 한자로 제목이 씌어 있어서 아이들이 거의 손을 대지 않는 책 가운데 하나를 꺼내 들었다.

그 책은 《한국 고전 문학 전집》 같은 묵직한 제목 아래 편집된 수십 권의 연속물 가운데 한 권이었다. 반드시 읽어야 한다는 것을 강조하는 ㉠고전 대부분이 그렇듯 책 표지는 사람의 손을 거의 거치지 않아서 깨끗했다. 지은이는 '박지원', 내가 처음으로 펴 든 대목은 〈허생전〉이었다.

나이가 두 자리 숫자가 되면서 무협지에 빠지기 시작해서 전학 오기 전 국내에 출간된 대부분의 무협지를 읽었다고 생각하고 있던 내게, 한문 문장을 번역한 예스러운 문체는 별 거부감이 없었다. 내용 역시 익숙했다. '허생'이라는 인물이 깊고 고요한 곳에 숨어 있으면서 실력을 쌓은 뒤에 일단 세상에 나갈 일이 생기자 한바탕 멋지게 세상을 뒤흔들어 놓고는 다시 제자리로 돌아온다. 무협지에서도 흔히 볼 수 있는 방식이었다.

(1) ㉠을 통해 알 수 있는 고전에 대한 일반 학생들의 생각을 쓰시오. [3점]

....

(2) 글쓴이가 고전을 낯설게 여기지 않은 이유를 쓰시오. [4점]

조건1 무협지와 비교하여 쓸 것
조건2 이유를 두 가지 쓸 것

....

글쓴이의 생각 이해하기

02 다음 글을 읽고, 물음에 답하시오.

가 보석처럼 단단하고 품위 있는 문장은 아름답기까지 했다. 책을 읽으면서 내 정신세계가 무슨 보약을 먹은 듯이 한층 더 넓어지고 수준이 높아지는 듯한 느낌이 들었다. 일주일에 단 한 시간, 도서관에서 단 한 권의 책을 거듭 펴서 읽었을 뿐인데도.

중학교 3학년 1학기 특별 활동 시간에 나는 몇백 년 전 글을 쓴 사람의 숨결이 글을 다리로 하여 내게로 건너와 느껴지는 경험을 처음 해 보았다. 무엇보다 중요한 것은 그것이 무척 재미있었다는 것이다. 읽으면 내 피와 살이 되는 고전, 맛있는 고전, 내가 재미를 들인 최초의 고전이 우리의 조상이 쓴 것이라는 데에서 나오는 뿌듯함까지 맛볼 수 있었다.

나 누구에게나 그런 일이 일어날 수 있다. 모르고 지나갈 수도 있다. 어떤 책을 계기로 인간의 지극한 정신문화, 그 높고 그윽한 세계에 닿고 그의 일원이 되는 것은 겪어 보지 못한 사람은 알 수 없는 행복을 안겨 준다. 이 세상에 인간으로 나서 인간으로 살면서 인간다운 삶을 살고 드높은 가치를 추구하는 길을 책이 보여 준다. 책은 지구상에서 인간이라는 종(種)만이 알고 있는, 진정한 인간으로 나아가는 통로이다. 그래서 사람들은 말하는지도 모른다. 책 속에 길이 있다고.

(1) (가)에서 글쓴이가 말하는 고전의 매력을 쓰시오. [4점]

조건 글에 사용된 표현을 활용하여 두 가지 이상 쓸 것

....

(2) (나)에서 글쓴이가 강조하고 있는 내용을 쓰시오. [6점]

조건1 글쓴이가 고전 소설을 읽으며 깨닫게 된 점을 포함하여 쓸 것
조건2 '~을 깨달은 글쓴이는 ~을 강조하고 있다.'의 문장 형식으로 쓸 것

....

02 다양한 표현 활용하여 글 쓰기

글에 사용된 다양한 표현의 특징과 활용 효과 이해하기

03 다음 글을 읽고, 물음에 답하시오.

> 태경: 현지야, 어제 아버지와 등산 다녀왔다며?
>
> 현지: 응, 처음에는 억지로 따라가서 싫었는데, 막상 산에 오르니 기분이 상쾌해져서 좋았어.
>
> 태경: 국어 시간에 수필을 쓸 때 너는 그 경험을 소재로 삼으면 되겠네.
>
> 현지: 운동도 하고 글감도 찾고, 한마디로 꿩 먹고 알 먹기이지.
>
> 태경: 꿩 먹고 알 먹기? 너 그런 표현도 쓸 줄 알아?
>
> 현지: 글을 쓸 때 다양한 표현을 활용하면 좋을 것 같아서 조사 좀 해 봤지. 한번 볼래?
>
> > ㉠ 서당 개 삼 년에 풍월을 읊는다.
> > ㉡ 황금 보기를 돌같이 하라.
> > ㉢ 코를 납작하게 만들다.
>
> 태경: 글을 쓸 때 활용할 수 있는 표현이 다양하구나. 나는 이번에 충치 때문에 겪은 일을 글로 쓰려고 하는데, 네가 찾은 명언을 바꿔 "초콜릿 보기를 돌같이 하라."라고 제목을 붙이면 재미있겠다.
>
> 현지: 오, 정말 참신하다. 나도 다양한 표현을 더 찾아보고, 너처럼 나만의 멋진 표현을 만들어 활용해야겠어.

(1) 현지가 글을 쓰기 위해 조사한 표현인 ㉠~㉢의 종류와 개념을 각각 쓰시오. [6점]

- ㉠:

- ㉡:

- ㉢:

(2) 글을 쓰면서 다양한 표현을 활용했을 때의 효과를 두 가지 쓰시오. [4점]

글에 사용된 다양한 표현의 의미와 역할 파악하기

04 다음 글을 읽고, 물음에 답하시오.

> 아버지와 함께 한 등산
>
> 지난 일요일 아침, 아버지께서 내 방문을 두드리시더니 아침을 먹고 같이 동네 뒷산에 가자고 하셨다. 나는 시험공부 때문에 시간이 안 된다고 버텼지만, 결국 울며 겨자 먹기로 아버지를 따라나섰다. 아버지께서 산을 오르다 보이는 나무를 가리키며 말을 거셨지만 나는 들은 척도 하지 않고 앞만 보고 걸어 올라갔다. 빨리 등산을 끝내고 집에 가고 싶은 마음뿐이었다. 아버지는 나의 이런 모습에 혀를 차시며 말씀하셨다.
>
> "현지야, 등산은 그렇게 경주하듯이 하는 게 아니다."
>
> 그런 아버지께 이 정도는 누워서 떡 먹기라고 으스대며 앞서가는 것도 잠시, 경사진 길을 올라가다 보니 숨이 턱에 닿아 걸음이 느려졌다. 올라갈수록 운동화가 천근만근 무섭게 느껴졌다. 뒤따라오시던 아버지께 이제 더는 못 가겠다고, 그만 내려가자고 떼를 썼다.
>
> "너무 급하게 올라와서 힘든 거다. 천천히 쉬엄쉬엄 걸어 보자."
>
> 아버지는 힘들어지면 잠깐 쉬었다가 올라가자고 하셨다. 더는 못 올라갈 것 같았지만, 아버지의 숨소리에 내 호흡을 맞추고 걷다 보니 어느새 정상이 눈앞에 있었다. 아버지는 "급히 먹는 밥이 목이 멘다."라는 속담처럼 너무 서두르면 오히려 목표를 이룰 수 없다는 것을 알려 주고 싶으셨던 것이 아닐까?
>
> 산 정상에 올라 탁 트인 마을 풍경을 바라보니 시험공부 때문에 쌓인 스트레스가 씻은 듯이 사라졌다. 시원한 바람에 머리가 맑아지는 것을 느끼며 "건강한 신체에 건강한 정신이 깃든다."라는 말을 실감했다.

(1) 이 글의 제목을 다음과 같이 고쳐 썼을 때의 효과를 쓰시오. [4점]

> 지금은 쉼표가 필요할 때

(2) 이 글에서 글쓴이가 사용한 관용 표현을 모두 찾아 그 의미를 각각 쓰시오. [6점]

독서광 김득신 이야기

명문 사대부 집안에서 태어난 김득신은 주변 사람들의 기대를 받으며 자랐지만 열 살이 되어서야 겨우 글을 익혔습니다. 좀처럼 늘지 않는 학문 실력 때문에 사람들은 늘 그를 보고 수군거렸습니다. 자신의 부족함을 극복하고자 그가 선택한 방법은 읽고 또 읽는 것이었습니다.

하루는 김득신이 말을 타고 가다가 문득 시를 짓는 데 실마리가 되는 생각이 떠올라 시 한 구절을 지었는데, 적당한 다음 구절을 짓지 못해 한참이나 끙끙댔습니다. 그때 말고삐를 잡고 있던 하인이 바로 다음 구절을 이어서 읊었습니다. 깜짝 놀란 김득신은 말에서 내리며 말했습니다.

"네 실력이 나보다 나은 듯하구나. 나 대신 네가 말을 타고 가거라."

그러자 하인이 웃으며 말했습니다.

"정말 생각이 나지 않으십니까? 나리께서 매일 읽으시는 글 이어서 쇤네도 외운걸요."

그제야 김득신은 자신이 떠올린 시 구절이 매일같이 외우던 글이라는 것이 생각났습니다.

날마다 같은 글을 반복하여 읽던 김득신은 자신만의 특별한 기록을 남기게 됩니다. 만 번 이상 읽은 책 36권을 소개한 〈독수기(讀數記)〉입니다. 자신의 한계를 극복하고자 다독의 길을 택했던 그는 마침내 59세에 과거에 급제했습니다.

자신의 부족함을 알고 노력을 게을리하지 않았던 독서광 김득신의 이야기는 현재를 살아가는 우리에게도 커다란 울림을 주고 있습니다.

재주가 남만 못하다고 스스로 한계를 짓지 말라. 나보다 어리석고 둔한 사람도 없겠지만 결국에는 뜻을 이루었다. 모든 것은 힘쓰는 데 달렸을 따름이다.
                                    - 스스로 지은 묘비문에서 -

읽기와 쓰기는 우리가
삶을 의미 있게 가꿔 나가는 데
어떤 도움이 될까요?

듣기·말하기　읽기　쓰기　문법　문학

대단원 │ 학습 │ 목표

1. 한글의 창제 원리를 이해할 수 있다.
2. • 듣기·말하기는 의미 공유의 과정임을 이해하고 듣기·말하기 활동을 할 수 있다.
   • 상대의 감정에 공감하며 적절하게 반응하는 대화를 나눌 수 있다.

생각과 감정을 나누다

우리는 한글로 많은 것을 쉽게 배우고 생각과 감정을 원활하게 나눌 수 있다. 다양한 생각이 공존하는 오늘날에는 말하는 이와 듣는 이가 서로 의미를 공유하는 소통의 과정을 이해하고 상대의 감정에 공감하며 대화할 수 있는 능력이 더욱 중요해지고 있다.

소단원 (1)에서는 한글의 창제 원리와 특성을 알아보고 한글의 우수성을 탐구해 보자.

소단원 (2)에서는 의미 공유 과정으로서 듣기·말하기의 본질을 이해하고, 공감하며 대화하는 방법을 익혀 보자.

이 단원의 활동을 통해 과학적이며 독창적인 한글의 우수성을 이해하고, 상대의 감정에 공감하며 협력적으로 소통하는 능력을 기를 수 있을 것이다.

3. 생각과 감정을 나누다

한글의 창제 원리와 우수성

| 학습 목표 | 한글의 창제 원리를 이해할 수 있다.

① 한글의 창제 정신

자주정신	한자가 아닌 독창적인 문자가 필요함.
① ___ 정신	한자를 모르는 백성이 자신의 뜻을 표현하지 못하는 것이 안타까움.
실용 정신	모든 사람이 쉽게 익혀 날마다 편리하게 쓰도록 함.

② 자음자의 제자 원리

● 상형(象形) ② ___ 의 모양을 본떠서 자음 기본자 5개를 만듦.

ㄱ	혀뿌리가 목구멍을 막는 모양을 본뜸.	어금닛소리, 아음(牙音)
ㄴ	혀끝이 윗잇몸에 닿는 모양을 본뜸.	혓소리, 설음(舌音)
ㅁ	입 모양을 본뜸.	입술소리, 순음(脣音)
ㅅ	이의 모양을 본뜸.	잇소리, 치음(齒音)
ㅇ	목구멍의 모양을 본뜸.	목구멍소리, 후음(喉音)

● 가획(加劃) 자음 기본자에 획을 더하여 9개의 자음자 'ㅋ, ㄷ, ㅌ, ㅂ, ㅍ, ㅈ, ㅊ, ㆆ, ㅎ'을 만듦.

③ 모음자의 제자 원리

● 상형(象形) 천지인(天地人)을 본떠서 모음 기본자 3개를 만듦.

·	하늘의 둥근 모양을 본뜸.
―	땅의 평평한 모양을 본뜸.
ㅣ	서 있는 ③ ___ 의 모양을 본뜸.

● 합성(合成) 모음의 기본 글자를 결합하여 다른 모음을 만듦.

④ 한글의 우수성

한글	'④ ___ '를 나타내는 문자로, 한자보다 글자 수가 적음.	한글은 적은 수의 글자로 수많은 음절을 표현할 수 있어 효율적임.
한자	'의미'를 나타내는 문자로, 글자의 개수가 매우 많음.	
한글	• 글자와 소리가 거의 일대일로 대응함. • 글자의 모양을 통해 글자들의 관계나 소리의 특징을 짐작할 수 있음.	한글은 글자가 체계적으로 만들어져 배우고 기억하기 쉬움.
영어 알파벳	• 하나의 글자가 다양하게 발음됨. • 글자의 모양과 소리가 관련이 없음.	

답 ① 애민 ② 발음 기관 ③ 사람 ④ 소리

바로바로 개념 체크

주관식

1 다음에 해당하는 한글의 창제 정신을 쓰시오.

> 한자를 모르는 백성이 자신의 뜻을 표현하지 못하는 것이 안타까움.

주관식

2 자음 기본자를 모두 쓰시오.

3 다음 중 가획의 원리에 따라 만들어진 자음자가 아닌 것은?

① ㄴ ② ㄷ ③ ㅌ
④ ㅂ ⑤ ㅎ

주관식

4 다음 모음 기본자가 본뜬 것을 각각 쓰시오.

(1) · (   )
(2) ― (   )
(3) ㅣ (   )

5 한글의 우수성에 대한 설명으로 적절하지 않은 것은?

① 글자가 체계적으로 만들어져 기억하기가 쉽다.
② 적은 수의 글자로 수많은 음절을 표현할 수 있다.
③ 글자의 모양을 통해 소리의 특징을 짐작할 수 있다.
④ 모아쓰기 방식으로 정보를 빠르고 쉽게 전달할 수 있다.
⑤ 하나의 글자가 다양하게 발음되어 여러 가지 정보를 한번에 전달할 수 있다.

01 한글의 창제 원리와 우수성

소단원 포인트
❶ 한글의 창제 정신 자주정신, 애민 정신, 실용 정신
❷ 한글의 창제 원리 자음자의 제자 원리(상형, 가획), 모음자의 제자 원리(상형, 합성)
❸ 한글의 우수성 제자 원리가 체계적이고 음절 단위로 모아쓰기를 하여 정보를 빠르게 입력하고 전달하는 데 실용적임.

◎ 한글의 창제 배경과 창제 원리 이해하기

❶ 한글이 창제되기 전의 문자 생활을 알아보자.

교과서 118쪽 ▶

한자로 쓰여 있어 읽을 수가 없네. 한자를 배울 처지도 아닌데.

농사법을 알려 주는 훌륭한 책이 새로 나왔군!

❶ 위 상황을 바탕으로 우리 조상들은 어떤 방법으로 문자 생활을 했는지 생각해 보자.

예시 답안

　　우리말을 표기할 고유한 　문자　 이/가 없어서 　　　　　　 을/를 사용해 문자 생활을 했다.

❷ ❶과 관련하여 우리 조상들이 겪은 문자 생활의 어려움을 이야기해 보자.
예시 답안 한문 교육을 받을 형편이 되지 않은 평민들은 (　　　)으로 쓰인 글을 읽을 수 없어서 글로 전해지는 (　　　)과 (　　　)를 얻기가 어려웠을 것이다. 또한 자신이 전달하고 싶은 내용이 있어도 글로 표현하지 못했을 것이다.

❷ 세종 대왕이 한글을 창제한 이유를 밝힌 다음 글을 읽고, 한글의 창제 정신을 알아보자.

교과서 119쪽 ▶

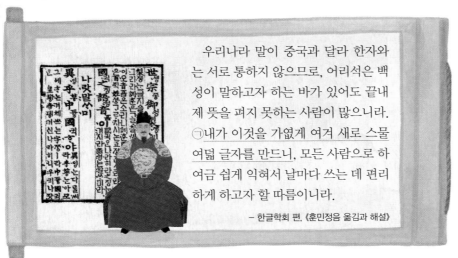

　　우리나라 말이 중국과 달라 한자와는 서로 통하지 않으므로, 어리석은 백성이 말하고자 하는 바가 있어도 끝내 제 뜻을 펴지 못하는 사람이 많으니라. ㉠내가 이것을 가엾게 여겨 새로 스물여덟 글자를 만드니, 모든 사람으로 하여금 쉽게 익혀서 날마다 쓰는 데 편리하게 하고자 할 따름이니라.
　　　　　　－ 한글학회 편, 《훈민정음 옮김과 해설》

소단원 체크

주관식

1 다음 빈칸에 알맞은 말을 쓰시오.

　한글이 창제되기 전에는 우리말을 표기할 문자가 없어서 (　　　　　)를 사용해 문자 생활을 했다.

2 한글이 창제되기 전의 문자 생활에 대한 설명으로 적절하지 않은 것은?
① 평민들은 한문으로 쓰인 정보를 얻기 힘들었다.
② 평민들은 양반 계층과 달리 한문 교육을 받기가 어려웠다.
③ 한자를 모르는 평민들은 자신의 생각을 표현하기 어려웠다.
④ 평민과 양반 계층이 한자를 통해 편리하게 의사소통을 했다.
⑤ 양반 계층은 한자를 통해 자신의 의사를 전달하는 데 크게 문제가 없었다.

학습활동 응용
3 세종 대왕이 ㉠과 같이 생각한 이유로 가장 적절한 것은?
① 양반들이 백성을 괴롭혔기 때문에
② 양반들과의 갈등이 심각했기 때문에
③ 한자를 배우려는 노력을 하지 않기 때문에
④ 한자를 몰라 자신의 뜻을 표현하지 못하기 때문에
⑤ 새로운 글자를 만들기 위한 노력을 하지 않기 때문에

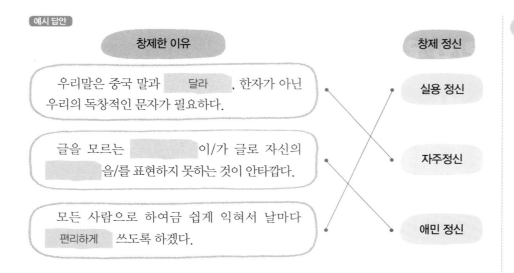

예시 답안

창제한 이유

우리말은 중국 말과 [달라], 한자가 아닌 우리의 독창적인 문자가 필요하다.

글을 모르는 [ ]이/가 글로 자신의 [ ]을/를 표현하지 못하는 것이 안타깝다.

모든 사람으로 하여금 쉽게 익혀서 날마다 [편리하게] 쓰도록 하겠다.

창제 정신

실용 정신

자주정신

애민 정신

3 한글의 자음자가 만들어진 원리를 탐구해 보자.

교과서 120쪽 ▶

① 자음 기본자가 만들어진 원리를 알아보자.

예시 답안

발음 기관의 모양	제자 원리	자음 기본자
	혀뿌리가 목구멍을 막는 모양을 본떴다.	ㄱ
	혀끝이 윗잇몸에 닿는 모양을 본떴다.	ㄴ
	입모양을 본떴다.	
	이의 모양을 본떴다.	ㅅ
	목구멍의 모양을 본떴다.	

↓

자음 기본자는 [ ]의 모양을 본떠서 만들었다.

② 다음에서 'ㅋ'이 만들어진 원리를 생각해 보고, 같은 원리에 따라 만들어진 다른 자음을 빈칸에 넣어 보자.

예시 답안

ㄱ → ㅋ

자음 기본자에 획을 [더해서] 다른 자음자를 만들었다.

(1) ㄴ → [ ] → ㅌ   (2) ㅅ → ㅈ → [ㅊ]

소단원 체크

🖊 주관식

4 다음에서 알 수 있는 한글의 창제 정신을 쓰시오.

우리말은 중국 말과 달라, 한자가 아닌 우리의 독창적인 문자가 필요하다.

5 한글의 자음자에 대한 설명으로 맞으면 ○표, 틀리면 ×표 하시오.

(1) 한글의 자음 기본자는 하늘, 땅, 사람의 모양을 본떠서 만들었다. ( )

(2) 자음 기본자는 상형의 원리에 따라 만들었다. ( )

6 자음 기본자가 본뜬 모양으로 알맞지 **않은** 것은?

① ㄱ: 혀뿌리가 목구멍을 막는 모양
② ㄴ: 혀끝이 윗입술에 닿는 모양
③ ㅁ: 입 모양
④ ㅅ: 이 모양
⑤ ㅇ: 목구멍 모양

7 다음 중 자음 기본자에 획을 더해서 만든 자음자가 **아닌** 것은?

① ㅊ   ② ㄷ
③ ㅈ   ④ ㅌ
⑤ ㅅ

❸ 다음 글자들이 만들어진 방식을 생각해 보자.

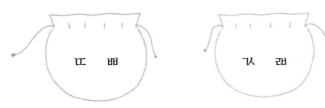

예시 답안 같은 글자 또는 서로 다른 글자를 (　　　　)로 나란히 붙여 썼다.

❹ 다음 한글 창제 당시의 자음자를 오늘날의 자음자와 비교해 보자.

지금은 어떤 글자들이 사용되고 있지?

예시 답안 • 창제 당시에 만들어진 자음자들이 오늘날 사용되는 자음자의 바탕이 되었다.
• 창제 당시에 만들어진 자음자 중에는 오늘날 사용되지 않는 글자도 있다.

자음자의 제자 원리
• 상형: 자음 기본자는 발음 기관의 모양을 본떠서 만들었다.
• 가획: 자음 기본자에 획을 더하여 다른 자음자를 만들었다.

'·'는 '아래아'라고 불러.

❹ 한글의 모음자가 만들어진 원리를 탐구해 보자.

교과서 122쪽 ▶ ❶ 모음 기본자가 만들어진 원리를 알아보자.

예시 답안

	제자 원리	모음 기본자
	그 모양이 둥근 것은 [　　　]을/를 본떠서이다.	·
	그 모양이 평평한 것은 땅 을/를 본떠서이다.	[　]
	그 모양이 서 있음은 [　　　]을/를 본떠서이다.	ㅣ

소단원 체크

8 다음 ㉠, ㉡에 들어갈 자음자를 알맞게 짝지은 것은?

• ㄴ → ㄷ → (㉠)
• ㅅ → (㉡) → ㅊ

	㉠	㉡
①	ㅌ	ㅋ
②	ㅍ	ㅈ
③	ㅌ	ㅈ
④	ㅍ	ㅋ
⑤	ㅋ	ㅊ

주관식

9 다음에서 글자를 가로로 나란히 붙여 쓰는 방식으로 만들어진 자음자를 모두 고르시오.

| ㄲ ㅃ ㅎ ㅿ 래 ㅉ |

10 다음 중 오늘날 사용되지 않는 자음자는?
① ㅋ   ② ㄶ
③ ㅍ   ④ ㅊ
⑤ ㅿ

주관식

11 다음 빈칸에 알맞은 말을 차례대로 쓰시오.

한글의 모음 기본자 '·', 'ㅡ', 'ㅣ'는 각각 (　　　), (　　　), (　　　)의 모양을 본떠 만들었다.

❷ 모음 기본자에서 다른 모음자가 만들어진 원리를 생각해 보자.

예시 답안 모음 기본자를 결합하여 '( ), ( ), ( ), ( )'를 만들고, 여기에 다시 모음 기본자를 합하여 '( ), ( ), ( ), ( )'를 만들었다.

❸ 다음 글자들을 예로 들어 모음자를 자음자에 붙여 쓰는 방식을 설명해 보자.

하 늘

예시 답안 '하'에서 모음자 'ㅏ'는 자음자 'ㅎ'의 ( )쪽에, '늘'에서 모음자 'ㅡ'는 자음자 'ㄴ'의 ( )쪽에 위치하고 있다. 이처럼 모음자는 자음자의 ( )쪽이나 ( )쪽에 붙여 모아쓴다.

모음자의 제자 원리
- 상형: 모음 기본자는 하늘, 땅, 사람을 본떠서 만들었다.
- 합성: 모음 기본자를 합하여 다른 모음자를 만들었다.

◎ 한글의 우수성 탐구하기

❶ 다른 문자와 비교하여 한글의 우수성을 탐구해 보자.

교과서 123쪽 ▶ ❶ 다음 만화를 보고 한글과 한자의 특징을 정리해 보자.

한자는 의미 을/를 나타내는 문자이고, 한글은 을/를 나타내는 문자이다.

소단원 체크

12 다음 중 모음 기본자를 결합하여 만들어진 모음자가 아닌 것은?
① ㅏ
② ㅣ
③ ㅗ
④ ㅓ
⑤ ㅜ

13 한글 자음자와 모음자에 대한 설명으로 적절하지 않은 것은?
① 'ㅜ'는 모음 기본자를 결합하여 만들었다.
② 자음 기본자는 발음 기관의 모양을 본떠 만들었다.
③ 모음 기본자 'ㅡ'는 누워 있는 사람을 본떠 만들었다.
④ 모음자는 자음자의 오른쪽이나 아래쪽에 붙여 모아쓴다.
⑤ 'ㄳ'은 서로 다른 자음자를 가로로 나란히 붙여 쓰는 방식으로 만들었다.

14 자음과 모음 기본자를 만들 때 공통적으로 적용된 원리는?
① 가획의 원리
② 병서의 원리
③ 상형의 원리
④ 연서의 원리
⑤ 합용의 원리

15 한글과 한자에 대한 설명으로 적절하지 않은 것은?
① 한글이 한자보다 글자 수가 많다.
② 한글은 소리를 나타내는 문자이다.
③ 한자는 의미를 나타내는 문자이다.
④ 한자는 알려진 글자 수가 5만 자에 이른다.
⑤ 한자는 세상에 존재하는 의미의 수만큼 글자가 필요하다.

❷ 한자와 비교하여 알 수 있는 한글의 장점을 생각해 보자.
예시답안 적은 수의 글자로 수많은 단어를 표현할 수 있다.

❸ 한글 'ㅏ'와 영어 알파벳 'a'의 발음을 비교하고, 차이점을 말해 보자.

ㅏ	a
사과[사과]	apple[애플]
나이[나이]	age[에이지]
차[차]	car[카ː]

예시답안 한글 'ㅏ'는 (　　　)라는 한 가지 소리로만 발음되지만, 영어 알파벳 'a'는 단어에 따라 [애], [에이], [아] 등 그 발음이 달라진다.

❹ 한글과 영어 알파벳에서 비슷한 소리를 나타내는 자음자의 모양을 비교하고, 한글 자음자의 특징을 이야기해 보자.

한글	영어 알파벳
ㄱ − ㅋ	g − k
ㄴ − ㄷ − ㅌ	n − d − t
ㅁ − ㅂ − ㅍ	m − b − p

예시답안 한글은 소리가 비슷한 글자들끼리 모양이 비슷해서 글자의 (　　　)을 보고 글자들의 관계나 소리의 특징을 짐작할 수 있다. 이와 달리, 영어 알파벳은 소리가 비슷한 글자라도 모양이 전혀 달라서 글자의 모양을 보고 글자들의 관계나 소리의 특징을 짐작하기 어렵다.

❺ 영어 알파벳과 비교하여 알 수 있는 한글의 우수성을 친구들과 이야기해 보자.
예시답안 · 한글은 글자와 소리가 거의 (　　　)로 대응해서 영어 알파벳보다 배우기 쉽다.
· 한글은 (　　　)의 모양을 본떠서 자음 (　　　)를 만들고 이 기본자에 획을 더해 (　　　)를 만든 체계적인 글자라서 배우고 기억하기 쉽다.
· 소리가 비슷한 한글의 자음자는 (　　　)의 원리에 따라 비슷한 모양으로 만들어졌기 때문에 한글은 글자의 모양을 보면 글자들의 (　　　)나 (　　　)의 특징을 짐작할 수 있다.

소단원 체크

16 한글에 대한 설명으로 적절하지 않은 것은?
① 'ㄱ'과 'ㅋ'은 소리가 비슷한 글자이다.
② 'ㅗ'는 [오]라는 한 가지 소리로만 발음된다.
③ 소리가 비슷한 글자는 그 모양이 비슷하다.
④ 적은 수의 글자로 많은 단어를 표현할 수 있다.
⑤ 영어 알파벳과 달리 한글은 단어에 따라 발음이 달라진다.

주관식
17 다음 빈칸에 공통적으로 들어갈 말을 쓰시오.

한글은 소리가 비슷한 글자들끼리 (　　　)이 비슷하여 글자의 (　　　)을 보고 글자들의 관계나 소리의 특징을 짐작할 수 있다.

18 자음자의 모양을 참고할 때, 'ㄴ'과 소리가 비슷한 자음자로 짝지어진 것은?
① ㄱ, ㄷ　　② ㄷ, ㅌ
③ ㄷ, ㅁ　　④ ㅂ, ㅍ
⑤ ㅌ, ㅍ

19 한글의 우수성에 대한 설명으로 적절하지 않은 것은?
① 창제 원리가 체계적이어서 기억하기가 쉽다.
② 글자의 모양을 보면 글자들의 관계를 짐작할 수 있다.
③ 글자와 소리가 거의 일대일로 대응해서 배우기가 쉽다.
④ 자음자는 글자의 모양을 통해 소리의 특징을 짐작할 수 있다.
⑤ 글자의 모양을 통해 글자가 가진 의미를 알 수 있어서 뜻을 파악하기가 쉽다.

2 정보화 시대에 두드러지는 한글의 우수성을 살펴보자.

지식과 정보가 사회의 중심이 되는 정보화 시대에는 정보를 효율적으로 생산하고 활용할 수 있는 능력이 중요하다. 한글은 정보화 시대에 어떤 장점이 있을까?

한글의 창제 방식은 매우 간결하고 효율적이다. 한글 자음과 모음의 기본자는 상형의 원리로 만들어졌는데, 가획과 합성 등의 원리에 따라 적은 수의 기본자로부터 확장되어 다른 글자들이 만들어졌다. 한글은 이렇게 만들어진 자음자와 모음자를 결합하여 수많은 음절을 표현할 수 있다.

적은 수의 자음자와 모음자를 조합하여 수많은 음절을 표현하는 한글의 운용 방식은 글쇠 수가 제한된 컴퓨터 자판이나 휴대 전화 자판에서 빛을 발한다. 크기가 작은 휴대 전화의 경우 한글의 창제 원리를 적용하면 적은 수의 글쇠로도 정보를 효율적으로 입력할 수 있다. 컴퓨터로 정보를 입력하는 경우에도 한자나 일본의 문자보다 한글을 사용할 때 정보 입력 속도가 훨씬 빠르다는 사실은 정보화 시대에 두드러지는 한글의 장점을 잘 보여 준다.

타자기나 컴퓨터 따위의 자판. 또는 자판을 이루는 하나하나의 건반

한글은 초성과 중성, 종성을 합쳐서 음절 단위로 모아쓴다. 예를 들어, 영어 알파벳은 'cloud'라고 풀어쓰지만, 한글은 'ㄱㅜㄹㅡㅁ'이라고 풀어쓰지 않고 '구름'이라고 모아쓴다. 사람이 한눈에 파악할 수 있는 글자 수는 제한적이어서 자음자와 모음자를 풀어쓸 때보다 음절 단위로 모아쓸 때 한번에 더 많은 정보를 인식할 수 있다. 그래서 영어 알파벳으로 쓴 글보다 한글로 쓴 글에 담긴 정보를 더 빠르게 파악할 수 있다. 또한 모아쓰기 방식 덕분에 한글은 글자를 가로나 세로 방향으로 자유롭게 쓸 수 있어서 정보를 전달하는 데에도 실용적이라고 할 수 있다.

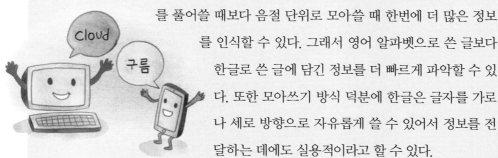

1 이 글에서 알 수 있는 한글의 우수성을 정리해 보자.

(예시 답안) • 한글의 체계적인 (   )를 적용하여 컴퓨터나 휴대 전화 자판을 이용할 때 정보를 효율적으로 입력할 수 있다.

• 한글은 초성, 중성, 종성을 합쳐서 (   ) 때문에 정보를 빠르게 파악할 수 있고 정보를 전달하는 데 실용적이다.

2 다음 휴대 전화 자판에서 글자들을 입력해 보고, 각 자판에 어떤 한글의 창제 원리가 적용되었는지 생각해 보자.

(1)

▲ 모음자 최소형 자판(천지인 자판)

→ 모음자를 입력할 때 적용된 창제 원리: (예시 답안) 모음 기본자를 합하여 다른 모음자를 만드는 (   )의 원리가 적용되었다.

---

20 정보화 시대에 한글의 우수성이 두드러지는 이유로 알맞은 것은?

① 한글은 음절 단위로 띄어 쓰기 때문이다.

② 한글이 많은 나라에서 사용되고 있기 때문이다.

③ 한글의 글자 모양이 한자와 비슷하기 때문이다.

④ 한글은 자음자와 모음자를 풀어서 쓰기 때문이다.

⑤ 한글은 적은 수의 글자로 많은 음절을 표현할 수 있기 때문이다.

주관식

21 다음 빈칸에 알맞은 말을 쓰시오.

한글은 초성, 중성, 종성을 합쳐서 (   ) 단위로 모아쓴다.

22 모음자 최소형 자판에서 모음자를 입력할 때 적용된 한글의 창제 원리로 알맞은 것은?

① 가획의 원리

② 병서의 원리

③ 상형의 원리

④ 연서의 원리

⑤ 합성의 원리

주관식

23 모음자 최소형 자판에서 다음 모음자를 입력하기 위해 눌러야 하는 자판을 순서대로 쓰시오.

(1) ㅏ   (   )

(2) ㅜ   (   )

(3) ㅗ   (   )

(2)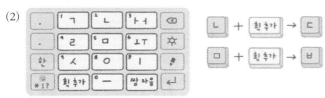

▲ 자음자 최소형 자판(나랏글 자판)

→ 자음자를 입력할 때 적용된 창제 원리: 〔예시 답안〕 자음 기본자에 획을 더하여 다른 자음자를 만드는 (　　　)의 원리가 적용되었다.

❸ 다음 버스 노선 안내판의 쓰기 방식을 비교하고, 이를 통해 알 수 있는 한글의 장점을 설명해 보자.

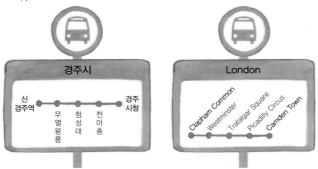

〔예시 답안〕 한글은 (　　　) 단위로 모아쓰기 때문에 (　　　)와 (　　　)를 자유롭게 할 수 있어서 한글로 쓴 버스 노선 안내판은 출발점과 종착점, 중간 정류장을 시각적으로 구분하고 좁은 공간에 정보를 효율적으로 담고 있다. 이와 달리 영어는 (　　　)만 할 수 있어서 영어 알파벳으로 쓴 버스 노선 안내판은 긴 정류장 이름을 대각선 방향으로 기울여서 보여 주어 한눈에 알아보기 어렵다.

❹ 정보화 시대에 두드러지는 한글의 우수성과 관련된 예를 친구들과 함께 찾아서 발표해 보자.

〔예시 답안〕 • 한글은 (　　　) 수의 글자로 수많은 소리를 표현할 수 있어서 음성 인식 프로그램 개발에 유리하다.

• 한글은 (　　　)가 적어서 컴퓨터 자판에 거의 모든 글자를 배열해서 입력할 수 있다. 이와 달리 한자는 글자 수가 많아서 컴퓨터 자판에 모든 글자를 배열하지 못하고 영어 알파벳으로 (　　　)을 입력한 뒤 한자를 선택해서 변환하는 과정을 거쳐야 한다. 이러한 점에서 한글은 정보를 입력하고 전달하는 데 효율적인 문자이다.

생각 모으기

● 이 단원에서 학습한 내용을 떠올리며 빈칸에 들어갈 적절한 말을 〔보기〕에서 찾아보자.

• 한글은 자주정신, [　　　] 정신, 실용 정신을 바탕으로 창제되었다.

• 한글의 자음자는 [　　　]의 모양을, 모음자는 하늘, 땅, 사람을 본떠서 만들어졌다.

• 한글은 한자와 달리 [　　　]을/를 나타내는 문자이기 때문에 적은 수의 글자로 많은 음절을 표현할 수 있다.

• 한글은 체계적이고, 과학적인 원리로 만들어진 문자이므로 [　　　] 시대에 유리하다.

〔보기〕

| 소리 | 애민 | 발음 기관 | 정보화 | 의미 |

소단원 체크

24 자음자 최소형 자판에서 자음자를 입력할 때 적용된 한글의 창제 원리로 알맞은 것은?

① 가획　　② 상형
③ 연서　　④ 이체
⑤ 합성

25 다음 중 자음자 최소형 자판의 자판에 배열되지 <u>않는</u> 글자는?

① ㄱ　　② ㅁ
③ ㅅ　　④ ㅋ
⑤ ㅇ

26 한글의 모아쓰기에 대한 설명으로 적절하지 <u>않은</u> 것은?

① 음절 단위로 모아쓴다.
② 가로쓰기와 세로쓰기를 자유롭게 할 수 있다.
③ 좁은 공간에 정보를 효율적으로 담을 수 있다.
④ 많은 정보를 입력하고 전달하는 데 효율적이다.
⑤ 풀어쓰기를 하는 영어에 비해 한번에 더 적은 정보를 인식할 수 있다.

● 다음 상황에서 학생의 질문에 적절한 답을 생각해 보고, 선생님의 말을 완성해 보자.

〔예시 답안〕 (　　　)을 더하여 만들어졌습니다.

소단원 종합 문제

| 출제 예상 문제를 바탕으로 구성하였습니다.

01 한글 창제 이전의 문자 생활에 대한 설명으로 알맞은 것은?
⑨⓪
① 왕족이나 양반, 평민 모두 한문 사용을 어려워했다.
② 양반은 평민의 원활한 문자 생활을 위해 시간적·물질적으로 지원했다.
③ 우리말을 표기할 고유한 문자가 없어서 한자를 사용해 문자 생활을 했다.
④ 평민들은 한문을 사용하여 자신이 전달하고 싶은 내용을 표현할 수 있었다.
⑤ 평민들은 교육을 통해 한문으로 전해지는 지식과 정보를 자유롭게 얻을 수 있었다.

02 다음 밑줄 친 부분과 가장 관계 깊은 한글의 창제 정신은?
⑨⑤

> 우리나라 말이 중국과 달라 한자와는 서로 통하지 않으므로, 어리석은 백성이 말하고자 하는 바가 있어도 끝내 제 뜻을 펴지 못하는 사람이 많으니라. 내가 이것을 가엾게 여겨 새로 스물여덟 글자를 만드니, 모든 사람으로 하여금 쉽게 익혀서 날마다 쓰는 데 편리하게 하고자 할 따름이니라.

① 자주정신
② 애민 정신
③ 예술 정신
④ 실용 정신
⑤ 창조 정신

03 한글의 자음과 모음 기본자에 대한 설명으로 적절하지 않은 것은?
⑨⓪
① 'ㄱ'과 'ㅁ'은 자음 기본자에 해당한다.
② 자음 기본자는 3개이고, 모음 기본자는 5개이다.
③ 자음과 모음 기본자는 상형의 원리로 만들어졌다.
④ 자음 기본자는 발음 기관의 모양을 본떠 만들어졌다.
⑤ 모음 기본자는 하늘, 땅, 사람의 모양을 본떠 만들어졌다.

04 다음 설명에 해당하는 한글의 자음 기본자를 쓰시오.
⑧⑤
(1) 입 모양을 본뜸. ( )
(2) 이의 모양을 본뜸. ( )
(3) 목구멍의 모양을 본뜸. ( )
(4) 혀끝이 윗잇몸에 닿는 모양을 본뜸. ( )
(5) 혀뿌리가 목구멍을 막는 모양을 본뜸. ( )

05 다음 중 한글 자음자에 대한 설명으로 적절하지 않은 것은?
⑨⓪
① 자음 기본자에 획을 더하여 다른 자음자를 만들었다.
② 같은 글자를 세로로 붙여 써서 다른 자음자를 만들었다.
③ 창제 당시에 만들어진 자음자 중 현재 사용되지 않는 자음자도 있다.
④ 서로 다른 글자를 가로로 나란히 붙여 써서 다른 자음자를 만들기도 했다.
⑤ 창제 당시에 만들어진 자음자들이 오늘날 사용되는 자음자의 바탕이 되었다.

06 다음 중 오늘날 사용되지 않는 자음자를 바르게 짝지은 것은?
⑧⓪
① ㄷ, ㅂ, ㅄ
② ㅿ, ㆁ, ㆆ
③ ㅿ, ㅆ, ㅃ
④ ㄹ, ㆁ, ㆆ
⑤ ㅄ, ㅂ, ㆆ

07 다음 중 모음 기본자를 합하여 만든 모음자가 아닌 것은?
⑧⑤
① ㅏ
② ㅓ
③ ㅗ
④ ㅜ
⑤ ㅡ

08 다음에서 가획의 원리로 만들어진 자음자를 모두 고르시오.
⑧⑤

> ㄱ, ㄷ, ㄹ, ㅁ, ㅂ, ㅅ, ㅈ, ㅋ, ㅌ, ㅍ, ㅎ

서술형 대비 문제

09 한글의 모음 기본자가 만들어진 원리를 서술하시오.
⑨⓪
조건 각 모음 기본자가 본뜬 것을 모두 언급할 것

10 다음 ㉠, ㉡에 들어갈 말을 알맞게 짝지은 것은?

> 선생님: 한자는 각 글자가 (㉠)을/를 나타내는 문자입니다. 세상에 존재하는 (㉠)의 수만큼 글자가 많이 필요하지요. 알려진 글자 수가 5만 자에 이른다고 해요.
> 학생: 와!
> 선생님: 반면에 한글은 (㉡)을/를 나타내는 문자라서 한자보다 글자 수가 적지요.

	㉠	㉡
①	모양	원리
②	모양	소리
③	의미	모양
④	의미	소리
⑤	의미	원리

11 한자와 한글을 비교한 내용으로 가장 적절한 것은?
① 한자는 한글에 비해 글자 수가 적다.
② 한글은 한자보다 의미를 강조한 글자이다.
③ 한자는 한글보다 글자들 간의 관계를 쉽게 알 수 있다.
④ 한글은 한자에 비해 창제 원리가 명확하지 않은 문자이다.
⑤ 한글은 한자보다 적은 수의 글자로 수많은 단어를 표현할 수 있다.

12 [고난도]
다음을 통해 알 수 있는 한글과 영어 알파벳의 자음자에 대한 설명으로 적절하지 <u>않은</u> 것은?

한글	영어 알파벳
ㄱ – ㅋ	g – k
ㄴ – ㄷ – ㅌ	n – d – t
ㅁ – ㅂ – ㅍ	m – b – p

① 영어 알파벳은 글자와 소리가 일대일로 대응한다.
② 한글은 소리가 비슷한 글자들끼리 모양이 비슷하다.
③ 영어 알파벳은 소리가 비슷한 글자라도 모양이 전혀 다르다.
④ 한글은 글자의 모양을 보면 글자들의 관계를 짐작할 수 있다.
⑤ 한글 자음자는 기본자에 획을 더해 가획자를 만들었기 때문에 모양을 보면 소리의 특징을 짐작할 수 있다.

13 다음의 내용과 관계 깊은 한글의 특징은?

> 한글의 창제 방식은 매우 간결하고 효율적이다. 한글 자음과 모음의 기본자는 상형의 원리로 만들어졌는데, 가획과 합성 등의 원리에 따라 적은 수의 기본자부터 확장되어 다른 글자들이 만들어졌다. 한글은 이렇게 만들어진 자음자와 모음자를 결합하여 수많은 음절을 표현할 수 있다.

① 한글은 짧은 시간에 발전한 문자이다.
② 한글은 모양을 통해 의미를 나타낸다.
③ 한글은 복잡한 문자 체계를 가지고 있다.
④ 한글의 모양은 예술적인 아름다움이 있다.
⑤ 한글은 체계적인 창제 원리를 가지고 있다.

14 자음자 최소형 자판과 모음자 최소형 자판에 적용된 한글의 창제 원리를 알맞게 짝지은 것은?

	자음자 최소형 자판	모음자 최소형 자판
①	가획의 원리	합성의 원리
②	가획의 원리	상형의 원리
③	상형의 원리	가획의 원리
④	합성의 원리	상형의 원리
⑤	합성의 원리	합성의 원리

15 정보화 시대에 두드러지는 한글의 장점에 대한 설명으로 적절하지 <u>않은</u> 것은?
① 가로나 세로 방향으로 자유롭게 쓸 수 있다.
② 적은 수의 글쇠로도 정보를 효율적으로 입력할 수 있다.
③ 자음자와 모음자를 풀어쓰기 때문에 정보를 쉽게 전달할 수 있다.
④ 영어 알파벳으로 쓴 글보다 한글로 쓴 글에 담긴 정보를 더 빠르게 파악할 수 있다.
⑤ 컴퓨터로 정보를 입력할 때 한자나 일본의 문자보다 정보 입력 속도가 훨씬 빠르다.

✏️ 서술형 대비 문제

16 한글의 모아쓰기가 무엇인지 쓰고, 모아쓰기의 장점을 서술하시오.

문법 기초 다지기

〈한글의 창제 원리와 우수성〉

1 ( )은 세종 대왕이 창제한 글자의 이름이자, 세종 대왕이 한글을 창제한 뒤 펴낸 책의 이름이다.

2 한글이 창제되기 전, 우리 조상들은 우리말을 표기할 고유한 문자가 없어서 ( )를 사용해 문자 생활을 했다.

3 한글을 창제한 이유와 이를 통해 알 수 있는 한글의 창제 정신을 바르게 연결하시오.

(1) 우리말은 중국 말과 달라, • • ㉠ 애민 한자가 아닌 우리의 독창적 정신 인 문자가 필요하다.

(2) 글을 모르는 백성이 글로 • • ㉡ 실용 자신의 뜻을 표현하지 못하 정신 는 것이 안타깝다.

(3) 모든 사람으로 하여금 쉽게 • • ㉢ 자주 익혀서 날마다 편리하게 쓰 정신 도록 하겠다.

4 한글의 자음 기본자는 ( )의 모양을 본떠 만들어졌다.

5 자음자의 제자 원리에는 ( )과 ( )이 있다.

6 자음 기본자와 제자 원리를 바르게 연결하시오.

(1) ㄱ • • ㉠ 입 모양을 본뜸.

(2) ㄴ • • ㉡ 이의 모양을 본뜸.

(3) ㅁ • • ㉢ 목구멍의 모양을 본뜸.

(4) ㅅ • • ㉣ 혀끝이 윗잇몸에 닿는 모양을 본뜸.

(5) ㅇ • • ㉤ 혀뿌리가 목구멍을 막는 모양을 본뜸.

7 한글의 자음자에 대한 설명으로 맞으면 ○표, 틀리면 ×표 하시오.

(1) 자음 기본자는 5개이다. ( )

(2) 자음 기본자에 획을 더하여 다른 자음자를 만들었 다. ( )

(3) 한글 창제 당시 만든 자음자와 현재 쓰이고 있는 자음자는 동일하다. ( )

(4) 같은 글자 또는 서로 다른 글자를 세로로 이어 붙 여 다른 자음자를 만들었다. ( )

8 다음 자음 기본자에 획을 더하여 만들어진 가획자를 모두 쓰시오.

(1) ㄱ: _____   (2) ㄴ: _____

(3) ㅁ: _____   (4) ㅅ: _____

(5) ㅇ: _____

9 다음은 훈민정음 창제 당시 만들어진 자음자이다. 오늘날 사용되지 않는 자음자를 모두 고르시오.

> ㄱ ㅋ ㆁ ㄴ ㄷ ㅌ ㄹ ㅁ ㅂ
> ㅍ ㅅ ㅈ ㅊ ㅿ ㅇ ㆆ ㅎ

10 다음은 〈보기〉의 자음자들이 만들어진 방식에 대한 설명이다. 빈칸에 알맞은 말을 쓰시오.

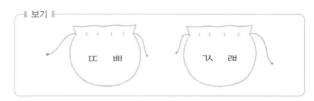

보기 ㄸ ㅃ / ㄳ ㄼ

➡ 같은 글자 또는 서로 다른 글자를 ( )로 나란히 붙여 썼다.

11 다음은 한글의 모음 기본자에 대한 설명이다. 빈칸에 알맞은 말을 쓰시오.

모음 기본자	본뜬 모양
·	( )의 둥근 모양
ㅡ	( )의 평평한 모양
ㅣ	( )이 서 있는 모양

12 한글의 모음자에 대한 설명으로 맞으면 ○표, 틀리면 ×표 하시오.

(1) '·'는 현재에도 사용되고 있는 모음자이다. ( )

(2) 모음자는 자음자의 왼쪽이나 아래쪽에 붙여 모아 쓴다. ( )

(3) 'ㅏ, ㅓ'는 자음자의 아래쪽에, 'ㅗ, ㅜ'는 자음자의 오른쪽에 붙여 쓴다. ( )

(4) 한글의 모음 기본자 '·, ㅡ, ㅣ'는 발음 기관의 모 양을 본떠서 만들었다. ( )

13 다음 모음자를 합성하여 만들 수 있는 모음자를 쓰시오.

(1) · + ㅣ: _____   (2) ㅡ + ·: _____

(3) ㅏ + ·: _____   (4) ㅜ + ·: _____

14 한글의 자음과 모음 기본자에 공통적으로 적용된 제자 원리를 쓰시오.

15 다음은 〈보기〉를 통해 알 수 있는 한글의 모아쓰기 방식을 정리한 것이다. 빈칸에 알맞은 말을 쓰시오.

┤ 보기 ├

➡ 모음자는 자음자의 (　　　)쪽이나 (　　　)쪽에 붙여 모아쓴다.

16 한글은 (　　　)를 나타내는 문자이고, 한자는 (　　　)를 나타내는 문자이다.

17 한글은 적은 수의 글자로 수많은 (　　　)을 표현할 수 있는 효율적인 문자이다.

18 한글에 대한 설명으로 맞으면 ○표, 틀리면 ×표 하시오.

(1) 한글은 소리를 나타내는 문자이기 때문에 글자의 개수가 적다. (　　　)

(2) 한글은 글자와 소리가 거의 일대일로 대응한다. (　　　)

(3) 한글은 글자의 모양을 보고 소리의 특징을 알 수 있다. (　　　)

(4) 한글은 초성, 중성, 종성을 합쳐서 음절 단위로 풀어쓰기를 한다. (　　　)

(5) 컴퓨터로 정보를 입력할 때, 한글은 한자나 일본의 문자보다 정보를 입력하는 속도가 느리다. (　　　)

(6) 한글은 컴퓨터 자판에 거의 모든 글자를 배열할 수 있다. (　　　)

19 한글은 (　　　　)가 체계적이기 때문에 컴퓨터나 휴대 전화에서 정보를 효율적으로 입력할 수 있다.

20 한자, 영어 알파벳에 대한 설명으로 맞으면 ○표, 틀리면 ×표 하시오.

(1) 한자는 글자의 개수가 매우 많다. (　　　)

(2) 한자는 체계적으로 만들어져 배우고 기억하기가 쉽다. (　　　)

(3) 영어 알파벳은 하나의 글자가 다양하게 발음된다. (　　　)

(4) 영어 알파벳은 글자의 모양과 소리가 관련이 깊다. (　　　)

21 모음자 최소형 자판에는 모음 기본자를 합하여 다른 모음자를 만드는 (　　　)의 원리가 적용되었다.

22 자음자 최소형 자판에는 기본 자음자에 획을 더하는 (　　　)의 원리가 적용되었다.

23 한글은 초성, 중성, 종성을 (　　　) 때문에 정보를 빠르게 파악할 수 있고, 정보를 전달하는 데 실용적이다.

24 다음은 〈보기〉를 통해 알 수 있는 한글의 장점을 정리한 것이다. 빈칸에 들어갈 알맞은 말을 쓰시오.

┤ 보기 ├

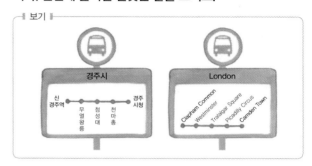

➡ 한글은 음절 단위로 모아쓰기 때문에 (　　　)와 (　　　)를 자유롭게 할 수 있어서 출발점과 종착점, 중간 정류장을 시각적으로 구분하고 좁은 공간에 정보를 (　　　)으로 담을 수 있다.

25 다음은 〈보기〉를 통해 알 수 있는 한글 자음자의 특징을 정리한 것이다. 빈칸에 알맞은 말을 쓰시오.

┤ 보기 ├

한글	영어 알파벳
ㄱ – ㅋ	g – k
ㄴ – ㄷ – ㅌ	n – d – t
ㅁ – ㅂ – ㅍ	m – b – p

➡ 한글은 소리가 비슷한 글자들끼리 서로 모양이 비슷해서 글자의 모양을 보고 글자의 (　　　)나 (　　　)의 특징을 짐작할 수 있다.

26 다음은 〈보기〉를 바탕으로 알 수 있는 한글의 특징을 정리한 것이다. 빈칸에 알맞은 말을 쓰시오.

┤ 보기 ├

ㅏ	a
사과[사과]	apple[애플]
나이[나이]	age[에이지]
차[차]	car[카ː]

➡ 영어 알파벳과 달리 한글은 글자와 소리가 거의 (　　　)로 대응한다.

02

3. 생각과 감정을 나누다

마음을 나누는 대화

| 학습 목표 | ・듣기 · 말하기는 의미 공유의 과정임을 이해하고 듣기 · 말하기 활동을 할 수 있다.
・상대의 감정에 공감하며 적절하게 반응하는 대화를 나눌 수 있다.

① 의미를 공유하며 듣고 말하기

● **뜻** 말하는 이와 듣는 이가 ①[   ]으로 상호 작용하며 서로 의미를 주고받는 의미 공유 과정

● **의미 공유 과정으로서 듣기 · 말하기의 특성**

시험에 **잘** 나오대
■ 의미 공유 과정으로서 듣기 · 말하기의 특성
예 의미 공유 과정으로서 듣기 · 말하기의 특성으로 적절하지 <u>않은</u> 것은?

・말하는 이와 듣는 이는 자신의 생각을 ②[   ]하거나 정리한다.
・말하는 이와 듣는 이는 서로의 반응을 바탕으로 새로운 의미를 생성해 나간다.
・말하는 이와 듣는 이는 언어적 · 준언어적 · 비언어적 표현을 통해 생각이나 감정을 주고받으며 ③[   ]를 만들어 나간다.

● **듣기 · 말하기에 필요한 자세**

말하는 이	듣는 이
・말하기 목적에 맞게 의도를 분명하게 드러내어 말함.
・듣는 이의 감정, 태도, 지식수준 등을 고려하여 말함.	・상대방의 말을 주의 깊게 들음.
・상대방의 의도를 파악하기 위해 노력함.
・상대방의 말에 적절하게 ④[   ]하며 들음.

● **의미 공유 과정으로서 듣기 · 말하기의 효과**

・자신의 생각이나 느낌을 잘 전달할 수 있다.
・상대방과 좋은 관계를 형성하고 유지하며 발전시켜 나갈 수 있다.

② 공감하며 대화하기

● **뜻** 상대의 감정을 이해하고 상대의 관점에서 문제를 바라보며 협력적으로 소통하며 대화하기

● **공감하며 대화하는 방법**

시험에 **잘** 나오대
■ 공감하며 대화하는 방법
예 다음 중 공감하며 대화하는 방법으로 적절하지 <u>않은</u> 것은?

・상대의 상황과 처지를 이해하며 대화한다.
・상대의 ⑤[   ]에서 문제를 바라보며 대화한다.
・상대의 말을 분석하거나 비판하지 않고 대화한다.
・상대와 눈을 맞추고 지속적으로 관심을 표현하며 대화한다.
・상대의 말을 요약 · 정리하고 상대의 말에 적극적으로 반응하며 대화한다.

● **공감하며 대화했을 때의 효과**

・상대가 고민이나 걱정을 해결할 실마리를 찾기도 한다.
・대화하는 사람들 사이에 신뢰와 친밀감을 높일 수 있다.

답 | ① 협력적 ② 조정 ③ 의미 ④ 반응 ⑤ 관점

바로바로 **개념** 체크

주관식

1 다음 빈칸에 알맞은 말을 쓰시오.

> 듣기 · 말하기는 말하는 이와 듣는 이가 협력적으로 (   )하며 서로 의미를 주고받는 의미 공유 과정이다.

2 의미 공유 과정으로서 듣기 · 말하기의 특성으로 적절하지 않은 것은?

① 듣는 이는 끝까지 자신의 생각을 바꾸지 않는다.
② 말하는 이와 듣는 이 모두 자신의 생각을 정리할 수 있다.
③ 말하는 이와 듣는 이는 서로의 생각이나 감정을 주고받는다.
④ 말하는 이와 듣는 이는 서로의 반응을 바탕으로 새로운 의미를 생성할 수 있다.
⑤ 말하는 이와 듣는 이는 준언어 · 비언어적 표현을 통해 자신의 생각을 더 효과적으로 전달할 수 있다.

3 공감하며 대화하는 방법으로 적절하지 않은 것은?

① 상대의 말을 꼼꼼하게 분석한다.
② 상대의 상황과 처지를 이해한다.
③ 상대와 시선을 맞추며 대화한다.
④ 상대의 말에 집중하고 관심을 표현하며 대화한다.
⑤ 상대의 말을 반복하거나 정리하며 반응을 보인다.

tip 준언어적 · 비언어적 표현

언어적 표현과 함께 의미를 전달하는 중요한 표현 수단

준언어적 표현	말의 강약, 빠르기, 크기, 어조 등
비언어적 표현	표정, 몸짓, 손짓 등

마음을 나누는 대화

소단원 포인트	
❶ **의미 공유 과정으로서의 듣기·말하기** 말하는 이와 듣는 이가 협력적으로 상호 작용하며 서로 의미를 주고받는 의미 공유 과정	
❷ **공감하며 대화하기** 상대의 감정을 이해하고 상대의 관점에서 문제를 바라보며 협력적으로 소통하는 대화	
❸ **공감하며 대화하는 방법** 상대의 상황과 처지를 이해하며 대화함, 상대와 눈을 맞추고 지속적으로 관심을 표현하며 대화함, 상대의 말을 요약·정리하고 상대의 말에 적극적으로 반응하며 대화함.	

◎ 의미를 공유하며 듣고 말하기

❶ 다음 대화를 살펴보고 듣기·말하기에 필요한 자세를 생각해 보자.

교과서 132쪽 ▶

❶ 두 사람이 대화하는 중에 어떤 문제가 있었는지 말해 보자.

[예시 답안] 여학생이 다른 생각을 하느라 남학생의 말을 주의 깊게 듣지 못했다.

❷ 듣기·말하기가 원활하게 이루어지려면 어떤 자세가 필요한지 이야기해 보자.

[예시 답안] • 상대의 말에 귀 기울이는 자세가 필요하다.

• 상대를 (   )하며 상대의 반응에 적절하게 대응하는 자세가 필요하다.

소단원 체크

[학습 활동 응용]

1 이 대화에서 남학생이 여학생에게 요청하는 것은?

① 학급 행사 준비를 대신해 달라는 것

② 학급 행사의 진행을 함께해 달라는 것

③ 학급 행사 준비물을 함께 사러 가자는 것

④ 학급 행사에 필요한 자료를 구해 달라는 것

⑤ 학급 행사에서 진행할 프로그램을 함께 준비하자는 것

[학습 활동 응용]

2 이 대화에 대한 설명으로 가장 적절한 것은?

① 남학생은 여학생을 존중하지 않는 태도로 말했다.

② 남학생은 여학생의 감정을 이해하며 듣지 않았다.

③ 남학생은 여학생의 배경지식을 고려하며 말하지 않았다.

④ 여학생은 남학생의 말에 주의를 집중하며 듣지 않았다.

⑤ 여학생은 남학생의 제안을 듣고 비판적인 태도를 보였다.

[주관식]

3 다음 빈칸에 알맞은 말을 차례대로 쓰시오.

> 듣기·말하기가 원활하게 이루어지려면 상대의 말에 귀 기울여야 하고, 상대를 (   )하며, 상대의 반응에 적절하게 (   ) 하는 자세가 필요하다.

❷ 다음 대화를 바탕으로 듣기·말하기의 특성을 생각해 보자.

교과서 133쪽 ▶

재경: 서율아, 너는 여행이 뭐라고 생각해?

서율: 맛있는 음식을 먹거나 멋진 풍경을 즐기면서 편하게 쉬는 것이 여행이지.

재경: 그렇구나. 나는 여러 곳을 다니면서 다양한 사람을 만나는 것이 여행이라고 생각해.

서율: 네 말을 들으니까 여행에 그런 의미도 있겠다는 생각이 들어. 여행은 정말 다양한 즐거움을 주는 것 같아.

❶ 대화를 나누면서 서율이가 생각하는 '여행'의 의미가 어떻게 바뀌었는지 정리해 보자.

예시 답안

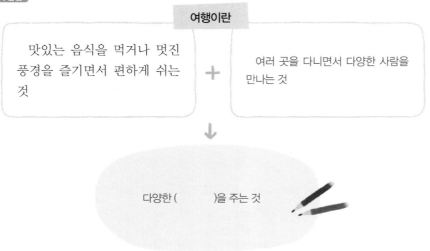

여행이란

| 맛있는 음식을 먹거나 멋진 풍경을 즐기면서 편하게 쉬는 것 | + | 여러 곳을 다니면서 다양한 사람을 만나는 것 |

↓

다양한 (   )을 주는 것

❷ ❶을 통해 알 수 있는 듣기·말하기의 특성을 이야기해 보자.

예시 답안 말하는 이와 듣는 이는 대화하면서 자신의 생각을 바꾸거나 (   )해 나간다.

❸ ❷와 같은 특성이 드러나는 듣기·말하기를 한 경험을 친구들과 함께 이야기해 보자.

예시 답안 나는 책상 위에 책과 필기도구를 늘어놓는 습관이 있었는데, 어느 날 짝이 내 책상이 정리가 안 되어 있어 불편하다고 이야기했다. 친구의 말을 듣고 내 책상이 지저분하면 옆 사람에게 피해를 줄 수 있다는 점을 깨달았고, 앞으로 내 책상을 정돈하는 데 신경 써야겠다고 생각했다.

소단원 체크

학습 활동 응용

4 재경이와 대화를 하기 전 서율이가 생각했던 여행의 의미로 적절한 것은? (정답 2개)

① 여러 곳을 다니는 것

② 맛있는 음식을 먹는 것

③ 다양한 사람을 만나는 것

④ 다양한 즐거움을 주는 것

⑤ 멋진 풍경을 즐기면서 편하게 쉬는 것

학습 활동 응용 주관식

5 재경이가 생각하는 여행의 의미를 쓰시오.

학습 활동 응용 주관식

6 대화를 나누면서 여행의 의미에 대한 서율이의 생각이 어떻게 달라졌는지 4어절로 쓰시오.

7 의미 공유 과정으로서의 듣기·말하기에 대한 설명으로 가장 적절한 것은?

① 말하는 이는 듣는 이의 생각에 무조건 따른다.

② 말하는 이는 듣는 이의 생각을 반영하지 않는다.

③ 말하는 이와 듣는 이 모두 자신의 생각을 일방적으로 주장한다.

④ 말하는 이가 듣는 이의 생각을 자신의 생각대로 바꾸려고 노력한다.

⑤ 말하는 이와 듣는 이 모두 대화를 통해 자신의 생각을 바꾸거나 조정해 나간다.

③ 다음 대화에서 의미를 공유하는 과정을 살펴보고 친구들과 협력적으로 대화해 보자.

교과서 **134**쪽 ▶

지혁: 소정아, 주말에 뭐 했어?

소정: 마을 장터에 갔다가 새것은 아니지만 괜찮아 보이는 책을 한 권 샀어.

지혁: 마을 장터에서 그런 책을 팔기도 해?

소정: 응. 책뿐만 아니라 자신이 쓰지 않는 물건은 무엇이든 팔던데?

지혁: 아하, 사회 시간에 배운 아나바다 운동 같은 거구나. "아껴 쓰고, 나눠 쓰고, 바꿔 쓰고, 다시 쓰자."라는 의미였지?

소정: 맞아. 그러고 보니 이번 마을 장터가 바로 아나바다 운동이었네. 너도 비슷한 경험이 있어?

지혁: 나는 물건을 사 본 적은 없는데, 아무도 타지 않아서 먼지만 쌓이던 우리 집 자전거를 사촌 동생에게 준 적이 있어. 동생이 무척 좋아하면서 매일 타고 다닌데. 이런 것도 아나바다 운동이지?

소정: 그럼. 쓸모없던 자전거를 누가 다시 잘 쓸 수 있게 된 거니까.

지혁: 그러네. 너는 마을 장터에서 책을 사 보니까 어땠어?

소정: 처음에는 남이 보던 책을 산다는 것이 내키지 않았지만 값이 싸고 책 상태도 깨끗해 보이길래 한번 사 봤거든. 정작 책을 읽어 보니 아무렇지도 않더라고. 누구에게는 필요 없던 물건이 다른 사람에게는 유용하게 쓰일 수도 있는 것 같아.

지혁: 네 말을 듣고 보니 마을 장터와 같은 아나바다 운동이 자원을 절약하는 좋은 방법이라는 것을 알겠어. 나도 진작 알았더라면 마을 장터에 갔을 텐데 아쉽다.

소정: 그래? 잘됐다. 매달 두 번째 주말에 마을 장터가 열린대. 다음에 같이 가 볼래?

지혁: 좋아. 다음에 같이 가서 내게 필요한 물건이 있는지 찾아봐야겠다.

소단원 체크

학습 활동 응용

8 지혁이와 소정이의 대화 내용과 일치하지 <u>않는</u> 것은?

① 소정이는 주말에 마을 장터에 다녀왔다.

② 소정이는 마을 장터에서 책을 한 권 샀다.

③ 지혁이는 마을 장터에서 소정이를 만났다.

④ 소정이는 마을 장터에서 산 책에 만족했다.

⑤ 소정이와 지혁이는 다음에 열리는 마을 장터에 함께 가기로 약속했다.

학습 활동 응용

9 소정이의 말을 듣고 지혁이가 떠올린 배경지식으로 가장 적절한 것은?

① 신문에서 읽었던 중고 책의 장점

② 책에서 읽었던 아나바다 운동의 장점

③ 사회 시간에 배운 아나바다 운동의 의미

④ 사촌 형에게 자전거를 물려받았던 경험

⑤ 텔레비전에서 보았던 마을 장터에 관한 프로그램

학습 활동 응용

10 소정이와 지혁이의 대화 태도에 대한 설명으로 적절하지 않은 것은?

① 서로 상대의 말에 적절하게 반응하고 있다.

② 상대의 질문에 대해 성의 있게 대답하고 있다.

③ 자신의 배경지식을 적극적으로 활용하고 있다.

④ 자신이 원하는 쪽으로 대화 주제를 전환하고 있다.

⑤ 대화를 통해 의미를 공유하는 과정에 능동적으로 참여하고 있다.

❶ 소정이와 지혁이가 대화하면서 협력하여 의미를 공유하는 과정을 정리해 보자.
예시 답안

소정		지혁
지혁이가 질문하자 주말에 마을 장터에서 책을 산 일을 이야기함.	→	소정이의 말을 듣고 사회 시간에 배운 <u>아나바다 운동</u> 을/를 떠올림.
지혁이의 배경지식을 바탕으로 <u>마을 장터</u> 이/가 아나바다 운동이라는 것을 깨달음.	→	소정이의 질문을 듣고 사촌 동생에게 타지 않는 자전거를 준 _____ 을/를 떠올림.
지혁이가 마을 장터에 다녀온 소감을 묻자 아나바다 운동의 <u>좋은 점</u> 을/를 떠올림.	→	소정이의 이야기를 듣고 마을 장터에 가지 못한 것을 아쉬워함.

대화를 나누며 _____의 의미를 공유하고, 다음에 열리는 마을 장터에 함께 가기로 약속함.

❷ ❶을 바탕으로 말하는 이와 듣는 이가 어떤 방법으로 의미를 공유하는지 이야기해 보자.
예시 답안 ( )을 적극적으로 활용하여 이야기를 나누고, 상대가 하는 말에 적절하게 ( )하며 의미를 함께 구성해 나간다.

❸ '자원을 절약하는 방법'을 주제로, 친구들과 협력적으로 대화를 나누어 보자.
예시 답안 생략

◎ 공감하며 대화하기

❶ 다음 대화 상황을 살펴보고 상대의 말을 어떤 태도로 들어야 하는지 생각해 보자.

교과서 136쪽 ▶

가

선혜야, 엄마랑 이야기 좀 할까?

↔

선혜야, 엄마랑 이야기 좀 할까?

소단원 체크

학습활동 응용

11 대화를 통해 소정이와 지혁이가 공유한 내용으로 적절한 것은?
① 아나바다 운동의 의미
② 마을 장터에 가지 못했던 경험
③ 마을 장터에서 물건을 팔아 본 경험
④ 사촌 동생에게 자전거를 받았던 경험
⑤ 다음에 열리는 마을 장터에서 함께 판매할 품목

12 대화를 통해 의미를 공유하는 방법으로 적절하지 <u>않은</u> 것은?
① 상대를 존중하며 듣는다.
② 상대의 말을 주의 깊게 듣는다.
③ 상대가 하는 말에 적절하게 반응하며 듣는다.
④ 상대의 반응에 적극적으로 대응하며 듣는다.
⑤ 상대의 지식수준을 고려하여 배경지식을 활용하지 않는다.

학습활동 응용

13 (가)의 대화 상황에 대한 설명으로 적절하지 <u>않은</u> 것은?
① 왼쪽 상황에서 선혜는 엄마의 말을 듣고도 휴대 전화만 보고 있다.
② 오른쪽 상황에서 선혜는 엄마 쪽으로 몸을 돌려 엄마의 말을 듣고 있다.
③ 왼쪽 상황에서 엄마는 선혜가 자신을 무시한다는 느낌을 받았을 것이다.
④ 왼쪽 상황에서 엄마는 선혜가 자신의 말에 집중하고 있다고 생각할 것이다.
⑤ 오른쪽 상황에서 엄마는 선혜가 자신의 말을 경청하고 있다고 생각할 것이다.

나

말풍선: 재영아, 같이 봉사 활동 하러 가자.

↔

말풍선: 재영아, 같이 봉사 활동 하러 가자.

❶ **가** , **나** 에서 각각 어느 쪽의 듣기 태도에 문제가 있는지 찾고, 내가 말하는 이라면 어떤 기분이 들었을지 말해 보자.

예시 답안 · (가): 선혜는 오른쪽 상황에서 엄마 쪽으로 몸을 돌려 (   )을 표현하며 말을 듣고 있지만, 왼쪽 상황에서는 엄마의 말을 듣고도 휴대 전화만 바라보고 있다. 내가 엄마라면 딸에게 (   )당하는 느낌이 들어 화가 날 것 같다.

· (나): 재영이는 왼쪽 상황에서 말하는 친구 쪽으로 몸을 향해 친구의 말을 듣고 있다. 하지만 오른쪽 상황에서는 턱을 괸 채 (   )을 맞추지 않고 무표정한 얼굴을 하고 있다. 내가 친구라면 존중받지 못하는 느낌이 들어 기분이 나쁠 것 같다.

❷ ❶을 바탕으로 상대의 말을 듣는 바람직한 태도가 무엇인지 이야기해 보자.

예시 답안 · (   ) 쪽으로 몸을 향하여 집중하며 듣는다.

· 상대와 자연스럽게 (   )을 맞추어 상대의 말에 (   )을 나타내며 듣는다.

❷ 다음 대화를 바탕으로 바람직한 대화란 무엇인지 생각해 보자.

교과서 **137쪽** ▶

준희: 내일 국어 모둠 회의 때 자료를 찾아 가야 하는데, 오늘 도서관이 문을 닫았어. 이번 주까지 국어 수행 평가 과제를 제출해야 하는데 어떻게 하지?

한솔: 국어 수행 평가 과제는 다음 주까지잖아.

준희: 그런가? 그래도 내일 모둠 회의 전까지 자료를 찾아야 하는데.

한솔: 사회 수행 평가는 이번 주까지인데, 국어 수행 평가는 다음 주까지가 맞을 거야.

준희: 제출 기한에 여유가 있는 것은 다행이지만 내일 모둠 회의가 잘 진행되려면 자료를 찾아야 할 것 같아. 자료 검색은 다 했고 도서관에서 책만 빌리면 되는데 무슨 방법이 없을까?

한솔: 검색을 다 했으니까 지금 도서관에서 책을 빌리면 되잖아.

준희: 오늘 도서관 쉬는 날이라니까.

소단원 체크

학습 활동 응용

14 (나)의 오른쪽 상황에 대한 설명으로 적절하지 않은 것은?

① 재영이는 상대와 시선을 맞추지 않고 있다.

② 재영이는 무표정한 얼굴로 상대를 대하고 있다.

③ 재영이는 턱을 괸 채 무관심한 태도를 보이고 있다.

④ 재영이는 상대의 요청에 적극적으로 반응하고 있다.

⑤ 재영이는 상대를 존중하지 않는 듯한 태도를 보이고 있다.

15 다음 중 상대의 말을 듣는 바람직한 태도가 아닌 것은?

① 고개를 끄덕이며 반응을 보인다.

② 상대와 자연스럽게 눈을 맞춘다.

③ 상대 쪽으로 몸을 향하고 듣는다.

④ 상대의 말에 적절한 반응을 보인다.

⑤ 상대가 긴장하지 않도록 무표정한 얼굴로 듣는다.

학습 활동 응용

16 준희의 상황에 대한 설명으로 적절하지 않은 것은?

① 자료 검색은 이미 다 끝났다.

② 도서관이 문을 닫아 오늘은 책을 빌릴 수 없다.

③ 국어 수행 평가 과제를 내일까지 제출해야 한다.

④ 내일 국어 모둠 회의 때 필요한 책을 빌려야 한다.

⑤ 내일 국어 모둠 회의가 잘 진행되려면 자료를 찾아야 한다.

❶ 두 사람의 대화에 어떤 문제가 있는지 말해 보자.

예시 답안 한솔이는 오늘 도서관이 문을 닫았다는 준희의 말을 (　　　　) 깊게 듣지 않고, 모둠 회의 전까지 자료를 찾을 방법을 고민하는 준희에게 지금 도서관에서 책을 빌리면 되지 않느냐고 말했다.

❷ 다음 준희의 말에 어떻게 대답하면 좋을지 이야기해 보자.

> 준희: 제출 기한에 여유가 있는 것은 다행이지만 내일 모둠 회의가 잘 진행되려면 자료를 찾아야 할 것 같아. 자료 검색은 다 했고 도서관에서 책만 빌리면 되는데 무슨 방법이 없을까?
>
> 한솔: 예시 답안 내일 모둠 회의에 필요한 자료를 준비하지 못할까 봐 걱정된다는 거지? 오늘은 도서관에서 책을 빌리지 못하니까 다른 방법을 생각해 봐야겠다. 전자 도서관을 이용하면 필요한 자료를 출력할 수 있어. 과제에 꼭 필요한 책은 서점에서 살펴볼 수도 있고. 이렇게 하면 오늘 안에 자료를 준비할 수 있을 테니 너무 걱정하지 마.

❸ 다음 대화를 살펴보고 상대의 감정에 공감하며 대화하는 방법을 익혀 보자.

교과서 138쪽 ▶

지애: 효진아, 내 이야기 좀 들어 줄래?

효진: 무슨 고민 있어? 편하게 말해 봐.

지애: 사실은 친구랑 조금 다퉜어.

효진: 친구랑 다퉈서 고민이구나. 좀 더 자세히 이야기해 볼래?

지애: 내가 휴대 전화가 없어져서 걱정하고 있었거든. 그런데 친구는 같이 걱정해 주기는커녕 내가 물건을 잘 잃어버린다고 타박만 하지 뭐야. 그래서 나도 모르게 친구에게 심한 말을 해 버렸어.

효진: (고개를 끄덕이며) 저런, 친구가 네 마음을 알아주지 않아서 속상했겠네. 그렇지만 친구에게 상처를 주는 말을 한 것은 후회되겠다.

지애: 속상하기도 하고, 친구와 멀어지게 된 것 같아 괴로워. 사과하고 싶은데 어떻게 해야 할지 모르겠어.

효진: (부드럽게 눈을 맞추며) 그래, 답답하겠다. 그 친구에게 네 마음을 솔직하게 이야기해 보면 어떨까?

지애: 그러고 싶지만 친구가 들어 주지 않을까 봐 겁이 나.

효진: 그럴 수도 있겠어. 하지만 그 친구도 너와 같은 고민을 하고 있을지도 모르잖아. 용기를 내서 먼저 말해 보는 것이 어때?

지애: 그럴까? 너와 이야기를 하니까 마음이 편해지고 친구에게 내 마음을 말할 용기가 나는 것 같아. 네 조언대로 해 볼게.

소단원 체크

학습 활동 응용

17 준희와 한솔이의 대화가 원활하지 못한 이유로 알맞은 것은?

① 한솔이가 준희의 말을 주의 깊게 듣지 않았기 때문에

② 준희가 한솔이를 무시하는 듯한 태도를 보였기 때문에

③ 한솔이가 자신의 생각을 너무 강력하게 주장했기 때문에

④ 준희가 제안한 의견을 한솔이가 받아들이지 않았기 때문에

⑤ 준희가 한솔이에게 자신의 상황을 제대로 설명하지 않았기 때문에

학습 활동 응용

18 모둠 회의 전까지 자료를 찾을 방법을 고민하는 준희에게 한솔이가 할 수 있는 대답으로 가장 적절한 것은?

① 다른 친구에게 대신 찾아 달라고 부탁해 봐.

② 미리미리 준비를 했어야지. 정말 큰일이야.

③ 이건 네 문제니까 네 스스로 방법을 찾아야지.

④ 선생님께 모둠 회의 날짜를 바꿔 달라고 말씀드려 봐.

⑤ 전자 도서관을 이용하면 필요한 자료를 출력할 수 있으니까 너무 걱정하지 마.

학습 활동 응용

19 지애의 고민으로 가장 적절한 것은?

① 친구와 말다툼을 해서 부모님께 혼이 났다.

② 친구가 자신에게 사과를 하지 않아 화가 났다.

③ 친구가 자신에게 화를 낸 이유를 이해하지 못하고 있다.

④ 친구에게 사과하고 싶은데 어떻게 해야 할지 모르고 있다.

⑤ 친구에게 사과를 했는데 친구가 들어 주지 않아 슬퍼하고 있다.

❶ 지애를 대하는 효진이의 시선이나 몸짓이 대화에서 어떤 역할을 하는지 생각해 보자.

예시 답안 · 고개를 끄덕임.(몸짓): 효진이는 친구에게 심한 말을 했다는 지애의 말을 듣고 고개를 끄덕임으로써 지애의 감정을 (   )하고 있음을 드러냈다. 이를 통해 지애는 비판받을지도 모른다는 두려움에서 벗어나 자신의 잘못을 이야기할 용기를 얻었을 것이다.

· 부드럽게 눈을 맞춤.(시선): 효진이는 친구에게 사과할 방법을 모르겠다고 말하는 지애와 시선을 맞추며 지애의 말에 (   )하고 있음을 드러냈다. 이를 통해 지애는 효진이가 자신을 존중하고 있다고 느꼈을 것이다.

소단원 체크

학습활동 응용 **주관식**

20 다음은 지애와 대화하는 효진이의 태도를 정리한 것이다. 빈칸에 알맞은 말을 차례대로 쓰시오.

· (   )를 끄덕이며 지애의 감정을 이해하고 있음을 드러냈다.
· 지애와 (   )을 맞추며 지애의 말에 집중하고 있음을 드러냈다.

❷ 효진이가 지애의 감정에 공감하며 대화하기 위해 사용한 방법을 살펴보자.
예시 답안

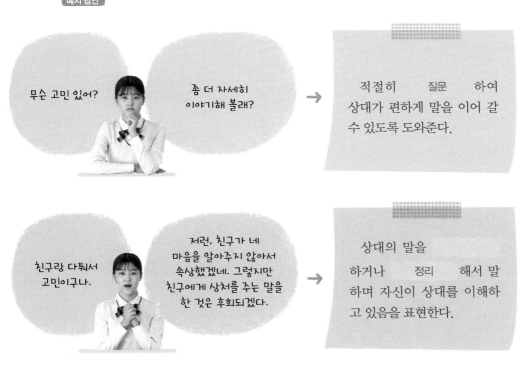

무슨 고민 있어?

좀 더 자세히 이야기해 볼래?

→ 적절히 질문 하여 상대가 편하게 말을 이어 갈 수 있도록 도와준다.

친구랑 다퉈서 고민이구나.

저런, 친구가 네 마음을 알아주지 않아서 속상했겠네. 그렇지만 친구에게 상처를 주는 말을 한 것은 후회되겠다.

→ 상대의 말을 □□ 하거나 정리 해서 말하며 자신이 상대를 이해하고 있음을 표현한다.

학습활동 응용

21 효진이가 지애의 감정에 공감하며 대화하기 위해 사용한 방법은?

(정답 2개)

① 지애의 잘못된 점을 구체적으로 지적했다.
② 지애가 평소에 잘못했던 점을 모두 이야기했다.
③ 지애가 편하게 말할 수 있도록 지애의 말에 반응하지 않았다.
④ 적절히 질문하여 지애가 편하게 말을 이어 갈 수 있도록 도왔다.
⑤ 지애의 말을 반복하거나 정리하며 자신이 지애의 상황을 이해하고 있음을 표현했다.

❸ 이와 비슷한 대화 경험을 떠올려 보고, 어떤 방법으로 공감을 표현하는지 친구들과 이야기를 나누어 보자.

예시 답안 · 준비물을 집에 놓고 와서 속상하다고 말하는 친구에게 "준비물을 놓고 와서 정말 속상하겠구나."라고 말해 주어 내가 친구의 상황과 감정을 이해하고 있음을 표현했다.

· 주말에 가족 여행을 다녀왔다는 친구의 말을 들으면서 "어디에 다녀왔어?", "좋았겠다."와 같이 지속적으로 관심을 표현하며 반응해 주었다.

학습활동 응용

22 공감을 표현하기 위해 효진이가 지애에게 할 수 있는 말로 적절하지 않은 것은?

① 친구와 다퉈서 고민이구나.
② 어떻게 사과해야 할지 몰라 많이 답답하겠다.
③ 친구에게 상처를 주는 말을 한 것이 후회되는구나.
④ 친구가 네 마음을 알아주지 않아서 정말 속상했겠다.
⑤ 네가 친구에게 함부로 말한 것은 정말 잘못된 행동이야.

3. 생각과 감정을 나누다

적극적으로 반응하며 대화하기

교과서 140쪽 ▶ **대화 주제 정하기** 모둠원들과 함께 인상 깊은 경험을 떠올리며 대화 주제를 정해 보자.

예시 답안 여행

내용 마련하기 모둠에서 정한 주제로 말할 내용을 각자 마련해 보자.

> **예시 답안** • 여행지: 춘천
>
> • 여행을 가게 된 계기: 가족들과 함께 주말을 즐겁게 보내기 위해서
>
> • 여행 중 방문한 곳: 1. 에티오피아 한국전 참전 기념관
> - 6·25 전쟁 당시 에티오피아 군인들이 국제 연합군의 일원으로 참전했음을 알게 됨.
> - 우리나라를 위해 희생한 에티오피아 군인들에게 감사한 마음을 느낌.
> 2. 애니메이션 박물관
> - 애니메이션에 등장하는 다양한 캐릭터와 사진을 찍을 수 있음.
> - 세계 각국의 애니메이션 포스터를 볼 수 있는 계단이 특히 인상적이었음.
>
> • 느낀 점과 하고 싶은 말: 춘천은 배우고 즐길 것이 많은 곳이니 친구들도
> 춘천에 방문해 보기를 바람.

역할 정하기 대화에 필요한 역할을 모둠원들과 나누어 맡아 보자.

예시 답안

● 말하는 이

재잘이 듣는 이의 반응을 살피며 자신의 경험을 이야기함.

● 듣는 이

끄덕이 눈을 마주치며 미소를 짓거나 고개를 끄덕임.

호응이 "아!", "그래.", "맞아." 등 적절한 호응을 하면서 들음.

반복이 친구가 말하는 내용을 반복해서 말해 줌.

궁금이 궁금한 점이나 말한 내용을 확인하는 질문을 함.

바꿈이 친구가 말한 내용을 다른 표현으로 바꿔서 말해 줌.

대화 나누기 맡은 역할에 따라 모둠원들과 대화를 나누고, 차례대로 역할을 바꿔 가며 대화해 보자.

예시 답안 생략

평가하기 모둠원들이 대화하면서 각자 맡은 역할을 잘 수행했는지 평가해 보자.

듣는 이의 반응을 살피며 잘 말했어.

말하는 이에게 공감하며 적절하게 호응해 주었어.

예시 답안 생략

느낀 점 발표하기 대화 과정에서 느낀 점을 발표해 보자.

내 말을 듣는 친구들의 태도가 나의 말하기에 어떤 영향을 주었을까?

● 말하는 이일 때 예시 답안 애니메이션 박물관에서 한 재미있는 체험을 말할 때 '끄덕이' 역할을 맡은 친구가 고개를 끄덕여 주니까, 내가 하는 이야기를 재미있게 듣고 있는 것 같아서 말하는 데 힘이 났다.

● 듣는 이일 때 예시 답안 '반복이' 역할을 할 때 '재잘이' 역할을 맡은 친구가 하는 말 중 중요한 단어라고 생각하는 것을 반복해서 말해 주니까, 그 친구도 내 반응에 호응하며 신나게 말해서 친구의 이야기가 더 재미있게 느껴졌다.

적극적으로 듣는 태도가 친구의 감정에 공감하며 대화하는 데 도움이 되었을까?

소단원 체크

26 공감하며 대화하는 태도를 평가하는 기준으로 적절하지 않은 것은?

① 듣는 이의 반응을 잘 살피며 말했는가?
② 상대와 시선을 맞추며 듣고 말했는가?
③ 자신의 생각을 논리적으로 전달하였는가?
④ 말하는 이에게 적절하게 호응하며 들었는가?
⑤ 듣고 있는 내용에 어울리는 적절한 표정을 지었는가?

27 듣는 이가 다음과 같이 반응했을 때 말하는 이가 할 만한 생각으로 가장 적절한 것은?

> 눈을 마주치며 고개를 끄덕임.

① 계속 나를 쳐다보니까 너무 떨렸어.
② 고개를 끄덕이는 것이 계속 신경이 쓰였어.
③ 내 이야기를 잘 이해하고 있는지 궁금했어.
④ 내 생각과는 다르다고 생각하는 것 같아 걱정이 되었어.
⑤ 나의 이야기를 재미있게 들어 주는 것 같아 자신감이 생겼어.

생각 모으기

● 이 단원에서 학습한 내용을 떠올리며 빈칸에 들어갈 적절한 말을 보기 에서 찾아보자.

• 듣기·말하기는 말하는 이와 듣는 이가 협력하여 의미를 _____ 하는 과정이다.
• 말하는 이와 듣는 이는 대화하면서 서로 생각을 조정하여 새로운 _____ 을/를 구성할 수 있다.
• 공감하며 대화하기 위해서는 상대의 _____ 에서 문제를 바라보는 태도가 필요하다.
• 상대의 말을 정리해서 말해 주면 적극적으로 _____ 하는 태도를 나타낼 수 있다.

보기

| 비판 | 의미 | 공감 | 공유 | 관점 |

● 다음 대화에서 주연이의 말이 적절하지 않은 이유를 생각해 보고, 대화가 원활하게 이루어지도록 주연이의 말을 고쳐 보자.

이거 왜 이렇게 안 되지?

갑자기 왜 안 돼? 네가 또 뭘 잘못 건드린 거지.

지혁   주연

예시 답안 • 주연이의 말이 적절하지 않은 이유: 지혁이의 관점에서 문제를 바라보거나 지혁이의 감정에 (   )해 주지 않고, 근거 없는 추측으로 지혁이의 잘못을 지적했다.
• 적절하게 고친 말: 카메라가 갑자기 작동이 안 돼서 답답하겠다. 인터넷에서 해결 방법을 검색해 볼까?

🌱 소정이와 지혁이가 의미를 공유하는 과정

소정	➡	지혁이가 질문하자 주말에 마을 장터에서 책을 산 일을 이야기함.
지혁	➡	소정이의 말을 듣고 사회 시간에 배운 ( ) 운동을 떠올림.
소정	➡	지혁이의 ( )을 바탕으로 마을 장터가 아나바다 운동이라는 것을 깨달음.
지혁	➡	소정이의 질문을 듣고 사촌 동생에게 타지 않는 ( )를 준 경험을 떠올림.
소정	➡	지혁이가 마을 장터에 다녀온 소감을 묻자 아나바다 운동의 ( )을 떠올림.
지혁	➡	소정이의 이야기를 듣고 마을 장터에 가지 못한 것을 아쉬워함.

⬇

➡ (   ) 대화를 나누며 아나바다 운동의 의미를 공유하고, 다음에 열리는 마을 장터에 함께 가기로 약속함.
(   )을 적극적으로 활용하여 이야기를 나누고, 상대가 하는 말에 적절하게 반응하며 (   )를 함께 구성해 나감.

🌱 효진이가 지애의 말에 공감하며 대화한 방법

효진이의 시선이나 몸짓	고개를 끄덕임. ( )	지애의 감정을 ( )하고 있음을 드러냄. → 지애는 비판받을지도 모른다는 두려움에서 벗어나 자신의 잘못을 이야기할 용기를 얻음.
	부드럽게 눈을 맞춤. ( )	지애의 말에 ( )하고 있음을 드러냄. → 지애는 효진이가 자신을 존중하고 있다고 느낌.
효진이의 말	• 무슨 고민 있어? • 좀 더 자세히 이야기해 볼래? • 친구랑 다퉈서 고민이구나. • 저런, 친구가 네 마음을 알아주지 않아서 속상했겠네. 그렇지만 친구에게 상처를 주는 말을 한 것은 후회되겠다.	적절히 ( )하여 상대가 편하게 말을 이어 갈 수 있도록 도와줌. 상대의 말을 ( )하거나 ( )해서 말하며 자신이 상대를 이해하고 있음을 표현함.

🌱 듣기 · 말하기에 필요한 자세

• 상대의 말을 (   ) 깊게 듣는다.
• 상대를 (   )하며 상대의 반응에 적극적으로 대응한다.

🌱 의미 공유 과정으로서 듣기 · 말하기의 특성

• 말하는 이와 듣는 이가 서로 (   )으로 상호 작용하며 공통의 의미를 구성하는 과정이다.
• 듣기 · 말하기 과정에서 말하는 이와 듣는 이는 자신의 생각을 (   )하거나 (   )한다.

🌱 공감하며 대화하는 방법

• 상대의 (   )과 (   )를 이해하며 대화한다.
• 상대와 (   )을 맞추고 지속적으로 관심을 표현하며 대화한다.
• 상대의 말을 요약 · 정리하고 상대의 말에 적극적으로 (   )하며 대화한다.

소단원 종합 문제

01 다음 대화에 대한 설명으로 적절하지 <u>않은</u> 것은?

> 남학생: 이번 학급 행사에서 사용할 물품을 준비해야 겠어. 이따가 문구점에 준비물 사러 같이 가자.
> 여학생: 응, 뭐라고? 잠깐 딴생각을 해서 못 들었어. 미안해.
> 남학생: 괜찮아. 그럴 수도 있지. 수업 다 끝나고 학급 행사 준비물 사러 같이 갈래?
> 여학생: 아, 그 이야기였구나. 당연히 같이 갈 수 있지.

① 여학생은 남학생의 요청을 완곡하게 거절했다.
② 남학생은 여학생의 사과를 받아들이고 이해했다.
③ 여학생은 남학생의 말을 제대로 듣지 못한 것을 사과했다.
④ 여학생은 딴생각을 하느라 남학생의 말을 주의 깊게 듣지 못했다.
⑤ 남학생은 여학생에게 학급 행사에서 사용할 물품을 함께 사러 갈 것을 요청했다.

주관식

02 다음에서 서율이가 대화를 통해 조정하여 떠올린 여행의 의미를 쓰시오.

> 재경: 서율아, 너는 여행이 뭐라고 생각해?
> 서율: 맛있는 음식을 먹거나 멋진 풍경을 즐기면서 편하게 쉬는 것이 여행이지.
> 재경: 그렇구나. 나는 여러 곳을 다니면서 다양한 사람을 만나는 것이 여행이라고 생각해.
> 서율: 네 말을 들으니까 여행에 그런 의미도 있겠다는 생각이 들어. 여행은 정말 다양한 즐거움을 주는 것 같아.

03 의미 공유 과정으로서의 듣기·말하기에 대한 설명으로 적절하지 <u>않은</u> 것은?

① 말하는 이가 일방적으로 의미를 전달하는 과정이다.
② 말하는 이와 듣는 이는 자신의 생각을 조정하거나 정리해 나간다.
③ 말하는 이와 듣는 이는 자신의 배경지식을 적극 활용하며 대화를 나눈다.
④ 말하는 이와 듣는 이가 협력적으로 상호 작용하며 서로 의미를 주고받는다.
⑤ 말하는 이와 듣는 이가 준언어적·비언어적 표현을 사용하면 의미를 더 효과적으로 주고받을 수 있다.

[04~05] 다음 글을 읽고, 물음에 답하시오.

> 지혁: 소정아, 주말에 뭐 했어?
> 소정: 마을 장터에 갔다가 새것은 아니지만 괜찮아 보이는 책을 한 권 샀어.
> 지혁: 마을 장터에서 그런 책을 팔기도 해?
> 소정: 응. 책뿐만 아니라 자신이 쓰지 않는 물건은 무엇이든 팔던데?
> 지혁: 아하, 사회 시간에 배운 아나바다 운동 같은 거구나. "아껴 쓰고, 나눠 쓰고, 바꿔 쓰고, 다시 쓰자."라는 의미였지?
> 소정: 맞아. 그러고 보니 이번 마을 장터가 바로 아나바다 운동이었네. 너도 비슷한 경험이 있어?
> 지혁: 나는 물건을 사 본 적은 없는데, 아무도 타지 않아서 먼지만 쌓이던 우리 집 자전거를 사촌 동생에게 준 적이 있어. 동생이 무척 좋아하면서 매일 타고 다닌대. 이런 것도 아나바다 운동이지?
> 소정: 그럼. 쓸모없던 자전거를 누가 다시 잘 쓸 수 있게 된 거니까.
> 지혁: 그러네. 너는 마을 장터에서 책을 사 보니까 어땠어?
> 소정: 처음에는 남이 보던 책을 산다는 것이 내키지 않았지만 값이 싸고 책 상태도 깨끗해 보이길래 한번 사 봤거든. 정작 책을 읽어 보니 아무렇지도 않더라고. 누구에게는 필요 없던 물건이 다른 사람에게는 유용하게 쓰일 수도 있는 것 같아.
> 지혁: 네 말을 듣고 보니 마을 장터와 같은 아나바다 운동이 자원을 절약하는 좋은 방법이라는 것을 알겠어. 나도 진작 알았더라면 마을 장터에 갔을 텐데 아쉽다.
> 소정: 그래? 잘됐다. 매달 두 번째 주말에 마을 장터가 열린대. 다음에 같이 가 볼래?
> 지혁: 좋아. 다음에 같이 가서 내게 필요한 물건이 있는지 찾아 봐야겠다.

04 이 대화에 대한 설명으로 적절하지 <u>않은</u> 것은?

① 소정이는 지난 주말에 마을 장터에 가지 못한 것을 아쉬워했다.
② 지혁이는 소정이의 말을 듣고 사회 시간에 배운 아나바다 운동을 떠올렸다.
③ 지혁이의 질문에 소정이는 주말에 마을 장터에서 책을 산 일을 이야기했다.
④ 소정이와 대화하며 지혁이는 사촌 동생에게 타지 않는 자전거를 준 경험을 떠올렸다.
⑤ 소정이는 지혁이의 배경지식을 바탕으로 마을 장터가 아나바다 운동이라는 것을 깨달았다.

3. 생각과 감정을 나누다

05 (주관식)

이 대화를 바탕으로 ㉠, ㉡에 들어갈 말을 각각 쓰시오.

(90)

> 소정이와 지혁이는 (㉠)의 의미를 공유하고,
> 다음에 열리는 (㉡)에 함께 가기로 약속했다.

[06~09] 다음 글을 읽고, 물음에 답하시오.

가 지애: 효진아, 내 이야기 좀 들어 줄래?

효진: ㉠무슨 고민 있어? 편하게 말해 봐.

지애: 사실은 친구랑 조금 다퉜어.

효진: ㉡친구랑 다퉈서 고민이구나. 좀 더 자세히 이야기해 볼래?

지애: 내가 휴대 전화가 없어져서 걱정하고 있었거든. 그런데 친구는 같이 걱정해 주기는커녕 내가 물건을 잘 잃어버린다고 타박만 하지 뭐야. 그래서 나도 모르게 친구에게 심한 말을 해 버렸어.

효진: (㉢고개를 끄덕이며) ㉣저런, 친구가 네 마음을 알아주지 않아서 속상했겠네. 그렇지만 친구에게 상처를 주는 말을 한 것은 후회되겠다.

지애: 속상하기도 하고, 친구와 멀어지게 된 것 같아 괴로워. 사과하고 싶은데 어떻게 해야 할지 모르겠어.

효진: (㉤부드럽게 눈을 맞추며) 그래, 답답하겠다. 그 친구에게 네 마음을 솔직하게 이야기해 보면 어떨까?

지애: 그러고 싶지만 친구가 들어 주지 않을까 봐 겁이 나.

효진: 그럴 수도 있겠어. 하지만 그 친구도 너와 같은 고민을 하고 있을지도 모르잖아. 용기를 내서 먼저 말해 보는 것이 어때?

지애: 그럴까? 너와 이야기를 하니까 마음이 편해지고 친구에게 내 마음을 말할 용기가 나는 것 같아. 네 조언대로 해 볼게.

나 준희: 내일 국어 모둠 회의 때 자료를 찾아 가야 하는데, 오늘 도서관이 문을 닫았어. 이번 주까지 국어 수행 평가 과제를 제출해야 하는데 어떻게 하지?

한솔: 국어 수행 평가 과제는 다음 주까지잖아.

준희: 그런가? 그래도 내일 모둠 회의 전까지 자료를 찾아야 하는데.

한솔: 사회 수행 평가는 이번 주까지인데, 국어 수행 평가는 다음 주까지가 맞을 거야.

준희: 제출 기한에 여유가 있는 것은 다행이지만 내일 모둠 회의가 잘 진행되려면 자료를 찾아야 할 것 같아. 자료 검색은 다 했고 도서관에서 책만 빌리면 되는데 무슨 방법이 없을까?

한솔: ㉥검색을 다 했으니까 지금 도서관에서 책을 빌리면 되잖아.

준희: 오늘 도서관 쉬는 날이라니까.

06 ㉠~㉤에 대한 설명으로 적절하지 않은 것은?

(95)

① ㉠: 적절히 질문을 하여 지애가 편하게 말을 이어 갈 수 있도록 돕고 있다.

② ㉡: 지애의 말을 반복하며 자신이 지애를 이해하고 있음을 표현하고 있다.

③ ㉢: 비언어적 표현을 통해 지애의 감정을 이해하고 있음을 드러내고 있다.

④ ㉣: 지애에게 문제를 해결할 수 있는 방법을 알려 주고 있다.

⑤ ㉤: 비언어적 표현을 통해 지애의 말에 집중하고 있음을 드러내고 있다.

07 (신유형)

(가)에서 효진이와 대화를 한 후 지애가 했을 생각으로 가장 적절한 것은?

(85)

① 효진이가 나의 말에 공감하지 못해서 답답해.

② 친구와 다툰 것을 효진이에게 말하지 말걸 그랬어.

③ 효진이가 나의 말을 주의 깊게 듣지 않아 기분이 나빠.

④ 효진이가 계속 질문을 해서 내 이야기를 하기가 어려웠어.

⑤ 효진이와 이야기하고 나니 친구에게 사과할 용기가 생기네.

08 (나)의 한솔이에 대한 설명으로 알맞은 것은?

(90)

① 상대에게 잘못된 정보를 전달했다.

② 상대의 말을 주의 깊게 듣지 않았다.

③ 상대의 말을 끊고 궁금한 점을 질문했다.

④ 고개를 끄덕이며 상대의 말에 공감하고 있다는 것을 표현했다.

⑤ "정말?", "그랬구나." 등 간단한 말로 상대의 말에 적절하게 반응했다.

서술형 대비 문제

09 (나)에서 한솔이가 준희의 고민에 공감했다고 할 때, ㉥을 대신할 수 있는 한솔이의 대답을 쓰시오.

(90)

조건1 준희의 말을 정리하고 반복하는 표현을 쓸 것
조건2 준희의 고민에 대한 해결 방안을 제시할 것

활동 1 한글의 우수성 이해하기

세종 대왕은 어떤 원리로 한글을 만들었을까요? 1940년 《훈민정음》 해례본을 발견하기 전까지 사람들은 한글의 기원과 관련해 여러 의견을 내놓았어요. 몽골이나 인도의 문자를 본떴다는 설도 있었지요. 세종 대왕이 훈민정음을 만드는 동안 몽골의 파스파 문자나 인도의 산스크리트 문자 등 주변 국가의 문자에 관한 정보를 수집했기 때문이에요. 실제로 글자 몇 개는 닮기도 했고요. 문창살을 보고 만들었다는 등의 허황된 소리를 생각하면 문자 모방설은 그나마 근거가 있는 주장이에요. 앞서 예로 든 글자들은 모두 훈민정음처럼 소리글자였거든요.

이러한 설들은 《훈민정음》 해례본이 발견되면서 잠잠해졌어요. 이 책의 설명에 따르면 자음의 기본자는 발음 기관을 본떠 만들었어요. 각각 이, 목구멍, 입 모양을 본뜬 'ㅅ', 'ㅇ', 'ㅁ'과 혀뿌리가 목구멍을 막는 모습을 본뜬 'ㄱ', 혀끝이 윗잇몸에 닿는 모습을 본뜬 'ㄴ', 이렇게 다섯 개예요. 모음 역시 하늘(·), 땅(ㅡ), 사람(ㅣ)을 본떴어요. 과거 동양 철학에서는 하늘과 땅, 사람이 만물의 근본이라고 생각했기 때문에 그 세 가지를 본뜬 것이에요. 이 기본자들에 획을 더하거나 이들을 서로 조합하여 다른 글자들을 만들어 나간 것이 바로 한글이에요.

현재 지구상에 남아 있는 글자 중에 이처럼 창제 원리와 거기에 담긴 철학적 원리가 자세히 기록된 것은 없어요. 타이 문자나 키릴 문자처럼 작자와 만든 과정이 알려진 글자는 몇 개 있지만, 훈민정음처럼 철학적 원리와 사용법, 보기 등을 자세히 기록하여 책으로 펴내기까지 한 글자는 없지요. 그래서 유네스코가 《훈민정음》 해례본을 세계 기록 유산으로 지정한 것이랍니다.

– 연세대학교 인문학연구원 에이치케이(HK) 문자연구사업단,
《10대에게 권하는 문자 이야기》

시험 포인트

● 한글의 우수성
창제 원리와 거기에 담긴 철학적 원리, 사용법, 보기 등이 자세하게 기록된 유일한 문자임.

---

1 한글의 창제 원리를 정리해 보자.

자음자의 창제 원리 | 예시 답안 발음 기관을 본떠 기본자를 만들고, 기본자에 획을 더하여 다른 글자들을 만들었다.

모음자의 창제 원리 | 예시 답안 하늘, 땅, 사람을 본떠 기본자를 만들고, 기본자를 서로 조합하여 다른 글자들을 만들었다.

2 글의 내용을 바탕으로 한글이 뛰어난 글자로 인정받는 이유를 이야기해 보자.

예시 답안 한글은 창제 원리와 거기에 담긴 철학적 원리, 사용법, 보기 등이 자세하게 기록된 유일한 문자이기 때문이다.

3 앞의 활동을 바탕으로 친구들과 함께 한글의 우수성을 홍보하는 영상을 만들어 보자.

예시 답안 생략

선택 학습 문제

1 이 글의 내용과 일치하지 않는 것은?
① 파스파 문자, 산스크리트 문자는 모두 소리글자이다.
② 《훈민정음》 해례본은 세계 기록 유산으로 지정되었다.
③ 세종 대왕은 한글을 만드는 동안 주변 국가의 문자에 관한 정보를 수집했다.
④ 한글은 영어 알파벳과 마찬가지로 창제 원리와 철학적 원리가 자세히 기록되어 있다.
⑤ 《훈민정음》 해례본이 발견되기 전까지는 한글의 기원에 관한 여러 가지 의견이 있었다.

2 한글이 뛰어난 글자로 인정받는 이유로 가장 적절한 것은?
① 백성들이 왕을 위해서 직접 만든 문자이기 때문에
② 발음 기관의 모양을 본떠 모음 기본자를 만들었기 때문에
③ 파스파 문자와 산스크리트 문자의 단점을 보완했기 때문에
④ 만물의 근본인 하늘, 땅, 사람을 기본으로 하여 자음자를 만들었기 때문에
⑤ 창제 원리, 철학적 원리, 사용법, 보기 등이 자세하게 기록된 유일한 문자이기 때문에

3 한글을 창제할 때, 하늘, 땅, 사람을 본떠 모음 기본자를 만든 이유를 쓰시오.

활동 2 상대에게 공감하며 대화하기

앞부분의 줄거리 석환이는 과학 고등학교에 가라는 엄마 몰래 영화감독이 되기 위해 준비를 하던 중에 그 사실을 들켜서 엄마, 누나와 심하게 갈등하게 된다.

석환: 대학에도 영화를 공부하는 학과가 있어요. 또 제가 하려는 일은 영화배우 이런 게 아니라 <u>영화를 제작하고 배급하는 일이고요.</u>
_{석환이가 하고 싶은 일}

누나: (말을 자르고 끼어들며) 야, 윤석환, 너도 곧 고등학
_{석환이의 말을 끝까지 듣지 않고 가로챔.}
생 될 거잖아? 나는 고3 되는 거고. 너 이럴 때 아니야. 남들보다 더 열심히 공부해도 모자랄 판에 이러고 있는 게 말이 되냐?

엄마: 그래, 네 누나 말이 맞아, 너도 이제 공부할 시기라고.

석환: <u>혼자 있고 싶어요.</u>
_{엄마와 더 이상 대화를 이어 나가려 하지 않음.}

엄마: 뭐?

석환: <u>나가세요.</u>
_{엄마와 더 이상 대화를 이어 나가려 하지 않음.}

누나: 윤석환, 너 엄마한테 말버릇이 이게 뭐야?

석환: 엄마, 저는 엄마를 이해할 수가 없어요.

누나: 【야, 난 네가 이해가 안 된다. 우리 때문에 엄마가 얼
_{【 】: 석환이의 생각을 이해하려는 태도를 보이지 않음.}
마나 힘들게 일하시는 줄 알아? 없는 형편에 과외비, 학원비 갖다 바쳤는데, 너라는 애는 어떻게 이럴 수가 있니? 공부하는 척 문 닫고 들어앉아 시나리오나 쓰고, 영화 잡지나 읽고. 그런 너를 어떻게 이해해?】

석환: 누나는 좀 가만히 있어. 엄마! 저는 영화감독이 되고 싶어요.

엄마: 누가 영화감독 하지 말라고 했니? 엄마도 네가 원하는 것을 하면서 살았으면 좋겠어. 하지만 <u>세상은 그렇게 하고 싶은 것 다 하고 살 수가 없</u>
_{석환이의 생각을 이해하려 하지 않고 자신의 생각을 강요함.}
<u>어. 너 도대체 왜 그러니? 조금만 더 하면 잘할 수 있는 애가, 응?</u>

석환: (잠시 침묵) 네, 알겠어요. 그러니까 나가 주세요.

– 학생 작품, 〈네 꿈을 펼쳐라〉

시험 포인트

● 인물들의 대화 태도의 문제점

석환	상대방과 대화를 이어 나가려 하지 않음.
엄마	석환이의 생각을 이해하려 하지 않음.
누나	• 석환이의 말을 끝까지 듣지 않고 중간에서 가로챔. • 석환이의 생각을 이해하려 하지 않음.

1 이 대화에 드러난 인물들 사이의 갈등을 정리해 보자.

<u>예시 답안</u>
• 대학에서 영화를 공부하는 학과에 진학하고 싶어 함.
• 영화를 제작하고 배급하는 영화감독이 되고 싶어 함.
석환

↔

<u>예시 답안</u>
석환이가 영화에 관심 두기보다는 더 열심히 공부하기를 바람.
엄마, 누나

2 각 인물의 대화 태도에 어떤 문제가 있는지 친구들과 의견을 나누어 보자.

<u>예시 답안</u>
• 석환: "혼자 있고 싶어요.", "나가세요."라고 말하며 상대와 대화를 이어 나가려 하지 않는다.
• 엄마: 석환이의 생각을 이해하려는 태도를 보이지 않는다.
• 누나: 석환이의 말을 끝까지 듣지 않고 중간에 가로챘다. 석환이의 생각을 이해하려는 태도를 보이지 않는다.

3 상대에게 공감하는 태도가 드러나도록 친구들과 함께 대화를 바꾸어 역할극을 해 보자.

<u>예시 답안</u> 석환: 대학에도 영화를 공부하는 학과가 있어요. 또 제가 하려는 일은 영화를 직접 제작하고 배급하는 일이고요. 영화와 관련된 책을 찾아 읽고 시나리오도 직접 써 보며 제 진로를 스스로 개척하고 싶어요.

누나: (석환이의 머리를 쓰다듬으며) 영화를 공부하고 싶다는 말이지? 벌써 네 진로를 고민하고 꿈을 이루기 위해 노력하고 있다니 멋지다, 내 동생.

엄마: (고개를 끄덕이며) 그렇구나. 영화 잡지를 읽고 시나리오를 쓰는 연습을 해야 한다는 것은 이해해. 그런데 엄마는 네가 그런 공부에만 집중하다가 지금 너의 본분인 학업을 게을리하지는 않을지 조금 걱정되는구나.

석환: 엄마, 제가 하고 싶은 일을 이해해 주셔서 고마워요. 엄마께서 어떤 부분을 걱정하시는지 알겠어요. 걱정하시지 않도록 학교 공부도 열심히 할게요.

누나: 그래, 석환아. 엄마께서는 너랑 내가 마음 놓고 공부할 수 있도록 항상 고생하시잖아. 우리도 꿈을 이루기 위해 최선을 다하는 모습을 보여 드리자.

석환: 응, 누나. 누나도 이제 고3이라서 스트레스 많이 받을 텐데 힘내.

<u>선택</u> 학습 문제

★1 이 대화에 대한 설명으로 적절하지 <u>않은</u> 것은?

① 엄마는 석환이의 입장을 이해하려고 노력하지 않는다.

② 석환이는 진로 때문에 엄마, 누나와 갈등을 겪고 있다.

③ 누나는 석환이와 엄마의 갈등을 중재하는 역할을 하고 있다.

④ 석환이는 엄마와 더 이상 대화를 이어 나가고 싶어 하지 않는다.

⑤ 석환이는 영화를 공부하는 학과에 진학하여 영화감독이 되고 싶어 한다.

잠깐 어휘 학습

① 한글의 창제 원리와 우수성

📖 '훈민정음'을 이루는 한자의 뜻을 확인하고, 각 한자가 포함된 단어로 예문을 만들어 보자.

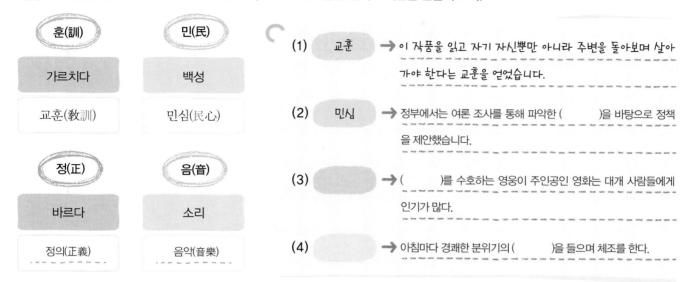

훈(訓) 가르치다 — 교훈(敎訓)

민(民) 백성 — 민심(民心)

정(正) 바르다 — 정의(正義)

음(音) 소리 — 음악(音樂)

(1) 교훈 → 이 작품을 읽고 자기 자신뿐만 아니라 주변을 돌아보며 살아가야 한다는 교훈을 얻었습니다.

(2) 민심 → 정부에서는 여론 조사를 통해 파악한 (　　　)을 바탕으로 정책을 제안했습니다.

(3) 　　　 → (　　　)를 수호하는 영웅이 주인공인 영화는 대개 사람들에게 인기가 많다.

(4) 　　　 → 아침마다 경쾌한 분위기의 (　　　)을 들으며 체조를 한다.

② 마음을 나누는 대화

📖 '공감'과 관련된 단어들의 뜻을 알아보고, 빈칸에 알맞은 단어를 넣어 끝말잇기를 완성해 보자.

> 감정　　감동　　소통　　동감　　감명

남의 감정, 의견, 주장 등에 대해 자기도 그렇다고 느낌. **공감**

크게 느끼어 마음이 움직임.

어떤 견해나 의견에 같은 생각을 가짐. 또는 그 생각. **동감**

어떤 현상이나 일에 대해 일어나는 마음이나 느끼는 기분.

모아모아 대단원 마무리 체크

01 한글의 창제 원리와 우수성

01 한글이 창제되기 전에는 우리말을 표기할 고유한 (　　　)가 없어서 (　　　)를 사용해 문자 생활을 했다.

02 다음은 우리 조상들의 문자 생활의 어려움을 정리한 것이다. 괄호에서 알맞은 것에 ○표 하시오.

> 한문 교육을 받을 형편이 되지 않았던 (양반, 평민)들은 (한문, 한글)(으)로 쓰인 글을 읽을 수 없어서 글로 전해지는 정보를 얻기가 (어려웠다, 쉬웠다).

03 다음과 관련 있는 한글의 창제 정신을 쓰시오.
(1) 우리말은 중국 말과 달라, 한자가 아닌 우리의 독창적인 문자가 필요하다. (　　　)
(2) 글을 모르는 백성이 글로 자신의 뜻을 표현하지 못하는 것이 안타깝다. (　　　)
(3) 모든 사람으로 하여금 쉽게 익혀서 날마다 편리하게 쓰도록 하겠다. (　　　)

04 한글의 자음자에 대한 설명으로 맞으면 ○표, 틀리면 ×표 하시오.
(1) 자음 기본자는 상형의 원리에 따라 만들었다. (　)
(2) 자음 기본자는 발음 기관의 모양을 본떠서 만들었다. (　　　)
(3) 자음 기본자에 획을 더하는 가획의 원리에 따라 다른 자음자를 만들기도 했다. (　　　)
(4) 'ㄷ, ㄹ, ㅈ, ㅃ, ㅍ'은 모두 가획의 원리에 따라 만들어진 자음자이다. (　　　)
(5) 'ㅿ, ㆆ, ㆁ'은 지금은 사용되지 않는다. (　　　)
(6) 같은 글자 또는 서로 다른 글자를 가로로 나란히 붙여 써서 다른 자음자를 만들기도 했다. (　　　)

05 한글의 자음 기본자와 관련 있는 것을 바르게 연결하시오.
(1) ㄱ •　　　　• ㉠ 입 모양을 본뜸.
(2) ㄴ •　　　　• ㉡ 이의 모양을 본뜸.
(3) ㅁ •　　　　• ㉢ 목구멍의 모양을 본뜸.
(4) ㅅ •　　　　• ㉣ 혀끝이 윗잇몸에 닿는 모양을 본뜸.
(5) ㅇ •　　　　• ㉤ 혀뿌리가 목구멍을 막는 모양을 본뜸.

06 한글의 모음자에 대한 설명으로 맞으면 ○표, 틀리면 ×표 하시오.
(1) 모음 기본자는 '　ㆍ, ㅡ, ㅣ'이다. (　)
(2) 'ㆍ'는 하늘의 둥근 모양을 본떠서 만들었다. (　)
(3) 'ㅡ'는 평평한 바다의 모양을 본떠서 만들었다. (　)
(4) 'ㅣ'는 서 있는 사람의 모양을 본떠서 만들었다. (　)
(5) 'ㅏ, ㅓ, ㅗ, ㅜ'는 모음 기본자를 합성하여 만들었다. (　)
(6) 'ㆍ'는 오늘날에도 사용되는 모음자이다. (　)
(7) 모음자는 자음자의 오른쪽이나 아래쪽에 붙여 모아쓴다. (　)

07 다음은 한글과 다른 문자를 비교한 것이다. 빈칸에 알맞은 말을 쓰시오.
(1) 한글은 한자보다 글자 수가 (　　　).
(2) 한글은 (　　　)를, 한자는 (　　　)를 나타내는 문자이다.
(3) 한글은 글자와 소리가 거의 (　　　)로 대응하지만 영어 알파벳은 하나의 글자가 (　　　) 발음된다.
(4) 한글은 글자의 모양을 통해 글자들의 (　　　)나 (　　　)의 특징을 짐작할 수 있으나, 영어 알파벳은 모양과 소리가 관련이 (　　　).

08 한글은 적은 수의 글자로 수많은 (　　　)을 표현할 수 있어 (　　　)적이다.

09 한글은 초성, 중성, 종성을 합쳐서 음절 단위로 (　　　)를 한다.

10 한글의 우수성에 대한 설명으로 맞으면 ○표, 틀리면 ×표 하시오.
(1) 한글은 음절 단위로 모아쓰기 때문에 가로쓰기와 세로쓰기를 자유롭게 할 수 있다. (　)
(2) 한글은 창제 원리가 체계적이기 때문에 컴퓨터나 휴대 전화 자판을 이용할 때 정보를 효율적으로 입력할 수 있다. (　)
(3) 한글은 풀어쓰기 때문에 정보를 빠르게 파악할 수 있고, 정보를 전달하는 데 실용적이다. (　)

11 듣기·말하기는 말하는 이와 듣는 이가 협력적으로 (　　　　)하며 서로 의미를 주고받는 의미 (　　　　) 과정이다.

12 듣기·말하기 과정에서 말하는 이와 듣는 이는 (　　　　)이나 감정을 주고받으며 (　　　　)를 만들어 나간다.

13 듣기와 말하기가 원활하게 이루어지려면 말하는 이와 듣는 이는 상대의 감정에 (　　　　)하고 적절하게 (　　　　)해야 한다.

14 공감하며 대화할 때의 태도로 맞으면 ○표, 틀리면 ×표 하시오.

(1) 상대의 말을 반복하거나 정리한다.　　　　(　　)

(2) 상대 쪽으로 몸을 향하고 집중하며 듣는다.　(　　)

(3) 상대의 문제점에 대한 해결책을 제시하며 대화한다.　　　　(　　)

(4) 상대의 말을 분석하거나 문제점을 비판하며 대화한다.　　　　(　　)

(5) 상대의 관점에서 문제를 바라보며 협력적으로 소통한다.　　　　(　　)

(6) 상대와 눈을 맞추며 상대의 말에 집중하고 있음을 표현한다.　　　　(　　)

(7) 자신의 생각을 논리적으로 전달하여 듣는 이의 생각을 변화시킨다.　　　　(　　)

〈재경이와 서율이의 대화〉

15 대화를 나누기 전 서율이는 맛있는 음식을 먹거나 멋진 (　　　　)을 즐기면서 편하게 쉬는 것이 여행이라고 생각했고, 재경이는 여러 곳을 다니면서 다양한 (　　　　)을 만나는 것이 여행이라고 생각했다.

16 대화를 나눈 후 서율이는 여행은 다양한 (　　　　)을 주는 것이라고 자신의 생각을 (　　　　)했다.

17 말하는 이와 듣는 이는 대화하면서 자신의 (　　　　)을 바꾸거나 조정해 나간다.

〈지혁이와 소정이의 대화〉

18 지혁이와 소정이의 대화를 바탕으로 다음 빈칸에 알맞은 말을 쓰시오.

(1) 소정이는 지난 주말에 (　　　　)에 가서 책을 샀다.

(2) 지혁이는 소정이의 말을 듣고 사회 시간에 배운 (　　　　) 운동을 떠올렸다.

(3) 지혁이는 소정이의 질문을 듣고 사촌 동생에게 타지 않는 자전거를 준 (　　　　)을 떠올렸다.

(4) 소정이는 지혁이가 마을 장터에 다녀온 소감을 묻자 아나바다 운동의 (　　　　)을 떠올렸다.

(5) 지혁이와 소정이는 대화를 나누며 (　　　　) 운동의 의미를 공유하고, 다음에 열리는 (　　　　)에 함께 가기로 약속했다.

19 말하는 이와 듣는 이는 (　　　　)을 적극적으로 활용하여 이야기를 나누고, 상대가 하는 말에 적절하게 반응하며 (　　　　)를 함께 구성해 나간다.

〈준희와 한솔이의 대화〉

20 한솔이는 오늘 (　　　　)이 문을 닫았다는 준희의 말을 주의 깊게 듣지 않고, 모둠 회의 전까지 자료를 찾을 방법을 고민하는 준희에게 지금 (　　　　)에서 책을 빌리면 되지 않느냐고 말했다.

〈지애와 효진이의 대화〉

21 지애와 효진이의 대화를 바탕으로 다음 빈칸에 알맞은 말을 쓰시오.

(1) 효진이는 친구에게 심한 말을 했다는 지애의 말을 듣고 (　　　　)를 끄덕임으로써 지애의 감정을 (　　　　)하고 있음을 드러냈다. 이를 통해 지애는 비판받을지도 모른다는 두려움에서 벗어나 자신의 잘못을 이야기할 (　　　　)를 얻었을 것이다.

(2) 효진이는 친구에게 사과할 방법을 모르겠다고 말하는 지애와 (　　　　)을 맞추며 지애의 말에 (　　　　)하고 있음을 드러냈다. 이를 통해 지애는 효진이가 자신을 (　　　　)하고 있다고 느꼈을 것이다.

22 다음은 상대방의 말에 공감하며 대화하는 방법이다. 빈칸에 알맞은 말을 쓰시오.

(1) 상대의 (　　　　)과 처지를 이해하며 대화한다.

(2) 상대와 (　　　　)을 맞추고 지속적으로 (　　　　)을 표현하며 대화한다.

(3) 상대의 말을 (　　　　)하거나 (　　　　)하고, 상대의 말에 적극적으로 (　　　　)하며 대화한다.

대단원 종합 문제

| 출제 예상 문제를 바탕으로 구성하였습니다.

01 90 한글 창제 이전의 문자 생활에 대한 설명으로 적절하지 않은 것은?

① 양반들은 문자 생활에 크게 문제가 없었다.
② 우리말을 표기할 고유한 문자가 없어서 한자를 사용했다.
③ 평민들은 자신이 전달하고 싶은 내용을 글로 표현하기가 어려웠다.
④ 평민들은 한문으로 되어 있는 글을 읽지 못해 지식과 정보를 얻기 어려웠다.
⑤ 양반들은 평민들에게 한자를 가르쳐 주어 평민이 편하게 문자 생활을 하도록 했다.

02 95 다음 ㉠~㉢에서 알 수 있는 한글의 창제 정신을 알맞게 짝지은 것은?

㉠우리나라 말이 중국과 달라 한자와는 서로 통하지 않으므로, ㉡어리석은 백성이 말하고자 하는 바가 있어도 끝내 제 뜻을 펴지 못하는 사람이 많으니라. 내가 이것을 가엾게 여겨 새로 스물여덟 글자를 만드니, ㉢모든 사람으로 하여금 쉽게 익혀서 날마다 쓰는 데 편리하게 하고자 할 따름이니라.

	㉠	㉡	㉢
①	실용 정신	자주정신	애민 정신
②	실용 정신	애민 정신	자주정신
③	애민 정신	자주정신	실용 정신
④	자주정신	실용 정신	애민 정신
⑤	자주정신	애민 정신	실용 정신

03 85 다음 중 자음과 모음 기본자를 모두 알맞게 짝지은 것은?

	자음 기본자	모음 기본자
①	ㄱ, ㄴ, ㅁ, ㅅ, ㅇ	·, ㅓ, ㅣ
②	ㄱ, ㄴ, ㅁ, ㅅ, ㅇ	·, ㅡ, ㅢ
③	ㄱ, ㄴ, ㅁ, ㅅ, ㅇ	·, ㅡ, ㅣ
④	ㄴ, ㅁ, ㅂ, ㅅ, ㅇ	·, ㅡ, ㅣ
⑤	ㄴ, ㅁ, ㅂ, ㅅ, ㅇ	·, ㅡ, ㅢ

04 90 한글의 자음과 모음 기본자에 대한 설명으로 적절하지 않은 것은?

① 자음 기본자는 5개, 모음 기본자는 3개이다.
② 모음 기본자를 합성하여 다른 모음자를 만들었다.
③ 자음 기본자는 발음 기관의 모양을 본떠 만들었다.
④ 모음 기본자는 하늘, 땅, 바다의 모양을 본떠 만들었다.
⑤ 자음과 모음 기본자는 상형의 원리를 바탕으로 만들었다.

고난도

05 85 다음 중 자음자를 만든 원리가 바르게 설명된 것을 모두 고른 것은?

㉠ ㅅ: 이의 모양을 본뜸.
㉡ ㄱ: 자음 기본자에 획을 더함.
㉢ ㄲ: 다른 글자를 가로로 나란히 붙여 씀.
㉣ ㅃ: 같은 글자를 가로로 나란히 붙여 씀.
㉤ ㄳ: 다른 글자를 세로로 나란히 붙여 씀.

① ㉠, ㉢ ② ㉠, ㉣ ③ ㉢, ㉤
④ ㉠, ㉢, ㉣ ⑤ ㉡, ㉣, ㉤

자음자의 제자 원리를 생각해 보아요.

주관식

06 85 다음은 〈보기〉를 통해 알 수 있는 한글 자음자의 특성을 정리한 것이다. 〈보기〉에서 빈칸에 알맞은 자음자를 골라 쓰시오.

보기

한글 창제 당시의 자음자	오늘날의 자음자
ㄱ, ㅋ, ㆁ, ㄴ, ㄷ, ㅌ, ㄹ, ㅁ, ㅂ, ㅍ, ㅅ, ㅈ, ㅊ, ㅿ, ㅇ, ㆆ, ㅎ	ㄱ, ㅋ, ㄴ, ㄷ, ㅌ, ㄹ, ㅁ, ㅂ, ㅍ, ㅅ, ㅈ, ㅊ, ㅇ, ㅎ

(　　), (　　), (　　)은 한글 창제 당시에 만들어진 자음자이지만 오늘날에는 사용되지 않는다.

서술형 대비 문제

07 90 다음 자음자가 만들어진 공통된 제자 원리를 서술하시오.

ㄷ, ㅌ, ㅈ, ㅊ, ㅋ, ㅎ

08 다음 중 자음 기본자에 획을 더하여 만든 글자가 <u>아닌</u> 것은?
① ㄷ ② ㅈ ③ ㅋ ④ ㅆ ⑤ ㅎ

09 다음 ㉠~㉢에 들어갈 자음자를 알맞게 짝지은 것은?

> • ㄴ → ㄷ → (㉠)
> • ㅅ → (㉡) → ㅊ
> • (㉢) → ㅂ → ㅍ

	㉠	㉡	㉢
①	ㄹ	ㅈ	ㅁ
②	ㄹ	ㅿ	ㄱ
③	ㅌ	ㅿ	ㅁ
④	ㅌ	ㅈ	ㅁ
⑤	ㄸ	ㅆ	ㄱ

10 다음 중 같거나 다른 글자를 가로로 붙여 쓰는 방식으로 만들어진 자음자를 바르게 짝지은 것은?
① ㄸ, ㅆ, ㅿ, ㅄ
② ㄸ, ㅃ, ㅆ, ㄲ
③ ㅃ, ㅆ, ㅎ, ㅅㄷ
④ ㅆ, ㅉ, ㄹ, ㄸ
⑤ ㅉ, ㅎ, ㅂ, ㄳ

11 <img_1>고난도

다음 중 한글에 대한 설명으로 알맞지 <u>않은</u> 것은?
① 자음자의 제자 원리에는 상형, 가획이 있다.
② 모음자의 제자 원리에는 상형, 가획이 있다.
③ 'ㅑ, ㅕ, ㅛ, ㅠ'는 'ㅏ, ㅓ, ㅗ, ㅜ'에 '·'를 합성하여 만든 모음자이다.
④ 한글 창제 당시에 만들어진 자음자 중 오늘날 사용되지 않는 자음자도 있다.
⑤ 한글은 창제 원리와 거기에 담긴 철학적 원리, 사용법, 보기 등이 자세하게 기록된 유일한 문자이다.

12 다음 중 한글의 모음자에 대한 설명으로 적절하지 <u>않은</u> 것은?
① '·'는 하늘의 둥근 모양을 본떠 만들었다.
② 'ㅡ'는 땅의 평평한 모양을 본떠 만들었다.
③ 'ㅣ'는 서 있는 사람의 모양을 본떠 만들었다.
④ 모음 기본자는 합성의 원리를 바탕으로 만들었다.
⑤ 'ㅏ, ㅓ, ㅗ, ㅜ'는 모음 기본자를 합성하여 만들었다.

13 📝주관식

다음은 모음자를 자음자에 붙여 쓰는 방식을 정리한 것이다. 빈칸에 알맞은 말을 차례대로 쓰시오.

> 모음자는 자음자의 (   )이나 (   )에 붙여 모아쓴다.

14 📝주관식

다음에서 한글과 한자에 대한 설명으로 적절한 것을 모두 고르시오.

> ㉠ 한글은 한자에 비해 글자 수가 적다.
> ㉡ 한자는 글자와 소리가 거의 일대일로 대응한다.
> ㉢ 한글은 의미를, 한자는 소리를 나타내는 문자이다.
> ㉣ 한글은 적은 수의 글자로 수많은 음절을 표현할 수 있다.
> ㉤ 한자는 세상에 존재하는 의미의 수만큼 글자가 많이 필요하다.

15 다음을 통해 알 수 있는 한글의 우수성으로 가장 적절한 것은?

> 영어 알파벳의 'a'는 'apple'에서는 [애]로, 'age'에서는 [에이]로, 'car'에서는 [아ː]로 발음된다. 그에 반해 한글의 'ㅏ'는 '사과, 나이, 차' 등에서 동일하게 [아]로 발음된다.

① 글자와 소리가 일대일로 대응한다.
② 하나의 글자가 다양한 소리로 발음된다.
③ 하나의 글자가 다양한 의미를 가지고 있다.
④ 적은 수의 글자로 수많은 단어를 표현할 수 있다.
⑤ 글자의 모양을 보면 발음 기관의 특징을 알 수 있다.

🐱 **서술형** 대비 문제

16 다음을 통해 알 수 있는 한글 자음자의 특징을 서술하시오.

한글	영어 알파벳
ㄱ – ㅋ	g – k
ㄴ – ㄷ – ㅌ	n – d – t
ㅁ – ㅂ – ㅍ	m – b – p

조건 한글 자음자와 영어 알파벳 자음자의 모양과 연관 지어 쓸 것

_____
_____
_____

[17~19] 다음 글을 읽고, 물음에 답하시오.

지식과 정보가 사회의 중심이 되는 정보화 시대에는 정보를 효율적으로 생산하고 활용할 수 있는 능력이 중요하다. 한글은 정보화 시대에 어떤 장점이 있을까?

한글의 창제 방식은 매우 간결하고 효율적이다. 한글 자음과 모음의 기본자는 상형의 원리로 만들어졌는데, 가획과 합성 등의 원리에 따라 적은 수의 기본자로부터 확장되어 다른 글자들이 만들어졌다. 한글은 이렇게 만들어진 자음자와 모음자를 결합하여 수많은 음절을 표현할 수 있다.

적은 수의 자음자와 모음자를 조합하여 수많은 음절을 표현하는 한글의 운용 방식은 글쇠 수가 제한된 컴퓨터 자판이나 휴대 전화 자판에서 빛을 발한다. 크기가 작은 휴대 전화의 경우 한글의 창제 원리를 적용하면 적은 수의 글쇠로도 정보를 효율적으로 입력할 수 있다. 컴퓨터로 정보를 입력하는 경우에도 한자나 일본의 문자보다 한글을 사용할 때 정보 입력 속도가 훨씬 빠르다는 사실은 정보화 시대에 두드러지는 한글의 장점을 잘 보여 준다.

한글은 초성과 중성, 종성을 합쳐서 음절 단위로 모아쓴다. 예를 들어, 영어 알파벳은 'cloud'라고 풀어쓰지만, 한글은 '(㉠)'이라고 풀어쓰지 않고 '(㉡)'이라고 모아쓴다. 사람이 한눈에 파악할 수 있는 글자 수는 제한적이어서 자음자와 모음자를 풀어쓸 때보다 음절 단위로 모아쓸 때 한번에 더 많은 정보를 인식할 수 있다. 그래서 영어 알파벳으로 쓴 글보다 한글로 쓴 글에 담긴 정보를 더 빠르게 파악할 수 있다. 또한 모아쓰기 방식 덕분에 한글은 글자를 가로나 세로 방향으로 자유롭게 쓸 수 있어서 정보를 전달하는 데에도 실용적이라고 할 수 있다.

17 (85) 이 글을 통해 알 수 있는 내용으로 적절하지 않은 것은?

① 영어 알파벳은 자음과 모음을 풀어쓰는 방식이다.
② 사람이 한눈에 파악할 수 있는 글자 수는 제한적이다.
③ 컴퓨터 자판이나 휴대 전화 자판에서는 글쇠 수가 제한되어 있다.
④ 모아쓰기는 초성, 중성, 종성을 합쳐서 음절 단위로 쓰는 방식이다.
⑤ 영어 알파벳은 한글에 비해 글에 담긴 정보를 더 빠르게 파악할 수 있다.

주관식

18 (80) 이 글의 내용을 바탕으로 ㉠, ㉡에 들어갈 '구름'의 알맞은 표기를 각각 쓰시오.

• ㉠: ____________________
• ㉡: ____________________

고난도

19 (90) 이 글에 나타난 정보화 시대에 두드러지는 한글의 우수성으로 적절하지 않은 것은?

① 적은 수의 글쇠로 수많은 음절을 표현할 수 있다.
② 체계적이고 과학적인 원리로 만들어진 문자이다.
③ 모아쓰기 방식을 통해 정보를 효율적으로 전달한다.
④ 한자나 일본의 문자보다 정보 입력 속도가 훨씬 빠르다.
⑤ 가로쓰기만 할 수 있어서 정보를 전달하는 데 실용적이다.

주관식

20 (95) 다음 휴대 전화 자판에 적용된 한글 창제 원리를 각각 쓰시오.

(1)
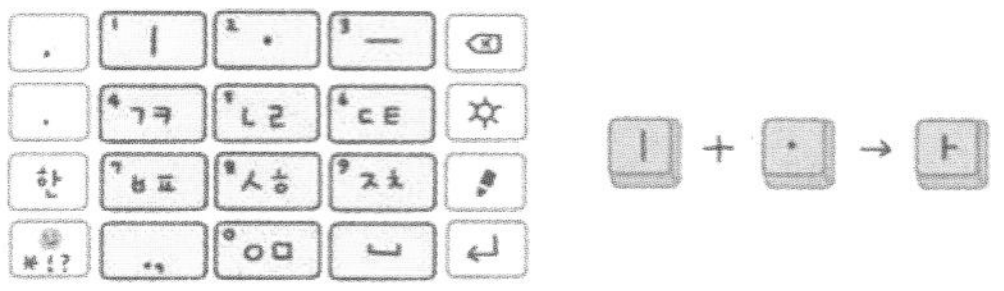

(2)
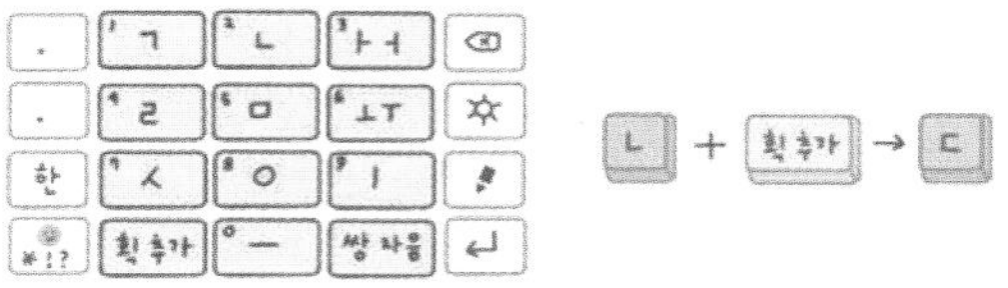

주관식

21 (80) 다음 빈칸에 알맞은 말을 쓰시오.

(   )은 세종 대왕이 창제한 글자의 이름이자, 한글을 만든 뒤 펴낸 책의 제목이다.

22 (90) 다음의 여학생에게 필요한 듣기·말하기 자세로 가장 적절한 것은?

남학생: 이번 학급 행사에서 사용할 물품을 준비해야겠어. 이따가 문구점에 준비물 사러 같이 가자.
여학생: 응, 뭐라고? 잠깐 딴생각을 해서 못 들었어. 미안해.
남학생: 괜찮아. 그럴 수도 있지. 수업 다 끝나고 학급 행사 준비물 사러 같이 갈래?
여학생: 아, 그 이야기였구나. 당연히 같이 갈 수 있지.

① 상대의 말을 비판하는 태도가 필요하다.
② 상대의 말에 대답하는 태도가 필요하다.
③ 상대의 요청을 수락하는 태도가 필요하다.
④ 상대의 말에 귀 기울이는 자세가 필요하다.
⑤ 상대의 적절한 반응을 이끌어 내는 자세가 필요하다.

23 다음 대화에 대한 설명으로 적절하지 <u>않은</u> 것은?

> 재경: 서율아, 너는 여행이 뭐라고 생각해?
>
> 서율: 맛있는 음식을 먹거나 멋진 풍경을 즐기면서 편하게 쉬는 것이 여행이지.
>
> 재경: 그렇구나. 나는 여러 곳을 다니면서 다양한 사람을 만나는 것이 여행이라고 생각해.
>
> 서율: 네 말을 들으니까 여행에 그런 의미도 있겠다는 생각이 들어. 여행은 정말 다양한 즐거움을 주는 것 같아.

① 재경이는 서율이에게 여행의 의미에 대한 자신의 생각을 전달했다.

② 서율이는 여행의 의미에 대한 자신의 생각을 재경이와 똑같이 바꾸었다.

③ 재경이는 여행이란 여러 곳을 다니면서 다양한 사람을 만나는 것이라 생각했다.

④ 서율이는 재경이와 대화를 나눈 후 여행이란 다양한 즐거움을 주는 것이라고 자신의 생각을 조정했다.

⑤ 재경이와 대화하기 전 서율이는 여행이란 맛있는 음식을 먹거나 멋진 풍경을 즐기면서 편하게 쉬는 것이라고 생각했다.

[24~25] 다음 글을 읽고, 물음에 답하시오.

지혁: 소정아, 주말에 뭐 했어?

소정: ㉠마을 장터에 갔다가 새것은 아니지만 괜찮아 보이는 책을 한 권 샀어.

지혁: 마을 장터에서 그런 책을 팔기도 해?

소정: 응. 책뿐만 아니라 자신이 쓰지 않는 물건은 무엇이든 팔던데?

지혁: 아하, 사회 시간에 배운 아나바다 운동 같은 거구나. "아껴 쓰고, 나눠 쓰고, 바꿔 쓰고, 다시 쓰자."라는 의미였지?

소정: 맞아. 그러고 보니 이번 마을 장터가 바로 아나바다 운동이었네. 너도 비슷한 경험이 있어?

지혁: 나는 물건을 사 본 적은 없는데, ㉡아무도 타지 않아서 먼지만 쌓이던 우리 집 자전거를 사촌 동생에게 준 적이 있어. 동생이 무척 좋아하면서 매일 타고 다닌대. 이런 것도 아나바다 운동이지?

소정: 그럼. 쓸모없던 자전거를 누가 다시 잘 쓸 수 있게 된 거니까.

지혁: 그러네. 너는 마을 장터에서 책을 사 보니까 어땠어?

소정: 처음에는 남이 보던 책을 산다는 것이 내키지 않았지만 값이 싸고 책 상태도 깨끗해 보이길래 한번 사 봤거든. 정작 책을 읽어 보니 아무렇지도 않더라고. ㉢누구에게는 필요 없던 물건이 다른 사람에게는 유용하게 쓰일 수도 있는 것 같아.

지혁: 네 말을 듣고 보니 마을 장터와 같은 아나바다 운동이 자원을 절약하는 좋은 방법이라는 것을 알겠어. ㉣나도 진작 알았더라면 마을 장터에 갔을 텐데 아쉽다.

소정: 그래? 잘됐다. 매달 두 번째 주말에 마을 장터가 열린대. 다음에 같이 가 볼래?

지혁: ㉤좋아. 다음에 같이 가서 내게 필요한 물건이 있는지 찾아봐야겠다.

🖐주관식

24 마을 장터에 다녀왔다는 소정이의 말을 듣고 지혁이가 떠올린 배경지식을 쓰시오.

---

25 ㉠~㉤에 대한 설명으로 적절하지 <u>않은</u> 것은?

① ㉠: 지혁이의 질문에 주말에 장터에서 책을 산 일을 이야기하고 있다.

② ㉡: 소정이의 질문에 자신의 경험을 떠올리며 대답하고 있다.

③ ㉢: 경험을 통해 깨달은 마을 장터의 장점을 말하고 있다.

④ ㉣: 마을 장터에 자신과 함께 가지 않은 소정이를 원망하고 있다.

⑤ ㉤: 다음에 마을 장터에 함께 가자는 소정이의 제안을 받아들이고 있다.

---

26 말하는 이와 듣는 이가 의미를 공유하며 대화하는 방법으로 적절한 것은? (정답 2개)

① 자신의 배경지식을 활용하며 대화한다.

② 자신의 생각을 상대가 무조건 수용하도록 말한다.

③ 상대의 생각을 자신과 같게 바꾸기 위해 노력한다.

④ 상대가 하는 말에 적절하게 반응하며 의미를 구성해 나간다.

⑤ 상대의 질문과 상관없이 자신이 전달하고자 하는 내용을 말한다.

27 공감하며 대화하는 방법으로 적절하지 <u>않은</u> 것은?
(90)
① 상대의 관점에서 문제를 바라본다.
② 상대의 상황과 처지에 공감하며 대화를 나눈다.
③ 상대의 말을 논리적으로 분석하여 해결책을 제시한다.
④ 상대와 부드럽게 눈을 맞추며 지속적으로 관심을 표현한다.
⑤ 상대의 말을 반복하거나 요약하여 상대를 이해하고 있음을 표현한다.

28 다음 상황에 대한 반응으로 적절하지 <u>않은</u> 것은?
(90)

왼쪽 상황	• 선혜는 엄마의 말을 듣고도 휴대 전화만 보고 있어. .... ①
	• 엄마는 선혜에게 무시당한다고 느낄 것 같아. .... ②
	• 엄마는 휴대 전화를 보고 있는 선혜에게 화가 났을 것 같아. .... ③
오른쪽 상황	• 선혜는 엄마의 말에 반응을 보이지 않고 있어. .... ④
	• 엄마는 선혜가 자신의 말에 집중한다고 느낄 것 같아. .... ⑤

29 다음 대화 상황에 대한 설명으로 적절하지 <u>않은</u> 것은?
(85)

① 재영이는 상대의 말에 귀 기울이고 있다.
② 재영이는 대화에 능동적으로 참여하고 있다.
③ 말하는 이는 무시당한다고 느껴 화가 났을 것이다.
④ 말하는 이는 재영이에게 존중받는 느낌을 받았을 것이다.
⑤ 재영이는 말하는 이 쪽으로 몸을 돌려 상대의 말을 듣고 있다.

[30~31] 다음 글을 읽고, 물음에 답하시오.

지애: 효진아, 내 이야기 좀 들어 줄래?

효진: 무슨 고민 있어? 편하게 말해 봐.

지애: 사실은 친구랑 조금 다퉜어.

효진: 친구랑 다퉈서 고민이구나. 좀 더 자세히 이야기해 볼래?

지애: 내가 휴대 전화가 없어져서 걱정하고 있었거든. 그런데 친구는 같이 걱정해 주기는커녕 내가 물건을 잘 잃어버린다고 타박만 하지 뭐야. 그래서 나도 모르게 친구에게 심한 말을 해 버렸어.

효진: (㉠) 저런, 친구가 네 마음을 알아주지 않아서 속상했겠네. 그렇지만 친구에게 상처를 주는 말을 한 것은 후회되겠다.

지애: 속상하기도 하고, 친구와 멀어지게 된 것 같아 괴로워. 사과하고 싶은데 어떻게 해야 할지 모르겠어.

효진: (㉡) 그래, 답답하겠다. 그 친구에게 네 마음을 솔직하게 이야기해 보면 어떨까?

지애: 그러고 싶지만 친구가 들어 주지 않을까 봐 겁이 나.

효진: 그럴 수도 있겠어. 하지만 그 친구도 너와 같은 고민을 하고 있을지도 모르잖아. 용기를 내서 먼저 말해 보는 것이 어때?

지애: 그럴까? 너와 이야기를 하니까 마음이 편해지고 친구에게 내 마음을 말할 용기가 나는 것 같아. 네 조언대로 해 볼게.

30 효진이가 지애의 감정에 공감하며 대화하기 위해 사용한
(95) 방법으로 적절하지 <u>않은</u> 것은?
① 지애의 말을 반복하며 지애의 감정을 이해하고 있음을 표현하고 있다.
② 적절한 질문을 통해 지애가 편안하게 말을 이어 갈 수 있도록 하고 있다.
③ 지애의 말을 요약·정리해서 지애의 감정에 공감하고 있음을 표현하고 있다.
④ 지애의 마음이 더 이상 다치지 않도록 아무런 반응을 하지 않고 듣고만 있다.
⑤ '저런, 그래' 등의 적절한 반응을 보이며 지속적으로 지애의 말에 관심을 표현하고 있다.

31 ㉠, ㉡에 들어갈 비언어적 표현을 알맞게 짝지은 것은?
(90)

	㉠	㉡
①	고개를 가로저으며	부드럽게 눈을 맞추며
②	고개를 가로저으며	눈을 찡그리며
③	고개를 가로저으며	손뼉을 치며
④	고개를 끄덕이며	부드럽게 눈을 맞추며
⑤	고개를 끄덕이며	눈물을 흘리며

잠깐! 서술형 특강

01 한글의 창제 원리와 우수성

한글의 창제 정신 이해하기

01 다음을 바탕으로 세종 대왕이 한글을 창제한 이유를 백성과 관련지어 서술하시오. [4점]

> …… 어리석은 백성이 말하고자 하는 바가 있어도 끝내 제 뜻을 펴지 못하는 사람이 많으니라. 내가 이것을 가엾게 여겨 새로 스물여덟 글자를 만드니, …….

_____

_____

_____

자음 기본자의 창제 원리 파악하기

02 다음 ㉠, ㉡에 알맞은 내용을 각각 쓰고, 이를 통해 알 수 있는 자음 기본자의 제자 원리를 쓰시오. [6점]

자음 기본자	제자 원리
ㄱ	㉠
ㄴ	혀끝이 윗잇몸에 닿는 모양을 본떴다.
ㅁ	㉡
ㅅ	이의 모양을 본떴다.
ㅇ	목구멍의 모양을 본떴다.

조건 자음 기본자가 공통적으로 무엇을 본떴는지 언급할 것

• ㉠: _____

• ㉡: _____

• 자음 기본자를 만든 원리: _____

_____

모음자의 창제 원리 파악하기

03 다음 모음자를 창제한 원리를 각각 쓰시오. [4점]

> (1) ·, ㅡ, ㅣ   (2) ㅗ, ㅜ, ㅏ, ㅓ

조건 모음자의 제자 원리를 구체적으로 쓸 것

(1): _____

(2): _____

한글의 우수성 이해하기

04 다음을 통해 알 수 있는 한글의 우수성을 쓰시오. [4점]

ㅏ	a
사과[사과]	apple[애플]
나이[나이]	age[에이지]
차[차]	car[카ː]

조건 영어 알파벳과 비교하여 쓸 것

_____

_____

정보화 시대에 한글의 우수성 이해하기

05 다음 (가), (나)를 바탕으로 정보화 시대에 두드러지는 한글의 우수성을 서술하시오. [6점]

> (가) 한글의 창제 방식은 매우 간결하고 효율적이다. 한글 자음과 모음의 기본자는 상형의 원리로 만들어졌는데, 가획과 합성 등의 원리에 따라 적은 수의 기본자로부터 확장되어 다른 글자들이 만들어졌다. 한글은 이렇게 만들어진 자음자와 모음자를 결합하여 수많은 음절을 표현할 수 있다.
>
> (나) 한글은 초성과 중성, 종성을 합쳐서 음절 단위로 모아쓴다. 예를 들어, 영어 알파벳은 'cloud'라고 풀어쓰지만, 한글은 'ㄱㅜㄹㅡㅁ'이라고 풀어쓰지 않고 '구름'이라고 모아쓴다. 사람이 한눈에 파악할 수 있는 글자 수는 제한적이어서 자음자와 모음자를 풀어쓸 때보다 음절 단위로 모아쓸 때 한번에 더 많은 정보를 인식할 수 있다.

조건 (가), (나)에서 근거를 찾아 그것을 바탕으로 한글의 우수성을 두 가지 제시할 것

_____

_____

02 마음을 나누는 대화

의미 공유 과정으로서의 듣기·말하기 이해하기

06 다음 글을 읽고, 물음에 답하시오.

> 지혁: 소정아, 주말에 뭐 했어?
>
> 소정: 마을 장터에 갔다가 새것은 아니지만 괜찮아 보이는 책을 한 권 샀어.
>
> 지혁: 마을 장터에서 그런 책을 팔기도 해?
>
> 소정: 응. 책뿐만 아니라 자신이 쓰지 않는 물건은 무엇이든 팔던데?
>
> 지혁: ㉠아하, 사회 시간에 배운 아나바다 운동 같은 거구나. "아껴 쓰고, 나눠 쓰고, 바꿔 쓰고, 다시 쓰자."라는 의미였지?
>
> 소정: 맞아. 그러고 보니 이번 마을 장터가 바로 아나바다 운동이었네. 너도 비슷한 경험이 있어?
>
> 지혁: ㉡나는 물건을 사 본 적은 없는데, 아무도 타지 않아서 먼지만 쌓이던 우리 집 자전거를 사촌 동생에게 준 적이 있어. 동생이 무척 좋아하면서 매일 타고 다닌대. 이런 것도 아나바다 운동이지?
>
> 소정: 그럼. 쓸모없던 자전거를 누가 다시 잘 쓸 수 있게 된 거니까.

(1) 지혁이와 소정이의 대화를 통해 알 수 있는 듣기·말하기의 특성을 쓰시오. [5점]

조건 '협력, 상호 작용, 의미'라는 말을 모두 사용할 것

_____

_____

(2) ㉠, ㉡을 바탕으로 지혁이와 소정이가 의미를 공유한 방법을 쓰시오. [4점]

조건 대화에서 지혁이와 소정이가 공유한 내용을 언급할 것

_____

_____

바람직한 듣기 태도 이해하기

07 (가), (나)에 나타나는 재영이의 듣기 태도를 비교하여 서술하시오. [5점]

조건 1 (가), (나) 중 어떤 태도가 바람직한 듣기 태도인지 선택하여 쓸 것

조건 2 (가), (나)에 나타난 재영이의 태도를 비교하여 쓸 것

_____

_____

_____

공감하며 대화하는 방법 파악하기

08 다음 ㉠, ㉡에서 효진이가 지애의 말에 공감을 표현하기 위해 사용한 방법을 각각 쓰고, 이를 통해 지애가 느꼈을 감정을 서술하시오. [6점]

> 지애: 내가 휴대 전화가 없어져서 걱정하고 있었거든. 그런데 친구는 같이 걱정해 주기는커녕 내가 물건을 잘 잃어버린다고 타박만 하지 뭐야. 그래서 나도 모르게 친구에게 심한 말을 해 버렸어.
>
> 효진: ㉠(고개를 끄덕이며) 저런, 친구가 네 마음을 알아주지 않아서 속상했겠네. 그렇지만 친구에게 상처를 주는 말을 한 것은 후회되겠다.
>
> 지애: 속상하기도 하고, 친구와 멀어지게 된 것 같아 괴로워. 사과하고 싶은데 어떻게 해야 할지 모르겠어.
>
> 효진: ㉡(부드럽게 눈을 맞추며) 그래, 답답하겠다. 그 친구에게 네 마음을 솔직하게 이야기해 보면 어떨까?

_____

_____

_____

_____

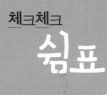

나라마다 다른 몸짓의 의미

우리는 다른 사람과 대화할 때 말 대신 몸짓으로 의미를 전달하기도 합니다. 나라마다 다른 몸짓의 의미를 알아볼까요?

여러분은 상대의 생각과 감정을
이해하며 대화하고 있나요?

이리 오세요.

미국에서는 저리 가라는 뜻인데요?

대한민국

미국

예쁜 짓!

이탈리아에서는 음식이 맛있다는 뜻이에요.

동해

대한민국

이탈리아

응, 그래.

인도에서는 머리를 갸우뚱하는 것이 '그래.'라는 뜻이지요.

진짜 최고다!

호주에서는 거절의 뜻으로 쓰기도 해요.

대한민국

인도

대한민국

호주

듣기·말하기   읽기   쓰기   문법   문학

대단원 ¦ 학습 ¦ 목표

1. 재구성된 작품을 원작과 비교하고, 변화 양상을 파악하며 감상할 수 있다.
2. 연극의 대본을 창작하여 한 편의 연극을 공연할 수 있다.

4 함께 여는 세상의 창

오늘날 문학 작품을 재구성한 영상이나 공연 예술이 많아지고 있다. 재구성된 작품을 원작과 비교하며 감상하면 또 다른 상상의 세계를 만나는 즐거움을 느낄 수 있다. 또 공연 예술의 하나인 연극을 직접 창작하고 공연하는 과정에서 다른 사람의 삶을 이해하고 공감하는 기회를 얻을 수 있다.

소단원 (1)에서는 재구성된 작품을 원작과 비교하여 감상하면서 내용과 표현, 관점의 차이를 살펴보자.

소단원 (2)에서는 친구들과 함께 연극의 대본을 창작하고, 이를 바탕으로 한 편의 연극을 준비하여 공연해 보자.

이 단원의 활동을 통해 원작과 재구성된 작품을 함께 감상하며 새로운 상상과 가치를 발견하고, 친구들과 함께 연극을 준비하고 공연해 보면서 서로 소통하며 협력하는 능력을 기를 수 있을 것이다.

4. 함께 여는 세상의 창
작품의 재발견

| 학습 목표 | 재구성된 작품을 원작과 비교하고, 변화 양상을 파악하며 감상할 수 있다.

① 재구성(= ① ☐)

- **뜻** 한번 구성하였던 것을 다시 새롭게 구성함. 문학 작품을 다른 갈래로 고쳐 쓰는 일
- **문학 작품을 재구성할 때 주의할 점**
  - 원작을 다른 매체나 갈래로 재구성할 때에는 바꾸고자 하는 매체나 갈래의 ② ☐ 을 고려해야 함.
  - 원작을 재구성할 때에는 새로운 상상과 가치를 반영하기 위해 내용을 추가하거나 원작의 내용을 삭제하기도 함.

시험에 **잘** 나온대
■뮤지컬의 특징
예 이와 같은 갈래에 대한 설명으로 적절하지 않은 것은?

② 뮤지컬

- **뜻** 미국에서 발달한 현대 음악극의 한 형식으로, 연기, 음악, 노래, 춤 등이 결합된 종합 무대 예술
- **뮤지컬의 특징**
  - 기존 공연 형태인 연극의 요소에 음악과 노래, 춤 등을 더한 ③ ☐ 임.
  - 다른 공연 예술 장르에 비해 화려하고 환상적인 무대 요소가 많음.
  - 연극적 요소(대사와 행동)+음악적 요소(노래와 음악)+무용적 요소(춤)

시험에 **잘** 나온대
■갈래 간의 공통점과 차이점
예 소설과 뮤지컬의 차이점으로 적절한 것은?

③ 뮤지컬 대본, 희곡, 시나리오, 소설의 비교

		뮤지컬 대본	희곡	시나리오	소설
차이점	목적	무대 상연(공연)		영화 상영	감상
	서술자	없음.			있음.
	구성 단위	막, 장		장면 번호(S#)	없음.
	배경 전환·등장인물의 수	제약이 많음.		제약이 거의 없음.	제약이 없음.
	시간적, 공간적 제약	제약이 많음.		제약이 거의 없음.	제약이 없음.
	공통점	• 대사와 행동의 문학 • 현재화된 표현			×
		• 허구성, 서사성 • 갈등과 대립의 문학 • 인물, 사건, 배경			

④ 재구성된 작품과 원작을 비교하며 감상하기

- 재구성된 작품을 원작과 비교하여 내용과 표현의 변화 양상을 파악함.
- 재구성된 작품에 나타난 관점의 변화나 그에 따른 형식과 맥락, 매체 등의 변화 양상을 파악함.
- 재구성된 작품에 반영된 새로운 상상과 ④ ☐ 를 파악함.

⬇

- 작품을 깊이 있게 감상할 수 있음.
- 작품에 형상화된 새로운 상상의 세계와 가치를 이해하고 존중하며 감상할 수 있음.

답 | ① 각색 ② 특성 ③ 종합 예술 ④ 가치

바로바로 개념 체크

1 다음 빈칸에 알맞은 말을 쓰시오.

> 문학 작품을 다른 갈래로 고쳐 쓰는 일로, 한번 구성하였던 것을 다시 새롭게 구성하는 것을 ( )이라고 한다.

2 뮤지컬 대본에 대한 설명으로 적절하지 않은 것은?
① 무대 공연을 목적으로 한다.
② 사건을 전달하는 서술자가 없다.
③ 시간적, 공간적 제약이 거의 없다.
④ 대사나 노래를 통해 인물의 심리가 드러난다.
⑤ 인물의 대사와 행동, 노래를 중심으로 사건이 전개된다.

3 소설과 뮤지컬 대본의 공통점으로 보기 어려운 것은?
① 허구성을 갖는다.
② 인물, 사건, 배경이 나타난다.
③ 서사적인 이야기가 전개된다.
④ 인물 간의 대립과 갈등이 나타난다.
⑤ 현재화된 표현을 통해 사건이 진행된다.

tip 원작 소설 〈완득이〉와 뮤지컬 대본 〈완득이〉
- 원작 소설을 뮤지컬 대본으로 재구성하는 과정에서 갈래상의 차이에 따른 표현 방식의 변화가 나타남.
- 작품을 뮤지컬 대본으로 재구성하면서 원작 소설의 내용을 변형하여 새로운 상상과 가치를 부여함.

완득이 | 김명환 각색, 김려령 원작

- **갈래** 뮤지컬 대본
- **배경** **시간:** 2000년대 초반, **공간:** 서울 변두리 동네
- **주제** 주변 사람들과 진심으로 마음을 나누고 킥복싱을 통해 삶의 목표를 찾아가는 완득이의 성장 과정
- **특징** • 고등학생 완득이의 아픔과 성장 과정을 그려 냄.
  - 꿈을 찾지 못하고 방황하는 청소년의 모습, 다문화 가정의 모습, 장애인 가장의 현실 등 우리 사회의 여러 측면을 두루 담아내면서 희망을 보여 줌.
  - 노래와 춤을 적극적으로 활용하여 신나고 흥겨운 무대를 만듦.

- **성격** 사실적, 교훈적, 희망적
- **제재** 완득이의 성장 과정

소단원 포인트
❶ **완득이의 태도 변화** 방황하던 완득이는 세상과 당당하게 맞서며 성장하게 되고, 어머니에게 완전히 마음을 열게 됨.
❷ **재구성된 작품의 변화 양상 파악** 원작 소설을 대본으로 재구성하는 과정에서 갈래상의 차이에 따른 표현 방식의 변화가 나타남.
❸ **작품에 반영된 새로운 상상과 가치** 작품을 뮤지컬 대본으로 재구성하면서 원작 소설의 내용을 변형하여 새로운 상상과 가치를 부여함.

뮤지컬 〈완득이〉는 같은 제목의 소설을 재구성하여 연기, 노래, 춤으로 표현한 작품이야.

가 👤 등장인물

도완득	열일곱 살 소년
어머니(레띠하)	완득이의 어머니
아버지(도정복)	완득이의 아버지
똥주(이동주)	완득이의 담임 선생님
관장(김춘식)	완득이가 다니는 체육관의 관장
민구 삼촌(남민구)	완득이 가족과 함께 생활하는 아저씨
가게 주인	신발 가게 주인
도내 챔피언	완득이의 킥복싱 경기 상대
	주먹, 발, 팔꿈치, 무릎을 사용하여 상대편을 공격하는 태국 특유의 변형 권투
정윤하	완득이의 첫사랑

앞부분의 줄거리 공부는 못하지만 싸움만큼은 누구보다 잘하는 완득이에게는 사람들 앞에서 춤추며 일하는 아버지와 민구 삼촌이 유일한 가족이다. 어느 날, 옆집에 사는 담임 선생님 '똥주'가 완득이에게 그동안 존재조차 몰랐던 어머니의 소식을 전해 준다.
▶ 등장인물 소개, 완득이의 처지 제시

전개

교과서 160쪽 ▶

중요 포인트
• 뮤지컬 대본의 특징
• 어머니를 대하는 완득이의 태도
• 노래를 통해 드러나는 등장인물의 심리

에 잘 나온대
머니의 소식을 들
완득이의 반응
어머니의 소식을 들
이의 반응으로 적절
은?

나 🔊 3장

완득이네 옥탑방
건물 옥상에 사람이 거주할 수 있도록 만든 방

똥주: 완득아. 어머님이 널 보고 싶어 하신다.

완득: 도대체 무슨 증거로 제 어머니라고 하세요?

똥주: 사진 봤어. 너 돌 때 찍은 가족사진.
아버님은 그대로더라.

소단원 **체크**

1 이와 같은 글에 나타나는 요소가 아닌 것은?
① 대사　　② 해설
③ 노래　　④ 지시문
⑤ 장면 번호(S#)

2 이와 같은 글에 대한 설명으로 옳지 않은 것은?
① 인물 간의 대립과 갈등이 드러난다.
② 시간과 공간의 제약이 비교적 많다.
③ 공연을 목적으로 하는 뮤지컬 대본이다.
④ 주로 지시문에 의해서 사건이 진행된다.
⑤ 연극적 요소에 노래, 음악, 춤이 결합되었다.

3 이 글의 내용과 일치하지 않는 것은?
① 완득이는 똥주 선생님 옆집에 산다.
② 어머니는 완득이를 보고 싶어 한다.
③ 완득이는 어머니 소식을 반가워 하지 않는다.
④ 아버지는 최근 완득이 모르게 어머니를 만났다.
⑤ 똥주 선생님은 완득이에게 어머니의 소식을 전했다.

4. 함께 여는 세상의 창

완득, 자리에서 일어난다.

완득: 왜 남의 집 일에 끼어드세요?

똥주: 뭐?

완득: 저는요, 엄마 젖이 아니라 아버지가 춤추던 카바레 누나들이 주는 과자나 사
탕 먹고 컸어요.
무대, 무도장 따위의 설비를 갖춘 서양식의 고급 술집

똥주: ……. 그래서 만나기 싫으냐?

완득: 아버지 오시면 물어보세요.

똥주: 너를 보고 싶어 하신다니까.

완득: 그러니까 아버지한테 물어보시라고요.

똥주: 아버지 말고 너를 보고 싶어 하신다고!

완득: 몇 번을 말해요! 아버지한테 먼저 물어보라잖아요!

똥주: 그래 너 잘났다! 잘났어! 아주 어마어마한 효자 났네!

완득, 옥탑방에서 뛰쳐나간다. ▶ 똥주 선생님이 완득이에게 어머니가 보고 싶어 한다는 말을 전함.

다 **4장**

완득이네 옥탑방. 낡은 문 앞에 한 사람이 서 있다. 완득이의 어머니이다.

■노래에 담긴 인물의
심리
⑩ '마주치지 않을게요'에
나타난 어머니의 심리로
보기 어려운 것은?

♪ 7. 마주치지 않을게요 – 어머니 ♪

사는 내내 보고팠지만 내 두 눈 앞에 서 있지만

불러 볼 수 있을까, 안아 볼 수 있을까, 난…… 난…….

하루 종일 곁을 맴돌아도 저만치 내 앞에 있어도

문득 마주칠까 봐 겁이 났어요, 난…….

마주치지 않을게요.

숨을 쉬는 내내 보고픈 그 얼굴

무엇과도 바꿀 수 없는 얼굴

㉠눈 감아도 눈 떠 봐도 하염없이 떠오르는 그 얼굴.

매일 너를 찾아왔지만

난 고개 들지 못할 것 같아

다른 사람인 척, 모르는 척할 것 같아

난 마주치지 않을게요.

완득이 등장. 완득이와 어머니, 서로를 마주하고는 할
말을 잃는다. ▶ 완득이가 사는 옥탑방으로 어머니가 찾아옴.

교과서 날개 1. 어머니의 소식을 들은 완득
이의 마음이 어떨지 추측해 보자.

교과서 날개 응용

4 (나)에서 똥주 선생님에게 어머니
의 소식을 들은 완득이의 심리로 가
장 적절한 것은?

① 걱정　　　② 기쁨

③ 거부감　　④ 기대감

⑤ 부끄러움

5 (다)의 노래 '7. 마주치지 않을게
요'의 분위기로 가장 적절한 것은?

① 흥겹고 발랄한 분위기

② 장엄하고 경건한 분위기

③ 평화롭고 아늑한 분위기

④ 애절하고 안타까운 분위기

⑤ 엄숙하고 전투적인 분위기

6 (다)를 통해 알 수 있는 내용으로
알맞은 것은? (정답 2개)

① 어머니는 완득이에게 죄책감을
가지고 있다.

② 완득이는 어머니를 보고도 모
르는 척 지나갔다.

③ 어머니는 완득이를 항상 생각
하고 보고 싶어 했다.

④ 어머니는 겁이 나서 완득이를
만나는 것을 결국 포기했다.

⑤ 어머니와 완득이는 다시 만난
기쁨에 서로 할 말을 잃는다.

7 ㉠의 상황을 표현하기에 가장 적
절한 한자 성어는?

① 연목구어(緣木求魚)

② 오매불망(寤寐不忘)

③ 일석이조(一石二鳥)

④ 조삼모사(朝三暮四)

⑤ 표리부동(表裏不同)

라 어머니: ……. 잘 지냈어요?

♪ 마주치지 않을게요 / 배경 음악 ♪

어머니: 잘 커 줘서 고마워요. 나는 그냥 한 번만…….

어머니, 들고 온 종이 가방들을 완득이에게 건넨다.

어머니: 이거……. (포장을 뜯으며) 요즘 남자아이들한테 제일 인기 있는 거래요.

어머니가 상자를 뜯으면 운동화가 나타난다.

험에 잘 나온대
소재의 의미
'운동화'에 담긴 의미로
가장 적절한 것은?

어머니: 신어 봐요……. 신어 보세요.

완득: 필요 없으니까, 가져가세요.

어머니: (품 안에서 흰 봉투를 꺼내 건네며) 이거…… 말로는 잘 못 하겠어서…… 너무 미안해서…….

▶ 어머니가 완득이에게 운동화와 흰 봉투를 건넴.

마 달동네가 시끄럽다. 완득이 아버지와 민구 삼촌이 옥탑방으로 들어선다.

어머니, 얼른 완득이의 손에 흰 봉투를 쥐여 준다.

민구 삼촌: 안, 안녕, 안녕하세요! 완, 완득이, 손, 손님인가 봐요!

아버지: 누가 왔어?

어머니, 아버지를 마주하고는 파르르 떤다.

아버지: 이게 뭐야!

아버지, 운동화를 옥탑방 밖으로 내던진다.

완득: (말리며) 왜 이러세요. 아버지, 왜 이러세요.

민구 삼촌: 이, 이러지 마! 싸, 싸우, 싸우지 마!

아버지: 여기가 어디라고 찾아와! 자식 놈 버리고 저 혼자 호강하겠다고 도망쳐 놓고 여기가 어디라고 다시 와! 당신이 완득이 얼굴 볼 자격이 있다고 생각해? 어서 나가! 우리 집에서 당장 나가!

어머니, 신발을 신을 겨를도 없이 맨발로 도망치듯 옥탑방에서 뛰쳐나간다.

완득, 어머니 신발을 챙겨 들고 어머니를 쫓아간다.

▶ 갑자기 나타난 아버지 때문에 어머니가 도망치듯 뛰쳐나감.

소단원 체크

8 (라)에 나타난 어머니의 마음과 거리가 먼 것은?
① 자신의 과거 행동에 대한 죄책감
② 오랜만에 만난 아들에 대한 어색함.
③ 완득이가 잘 자라 준 것에 대한 고마움
④ 다시는 아들과 헤어지지 않겠다는 다짐
⑤ 완득이에게 어머니로서의 역할을 못 해 준 미안함.

교과서 날개 2. 어머니가 가져온 흰 봉투에는 무엇이 들어 있을지 추측해 보자.

주관식
9 (라)에서 다음에 해당하는 소재 두 가지를 찾아 쓰시오.

> 오랫동안 만나지 못한 아들에 대한 어머니의 미안함과 사랑을 드러냄.

10 (마)에 대한 이해로 적절하지 않은 것은?
① 어머니는 아버지까지 만날 줄은 몰랐군.
② 민구 삼촌은 어머니와 완득이의 관계를 알지 못하는군.
③ 아버지는 어머니의 예상치 못한 방문을 달가워하지 않는군.
④ 완득이는 어머니를 대하는 아버지의 태도에 당황하고 있군.
⑤ 어머니는 일부러 아버지의 귀가 시간에 맞추어 방문한 것이군.

8. 엄마 향기 - 완득, 어머니

[완득]

방에서 이상한 향기가 났던 것 같아.

무슨 향인지는 모르겠지만 어쩐지 익숙한

나 혼자 있을 때와는 달랐던 이 향기.

화장도 안 했던데 도대체 무슨 향일까,

다른 사람들은 다 알고 있는 이 향기.

나만 지금껏 몰랐었던 걸까,

이런 게 바로, 바로.

완득, 어머니가 건넨 ㉠흰 봉투를 꺼내 읽는다.

시험에 잘 나온대
■인물의 심리
예 '편지'에 담긴 어머니의 심정으로 적절하지 않은 것은?

[어머니]

잊고 살지 않았어요. 많이 보고 싶었어요.

난 나쁜 여자예요. 정말 미안해요.

혹시 전화할 수 있다면 꼭 해 주세요.

안 해도 돼. 그런데 한번 꼭 듣고 싶어요.

목소리 한번 꼭 듣고 싶어요.

옆에 있어 주지 못해서 미안해요. 미안해요.

완득: 보고 싶었다면 날 버리고 가지 말았어야지요……

[완득]

그 흔한 아들이니 엄마라는 말은 없어.

난 보고 싶었던 적

없었는데, 그냥 궁금하기만 했었는데

언제 다시 만날 수 있을까.

[어머니]

내게는 부질없는 이야기

난 잊었던 적

그저 난

[완득]

뭐가 이래, ㉡뭐가 이렇게 허무해,

뭐가 이렇게 허무해.

▶ 완득이가 어머니와의 짧은 만남을 허무하게 여김.

🔊 **5장**

멀리 밝아 오는 아침. 밤새 거리를 방황한 완득이가 집으로 돌아온다.

완득, 교회에 다녀오던 똥주를 발견한다.

똥주, 당황해서는 자기 집 옥탑방 안으로 도망친다.

완득: (문고리를 마구 흔들며) 문 열어요!

똥주: 못 열어!

완득: 빨리 안 열어요! 왜 가르쳐 줬어요? 왜 가르쳐 줬냐고요!

소단원 체크

11 이 글에서 (바)의 기능으로 가장 적절한 것은?

① 등장인물을 소개한다.
② 인물의 심리를 드러낸다.
③ 사건을 극적으로 전환시킨다.
④ 작중 상황에 현실성을 더한다.
⑤ 사건 전개에 전기성을 부여한다.

12 ㉠에 담긴 편지에 나타난 어머니의 심정으로 적절하지 않은 것은?

① 완득이를 보고 싶은 간절한 그리움
② 완득이를 키워 주지 못했다는 자책감
③ 완득이를 두고 떠난 것에 대한 미안함
④ 완득이와 대화를 나누어 보고 싶은 마음
⑤ 완득이와 헤어지게 만든 사회에 대한 원망

교과서 날개 **3.** 완득이가 허무하다고 한 이유를 생각해 보자.
교과서 날개 응용

13 완득이가 ㉡처럼 생각하는 이유로 알맞은 것은?

① 속 깊은 대화나 별다른 감정 표현 없이 금방 헤어졌기 때문에
② 다음에 다시 만날 기약도 하지 못한 채 황급하게 헤어졌기 때문에
③ 어머니가 갑자기 나타나서 자신이 하고 싶은 말만 하고 갔기 때문에
④ 자신이 생각하던 어머니의 모습과 실제 어머니의 모습이 너무 달랐기 때문에
⑤ 오랜만에 나타난 어머니가 자신이 예상했던 것과는 다른 말과 행동을 했기 때문에

똥주: 내가 안 가르쳐 줬어!

완득: 그럼 어떻게 알고 왔어요!

똥주: 내가 어떻게 알아! 난 우리 집밖에 안 가르쳐 줬어!

완득: 선생님 집은 왜 가르쳐 줬는데요?

똥주: 너희 집 어디냐고 물어봐서, 우리 집 옆집이라고 했다!

완득: 거 봐요. 선생님이 가르쳐 줬잖아요!

똥주: 우리 집 옆집이 너희 집만 있냐.

완득: 왜 가르쳐 줬냐고요. 나한테 정말 왜 이래요.

▶ 완득이가 자신의 집을 알려 준 똥주 선생님에게 화를 냄.

아 똥주, 완득이 어머니가 사 온 빨간 운동화를 건넨다.

똥주: 챙겨. 한 짝 마저 찾느라고 온 동네 다 뒤졌다. 하여튼 어르신들 참 부지런해
요. 뭐든 내놨다 하면 바로바로 치워 주셔. (사이) 완득아, 네 어머니…… ㉠나라
가 가난해서 그렇지 거기서는 배울 만큼 배우신 분이다. 혹시나 세상 모두가 외
면한대도 넌 그러면 안 돼. 어머니다. 네 어머니. 알았어?

완득: …….

똥주: 감동했냐?

똥주, 옥탑방 안으로 들어간다.
완득, 주위를 두리번거리고는 새 운동화로 갈아 신어 본다. 한참이나 벗었다가 신어 보
기를 반복한다.
마냥 신기하기만 하다.

▶ 완득이가 어머니가 사 준 운동화를 신어 봄.

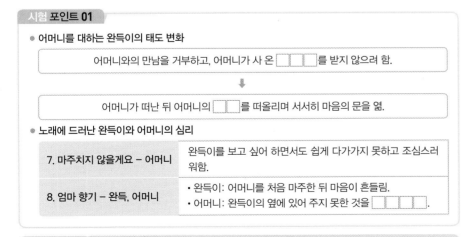

시험 포인트 01

- **어머니를 대하는 완득이의 태도 변화**

어머니와의 만남을 거부하고, 어머니가 사 온 ☐☐☐를 받지 않으려 함.

↓

어머니가 떠난 뒤 어머니의 ☐☐를 떠올리며 서서히 마음의 문을 엶.

- **노래에 드러난 완득이와 어머니의 심리**

7. 마주치지 않을게요 – 어머니	완득이를 보고 싶어 하면서도 쉽게 다가가지 못하고 조심스러워함.
8. 엄마 향기 – 완득, 어머니	• 완득이: 어머니를 처음 마주한 뒤 마음이 흔들림. • 어머니: 완득이의 옆에 있어 주지 못한 것을 ☐☐☐☐.

전개 소주제 완득이는 담임(똥주) 선생님의 주선으로 어머니를 만나지만 쉽게 마음을 열지 못함.

중간 부분의 줄거리 완득이는 어머니에게 쉽게 마음을 열지 못한다. 한편 담임 선생님의
부탁을 받은 체육관 관장은 완득이에게 킥복싱을 권유하고, 완득이는 운동을 시작한다.

소단원 체크

14 (사), (아)에 나타난 완득이에 대
한 이해로 가장 적절한 것은?
① 자신과 어머니를 헤어지게 만
든 아버지에게 분노하고 있다.
② 말과는 달리 마음 깊은 곳에는
어머니에 대한 그리움이 있다.
③ 어머니를 다시 만나게 해 준 민
구 삼촌에게 고마움을 느끼고
있다.
④ 자신을 찾아온 어머니를 다정
하게 대하지 못한 것을 후회하
고 있다.
⑤ 남들과 다른 환경에서 태어난
자신의 처지를 바꾸기 위해 노
력하고 있다.

교과서 날개 4. 선생님이 어떤 마음으로 완득
이의 운동화를 찾아 주었을지 이야기해 보자.

15 ㉠에 담긴 속뜻으로 가장 적절
한 것은?
① 아버지보다 훨씬 똑똑한 분이다.
② 언젠가는 한국에서 성공할 것
이다.
③ 업신여기거나 무시해서는 안
된다.
④ 머지 않아 고국으로 돌아갈 것
이다.
⑤ 너도 어머니처럼 공부를 해야
한다.

16 이 글과 소설을 비교한 내용으
로 가장 알맞은 것은?
① 이 글은 소설과 달리 서술자가
없다.
② 이 글은 소설과 달리 갈등이 드
러나지 않는다.
③ 소설은 이 글과 달리 상상력을
동원한 허구이다.
④ 이 글은 소설과 달리 시·공간
적 제약이 거의 없다.
⑤ 소설은 이 글과 달리 창작 당시
의 시대상을 반영한다.

자 🔊 **8장**

모란시장 국밥집.

어머니: 완득이가 하고 싶어 하는 거, 제일 잘할 수 있는 거 하게 허락해 주세요……. 싫어도 싫다는 말을 못 해. 아파도 아프다는 말을 못 해. 아니 안 한대요. 모든 걸 다 속에 담아 두고서는 앓고만 있대요. 누가 먼저 말을 걸지 않으면 하루 종일 말 한마디도 안 한다는 거 아세요?

아버지: 누가 그런 소리를 해!

어머니: ……. 이동주 선생님이요.

아버지: 그 선생이 뭘 안다고 그런 소리를 해!

어머니 퇴장. 민구 삼촌이 아버지의 눈치를 본다.

▶ 완득이가 킥복싱을 하는 문제로 어머니와 아버지가 다툼.

차 🔊 **9장**

아무도 없는 체육관에서 샌드백을 치는 완득이. 링 위에 지쳐 드러눕는다. 소리친다.
<u>권투에서, 치는 힘을 기르고 치는 방법을 연습하기 위해 천장에 매단 모래주머니</u>
지친 몸을 일으켜 다시 자세를 잡는다.

시험에 **잘** 나온대
■ 노래에 담긴 인물의 심리
ㅇ예 '15. 왜'에 드러나는 완득이의 심리로 적절한 것은?

🎵 **15. 왜 – 완득** 🎵

왜 하필 나야 왜, 왜 하필 나야 왜, 왜 하필 나야 왜.

(왜 하필 너에게 왜)

왜 하필 나야 왜, 왜 하필 나야 왜, 왜 하필 나야 왜.

(왜 하필 너에게 왜)

누가 뭐라든 누가 욕하든 나 반드시 이긴다.

킥복싱이든 내 인생이든 나 이기고 말 거야.

누가 뭐라든 누가 욕하든 반드시 이긴다.

킥복싱이든 내 인생이든.

누가 뭐라든 누가 욕하든, 누가 뭐라든 누가 욕하든

나 이기고 말 거야, 나 반드시, 나 반드시.

나 반드시 이기고 말 거야.

난 반드시 세상을 이긴다.

▶ 완득이가 주어진 상황에 좌절하지 않겠다고 다짐함.

카 그때 철문이 '끼익' 열리는 소리가 들리고, 어머니가 조심스럽게 들어온다.

어머니: 걱정했어요……. 혹시나 해서 여기 와 봤어요……. 아버지를 만났거든요…….

완득: …….

어머니: 불쑥 찾아와 미안해요……. 며칠 동안 학교도 안 나오고 어디 있었던 거예요……. 걱정했어요.

완득: ……. 대회 준비한다고요…….

소단원 체크

17 (자)에 나타난 갈등 양상으로 알맞은 것은?

① 집단과 집단 간의 갈등
② 개인과 개인 간의 갈등
③ 개인과 사회 간의 갈등
④ 개인과 운명 간의 갈등
⑤ 개인의 마음속에서 일어나는 갈등

교과서 날개 **5.** 어머니와 아버지가 갈등하는 이유는 무엇인가?

18 (자)의 내용과 일치하지 <u>않는</u> 것은?

① 아버지는 완득이의 학교 생활을 잘 알지 못한다.
② 어머니는 똥주 선생님에게서 완득이 소식을 들었다.
③ 어머니와 아버지 모두 똥주 선생님을 신뢰하고 있다.
④ 아버지는 완득이가 하고 싶어 하는 것을 반대하고 있다.
⑤ 완득이는 학교에서 다른 친구들과 잘 어울리지 못하고 있다.

교과서 날개 **6.** 노래에 담긴 완득이의 심정을 말해 보자.
교과서 날개 응용

19 (차)의 노래 '15. 왜'에 나타난 완득이의 태도로 가장 적절한 것은?

① 자신에게 닥친 상황이 너무 힘들어 세상을 원망하며 방황하고 있다.
② 어머니를 가족으로 받아들이는 것에 대해 심리적으로 갈등하고 있다.
③ 어떤 수를 써서라도 킥복싱 챔피언이 되고 말겠다는 꿈을 다지고 있다.
④ 자신을 둘러싼 환경에 좌절하지 않고 꿈을 이루겠다는 의지를 드러내고 있다.
⑤ 반드시 성공해서 어머니 앞에 당당한 모습으로 나서겠다고 결심하고 있다.

어머니: 힘들었겠네요…… (도시락 보따리를 내밀며) 대회 나가려면 잘 먹어야지요. 고기 좀 구웠어요.

완득: 한국에 밥하러 왔어요?

어머니: 아…… 미안해요……

완득: ……. 뭐가 미안해요?

어머니: 그…… 그냥…….

완득: ……. 그리고요, 저한테 존댓말 좀 쓰지 마세요.

어머니: …….

완득: ……. 따라오세요.

어머니: 네?

완득: (어머니의 손을 낚아채고는) 따라오시라고요.

어머니, 놀라서 완득이를 따라간다. 무대가 달동네 신발 가게로 전환된다.

가게 주인: 어서 오세요.

완득: 신발 몇 신어요?

어머니: 네?

완득: 신발 몇 신냐고요.

어머니가 말을 흐리며 머뭇거린다.

가게 주인: 딱 보니 이백사십은 되겠네.

완득: 이백사십짜리 구두 보여 주세요.

어머니: (손사래 치며) 아니에요. 괜찮아요. 이러지 말아요.

완득: (어머니 단화를 가리키며) 이렇게 납작한 거 말고요. 굽 있는 것으로 보여 주세요. (뭔가 발견하고는) 이거 괜찮겠네요. 이것으로 보여 주세요.

▶ 완득이가 어머니를 데리고 신발 가게로 감.

시험에 **잘** 나온대
■ 외국인 노동자를 대하는 우리 사회의 인식
■ 가게 주인이 어머니를 '저쪽 사람'이라고 지칭하는 이유는?

(타) ㉠가게 주인: 가만 보니 저쪽 사람 같은데, 학생하고 많이 닮았네. 신어 봐요. 이백사십, 굽 높은 거.

가게 주인, 굽이 7센티미터나 되는 분홍색 구두를 내민다. 어머니가 머뭇거린다.

20 이와 같은 글에서 사건을 전개하는 주된 요소는?

① 해설   ② 대사
③ 서술자   ④ 지시문
⑤ 배경 음악

주관식

21 (타)에서 다음에 해당하는 말을 찾아 쓰시오.

> 피부색이나 외양이 우리와 다른 외국인을 지칭하는 말로, 외국인 노동자에 대한 사회적 편견이 깃들어 있음.

22 (타)의 내용을 고려할 때, ㉠에 대한 설명으로 알맞은 것은?

① 평소에 어머니와 잘 아는 사이이다.
② 같은 고향 사람인 어머니를 만나 반가워하고 있다.
③ 가게를 찾아온 손님에게 불친절하게 응대하고 있다.
④ 다문화 가정과 외국인 노동자에 대한 편견을 가지고 있다.
⑤ 완득이와 어머니의 어색함을 풀어 주기 위해 노력하고 있다.

주관식

23 (타)에서 다음에 해당하는 소재를 찾아 쓰시오.

> 어머니를 생각하는 완득이의 마음이 드러나는 소재이자 완득이가 어머니에게 마음을 열기 시작했음을 알려 주는 소재

가게 주인: 사 준다고 할 때 얼른 신어. 학생이 예쁘고 좋은 것으로도 골랐네. 그런데, 둘이 무슨 사이야?

어머니, 가게 주인의 말에 당황해 얼른 구두를 신는다.

가게 주인: 꼭 맞네.

어머니, 구두를 벗는다.

완득: 그냥 신고 가세요.

어머니, 눈치를 보며 다시 구두를 신는다.

가게 주인: 아니, 무슨 사이인데 이 양반이 이렇게 쩔쩔매?

완득: 얼마예요?

가게 주인: 이만 오천 원인데 이만 삼천 원만 줘. (어머니에게) 아, 그런데 무슨 사이냐니까…….

완득: ㉠수고하세요.

완득, 어머니의 헌 신발을 챙겨 얼른 가게 밖으로 나간다.

가게 주인: 잘 가요.

어머니: (신발 가게 주인에게) ……. 저기…… 거스름돈이요…….

가게 주인: ……. 이 아줌마 갑자기 한국말 잘하네……. 여기요. 거스름돈. 이천 원. 잘 가요.

어머니, 신발 가게 주인에게서 거스름돈을 받고 얼른 따라 나간다.

▶ 완득이가 어머니에게 분홍색 구두를 선물함.

㉤ 어머니: 고…… 고…… 고마워…….

완득, 봉투에 담긴 어머니의 헤진 분홍색 신발을 꺼내 보인다.

완득: 분홍색 좋아하시는 거 맞지요?

이건 제가 가져갈게요.

어머니, 턱을 파르르 떨지만 애써 참는다.

엄마 향기 / 배경 음악

어머니: 가…… 가지고 가요…….

완득: 음식이 좀 짜요. 아버지는 잘 드시고 계시는데, 저는 그렇게 짜게 안 먹어요.

㉡어머니, 힘겹게 고개를 끄덕이고는 완득이를 물끄러미 바라본다.

어머니: 여자 친구 있다면서요?

완득: 똥주가 그래요?

소단원 체크

24 (타), (파)의 내용과 일치하지 않는 것은?
① 완득이는 어머니께 새 신발을 사 드렸다.
② 어머니는 낡은 분홍색 신발을 신고 있었다.
③ 어머니는 가게 주인에게 자신의 아들을 자랑했다.
④ 어머니는 종종 완득이에게 음식을 가져다 주었다.
⑤ 가게 주인은 어머니와 완득이의 관계를 궁금해했다.

교과서 날개 7. 완득이가 어머니에게 새 구두를 선물하는 이유를 생각해 보자.

25 완득이가 ㉠과 같이 말하는 이유로 알맞은 것은?
① 가게 주인의 불친절한 태도에 화가 났기 때문이다.
② 어머니에게 선물한 분홍색 구두가 마음에 들었기 때문이다.
③ 좋은 신발을 추천해 준 가게 주인에게 고마움을 느꼈기 때문이다.
④ 자신과의 관계를 밝히지 않는 어머니의 태도가 섭섭했기 때문이다.
⑤ 다른 사람에게 어머니와 자신의 관계를 말할 준비가 되지 않았기 때문이다.

26 어머니가 ㉡에서 느꼈을 심정으로 가장 적절한 것은?
① 고마움.　　② 섭섭함.
③ 냉정함.　　④ 그리움.
⑤ 못마땅함.

어머니: 잘해 줘요. 여자는 작은 것에도 상처받고 감동하니까요.

완득이의 환한 미소에 어머니도 활짝 웃는다.

▶ 완득이가 어머니에게 조금씩 마음을 열고 둘의 사이가 가까워짐.

시험 포인트 02

● 어머니를 대하는 완득이의 마음

완득이의 행동		완득이의 마음
• 자신에게 더는 ☐☐☐을 쓰지 말라고 함. • 어머니에게 분홍색 ☐☐를 선물함.	➡	어머니에게 조금씩 마음의 문을 열어 감.
둘의 관계를 묻는 신발 가게 주인의 말에 대답하지 못함.	➡	어머니를 '엄마'라고 부르는 것에 아직 조심스러움과 망설임을 느낌.

● '구두'의 의미

자신은 낡은 신발을 신으면서도 완득이에게는 새 운동화를 선물한 어머니에게 완득이가 사 준 것	➡	어머니에 대한 완득이의 ☐☐과 ☐☐☐☐의 표현

● 가게 주인의 대사와 행동에 나타난 사회적 상황

• "가만 보니 ☐☐ ☐☐ 같은데, 학생하고 많이 닮았네."
• 완득이와 어머니의 관계를 자꾸 물음.

⬇

다문화 가정과 외국인 노동자를 바라보는 ☐☐이 드러남.

하강 소주제 완득이가 자신을 찾아온 어머니에게 분홍색 구두를 선물하며 점차 마음을 열어 감.

대단원

교과서 **171**쪽 ▶

중요 포인트
• 시합에 진 완득이가 웃는 이유
• 완득이가 '엄마'라고 부른 것의 의미

에 잘 나온대

기에 임하는 완득
태도

복싱 경기에 임하는
이의 태도로 가장 적
것은?

🔊 **11장**

실내 체육관. 종이 울린다. 심판이 완득이와 상대 선수를 링 중앙으로 부른다.

상대 선수에게 정신없이 맞기 시작하는 완득이의 시야가 흐려진다.

옆구리에 킥이 꽂힌다.

상대를 발로 차는 동작

똥주: (난입하며) 인마, 도완득! 지면 안 돼! 힘내라, 도완득!

어지럽게 함부로 들어오거나 들어감.

소단원 체크

27 어머니에게 점차 마음을 여는 완득이의 행동으로 적절하지 <u>않은</u> 것은?

① 어머니를 보며 미소 짓는 것
② 어머니에게 분홍색 구두를 사 주는 것
③ 자신에게 존댓말을 쓰지 말라고 말하는 것
④ 자기에게 여자 친구가 있다고 자랑하는 것
⑤ 어머니가 가져다준 음식이 짜다고 말하는 것

28 구성 단계상 '11장'의 역할로 알맞은 것은?

① 갈등이 점차 고조된다.
② 갈등이 완전히 해소된다.
③ 갈등이 최고조에 이른다.
④ 사건의 실마리가 제시된다.
⑤ 갈등이 대립 국면에 들어선다.

tip 재구성한 뮤지컬 대본 〈완득이〉의 감상 방법
• 원작 소설을 읽고 주요 내용을 비교해 본다.
• 원작이 같은 연극이나 영화를 찾아 비교해 본다.
• 희곡과 시나리오를 구해 뮤지컬 대본과 비교해 본다.
• 연출 및 연기, 의상, 분장 등에 유의하며 대본을 감상한다.
• 인터넷을 이용해 뮤지컬 대본에 나타난 노래를 찾아 감상해 본다.

4. 함께 여는 세상의 창

완득이가 링 구석에서 휘청이며 무너지고, 관장은 링 중앙으로 수건을 던지려 한다.

관장: 완득아, 이제 그만하자.

완득: 관장님, 절대 수건 던지지 마세요. 끝까지 버틸 수 있게 해 주세요.

완득, ㉠관장의 손에서 수건을 빼앗아 땀을 닦고는 멀리 내던진다.

완득: (도내 챔피언에게) 야, 난 시합에서 져도 상관없어.

도내 챔피언: ?

완득: 네가 내 갈비뼈를 박살 내도 상관없고 네가 날 케이오(KO)로 이기든, 판정으로 이기든 난 상관없어. 극적인 역전승 따위를 바라는 게 아니야. 난 내가 버틸 수 있는 그 순간까지 최선을 다해 버틸 테니까, (가드를 올리고서는) 봐주지 마라. 날 이겨 봐!

권투에서, 선수가 상대편의 주먹을 막기 위하여 취하는 팔의 자세

도내 챔피언이 완득이에게 달려든다. 두 선수의 합이 계속된다.

완득이의 옆구리에 다시금 킥이 꽂히고 다운. 심판의 카운트가 시작된다.

▶ 완득이가 첫 킥복싱 시합에서 상대 선수에게 맞고 쓰러짐.

 19. 괜찮아(완득아, 괜찮아) – 완득, 전체

관장: 완득아! 정신 차려! 완득아! 완득아! 눈 좀 떠 봐, 인마!

심판의 카운트가 모두 끝나고 관중석에서는 환호성이 터져 나온다. 심판이 쓰러진 완득이의 상태를 살핀다.

완득이의 눈앞이 흐려진다. 완득이가 웃는다.

[완득]

나약한 나를 때려눕힌 속 시원한 케이오(KO).

괜찮아, 도전했으니, 언젠가는 챔피언.

짜증만 가득했던 내 작은 세상

이겨 내야만 해, 질 수는 없어, 더 이상.

온 세상이 짜증이 나 미칠 것만 같았지.

다들 웃고 사는데 왜 나만 이러는지.

쓰러져 보니 알겠어, 소중한 존재들.

날 일으켜 줘, 내 아픔과 소원을.

[전체]

괜찮아…….

괜찮아…….

괜찮아…….

괜찮아…….

[완득]

내게는 원망만 가득했어.

닿을 수 없는 저 하늘의 별처럼

흩어진 나의 꿈.

소단원 체크

29 (하)를 연출하기 위한 계획으로 적절하지 않은 것은?

① 완득이는 킥복싱 동작을 연습해 둘 필요가 있겠군.

② 완득이의 극적인 승리가 돋보이도록 신경 써야겠군.

③ 상대 선수를 완득이보다 강하게 보이도록 분장해야겠군.

④ 무대에 링을 만들어 완득이의 시합을 실감 나게 표현해야겠군.

⑤ 실제 경기장 분위기가 나도록 사람들이 응원하는 효과음을 사용해야겠군.

30 ㉠에 담긴 완득이의 마음으로 가장 적절한 것은?

① 시합을 포기하지 않겠다.

② 관장님을 실망시키지 않겠다.

③ 힘을 내서 극적인 역전승을 하겠다.

④ 실력이 부족하다는 것을 인정하겠다.

⑤ 어머니에게 지는 모습을 보여 주기가 창피하다.

교과서 날개 **8.** 완득이가 시합에서 졌지만 웃는 이유는 무엇인가?

31 (거)의 노래 '19. 괜찮아'를 들은 관객의 반응으로 가장 적절한 것은?

① 완득이가 겪는 내적 갈등이 점차 심화되는군.

② 완득이가 정신적으로 성장한 모습을 보여 주는군.

③ 완득이는 시합에서 진 이유를 자신의 환경 탓으로 여기는군.

④ 완득이가 아직은 어머니의 존재를 진심으로 수용하지 못하는군.

⑤ 이제 모든 것이 다 끝났다는 완득이의 절망적인 심리가 드러나는군.

[모두]

괜찮아, 네 잘못이 아니야. / 널 지켜본 모두 널 믿고 있어.

괜찮아, 네 잘못이 아니야. / 널 지켜본 모두 널 믿고 있어.

괜찮아, 네 잘못이 아니야. / 널 지켜본 모두 널 믿고 있어.

괜찮아, 네 잘못이 아니야. / 널 지켜본 모두 널 믿고 있어.

[합창]

괜찮아, 괜찮아, 괜찮아, 괜찮아.

▶ 완득이가 시합에서 진 뒤 최선을 다했다는 만족감과 주변 사람들의 소중함을 느낌.

20. 햇살 1그램 – 완득, 전체

[완득]

난 지금 원해, 난 지금 달려.

난 하늘 끝까지 날아올라

나 햇살이 돼 본다.

난 지금 원해, 난 지금 달려.

나 하늘 끝까지 날아올라.

어머니: 완득아……

완득, 어머니와 눈이 마주친다.

■완득이의 심리 변화
③ '엄마'라는 말에 나타나는 완득이의 심리 변화로 가장 적절한 것은?

완득: ……. 이제 어디도 가지 마세요……. 내가 힘들 때, 주저앉고 싶을 때 응원받고 싶은 사람, 안겨 보고 싶은 사람이 있어요……. 아버지, 민구 삼촌, 관장님, 똥주 선생님, 윤하, 친구들, 그리고…… 엄마……, 엄마……, 엄마!

완득이의 '엄마'라는 말에 ㉠가슴이 무너지고 눈시울이 붉어지는 어머니. 완득이가 어린아이처럼 목 놓아 울면 어머니가 다가가 보듬는다.

[어머니]

넌 지금 원해, 넌 지금 달려.

저 하늘 끝까지 날아올라

넌 햇살이 돼 본다.

[똥주, 가족들, 윤하, 관장]

저 하늘의 별처럼 하늘로 날아올라.

네 꿈에 닿는다, 세상에 외쳐 본다.

너는 지금 자유롭게

하늘을 달린다, 바람을 가른다.

소단원 체크

32 사건 전개 과정을 고려할 때, '킥복싱 시합'의 역할로 적절하지 않은 것은?
① 완득이가 방황을 끝내는 계기가 된다.
② 완득이와 어머니를 더욱 가깝게 만든다.
③ 완득이가 삶의 목표를 찾는 데 도움을 준다.
④ 세상과 맞서겠다는 완득이의 의지를 보여 준다.
⑤ 완득이가 똥주 선생님의 간섭에서 벗어나도록 도와준다.

주관식
33 (너)에서 완득이가 어머니에게 완전히 마음을 열었음을 드러내는 말을 찾아 쓰시오.

교과서 날개 **9.** 완득이가 '엄마'라고 불렀을 때 완득이와 어머니의 마음이 어땠을지 생각해 보자.

34 (너)의 노래 '20. 햇살 1그램'에서 알 수 있는 완득이의 마음으로 가장 적절한 것은?
① 아버지와 함께 살 수 있다는 기쁨
② 학생다운 태도로 공부하겠다는 반성
③ 꿈을 향해 적극적으로 도전하는 의지
④ 자신을 방치한 주변 사람들에 대한 원망
⑤ 가족의 울타리를 벗어나 스스로의 힘으로 살아가려는 의지

35 ㉠에 담긴 어머니의 심정으로 보기 어려운 것은?
① 감격   ② 기쁨   ③ 감동
④ 슬픔   ⑤ 고마움

[완득]

난 자유롭게.

[합창]

별처럼 하늘을 날아올라

네 꿈을 세상에 외쳐 본다.

[완득]

난 자유롭게.

암전.

▶ 완득이가 어머니에게 완전히 마음을 열고, 꿈을 향한 의지를 다짐.

시험 포인트 03

● 완득이의 '웃음'의 의미

비록 시합에서는 졌지만 끝까지 포기하지 않고 최선을 다했다는 뿌듯함.	⇒	앞으로 닥칠 시련도 극복할 수 있다는 자신감을 의미함.

● 완득이의 태도 변화

완득이의 행동		의미
도내 챔피언과 힘든 경기를 펼치지만 결코 포기하지 않음.	⇒	완득이가 세상과 당당하게 맞서며 정신적으로 □□하게 됨.
경기가 끝난 뒤 처음으로 어머니를 '□□'라고 부름.	⇒	어머니에게 완전히 마음을 열고 진심으로 어머니를 받아들임.

대단원 소주제	완득이가 자신의 첫 킥복싱 경기에서 지지만 자신을 응원하는 사람들에게 고마움을 느끼며 세상 앞에 당당하게 서게 됨.

생각 모으기

● 이 단원에서 학습한 내용을 떠올리며 빈칸에 들어갈 적절한 말을 보기 에서 찾아보자.

• 재구성된 작품을 ▢▢ 와/과 비교하면서 감상할 때에는 내용과 표현뿐만 아니라 관점의 변화 등도 살펴볼 수 있다.

• 원작을 다른 매체나 갈래로 재구성할 때에는 바꾸고자 하는 매체나 갈래의 ▢▢ 을/를 고려해야 한다.

• 재구성된 작품이 원작과 어떻게 다른지 비교하여 감상하면 재구성된 작품에 반영된 새로운 상상과 ▢▢ 을/를 이해할 수 있다.

보기
원작   창작   가치   특성

소단원 체크

36 (너)에 나타난 완득이의 모습으로 적절하지 않은 것은?

① 어머니에게 마음을 열었다.
② 주변 사람들의 소중함을 느꼈다.
③ 세상에 당당하게 맞서겠다는 의지를 다졌다.
④ 어머니와 함께 지내고 싶은 속마음을 드러냈다.
⑤ 다시는 킥복싱 시합에서 지지 않겠다고 다짐했다.

주관식

37 다음 빈칸에 알맞은 말을 쓰시오.

> 대단원에서는 세상과 당당하게 맞서 자신의 꿈을 펼치기로 다짐하는 완득이의 정신적인 (   )을 볼 수 있다.

tip 원작 소설 〈완득이〉의 줄거리

다문화 가정 출신인 완득이는 반항적인 기질이 많은 고등학생이다. 전통 시장을 돌아다니며 춤으로 고객을 모아 자질구레한 물건을 파는 난쟁이 아버지, 아버지의 춤에 빠져 아버지를 따르는 민구 삼촌과 함께 옥탑방에서 살아간다. 그러다가 바로 옆집 옥탑방에 사는 담임 선생님 '똥주(이동주)'를 통해 베트남 출신 어머니를 만난다.

어머니와의 첫 만남을 어색하게만 여기던 완득이는 점차 어머니에게 마음을 연다. 그러면서 같은 반 연하를 여자 친구로 사귄다. 한편, 이 무렵 완득이는 킥복싱을 배우며 인생의 전환점을 맞이하고, 완득이의 아버지도 똥주의 도움으로 댄스 교습소를 연다.

● 고전 소설 중 하나를 골라 재구성한다면 어떤 관점을 담고 싶은지 생각해 보자.

심청이는 효녀로 알려져 있지만 나는 다른 관점에서 생각해 보고 싶어.

예시 답안 고전 소설 〈심청전〉을 (   )한다면 심청이가 아버지를 남기고 죽음을 선택한 것은 '효(孝)'로 볼 수 없다는 관점을 담고 싶다. 심청이가 자신의 재능을 발견하고 직업을 찾아 아버지께 효도한다는 내용으로 작품을 재구성하여 자신의 삶을 소중히 여기고 부모님 곁을 지키는 것이 진정한 효라는 생각을 표현하고 싶다.

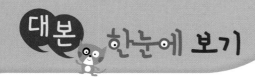

● 다음은 블로그 형식을 활용하여 사건에 대한 완득이의 심리를 정리한 것이다. 이를 바탕으로 뮤지컬 대본 〈완득이〉의 주요 내용을 정리해 보자.

블로그에 남긴 완득이의 하루

○○월 ○○일에 남긴 글
어릴 때 나를 떠난 엄마가 빨간 운동화와 ▨▨▨을/를 들고 찾아왔다! 낯설고 당황스럽다.
그러나저러나 똥주는 왜 내 인생에 참견이지?

#빨간_운동화 #처음_보는_엄마?

○○월 ○○일에 남긴 글
엄마께 ▨▨▨을/를 사드렸다. 아버지, 삼촌을 기다리며 매일 혼자 보던 달인데, 오늘은 혼자가 아닌 것 같다.

#완득이 #옥탑방 #혼자_보는_달

○○월 ○○일에 남긴 글
나의 킥복싱 첫 경기 날.
도전의 기쁨과 주변 사람들의 소중함을 느낀 날.
그리고 난생처음 ▨▨▨(이)라고 부른 날.

#인생_첫_경기 #괜찮아 #사랑해요

핵심 정리

주제
주변 사람들과 진심으로 마음을 나누고 킥복싱을 통해 삶의 목표를 찾아가는 완득이의 성장 과정

완득이

갈래
뮤지컬 대본

성격
사실적, 교훈적, 희망적

제재
완득이의 성장 과정

특징
• 고등학생 완득이의 아픔과 성장 과정을 그려 냄.
• 꿈을 찾지 못하고 방황하는 청소년의 모습, 다문화 가정의 모습, 장애인 가장의 현실 등 우리 사회의 여러 측면을 두루 담아내면서 희망을 보여 줌.
• 노래와 춤을 적극적으로 활용하여 신나고 흥겨운 무대를 만듦.

주요 포인트

❤ 이 뮤지컬 대본의 짜임

발단	아버지, 민구 삼촌과 함께 사는 완득이가 담임 선생님에게 어머니 소식을 들음.	
전개	[교과서 수록 부분] 완득이가 담임 선생님의 주선으로 어머니를 만나지만 쉽게 마음을 열지 못함.	3~5장
절정	완득이가 같은 반 친구 윤하와 가까워지고, 담임 선생님의 권유로 ( )을 시작함.	
하강	[교과서 수록 부분] 완득이는 자신을 찾아온 어머니에게 분홍색 ( )를 선물하며 점차 마음을 열어 감.	8~9장
대단원	[교과서 수록 부분] 완득이는 자신의 첫 킥복싱 시합에서 지지만 자신을 응원하는 사람들에게 고마움을 느끼며 세상 앞에 당당하게 서게 됨.	11장

❤ 어머니에 대한 완득이의 심리 변화

어머니 소식을 들음.	어머니와 처음 만남.	어머니에게 구두를 선물함.	( ) 시합 후
어머니와의 만남을 거부함.	쉽게 마음을 열지 못함.	어머니에게 조금씩 마음을 엶.	어머니에게 완전히 마음을 엶.

❤ 원작 소설과 뮤지컬 대본 <완득이>의 차이점

	원작 소설	뮤지컬 대본
표현	• 완득이가 서술자가 되어 사건과 인물의 행동을 설명함. • 완득이가 자신의 심리를 직접 서술함.	• ( ) 없이 인물의 대사와 행동으로 사건을 전개함. • 대사와 노래를 통해 인물의 ( )를 제시함.
내용	• 어머니가 완득이에게 편지를 건네고 대화를 마친 뒤 떠남. • 완득이의 킥복싱 첫 경기 날을 간략히 제시함.	• 어머니가 완득이에게 ( )와 편지를 건네고 아버지의 등장으로 황급히 떠남. • 완득이가 경기를 치르는 모습을 구체적으로 제시함.

❤ 주요 소재의 의미와 역할

소재	의미와 역할
편지	• 어머니가 자신의 마음을 완득이에게 전달함.
운동화	• 완득이에 대한 어머니의 미안한 마음과 ( )을 드러냄. • 완득이가 어머니의 존재를 인식하게 됨.
분홍색 ( )	• 어머니에 대한 완득이의 안타까움과 고마움의 표현 • 어머니에게 점차 마음을 열어 가는 완득이의 심리를 보여 줌.
킥복싱	• 완득이가 어머니를 완전히 받아들이게 되는 계기 • 방황했던 지난날을 극복하고 세상과 당당하게 맞서겠다는 완득이의 ( )를 드러냄.

학습 활동 엿보기

1 인물을 중심으로 뮤지컬 대본의 내용을 파악해 보자.

❶ 어머니를 생각하는 완득이의 마음이 어떻게 달라졌는지 정리해 보자.

완득아. 어머님이 널 보고 싶어 하신다.

㉠저는요, 엄마 젖이 아니라 아버지가 춤추던 카바레 누나들이 주는 과자나 사탕 먹고 컸어요.

㉡그냥 신고 가세요.

고…… 고…… 고마워…….

예시답안 처음에는 어머니의 존재를 받아들이지 못했지만 어머니에게 (   )를 선물하는 등 점차 마음을 열게 된다.

❷ 다음 노래에 드러난 어머니의 마음을 파악해 보자.

7. 마주치지 않을게요
사는 내내 보고팠지만 내 두 눈 앞에 서 있지만
불러 볼 수 있을까, 안아 볼 수 있을까, 난…… 난…….
하루 종일 곁을 맴돌아도 저만치 내 앞에 있어도
문득 마주칠까 봐 겁이 났어요, 난…….

예시답안 늘 완득이를 보고 싶어 했으면서도 완득이에게 쉽게 다가갈 수 없었던 어머니의 마음이 드러난다.

❸ 킥복싱을 배우면서 완득이에게 어떤 변화가 생겼는지 이야기해 보자.
예시답안 킥복싱을 배우기 전에는 세상을 원망하며 방황하고 다른 사람들에게 마음을 열지 않았지만, 킥복싱에 재미를 느끼면서 삶의 (   )를 찾고 주변 사람들의 따뜻한 (   )을 깨닫게 되었다.

학습 활동 응용 문제

학습활동 응용

1 ㉠, ㉡에 드러나는 어머니에 대한 완득이의 마음을 알맞게 짝지은 것은?

	㉠	㉡
①	설레며 기대함.	실망함.
②	강하게 거부함.	점차 마음을 엶.
③	관심을 갖음.	불쌍하게 여김.
④	어머니로 받아들임.	허무하게 느낌.
⑤	인정하지 않음.	관심이 없음.

2 노래 '7. 마주치지 않을게요'에서 알 수 있는 어머니의 마음을 모두 고른 것은?

ⓐ 완득이에 대한 간절한 그리움
ⓑ 자신의 형편에 대한 부끄러움
ⓒ 성장한 완득이의 모습에 대한 실망감
ⓓ 어머니로서의 역할을 하지 못했다는 자책감

① ⓐ, ⓒ　　② ⓐ, ⓓ　　③ ⓑ, ⓒ
④ ⓑ, ⓓ　　⑤ ⓐ, ⓑ, ⓓ

3 킥복싱 시합에 참가한 완득이의 모습으로 알맞은 것은?
① 어머니에 대한 원망을 쏟아냈다.
② 주변 사람들에게 소외감을 드러냈다.
③ 세상에 맞서지 못하고 계속해서 방황했다.
④ 킥복싱 대회에서 우승하겠다는 목표를 세웠다.
⑤ 중간에 포기하지 않고 경기가 끝날 때까지 최선을 다했다.

4. 함께 여는 세상의 창

2 뮤지컬 대본을 원작 소설과 비교해 보자.

그분은 축축 늘어지는 천 가방에서 하얀 봉투를 꺼냈다.

"이거…….." / "그런 거 필요 없는데요."

나 줄 돈 있으면 신발이나 새로 사 신으세요. 요즘은 애들도 저런 거 안 신어요.

"말로는 잘 못 하겠어서…… 너무 미안해서……." / "필요 없으니까, 가져가세요."

그분은 기어이 봉투를 내려놓고 방을 나갔다. 교회로 가는 걸까.

방에서 이상한 냄새가 나는 것 같다. 무슨 냄새인지는 모르겠다. 어쨌든 나 혼자 있을 때와는 다른 냄새다. 화장도 안 했던데 무슨 냄새일까. 이런 게 어머니 냄새라는 걸까. 그분이 먹었던 라면 그릇이 전과 달라 보였다. 나는 그분이 두고 간 봉투를 뜯었다. 돈인 줄 알았는데 편지였다.

미안해요. 잊고 살지 않았어요. 많이 보고 싶었어요.

나는 나쁜 사람이에요. 정말 미안해요. / 혹시 전화할 수 있으면 전화해 주세요.

○○○-○○○-○○○○ / 안 해도 돼요. 옆에 있어 주지 못해서 미안해요.

그 흔한 아들이니 엄마니 하는 말은 없었다. 옆에 있어 본 적이 없어서, 어머니라고 불러 본 적이 없어서, 내가 어머니라는 말 대신 그분이라고 하는 것과 같은 걸지도 모른다. 다른 건 있다. 그분은 나를 보고 싶어 했다는 것이다. 하긴, 그분은 내 존재를 알고 있었으니까. 나는 편지를 봉투에 도로 넣고 방바닥에 휙 던졌다. 무슨 모자 상봉이 이렇게 허무한지. 그분이든 나든 눈물 한 방울은 흘려 줘야 하는 거 아닌가? 삼팔선만 안 그어졌지 남북 이산가족 상봉하고 뭐가 달라. 십칠 년 만에 나타난 어머니라는 분하고 고작 라면이나 끓여 먹고 헤어지다니. 어머니라는 존재 별거 아니군. 그나저나 똥주, 두고 보자.

– 김려령, 《완득이》

① 완득이가 어머니를 처음 만나는 장면이 뮤지컬 대본으로 재구성되면서 달라진 점을 살펴보자.

예시 답안

	소설	뮤지컬 대본
표현 방식	작품 속의 주인공인 완득이가 서술자가 되어 사건을 설명한다.	서술자는 따로 없고, 인물의 (으)로 사건이 전개된다.
	등장인물의 행동이 문장으로 서술된다.	배우가 등장인물의 행동을 직접 연기하여 보여줄 수 있도록 지시문 을/를 제시한다.
	등장인물의 심리가 직접 서술된다.	등장인물의 심리가 배우가 부르는 을/를 통해 드러나기도 한다.
내용	어머니가 완득이를 찾아와 편지를 건넨다.	어머니가 완득이를 찾아와 와/과 편지를 건넨다.
	어머니가 완득이와 대화를 마친 뒤 옥탑방을 나간다.	아버지 의 등장으로 어머니가 도망치듯 옥탑방을 뛰쳐나간다.

4 원작 소설 〈완득이〉의 내용과 일치하지 않는 것은?
① 어머니와 '나'는 십칠 년 동안 떨어져 살았다.
② 어머니는 '나'에게 용돈과 함께 편지를 주고 갔다.
③ '나'는 어머니와의 만남을 허무하게 생각하고 있다.
④ '나'는 어머니를 어색하게 여겨 '그분'이라고 지칭한다.
⑤ 어머니가 다녀간 뒤 '나'는 방에서 어머니 냄새를 느꼈다.

5 원작 소설 〈완득이〉에 대한 설명으로 알맞지 않은 것은?
① 서술자가 사건을 설명한다.
② 등장인물의 심리가 직접 서술된다.
③ 등장인물의 행동이 문장으로 서술된다.
④ 작품 속의 주인공인 '나'가 서술자이다.
⑤ 대사와 노래로 등장인물의 심리를 제시한다.

6 뮤지컬 대본에 대한 설명으로 적절하지 않은 것은?
① 주로 지시문을 통해 내용을 전달한다.
② 시간적, 공간적 배경을 설정하는 데 제약이 있다.
③ 관객을 대상으로 하는 무대 공연을 목적으로 한다.
④ 연극의 요소에 음악과 노래, 춤을 가미한 종합 예술이다.
⑤ 서술자가 따로 없이 인물의 대사와 행동, 노래로 사건이 진행된다.

❷ 소설과 뮤지컬 대본 사이에 ❶과 같은 차이가 생기는 이유를 생각해 보자.

[예시 답안] · 소설과 달리 뮤지컬은 무대에서 공연하는 것을 전제로 하므로 표현 방식에 차이가 생긴다. 소설은 (　　　)가 작품 속 상황을 전달하지만 뮤지컬 대본은 서술자 없이 인물의 대사와 행동, (　　　)로 내용을 전달한다. 또한 소설과 달리 뮤지컬은 시간과 공간에 (　　　)이 있어 사건을 압축적으로 보여 주거나 생략하게 된다.

· 작가가 소설을 뮤지컬 대본으로 재구성하면서 인물이나 사건을 다른 (　　　)에서 바라보고 이를 나타내기 위해 특정한 내용을 추가하거나 생략하는 등 내용을 바꾸었기 때문이다.

❸ 원작 소설을 읽고, 뮤지컬 대본에서 달라진 점을 더 찾아보자.

[예시 답안] · 소설에서는 어머니가 완득이를 찾아왔을 때 함께 라면을 끓여 먹지만 뮤지컬 대본에는 이런 내용이 없다.

· 소설에 길게 서술된 완득이의 심정을 뮤지컬 대본에서는 노래 가사로 압축하고 반복하여 제시함으로써 완득이의 마음을 더욱 (　　　)했다.

③ 뮤지컬 대본에 드러나는 새로운 상상과 가치를 파악해 보자.

❶ 완득이의 첫 경기 장면을 소설과 뮤지컬 대본에서 각각 어떻게 표현했는지 살펴보자.

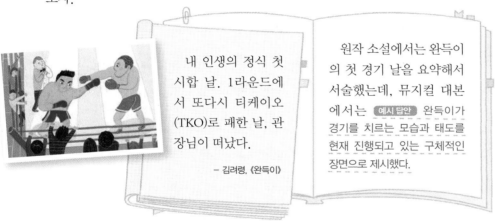

내 인생의 정식 첫 시합 날. 1라운드에서 또다시 티케이오(TKO)로 패한 날, 관장님이 떠났다.

– 김려령, 《완득이》

원작 소설에서는 완득이의 첫 경기 날을 요약해서 서술했는데, 뮤지컬 대본에서는 [예시 답안] 완득이가 경기를 치르는 모습과 태도를 현재 진행되고 있는 구체적인 장면으로 제시했다.

❷ ❶과 다음 노래를 참고하여 뮤지컬 대본에서 작가가 강조하려고 한 의미를 추측해 보자.

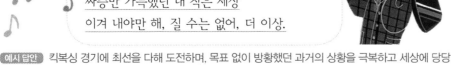

19. 괜찮아
㉠나약한 나를 때려눕힌 속 시원한 케이오(KO).
괜찮아, 도전했으니, 언젠가는 챔피언.
짜증만 가득했던 내 작은 세상
이겨 내야만 해, 질 수는 없어, 더 이상.

[예시 답안] 킥복싱 경기에 최선을 다해 도전하며, 목표 없이 방황했던 과거의 상황을 극복하고 세상에 당당하게 나서고자 하는 완득이의 의지와 성장을 강조하고자 한 것이다.

❸ 친구들과 함께 뮤지컬 대본에 담긴 새로운 가치를 홍보하는 문구를 만들어 발표해 보자.

[예시 답안] · 우리 완득이가 달라졌어요!
· 자신과의 인생 첫 경기, 자신과의 한판 승부!

학습 활동 응용 문제

7 원작 소설 〈완득이〉와 뮤지컬 대본 〈완득이〉를 비교한 내용으로 알맞지 않은 것은?

① 소설을 뮤지컬 대본으로 재구성하면서 소설의 시간과 공간의 제약을 해소했다.
② 소설과 달리 뮤지컬 대본에서는 완득이의 심정을 노래 가사로 압축하고 반복하여 제시한다.
③ 뮤지컬 대본과 달리 소설에서는 어머니와 완득이가 만났을 때 함께 라면을 먹는다.
④ 소설과 달리 뮤지컬 대본에서는 어머니가 아버지의 등장으로 도망치듯 옥탑방을 떠난다.
⑤ 소설에서는 어머니가 완득이에게 편지만 건네지만 뮤지컬 대본에서는 운동화와 편지를 건넨다.

▶ 주관식
8 다음 빈칸에 알맞은 말을 쓰시오.

원작을 다른 갈래로 재구성하는 과정에서 작가는 자신의 상상과 (　　　)를 반영하기 위해 새로운 내용을 추가하거나 기존 내용을 삭제하기도 한다.

학습 활동 응용
9 ㉠을 통해 작가가 전달하려는 내용으로 가장 적절한 것은?

① 목표 없이 방황했던 완득이의 과거 모습
② 사회적 편견을 받으며 살아왔던 완득이의 삶
③ 주변 사람들을 실망시키지 않기 위해 완득이가 했던 노력
④ 세상과 당당하게 맞서고자 하는 완득이의 의지와 정신적인 성장
⑤ 킥복싱 대회에서 우승하여 어머니 앞에 당당하게 나서겠다는 완득이의 다짐

정답과 해설 24쪽

| 출제 예상 문제를 바탕으로 구성하였습니다.

[01~04] 다음 글을 읽고, 물음에 답하시오.

가 똥주: 완득아. 어머님이 널 보고 싶어 하신다.

완득: 도대체 무슨 증거로 제 어머니라고 하세요?

똥주: 사진 봤어. 너 돌 때 찍은 가족사진. 아버님은 그대로더라.

　완득, 자리에서 일어난다.

완득: 왜 남의 집 일에 끼어드세요? / 똥주: 뭐?

나 어머니: ……. 잘 지냈어요?

🎼 마주치지 않을게요 / 배경 음악 🎵

어머니: 잘 커 줘서 고마워요. 나는 그냥 한 번만…….

　어머니, 들고 온 종이 가방들을 완득이에게 건넨다.

어머니: 이거……. (포장을 뜯으며) 요즘 남자아이들한테 제일 인기 있는 거래요.

　어머니가 상자를 뜯으면 ㉠운동화가 나타난다.

어머니: 신어 봐요……. 신어 보세요.

완득: 필요 없으니까, 가져가세요.

어머니: (품 안에서 ㉡흰 봉투를 꺼내 건네며) 이거…… 말로는 잘 못 하겠어서…… 너무 미안해서…….

🎼 8. 엄마 향기 – 완득, 어머니 🎵

[어머니]

잊고 살지 않았어요. 많이 보고 싶었어요.

난 나쁜 여자예요. 정말 미안해요.

혹시 전화할 수 있다면 꼭 해 주세요.

안 해도 돼. 그런데 한번 꼭 듣고 싶어요.

목소리 한번 꼭 듣고 싶어요.

옆에 있어 주지 못해서 미안해요. 미안해요.

라 똥주, 완득이 어머니가 사 온 빨간 운동화를 건넨다.

똥주: 챙겨. 한 짝 마저 찾느라고 온 동네 다 뒤졌어. 하여튼 어르신들 참 부지런해요. 뭐든 내놨다 하면 바로바로 치워 주셔. (사이) 완득아, 네 어머니…… 나라가 가난해서 그렇지 거기서는 배울 만큼 배우신 분이다. 혹시나 세상 모두가 외면한 대도 넌 그러면 안 돼. 어머니다. 네 어머니. 알았어?

완득: ……. / 똥주: 감동했냐?

　똥주, 옥탑방 안으로 들어간다.

　완득, 주위를 두리번거리고는 새 운동화로 갈아 신어 본다. 한참 이나 벗었다가 신어 보기를 반복한다.

01 뮤지컬 대본과 소설을 비교한 내용으로 적절하지 <u>않은</u> 것은?
95

① 소설에 비해 뮤지컬 대본은 시간적 제약이 많다.

② 소설과 뮤지컬 대본은 모두 현재화된 표현을 사용한다.

③ 소설은 뮤지컬 대본과 달리 서술자가 사건을 설명한다.

④ 소설에 비해 뮤지컬 대본은 배경 전환이나 등장인물 수에 제약이 따른다.

⑤ 뮤지컬 대본은 소설과 달리 등장인물의 대사와 노래, 행동으로 사건이 진행된다.

02 ㉠, ㉡에 대한 설명으로 알맞은 것은?
85

① ㉠과 ㉡은 모두 선생님에 대한 어머니의 고마움을 보여 준다.

② ㉠과 ㉡은 모두 어머니와 완득이의 사이를 더 멀어지게 한다.

③ ㉠, ㉡은 모두 완득이에 대한 어머니의 관심과 사랑을 보여 준다.

④ ㉠은 어머니에 대한 완득이의 그리움을, ㉡은 완득이에 대한 어머니의 관심을 보여 준다.

⑤ ㉠은 똥주 선생님에 대한 완득이의 고마움을, ㉡은 어머니에 대한 완득이의 고마움을 보여 준다.

03 (다)에 나타난 어머니의 심정으로 적절하지 <u>않은</u> 것은?
90

① 어머니로서의 역할을 못한 것에 자책감을 느낌.

② 완득이의 목소리를 들으며 대화를 나누고 싶음.

③ 함께 지내지 못한 완득이를 간절히 보고 싶어 함.

④ 완득이와 함께 살 수 없도록 만든 아버지를 원망함.

⑤ 자신은 완득이에게 무엇을 바랄 자격이 없다고 생각함.

🐱✏️ 서술형 대비 문제

04 (라)에서 완득이가 어머니가 사 준 운동화를 신어 보는 행동의 의미를 쓰시오.
90

조건 (가)를 참고하여 어머니에 대한 마음의 변화 양상을 밝힐 것

_____

_____

[05~07] 다음 글을 읽고, 물음에 답하시오.

가 어머니: 힘들었겠네요……. (도시락 보따리를 내밀며) 대회 나가려면 잘 먹어야지요. 고기 좀 구웠어요.

완득: 한국에 밥하러 왔어요? / 어머니: 아…… 미안해요…….

완득: …… 뭐가 미안해요? / 어머니: 그…… 그냥…….

완득: …… 그리고요, 저한테 존댓말 좀 쓰지 마세요.

나 완득: 이백사십짜리 구두 보여 주세요.

어머니: (손사래 치며) 아니에요. 괜찮아요. 이러지 말아요.

완득: (어머니 단화를 가리키며) 이렇게 납작한 거 말고요. 굽 있는 것으로 보여 주세요. (뭔가 발견하고는) 이거 괜찮겠네요. 이것으로 보여 주세요.

가게 주인: 가만 보니 저쪽 사람 같은데, 학생하고 많이 닮았네. 신어 봐요. 이백사십, 굽 높은 거.

가게 주인, 굽이 7센티미터나 되는 **분홍색 구두**를 내민다.

다 완득, 어머니의 헌 신발을 챙겨 얼른 가게 밖으로 나간다.

가게 주인: 잘 가요.

어머니: (신발 가게 주인에게) ……. ㉠저기…… 거스름돈이요…….

가게 주인: ……. 이 아줌마 갑자기 한국말 잘하네……. 여기요. 거스름돈. 이천 원. 잘 가요.

어머니, 신발 가게 주인에게서 거스름돈을 받고 얼른 따라 나간다.

어머니: ㉡고…… 고…… 고마워…….

완득, 봉투에 담긴 어머니의 해진 분홍색 신발을 꺼내 보인다.

완득: 분홍색 좋아하시는 거 맞지요? 이건 제가 가져갈게요.

라 관장: 완득아, 이제 그만하자.

완득: 관장님, 절대 수건 던지지 마세요. 끝까지 버틸 수 있게 해 주세요.

완득, ㉢관장의 손에서 수건을 빼앗아 땀을 닦고는 멀리 내던진다.

마 관장: 완득아! 정신 차려! 완득아! 완득아! 눈 좀 떠 봐, 인마!

심판의 카운트가 모두 끝나고 관중석에서는 환호성이 터져 나온다. 심판이 쓰러진 완득이의 상태를 살핀다.

완득이의 눈앞이 흐려진다. ㉣완득이가 웃는다.

바 어머니: 완득아…….

완득, 어머니와 눈이 마주친다.

완득: ……. 이제 어디도 가지 마세요……. 내가 힘들 때, 주저앉고 싶을 때 응원받고 싶은 사람, 안겨 보고 싶은 사람이 있어요……. 아버지, 민구 삼촌, 관장님, 똥주 선생님, 윤하, 친구들, 그리고…… ㉤엄마……, 엄마……, 엄마!

완득이의 '엄마'라는 말에 가슴이 무너지고 눈시울이 붉어지는 어머니.

완득이가 어린아이처럼 목 놓아 울면 어머니가 다가가 보듬는다.

05 **(나)의 '분홍색 구두'에 대한 이해로 적절하지 않은 것은?**
(90)

① 완득이가 이전보다 어머니에게 마음을 열었음을 알 수 있군.
② 낡은 신발을 신고 다니는 어머니에 대한 완득이의 안쓰러움이 반영되어 있군.
③ 완득이가 경제적 능력이 있음을 어머니에게 보여 주는 행동으로 볼 수 있군.
④ 어머니가 좋아하는 색의 예쁜 신발을 선물하고 싶은 마음이 담겨 있다고 볼 수 있군.
⑤ 자신을 조심스럽게 대하면서도 챙겨 주는 어머니에 대한 고마움의 표시로 볼 수도 있겠군.

06 **㉠~㉤에 대한 설명으로 적절하지 않은 것은?**
(85)

① ㉠: 거스름돈을 챙기는 행동에서 어머니의 알뜰한 성격을 알 수 있다.
② ㉡: 완득이에게 존댓말을 쓰지 않은 것으로 보아 둘 사이가 조금 가까워졌다는 것을 짐작할 수 있다.
③ ㉢: 시합을 포기하지 않고 끝까지 싸우겠다는 완득이의 의사를 드러내는 행동이다.
④ ㉣: 최선을 다했음에도 패배한 상황에 허탈해하고 있다.
⑤ ㉤: 완득이가 어머니에 대해 마음을 완전히 열었음을 의미한다.

서술형 대비 문제

07 **〈보기〉는 (라)~(바)에 해당하는 원작 소설의 내용이다. 이를 참고하여, 이 글과 원작 소설의 차이점을 서술하시오.**
(95)

> **보기**
>
> 내 인생의 정식 첫 시합 날. 1라운드에서 또다시 티케이오(TKO)로 패한 날, 관장님이 떠났다.

조건1 내용상 차이점을 제시할 것
조건2 대조의 방식을 활용하여 완결된 한 문장으로 서술할 것

_____

_____

4. 함께 여는 세상의 창

02 우리가 만드는 연극

| 학습 목표 | 연극의 대본을 창작하여 한 편의 연극을 공연할 수 있다.

1 연극

- **뜻** 배우가 각본에 따라 어떤 사건이나 인물을 말과 동작으로 관객에게 보여 주는 무대 예술

2 연극 대본의 특징

시험에 **잘** 나온대
■연극 대본의 특징
예 연극 대본의 특징으로 적절하지 않은 것은?

무대 상연의 문학	무대라는 공간에서 정해진 시간 내에 공연하기 때문에 등장인물의 수, 시간적·공간적 배경 등에 제약이 많음.
대사와 행동의 문학	등장인물의 대사와 행동을 통해 ① [ ]이 전개됨.
현재 진행형의 문학	② [ ]하여 관객의 눈앞에서 벌어지고 있는 사건으로 표현함.
대립과 갈등의 문학	등장인물의 대립과 갈등을 중심으로 하여 사건이 전개됨.

3 연극 대본의 구성 요소

해설	막이 오르기 전후에 배경, 등장인물, 무대 장치 등을 설명함.
③	• **대화**: 등장인물들이 주고받는 대사 • **독백**: 상대역 없이 혼자 말하는 대사 • **방백**: 무대 위에 다른 사람들에게는 들리지 않고 관객에게만 들리는 것으로 약속된 대사
지시문	• ④ [ ] 지시문: 무대 장치, 분위기, 효과음, 조명 등을 지시함. • **동작 지시문**: 등장인물의 표정, 행동, 몸짓 등을 지시함.

4 연극을 공연하는 과정

시험에 **잘** 나온대
■연극을 공연하는 과정
예 다음을 연극을 공연하는 과정에 따라 알맞게 배열하시오.

⑤ [ ] 정하기	연극에서 전달하고 싶은 내용을 결정함.
대본 만들기	• 대본 만드는 방법 논의하기 • 등장인물의 성격과 주요 갈등 만들기 • 이야기를 장면으로 구성하기 • 장면 속 연극 요소를 살려 장면을 대본으로 만들기
역할 정하기	연기, 무대 장치와 조명, 배경 음악과 음향, 의상과 분장, 소품 등 각자 연극 공연에서 맡을 역할을 정함.
세부 연습하기	각자 맡은 역할에 따라 장면별로 세부 연습을 진행함.
최종 연습하기	공연에 앞서 최종 연습을 하며 준비한 내용을 점검함.
공연하기	준비한 연극을 공연함.
평가하기	연극을 준비하고 공연하는 과정에서의 잘된 점과 개선할 점 등을 생각해 봄.

5 연극을 직접 준비하여 공연했을 때의 장점

- 배역을 맡아 연기하면서 작품 속 인물을 깊이 있게 이해할 수 있고, 작품의 의미와 가치를 발견할 수 있다.
- 친구들과 함께 연극 공연을 준비하면서 서로 존중하고 배려하여 한 편의 연극을 완성하는 ⑥ [   ]을 느낄 수 있다.

답 | ① 사건 ② 현재화 ③ 대사 ④ 무대 ⑤ 주제 ⑥ 성취감

바로바로 **개념** 체크

1 연극에 대한 설명으로 적절하지 않은 것은?

① 공연 시간과 등장인물의 수에 제약이 있다.
② 등장인물의 말과 행동을 통해 사건이 전개된다.
③ '발단-전개-위기-절정-결말'의 단계로 구성된다.
④ 인물 간의 대립과 갈등을 중심으로 사건이 전개된다.
⑤ 현재화하여 관객의 눈앞에서 벌어지고 있는 사건으로 표현한다.

2 다음 ㉠에 해당하는 희곡의 구성 요소는?

> 형: 들판에 피어 있는 이 민들레꽃에 걸고서 맹세하자. 우리 형제는 언제나 사이좋게 지내기로……
> 아우: 그래요. ㉠(민들레꽃을 꺾어 형에게 내밀며) 이 민들레꽃이 우리 맹세의 증표예요.

① 대화   ② 해설
③ 독백   ④ 대사
⑤ 지시문

3 연극 대본을 창작하고 공연하는 과정에 해당하지 않는 것은?

① 주제 정하기
② 대본 만들기
③ 역할 정하기
④ 최종 연습하기
⑤ 원작 소설 읽기

연극을 준비하고 공연하기

연극 공연 과정

이야기 구성하기	연극 준비하기	연극 공연하기
주제 정하기 → 대본 만들기	→ 역할 정하기 → 세부 연습하기 → 최종 연습하기	→ 공연하기 → 평가하기

소단원 체크

1 다음을 연극 공연 과정에 따라 알맞게 배열하시오.

ㄱ 평가하기
ㄴ 공연하기
ㄷ 역할 정하기
ㄹ 주제 정하기
ㅁ 대본 만들기
ㅂ 최종 연습하기
ㅅ 세부 연습하기

교과서 184쪽 ▶ **주제 정하기** 친구들과 함께 공연할 연극의 주제를 정해 보자.

• 사춘기 청소년의 풋풋한 사랑
• **예시 답안** 우리의 꿈

2 연극의 주제를 정하는 방법에 대한 설명으로 맞으면 ○표, 틀리면 ×표 하시오.

(1) 연극을 통해 전달하고 싶은 것을 주제로 정한다. (　　)
(2) 서술자가 잘 표현할 수 있는 내용을 주제로 정한다. (　　)
(3) 평소 관심사나 경험, 생각 등을 바탕으로 관객이 공감할 수 있는 주제를 정한다. (　　)

교과서 185쪽 ▶ **대본 만들기** 친구들과 함께 주제를 잘 표현할 수 있는 연극 대본을 만들어 보자.

• 대본 만드는 방법 논의하기

새로운 이야기로 대본을 창작할까?

소설 〈동백꽃〉을 각색해 볼까?

예시 답안 새로운 이야기로 대본 창작하기

3 연극 대본 만들기에 대한 설명으로 적절하지 <u>않은</u> 것은?
① 역할 정하기 전 단계에서 만들어야 한다.
② 새로운 이야기로 대본을 창작할 수 있다.
③ 유명한 소설을 대본으로 각색할 수 있다.
④ 대본을 작성한 후에 연극의 주제를 정할 수 있다.
⑤ 갈등의 진행과 해결이 뚜렷하게 드러나도록 한다.

4. 함께 여는 세상의 창

● 등장인물의 성격과 주요 갈등 만들기

중심인물과 주변 인물의 특징을 상상하여 정리해 나간다. 그다음으로 이들의 관계를 중심으로 주요 갈등을 설정한다.

중심인물

인물	극에서 표현할 특성
순돌	소작인의 아들로, 순박하고 순진하지만 어리숙하고 눈치가 없어서 점순이의 마음을 이해하지 못함.
점순	마름의 딸로, 거침이 없고 당당하며 자신의 마음을 적극적으로 표현함.

— 지주를 대리하여 소작권을 관리하는 사람

주변 인물

인물	극에서 표현할 특성
점순이의 어머니	점순이에게 결혼 이야기를 꺼내어 점순이의 내적 갈등을 부추김.

● 인물 간의 관계와 주요 갈등
점순이의 마음을 알지 못하는 순돌이와 그런 순돌이를 괴롭히는 점순이 사이의 갈등

예시 답안 ·중심인물

인물	극에서 표현할 특성
지아	자신감 없고 무기력한 모습의 15세 소녀로, 가수가 되기를 꿈꾸지만 이를 반대하는 아버지를 원망하며 방황함.
아버지	40대 초중반의 남성으로, 과묵하고 자신의 생각만을 고집하는 고지식한 성격임.

·주변 인물

인물	극에서 표현할 특성
어머니	40대 초중반의 여성으로, 지아의 편에서 지아를 지지하고 응원함.
준영	지아의 친구로, 지아의 고민에 귀 기울여 주고 지아를 따뜻하게 위로해 줌.

·인물 간의 관계와 주요 갈등: 가수가 되고 싶은 지아와 이런 꿈을 이해하지 못하는 아버지 사이의 갈등

● 이야기를 장면으로 구성하기

중심인물의 상황, 중심인물이 겪는 사건 등을 친구들과 이야기해 보며 주요 장면을 구성한다.

【 장면 1 】
어느 날, 점순이가 일하고 있는 순돌이에게 감자를 내밀지만 순돌이는 이를 거절한다. 창피함을 느낀 점순이는 순돌이가 괘씸하다.
예시 답안 지아네 가족이 부엌에서 저녁 식사를 하고 있다. 아버지는 중간고사 성적 이야기를 꺼내며 지아에게 노래 연습 시간을 줄이고 공부를 더 열심히 하라고 한다. 지아는 고개를 떨군 채 아무 말도 하지 못한다.

【 장면 2 】
다음 날 점순이는 보란 듯이 자기 집 봉당에서 순돌이네 씨암탉을 때린다. 화가 난 순돌이는 점순이와 거친 말을 주고받는다.
예시 답안 방에 들어온 지아는 성적도 좋지 않고 노래 실력도 다른 사람보다 뛰어나지 않은 자신의 모습을 자책하며 잠을 설친다.

갈등의 진행과 해결 과정이 드러나도록 주요 장면을 구성해 봐. 내용에 따라 장면의 수를 조정할 수 있어.

【 장면 3 】
예시 답안 점심시간, 지아는 준영이에게 고민을 털어놓는다. 준영이는 열심히 노력하면 지아가 원하는 대로 될 것이라고 위로하지만 지아는 쉽게 받아들이지 못한다.

【 장면 4 】
예시 답안 주말에 집에서 어머니와 함께 대청소를 하던 지아는 아버지가 지아 나이일 때 사용하던 악보를 발견하고 아버지도 어렸을 때 가수가 되고 싶어 했음을 알게 된다.

162 • 국어 2-2

소단원 체크

주관식

4 다음 빈칸에 알맞은 말을 차례대로 쓰시오.

등장인물의 성격과 주요 갈등을 만들 때에는 등장인물의 (   )을 구체화하고 주요 갈등을 만든다. 또한 사건의 (   )이 되는 인물과 그 (   ) 인물들을 설정한다.

5 연극에서 이야기를 장면으로 구성하는 방법에 대한 설명으로 가장 적절한 것은?

① 장면마다 등장인물을 바라보는 관점을 다르게 설정한다.
② 갈등의 진행과 해결 과정이 뚜렷하게 드러나도록 구성한다.
③ 최대한 많은 장면으로 구성하여 주제를 뚜렷하게 전달한다.
④ 희곡의 구성 단계인 '처음-중간-끝'에 따라 장면을 구성한다.
⑤ 등장인물의 성격이 잘 드러나도록 해설과 지시문을 구체적으로 쓴다.

tip 소설 〈동백꽃〉 줄거리
소작농의 아들인 '나'는 마름의 딸인 점순이가 이성적인 호감을 담아 건넨 감자를 받지 않는다. 이에 점순이는 일부러 '나'의 암탉을 쥐어박거나, 자기네 힘센 수탉을 '나'의 수탉과 싸우게 하며 '나'를 약 올린다. '나'는 닭에게 고추장까지 먹이며 점순이네 수탉에 맞서게 하지만 '나'의 닭은 부상만 당하고 이기지 못한다. 산에서 나무를 하고 내려오던 '나'는 점순이가 다시 붙인 닭싸움에 단단히 화가 나서 점순이네 수탉을 때려죽인다. 마름의 닭을 죽인 후 그 후에 일어날 일이 두려워 울음을 터뜨린 '나'를 점순이가 달래며 동백꽃 속으로 쓰러진다.

장면 5	장면 6
예시 답안 그날 저녁 어머니는 집에 돌아온 아버지에게 지아가 찾은 악보를 건네고, 아버지는 생각에 잠긴다. 어머니는 부모님의 반대로 가수의 꿈을 이루지 못한 아버지의 젊은 시절을 이야기하며 지아의 꿈을 응원해 주자고 설득한다.	**예시 답안** 다음 날 학교에서 돌아온 지아는 자신의 방에서 평소 갖고 싶어 했던 기타를 발견한다. 기타를 들고 좋아하는 지아에게 아버지가 다가온다. 아버지는 꿈을 이루기 위해 최선을 다해 보라며 지아를 응원한다.

6 '장면 속 연극 요소 살리기' 단계에서 고려해야 할 연극의 요소로 적절하지 <u>않은</u> 것은?

① 등장인물의 동선
② 등장인물의 말과 행동
③ 사건이 진행되는 배경
④ 장면에 어울리는 효과음
⑤ 실제 연극 공연에서 담당할 역할

● 장면 속 연극 요소 살리기

> 앞에서 구성한 주요 장면 중 하나를 선택하고, 연극의 요소를 구체적으로 설정한다. 이후 다른 장면도 연극의 요소를 살려 구체적으로 표현한다.

장면 1	점순이가 순돌이에게 감자를 내밀지만 순돌이가 거절함.		
등장인물	점순, 순돌	장소	순돌이네 집 앞마당
배경	여기저기 꽃이 피고, 초가집이 모여 있는 농촌의 봄 풍경을 그림으로 그려서 보여 줌.		
장면에 어울리는 소리	멀리서 들리는 ㉠새 소리와 소 울음소리로 농촌임을 드러냄. 순돌이가 울타리를 엮는 동작에 맞춰서 나뭇가지 부딪히는 소리를 들려줌.		
등장인물의 동선	순돌이는 무대 왼쪽의 순돌이네 집 앞마당에 있고, 점순이가 무대 오른쪽에서부터 순돌이를 향해 다가감.		
등장인물의 말과 행동	• 점순이가 치마 속에 감자를 숨기고 순돌이에게 다가감. • 순돌이는 점순이가 다가오는 줄 모르고 울타리를 엮는 데 열중함. • 점순이는 긴장한 모습으로 순돌이에게 계속 말을 걺. • 순돌이는 점순이에게 무뚝뚝하게 대답하며 울타리를 엮는 일에만 집중함.		

> 친구들과 장면을 나누어 맡아서 연극 요소를 고민해 볼 수도 있어.

7 ㉠의 기능으로 가장 적절한 것은?

① 인물의 성격을 강조한다.
② 시간의 흐름을 보여 준다.
③ 작품의 주제를 뚜렷하게 한다.
④ 극중 상황에 사실성을 부여한다.
⑤ 인물의 행동에 필연성을 부여한다.

예시 답안

장면 1	아버지가 지아의 성적을 물어보고 더 열심히 공부하라며 지아를 혼냄.		
등장인물	지아, 아버지, 어머니	장소	지아네 집 부엌
배경	실제 가정집 부엌의 모습이 연상되도록 냉장고, 수납장 등을 그림으로 그려서 보여 줌.		
장면에 어울리는 소리	그릇에 숟가락과 젓가락이 부딪치는 소리만 나며 적막한 분위기를 자아냄. 아버지가 식탁 위에 젓가락을 내려놓는 동작에 맞춰서 식기가 부딪치는 소리를 들려줌.		
등장인물의 동선	지아, 아버지, 어머니 모두 이동하지 않고 식탁에 앉아 있음.		
등장인물의 말과 행동	• 아버지가 지아에게 말을 걸면서 점차 언성이 높아짐. • 어머니가 주눅이 든 지아를 안쓰러워하며 아버지를 말림. • 아버지는 계속 지아의 성적과 관련된 이야기를 하며 지아를 혼냄. • 지아는 고개를 숙인 채 아버지의 질문에 제대로 답하지 못하고 우물쭈물함.		

8 다음 장면의 연극 요소를 살리는 방법으로 적절하지 <u>않은</u> 것은?

> • 장면: 저녁 식사 중 아버지가 지아의 성적을 물어보고 더 열심히 공부하라며 지아를 혼냄.
> • 등장인물: 지아, 아버지, 어머니
> • 장소: 지아네 집 부엌
> • 배경: 실제 가정집 부엌의 모습이 연상되도록 냉장고, 수납장 등을 그림으로 그려서 보여 줌.

① 등장인물 모두 이동하지 않고 식탁에 앉아 있는다.
② 아버지가 지아에게 말을 걸면서 점차 언성이 높아진다.
③ 새 소리나 소 울음소리를 효과음으로 제시하여 농촌임을 드러낸다.
④ 지아는 고개를 숙인 채 아버지의 질문에 제대로 대답을 하지 못한다.
⑤ 그릇에 숟가락과 젓가락이 부딪치는 소리만 나며 적막한 분위기를 자아낸다.

• 장면을 대본으로 만들기

연극의 요소를 살려 대본을 작성한다. 친구들과 논의하여 등장인물, 사건, 공간 등을 정리하고, 이와 함께 소품과 효과음 등도 구체적으로 정한다.

등장인물 순돌, 점순, 점순이의 어머니　　**배경** 한적한 농촌 마을

옹기종기 모여 있는 초가집과 꽃이 핀 농촌의 봄 풍경을 보여 주는 그림이 무대 뒤쪽에 걸려 있다. 무대의 왼쪽에 순돌이네 집, 오른쪽에 점순이네 집이 있다.

🔊 1장 순돌이네 집 앞마당

순돌이네 집 쪽의 조명이 밝아지면 점순이가 치마 속에 감자를 숨기고 무대 오른쪽에서 살금살금 등장한다. 순돌, 울타리를 엮는 데 열중하느라 점순이가 다가오는 줄도 모른다.

점순: (긴장된 표정으로 헛기침을 하다가 결심한 듯) 얘! 뭐 하니?

순돌: (㉠점순이를 흘낏 쳐다본 뒤 무뚝뚝한 목소리로) 보면 모르냐? (다시 하던 일에 열심이다.) / 점순: (㉡사근사근한 목소리로) 그 일, 재미있니?

순돌, 점순이의 말을 들은 체 만 체하고 묵묵히 울타리만 엮는다.

점순: (㉢순돌이에게 좀 더 다가가 다정한 목소리로) 한여름이나 되거든 하지 벌써 울타리를 하니?

순돌, 고개를 돌려 점순이를 빤히 쳐다본다.

점순: (㉣과장된 목소리로) 까르르.

순돌, 아무 반응 없이 다시 묵묵히 울타리를 엮는다.

점순, 주위를 두리번거리다 ㉤순돌이 쪽으로 좀 더 가까이 다가간다.

예시 답안

등장인물 지아, 아버지, 어머니
배경 저녁 식사 시간, 지아네 집 부엌

무대 뒤쪽으로 냉장고, 수납장 등 평범한 가정집의 모습을 보여 주는 그림이 걸려 있다. 벽에는 지아네 가족사진이 걸려 있다.

1장 지아네 집 부엌

조명이 가족사진을 비춘다. 사진 속 지아, 아버지, 어머니 모두 환하게 웃고 있다. 점점 무대 전체가 밝아지면 무대 중앙의 식탁에서 지아, 아버지, 어머니가 식사하고 있다. 가족사진 속 모습과 달리 가족들의 표정은 모두 어둡다.

아버지: (낮은 목소리로) 중간고사 성적 나올 때 되지 않았니?
어머니: (잠시 지아를 안쓰러운 표정으로 바라보다가) 지아가 이번 시험 기간에 밤 늦게까지 잠도 안 자고 얼마나 고생했는데요. 우선 밥부터 먹고 이야기해요.
아버지: 밥 먹고 나면 자기 방에 들어가서 알아들을 수 없는 음악만 듣고 있는데 언제 이런 이야기를 하겠어요. (심각한 표정으로) 지아야. 네가 노래를 좋아하고 가수가 되고 싶어 하는 거 다 아는데, 우선 공부부터 해야 한다.

지아, 고개를 숙인 채 아무 말도 하지 않는다.

〈대본 작성 시 유의할 점〉

1. 막이 오르기 전에 필요한 무대 장치, 인물, 배경 등을 설정하며 해설을 작성하자.
2. 인물의 특징과 개성, 인물 간의 갈등이 분명하게 드러나도록 대사를 작성하자.
3. 인물의 말투, 표정, 동작과 무대 장치, 조명, 음향, 배우들의 등장과 퇴장을 고려하며 지시문을 작성하자.
4. 무대나 관객 등의 실제 공연 상황을 고려하여 대본을 작성하자.
5. 연극의 공연 시간을 고려하여 대본을 적절한 길이로 작성하자.

소단원 체크

9 장면을 대본으로 만들 때 유의할 점으로 적절하지 않은 것은?

① 연극의 요소를 중심으로 대본을 쓴다.
② 무대에서 상연될 상황을 고려하여 구성한다.
③ 인물의 특징과 주요 갈등이 구체적으로 드러나도록 구성한다.
④ 관객이 연극의 내용을 잘 이해할 수 있도록 최대한 길고 자세하게 작성한다.
⑤ 인물의 행동뿐 아니라 무대 장치, 조명, 배경 음악, 음향 등을 적절하게 제시한다.

학습활동 응용

10 ㉠~㉤ 중, 순돌이에 대한 점순이의 호감을 드러내는 행동으로 보기 어려운 것은?

① ㉠　　　② ㉡　　　③ ㉢
④ ㉣　　　⑤ ㉤

주관식

11 다음에 해당하는 연극의 구성 요소를 쓰시오.

> 등장인물의 행동이나 말투, 무대 장치나 음향 효과 등을 지시하고 설명함.

12 연극의 대본에서 대사의 기능으로 적절하지 않은 것은?

① 주제를 구체적으로 형상화한다.
② 인물의 심리와 성격을 드러낸다.
③ 인물의 동작, 조명 등을 지시한다.
④ 인물의 가치관이나 사고방식을 드러낸다.
⑤ 사건의 분위기를 조성하고, 사건을 전개한다.

아버지: (조금 흥분하며) 왜 대답이 없어! 아빠가 이야기하면 대답을 해야지.

어머니: (남편을 원망하는 목소리로) 당신도 참, 우선 밥부터 먹고 이야기하자고요.

아버지: (숨을 고른 뒤) 중간고사 성적은 나왔니?

지아: (㉠) 네.

아버지: 그럼 밥 먹고 성적표 가져오렴. 이번에는 지난번보다는 올랐겠지?

지아, 다시 고개를 숙인 채 아무 대답이 없다.

아버지: (참았던 화를 터뜨리며 잡고 있던 젓가락을 식탁 위에 세게 내려놓고) 속 시원하게 말 좀 해 봐. 성적이 올랐으면 올랐다고, 떨어졌으면 떨어졌다고 말을 해야지.

지아, 계속 묵묵부답하며 고개만 숙이고 있다.

아버지: (단호한 목소리로) 아무 말 없는 거 보니 또 성적이 떨어진 모양이구나. 지난번에 성적 올리지 못하면 노래 연습 시간을 줄인다고 약속한 거 기억하지? 당분간 노래 연습 시간을 줄이고 공부에 전념해라.

지아, 고개를 들어 무슨 말을 하려다가 결국 아무 말도 못 한다.

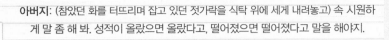

13 ㉠에 어울리는 동작 지시문으로 가장 알맞은 것은?

① 큰 소리로
② 자신 없는 목소리로
③ 숟가락을 세게 내려놓으며
④ 아버지를 원망하는 목소리로
⑤ 아버지의 눈을 똑바로 쳐다보며

14 연극 공연을 준비할 때 필요한 역할로 보기 어려운 것은?

① 배우　　　② 관객
③ 연출　　　④ 소품 담당
⑤ 무대 장치 담당

교과서 190쪽 ▶ **역할 정하기** 연극 공연에서 어떤 역할을 맡을 것인지 정해 보자.

연극을 전체적으로 조정할 수 있는 연출, 대본을 보강하고 수정할 작가 등 공연에 필요한 역할을 정하여 친구들과 분담한다.

무대에 올라 연기를 하겠어.

자신이 연기할 인물 이해하기
- 등장인물의 성격 분석하기.
- 등장인물의 역할을 장면에 따라 정리하기.

대본 연습하기
- 다른 배우들과 함께 대사 연습하기.
- 무대 동선 정리하기.

연극의 무대 장치와 조명을 준비할 거야.

무대 장치 준비하기
- 무대가 전환되는 장면 정리하기.
- 장면별 무대 장치 준비하기.

조명 준비하기
- 장면별 조명 활용 계획 세우기.
- 조명 기구 준비하기.

연극에 사용할 배경 음악과 음향을 준비할 거야.

배경 음악 준비하기
- 등장인물의 감정, 장면의 내용과 분위기에 맞는 음악 준비하기.

음향 준비하기
- 극에 사실감을 더해 주는 음향 준비하기.

등장인물에게 어울리는 의상과 분장, 공연에 필요한 소품을 준비할 거야.

의상과 분장 준비하기
- 등장인물의 특징을 드러낼 수 있는 의상과 분장 준비하기.

소품 준비하기
- 등장인물별, 장면별로 필요한 소품을 목록으로 정리하여 준비하기.

예시 답안 생략

15 연극 공연을 준비하는 단계에서 맡은 역할에 따라 해야 할 일로 적절하지 않은 것은?

① 연출 담당: 대본의 보강 및 수정
② 소품 담당: 인물별, 장면별 소품 목록 정리 및 준비
③ 조명 담당: 장면별 조명 계획 마련 및 조명 기구 준비
④ 분장 담당: 인물의 특징과 성격을 드러낼 수 있는 분장 준비
⑤ 무대 장치 담당: 무대 전환 장면 정리 및 장면별 무대 장치 준비

16 연극 공연을 준비할 때 다음과 같은 일을 해야 하는 역할은?

- 등장인물의 감정, 장면의 내용과 분위기에 맞는 음악 준비
- 극에 사실감을 더해 주는 음향 준비

① 연기 담당
② 연출 담당
③ 의상, 분장, 소품 담당
④ 배경 음악과 음향 담당
⑤ 무대 장치와 조명 담당

세부 연습하기 자신이 맡은 역할에 따라 장면별로 세부 연습을 진행해 보자.

예시 답안

장면 1	장면 1	장면 2
● 순돌이: 무심한 표정과 말투 ● 점순이: 감정의 변화 표현	• 지아: 자신감 없는 표정과 말투로 연기함. • 아버지: 답답함을 참다가 결국 화를 내는 모습이 잘 드러나도록 연기함. • 어머니: 지아를 안쓰러워하는 마음이 잘 드러나도록 연기함.	• 지아: 자책하는 지아의 심리가 잘 드러나도록 표정과 행동을 섬세하게 연기함.
● 무대: 꽃이 핀 농촌을 표현한 그림 ● 조명: 따뜻한 봄날을 표현하는 밝은 조명	• 무대: 평범한 가정집의 분위기가 느껴지는 그림 • 무대 중앙의 식탁을 가장 밝게 비추어 관객들이 등장인물에 집중하도록 함.	• 무대: 벽에는 가수의 포스터가 붙어 있고 책상 위에 많은 음반이 쌓여 있음. • 조명: 지아의 얼굴을 비추어 자책하는 표정이 잘 보이도록 함.
● 배경 음악: 점순이가 감자를 내밀 때까지 경쾌한 음악 ● 음향: 순돌이가 울타리를 엮는 장면에서 효과음	• 배경 음악: 배경 음악을 사용하지 않고 적막하고 무거운 분위기를 강조함. • 음향: 아버지가 화를 터뜨리는 장면에서 효과음	• 배경 음악: 슬프고 잔잔한 느낌의 음악 • 음향: 거실에서 들려오는 텔레비전 속의 웃음소리
● 의상: 소박하고 허름한 의상 ● 분장: 순돌이는 더벅머리, 점순이는 댕기 머리 ● 소품: 감자, 호미 등	• 의상: 집에서 편하게 입을 만한 의상 • 분장: 지아는 앳되고 수수한 얼굴, 아버지와 어머니는 40대 초중반의 성인 • 소품: 식탁, 음식 등	• 의상: 지아의 의상은 '장면 1'과 같음. • 소품: 책상, 가수의 포스터, 음반 등

최종 연습하기 공연 전에 최종 연습을 하며 다음 내용을 점검해 보자.

발표 장소에서 실제와 같이 연습해 보며 수정하거나 보완해야 할 부분이 있는지 확인한다.

연기

대사를 숙지하고 정확한 발음으로 전달하는가? ○

동작 연기와 동선이 자연스러운가? ○

입장과 퇴장이 원활하게 이루어지는가? ○

무대 장치·조명

극의 분위기에 어울리는 무대 장치를 마련했는가? ○

준비한 무대 장치를 장면에 따라 적절하게 바꿨는가? ○

배우의 동선과 장면에 맞게 조명을 조작했는가? ○

기계 따위를 일정한 방식에 따라 다루어 움직임.

소단원 체크

17 배우 역할을 맡은 사람이 세부적으로 연습해야 할 사항으로 적절하지 <u>않은</u> 것은?

① 등장인물이 어떤 성격인지 분석한다.

② 다른 배우들과 극중 대사를 맞춰 본다.

③ 등장인물에 어울리는 의상을 준비한다.

④ 등장인물의 역할을 장면에 따라 정리한다.

⑤ 무대 위에서 어떻게 움직일지 동선을 정리한다.

18 연극 공연 준비 과정 중 '세부 연습하기'에 대한 설명으로 가장 적절한 것은?

① 주요 장면을 바탕으로 대본을 완성하는 과정이다.

② 실제 공연에서 어떤 역할을 맡을지 정하는 과정이다.

③ 공연 전에 전체적인 공연 내용을 최종 점검하는 과정이다.

④ 주요 사건을 몇 개의 장면으로 구성할지 결정하는 과정이다.

⑤ 장면마다 준비해야 하는 사항을 정리하고, 실제로 세부 연습을 진행하는 과정이다.

19 다음에 해당하는 연극 공연 준비 과정은?

공연 전에 발표 장소에서 실제와 같이 연습해 보며 수정하거나 보완해야 할 부분이 있는지 최종적으로 점검함.

① 주제 정하기

② 대본 만들기

③ 역할 정하기

④ 세부 연습하기

⑤ 최종 연습하기

배경 음악·음향	
극의 분위기와 사건의 진행에 맞는 배경 음악을 준비했는가?	☐
배우의 대사와 동작에 맞추어 음향을 활용했는가?	☐
장면에 따라 배경 음악과 음향을 적절하게 조절했는가?	☐

의상·분장·소품	
등장인물에 어울리는 의상과 분장을 준비했는가?	☐
장면에 필요한 소품을 준비했는가?	☐
장면에 따라 의상과 소품을 적절하게 활용했는가?	☐

예시 답안 생략

교과서 193쪽 ▶ **공연하기** 친구들 앞에서 연극을 공연해 보자.

연극이 끝난 뒤에 관객들의 질문에 대답하며 대화를 나눌 수도 있어.

교과서 193쪽 ▶ **평가하기** 연극의 준비 과정과 공연 결과를 평가해 보자.

• 잘된 점: 예시 답안 지아의 고민과 갈등이 잘 드러나도록 대본을 작성했다.
• 개선할 점: 예시 답안 연극을 공연할 때 배우의 연기와 음향이 일치하지 않는 부분이 있었다. 다음에는 좀 더 철저하게 연습해서 이런 부분을 보완하고 싶다.

생각 모으기

○ 이 단원에서 학습한 내용을 떠올리며 빈칸에 들어갈 적절한 말을 보기 에서 찾아보자.

• 연극의 대본은 ☐☐☐ 의 진행과 해결 과정이 뚜렷하게 드러나도록 작성해야 한다.
• 대사를 작성할 때에는 ☐☐ 의 특징이 잘 드러나도록 해야 한다.
• ☐☐☐ 은/는 등장인물의 말투나 표정, 동작뿐만 아니라 무대 장치나 음향 등을 설명하는 부분이다.
• 연극 공연을 준비하는 과정에서 대사나 소품 등은 상황에 맞게 ☐☐ 할 수 있다.

보기
등장인물	대사	조정	갈등	지시문

○ 연극을 공연하는 과정에서 음향이 어떤 효과를 주는지 말해 보자.

도끼가 떨어지는 순간에 맞춰서 효과음을 넣어야지.

풍덩

예시 답안 관객은 '풍덩'이라는 소리를 통해 도끼가 연못에 빠졌음을 확실히 인지할 수 있다. 이처럼 음향은 연극 속 상황의 (   )을 높이고 관객이 연극에 몰입할 수 있도록 도와준다.

소단원 체크

20 '최종 연습하기' 과정에서 점검해야 할 요소로 적절하지 않은 것은?
① 관객들과 나눌 대화를 충분하게 준비했는가?
② 등장인물에 어울리는 의상과 분장을 준비했는가?
③ 극의 분위기에 어울리는 무대 장치를 마련했는가?
④ 등장인물의 입장과 퇴장이 원활하게 이루어지는가?
⑤ 장면에 따라 배경 음악과 음향을 적절하게 조절했는가?

21 연극 공연을 관람하는 태도로 적절하지 않은 것은?
① 등장인물의 상황과 정서를 파악하며 관람한다.
② 무대 위에서 일어나는 사건에 집중하며 관람한다.
③ 등장인물의 갈등과 해결 과정을 파악하며 관람한다.
④ 등장인물의 대사와 동작에 적절하게 호응하며 관람한다.
⑤ 연극에서 보완해야 할 점을 옆 사람과 토의하며 관람한다.

4. 함께 여는 세상의 창

핵심 정리

🌱 **연극을 공연하는 과정**

주제 정하기	연극에서 전달하고 싶은 내용을 결정함.
(　　　) 만들기	• 대본 만드는 방법 논의하기 • 등장인물의 성격과 주요 (　　　) 만들기 • 이야기를 (　　　)으로 구성하기 • 장면 속 연극 요소 살리기 • 장면을 대본으로 만들기
역할 정하기	연기, 무대 장치와 조명, 배경 음악과 음향, 의상과 분장, 소품 등 각자 연극 공연에서 맡을 역할을 정함.
세부 연습하기	각자 맡은 (　　　)에 따라 장면별로 세부 연습을 진행함.
(　　　) 연습하기	공연에 앞서 최종 연습을 하며 준비한 내용을 점검함.
공연하기	준비한 연극을 공연함.
(　　　)하기	연극을 준비하고 공연하는 과정에서의 잘된 점과 개선할 점 등을 생각해 봄.

주요 포인트

🌱 **연극 공연을 위해 필요한 역할**

(　　　)	연극을 전체적으로 조정함.
작가	대본을 보강하고 수정함.
연기 담당	• 자신이 연기할 인물 이해하기 　– 등장인물의 성격 분석하기　　　　　– 등장인물의 역할을 장면에 따라 정리하기 • 대본 연습하기 　– 다른 배우들과 함께 대사 연습하기　– 무대 (　　　) 정리하기
무대 장치와 조명 담당	• 무대 장치 준비하기 　– 무대가 전환되는 장면 정리하기　　　– 무대별 무대 장치 준비하기 • 조명 준비하기 　– 장면별 조명 활용 계획 세우기　　　– 조명 기구 준비하기
배경 음악과 (　　　) 담당	• 배경 음악 준비하기 　– 등장인물의 감정, 장면의 내용과 분위기에 맞는 음악 준비하기 • 음향 준비하기 　– 극에 사실감을 더해 주는 음향 준비하기
의상, 분장, 소품 담당	• 의상과 분장 준비하기 　– 등장인물의 (　　　)을 드러낼 수 있는 의상과 분장 준비하기 • 소품 준비하기 　– 등장인물별, 장면별로 필요한 소품을 목록으로 정리하여 준비하기

🌱 **연극을 공연하는 과정에서 음향의 효과**

• 연극의 (　　　)을 높인다.
• (　　　)이 연극에 몰입할 수 있도록 도와준다.
• 연극의 분위기를 전달하고 앞으로 일어날 사건을 암시하는 등 내용을 실감 나게 표현해 준다.

소단원 종합 문제

[01~04] 다음 글을 읽고, 물음에 답하시오.

가 연극 공연 과정

이야기 구성하기	연극 준비하기	연극 공연하기
주제 정하기 → 대본 만들기	→ 역할 정하기 → 세부 연습하기 → 최종 연습하기	→ 공연하기 → 평가하기

나 등장인물의 성격과 주요 갈등 만들기

● 중심인물

인물	극에서 표현할 특성
순돌	소작인의 아들로, 순박하고 순진하지만 어리숙하고 눈치가 없어서 점순이의 마음을 이해하지 못함.
점순	마름의 딸로, 거침이 없고 당당하며 자신의 마음을 적극적으로 표현함.

● 주변 인물

인물	극에서 표현할 특성
점순이의 어머니	점순이에게 결혼 이야기를 꺼내어 점순이의 내적 갈등을 부추김.

● 인물 간의 관계와 주요 갈등

점순이의 마음을 알지 못하는 순돌이와 그런 순돌이를 괴롭히는 점순이 사이의 갈등

다 장면 속 연극 요소 살리기

장면 1	점순이가 순돌이에게 감자를 내밀지만 순돌이가 거절함.		
등장인물	점순, 순돌	장소	순돌이네 집 앞마당
배경	여기저기 꽃이 피고, 초가집이 모여 있는 농촌의 봄 풍경을 그림으로 그려서 보여 줌.		
㉠장면에 어울리는 소리	멀리서 들리는 새 소리와 소 울음소리로 농촌임을 드러냄. 순돌이가 울타리를 엮는 동작에 맞춰서 나뭇가지 부딪히는 소리를 들려줌.		
등장인물의 동선	순돌이는 무대 왼쪽의 순돌이네 집 앞마당에 있고, 점순이가 무대 오른쪽에서부터 순돌이를 향해 다가감.		
등장인물의 말과 행동	• 점순이가 치마 속에 감자를 숨기고 순돌이에게 다가감. • 순돌이는 점순이가 다가오는 줄 모르고 울타리를 엮는 데 열중함. • 점순이는 긴장한 모습으로 순돌이에게 계속 말을 걺. • 순돌이는 점순이에게 무뚝뚝하게 대답하며 울타리를 엮는 일에만 집중함.		

01 연극의 특성으로 적절하지 <u>않은</u> 것은?

① 현재화된 사건이 관객의 눈앞에서 진행된다.
② 인물 사이의 대립과 갈등이 뚜렷하게 드러난다.
③ 주로 배우의 말과 행동을 통해 이야기가 전달된다.
④ 장면의 전환이나 등장인물의 수에 제약이 거의 없다.
⑤ '발단-전개-절정-하강-대단원'을 구성 단계로 한다.

02 (가)의 과정 중, (나)와 (다)가 이루어지는 과정으로 적절한 것은?

① 주제 정하기　　　　② 대본 만들기
③ 역할 정하기　　　　④ 세부 연습하기
⑤ 최종 연습하기

고난도

03 (나)를 참고할 때, 기존 문학 작품을 각색하여 연극 대본을 만들 때 고려해야 할 사항으로 적절하지 <u>않은</u> 것은?

① 중심인물 및 주변 인물의 특징과 성격을 정리한다.
② 등장인물이 많으면 사건 진행에 꼭 필요한 인물만을 추린다.
③ 원작에 나타난 사건의 진행 과정과 달라지지 않도록 구성한다.
④ 갈등의 진행과 해결 과정이 뚜렷하게 드러나도록 장면을 구성한다.
⑤ 인물 간의 관계를 중심으로 연극에서 표현할 주요 갈등을 설정한다.

서술형 대비 문제

04 ㉠과 같은 요소가 연극에서 하는 역할을 두 가지 쓰시오.

조건1 ㉠과 같은 것을 지칭하는 말을 밝혀 쓸 것
조건2 ㉠의 기능을 극중 상황과 관객의 입장에서 각각 쓸 것

[05~10] 다음 글을 읽고, 물음에 답하시오.

● 장면을 대본으로 만들기

등장인물　순돌, 점순, 점순이의 어머니
배경　　　한적한 농촌 마을

옹기종기 모여 있는 초가집과 꽃이 핀 농촌의 봄 풍경을 보여 주는 그림이 무대 뒤쪽에 걸려 있다. 무대의 왼쪽에 순돌이네 집, 오른쪽에 점순이네 집이 있다.

1장 순돌이네 집 앞마당

순돌이네 집 쪽의 조명이 밝아지면 점순이가 치마 속에 감자를 숨기고 무대 오른쪽에서 살금살금 등장한다. 순돌, 울타리를 엮는 데 열중하느라 점순이가 다가오는 줄도 모른다.

점순: (긴장된 표정으로 헛기침을 하다가 결심한 듯) 얘! 뭐 하니?

순돌: (점순이를 흘낏 쳐다본 뒤 무뚝뚝한 목소리로) 보면 모르냐? (다시 하던 일에 열심이다.)

점순: (　　㉠　　) 그 일, 재미있니?

순돌, 점순이의 말을 들은 체 만 체하고 묵묵히 울타리만 엮는다.

점순: (순돌이에게 좀 더 다가가 다정한 목소리로) 한여름이나 되거든 하지 벌써 울타리를 하니?

순돌, 고개를 돌려 점순이를 빤히 쳐다본다.

점순: (과장된 목소리로) 까르르.

순돌, 아무 반응 없이 다시 묵묵히 울타리를 엮는다.
점순, 주위를 두리번거리다 순돌이 쪽으로 좀 더 가까이 다가간다.

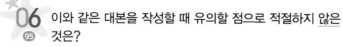

05 이 글과 같이 연극을 공연하기 위한 대본을 지칭하는 말을 2음절로 쓰시오.

06 이와 같은 대본을 작성할 때 유의할 점으로 적절하지 <u>않은</u> 것은?

① 인물의 특징과 개성, 인물 간의 갈등이 분명하게 드러나도록 작성한다.
② 인물의 성격과 심리를 관객에게 분명하게 전달할 수 있는 서술자를 설정한다.
③ 막이 오르기 전에 필요한 무대 장치, 인물, 배경 등을 설정하며 해설을 작성한다.
④ 무대나 관객, 공연 시간 등 실제 공연 상황을 고려하여 적절한 길이로 작성한다.
⑤ 인물의 말투, 표정과 동작, 무대 장치, 조명, 음향 등을 두루 고려하며 지시문을 작성한다.

07 대본의 내용을 고려할 때, ㉠에 들어갈 지시문으로 가장 적절한 것은?

① 명령하듯이
② 무심한 목소리로
③ 화가 난 표정으로
④ 순돌이를 째려보며
⑤ 사근사근한 목소리로

08 점순이와 순돌이 역할을 맡은 배우가 고려해야 할 점으로 적절하지 <u>않은</u> 것은?

① 점순이 역할의 배우는 무대 오른쪽에서 등장하도록 동선을 정리한다.
② 점순이와 순돌이 역할의 배우들은 대사를 정확하게 전달하기 위해 연습한다.
③ 순돌이 역할의 배우는 무뚝뚝한 성격이 드러나도록 무심한 표정과 말투로 연기한다.
④ 점순이 역할의 배우는 순진하고 소심한 성격이 드러나도록 조심스러운 표정과 목소리로 연기한다.
⑤ 점순이와 순돌이의 대화가 진행되면서 점순이 역할의 배우는 순돌이 쪽으로 점점 다가가도록 한다.

09 연극이 공연될 장소에서 최종 연습을 할 때 점검해야 할 사항으로 적절하지 <u>않은</u> 것은?

① 배우의 대사와 동작에 맞는 음향을 활용했는가?
② 장면에 따라 의상과 소품을 적절하게 활용했는가?
③ 극의 분위기에 어울리는 무대 장치를 마련했는가?
④ 공연 관람 때 지켜야 할 예절을 숙지하고 있는가?
⑤ 배우가 대사를 숙지하고 정확한 발음으로 전달하는가?

10 이 대본을 바탕으로 한 연극을 본 관객의 반응으로 적절하지 <u>않은</u> 것은?

① 순돌이의 행동과 목소리를 통해 순박한 순돌이의 성격을 느낄 수 있었어.
② 무대 뒤쪽에 걸린 그림을 통해서 농촌을 배경으로 하고 있다는 것을 알 수 있었어.
③ 극의 분위기에 어울리는 무대 장치를 마련하고, 배우의 동선과 장면에 맞게 조명을 조작했어.
④ 점순이 역할을 맡은 배우가 순돌이에게 자신의 감정을 솔직하게 드러내는 목소리와 표정으로 연기해서 작품에 몰입할 수 있었어.
⑤ 순돌이가 아무 반응 없이 다시 묵묵히 울타리를 엮을 때 '풍덩' 소리를 효과음으로 사용했다면 주제를 좀 더 잘 표현할 수 있었을 거야.

활동 1 | 시를 소설로 재구성하기

갈래	자유시, 서정시	성격	회상적, 감각적
제재	성탄절 무렵의 눈, 산수유 열매		
주제	아버지의 헌신적인 사랑과 정성을 향한 그리움		
특징	• 색채 대비를 통해 선명한 이미지를 형성함. • '눈'이 과거와 현재를 이어 주는 매개체로 작용함.		

성탄제 | 김종길

어두운 방 안엔 ┐ 색채 대비
빠알간 숯불이 피고, ┘ (어두운 방: 검은색 ↔ 숯불: 붉은색)

외로이 늙으신 할머니가
    홀로 손자를 지키고 있음.
애처로이 잦아드는 어린 목숨을 지키고 계시었다.
    말하는 이는 열병을 앓고 있음.

이윽고 눈 속을
    시련, 고통, 고난
아버지가 약을 가지고 돌아오시었다.
    어린 아들을 위해 눈 속을 헤치고 산수유 열매를 구해 옴.

아 아버지가 눈을 헤치고 따 오신 ┐ 색채 대비
그 붉은 산수유 열매— ┘ (눈: 흰색 ↔ 산수유 열매: 붉은색)
    헌신적이고 순수한 아버지의 사랑

        '짐승'의 방언
나는 한 마리 어린 짐승,
        연약하여 보호받아야 할 존재
젊은 아버지의 서느런 옷자락에
        눈을 헤치고 약을 구해 온 아버지의 사랑과 정성
열로 상기한 볼을 말없이 부비는 것이었다.

이따금 뒷문을 눈이 치고 있었다.

그날 밤이 어쩌면 성탄제의 밤이었을지도 모른다.
        ▶ 어린 시절 아픈 자신을 위해 아버지가 눈 속을
          헤치고 산수유 열매를 따 온 일을 회상함.

어느새 나도
그때의 아버지만큼 나이를 먹었다.
    말하는 이를 위해 눈을 헤치고 산수유 열매를 따 오신 어린 시절의 아버지

옛것이라곤 찾아볼 길 없는 ┐ 현대 사회에 대한 비판적 인식
    아버지의 사랑 같은 것   │ (순수한 사랑, 정성을 찾을 수 없는
성탄제 가까운 도시에는 ┘ 현실에 대한 안타까움)
    시간적, 공간적 배경
이제 반가운 그 옛날의 것이 내리는데,
            눈

서러운 서른 살 나의 이마에
    현재 화자의 정서가 직접적으로 드러남.
불현듯 아버지의 서느런 옷자락을 느끼는 것은,
        어린 시절 아버지의 옷자락에서 느꼈던 차가움을 떠올림.

【눈 속에 따 오신 산수유 붉은 알알이
            아버지의 사랑
아직도 내 혈액 속에 녹아 흐르는 까닭일까.】
【 】: 아버지의 사랑이 화자의 마음속에 살아 있음.
        ▶ 삭막한 도시에서 아버지의 사랑과 정성을 떠올리며 그리움을 느낌.

● 〈성탄제〉의 구조

어린 시절(1~6연)		현재(7~10연)
열병을 앓는 말하는 이를 위해 아버지가 산수유 열매를 따 옴.	← 회상	어른이 된 말하는 이가 어린 시절의 기억을 떠올림.

눈
(성탄제)

● 주요 소재의 의미

눈	• 과거: 아버지가 겪어야 했던 시련 • 현재: 말하는 이가 아버지의 사랑을 떠올리게 되는 과거 회상의 매개체
산수유 열매, 서느런 옷자락	아버지의 사랑과 정성

1 시의 내용을 파악해 보자.

❶ 말하는 이의 상황을 파악해 보자.

말하는 이의 상황

어린 시절 — [예시 답안] 열병을 앓다가 아버지가 따 온 산수유 열매를 먹고 열을 식히고 있음.

현재 — [예시 답안] 성탄제 무렵 각박한 도시에서 내리는 눈을 바라보며 어린 시절의 기억을 떠올림.

❷ '나'를 보는 할머니와 아버지의 마음을 추측해 보자.

할머니	아버지
[예시 답안] 열병을 앓는 어린 손자가 걱정스럽고, 어서 빨리 열이 내리기를 간절히 바랐을 것이다.	[예시 답안] 어린 자식이 걱정스러워서 한밤중에 눈 속을 헤쳐서라도 약을 구해 오고 싶었을 것이다.

❸ 이 시의 주제를 친구들과 함께 이야기해 보자.

[예시 답안] 아버지의 헌신적인 사랑과 정성을 향한 그리움

2 시의 내용을 소설로 재구성해 보자.

❶ 시에 등장하는 인물 중 한 명을 소설의 주인공으로 선택해 보자.

예시 답안 아버지

❷ ❶에서 선택한 인물에게 어떤 사건이 일어났을지 상상해 보자.

예시 답안 한밤중 아들이 갑작스럽게 열이 오른다. 오랫동안 쌓인 눈 때문에 도시의 큰 병원으로 갈 수도 없다. 아버지는 산수유 열매를 떠올리고 길을 나선다. 눈보라가 심해져 산 속에서 길을 잃지만, 그 옛날 자신의 아버지와 함께한 추억이 있는 장군 바위 근처에서 산수유 열매를 구한다.

❸ ❷에서 상상한 사건에 어울리는 구체적인 배경을 정해 보자.

예시 답안 1990년대 어느 산골 마을

❹ 갈등의 진행과 해결 과정이 잘 드러나도록 소설의 구성 단계에 따라 주요 내용을 정리해 보자.

갈등의 실마리 제시	예시 답안 평소 몸이 허약한 어린 아들이 한밤중에 갑자기 열이 올라 온 식구가 걱정한다.
갈등의 전개 및 심화	예시 답안 며칠 동안 내린 눈으로 병원조차 갈 수 없는 상황에서 '나'는 산수유 열매를 떠올리고 길을 나선다. 하지만 이내 눈보라가 심해져 길을 잃고 만다.
갈등의 최고조	예시 답안 이때 눈앞에 장군 바위가 보인다. '나'는 어린 시절 아버지와 함께 장군 바위 근처에서 산수유나무를 구경했던 추억을 떠올린다. 추위와 어둠으로 걷기조차 힘들지만 '나'는 포기하지 않고 장군 바위로 향한다.
갈등의 해소	예시 답안 집으로 돌아온 '나'는 장군 바위에서 구해 온 산수유 열매를 아들에게 먹인다. 다행히도 아들은 점차 열이 떨어진다. '나'는 아픈 아들이 어서 낫기를 간절히 바라며, 이제 자신도 진짜 아버지가 되었음을 느낀다.

❺ 지금까지의 활동을 바탕으로 소설을 완성해 보자.

예시 답안 생략

1 이 시의 말하는 이에 대한 설명으로 적절하지 <u>않은</u> 것은?

① 현재 도시에 살고 있다.

② 현재의 삶을 서럽게 느낀다.

③ 어린 시절 겨울, 열병에 걸린 적이 있다.

④ 과거와 달라진 아버지의 태도를 원망하고 있다.

⑤ 성탄제 가까운 어느 날 도시에 내리는 눈을 바라보고 있다.

2 이 시에서 과거와 현재를 연결하는 매개체는?

① 숯불　　　　② 눈　　　　③ 아버지

④ 산수유 열매　⑤ 할머니

3 이 시를 내용상 둘로 나눌 때, 뒷부분이 시작되는 연의 첫 어절을 쓰시오.

4 이 시를 소설로 재구성하기 위해 떠올린 생각으로 알맞지 <u>않은</u> 것은?

① 갈등의 진행과 해결 과정에 따라 이야기를 구성해야겠어.

② 주인공을 선택한 뒤 어떤 시점으로 이야기를 전개할지 정해야겠어.

③ 소설로 재구성하여 새롭게 표현하고 싶은 의미나 가치를 생각해 봐야겠어.

④ 원래의 시에 갈등이 드러나지 않았으니 재구성하는 소설에서도 갈등이 드러나지 않도록 구성해야겠어.

⑤ 인물의 상황, 사건의 전개 과정, 배경 등을 통해서 전달하고자 하는 주제가 효과적으로 드러나도록 구성해야겠어.

갈래	고전 소설		성격	해학적, 풍자적, 교훈적
제재	놀부가 곡식을 꾸기 위해 찾아온 흥부를 박대함.			
주제	• 표면적: 형제 간의 우애와 권선징악 • 이면적: 신분 변동으로 인한 유랑 농민과 신흥 부농의 갈등			
특징	• 조선 후기 판소리계 소설로, 부분적으로 판소리의 흔적이 나타남. • 조선 후기 몰락하기 시작한 양반의 모습과 비참한 서민의 생활상을 보여 줌. • 선인(흥부)과 악인(놀부)을 대조하여 주제를 강조함.			

흥부전 | 지은이 모름

놀부는 마음보가 시커먼 놈이라 흥부 오는 싹을 보면 구박이
   _{놀부의 성격 직접 제시}
이만저만 아닐 것이다. 흥부는 형을 만나기도 전에 예전에 맞
던 생각을 하니 겁이 저절로 났다. 온몸을 떨며 공손히 마루 아
_{이전에도 흥부가 놀부에게 많은 구박을 당했음.}
래에 서서 두 손을 마주 잡고 절하며 문안을 드린다.
       _{형에게 극진한 예의를 갖춤(유교 사상)}

이럴 때 다른 사람 같으면 와락 뛰어 내려와서 부축하여 올라
가며 이렇게 위로했을 것이다.

"형제간에 마루 아래에서 인사를 하다니 이게 무슨 말이냐?"

그러나 놀부는 워낙 도리를 모르는 놈이라 흥부가 곡식이나
       _{놀부에 대한 서술자의 부정적 인식}
돈을 구걸하러 온 것인 줄 지레짐작하고 못 본 체 딴청을 피운
_{흥부가 찾아온 목적을 짐작함.}
다. 흥부가 여러 번 말을 걸자 그제서야 겨우 묻는다.

"네가 누구인고?"
_{일부러 동생을 모른 척함.}
흥부는 기가 막힌다.

"내가 흥부올시다."

놀부가 와락 소리 지르며 되묻는다.

"흥부가 어떤 놈인고?"

"애고, 형님, 이것이 무슨 말씀이오? 마오, 마오, 그리 마오.
             _{a-a-b-a형 구조, 4·4조 → 판소리의 흔적}
비나이다, 비나이다, 형님께 비나이다. 세끼 굶고 누운 자식
_{삼순구식(三旬九食): 삼십 일 동안 아홉 끼니밖에 먹지 못한다는 뜻, 몹시 가난함.}
살려 낼 길이 전혀 없어 염치를 불고하고 형님 댁에 왔습니
       _{염치(체면을 차릴 줄 알며 부끄러움을 아는 마음)를 돌아보지 아니하고}
다. 형제의 정을 생각하여 벼나 쌀이나 아무것이라도 주시면
                  _{양식}
품을 판들 못 갚으며 일을 한들 거저야 먹겠습니까? 아무쪼
_{반드시 갚겠다는 의지 표현}
록 형제의 정을 생각하여 죽는 목숨 살려 주십시오."

이처럼 애걸하지만 놀부 하는 꼴이 어처구니없다. 사나운 범
       _{놀부에 대한 서술자의 부정적 인식}   _{직유법}
같이 날뛰며 모진 눈을 부릅뜨고 핏대를 올리며 나무란다.
    _{목의 핏대에 피가 몰려 얼굴이 붉어지도록 화를 내거나 흥분하며}
【"너도 참 염치없는 놈이다. 내 말을 들어 보아라. 하늘은 먹을
    _{【 】: 놀부가 곡식을 꾸어 달라는 흥부의 요청을 거절함.}
것이 없는 인간을 낳지 않고, 땅은 이름 없는 풀을 만들지 않
는다 했으니 누구나 제 먹을 것은 타고나는 법이다. 그런데
너는 어찌 그리 복이 없어 하고한 날 내게 와서 이리 보채느
냐? 여러 소리 듣기 싫다."】

그래도 흥부는 울면서 애걸한다.
_{굶고 있는 자식들을 생각하며 자존심을 버리고 부탁함.}

"어린 자식들 데리고 굶다 못하여 형님 처분만 바라고 염치
를 돌아보지 않고 왔습니다. 만일 양식을 못 주겠거든 돈 서
돈만 주시면 하루라도 살겠습니다."

그러나 놀부는 더욱 화를 내며 나무란다.

"이놈아, 들어 보아라. 【쌀이 아무리 많다고 해도 너 주려고
         _{【 】: 열거, 반복을 통해 놀부의 비정함과 욕심을 해학적으로 표현함.}
섬을 헐며, 벼가 많다고 하여 너 주려고 노적을 헐며, 돈이 많
_{곡식 등을 담기 위하여 짚으로 엮어 만든 그릇}   _{곡식 등을 한데에 수북이 쌓음. 또는 그런 물건}
이 있다 한들 너 주자고 돈꿰미를 헐며, 곡식 가루나 주고 싶
어도 너 주자고 큰독에 가득한 걸 떠내며, 옷가지나 주려 한
들 너 주자고 행랑채에 있는 아랫것들을 벗기며, 찬밥을 주
                    _{개의 한 품종. 검고 긴 털이 곱슬곱슬하게 난 개}
려 한들 너 주자고 마루 아래 청삽사리를 굶기며, 술지게미
           _{술을 거르고 남은 찌꺼기에 물을 타서 막걸리를 걸러 내고 남은 것, 지게미}
나 주려 한들 새끼 낳은 돼지를 굶기며, 콩이나 한 섬 주려 한
        _{먹을 것이 없어 굶는 동생보다 자신의 개, 돼지, 소를 더 중요하게 여김.}
들 농사지을 황소가 네 필인데 너를 주고 소를 굶기겠느냐.】
염치없고 생각 없는 놈이로다."

"아무리 그렇더라도 죽는 동생 한 번만 살려 주십시오."

놀부는 화를 더럭 내어 벼락같은 소리로 하인 마당쇠를 부른다.
                  _{흥부를 강제로 쫓아내려는 의도}

시험 포인트

● 인물의 상황과 심리

놀부		흥부
• 부유함. • 곡식을 얻으러 온 흥부를 박대함. • 도움을 구하는 동생에게 억지 주장을 하며 화를 냄.	↔	• 가난함. • 자신을 모르는 체하는 놀부의 모습에 당황함. • 형에게 곡식을 꾸려 왔다가 화를 당할까 불안해함.

1 인물의 상황과 심리를 파악해 보자.

	상황	심리
흥부	예시 답안 놀부에게 곡식을 얻으려 함.	예시 답안 • 집에서 굶고 있을 가족들이 걱정됨. • 곡식을 꾸려다 오히려 화를 당하지 않을까 불안함. • 자신을 모르는 체하는 놀부의 모습에 당황함.
놀부	예시 답안 곡식을 얻으러 온 흥부를 박대함.	예시 답안 • 도움을 구하러 온 흥부가 미움. • 모르는 체했는데도 물러나지 않고 끝까지 곡식을 얻으려 하는 흥부에게 화가 남.

2 이 작품을 낭독극으로 공연할 때 인물의 어떤 특징을 강조하고 싶은지 친구들과 이야기해 보자.

흥부
> **예시 답안** 놀부에게 매를 맞은 적이 있는 흥부가 곡식을 꾸려다가 오히려 화를 당할까 봐 온몸을 떨며 걱정하고 근심하는 모습

놀부
> **예시 답안** 곡식을 꾸어 달라는 흥부를 모르는 체하고 야박하게 대하는 인정 없고 욕심 많은 모습

3 다음 예시를 참고하여 소설의 내용을 낭독극의 대본으로 작성해 보자.

> ♪ 빠른 박자의 전통 악기 연주곡 / 배경 음악
>
> **해설자:** (또박또박 끊어서) 놀부는 마음보가 시커먼 놈이라 / 흥부 오는 싹을 보면 / (비판조로) 구박이 이만저만 아닐 것이다. // 흥부는 형을 만나기도 전에 / 예전에 맞던 생각을 하니 / 겁이 저절로 났다. // (강조하여) 온몸을 떨며 공손히 마루 아래에 서서 / 두 손을 마주 잡고 절하며 문안을 드린다. // 이럴 때 다른 사람 같으면 / 와락 뛰어 내려와서 / 부축하여 올라가며 / 이렇게 위로했을 것이다.
>
> **놀부:** (동생을 걱정하는 목소리로) 형제간에 마루 아래에서 인사를 하다니 / 이게 무슨 말이냐?
>
> **해설자:** 그러나 놀부는 워낙 도리를 모르는 놈이라 / 흥부가 곡식이나 돈을 구걸하러 온 것인 줄 / 지레짐작하고 / (강조하여) 못 본 체 딴청을 피운다. // 흥부가 여러 번 말을 걸자 / 그제서야 겨우 묻는다.
>
> **놀부:** (시침 모른 체하며, 천천히) 네가 누구인고? (놀라는 효과음) / **해설자:** 흥부는 기가 막힌다.
>
> **흥부:** (당황해서 지은 목소리로) 내가 흥부올시다.
>
> **해설자:** 놀부가 (목소리를 키워) 와락 소리 지르며 되묻는다.

> **예시 답안** **놀부:** (정말 모르는 듯 시치미를 떼며) 흥부가 어떤 놈인고?
>
> **흥부:** (애걸하는 목소리로) 애고, 형님, 이것이 무슨 말씀이오? / 마오, 마오, 그리 마오. / 비나이다, 비나이다, 형님께 비나이다. / 세끼 굶고 누운 자식 / 살려 낼 길이 전혀 없어 / 염치를 불고하고 형님 댁에 왔습니다. // 형제의 정을 생각하여 / 벼나 쌀이나 아무것이라도 주시면 / 품을 판들 못 갚으며 / 일을 한들 거저야 먹겠습니까? / 아무쪼록 / 형제의 정을 생각하여 / 죽는 목숨 살려 주십시오.
>
> **해설자:** (비판 조로) 이처럼 애걸하지만 / 놀부 하는 꼴이 어처구니없다. // 사나운 범같이 날뛰며 / 모진 눈을 부릅뜨고 / 핏대를 올리며 나무란다.
>
> **놀부:** (큰소리로 화를 내며 훈계하는 듯이) 너도 참 / 염치없는 놈이다. // 내 말을 들어 보아라. // 하늘은 먹을 것이 없는 인간을 낳지 않고, / 땅은 이름 없는 풀을 만들지 않는다 했으니 / 누구나 제 먹을 것은 / 타고나는 법이다. // 그런데 너는 어찌 그리 복이 없어 / 하고많은 날 내게 와서 / 이리 보채느냐? // (매몰차게) 여러 소리 듣기 싫다.
>
> **해설자:** (천천히) 그래도 흥부는 울면서 애걸한다.
>
> **흥부:** (㉠) 어린 자식들 데리고 굶다 못하여 / 형님 처분만 바라고 / 염치를 돌아보지 않고 왔습니다. // 만일 양식을 못 주겠거든 / 돈 서 돈만 주시면 / 하루라도 살겠습니다.
>
> **해설자:** (비판 조로) 그러나 놀부는 더욱 화를 내며 나무란다.
>
> **놀부:** (더욱 단호한 목소리로) 이놈아, 들어 보아라. / 쌀이 아무리 많다고 해도 너 주려고 섬을 헐며, / 벼가 많다고 하여 너 주려고 노적을 헐며, / 돈이 많이 있다 한들 너 주자고 돈꿰미를 헐며, / 곡식 가루나 주고 싶어도 너 주자고 큰독에 가득한 걸 떠 내며, / 옷가지나 주려 한들 너 주자고 행랑채에 있는 아랫것들을 벗기며, / 찬밥을 주려 한들 너 주자고 마루 아래 청삽사리를 굶기며, / 술지게미나 주려 한들 새끼 낳은 돼지를 굶기며, / 콩이나 한 섬 주려 한들 농사지을 황소가 네 필인데 / 너를 주고 소를 굶기겠느냐. // (목소리를 키워 강조하여) 염치없고 생각 없는 놈이로다.
>
> **흥부:** (마지막 힘을 다해 애걸하며) 아무리 그렇더라도 / 죽는 동생 한 번만 살려 주십시오.

4 역할을 정해 **3**에서 작성한 대본을 실감 나게 낭독해 보자.

예시 답안 생략

---

1 이 글에 대한 설명으로 적절하지 <u>않은</u> 것은?
① 조선 후기의 사회상이 반영되었다.
② 서술자가 인물의 심리까지 전달한다.
③ 인물에 대한 서술자의 평가가 드러난다.
④ 운문 같은 리듬감이 형성된 부분이 있다.
⑤ 공간이 빈번하게 전환되며 이야기가 전개된다.

2 이 글에 등장하는 인물의 심리로 적절하지 <u>않은</u> 것은?
① 흥부는 집에서 굶고 있을 가족들이 걱정된다.
② 흥부는 자신을 모르는 체하는 놀부의 태도에 당황한다.
③ 흥부는 곡식을 꾸러 왔다가 매라도 맞을까 봐 불안해한다.
④ 놀부는 흥부가 가엾다는 마음이 들었으나 일부러 외면한다.
⑤ 놀부는 모르는 체했음에도 물러나지 않는 흥부에게 화가 난다.

3 낭독극의 내용을 고려할 때, ㉠에 들어갈 지시문으로 가장 알맞은 것은?
① 비판하는 목소리로
② 울먹이는 목소리로
③ 훈계하는 목소리로
④ 기분 좋은 목소리로
⑤ 시치미 떼는 목소리로

4 낭독극의 대본을 작성하는 방법에 대한 설명으로 적절하지 <u>않은</u> 것은?
① 인물의 상황과 특징을 고려하여 대본을 작성한다.
② 장면 전환 시 필요한 무대 장치를 구체적으로 구성한다.
③ 낭독자의 말투와 어조 등을 지시하는 지시문을 상세하게 구성한다.
④ 제시된 장면을 효과적으로 드러내기 위해 인물의 어떤 특징을 강조하여 표현할지 정리한다.
⑤ 낭독극 대본을 작성한 후에는 대본이 작품의 내용과 인물의 특징을 효과적으로 전달하는지 점검한다.

① 작품의 재발견

📖 '상상'과 관련된 단어와 그 뜻을 알아보고, 빈칸에 적절한 말을 넣어 보자.

상상 (想像)	실제로 경험하지 않은 현상이나 사물을 마음속으로 그려 봄.
공상 (空想)	현실적이지 못하거나 실현될 가망이 없는 것을 막연히 그리어 봄. 또는 그런 생각.
환상 (幻想)	현실적인 기초나 가능성이 없는 헛된 생각이나 공상.
예상 (豫想)	어떤 일을 직접 당하기 전에 미리 생각하여 둠. 또는 그런 내용.

☆ 20○○년 ○○월 ○○일

내일은 우리나라가 새로운 우주선을 발사하는 날이다. 나는 어릴 때부터 내가 우주인이 되면 어떤 모습일지 자주   했다. 물론 오빠는 내 생각을 쓸데없는   이라고 놀렸지만, 나는 언젠가 내가 우주선을 타고 화성으로 날아가는   적인 여행을 할 것이라고 생각한다.

내일은 날씨가 맑을 것으로   된다고 하니 벌써 발사 장면이 기대된다.

② 우리가 만드는 연극

📖 '연극'과 관련된 단어들의 뜻을 확인하고, 알맞은 단어를 넣어 십자말풀이를 완성해 보자.

> 무대   공연   연기   극장   작가   대본

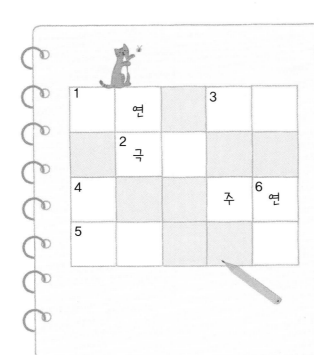

가로 열쇠

1. 음악, 무용, 연극 등을 많은 사람 앞에서 보이는 일.
2. 연극이나 음악, 무용 등을 공연하거나 영화를 상영하기 위하여 무대와 객석 등을 설치한 건물이나 시설.
3. 문학 작품, 사진, 그림, 조각 등 예술품을 창작하는 사람.
5. 연극의 상연이나 영화 제작에서 기본이 되는 글.

세로 열쇠

4. 노래, 춤, 연극 등을 하기 위하여 객석 정면에 만들어 놓은 단.
6. 배우가 배역의 인물, 성격, 행동 등을 표현해 내는 일.

모아모아 대단원 마무리 체크

01 작품의 재발견

01 한번 구성하였던 것을 다시 새롭게 구성한다는 뜻으로, 문학 작품을 다른 갈래로 고쳐 쓰는 일을 (　　　)이라고 한다.

02 문학 작품을 다른 갈래로 재구성할 때에는 새로운 내용을 (　　　)하거나 원작의 내용을 삭제하여 새로운 (　　　)과 가치를 부여할 수 있다.

03 재구성된 작품과 원작을 비교하며 감상하는 방법으로 맞으면 ○표, 틀리면 ×표 하시오.
(1) 재구성된 작품을 원작과 비교하여 내용과 표현의 변화 양상을 파악한다. (　　)
(2) 재구성된 작품에 반영된 새로운 상상과 가치를 파악한다. (　　)
(3) 원작의 내용이 그대로 유지되었는지 평가하며 읽는다. (　　)
(4) 작가가 새로운 가치를 반영하기 위해 추가한 내용이나 삭제한 부분을 파악하며 읽는다. (　　)

〈완득이〉

04 뮤지컬 대본의 내용으로 맞으면 ○표, 틀리면 ×표 하시오.
(1) 다문화 가정 출신인 완득이는 항상 어머니를 그리워했다. (　　)
(2) 똥주는 완득이의 담임 선생님이다. (　　)
(3) 완득이는 킥복싱 시합에서 상대와의 실력 차이를 인정하고 경기를 포기했다. (　　)
(4) 어머니와의 만남을 거부했던 완득이는 어머니에게 서서히 마음의 문을 연다. (　　)
(5) 아버지는 집을 나간 완득이의 어머니를 기다리고 있었다. (　　)

05 완득이와 어머니의 만남을 주선한 인물은?

06 어머니가 가져온 흰 봉투에 들어 있던 것은?

07 다문화 가정과 외국인 노동자에 대한 편견을 갖고 있는 인물은?

08 다음 빈칸에 알맞은 말을 차례대로 쓰시오.

　　아버지는 완득이가 (　　　)을 그만두기를 바라고, 어머니는 완득이가 하고 싶은 것을 할 수 있도록 허락해 주기를 바라기 때문에 아버지와 어머니 사이에 (　　　)이 생긴다.

09 다음 소재와 그 의미를 알맞게 연결하시오.
(1) 킥복싱 •
(2) 분홍색 구두 •
(3) 운동화 •

• ㉠ 어머니에 대한 완득이의 안쓰러움과 고마움
• ㉡ 완득이에 대한 어머니의 사랑과 미안함
• ㉢ 완득이가 삶의 목표를 찾고 주변 사람들의 따뜻한 마음을 깨닫는 계기

10 완득이가 어머니에게 완전히 마음을 열었음을 나타내는 말을 쓰시오.

11 다음은 소설 〈완득이〉와 뮤지컬 대본 〈완득이〉를 비교한 것이다. 빈칸에 알맞은 말을 쓰시오.

소설 〈완득이〉	뮤지컬 대본 〈완득이〉
작품 속의 주인공 완득이가 (　　)가 되어 사건을 설명함.	서술자가 따로 없이 인물의 (　　)로 사건이 전개됨.
등장인물의 행동이 문장으로 서술됨.	배우가 등장인물의 행동을 연기할 수 있도록 (　　)을 제시함.
등장인물의 심리가 직접 서술됨.	등장인물의 심리가 배우가 부르는 (　　)를 통해 드러나기도 함.
어머니가 완득이를 찾아와 편지를 건넴.	어머니가 완득이를 찾아와 (　　)와 편지를 건넴.
어머니가 완득이와 대화를 마친 뒤 (　　)을 나감.	(　　)의 등장으로 어머니가 도망치듯 옥탑방을 뛰쳐나감.
어머니가 완득이가 끓인 (　　)을 함께 먹음.	어머니가 완득이와 대화만 나눔.

12 이 뮤지컬 대본에는 주변 사람들과 진심으로 마음을 나누고 킥복싱을 통해 삶의 (　　　)를 찾는 완득이의 (　　　) 과정이 나타난다.

13 희곡에 대한 설명으로 맞으면 ○표, 틀리면 ×표 하시오.

(1) 연극을 공연하기 위한 대본이다. ( )

(2) 인물 간의 대립과 갈등을 통해 사건을 전개한다. ( )

(3) 인물의 심리가 서술자를 통해 관객에게 직접적으로 제시된다. ( )

(4) 공연을 위해서는 반드시 새로운 이야기를 창작해야 한다. ( )

14 희곡의 구성 단계를 쓰시오.

15 다음 희곡의 형식적 구성 요소와 관련 있는 설명을 알맞게 연결하시오.

(1) 지시문 •　　•㉠ 등장인물이 하는 말로, 대화, 독백, 방백이 있음.

(2) 해설 •　　•㉡ 시간적·공간적 배경, 등장인물, 무대 장치 등을 설명함.

(3) 대사 •　　•㉢ 등장인물의 행동이나 말투, 무대 장치나 음향 효과 등을 지시하고 설명함.

16 다음은 연극을 공연하는 과정에 대한 설명이다. 빈칸에 알맞은 말을 쓰시오.

(　　　) 정하기	연극에서 전달하고 싶은 내용을 결정함.
대본 만들기	• 대본 만드는 방법 논의하기 • 등장인물의 (　　　)과 주요 (　　　) 만들기 • 이야기를 (　　　)으로 구성하기 • 장면 속 연극 요소 살리기 • 장면을 대본으로 만들기
역할 정하기	연기, 무대 장치와 (　　　), 배경 음악과 음향, (　　　)과 분장, 소품 등 각자 연극 공연에서 맡을 역할을 정함.
세부 연습하기	각자 맡은 역할에 따라 (　　　)별로 세부 연습을 진행함.
최종 연습하기	공연에 앞서 최종 연습을 하며 준비한 내용을 (　　　)함.
공연하기	준비한 연극을 공연함.
(　　　)하기	연극을 준비하고 공연하는 과정에서의 잘된 점과 개선할 점 등을 생각해 봄.

〈연극을 준비하고 공연하기〉

17 다음은 대본을 작성할 때 유의해야 할 점이다. 빈칸에 알맞은 말을 쓰시오.

(1) 막이 오르기 전에 필요한 (　　　), 인물, 배경 등을 설정하며 해설을 작성한다.

(2) 인물의 특징과 개성, 인물 간의 (　　　)이 분명하게 드러나도록 대사를 작성한다.

(3) 인물의 말투, 표정, 동작과 무대 장치, 조명, 음향, 배우들의 등장과 퇴장을 고려하여 (　　　)을 작성한다.

(4) 무대나 (　　　) 등의 실제 공연 상황을 고려하여 작성한다.

(5) 연극의 공연 (　　　)을 고려하여 적절한 길이로 작성한다.

18 음향은 연극 속 상황의 (　　　)을 높이고 관객이 연극에 (　　　)할 수 있도록 도와준다.

19 다음에서 대사와 관련된 설명을 모두 고르시오.

㉠ 인물의 심리와 특성을 보여 준다.
㉡ 등장인물이 주고받는 말에 해당한다.
㉢ 주제를 형상화하는 데 중요한 역할을 한다.
㉣ 최대한 함축적으로 표현하여 문학성을 높여야 한다.

20 '역할 정하기 단계'에 대한 설명으로 맞으면 ○표, 틀리면 ×표 하시오.

(1) 연출은 연습 과정을 거치면서 대본을 보강하고 수정한다. ( )

(2) 배우는 등장인물의 성격을 분석하고 적절한 의상을 준비한다. ( )

(3) 무대 장치와 조명 담당은 장면별 무대 장치와 조명 기구를 준비한다. ( )

(4) 소품 담당은 등장인물별, 장면별로 필요한 소품을 목록으로 정리하여 준비한다. ( )

21 연극 연습을 할 때 유의할 점으로 맞으면 ○표, 틀리면 ×표 하시오.

(1) 배우는 자신의 대사만 외우면 된다. ( )

(2) 등·퇴장 때의 순서와 방향을 정한다. ( )

(3) 음악과 음향, 조명, 무대 장치, 의상, 소품 등도 대본에 따라 전체적으로 맞춘다. ( )

22 연극 공연은 여러 사람이 함께 하는 작업이므로 서로 (　　　)하면서 공연을 준비하는 자세가 필요하다.

[01~04] 다음 글을 읽고, 물음에 답하시오.

가 완득이네 옥탑방

똥주: 완득아. 어머님이 널 보고 싶어 하신다.

완득: 도대체 무슨 증거로 제 어머니라고 하세요?

똥주: 사진 봤어. 너 돌 때 찍은 가족사진. 아버님은 그대로더라.

　완득, 자리에서 일어난다.

완득: 왜 남의 집 일에 끼어드세요?

똥주: 뭐?

완득: 저는요, 엄마 젖이 아니라 아버지가 춤추던 카바레 누나들이 주는 과자나 사탕 먹고 컸어요.

나 완득이네 옥탑방. 낡은 문 앞에 한 사람이 서 있다. 완득이의 어머니이다.

 7. 마주치지 않을게요 – 어머니

사는 내내 보고팠지만 내 두 눈 앞에 서 있지만
불러 볼 수 있을까, 안아 볼 수 있을까, 난…… 난…….
하루 종일 곁을 맴돌아도 저만치 내 앞에 있어도
문득 마주칠까 봐 겁이 났어요, 난…….

마주치지 않을게요.
숨을 쉬는 내내 보고픈 그 얼굴
무엇과도 바꿀 수 없는 얼굴
눈 감아도 눈 떠 봐도 하염없이 떠오르는 그 얼굴.

매일 너를 찾아왔지만
난 고개 들지 못할 것 같아
다른 사람인 척, 모르는 척할 것 같아
난 마주치지 않을게요.

완득이 등장. 완득이와 어머니, 서로를 마주하고는 할 말을 잃는다.

다 어머니: 잘 커 줘서 고마워요. 나는 그냥 한 번만…….

어머니, 들고 온 종이 가방들을 완득이에게 건넨다.

어머니: 이거……. (포장을 뜯으며) 요즘 남자아이들한테 제일 인기 있는 거래요.

어머니가 상자를 뜯으면 운동화가 나타난다.

어머니: 신어 봐요……. 신어 보세요.

완득: 필요 없으니까, 가져가세요.

01 이와 같은 글의 특징으로 적절하지 않은 것은?

① 무대 공연을 목적으로 하는 대본이다.
② 소설에 비해 시간적·공간적 제약이 많다.
③ 갈등보다는 인물의 심리 묘사에 중점을 둔다.
④ 연극적 요소에 음악적 요소가 결합되어 있다.
⑤ 인물의 행동과 대사, 노래를 통해 사건이 진행된다.

02 이 글의 내용과 일치하지 **않는** 것은?

① 어머니는 항상 완득이를 그리워했다.
② 어머니는 완득이에게 운동화를 선물했다.
③ 어머니는 완득이에게 죄책감을 느끼며 지냈다.
④ 완득이는 똥주 선생님으로부터 어머니의 소식을 들었다.
⑤ 완득이는 똥주 선생님의 입장을 배려하여 어머니를 만났다.

신유형

03 연출자가 '7. 마주치지 않을게요'를 부르는 배우에게 요구할 사항으로 가장 적절한 것은?

① 매우 오랜만에 아들을 만난 어머니의 기쁨이 드러나도록 불러야 합니다.
② 아들을 용서하는 마음이 강조되도록 들릴 듯 말 듯한 목소리로 불러야 합니다.
③ 마치 종교 의식을 치르듯이 엄숙하고 경건한 분위기가 형성되도록 불러야 합니다.
④ 아들이 보고 싶어도 차마 가까이 갈 수 없었던 애절함이 드러나게 불러야 합니다.
⑤ 이제 다시는 아들을 만날 수 없으므로 슬프고 처량한 심정이 드러나게 불러야 합니다.

노래에 나타난 어머니의 정서를 파악해 보아요.

🐱 **서술형** 대비 문제

04 (가)~(다) 중, 이 글의 갈래상 특징이 가장 두드러진 부분을 고르고, 그 이유를 쓰시오.

조건 이 글의 갈래를 언급할 것

가 완득: 한국에 밥하러 왔어요?

어머니: 아…… 미안해요…….

완득: ……. 뭐가 미안해요? / 어머니: 그…… 그냥…….

완득: ……. ㉠그리고요, 저한테 존댓말 좀 쓰지 마세요.

어머니: ……. / 완득: ……. 따라오세요. / 어머니: 네?

완득: (어머니의 손을 낚아채고는) 따라오시라고요.

나 완득: (어머니 단화를 가리키며) ㉡이렇게 납작한 거 말고
요. 굽 있는 것으로 보여 주세요. (뭔가 발견하고는) 이거 괜찮
겠네요. 이것으로 보여 주세요.

가게 주인: 가만 보니 저쪽 사람 같은데, 학생하고 많이 닮았네.
신어 봐요. 이백사십, 굽 높은 거.

가게 주인, 굽이 7센티미터나 되는 분홍색 구두를 내민다.
어머니가 머뭇거린다.

가게 주인: 사 준다고 할 때 얼른 신어. 학생이 예쁘고 좋은 것
으로도 골랐네. 그런데, 둘이 무슨 사이야?

㉢어머니, 가게 주인의 말에 당황해 얼른 구두를 신는다.

다 어머니: (신발 가게 주인에게) ……. 저기…… 거스름돈
이요……. / 가게 주인: ……. 이 아줌마 갑자기 한국말 잘하
네……. 여기요. 거스름돈. 이천 원. 잘 가요.

어머니, 신발 가게 주인에게서 거스름돈을 받고 얼른 따라 나
간다.

어머니: ㉣고…… 고…… 고마워…….

완득, 봉투에 담긴 어머니의 헤진 분홍색 신발을 꺼내 보인다.

완득: 분홍색 좋아하시는 거 맞지요? 이건 제가 가져갈게요.

㉤어머니, 턱을 파르르 떨지만 애써 참는다.

라 관장: 완득아, 이제 그만하자.

완득: 관장님, 절대 수건 던지지 마세요. 끝까지 버틸 수 있게
해 주세요.

완득, 관장의 손에서 수건을 빼앗아 땀을 닦고는 멀리 내던진다.

완득: (도내 챔피언에게) 야, 난 시합에서 져도 상관없어.

도내 챔피언: ? / 완득: 네가 내 갈비뼈를 박살 내도 상관없고
네가 날 케이오(KO)로 이기든, 판정으로 이기든 난 상관없
어. 극적인 역전승 따위를 바라는 게 아니야. 난 내가 버틸 수
있는 그 순간까지 최선을 다해 버틸 테니까, (가드를 올리고서
는) 봐주지 마라. 날 이겨 봐!

마 [완득]   [전체]

나약한 나를 때려눕힌 속 시원한 케이오(KO).

괜찮아, 도전했으니, 언젠가는 챔피언.   괜찮아…….

짜증만 가득했던 내 작은 세상

이겨 내야만 해, 질 수는 없어, 더 이상.   괜찮아…….

온 세상이 짜증이 나 미칠 것만 같았지.

다들 웃고 사는데 왜 나만 이러는지.   괜찮아…….

쓰러져 보니 알겠어, 소중한 존재들.

날 일으켜 줘, 내 아픔과 소원을.   괜찮아…….

05 ㉠~㉤에 대한 설명으로 적절하지 않은 것은?

① ㉠: 완득이가 어머니에 대해 점차 마음을 열고 있다.

② ㉡: 어머니가 당당하게 살기를 바라는 완득이의 마
음을 알 수 있다.

③ ㉢: 한국말을 잘 못해서 일부러 대답을 피하고 있다.

④ ㉣: 이전보다 완득이를 편하게 대하려고 노력하고
있다.

⑤ ㉤: 어머니가 자신을 생각해 주는 완득이의 마음에
감동받고 있다.

06 (라)에 나타난 완득이의 태도로 가장 적절한 것은?

① 더 이상 아무것도 할 수 없다며 자포자기함.

② 어머니 앞에서는 절대 지지 않겠다고 다짐함.

③ 킥복싱에서만이라도 상대를 이기겠다고 각오함.

④ 언젠가는 도내 챔피언이 되고 말겠다는 꿈을 품음.

⑤ 도내 챔피언과 힘든 경기를 펼치지만 결코 포기하
지 않음.

07 (마)에 대한 반응으로 적절하지 않은 것은?

① 과거에 완득이는 세상에 불만이 많았음을 알 수 있어.

② 완득이의 내면 심리가 노래를 통해 구체화되고 있어.

③ 세상에 맞서고자 하는 완득이의 의지와 성장이 드
러나.

④ 자신을 이긴 도내 챔피언에 대한 원망이 구체적으
로 드러나.

⑤ 완득이를 위로하는 목소리가 합창을 통해 효과적
으로 표현되었어.

[08~11] 다음 글을 읽고, 물음에 답하시오.

가 장면 속 연극 요소 살리기

장면 1	점순이가 순돌이에게 감자를 내밀지만 순돌이가 거절함.		
등장인물	점순, 순돌	장소	순돌이네 집 앞마당
배경	여기저기 꽃이 피고, 초가집이 모여 있는 농촌의 봄 풍경을 그림으로 그려서 보여 줌.		
장면에 어울리는 소리	ⓐ멀리서 들리는 새 소리와 소 울음소리로 농촌임을 드러냄. 순돌이가 울타리를 엮는 동작에 맞춰서 나뭇가지 부딪히는 소리를 들려줌.		
등장인물의 동선	순돌이는 무대 왼쪽의 순돌이네 집 앞마당에 있고, 점순이가 무대 오른쪽에서부터 순돌이를 향해 다가감.		
등장인물의 말과 행동	• 점순이가 치마 속에 감자를 숨기고 순돌이에게 다가감. • 순돌이는 점순이가 다가오는 줄 모르고 울타리를 엮는 데 열중함. • 점순이는 긴장한 모습으로 순돌이에게 계속 말을 걺. • 순돌이는 점순이에게 무뚝뚝하게 대답하며 울타리를 엮는 일에만 집중함.		

나 장면을 대본으로 만들기

등장인물 순돌, 점순, 점순이의 어머니

배경 한적한 농촌 마을

옹기종기 모여 있는 초가집과 꽃이 핀 농촌의 봄 풍경을 보여 주는 그림이 무대 뒤쪽에 걸려 있다. 무대의 왼쪽에 순돌이네 집, 오른쪽에 점순이네 집이 있다.

📷🔊 1장 순돌이네 집 앞마당

순돌이네 집 쪽의 조명이 밝아지면 점순이가 치마 속에 감자를 숨기고 무대 오른쪽에서 살금살금 등장한다. 순돌, 울타리를 엮는 데 열중하느라 점순이가 다가오는 줄도 모른다.

점순: (긴장된 표정으로 헛기침을 하다가 결심한 듯) 얘! 뭐 하니?

순돌: (점순이를 흘낏 쳐다본 뒤 무뚝뚝한 목소리로) 보면 모르냐? (다시 하던 일에 열심이다.)

점순: (사근사근한 목소리로) 그 일, 재미있니?

순돌, 점순이의 말을 들은 체 만 체하고 묵묵히 울타리만 엮는다.

점순: (순돌이에게 좀 더 다가가 다정한 목소리로) 한여름이나 되거든 하지 벌써 울타리를 하니?

순돌, 고개를 돌려 점순이를 빤히 쳐다본다.

점순: (과장된 목소리로) 까르르.

08 (가)를 작성하는 방법으로 알맞은 것은?

① 갈등의 진행 과정이 나타나도록 등장인물의 대사를 작성한다.

② 배우가 실제 상황을 연기하기 쉽도록 동작 지시문을 구체적으로 작성한다.

③ 실제 연극의 대본이 아니므로 등장인물의 동선이나 특징은 작성하지 않는다.

④ 연극을 통해 전달하려는 바를 충분히 보여 줄 수 있도록 최대한 길게 작성한다.

⑤ 각 장면의 중심 내용을 효과적으로 전달할 수 있도록 연극의 요소를 구체적으로 정리한다.

09 ⓐ과 같은 음향의 효과로 보기 어려운 것은?

① 관객의 반응을 강조한다.

② 극의 분위기를 전달한다.

③ 연극에 사실성을 더해 준다.

④ 내용을 실감 나게 표현해 준다.

⑤ 관객이 연극 내용에 몰입하는 것을 돕는다.

10 (나)와 같은 대본을 쓸 때 주의해야 할 점으로 알맞지 <u>않은</u> 것은?

① 연극의 공연 시간을 고려하여 적절한 길이로 작성한다.

② 무대나 관객 등 실제 연극의 공연 상황을 고려하여 작성한다.

③ 필요한 무대 장치, 인물, 배경 등을 제시하는 해설을 제외하고 작성한다.

④ 인물의 특징과 개성, 인물 간의 갈등이 분명하게 드러나도록 대사를 작성한다.

⑤ 인물의 말투, 표정, 동작과 무대 장치, 조명, 음향, 배우들의 등장과 퇴장을 고려하여 지시문을 작성한다.

🐱 서술형 대비 문제

11 (나)와 소설의 차이점을 쓰시오.

조건 1 (나)의 갈래를 언급할 것

조건 2 시간적·공간적 제약, 사건을 전달하는 주체를 대조할 것

가 어두운 방 안엔 / 빠알간 숯불이 피고,

외로이 늙으신 할머니가
애처로이 잦아드는 어린 목숨을 지키고 계시었다.

이윽고 눈 속을 / 아버지가 약을 가지고 돌아오시었다.

아 아버지가 눈을 헤치고 따 오신
그 붉은 산수유 열매—

㉠나는 한 마리 어린 짐생,
젊은 아버지의 서느런 옷자락에
열로 상기한 볼을 말없이 부비는 것이었다.

이따금 뒷문을 눈이 치고 있었다.
그날 밤이 어쩌면 성탄제의 밤이었을지도 모른다.

㉡어느새 나도 / 그때의 아버지만큼 나이를 먹었다.

㉢옛것이라곤 찾아볼 길 없는
성탄제 가까운 도시에는
㉣이제 반가운 그 옛날의 것이 내리는데,

서러운 서른 살 나의 이마에
㉤불현듯 아버지의 서느런 옷자락을 느끼는 것은,

눈 속에 따 오신 산수유 붉은 알알이
아직도 내 혈액 속에 녹아 흐르는 까닭일까.

나 "네가 누구인고?" / 흥부는 기가 막힌다.
"내가 흥부올시다."
놀부가 와락 소리 지르며 되묻는다.
"흥부가 어떤 놈인고?"
"애고, 형님, 이것이 무슨 말씀이오? 마오, 마오, 그리 마오. 비나이다, 비나이다, 형님께 비나이다. 세끼 굶고 누운 자식 살려 낼 길이 전혀 없어 염치를 불고하고 형님 댁에 왔습니다. 형제의 정을 생각하여 벼나 쌀이나 아무것이라도 주시면 품을 판들 못 갚으며 일을 한들 거저야 먹겠습니까? 아무쪼록 형제의 정을 생각하여 죽는 목숨 살려 주십시오."
이처럼 애걸하지만 놀부 하는 꼴이 어처구니없다. 사나운 범같이 날뛰며 모진 눈을 부릅뜨고 핏대를 올리며 나무란다.
"너도 참 염치없는 놈이다. 내 말을 들어 보아라. 하늘은 먹을 것이 없는 인간을 낳지 않고, 땅은 이름 없는 풀을 만들지 않는다 했으니 누구나 제 먹을 것은 타고나는 법이다. 그런데 너는 어찌 그리 복이 없어 하고한 날 내게 와서 이리 보채느냐? 여러 소리 듣기 싫다."

12 ㉠~㉤에 대한 설명으로 적절하지 **않은** 것은?

① ㉠: 말하는 이가 보살핌을 받아야 하는 연약한 존재임을 드러낸다.
② ㉡: 어린 시절에서 현재로의 시간 전환이 드러난다.
③ ㉢: 과거와 달리 순수한 사랑을 찾을 수 없는 현실을 알 수 있다.
④ ㉣: 과거 회상의 매개체로, '눈'을 의미한다.
⑤ ㉤: 힘겹게 산 아버지의 삶을 떠올리며 안타까움을 느끼고 있다.

13 (나)를 낭독극으로 공연하려 할 때, 고려해야 할 내용으로 적절하지 **않은** 것은?

① 흥부와 놀부가 처한 현재 상황
② 강조해서 드러내야 하는 인물의 특징
③ 흥부와 놀부의 성격에 어울리는 말투
④ 흥부와 놀부의 처지를 드러내는 소품
⑤ 사건 전개에 따른 흥부와 놀부의 심리

> 낭독극은 일반 연극과 달리 목소리만으로 이루어지는 공연이라는 점을 떠올려 보아요.

14 (나)의 내용을 고려할 때, 다음 ⓐ~ⓔ에 들어갈 지시문으로 가장 적절한 것은?

> 놀부: (ⓐ) 흥부가 어떤 놈인고?
> 흥부: (ⓑ) 애고, 형님, 이것이 무슨 말씀이오? 마오, 마오, 그리 마오. 비나이다, 비나이다, 형님께 비나이다. 세끼 굶고 누운 자식 살려 낼 길이 전혀 없어 염치를 불고하고 형님 댁에 왔습니다. 형제의 정을 생각하여 벼나 쌀이나 아무것이라도 주시면 품을 판들 못 갚으며 일을 한들 거저야 먹겠습니까? (ⓒ) 아무쪼록 형제의 정을 생각하여 죽는 목숨 살려 주십시오. 〈중략〉
> 놀부: (ⓓ) 너도 참 염치없는 놈이다. 내 말을 들어 보아라. 하늘은 먹을 것이 없는 인간을 낳지 않고, 땅은 이름 없는 풀을 만들지 않는다 했으니 누구나 제 먹을 것은 타고나는 법이다. 그런데 너는 어찌 그리 복이 없어 하고한 날 내게 와서 이리 보채느냐? (ⓔ) 여러 소리 듣기 싫다.

① ⓐ: 반가움을 드러내며
② ⓑ: 훈계하는 듯이
③ ⓒ: 단호한 목소리로
④ ⓓ: 애원하는 목소리로
⑤ ⓔ: 매몰차게

잠깐! 서술형 특강

01 작품의 재발견

작품의 특징과 내용 파악하기

01 다음 글을 읽고, 물음에 답하시오.

> **가** 똥주: 완득아. 어머님이 널 보고 싶어 하신다.
>
> 완득: 도대체 무슨 증거로 제 어머니라고 하세요?
>
> 똥주: 사진 봤어. 너 돌 때 찍은 가족사진. 아버님은 그대로더라. / 완득, 자리에서 일어난다.
>
> 완득: 왜 남의 집 일에 끼어드세요? / 똥주: 뭐?
>
> 완득: 저는요, 엄마 젖이 아니라 아버지가 춤추던 카바레 누나들이 주는 과자나 사탕 먹고 컸어요.
>
> **나** 완득이네 옥탑방. 낡은 문 앞에 한 사람이 서 있다. 완득이의 어머니이다.
>
> 🎵 7. 마주치지 않을게요 – 어머니 🎵
>
> 사는 내내 보고팠지만 내 두 눈 앞에 서 있지만
> 불러 볼 수 있을까, 안아 볼 수 있을까, 난…… 난…….
> 하루 종일 곁을 맴돌아도 저만치 내 앞에 있어도
> 문득 마주칠까 봐 겁이 났어요, 난…….
>
> 마주치지 않을게요.
> 숨을 쉬는 내내 보고픈 그 얼굴
> 무엇과도 바꿀 수 없는 얼굴
> 눈 감아도 눈 떠 봐도 하염없이 떠오르는 그 얼굴.
>
> **다** 완득: (어머니 단화를 가리키며) 이렇게 납작한 거 말고요. 굽 있는 것으로 보여 주세요. (뭔가 발견하고는) 이거 괜찮겠네요. 이것으로 보여 주세요. 〈중략〉
>
> 가게 주인: 꼭 맞네. / 어머니, 구두를 벗는다.
>
> 완득: 그냥 신고 가세요.

(1) 이 글에서 알 수 있는 완득이의 심리 변화 양상을 서술하시오. [6점]

> **조건** (가), (다)에 드러나는 완득이의 태도를 근거로 제시할 것

_____

_____

(2) (나)에서 알 수 있는 어머니의 심리를 쓰고, 이를 통해 알 수 있는 뮤지컬 대본의 특징을 서술하시오. [6점]

> **조건** 형식적 구성 요소와 그 역할을 제시할 것

_____

_____

재구성의 변화 양상 파악하기

02 다음 글을 읽고, 물음에 답하시오.

> **가** 그분은 축축 늘어지는 천 가방에서 하얀 봉투를 꺼냈다. / "이거…….." / "그런 거 필요 없는데요."
>
> 나 줄 돈 있으면 신발이나 새로 사 신으세요. 요즘은 애들도 저런 거 안 신어요.
>
> "말로는 잘 못 하겠어서…… 너무 미안해서……."
>
> "필요 없으니까, 가져가세요."
>
> 그분은 기어이 봉투를 내려놓고 방을 나갔다. 교회로 가는 걸까. / 방에서 이상한 냄새가 나는 것 같다. 무슨 냄새인지는 모르겠다. 어쨌든 나 혼자 있을 때와는 다른 냄새다. 화장도 안 했던데 무슨 냄새일까. 이런 게 어머니 냄새라는 걸까. 그분이 먹었던 라면 그릇이 전과 달라 보였다. 나는 그분이 두고 간 봉투를 뜯었다. 돈인 줄 알았는데 편지였다.
>
> **나** 어머니: 잘 커 줘서 고마워요. 나는 그냥 한 번만…….
>
> 어머니, 들고 온 종이 가방들을 완득이에게 건넨다.
>
> 어머니: 이거……. (포장을 뜯으며) 요즘 남자아이들한테 제일 인기 있는 거래요.
>
> 어머니가 상자를 뜯으면 운동화가 나타난다.
>
> 어머니: 신어 봐요……. 신어 보세요.
>
> 완득: 필요 없으니까, 가져가세요.
>
> 어머니: (품 안에서 흰 봉투를 꺼내 건네며) 이거…… 말로는 잘 못 하겠어서…… 너무 미안해서…….
>
> 달동네가 시끄럽다. 완득이 아버지와 민구 삼촌이 옥탑방으로 들어선다.
>
> 어머니, 얼른 완득이의 손에 흰 봉투를 쥐여 준다.

(1) (가)에서 (나)로 재구성되면서 달라진 점을 서술하시오. [5점]

> **조건** 서술 방식의 차이를 대조의 방식으로 쓸 것

_____

_____

(2) (가)에서 (나)로 재구성되면서 내용상 달라진 점을 두 가지 쓰시오. [4점]

_____

_____

소설과 연극의 차이 파악하기

03 다음 글을 읽고, 물음에 답하시오.

> **㉮ 등장인물의 성격과 주요 갈등 만들기**
>
> ● 중심인물
>
> | 인물 | 극에서 표현할 특성 |
> |---|---|
> | 순돌 | 소작인의 아들로, 순박하고 순진하지만 어리숙하고 눈치가 없어서 점순이의 마음을 이해하지 못함. |
> | 점순 | 마름의 딸로, 거침이 없고 당당하며 자신의 마음을 적극적으로 표현함. |
>
> ● 주변 인물
>
> | 인물 | 극에서 표현할 특성 |
> |---|---|
> | 점순이의 어머니 | 점순이에게 결혼 이야기를 꺼내어 점순이의 내적 갈등을 부추김. |
>
> ● 인물 간의 관계와 주요 갈등
>
> 점순이의 마음을 알지 못하는 순돌이와 그런 순돌이를 괴롭히는 점순이 사이의 갈등
>
> **㉯ 장면 속 연극 요소 살리기**
>
> | 장면 1 | 점순이가 순돌이에게 감자를 내밀지만 순돌이가 거절함. | | |
> |---|---|---|---|
> | 등장인물 | 점순, 순돌 | 장소 | 순돌이네 집 앞마당 |
> | 배경 | ㉠여기저기 꽃이 피고, 초가집이 모여 있는 농촌의 봄 풍경을 그림으로 그려서 보여 줌. | | |
> | 장면에 어울리는 소리 | ㉡멀리서 들리는 새 소리와 소 울음소리로 농촌임을 드러냄. 순돌이가 울타리를 엮는 동작에 맞춰서 나뭇가지 부딪히는 소리를 들려줌. | | |

(1) (가)를 참고하여 '등장인물의 성격과 주요 갈등 만들기' 과정에서 해야 할 일을 두 가지 쓰시오. [4점]

(2) ㉠, ㉡ 같은 장치가 연극 공연에서 하는 역할을 서술하시오. [6점]

> 조건 상황과 분위기 면에서의 역할과 관객에게 주는 효과를 모두 쓸 것

연극 준비 과정 이해하기

04 다음 글을 읽고, 물음에 답하시오.

> **㉮ 연극 공연 과정**
>
> | 이야기 구성하기 | 연극 준비하기 | 연극 공연하기 |
> |---|---|---|
> | 주제 정하기 → 대본 만들기 | → ㉠역할 정하기 → 세부 연습하기 → 최종 연습하기 | → 공연하기 → 평가하기 |
>
> **㉯ 장면을 대본으로 만들기**
>
> **📖 1장 순돌이네 집 앞마당**
>
> 순돌이네 집 쪽의 조명이 밝아지면 점순이가 치마 속에 감자를 숨기고 무대 오른쪽에서 살금살금 등장한다. 순돌, 울타리를 엮는 데 열중하느라 점순이가 다가오는 줄도 모른다.
>
> 점순: (긴장된 표정으로 헛기침을 하다가 결심한 듯) 얘! 뭐 하니?
>
> 순돌: (점순이를 흘깃 쳐다본 뒤 무뚝뚝한 목소리로) 보면 모르냐? (다시 하던 일에 열심이다.)
>
> 점순: (사근사근한 목소리로) 그 일, 재미있니?
>
> 순돌, 점순이의 말을 들은 체 만 체하고 묵묵히 울타리만 엮는다.
>
> 점순: (순돌이에게 좀 더 다가가 다정한 목소리로) 한여름이나 되거든 하지 벌써 울타리를 하니?

(1) ㉠ 단계에서 배우 역할을 맡은 사람이 해야 할 일을 두 가지 쓰시오. [4점]

(2) (나)와 같은 대본을 작성할 때 유의할 점을 쓰시오. [4점]

> 조건 공연 상황, 공연 시간의 측면에서 쓸 것

연극, 관객과 만나다

흔히 연극이라고 하면 배우들이 무대에서 연기하고, 관객들이 객석에서 감상하는 모습을 떠올립니다. 하지만 관객이 연극 과정에 적극적으로 참여할 때 이야기를 더 풍성하게 만들 수 있습니다.

다양한 형태의 연극을 통해
우리는 어떤 세상을 만날 수 있을까요?

역사적 사건을 체험하는 연극

전통 의상을 입고 역사를 체험하는 연극도 있습니다. 과거 시험을 보고 왕도 만날 수 있지요. 생생한 연극의 현장에서 역사를 배울 수 있어요.

이야기의 결말을 바꾸는 연극

관객들의 수사로 전개되는 추리 연극에서는 매일 사건의 범인이 달라집니다. 긴박한 분위기 속에서 관객들이 용의자 역할의 배우들에게 질문하면 배우들이 순발력 있게 답하면서 극을 이어 가지요.

나의 이야기를 들려주는 연극

관객의 이야기를 들으며 진행되는 심리극에서는 배우와 관객이 고민을 나누며 서로의 마음을 이해해 나갑니다. 연극이 지친 마음을 치유하는 통로가 되는 것이지요.

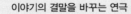

주인공을 직접 선택하는 연극

관객들이 직접 이야기에 가장 잘 어울릴 것 같은 주인공을 선택한 뒤에 극이 시작됩니다. 내가 뽑은 배우가 이끄는 연극이기에 관객들은 작품에 더욱 몰입하여 관람할 수 있어요.

쉿!

내 성적의
비밀에는
이유가 있어

기본 탄탄 나의 첫 중학 내신서

체크체크 전과목 시리즈

국어

공통편·교과서편/학기서

모든 교과서를 분석해 어떤 학교의
학생이라도 완벽 내신 대비

수학

학기서

쉬운 개념부터 필수 개념 문제를
반복 학습하는 베스트 셀러

사회·역사
과학

학기서/연간서

전국 기출 문제를 철저히 분석한
학교 시험 대비의 최강자

영어

학기서

새 영어 교과서의 어휘/문법/독해
대화문까지 반영한 실전 대비서

개 념 부 터

문 제 까 지

DOUBLE

CHECK

체크체크

· 소단원 핵심 내용 정리
· 학습 목표에 맞는 중요 문제 엄선
· 다양한 유형의 문제 수록

천재 | 노미숙

국어
중학
2-2

천재교육

체크체크

체크체크

서술형 특강

01 시로 표현하기 _먼 후일

서술형 **특강**

[1 ~ 5] 다음 시를 읽고, 물음에 답하시오.

⊙먼 훗날 당신이 찾으시면
그때에 내 말이 '⊙잊었노라'

당신이 속으로 나무라면
'무척 그리다가 잊었노라'

그래도 당신이 나무라면
'믿기지 않아서 잊었노라'

오늘도 어제도 아니 잊고
먼 훗날 그때에 '잊었노라'

답으로 가는 길

1 ⊙을 끊어 읽으면 몇 음보인가?

2 ⊙에 사용된 표현 방법은?

3 '나'가 그리워하는 대상은?

4 이 시의 주된 정서는?

1 이 시의 말하는 이가 처한 상황을 쓰시오.

2 이 시에서 운율을 형성하는 방법을 두 가지 이상 쓰시오.

3 ⊙과 같은 표현을 반복하여 말하는 이가 전달하고자 하는 생각을 쓰시오.

4 이 시에서 말하고자 하는 바를 쓰시오.

논술형 문제

5 이 시에서 다음과 같은 표현 방법을 활용하여 얻을 수 있는 효과를 서술하시오.

> 실제로 표현하고자 하는 의도와 반대되는 말로 나타내는 표현 방법으로, 강한 인상을 주고 전달하고자 하는 의미를 더욱 강조함.

조건 1. 제시된 표현 방법이 무엇인지 쓸 것
2. 제시된 표현 방법을 활용하여 얻을 수 있는 효과를 두 가지 쓸 것

답란 _____

_____

01 시로 표현하기 _낙화

[1 ~ 4] 다음 시를 읽고, 물음에 답하시오.

가야 할 때가 언제인가를 / 분명히 알고 가는 이의
뒷모습은 얼마나 아름다운가.

봄 한철 / 격정을 인내한
나의 사랑은 지고 있다.

분분한 낙화…… / ㉠결별이 이룩하는 축복에 싸여
지금은 가야 할 때,

무성한 녹음과 그리고
머지않아 ㉡열매 맺는 / 가을을 향하여

나의 청춘은 꽃답게 죽는다.

헤어지자. / 섬세한 손길을 흔들며
하롱하롱 꽃잎이 지는 어느 날

나의 사랑, 나의 결별,
샘터에 물 고이듯 성숙하는 / 내 영혼의 슬픈 눈.

답으로 가는 길

1 이 시의 계절적 배경은?

2 이 시에서 꽃이 피고 지는 것이 의미하는 것은?

3 ㉡이 의미하는 것은?

4 이 시는 □□ □□과 인간의 삶을 연관 지어 꽃이 지는 모습을 통해 □□의 의미를 형상화했다.

1 이 시의 말하는 이가 어떤 장면을 바라보고 있는지 쓰시오.

2 ㉠에 담긴 의미를 쓰시오.

3 이 시에서 말하고자 하는 바를 쓰시오.

논술형 문제

4 이 시에서 ㉮와 같은 표현 방법이 쓰인 구절을 찾고, 이와 같은 표현 방법을 활용하여 얻을 수 있는 효과를 서술하시오.

조건 1. ㉮에 사용된 표현 방법이 무엇인지 쓸 것
2. ㉮와 같은 표현 방법을 활용하여 얻을 수 있는 효과를 두 가지 쓸 것

답란 _____
_____
_____
_____

02 이야기로 표현하기 _양반전

[1 ~ 4] 다음 글을 읽고, 물음에 답하시오.

가 ㉠양반은 빚을 갚을 길이 없어서 밤낮으로 울기만 하였다. 그의 아내가 양반을 몰아붙였다.

"당신은 평소에 글 읽기만 좋아하더니, 환곡을 갚는 데는 전혀 도움이 안 되는구려. 쯧쯧, 양반이라니……, 한 푼어치도 안 되는 그놈의 양반!"

나 그때 그 마을에 사는 부자가 그 양반의 소문을 듣고 가족과 의논하였다.

"양반은 아무리 가난해도 늘 귀한 대접을 받고, 우리는 아무리 잘살아도 항상 천한 대접을 받는다. 양반이 아니므로 말이 있어도 말을 타지 못한다. 또한 양반만 보면 굽실거리며 제대로 숨소리도 내지 못하고, 뜰아래 엎드려 절해야 하고, 코를 땅에 박고 무릎으로 기어가야 한다. 우리 신세가 가엾지 않으냐? 지금 저 양반이 환곡을 갚지 못해서 아주 난처하다고 한다. 그 형편으로는 도저히 양반의 신분을 지키지 못할 것이다. 그러니 우리가 그의 양반을 사서 양반 신분으로 살아 보자."

다 더러운 일을 딱 끊고, 옛사람을 본받고, 높은 뜻을 가져야 한다. 매일 새벽에 일어나 등잔을 켜고서, 눈은 가만히 코끝을 내려 보고 발꿈치를 궁둥이에 모으고 앉아, 얼음 위에 박 밀듯이 《동래박의(東萊博議)》를 줄줄 외워야 한다. 배고픔과 추위를 참고 견디며, 가난 타령은 아예 하지 말아야 한다. 어금니를 딱딱 마주치고 뒤통수를 톡톡 두드리며, 침을 입 안에 머금고 가볍게 양치질하듯이 삼켜야 한다.

답으로 가는 길

1 양반은 가난하여 □□을 갚지 못해 곤경에 빠졌다.

2 ㉠을 통해 알 수 있는 양반의 모습은?

3 (나)에서 부자가 사고자 한 것은?

4 (다)에 나타난 양반의 모습을 표현한 한자 성어는?

---

1 (가)에서 양반을 대하는 아내의 태도를 쓰시오.

2 (나)를 참고하여 부자가 양반이 되려는 이유를 쓰시오.

3 (다)에서 풍자하고 있는 양반의 모습을 쓰시오.

논술형 문제

4 이 글에서 다음 밑줄 친 계층에 해당하는 인물을 찾아 쓰고, 이를 바탕으로 알 수 있는 당시 사회의 모습을 서술하시오.

> 조선 후기 노동 생산력이 증가하고 상공업이 발달함에 따라 새롭게 부를 축적한 부농층, 신흥 상공인(평민) 계층이 등장하게 되었고, 이들이 경제적으로 높은 지위를 차지하게 됨에 따라 점차 신분의 상승을 꾀하게 되었다.

조건 등장인물이 밑줄 친 계층에 해당하는 이유를 밝혀 쓸 것

답란
_____

_____

[5~8] 다음 글을 읽고, 물음에 답하시오.

> ② "양반이라는 게 겨우 요것뿐입니까? 저는 양반이 신선 같다고 들었는데, 정말 이렇다면 너무 재미가 없는걸요. 원하옵건대 제게 이익이 되도록 문서를 고쳐 주십시오."
>
> 그래서 문서를 다시 작성하였다.
>
> ④ 문과의 홍패(紅牌)는 팔뚝만 하지만, 여기에 온갖 물건이 갖추어져 있으니, 그야말로 돈 자루이다. 서른에야 진사가 되어 첫 벼슬을 얻더라도, 오히려 이름난 음관(蔭官)이 되어 높은 벼슬자리에 오를 수 있다. 언제나 종들이 양산을 받쳐 주므로 귀밑이 희어지고, 설렁줄만 당기면 종들이 '예이.' 하므로 뱃살이 처진다. 방에서는 귀걸이로 치장한 기생과 노닥거리고, 뜰에서는 남아도는 곡식으로 학(鶴)을 기른다.
>
> 벼슬을 아니 하고 시골에 묻혀 살더라도 모든 일을 제멋대로 할 수 있다. 강제로 이웃의 소를 끌어다 먼저 자기 땅을 갈고, 마을의 일꾼을 잡아다 먼저 자기 논의 김을 맨들, 누가 감히 나에게 대들겠느냐? 네놈들 코에 잿물을 들이붓고, 머리끄덩이를 잡아 휘휘 돌리고, 귀밑 수염을 다 뽑아도 누가 감히 나를 원망하겠느냐?
>
> ⑤ 부자는 증서 내용을 듣고 있다가 혀를 내둘렀다.
>
> ㉠"그만두시오, 그만두시오. 참으로 맹랑하구먼. 나를 도둑놈으로 만들 작정입니까?"
>
> 부자는 머리를 흔들면서 떠나 버렸다. 그러고는 죽을 때까지 다시는 양반이 되고 싶다는 말을 입에 올리지 않았다.

답으로 가는 길

5 부정적인 현상이나 모순 등을 다른 것에 빗대어 비웃으면서 비판하는 표현 방법은?

6 (나)에서 풍자의 대상이 되는 인물은?

7 (다)에서 양반을 바라보는 작가의 부정적인 시선이 단적으로 드러나는 말은?

8 ㉠에 어울리는 말투는?

5 (가)에서 부자가 문서를 고쳐 달라고 한 이유를 쓰시오.

6 (나)에서 알 수 있는 양반의 모습을 쓰시오.

7 작가가 이 글을 통해 비판하고자 한 내용을 쓰시오.

논술형 문제

8 이 글에서 양반을 비판하기 위해 사용한 표현 방법을 쓰고, 이와 같은 표현 방법을 사용했을 때의 효과를 서술하시오.

조건 1. 사용한 표현 방법의 개념을 쓸 것
2. 표현 방법을 사용했을 때의 효과를 두 가지 쓸 것

답란 _____

_____

선택 학습

[1 ～ 4] 다음 시를 읽고, 물음에 답하시오.

나뭇잎이 벌레 먹어서 예쁘다
귀족의 손처럼 상처 하나 없이
매끈한 것은
어쩐지 베풀 줄 모르는
손 같아서 밉다
떡갈나무잎에 벌레 구멍이 뚫려서
그 구멍으로 하늘이 보이는 것은 예쁘다
상처가 나서 예쁘다는 것은
잘못인 줄 안다
그러나 남을 먹여 가며
살았다는 흔적은
별처럼 아름답다.

답으로 가는 길

1 겉으로는 모순되거나 불합리해 보이지만 실제로는 그 안에 삶의 진실을 담고 있는 표현 방법은?

2 이 시에서 나뭇잎이 자신의 것을 베풀어 벌레를 먹여 살린 흔적은?

3 '벌레 먹은 나뭇잎'을 대하는 말하는 이의 태도는?

1 이 시에서 역설이 나타난 구절을 찾아 쓰시오.

2 이 시에서 역설을 사용했을 때의 효과를 쓰시오.

3 이 시에서 말하고자 하는 바를 쓰시오.

논술형 문제

4 이 시의 '벌레 먹은 나뭇잎'과 다음 대상의 공통점을 구체적으로 서술하시오.

- 신발: 낡고 구겨지고 지저분하지만 내 발을 보호해 준다.
- 지우개: 늘 더럽고 지저분하지만 연필로 쓴 글씨를 깨끗하게 지워 준다.
- 할머니: 주름이 많아지고 허리도 굽으셨지만 나를 사랑으로 기르고 보살펴 주신다.

조건 '겉모습'과 '가치'의 측면으로 나누어 쓸 것

답란 _____

_____

[5 ～ 7] 다음 글을 읽고, 물음에 답하시오.

가 새침하게 흐린 품이 눈이 올 듯하더니 눈은 아니 오고 얼다가 만 비가 추적추적 내리는 날이었다. / 이날이야말로 동소문 안에서 인력거꾼 노릇을 하는 김 첨지에게는 오래간만에도 닥친 ⓐ운수 좋은 날이었다.

나 그 학생을 태우고 나선 김 첨지의 다리는 이상하게 거뿐하였다. 달음질을 한다느니보다 거의 나는 듯하였다. 바퀴도 어떻게 속히 도는지 구른다느니보다 마치 얼음을 지쳐 나가는 스케이트 모양으로 미끄러져 가는 듯하였다. 언 땅에 비가 내려 미끄럽기도 하였지만……. / 이윽고 끄는 이의 다리는 무거워졌다. 자기 집 가까이 다다른 까닭이다. 새삼스러운 염려가 그의 가슴을 눌렀다.

다 "봐라, 봐! 이 더러운 놈들아! 내가 돈이 없나. 다리 뼉다구를 꺾어 놓을 놈들 같으니." / 하고 치삼의 주워 주는 돈을 받아, / "이 원수엣돈! 이 육시를 할 돈!" / 하면서 팔매질을 친다. 벽에 맞아 떨어진 돈은 다시 술 끓이는 양푼에 떨어지며 정당한 매를 맞는다는 듯이 쨍하고 울었다.

라 "으응, 또 대답이 없네. 정말 죽었나 보이."

이러다가 누운 이의 흰창이 검은창을 덮은, 위로 치뜬 눈을 알아보자마자,

"이 눈깔! 이 눈깔! 왜 나를 바라보지 못하고 천장만 보느냐? 응."

하는 말끝엔 목이 메었다. 그러자 산 사람의 눈에서 떨어진 닭똥 같은 눈물이 죽은 이의 **뻣뻣한 얼굴**을 어룽어룽 적신다. 문득 김 첨지는 미친 듯이 제 얼굴을 죽은 이의 얼굴에 한데 비비대며 중얼거렸다. / "설렁탕을 사다 놓았는데 왜 먹지를 못하니, 왜 먹지를 못하니? 괴상하게도 오늘은 운수가 좋더니만……."

답으로 가는 길

4 실제로 표현하고자 하는 의도와 반대되는 말로 나타내는 표현 방법은?

5 (라)의 내용을 참고할 때, ⓐ에 사용된 표현 방법은?

6 (라)에서 하층민의 가난한 생활상을 드러내는 동시에 아내에 대한 김 첨지의 사랑을 의미하는 소재는?

---

5 (나)에서 집과의 거리에 따라 달라지는 김 첨지의 심리를 쓰시오.

6 (다)에서 김 첨지가 돈을 던진 이유를 쓰시오.

논술형 문제

7 다음은 이 글의 작가와 학생이 나눈 대화이다. (라)의 내용을 참고하여 다음 ㉮에 들어갈 알맞은 말을 서술하시오.

> 학생: 이 소설의 결말이 참 슬펐어요. 하지만 제목이 '운수 좋은 날'이더라고요. 어떤 의도로 제목을 지으셨나요?
> 작가: _____㉮_____.

조건 1. 제목에 사용된 표현 방법을 밝힐 것
2. 작가가 제목을 쓴 의도가 분명하게 드러나도록 쓸 것

답란 _____

01 읽기의 가치와 중요성

서술형 특강

[1 ~ 3] 다음 글을 읽고, 물음에 답하시오.

가 담임 선생님은 미술 선생님이었는데 특별 활동 시간으로 산악반을 맡고 있기도 했다. 매주 화요일 6교시, 일주일에 단 한 시간 활동하는 그 '특별'한 '활동'은 내 취향과는 아무런 상관 없이 시간 내내 산과 학교 사이를 뛰어 오가는 산악반으로 정해졌다.

나 3학년이 되면서 비로소 내가 좋아하는 특별 활동을 선택할 기회가 왔다. 나는 산악반의 경험에 비추어, 되도록 몸을 많이 움직이지 않는 특별 활동반을 점찍었는데 그게 바로 도서반이었다. 도서반 담당 선생님은 특별 활동의 첫날, 도서반이 할 일을 아주 짧고 쉽게 설명해 주었다.

"여러분 곁에는 책이 있다. 그 책 중에서 자기 마음에 드는 책을 골라서 읽고 수업이 끝나는 종소리가 울리면 가면 된다."

그리고 선생님 본인이 마음에 드는 책을 골라서 자리를 잡고 읽는 것으로 시범을 보여 주었다. 나는 책을 고르러 가는 아이들의 뒤를 따라가서 한자로 제목이 씌어 있어서 아이들이 거의 손을 대지 않는 책 가운데 하나를 꺼내 들었다.

다 반드시 읽어야 한다는 것을 강조하는 고전 대부분이 그렇듯 책 표지는 사람의 손을 거의 거치지 않아서 깨끗했다. 지은이는 '박지원', 내가 처음으로 펴든 대목은 〈허생전〉이었다. / 나이가 두 자리 숫자가 되면서 무협지에 빠지기 시작해서 전학 오기 전 국내에 출간된 대부분의 무협지를 읽었다고 생각하고 있던 내게, 한문 문장을 번역한 예스러운 문체는 별 거부감이 없었다. 내용 역시 익숙했다. '허생'이라는 인물이 깊고 고요한 곳에 숨어 있으면서 실력을 쌓은 뒤에 일단 세상에 나갈 일이 생기자 한바탕 멋지게 세상을 뒤흔들어 놓고는 다시 제자리로 돌아온다. 무협지에서도 흔히 볼 수 있는 방식이었다.

답으로 가는 길

1 글쓴이가 처음으로 활동한 특별 활동반은?

2 글쓴이가 처음 읽은 고전의 작가와 작품은?

3 글쓴이가 전학 오기 전까지 주로 읽었던 책은?

4 학생들이 고전은 어렵고 지루하다는 □□을 가지고 있었기 때문에 고전의 책 표지가 깨끗했다.

1 글쓴이가 특별 활동 반으로 도서반을 선택한 이유를 쓰시오.

2 도서반 선생님이 특별 활동의 첫날, 아이들에게 어떤 시범을 보였는지 쓰시오.

논술형 문제

3 (다)에서 알 수 있는 고전과 무협지의 공통점을 서술하시오.

조건 '문체'와 '사건 전개 방식'으로 나누어 그 내용을 구체적으로 쓸 것

답란 _____

_____

[4 ~ 7] 다음 글을 읽고, 물음에 답하시오.

가 그런데 그 책 속의 주인공들은 내가 읽었던 수많은 무협지의 주인공과는 달라도 많이 달랐다. 무협지를 읽고 나면 주인공 이름 말고는 기억에 남는 게 없는데, 박지원의 소설은 주인공이 다음에 어떻게 되었을지 궁금해지고 내가 주인공이라면 어떻게 했을지 자꾸만 생각하게 만들었다. 한두 번 씹으면 단맛이 다 빠져 버리는 무협지와는 달리 그 책의 내용은 읽을수록 새로운 맛이 우러나왔다. 보석처럼 단단하고 품위 있는 문장은 아름답기까지 했다. 책을 읽으면서 내 정신세계가 무슨 보약을 먹은 듯이 한층 더 넓어지고 수준이 높아지는 듯한 느낌이 들었다.

나 읽으면 내 피와 살이 되는 고전, 맛있는 고전, 내가 재미를 들인 최초의 고전이 우리의 조상이 쓴 것이라는 데에서 나오는 뿌듯함까지 맛볼 수 있었다.

3학년 2학기가 되었을 때 특별 활동 시간은 없어졌다. 내가 1학기의 특별 활동 시간에 읽은 것은 박지원의 책이 전부였다. 하지만 내가 지금 소설을 쓰고 있는 것은 바로 그 책 때문이라고 생각한다. ㉠특별하지 않은 특별 활동 시간에 읽은 아주 특별한 그 책이 내 일생을 바꾸었다.

다 누구에게나 그런 일이 일어날 수 있다. 모르고 지나갈 수도 있다. 어떤 책을 계기로 인간의 지극한 정신문화, 그 높고 그윽한 세계에 닿고 그의 일원이 되는 것은 겪어 보지 못한 사람은 알 수 없는 행복을 안겨 준다. 이 세상에 인간으로 나서 인간으로 살면서 인간다운 삶을 살고 드높은 가치를 추구하는 길을 책이 보여 준다. 책은 지구상에서 인간이라는 종(種)만이 알고 있는, 진정한 인간으로 나아가는 통로이다. 그래서 사람들은 말하는지도 모른다. 책 속에 (㉡)이 있다고.

답으로 가는 길

5 무협지를 읽고 나면 주인공 □□ 말고는 기억나는 것이 없고, 한두 번 읽으면 □□이 다 빠져 버렸다.

6 글쓴이는 책을 읽으면서 정신세계가 한층 더 넓어지고 수준이 높아지는 듯한 느낌이 들었기 때문에 책을 □□이라고 표현했다.

7 글쓴이의 현재 직업은?

8 ㉡에 들어가기에 알맞은 말은?

4 (가)의 내용을 바탕으로 무협지와 다른 고전의 특성 두 가지를 쓰시오.

5 (나)에서 글쓴이가 고전을 읽고 뿌듯함을 느낀 이유를 쓰시오.

6 (나), (다)의 내용을 참고하여, ㉠의 구체적인 내용을 쓰시오.

논술형 문제

7 (다)의 내용을 바탕으로 읽기의 가치와 중요성에 대해 쓰고, 읽기를 생활화할 수 있는 방법을 서술하시오.

조건 읽기를 생활화할 수 있는 방법을 두 가지 제시할 것

답란

02 다양한 표현 활용하여 글 쓰기 | **서술형 특강**

[1 ~ 4] 다음 글을 읽고, 물음에 답하시오.

가

태경: 현지야, 어제 아버지와 등산 다녀왔다며?

현지: 응, 처음에는 억지로 따라가서 싫었는데, 막상 산에 오르니 기분이 상쾌해져서 좋았어.

태경: 국어 시간에 수필을 쓸 때 너는 그 경험을 소재로 삼으면 되겠네.

현지: 운동도 하고 글감도 찾고, 한마디로 ㉠꿩 먹고 알 먹기이지.

태경: 꿩 먹고 알 먹기? 너 그런 표현도 쓸 줄 알아?

나

처음	아버지와 등산하게 된 이유: ㉡주말에 시험공부를 하려고 했는데, 아버지께서 등산을 가자고 하셔서 동네 뒷산에 억지로 따라갔다.
중간	1. 등산하면서 느낀 어려움: 급하게 올라가려니 힘들어서 포기하고 중간에 내려가고 싶었다. 2. 아버지의 가르침: 아버지께서 가르쳐 주신 대로 천천히 걸으니 계단을 올라가는 것이 힘들지 않았다. 3. 정상에 올라 느낀 상쾌함: 정상에 올라 탁 트인 풍경을 바라보니 시험공부 때문에 쌓인 스트레스가 풀리고 머리가 맑아지는 것 같았다.
끝	등산을 다녀와서 깨달은 점: 공부하느라 마음의 여유를 잃었던 나 자신을 되돌아볼 수 있었다.

답으로 가는 길

1 글에서 활용할 수 있는 다양한 표현의 종류를 쓰시오.

2 둘 이상의 단어가 합쳐져 원래의 뜻과는 전혀 다른 새로운 뜻으로 굳어진 표현은?

3 (가)에서 현지가 글의 소재로 삼으려는 경험은?

---

1 ㉠의 의미를 쓰시오.

2 ㉡에 어울리는 표현과 그 의미를 쓰고, 그 표현을 사용했을 때의 효과를 쓰시오.

3 글에 다양한 표현을 활용했을 때의 효과를 세 가지 쓰시오.

논술형 문제

4 다음에서 (나)의 '중간 1'에 어울리는 표현을 찾고, 그 이유를 서술하시오.

- 숨이 턱에 닿다.
- 황금 보기를 돌같이 하라.
- 건강한 신체에 건강한 정신이 깃든다.

조건 선택한 표현의 종류와 뜻을 밝혀 쓸 것

답란 _____

_____

_____

[5 ~ 8] 다음 글을 읽고, 물음에 답하시오.

가 ㉠아버지는 나의 이런 모습에 언짢아하시며 말씀하셨다.

"현지야, 등산은 그렇게 경주하듯이 하는 게 아니다."

그런 아버지께 이 정도는 ㉡쉬운 일이라고 으스대며 앞서가는 것도 잠시, 경사진 길을 올라가다 보니 숨이 턱에 닿아 걸음이 느려졌다. 올라갈수록 운동화가 천근만근 무겁게 느껴졌다. 뒤따라오시던 아버지께 이제 더는 못 가겠다고, 그만 내려가자고 떼를 썼다.

나 "너무 급하게 올라와서 힘든 거다. 천천히 쉬엄쉬엄 걸어 보자."

아버지는 힘들어지면 잠깐 쉬었다가 올라가자고 하셨다. 더는 못 올라갈 것 같았지만, 아버지의 숨소리에 내 호흡을 맞추고 걷다 보니 어느새 정상이 눈앞에 있었다. 아버지는 "급히 먹는 밥이 목이 멘다."라는 속담처럼 너무 서두르면 오히려 목표를 이룰 수 없다는 것을 알려 주고 싶으셨던 것이 아닐까?

다 산 정상에 올라 탁 트인 마을 풍경을 바라보니 시험공부 때문에 쌓인 스트레스가 ㉢모두 사라졌다. 시원한 바람에 머리가 맑아지는 것을 느끼며 "건강한 신체에 건강한 정신이 깃든다."라는 말을 실감했다.

라 아버지와 등산을 하면서 적당한 휴식이 목표를 달성하는 데 도움이 된다는 것을 깨달았다. 독일의 정치인 비스마르크는 "청년들이여 일하라, 좀 더 일하라, 끝까지 열심히 일하라."라고 말했다. 나는 "쉬어라, 좀 더 쉬어라, 충분히 쉬고 공부하라."라고 말하고 싶다. 우리에게는 지금 쉼표가 필요하기 때문이다. 다음 주에는 내가 먼저 아버지께 뒷산에 오르자고 말씀드려야겠다.

답으로 가는 길

4 ㉡에 활용할 수 있는 속담은?

5 (나)에서 '눈 깜짝할 사이에'라는 관용 표현으로 고쳐 쓸 수 있는 단어는?

6 현지는 아버지와의 등산을 통해 적당한 □□이 목표를 달성하는 데 도움이 된다는 것을 깨달았다.

5 ㉢을 고쳐 쓸 수 있는 관용 표현과 그 뜻을 쓰고, 그 표현을 활용했을 때의 효과를 쓰시오.

6 (라)에서 현지가 정상에 올라 느꼈던 상쾌함을 표현하기 위해 활용한 명언을 찾아 쓰시오.

7 (라)에서 현지가 자신의 의도를 참신하게 표현하기 위해 활용한 방법을 쓰시오.

논술형 문제

8 ㉠을 다음과 같이 바꾸어 썼을 때의 효과를 서술하시오.

> 아버지는 나의 이런 모습에 혀를 차시며 말씀하셨다.

조건 달라진 표현의 종류와 뜻을 밝혀 쓸 것

답란

선택 학습

[1 ~ 4] 다음 글을 읽고, 물음에 답하시오.

가 음악인 전제덕: 책을 처음 펼쳤을 때 보이는 차례를 굉장히 중요하게 생각합니다. 작가들이 차례의 제목을 대충 붙여 놓았다고 생각하지 않거든요. 제목 속에 먼 미래도 보이고, 가까운 앞날도 보이는 것 같아서 일단 그 제목들을 상당히 중요하게 생각합니다. 그리고 좀 긴 책은 작가 서문을 꼭 보지요. 작가가 이야기하고 싶은 것들이 서문 안에 얼마만큼은 들어가 있다고 보거든요.

물리학자 정재승: 저는 책들과 책들 사이의 관계에 굉장히 관심이 많아요. 책의 지도를 머릿속에 그린다고 할까요? 이 책은 이 책 자체로서 의미가 있다기보다는, 그전에 나온 책을 극복하고자, 혹은 지지하고자, 그것이 진실이 아님을 밝히고자 나오는 등 책들 사이에 연관 관계가 있거든요. 때로는 한 작가가 쓴 책들이 서로 연결되기도 하고, 한 주제의 책들이 또다시 연결되기도 하고……. 그런 책들의 관계를 따라가면서 계속 책을 읽는 것, 그것이 제가 평소에 하는 독서법입니다.

나

다

답으로 가는 길

1 (가)에서 음악인 전제덕이 책을 읽을 때 중요하게 여기는 두 가지는?

2 (가)의 음악인 전제덕이 □□을 중요하게 여기는 이유는 □□ 속에 먼 미래도 보이고, 가까운 앞날도 보이는 것 같기 때문이다.

3 (나)에서 광고 문구의 형태를 시각적으로 구성한 방식은?

4 (다)에서 해결하고자 하는 문제는?

1 (가)를 바탕으로 물리학자 정재승의 독서 방법을 쓰시오.

2 (나)에서 전달하려는 내용을 쓰시오.

3 (다)에 사용된 표현의 특징을 구체적으로 쓰시오.

논술형 문제

4 (나)가 다음을 활용하여 만든 광고라고 할 때, (나)에 사용된 표현의 특징을 구체적으로 쓰고, 그 효과를 서술하시오.

(속담) 윗물이 맑아야 아랫물이 맑다.: 윗사람이 잘하면 아랫사람도 따라서 잘하게 된다는 말

답란

01 한글의 창제 원리와 우수성

서술형 특강

[1 ~ 4] 다음 글을 읽고, 물음에 답하시오.

가 우리나라 말이 중국과 달라 한자와는 서로 통하지 않으므로, 어리석은 백성이 말하고자 하는 바가 있어도 끝내 제 뜻을 펴지 못하는 사람이 많으니라. 내가 이것을 가엾게 여겨 새로 스물여덟 글자를 만드니, 모든 사람으로 하여금 쉽게 익혀서 날마다 쓰는 데 편리하게 하고자 할 따름이니라.

나 • (㉠): 혀뿌리가 목구멍을 막는 모양을 본뜸.

• (㉡): 혀끝이 윗잇몸에 닿는 모양을 본뜸.

• (㉢): 입 모양을 본뜸.

• (㉣): 이의 모양을 본뜸.

• (㉤): 목구멍의 모양을 본뜸.

다 • (㉥): 그 모양이 둥근 것은 하늘을 본떠서이다.

• (㉦): 그 모양이 평평한 것은 땅을 본떠서이다.

• (㉧): 그 모양이 서 있음은 사람을 본떠서이다.

답으로 가는 길

1 자음 기본자는 □□ □□을 □□하여 만들어졌다.

2 ㉠~㉤에 알맞은 자음자를 각각 쓰면?

3 모음 기본자는 하늘, 땅, 사람을 본뜨는 □□의 원리에 따라 만들어졌다.

4 ㉥~㉧에 알맞은 모음자를 각각 쓰면?

1 (가)에서 알 수 있는 한글의 창제 정신과 그 내용을 구체적으로 쓰시오.

2 자음 기본자를 바탕으로 다음의 자음자가 만들어진 원리를 쓰시오.

> ㄷ, ㅂ, ㅈ, ㅊ, ㅋ, ㅌ, ㅍ, ㆆ, ㅎ

3 모음 기본자를 바탕으로 다음의 모음자가 만들어진 방법을 구체적으로 쓰시오.

> ㅗ, ㅜ, ㅏ, ㅓ, ㅛ, ㅠ, ㅑ, ㅕ

논술형 문제

4 다음을 바탕으로 모음자를 자음자에 붙여 쓰는 방식에 대해 서술하시오.

조건 '하'와 '늘'을 예로 들어 설명할 것

답란

[5~8] 다음 글을 읽고, 물음에 답하시오.

가 한글의 창제 방식은 매우 간결하고 효율적이다. 한글 자음과 모음의 기본자는 상형의 원리로 만들어졌는데, 가획과 합성 등의 원리에 따라 적은 수의 기본자로부터 확장되어 다른 글자들이 만들어졌다. 한글은 이렇게 만들어진 자음자와 모음자를 결합하여 수많은 음절을 표현할 수 있다.

나 적은 수의 자음자와 모음자를 조합하여 수많은 음절을 표현하는 한글의 운용 방식은 글쇠 수가 제한된 컴퓨터 자판이나 휴대 전화 자판에서 빛을 발한다. 크기가 작은 휴대 전화의 경우 한글의 창제 원리를 적용하면 적은 수의 글쇠로도 정보를 효율적으로 입력할 수 있다. 컴퓨터로 정보를 입력하는 경우에도 한자나 일본의 문자보다 한글을 사용할 때 정보 입력 속도가 훨씬 빠르다는 사실은 정보화 시대에 두드러지는 한글의 장점을 잘 보여 준다.

다 한글은 초성과 중성, 종성을 합쳐서 음절 단위로 모아쓴다. 예를 들어, 영어 알파벳은 'cloud'라고 풀어쓰지만, 한글은 'ㄱㅜㄹ_ㅁ'이라고 풀어쓰지 않고 '구름'이라고 모아쓴다. 사람이 한눈에 파악할 수 있는 글자 수는 제한적이어서 자음자와 모음자를 풀어쓸 때보다 음절 단위로 모아쓸 때 한번에 더 많은 정보를 인식할 수 있다. 그래서 영어 알파벳으로 쓴 글보다 한글로 쓴 글에 담긴 정보를 더 빠르게 파악할 수 있다. 또한 모아쓰기 방식 덕분에 한글은 글자를 가로나 세로 방향으로 자유롭게 쓸 수 있어서 정보를 전달하는 데에도 실용적이라고 할 수 있다.

답으로 가는 길

5 한글 자음과 모음의 기본자가 만들어진 공통된 제자 원리는?

6 한자와 한글 중 글쇠 수가 제한된 컴퓨터로 정보를 더 빠르게 입력할 수 있는 것은?

7 한글이 모아쓰기를 하는 단위는?

5 한글이 글쇠 수가 제한된 컴퓨터 자판이나 휴대 전화 자판에서 정보를 효율적으로 입력할 수 있는 이유를 쓰시오.

6 한글의 모아쓰기의 방식의 장점 두 가지를 쓰시오.

7 다음을 통해 알 수 있는 한글 자음자의 특징을 쓰시오.

> • 한글: ㄱ-ㅋ / ㄴ-ㄷ-ㅌ / ㅁ-ㅂ-ㅍ   • 영어 알파벳: g-k / n-d-t / m-b-p

논술형 문제

8 다음을 통해 알 수 있는 한글의 장점을 서술하시오.

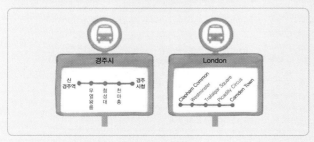

조건 1. 영어와의 차이점을 밝혀 쓸 것
2. 제시된 그림에서 한글과 영어를 쓴 방식을 모두 언급할 것
답란 _____

02 마음을 나누는 대화

서술형 특강

[1 ~ 3] 다음 글을 읽고, 물음에 답하시오.

가 재경: 서율아, 너는 여행이 뭐라고 생각해?

서율: 맛있는 음식을 먹거나 멋진 풍경을 즐기면서 편하게 쉬는 것이 여행이지.

재경: 그렇구나. 나는 여러 곳을 다니면서 다양한 사람을 만나는 것이 여행이라고 생각해. / 서율: 네 말을 들으니까 여행에 그런 의미도 있겠다는 생각이 들어. 여행은 정말 다양한 즐거움을 주는 것 같아.

나 지혁: 소정아, 주말에 뭐 했어?

소정: 마을 장터에 갔다가 새것은 아니지만 괜찮아 보이는 책을 한 권 샀어.

지혁: 마을 장터에서 그런 책을 팔기도 해?

소정: 응. 책뿐만 아니라 자신이 쓰지 않는 물건은 무엇이든 팔던데?

지혁: 아하, 사회 시간에 배운 아나바다 운동 같은 거구나. "아껴 쓰고, 나눠 쓰고, 바꿔 쓰고, 다시 쓰자."라는 의미였지?

소정: 맞아. 그러고 보니 이번 마을 장터가 바로 아나바다 운동이었네. 너도 비슷한 경험이 있어? / 지혁: 나는 물건을 사 본 적은 없는데, 아무도 타지 않아서 먼지만 쌓이던 우리 집 자전거를 사촌 동생에게 준 적이 있어. 동생이 무척 좋아하면서 매일 타고 다닌대. 이런 것도 아나바다 운동이지?

소정: 그럼. 쓸모없던 자전거를 누가 다시 잘 쓸 수 있게 된 거니까.

지혁: 그러네. 너는 마을 장터에서 책을 사 보니까 어땠어?

소정: 처음에는 남이 보던 책을 산다는 것이 내키지 않았지만 값이 싸고 책 상태도 깨끗해 보이길래 한번 사 봤거든. 정작 책을 읽어 보니 아무렇지도 않더라고. 누구에게는 필요 없던 물건이 다른 사람에게는 유용하게 쓰일 수도 있는 것 같아.

답으로 가는 길

1 (가)에서 재경이와 서율이의 대화 주제는?

2 (가)에서 서율이는 재경이와의 대화를 통해 여행이 다양한 ☐☐☐을 주는 것이라고 생각하게 되었다.

3 (나)에서 소정이와 대화하는 동안 지혁이가 떠올린 배경지식은?

4 (나)에서 지혁이가 사촌 동생에게 준 것은?

---

1 (가)를 통해 알 수 있는 듣기·말하기의 특성을 쓰시오.

2 (나)에서 소정이가 마을 장터에 다녀온 경험을 통해 알게 된 아나바다 운동의 장점을 쓰시오.

논술형 문제

3 (나)에서 소정이와 지혁이가 대화를 통해 의미를 공유하는 방법에 대해 서술하시오.

조건 '배경지식', '반응'을 포함하여 쓸 것

답란

[4～7] 다음 글을 읽고, 물음에 답하시오.

㉮ 준희: 내일 국어 모둠 회의 때 자료를 찾아가야 하는데, 오늘 도서관이 문을 닫았어. 이번 주까지 국어 수행 평가 과제를 제출해야 하는데 어떻게 하지?

한솔: 국어 수행 평가 과제는 다음 주까지잖아.

준희: 그런가? 그래도 내일 모둠 회의 전까지 자료를 찾아야 하는데.

한솔: 사회 수행 평가는 이번 주까지인데, 국어 수행 평가는 다음 주까지가 맞을 거야.

준희: 제출 기한에 여유가 있는 것은 다행이지만 내일 모둠 회의가 잘 진행되려면 자료를 찾아야 할 것 같아. 자료 검색은 다 했고 도서관에서 책만 빌리면 되는데 무슨 방법이 없을까?

한솔: 검색을 다 했으니까 지금 도서관에서 책을 빌리면 되잖아.

㉯ 지애: 효진아, 내 이야기 좀 들어 줄래?

효진: ㉠무슨 고민 있어? 편하게 말해 봐.

지애: 사실은 친구랑 조금 다퉜어.

효진: ㉡친구랑 다퉈서 고민이구나. 좀 더 자세히 이야기해 볼래?

지애: 내가 휴대 전화가 없어져서 걱정하고 있었거든. 그런데 친구는 같이 걱정해 주기는커녕 내가 물건을 잘 잃어버린다고 타박만 하지 뭐야. 그래서 나도 모르게 친구에게 심한 말을 해 버렸어.

효진: (고개를 끄덕이며) 저런, 친구가 네 마음을 알아주지 않아서 속상했겠네. 그렇지만 친구에게 상처를 주는 말을 한 것은 후회되겠다.

답으로 가는 길

5 (가)에서 준희가 오늘 책을 빌릴 수 없는 이유는?

6 (나)에서 지애는 물건을 잘 잃어버린다고 타박한 □□와 다퉜다.

7 (나)에서 효진이는 지애의 상황에 □□하며 대화했다.

4 (가)에서 준희가 도서관에 가야 하는 이유를 쓰시오.

5 (가)에서 두 사람의 대화가 원활하게 이루어지지 않은 이유를 쓰시오.

6 ㉠, ㉡에서 효진이가 지애의 감정에 공감하며 대화하기 위해 사용한 방법을 각각 쓰시오.

논술형 문제

7 (나)의 대화 내용을 바탕으로 상대의 말에 공감하며 대화하는 방법에 대해 서술하시오.

> **조건** 1. '감정', '관점', '협력적'을 사용하여 '공감하며 대화하기'의 개념을 언급할 것
> 2. 공감하며 대화하는 방법을 두 가지 쓸 것

답란

선택 학습

[1 ~ 4] 다음 글을 읽고, 물음에 답하시오.

세종 대왕은 어떤 원리로 한글을 만들었을까요? 1940년 《훈민정음》 해례본을 발견하기 전까지 사람들은 한글의 기원과 관련해 여러 의견을 내놓았어요. 몽골이나 인도의 문자를 본떴다는 설도 있었지요. 세종 대왕이 훈민정음을 만드는 동안 몽골의 파스파 문자나 인도의 산스크리트 문자 등 주변 국가의 문자에 관한 정보를 수집했기 때문이에요. 실제로 글자 몇 개는 닮기도 했고요. 문창살을 보고 만들었다는 등의 허황된 소리를 생각하면 문자 모방설은 그나마 근거가 있는 주장이에요. 앞서 예로 든 글자들은 모두 훈민정음처럼 소리글자였거든요.

이러한 설들은 《훈민정음》 해례본이 발견되면서 잠잠해졌어요. 이 책의 설명에 따르면 자음의 기본자는 발음 기관을 본떠 만들었어요. 각각 이, 목구멍, 입 모양을 본뜬 'ㅅ', 'ㅇ', 'ㅁ'과 혀뿌리가 목구멍을 막는 모습을 본뜬 'ㄱ', 혀끝이 윗잇몸에 닿는 모습을 본뜬 'ㄴ', 이렇게 다섯 개예요. 모음 역시 하늘(·), 땅(ㅡ), 사람(ㅣ)을 본떴어요. 과거 동양 철학에서는 하늘과 땅, 사람이 만물의 근본이라고 생각했기 때문에 그 세 가지를 본뜬 것이에요. 이 기본자들에 획을 더하거나 이들을 서로 조합하여 다른 글자들을 만들어 나간 것이 바로 한글이에요.

현재 지구상에 남아 있는 글자 중에 이처럼 창제 원리와 거기에 담긴 철학적 원리가 자세히 기록된 것은 없어요. 타이 문자나 키릴 문자처럼 작자와 만든 과정이 알려진 글자는 몇 개 있지만, 훈민정음처럼 철학적 원리와 사용법, 보기 등을 자세히 기록하여 책으로 펴내기까지 한 글자는 없지요. 그래서 유네스코가 《훈민정음》 해례본을 세계 기록 유산으로 지정한 것이랍니다.

답으로 가는 길

1 한글, 파스파 문자, 산스크리트 문자는 모두 □□글자이다.

2 한글의 창제 원리를 설명해 놓은 책은?

3 한글 자음의 기본자는 □□□□ 을 본떠 만들었다.

4 한글 모음 기본자가 하늘, 땅, 사람을 본뜬 이유는 과거 동양 철학에서는 이것이 만물의 □□이라고 생각했기 때문이다.

1 《훈민정음》 해례본이 발견되기 전까지 한글이 몽골이나 인도의 문자를 본떴다고 생각한 이유를 쓰시오.

2 자음의 기본자 'ㄱ, ㄴ, ㅁ, ㅅ, ㅇ'이 본뜬 모습을 각각 쓰시오.

3 한글에서 기본자 외의 글자를 만든 방법을 쓰시오.

논술형 문제

4 유네스코가 《훈민정음》 해례본을 세계 기록 유산으로 선정한 이유를 서술하시오.

[조건] 한글이 뛰어난 글자로 인정받고 있는 이유와 관련지어 쓸 것

[답란] _____

[5~8] 다음 글을 읽고, 물음에 답하시오.

석환: 대학에도 영화를 공부하는 학과가 있어요. 또 제가 하려는 일은 영화배우 이런 게 아니라 영화를 제작하고 배급하는 일이고요.

누나: (⊙말을 자르고 끼어들며) 야, 윤석환, 너도 곧 고등학생 될 거잖아? 나는 고3 되는 거고. 너 이럴 때 아니야. 남들보다 더 열심히 공부해도 모자랄 판에 이러고 있는 게 말이 되냐?

엄마: 그래, 네 누나 말이 맞아. 너도 이제 공부할 시기라고.

석환: 혼자 있고 싶어요.

엄마: 뭐? / 석환: 나가세요.

누나: 윤석환, 너 엄마한테 말버릇이 이게 뭐야?

석환: 엄마, 저는 엄마를 이해할 수가 없어요.

누나: 야, 난 네가 이해가 안 된다. 우리 때문에 엄마가 얼마나 힘들게 일하시는 줄 알아? 없는 형편에 과외비, 학원비 갖다 바쳤는데, 너라는 애는 어떻게 이럴 수가 있니? 공부하는 척 문 닫고 들어앉아 시나리오나 쓰고, 영화 잡지나 읽고. 그런 너를 어떻게 이해해?

석환: 누나는 좀 가만히 있어. 엄마! 저는 영화감독이 되고 싶어요.

엄마: ⓒ누가 영화감독 하지 말라고 했니? 엄마도 네가 원하는 것을 하면서 살았으면 좋겠어. 하지만 세상은 그렇게 하고 싶은 것 다 하고 살 수가 없어. 너 도대체 왜 그러니? 조금만 더 하면 잘할 수 있는 애가, 응?

석환: (잠시 침묵) 네. 알겠어요. 그러니까 나가 주세요.

답으로 가는 길

5 엄마와 누나가 석환이에게 바라는 것은?

6 석환이가 원하는 장래 희망은?

7 석환이는 "혼자 있고 싶어요.", "나가세요."와 같이 말하며 상대와 □□를 이어 나가려 하지 않는다.

5 석환이가 엄마, 누나와 갈등하는 원인을 쓰시오.

6 ⊙에 나타난 누나의 대화 태도의 문제점을 쓰시오.

7 엄마와 누나가 공통적으로 드러내고 있는 대화 태도의 문제점을 쓰시오.

논술형 문제

8 엄마가 ⓒ을 대신하여 〈보기〉와 같이 말했을 때, ⓒ과 〈보기〉에 드러나는 엄마의 대화 태도의 차이점을 서술하시오.

보기

엄마: (고개를 끄덕이며) 그렇구나. 영화 잡지를 읽고 시나리오를 쓰는 연습을 해야 한다는 것은 이해해. 그런데 엄마는 네가 그런 공부에만 집중하다가 지금 너의 본분인 학업을 게을리하지는 않을지 조금 걱정되는구나.

답란

01 작품의 재발견 _ 완득이

서술형 특강

[1 ~ 4] 다음 글을 읽고, 물음에 답하시오.

가 🎵 7. 마주치지 않을게요 – 어머니 🎵

사는 내내 보고팠지만 내 두 눈 앞에 서 있지만

불러 볼 수 있을까, 안아 볼 수 있을까, 난…… 난…….

하루 종일 곁을 맴돌아도 저만치 내 앞에 있어도

문득 마주칠까 봐 겁이 났어요, 난…….

나 🎵 마주치지 않을게요 / 배경 음악 🎵

어머니: 잘 커 줘서 고마워요. 나는 그냥 한 번만…….

　　어머니, 들고 온 종이 가방들을 완득이에게 건넨다.

어머니: 이거……. (포장을 뜯으며) 요즘 남자아이들한테 제일 인기 있는 거래요.

　　어머니가 상자를 뜯으면 운동화가 나타난다.

어머니: 신어 봐요……. 신어 보세요. / 완득: 필요 없으니까, 가져가세요.

다 완득: (어머니 단화를 가리키며) 이렇게 납작한 거 말고요. 굽 있는 것으로 보여 주세요. (뭔가 발견하고는) 이거 괜찮겠네요. 이것으로 보여 주세요.

가게 주인: ㉠가만 보니 저쪽 사람 같은데, 학생하고 많이 닮았네. 신어 봐요. 이백사십, 굽 높은 거. / 가게 주인, 굽이 7센티미터나 되는 분홍색 구두를 내민다.

답으로 가는 길

1 이 글의 종류는?

2 (나)에서 완득이에 대한 어머니의 사랑과 미안함이 반영된 소재는?

3 (다)에서 어머니를 생각하는 완득이의 애틋한 마음이 드러나는 소재는?

1 이 글을 통해 알 수 있는 뮤지컬 대본의 표현상의 특징을 쓰시오.

2 (가)에 드러나는 어머니의 심리를 쓰시오.

3 ㉠에서 알 수 있는 외국인 노동자와 다문화 가정을 바라보는 우리 사회의 시각을 쓰시오.

  논술형 문제

4 다음은 (나)의 원작 소설의 일부이다. 다음을 참고하여 뮤지컬 대본의 특징을 서술하시오.

> 그분은 축축 늘어지는 천 가방에서 하얀 봉투를 꺼냈다. / "이거……."
> "그런 거 필요 없는데요." / 나 줄 돈 있으면 신발이나 새로 사 신으세요. 요즘은 애들도 저런 거 안 신어요.

조건 1. 서술의 측면에서 드러나는 차이점을 제시할 것
　　　 2. 원작 소설과 뮤지컬 대본의 특징을 대조하여 쓸 것

답란

[5～7] 다음 글을 읽고, 물음에 답하시오.

⑦ 관장: 완득아, 이제 그만하자.

완득: 관장님, 절대 수건 던지지 마세요. 끝까지 버틸 수 있게 해 주세요.

   완득, 관장의 손에서 수건을 빼앗아 땀을 닦고는 멀리 내던진다.

완득: (도내 챔피언에게) 야, 난 시합에 져도 상관없어. / 도내 챔피언: ?

완득: 네가 내 갈비뼈를 박살 내도 상관없고 네가 날 케이오(KO)로 이기든, 판
      정으로 이기든 난 상관없어. 극적인 역전승 따위를 바라는 게 아니야. 난 내
      가 버틸 수 있는 그 순간까지 최선을 다해 버틸 테니까, (가드를 올리고서는)
      봐주지 마라. 날 이겨 봐! 〈중략〉

관장: 완득아! 정신 차려! 완득아! 완득아! 눈 좀 떠 봐, 인마!

   심판의 카운트가 모두 끝나고 관중석에서는 환호성이 터져 나온다. 심판이 쓰러진 완
득이의 상태를 살핀다. / 완득이의 눈앞이 흐려진다. ㉠완득이가 웃는다.

⑭ 어머니: 완득아……. / 완득, 어머니와 눈이 마주친다.

완득: ……. 이제 어디도 가지 마세요……. 내가 힘들 때, 주저앉고 싶을 때 응원
      받고 싶은 사람, 안겨 보고 싶은 사람이 있어요……. 아버지, 민구 삼촌, 관
      장님, 똥주 선생님, 윤하, 친구들, 그리고…… 엄마……, 엄마……, 엄마!

답으로 가는 길

4 완득이가 이길 가망이 없다고 생각하여 수건을 던져 포기를 선언하려던 인물은?

5 (나)에서 완득이가 어머니에게 완전히 마음을 열었다는 것을 알 수 있는 말은?

6 원작을 다른 매체나 갈래로 □□□ 할 때에는 바꾸고자 하는 매체나 갈래의 □□을 고려해야 한다.

---

5 (가)에서 경기에 임하는 완득이의 자세를 쓰고, 이를 통해 알 수 있는 세상을 대하는 완득이의 태도를 쓰시오.

6 완득이가 시합에서 졌음에도 불구하고 ㉠과 같은 표정을 짓는 이유를 쓰시오.

🐱 **논술형 문제**

7 〈보기〉는 어머니의 소식을 처음 들은 완득이의 반응이다. 〈보기〉를 참고하여 (나)에서 어머니를 대하는 완득이의 태도가 어떻게 변화했는지 서술하시오.

┌ 보기 ┐

완득: 저는요, 엄마 젖이 아니라 아버지가 춤추던 카바레 누나들이 주는 과자나 사탕 먹고 컸어요.

똥주: ……. 그래서 만나기 싫으냐?

완득: 아버지 오시면 물어보세요.

조건 〈보기〉와 (나)에 나타나는 완득이의 태도를 모두 언급할 것

답란

02 우리가 만드는 연극

서술형 특강

[1 ~ 4] 다음 글을 읽고, 물음에 답하시오.

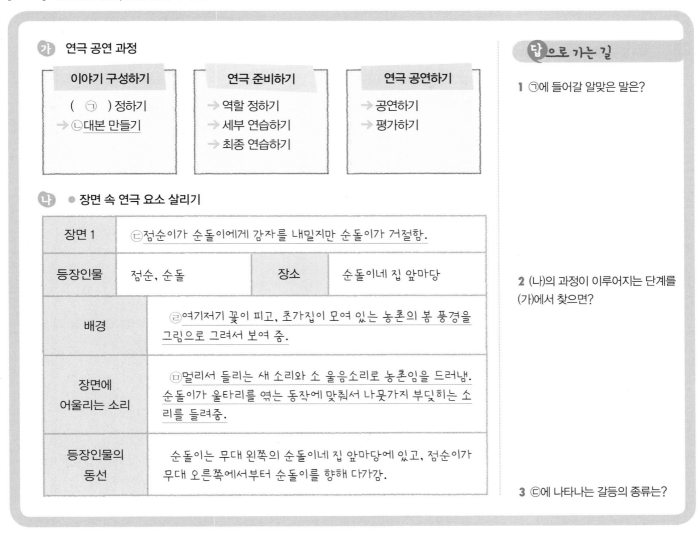

가 연극 공연 과정

이야기 구성하기
(㉠) 정하기
→ ㉡대본 만들기

연극 준비하기
→ 역할 정하기
→ 세부 연습하기
→ 최종 연습하기

연극 공연하기
→ 공연하기
→ 평가하기

나 ● 장면 속 연극 요소 살리기

장면 1	㉢점순이가 순돌이에게 감자를 내밀지만 순돌이가 거절함.		
등장인물	점순, 순돌	장소	순돌이네 집 앞마당
배경	㉣여기저기 꽃이 피고, 초가집이 모여 있는 농촌의 봄 풍경을 그림으로 그려서 보여 줌.		
장면에 어울리는 소리	㉤멀리서 들리는 새 소리와 소 울음소리로 농촌임을 드러냄. 순돌이가 울타리를 엮는 동작에 맞춰서 나뭇가지 부딪히는 소리를 들려줌.		
등장인물의 동선	순돌이는 무대 왼쪽의 순돌이네 집 앞마당에 있고, 점순이가 무대 오른쪽에서부터 순돌이를 향해 다가감.		

답으로 가는 길

1 ㉠에 들어갈 알맞은 말은?

2 (나)의 과정이 이루어지는 단계를 (가)에서 찾으면?

3 ㉢에 나타나는 갈등의 종류는?

1 기존 소설을 연극 대본으로 재구성할 때 고려해야 하는 점을 쓰시오.

2 ㉡의 과정에서 주의해야 할 점을 '갈등'을 중심으로 쓰시오.

3 (나)의 내용을 참고하여, '장면 속 연극 요소 살리기' 단계에서 해야 할 일을 쓰시오.

논술형 문제

4 ㉣, ㉤과 같은 요소가 연극 공연에서 하는 역할을 서술하시오.

> **조건** 극중 상황과 관객에게 미치는 영향의 측면에서 쓸 것

> **답란**

[5 ~ 8] 다음 글을 읽고, 물음에 답하시오.

등장인물　순돌, 점순, 점순이의 어머니
배경　　한적한 농촌 마을

　옹기종기 모여 있는 초가집과 꽃이 핀 농촌의 봄 풍경을 보여 주는 그림이 무대 뒤쪽에 걸려 있다. 무대의 왼쪽에 순돌이네 집, 오른쪽에 점순이네 집이 있다.

🔊 1장 순돌이네 집 앞마당

　순돌이네 집 쪽의 조명이 밝아지면 점순이가 치마 속에 감자를 숨기고 무대 오른쪽에서 살금살금 등장한다. 순돌, 울타리를 엮는 데 열중하느라 점순이가 다가오는 줄도 모른다.

점순: (㉠긴장된 표정으로 헛기침을 하다가 결심한 듯) 얘! 뭐 하니?

순돌: (점순이를 흘낏 쳐다본 뒤 (㉡) 목소리로) 보면 모르냐? (다시 하던 일에 열심이다.)

점순: (사근사근한 목소리로) 그 일, 재미있니?

　순돌, 점순이의 말을 들은 체 만 체하고 묵묵히 울타리만 엮는다.

점순: (순돌이에게 좀 더 다가가 다정한 목소리로) 한여름이나 되거든 하지 벌써 울타리를 하니?

　순돌, 고개를 돌려 점순이를 빤히 쳐다본다.

점순: (과장된 목소리로) 까르르.

　순돌, 아무 반응 없이 다시 묵묵히 울타리를 엮는다.
　점순, 주위를 두리번거리다 순돌이 쪽으로 좀 더 가까이 다가간다.

답으로 가는 길

4 연극 대본의 맨 첫 부분에서 등장인물, 배경, 무대 상황 등을 설명하는 부분은?

5 ㉠과 같이 등장인물의 행동이나 말투를 지시하고 설명하는 희곡의 요소는?

6 '순돌'의 태도를 고려할 때, ㉡에 들어갈 알맞은 말은?

7 연극의 대본을 작성할 때에는 공연 □□을 고려하여 대본을 적절한 길이로 조절해야 한다.

---

5 이와 같은 연극의 대본을 작성할 때, 유의해야 할 점을 '대사'의 측면에서 쓰시오.

6 연극 공연 과정에서 필요한 역할을 세 가지 이상 쓰시오.

7 이 장면을 공연할 때 연극 속 상황과 어울리는 조명과 그 이유를 쓰시오.

🐯 논술형 문제

8 연극을 준비하는 과정에서 '배우' 역할을 맡은 사람이 준비해야 할 일을 구체적으로 서술하시오.

답란 _____
　　　_____

선택 학습

서술형 특강

[1 ~ 3] 다음 시를 읽고, 물음에 답하시오.

어두운 방 안엔 / 빠알간 숯불이 피고,

외로이 늙으신 할머니가
애처로이 잦아드는 ㉠어린 목숨을 지키고 계시었다.

이윽고 눈 속을 / 아버지가 약을 가지고 돌아오시었다.

아 아버지가 눈을 헤치고 따 오신 / 그 붉은 산수유 열매—

나는 한 마리 어린 짐생, / 젊은 아버지의 서느런 옷자락에
열로 상기한 볼을 말없이 부비는 것이었다.

이따금 뒷문을 눈이 치고 있었다.
그날 밤이 어쩌면 성탄제의 밤이었을지도 모른다.

어느새 나도 / 그때의 아버지만큼 나이를 먹었다.

옛것이라곤 찾아볼 길 없는 / 성탄제 가까운 도시에는
이제 반가운 그 옛날의 것이 내리는데,

서러운 서른 살 나의 이마에 / 불현듯 아버지의 서느런 옷자락을 느끼는 것은,

눈 속에 따 오신 산수유 붉은 알알이
아직도 내 혈액 속에 녹아 흐르는 까닭일까.

답으로 가는 길

1 이 시에 등장하는 인물은?

2 아버지의 헌신적인 사랑을 의미하는 소재는?

3 '나'가 과거를 회상하게 되는 매개체는?

4 현재의 '나'가 아버지에 대해 느끼는 정서는?

1 이 시의 말하는 이의 상황을 시의 구성과 연관지어 쓰시오.

2 ㉠을 통해 알 수 있는 '나'의 처지를 쓰시오.

논술형 문제

3 다음은 이 시를 소설로 재구성한 것이다. 이를 바탕으로 시를 소설로 재구성하는 과정의 특징을 쓰시오.

한밤중 아들이 갑작스럽게 열이 오른다. 오랫동안 쌓인 눈 때문에 도시의 큰 병원으로 갈 수도 없다. 아버지는 산수유 열매를 떠올리고 길을 나선다. 눈보라가 심해져 산속에서 길을 잃지만, 그 옛날 자신의 아버지와 함께한 추억이 있는 장군 바위 근처에서 산수유 열매를 구한다.

조건 시와 비교하여 새롭게 달라진 내용을 구체적으로 쓸 것

답란 _____

_____

[4 ~ 6] 다음 글을 읽고, 물음에 답하시오.

가 놀부는 마음보가 시커먼 놈이라 흥부 오는 싹을 보면 구박이 이만저만 아닐 것이다. 흥부는 형을 만나기도 전에 예전에 맞던 생각을 하니 겁이 저절로 났다. 온몸을 떨며 공손히 마루 아래에 서서 두 손을 마주 잡고 절하며 문안을 드린다.

이럴 때 다른 사람 같으면 와락 뛰어 내려와서 부축하여 올라가며 이렇게 위로했을 것이다. / "형제간에 마루 아래에서 인사를 하다니 이게 무슨 말이냐?"

그러나 놀부는 워낙 도리를 모르는 놈이라 흥부가 곡식이나 돈을 구걸하러 온 것인 줄 지레짐작하고 못 본 체 딴청을 피운다.

나 "네가 누구인고?" / 흥부는 기가 막힌다. / ㉠"내가 흥부올시다."

놀부가 와락 소리 지르며 되묻는다. / "흥부가 어떤 놈인고?"

"애고, 형님, 이것이 무슨 말씀이오? 마오, 마오, 그리 마오. 비나이다, 비나이다, 형님께 비나이다. 세끼 굶고 누운 자식 살려 낼 길이 전혀 없어 염치를 불고하고 형님 댁에 왔습니다. 형제의 정을 생각하여 벼나 쌀이나 아무것이라도 주시면 품을 판들 못 갚으며 일을 한들 거저야 먹겠습니까? 아무쪼록 형제의 정을 생각하여 죽는 목숨 살려 주십시오."

이처럼 애걸하지만 놀부 하는 꼴이 어처구니없다. 사나운 범같이 날뛰며 모진 눈을 부릅뜨고 핏대를 올리며 나무란다.

답으로 가는 길

5 □□는 곡식을 꾸기 위해 찾아온 □□를 박대하고 있다.

6 (나)에서 흥부를 대하는 놀부의 모습을 비유하는 표현은?

7 □□□에서는 주로 출연자의 말 재주로 사건을 전달해야 한다.

---

4 이 글을 낭독극 대본으로 재구성할 때, 인물의 상황을 고려하여 ㉠에 어울리는 목소리와 그 이유를 쓰시오.

5 이 글을 낭독극으로 공연할 때, 장면을 효과적으로 표현하기 위해 강조해야 할 흥부와 놀부의 특징을 각각 쓰시오.

🐱 논술형 문제

6 다음을 참고하여 이 글에서 말하고자 하는 바를 서술하시오.

> 판소리계 소설은 대개 이중적인 주제 의식을 갖고 있다. 표면적으로 드러나는 주제는 당시 지배 계층이던 사대부의 가치관에 부합하는 것이고, 이면적인 주제는 피지배 계층이던 평민들의 소망이나 당시의 시대상을 반영하는 것이다. 〈흥부전〉이 만들어진 조선 후기에는 유교적 가치관이 유지되면서도 한편으로는 상업 경제가 활발하게 일어나면서 부농 계층과 그렇지 못한 빈농 간의 갈등, 혹은 경제적으로 몰락한 양반과 신흥 부농 간의 갈등이 나타나기도 했다.

조건 표면적 주제와 이면적 주제를 모두 쓸 것

답란
_____
_____

체크체크

| 국어 2-2 |

시험 대비 문제집

01 시로 표현하기 _ 먼 후일

1. 운율 시를 읽을 때 느껴지는 말의 가락으로, 같은 소리나 단어, 일정한 글자 수의 반복 등을 통해 형성됨.

2. 운율을 이루는 요소

- 일정한 음보, 글자 수의 반복
- 동일한 위치에 같은 말 반복
- 유사한 문장 구조의 반복
- 단어나 구절의 반복

3. 반어 실제로 표현하고자 하는 의도와 ① 되는 말로 나타내는 표현 방법. 강한 인상을 주고 전달하고자 하는 의미를 더욱 강조함.

핵심 정리

● 먼 후일 ●

갈래	현대시, 자유시, 서정시	성격	애상적, 민요적, 여성적
어조	간절하고 안타까운 어조		
제재	'당신'과의 이별		
주제	임을 잊지 못하고 그리워하는 마음		
특징	• 3음보의 규칙적인 민요적 율격이 드러남. • 속마음과 반대되는 표현을 사용하여 말하는 이의 진심을 강조하고 인상 깊게 전달함. • 불특정한 미래에 당신을 다시 만날 상황을 가정하고 그때에 '잊었노라'라고 말하겠다고 반복하여 표현함.		

1. 이 시의 짜임

1연	먼 훗날 당신이 찾을 때, 말하는 이의 반응
2연	'당신'이 나무랄 때, 말하는 이의 반응
3연	'당신'이 계속해서 나무랄 때, 말하는 이의 반응
4연	'당신'을 잊지 못하는 말하는 이의 애절한 마음

2. 이 시의 말하는 이의 상황

말하는 이	사랑하는 사람과 헤어진 사람
상황	'당신'과 헤어졌으나 '당신'을 잊지 못하고 몹시 그리워하고 있음.

3. 이 시에서 운율을 형성하는 요소

- 같은 단어의 반복
- 3음보의 규칙적인 율격
- 3·3·4개의 글자 수로 이루어진 행의 반복
- '……면 / ……'잊었노라'와 같은 유사한 문장 구조의 반복

4. 이 시에 나타난 반어와 그 효과

겉으로 드러난 표현		속마음(진심)
잊었노라	⟷	결코 잊을 수 없다

- 임을 그리워하는 마음을 간절하게 표현함으로써 ② 를 강조함.
- 직설적인 표현으로 나타내기 어려운 애절한 감정을 효과적으로 표현함.

---

1 ( )은 시에서 같은 소리나 단어, 일정한 글자 수 등을 반복하여 말의 가락을 형성하는 것이다.

2 실제 표현하고자 하는 의도와 반대되는 말로 나타내는 표현 방법은 ( )로, 이를 통해 강한 인상을 주고, 전달하고자 하는 의미를 더욱 ( )할 수 있다.

3 다음은 이 시에 대한 설명이다. 빈칸에 알맞은 말을 쓰시오.

(1) 이 시의 말하는 이는 사랑하는 '당신'과 ( )한 상황이다.

(2) 이 시에서는 실제로 표현하고자 하는 속마음과 ( )되는 말로 표현함으로써 말하는 이의 진심을 강조하고 인상 깊게 전달한다.

(3) 이 시에서 '잊었노라'는 오랜 시간이 지나도 결코 '당신'을 잊을 수 ( )는 의미이다.

4 이 시에 대한 설명으로 맞으면 O표, 틀리면 ×표 하시오.

(1) 각 연에서 4음보의 율격이 반복된다. ( )

(2) 대체로 3·3·4개의 글자 수로 이루어진 행이 반복된다. ( )

(3) 말하는 이는 사랑하는 사람을 미래에 다시 만날 것을 확신하며 기대하고 있다. ( )

(4) 말하는 이는 자신의 감정을 솔직하고, 직설적으로 표현하고 있다. ( )

(5) 말하는 이는 불특정한 미래에 '당신'을 만날 상황을 가정하고 있다. ( )

(6) 말하는 이는 '당신'을 잊었다고 이야기하고 있지만 마음속으로는 사랑하는 이를 잊지 못하고 있다. ( )

5 이 시에서 말하고자 하는 바를 쓰시오.

체크체크

시험 대비 문제집

01 시로 표현하기 _ 먼 후일

1. 운율 시를 읽을 때 느껴지는 말의 가락으로, 같은 소리나 단어, 일정한 글자 수의 반복 등을 통해 형성됨.

2. 운율을 이루는 요소

> • 일정한 음보, 글자 수의 반복
> • 동일한 위치에 같은 말 반복
> • 유사한 문장 구조의 반복
> • 단어나 구절의 반복

3. 반어 실제로 표현하고자 하는 의도와 ① [ ] 되는 말로 나타내는 표현 방법. 강한 인상을 주고 전달하고자 하는 의미를 더욱 강조함.

핵심 정리

● 먼 후일 ●

갈래	현대시, 자유시, 서정시	성격	애상적, 민요적, 여성적
어조	간절하고 안타까운 어조		
제재	'당신'과의 이별		
주제	임을 잊지 못하고 그리워하는 마음		
특징	• 3음보의 규칙적인 민요적 율격이 드러남. • 속마음과 반대되는 표현을 사용하여 말하는 이의 진심을 강조하고 인상 깊게 전달함. • 불특정한 미래에 당신을 다시 만날 상황을 가정하고 그때에 '잊었노라'라고 말하겠다고 반복하여 표현함.		

1. 이 시의 짜임

1연	먼 훗날 당신이 찾을 때, 말하는 이의 반응
2연	'당신'이 나무랄 때, 말하는 이의 반응
3연	'당신'이 계속해서 나무랄 때, 말하는 이의 반응
4연	'당신'을 잊지 못하는 말하는 이의 애절한 마음

2. 이 시의 말하는 이의 상황

말하는 이	사랑하는 사람과 헤어진 사람
상황	'당신'과 헤어졌으나 '당신'을 잊지 못하고 몹시 그리워하고 있음.

3. 이 시에서 운율을 형성하는 요소

> • 같은 단어의 반복
> • 3음보의 규칙적인 율격
> • 3·3·4개의 글자 수로 이루어진 행의 반복
> • '……면 / ……'잊었노라"와 같은 유사한 문장 구조의 반복

4. 이 시에 나타난 반어와 그 효과

겉으로 드러난 표현		속마음(진심)
잊었노라	⟷	결코 잊을 수 없다

↓

> • 임을 그리워하는 마음을 간절하게 표현함으로써 ② [ ] 를 강조함.
> • 직설적인 표현으로 나타내기 어려운 애절한 감정을 효과적으로 표현함.

---

1 ( )은 시에서 같은 소리나 단어, 일정한 글자 수 등을 반복하여 말의 가락을 형성하는 것이다.

2 실제 표현하고자 하는 의도와 반대되는 말로 나타내는 표현 방법은 ( )로, 이를 통해 강한 인상을 주고, 전달하고자 하는 의미를 더욱 ( )할 수 있다.

3 다음은 이 시에 대한 설명이다. 빈칸에 알맞은 말을 쓰시오.
(1) 이 시의 말하는 이는 사랑하는 '당신'과 ( )한 상황이다.
(2) 이 시에서는 실제로 표현하고자 하는 속마음과 ( )되는 말로 표현함으로써 말하는 이의 진심을 강조하고 인상 깊게 전달한다.
(3) 이 시에서 '잊었노라'는 오랜 시간이 지나도 결코 '당신'을 잊을 수 ( )는 의미이다.

4 이 시에 대한 설명으로 맞으면 ○표, 틀리면 ×표 하시오.
(1) 각 연에서 4음보의 율격이 반복된다. ( )
(2) 대체로 3·3·4개의 글자 수로 이루어진 행이 반복된다. ( )
(3) 말하는 이는 사랑하는 사람을 미래에 다시 만날 것을 확신하며 기대하고 있다. ( )
(4) 말하는 이는 자신의 감정을 솔직하고, 직설적으로 표현하고 있다. ( )
(5) 말하는 이는 불특정한 미래에 '당신'을 만날 상황을 가정하고 있다. ( )
(6) 말하는 이는 '당신'을 잊었다고 이야기하고 있지만 마음속으로는 사랑하는 이를 잊지 못하고 있다. ( )

5 이 시에서 말하고자 하는 바를 쓰시오.

단원 종합 문제 기출 예상

[01~05] 다음 시를 읽고, 물음에 답하시오.

먼 훗날 당신이 찾으시면
그때에 내 말이 ㉠'잊었노라'

당신이 속으로 나무라면
'무척 그리다가 잊었노라'

그래도 당신이 나무라면
'믿기지 않아서 잊었노라'

㉡오늘도 어제도 아니 잊고
먼 훗날 그때에 '잊었노라'

01 이 시의 표현상의 특징으로 적절하지 않은 것은?
① 동일한 단어를 반복하여 운율을 형성한다.
② 3음보의 율격이 반복되어 운율을 형성한다.
③ 비슷한 문장 구조를 반복하여 규칙성을 느끼게 한다.
④ 유사한 글자 수의 반복을 통해 음악성을 느끼게 한다.
⑤ 1연과 마지막 연을 동일하게 반복하여 구조적인 안정감을 준다.

02 이 시의 말하는 이의 심정으로 가장 적절한 것은?
① 임의 존재를 예찬하고 있다.
② 떠나간 임에 대해 원망하고 있다.
③ 떠나간 임을 간절히 그리워하고 있다.
④ 임이 자신을 잊을까 봐 두려워하고 있다.
⑤ 자신을 나무라는 임을 야속하다고 생각하고 있다.

03 **서술형** 이 시에 사용된 표현 방법을 고려하여 ㉠에 담긴 말하는 이의 속마음을 쓰시오.

04 이 시를 읽고 난 후의 반응으로 가장 적절한 것은?
① 미래의 상황을 가정하여 '당신'의 행동을 비난하고 있군.
② 공간의 이동에 따라 말하는 이의 변화된 마음을 표현하고 있군.
③ 말하는 이가 과거에서부터 현재까지 '당신'과 함께 한 일들을 추억하고 있군.
④ 시간의 흐름에 따라 변화하는 말하는 이의 마음을 구체적으로 표현하고 있군.
⑤ '당신'을 만날 상황을 가정하여 그때에 '잊었노라'라고 말하겠다고 반복하고 있군.

05 **고난도** 다음 중 ㉡과 같은 표현 방법이 사용된 것은?
① 나 보기가 역겨워 / 가실 때에는
　죽어도 아니 눈물 흘리우리다.
② 파르라니 깎은 머리 / 박사 고깔에 감추오고, //
　두 볼에 흐르는 빛이 / 정작으로 고와서 서러워라.
③ 가난하다고 해서 외로움을 모르겠는가,
　너와 헤어져 돌아오는
　눈 쌓인 골목길에 새파랗게 달빛이 쏟아지는데.
④ 풀이 눕는다. / 비를 몰아오는 동풍에 나부껴
　풀은 눕고 / 드디어 울었다. / 날이 흐려서 더 울다가
　다시 누웠다.
⑤ 내가 당신을 기다리는 것은
　까닭이 없는 것이 아닙니다.
　다른 사람들은 나의 건강만을 사랑하지마는
　당신은 나의 죽음도 사랑하는 까닭입니다.

06 **서술형** 다음을 읽고, 이와 같은 영화 제목을 사용한 효과를 쓰시오.

> 영화 〈화려한 휴가〉: '화려한 휴가'는 5·18 민주화 운동 당시 무고한 광주 시민을 진압한 공수 부대의 작전명이다. 이 영화는 민주화를 열망하는 시민의 숭고한 의지를 무참하게 짓밟은 이 진압 작전명을 영화의 제목으로 사용하였다.

01 시로 표현하기 _ 낙화

1. 역설 겉으로는 ① 　　　 되거나 불합리해 보이지만 실제로는 그 안에 삶의 진실을 담고 있는 표현 방법

2. 역설을 사용했을 때의 효과
• 참신하고 인상적인 느낌을 줌.
• 전달하고자 하는 의미를 더욱 강조함.

핵심 정리

● 낙화 ●

갈래	현대시, 자유시, 서정시	성격	애상적, 서정적
제재	낙화		
주제	'결별'을 통해 삶(영혼)의 성숙을 이룰 수 있다는 깨달음		
특징	• 자연 현상과 인간의 삶을 연관 지어 꽃이 지는 모습을 통해 이별의 의미를 형상화함. • 다양한 표현 방법(직유, 의인, 은유 등)을 사용하여 삶에 대한 깨달음을 표현함. • 의미상 서로 어울리지 않는 말을 결합하여 새로운 의미를 만들어 냄으로써 전달하고자 한 의미를 강조함.		

1. 이 시의 계절적 배경과 말하는 이가 바라보고 있는 장면

계절적 배경	늦은 봄
바라보고 있는 장면	꽃잎이 어지럽게 흩날리며 떨어지는 장면

2. 이 시의 짜임

1연	낙화를 통해 인식하는 이별의 아름다움
2연	이별의 상황을 인식함.
3연	낙화를 통해 지금이 이별의 때임을 인식함.
4연	낙화의 결과
5연	녹음과 열매를 위한 희생
6연	이별(낙화)의 모습
7연	이별을 통한 영혼의 성숙

3. 이 시에 나타난 비유적 의미

자연 현상		인간의 삶
꽃이 피고 짐.	➡	사랑과 이별
열매를 맺음.	➡	영혼의 ② 　　　, 내면적 성장

4. 이 시에 드러난 역설과 그 효과

결별		축복
슬픔, 고통스러움	⬌	기쁨, 행복

⬇

결별이 이룩하는 축복
이별은 슬프고 고통스러운 것이지만
이별을 통해 영혼의 성숙함을 이룰 수 있다는 것을 강조

1 겉으로는 불합리해 보이지만 실제로는 그 안에 삶의 진실을 담고 있는 표현 방법을 (　　　)이라고 한다.

2 역설을 사용하면 (　　　)하고 인상적인 느낌을 줄 수 있고, 전달하고자 하는 의미를 더욱 (　　　)할 수 있다.

3 이 시에 대한 설명으로 맞으면 ○표, 틀리면 ×표 하시오.
(1) 계절적 배경은 가을이다. (　　)
(2) 말하는 이가 표면에 드러나 있다. (　　)
(3) '열매'를 의인화하여 주제를 강조했다. (　　)
(4) 말하는 이는 이별을 부정적으로 인식하고 좌절감을 느낀다. (　　)
(5) 말하는 이는 사랑하는 사람을 잊지 않겠다고 다짐하고 있다. (　　)
(6) 말하는 이는 꽃잎이 어지럽게 흩날리는 장면을 바라보고 있다. (　　)

4 이 시의 비유적 의미를 바탕으로 다음을 관계있는 것끼리 연결하시오.
(1) 꽃이 핌. •　　　• ㉠ 이별
(2) 꽃이 짐. •　　　• ㉡ 영혼의 성숙
(3) 열매를 맺음. •　　　• ㉢ 사랑

5 다음은 이 시에 대한 설명이다. 빈칸에 알맞은 말을 쓰시오.
(1) (　　　)을 인간의 삶과 연관 지어 표현했다.
(2) '나'는 결별을 (　　　)으로 인식하며, 이별은 고통스럽지만 이별을 통해 영혼의 (　　　)을 이룰 수 있다고 생각한다.
(3) 이 시는 '(　　　)'과 '(　　　)'이라는 서로 어울리지 않는 말을 결합하여 참신한 느낌을 주고, 전달하고자 하는 새로운 의미를 더욱 강조한다.

6 이 시에서 말하고자 하는 바를 쓰시오.

단원 종합 문제 기출 예상

[01~06] 다음 시를 읽고, 물음에 답하시오.

㉠가야 할 때가 언제인가를
분명히 알고 가는 이의
뒷모습은 얼마나 아름다운가.

봄 한철
㉡격정을 인내한
나의 사랑은 지고 있다.

분분한 낙화……
결별이 이룩하는 축복에 싸여
㉢지금은 가야 할 때,

무성한 녹음과 그리고
머지않아 열매 맺는
㉣가을을 향하여

나의 청춘은 꽃답게 죽는다.

헤어지자.
섬세한 손길을 흔들며
하롱하롱 꽃잎이 지는 어느 날

나의 사랑, 나의 결별,
㉤샘터에 물 고이듯 성숙하는
내 영혼의 슬픈 눈.

01
이 시의 말하는 이에 대한 설명으로 가장 적절한 것은?

① 자신을 떠난 임을 원망한다.
② 임과의 이별로 인해 슬퍼한다.
③ 사랑하는 이를 잊지 않겠다고 다짐한다.
④ 떨어지는 꽃잎을 보며 삶의 무상감을 느낀다.
⑤ 이별이 오히려 축복이 될 수 있다고 생각한다.

02
주관식 고난도
다음에서 이 시에 대한 설명으로 알맞은 것을 모두 고르시오.

ⓐ 자연 현상과 인간의 삶을 연관 지어 표현한다.
ⓑ 꽃이 떨어지는 가을을 계절적인 배경으로 하고 있다.
ⓒ 꽃잎이 지는 모습을 손을 흔드는 사람의 모습에 비유했다.
ⓓ '나의 청춘'이 꽃답게 죽는 것을 안타깝게 여기는 말하는 이의 심정이 직접적으로 드러난다.

03
주관식
이 시에서 다음에 해당하는 시구를 찾아 쓰시오.

의미상 서로 어울리지 않는 말을 결합하여 새로운 의미를 만들어 낸 부분으로, 참신하고 인상적인 느낌을 주며 전달하고자 하는 의미를 강조함.

04
㉠~㉤에 대한 설명으로 적절하지 않은 것은?

① ㉠: 이별로 인한 말하는 이의 내적 갈등을 표현하고 있다.
② ㉡: 말하는 이가 이별을 받아들이고 있음을 보여 준다.
③ ㉢: 이별의 때임을 인식한 말하는 이의 담담한 태도가 드러난다.
④ ㉣: 열매를 맺는 성숙의 계절을 의미한다.
⑤ ㉤: 이별을 통한 정신적 성숙을 나타낸다.

05
고난도
이 시를 읽은 학생의 반응으로 가장 적절한 것은?

① 아름다운 추억이 있는 것은 행복한 일이라는 것을 느꼈어.
② 말하는 이처럼 지나간 사랑은 빨리 잊어야겠다고 생각했어.
③ 나도 말하는 이처럼 상대를 배려하며 나눔을 실천해야겠어.
④ 슬프고 고통스러운 체험을 통해서 스스로 성장할 수 있다는 것을 깨달았어.
⑤ 삶의 목표를 잃고 방황하는 말하는 이의 모습과 나의 모습이 비슷한 것 같아 반성했어.

06
주관식
이 시의 내용을 다음과 같이 정리할 때 ⓐ, ⓑ에 알맞은 내용을 각각 쓰시오.

자연 현상		인간의 삶
꽃이 피고 짐.	➡	ⓐ
열매를 맺음.	➡	ⓑ

02 이야기로 표현하기 _ 양반전

1. 풍자 부정적인 현상이나 모순 등을 직접 말하지 않고 다른 것에 빗대어 비웃으면서 비판하는 표현 방법

2. 풍자의 목적 대상을 비판하고 공격함으로써 잘못을 바로잡고 상황을 개선하고자 함.

3. 풍자의 효과
- 직접적인 비판보다 대상을 더욱 인상 깊게 비판함.
- ① [　　　]을 유발하여 독자가 즐거움을 느끼도록 하는 한편, 현실을 바로 볼 수 있는 통찰력을 갖게 함.

핵심 정리

갈래	단편 소설, 한문 소설, 풍자 소설
성격	비판적, 사실적, 풍자적
시점	전지적 작가 시점
제재	양반 매매 증서의 내용과 증서와 관련된 부자의 반응
주제	양반들의 무능과 비생산성, 허례허식과 횡포에 대한 풍자
특징	• 집권층의 허례허식과 위선을 비판하고 이용후생을 강조하는 작가 의식이 잘 드러남. • 조선 후기 양반 사회를 신랄하게 풍자함. • 무능하고 부도덕한 양반의 모습과 양반을 선망의 대상으로 삼고 신분 상승을 노리는 평민 계급을 함께 비판함.

1. 이 소설의 짜임

처음	한 가난한 양반이 환곡을 갚지 못해 곤경에 빠짐.
중간	부자가 양반의 환곡을 대신 갚아 주고 그 대가로 양반의 신분을 사기로 함. 이를 알게 된 군수가 증서 작성을 제안하여 두 번에 걸쳐 양반 매매 증서를 작성함.
끝	부자는 증서의 내용을 통해 양반의 허례허식과 부도덕함을 깨닫고 양반이 되기를 포기함.

2. 이 소설에서 비판한 양반의 모습

첫 번째 증서	➡	겉치레와 형식적인 관념에만 얽매여 있는 양반의 모습
두 번째 증서	➡	신분을 이용해 백성을 괴롭히고 부당한 특권을 남용하는 양반의 모습

⬇

양반이 되기를 거부하는 부자를 통해 당시 양반들의 모습을 간접적으로 비판함.

3. 이 소설에 나타난 표현 방식과 효과

표현 방식 - 풍자		효과
양반을 조롱하고 희화화하여 웃음을 유발하면서 양반의 부정적인 모습을 비판함.	➡	• 직접적인 비판보다 대상을 더욱 인상 깊게 비판함. • 독자에게 웃음을 주면서도 현실을 바로 볼 수 있는 ② [　　　]을 갖게 함.

1 부정적인 현상이나 모순 등을 직접 말하지 않고 다른 것에 빗대어 비웃으면서 비판하는 방법을 (　　　)라고 한다.

2 풍자는 웃음을 주어 독자가 즐거움을 느끼도록 하고 (　　　)을 바로 볼 수 있는 통찰력을 갖게 한다.

3 이 소설에 대한 설명으로 맞으면 ○표, 틀리면 ×표 하시오.
(1) 작자 미상의 한글 소설이다. (　　)
(2) 고려 후기 지배 계층의 부패를 폭로하고 있다. (　　)
(3) 양반을 조롱하고 희화화하여 웃음을 유발하면서 양반의 부정적인 모습을 비판한다. (　　)
(4) 부유한 평민층이 등장하고 경제적으로 몰락한 양반이 생겨난 시대적 상황을 배경으로 한다. (　　)
(5) 대상을 직접 공격하지 않고 돌려서 비판함으로써 직접적으로 비판할 때보다 대상을 인상 깊게 비판한다. (　　)

4 이 소설의 내용을 참고하여 빈칸에 알맞은 말을 쓰시오.
(1) 양반은 (　　　)을 갚지 못해 곤경에 빠졌다.
(2) (　　　)는 양반 신분을 사고판 일을 고을 사람들에게 알리자며 (　　　)를 작성했다.
(3) 부자는 (　　　)의 실상을 알기 전에는 온갖 특권을 누리는 (　　　)의 삶을 부러워했다.
(4) 부자는 군수가 쓴 증서의 내용을 듣고 (　　　)이 되기를 포기했다.

5 증서의 내용을 들은 (　　　)가 양반이 (　　　) 같다고 말한 것은 인물의 말을 통해 양반의 부당한 특권과 횡포를 간접적으로 (　　　)하고, 양반을 바라보는 작가의 (　　　)인 시각을 단적으로 드러낸다.

6 이 소설에서 말하고자 하는 바를 쓰시오.

단원 종합 문제 기출 예상

[01~04] 다음 글을 읽고, 물음에 답하시오.

가 강원도 정선군에 한 양반이 살고 있었다. 이 양반은 어질고 글 읽기를 좋아하여, 군수가 새로 부임할 때마다 몸소 그 집을 찾아가서 인사를 드렸다. 그런데 이 양반은 가난하여 해마다 관청의 환곡(還穀)을 꾸어다 먹었다. 그 빚을 갚지 못하고 해마다 쌓여서 천 섬에 이르렀다.

나 강원도 감사가 정선 고을을 돌아보다가 환곡 장부를 조사하고 크게 노하였다.

"어떤 놈의 양반이 나라의 곡식을 축냈단 말이냐?"

감사는 그 양반을 잡아 가두라고 명했다. 군수는 그 양반이 가난해서 빚을 갚지 못하는 것을 딱하게 여겨 차마 가두지는 못하였다. 그러나 군수도 양반의 빚을 해결할 방법은 없었다.

양반은 빚을 갚을 길이 없어서 밤낮으로 울기만 하였다. 그의 아내가 양반을 몰아붙였다.

"당신은 평소에 글 읽기만 좋아하더니, 환곡을 갚는 데는 전혀 도움이 안 되는구려. 쯧쯧, 양반이라니……, ㉠한 푼어치도 안 되는 그놈의 양반!"

다 그때 그 마을에 사는 부자가 그 양반의 소문을 듣고 가족과 의논하였다.

"양반은 아무리 가난해도 늘 귀한 대접을 받고, 우리는 아무리 잘살아도 항상 천한 대접을 받는다. 양반이 아니므로 말이 있어도 말을 타지 못한다. 또한 양반만 보면 굽실거리며 제대로 숨소리도 내지 못하고, 뜰아래 엎드려 절해야 하고, 코를 땅에 박고 무릎으로 기어가야 한다. 우리 신세가 가엾지 않느냐? 지금 저 양반이 환곡을 갚지 못해서 아주 난처하다고 한다. 그 형편으로는 도저히 양반의 신분을 지키지 못할 것이다. 그러니 우리가 그의 양반을 사서 양반 신분으로 살아 보자."

부자는 곧 양반을 찾아가 환곡을 대신 갚아 주겠다고 청하였다. 양반은 크게 기뻐하며 승낙하였다. 부자는 즉시 관청에 가서, 양반 대신 환곡을 갚았다.

라 군수는 환곡을 갚게 된 사정을 알아보려고 양반을 찾아갔다. 그런데 뜻밖에 양반이 벙거지에 잠방이를 입고, 길에 엎드려 '소인(小人), 소인.' 하며 자신을 낮추지 않는가? 그뿐만 아니라 양반은 감히 군수를 쳐다보지도 못하였다. 군수가 깜짝 놀라 양반을 붙들고 물었다.

㉡"그대는 어째서 이런 짓을 하시오?"

양반은 더욱 벌벌 떨면서 머리를 땅에 조아리며 아뢰었다.

"황송하옵니다. 소인이 저 자신을 욕되게 하려는 것이 아닙니다. 환곡을 갚느라고 이미 양반을 팔았으니, 이제는 이 마을의 부자가 양반입니다. 소인이 어찌 다시 양반 행세를 하겠습니까?"

01 **이 글의 특성으로 알맞지 않은 것은?**

① 공간적 배경이 제시되어 있다.
② 조선 후기 사회적 상황을 반영하고 있다.
③ 시간의 흐름에 따라 사건이 전개되고 있다.
④ 비범한 능력을 지닌 주인공이 문제를 해결하고 있다.
⑤ 작품 밖에 있는 서술자가 사건에 대해 서술하고 있다.

02 **이 글의 내용과 일치하지 않는 것은?**

① 양반은 빚을 갚을 길이 없어 밤낮으로 울었다.
② 양반은 해마다 관청에서 꾼 빚이 천 섬에 이르렀다.
③ 군수는 양반으로부터 환곡을 갚게 된 사정을 듣는다.
④ 군수는 환곡을 갚지 못한 양반을 잡아 가두고자 했다.
⑤ 부자는 양반의 환곡을 대신 갚고 양반의 신분을 샀다.

★03 **이 소설을 소리 내어 읽을 때, ㉠, ㉡에 어울리는 목소리를 알맞게 짝지은 것은?**

	㉠	㉡
①	조롱하는 목소리	놀라는 목소리
②	무시하는 목소리	무덤덤한 목소리
③	존경하는 목소리	슬퍼하는 목소리
④	한심하다는 목소리	무서워하는 목소리
⑤	희망에 찬 목소리	궁금해하는 목소리

04 **부자가 양반의 신분을 사려고 한 이유로 가장 알맞은 것은?**

① 자신의 경제적 능력을 과시하고 싶어서
② 군수에게 자신의 의로움을 보여 주고 싶어서
③ 양반이 관청에 빚을 갚지 못하는 것이 가엾어서
④ 자신의 경제적 능력에 걸맞은 대접을 받고 싶어서
⑤ 가난한 양반이 귀한 대접을 받는 것이 못마땅했기 때문에

[05~08] 다음 글을 읽고, 물음에 답하시오.

가 군수는 관청으로 돌아와서, 고을의 양반과 농사꾼, 장인(匠人), 장사치들까지 모조리 불러 모았다. 그리고 부자를 높은 자리에 앉히고, 양반을 낮은 자리에 세워 두고는 다음과 같이 증서를 작성하였다.

나 건륭(乾隆) 10년(1745년, 영조 21년) 9월에 이 증서를 만드노라.

이 문서는 천 섬으로 양반을 사고팔아서 환곡을 갚은 것을 증명한다. 〈중략〉

더러운 일을 딱 끊고, 옛사람을 본받고, 높은 뜻을 가져야 한다. 매일 새벽에 일어나 등잔을 켜고서, 눈은 가만히 코끝을 내려 보고 발꿈치를 궁둥이에 모으고 앉아, 얼음 위에 박 밀듯이 《동래박의(東萊博議)》를 줄줄 외워야 한다. 배고픔과 추위를 참고 견디며, 가난 타령은 아예 하지 말아야 한다. 어금니를 딱딱 마주치고 뒤통수를 톡톡 두드리며, 침을 입 안에 머금고 가볍게 양치질하듯이 삼켜야 한다.

다 호장(戶長)이 증서를 다 읽고 나자, 부자는 어처구니가 없어서 한참이나 멍하니 있다가 말하였다.

"양반이라는 게 겨우 요것뿐입니까? 저는 양반이 신선 같다고 들었는데, 정말 이렇다면 너무 재미가 없는걸요. 원하옵건대 제게 이익이 되도록 문서를 고쳐 주십시오."

그래서 문서를 다시 작성하였다.

라 문과의 홍패(紅牌)는 팔뚝만 하지만, 여기에 온갖 물건이 갖추어져 있으니, 그야말로 돈 자루이다. 서른에야 진사가 되어 첫 벼슬을 얻더라도, 오히려 이름난 음관(蔭官)이 되어 높은 벼슬자리에 오를 수 있다. 언제나 종들이 양산을 받쳐 주므로 귀밑이 희어지고, 설렁줄만 당기면 종들이 '예이.' 하므로 뱃살이 처진다. 방에서는 귀걸이로 치장한 기생과 노닥거리고, 뜰에서는 남아도는 곡식으로 학(鶴)을 기른다.

벼슬을 아니 하고 시골에 묻혀 살더라도 모든 일을 제멋대로 할 수 있다. 강제로 이웃의 소를 끌어다 먼저 자기 땅을 갈고, 마을의 일꾼을 잡아다 먼저 자기 논의 김을 맨들, 누가 감히 나에게 대들겠느냐? 네놈들 코에 잿물을 들이붓고, 머리끄덩이를 잡아 휘휘 돌리고, 귀밑 수염을 다 뽑아도 누가 감히 나를 원망하겠느냐?

마 부자는 증서 내용을 듣고 있다가 혀를 내둘렀다.

"그만두시오, 그만두시오. 참으로 맹랑하구먼. 나를 도둑놈으로 만들 작정입니까?"

부자는 머리를 흔들면서 떠나 버렸다. 그러고는 죽을 때까지 다시는 양반이 되고 싶다는 말을 입에 올리지 않았다.

05 **이 글에 대한 설명으로 적절하지 <u>않은</u> 것은?**

① (가)에서는 고을 사람들을 불러 신분 매매 증서를 작성하려는 군수의 모습을 볼 수 있다.

② (나)에는 양반이 지켜야 할 의무에 대한 내용이 담겨 있다.

③ (다)에서는 양반을 한심하게 생각하는 부자의 태도를 알 수 있다.

④ (라)에는 양반이 누리는 부당한 특권이 강조되어 있다.

⑤ (마)에서는 부도덕한 양반의 모습이 도둑과 다를 바가 없다고 비판하고 있다.

06 **이 글의 등장인물 중, 조선 후기에 새롭게 등장한 신흥 세력의 전형을 보여 주는 인물은?**

① 군수   ② 양반   ③ 부자

④ 기생   ⑤ 농사꾼

 서술형

07 **작가가 (마)를 통해 비판하고 있는 양반의 모습을 쓰시오.**

조건 작가의 비판적인 시각을 알 수 있는 단어를 언급할 것

_____

_____

고난도

08 **이 글과 〈보기〉를 비교한 내용으로 알맞은 것은?**

┌─ 보기 ┐

정해진

이별

새로운

시작

– 하상욱 단편 시집 '2년 약정' 중에서

└─────────┘

① 이 글과 〈보기〉는 모두 사회의 문제를 직접적으로 비판하고 있다.

② 이 글과 〈보기〉는 모두 부정적인 현상이나 모순 등을 간접적으로 비판하고 있다.

③ 이 글은 대상을 간접적으로 비판하지만, 〈보기〉는 대상을 직접적으로 비판하고 있다.

④ 이 글은 대상을 직접적으로 비판하지만, 〈보기〉는 대상을 간접적으로 비판하고 있다.

⑤ 이 글과 〈보기〉는 모두 실제 표현하고자 하는 의도와 반대되는 말로 대상의 특성을 강조하고 있다.

선택 학습 기출 예상

[01~05] 다음 시를 읽고, 물음에 답하시오.

나뭇잎이 벌레 먹어서 예쁘다
귀족의 손처럼 상처 하나 없이
매끈한 것은
어쩐지 베풀 줄 모르는
손 같아서 밉다
떡갈나무잎에 벌레 구멍이 뚫려서
그 구멍으로 하늘이 보이는 것은 예쁘다
상처가 나서 예쁘다는 것은
잘못인 줄 안다
그러나 남을 먹여 가며
살았다는 흔적은
별처럼 아름답다.

01 이 시에 대한 설명으로 가장 적절한 것은?
85
① 공간의 이동에 따라 시상을 전개하고 있다.
② 대조적인 대상을 제시하여 주제를 강조하고 있다.
③ 의성어를 통해 시적 대상을 생생하게 묘사하고 있다.
④ 선명한 색채 대비를 통해 시적 대상을 강렬히 드러
  내고 있다.
⑤ 첫 행과 마지막 행을 동일하게 구성하여 운율을 형
  성하고 있다.

02 이 시에 드러나는 말하는 이의 태도로 가장 적절한 것은?
90
① 부재하는 대상을 안타깝게 바라보고 있다.
② 관찰하는 대상을 긍정적으로 바라보고 있다.
③ 평범한 것에 대해 객관적으로 평가하고 있다.
④ 긍정적인 대상들을 통해 자신을 돌아보고 있다.
⑤ 부정적인 현실을 극복하기 위해 노력하고 있다.

서술형
03 이 시에서 말하고자 하는 바를 쓰시오.
90

04 이 시를 감상한 학생의 반응으로 가장 적절한 것은?
90
① '하늘'처럼 세상을 원만하게 살아가야겠어.
② 공부를 열심히 해서 '별'처럼 빛난다는 평가를 듣고
  싶어.
③ '귀족의 손'과 같이 겉과 속이 다른 사람을 조심해
  야겠어.
④ '벌레 먹은 나뭇잎'처럼 다른 사람에게 나의 것을
  나누는 삶을 살아야겠어.
⑤ '상처 하나 없이 매끈한 것'처럼 외적인 것을 관리
  하는 것도 중요하다는 것을 잊지 말아야겠어.

서술형
05 다음은 이 시의 작가와 학생의 가상 대화 내용이다. 시의
95 내용을 바탕으로 ㉠에 들어갈 알맞은 말을 쓰시오.

> 학생: 선생님, 이 시를 읽고 잘 이해가 가지 않는 문장
>   이 있었어요.
> 작가: 어떤 문장인가요?
> 학생: '나뭇잎이 벌레를 먹어서 예쁘다'는 것은 모순
>   인 것 같아요.
> 작가: 맞아요. 하지만 그 문장은 '(㉠)'라는
>   의미를 담고 있어요.

06 다음에 사용된 문구에 대한 설명으로 알맞은 것은?
80

낡아서 아름다운 내 신발.

① 같은 글자를 반복하여 운율을 형성하고 있다.
② 낡은 신발의 모습을 구체적으로 묘사하고 있다.
③ '아름다운'이라는 표현을 사용하여 신발의 외형을
  사실적으로 표현하고 있다.
④ 겉모습은 낡았지만 '나'의 발을 보호하기 위해 낡은
  신발의 가치를 강조하고 있다.
⑤ 낡은 겉모습과 신발의 가치를 대조적으로 표현하
  여 낡은 신발의 겉모습을 강조하고 있다.

[07~10] 다음 글을 읽고, 물음에 답하시오.

가 새침하게 흐린 품이 눈이 올 듯하더니 눈은 아니 오고 얼다가 만 비가 추적추적 내리는 날이었다.

이날이야말로 동소문 안에서 인력거꾼 노릇을 하는 김 첨지에게는 오래간만에도 닥친 운수 좋은 날이었다. 문안에(거기도 문밖은 아니지만) 들어간답시는 앞집 마마님을 전찻길까지 모셔다드린 것을 비롯하여 행여나 손님이 있을까 하고 정류장에서 어정어정하며 내리는 사람 하나하나에게 거의 비는 듯한 눈결을 보내고 있다가 마침내 교원인 듯한 양복쟁이를 동광학교(東光學校)까지 태워다 주기로 되었다.

나 첫 번에 삼십 전, 둘째 번에 오십 전 — 아침 댓바람에 그리 흉치 않은 일이었다. 그야말로 재수가 옴 붙어서 근 열흘 동안 돈 구경도 못 한 김 첨지는 십 전짜리 백동화 서 푼, 또는 다섯 푼이 찰깍하고 손바닥에 떨어질 제 거의 눈물을 흘릴 만큼 기뻤다. 더구나 이날 이때에 이 팔십 전이란 돈이 그에게 얼마나 유용한지 몰랐다. 컬컬한 목에 모주 한잔도 적실 수 있거니와 그보다도 앓는 아내에게 설렁탕 한 그릇도 사다 줄 수 있음이다.

다 그의 아내가 기침으로 쿨룩거리기는 벌써 달포가 넘었다. 조밥도 굶기를 먹다시피 하는 형편이니 물론 약 한 첩 써 본 일이 없다. 구태여 쓰려면 못 쓸 바도 아니로되 그는 병이란 놈에게 약을 주어 보내면 재미를 붙여서 자꾸 온다는 자기의 신조(信條)에 어디까지 충실하였다.

라 "에이, 조랑복은 할 수가 없어, 못 먹어 병, 먹어서 병! 어쩌란 말이야. 왜 눈을 바루 뜨지 못해!" / 하고 김 첨지는 앓는 이의 뺨을 한 번 후려갈겼다. 홉뜬 눈은 조금 바루어졌건만 이슬이 맺히었다. 김 첨지의 눈시울도 뜨끈뜨끈한 듯하였다.

이 환자가 그러고도 먹는 데는 물리지 않았다. 사흘 전부터 설렁탕 국물이 마시고 싶다고 남편을 졸랐다.

"이런! 조밥도 못 먹는 년이 설렁탕은, 또 처먹고 지랄병을 하게." / 라고 야단을 쳐 보았건만 못 사 주는 마음이 시원치는 않았다.

마 ㉠"남대문 정거장까지 말씀입니까?"

하고 김 첨지는 잠깐 주저하였다. 그는 이 우중(雨中)에 우장(雨裝)도 없이 그 먼 곳을 철벅거리고 가기가 싫었음일까? 처음 것, 둘째 것으로 그만 만족하였음일까? 아니다, 결코 아니다. 이상하게도 꼬리를 맞물고 덤비는 이 행운 앞에 조금 겁이 났음이다. 그리고 집을 나올 제 아내의 부탁이 마음이 켕기었다 — 앞집 마마한테서 부르러 왔을 제 병인은 그 뼈만 남은 얼굴에 유일의 생물 같은, 유달리 크고 움푹한 눈에 애걸하는 빛을 띠며,

"오늘은 나가지 말아요. 제발 덕분에 집에 붙어 있어요. 내가 이렇게 아픈데……." / 라고 모깃소리같이 중얼거리고 숨을 거르렁거르렁하였다.

07 이 글에 대한 설명으로 알맞지 <u>않은</u> 것은?
85
① 도시 하층민의 고단한 삶의 모습을 다루고 있다.
② 1920년대의 사회상이 사실적으로 반영되어 있다.
③ 등장인물의 심리를 구체적으로 제시하여 사실성을 더하고 있다.
④ 등장인물이 서술자가 되어 자신의 내면을 솔직하게 이야기하고 있다.
⑤ 비속어와 사투리를 사용하여 하층민의 삶을 실감나게 묘사하고 있다.

주관식

08 (가)에서 다음과 같은 역할을 하는 소재를 찾아 쓰시오.
85
• 작품 전체에 음산하고 쓸쓸한 분위기를 조성함.
• 작품의 비극적인 결말을 암시함.

09 이 글을 통해 알 수 있는 내용으로 적절하지 <u>않은</u> 것은?
90
① 김 첨지는 경제적으로 여유롭지 않다.
② 김 첨지는 설렁탕 한 그릇을 먹고 싶어 했다.
③ 김 첨지는 근 열흘 동안은 돈을 잘 벌지 못했다.
④ 김 첨지의 아내가 병을 앓은 지는 한 달이 조금 넘었다.
⑤ 김 첨지의 아내는 오늘 김 첨지가 일을 나가지 않기를 원했다.

10 (마)의 내용을 참고할 때, ㉠에 담긴 김 첨지의 심리로 가장 적절한 것은?
85
① 지금까지 번 돈에 만족한다.
② 큰돈을 벌 수 있어서 매우 기쁘다.
③ 비가 오는데 먼 곳까지 가기는 싫다.
④ 행운이 이어지는 것에 불안한 마음이 든다.
⑤ 아내에게 설렁탕을 사 줄 수 있다는 생각에 뿌듯하다.

[11~14] 다음 글을 읽고, 물음에 답하시오.

가 그 학생을 태우고 나선 김 첨지의 다리는 이상하게 거뿐하였다. 달음질을 한다느니보다 거의 나는 듯하였다. 바퀴도 어떻게 속히 도는지 구른다느니보다 마치 얼음을 지쳐 나가는 스케이트 모양으로 미끄러져 가는 듯하였다. 언 땅에 비가 내려 미끄럽기도 하였지만.

이윽고 끄는 이의 다리는 무거워졌다. 자기 집 가까이 다다른 까닭이다. 새삼스러운 염려가 그의 가슴을 눌렀다.

"오늘은 나가지 말아요. 내가 이렇게 아픈데!"

이런 말이 잉잉 그의 귀에 울렸다.

나 "봐라, 봐! 이 더러운 놈들아! 내가 돈이 없나. 다리 뼉다구를 꺾어 놓을 놈들 같으니."

하고 치삼의 주워 주는 돈을 받아,

"이 원수엣돈! 이 육시를 할 돈!" / 하면서 팔매질을 친다. 벽에 맞아 떨어진 돈은 다시 술 끓이는 양푼에 떨어지며 정당한 매를 맞는다는 듯이 쨍하고 울었다.

다 "금방 웃고 지랄을 하더니 우는 건 또 무슨 일인가?"

김 첨지는 연해 코를 들여마시며,

㉠"우리 마누라가 죽었다네."

"뭐, 마누라가 죽다니, 언제?"

"이놈아, 언제는, 오늘이지."

"예끼, 미친놈, 거짓말 말아."

"거짓말은 왜? 참말로 죽었어 참말로……. 마누라 시체를 집에 뻐들쳐 놓고 내가 술을 먹다니, 내가 죽일 놈이야, 죽일 놈이야." / 하고 김 첨지는 엉엉 소리를 내어 운다.

치삼은 흥이 조금 깨어지는 얼굴로,

"원, 이 사람이, 참말을 하나, 거짓말을 하나? 그러면 집으로 가세, 가." / 하고 우는 이의 팔을 잡아당기었다.

치삼의 잡는 손을 뿌리치더니 김 첨지는 눈물이 글썽글썽한 눈으로 싱그레 웃는다.

"죽기는 누가 죽어?" / 하고 득의가 양양.

"죽기는 왜 죽어? 생때같이 살아만 있단다. 그년이 밥을 죽이지. 인제 나한테 속았다, 인제 나한테 속았다."

라 "으응, 또 대답이 없네. 정말 죽었나 보이." / 이러다가 누운 이의 흰창이 검은창을 덮은, 위로 치뜬 눈을 알아보자마자,

"이 눈깔! 이 눈깔! 왜 나를 바라보지 못하고 천장만 보느냐? 응." / 하는 말끝엔 목이 메었다. 그러자 산 사람의 눈에서 떨어진 닭똥 같은 눈물이 죽은 이의 뻣뻣한 얼굴을 어룽어룽 적신다. 문득 김 첨지는 미친 듯이 제 얼굴을 죽은 이의 얼굴에 한데 비비대며 중얼거렸다.

"㉡설렁탕을 사다 놓았는데 왜 먹지를 못하니, 왜 먹지를 못하니? 괴상하게도 오늘은 운수가 좋더니만……."

11 이 글의 내용과 일치하지 않는 것은?
① 학생을 태운 김 첨지의 다리는 거뿐했다.
② 아내는 김 첨지가 사 온 설렁탕을 먹지 못하고 죽었다.
③ 아내가 죽었다는 김 첨지의 말을 들은 치삼이는 김 첨지와 함께 슬퍼했다.
④ 집에 가까워지자 김 첨지는 다리가 무거워졌고, 나가지 말라던 아내의 말이 떠올랐다.
⑤ 돈을 벌기 위해 아픈 아내를 두고 일하러 나와야했던 김 첨지는 돈에 대해 원망스러운 마음이 들어 돈을 팔매질 쳤다.

12 김 첨지가 치삼이에게 ㉠과 같이 말한 이유는?
① 돈을 많이 벌었다는 사실을 숨겨야했기 때문이다.
② 아내가 있는 집으로 빨리 돌아가야했기 때문이다.
③ 아내의 죽음은 자신과 관련이 없다고 생각했기 때문이다.
④ 아내가 죽었을 지도 모른다는 불길한 예감이 들었기 때문이다.
⑤ 치삼이에게 장난을 쳐서 분위기를 바꿔야겠다고 생각했기 때문이다.

서술형

13 (라)의 내용을 고려할 때, 아내의 죽음과 관련된 ㉡의 역할을 쓰시오.

14 이 글의 제목 '운수 좋은 날'에 대한 이해로 적절하지 않은 것은?
① 일제 강점기 하층민의 비참한 삶을 강조한다.
② 이 글의 결말을 더욱 비극적으로 느끼게 한다.
③ 김 첨지의 삶에서 돈의 중요성을 강조하는 역할을 한다.
④ 겉으로 드러나는 의미와 실제로 표현하려는 의미가 다른 표현이다.
⑤ 돈을 많이 벌게 되어 운수가 좋은 줄 알았던 날이 아내가 죽은 불행하고 비참한 날이었음을 의미한다.

대단원 종합 문제

[01~04] 다음 시를 읽고, 물음에 답하시오.

> 먼 훗날 당신이 찾으시면
> 그때에 내 말이 '잊었노라'
>
> 당신이 속으로 나무라면
> '무척 그리다가 잊었노라'
>
> 그래도 당신이 나무라면
> '믿기지 않아서 잊었노라'
>
> 오늘도 어제도 아니 잊고
> 먼 훗날 그때에 '잊었노라'

04 이 시에서 반어가 사용된 부분을 찾아 쓰고, 이 표현에 담
긴 말하는 이의 진심을 쓰시오.

[05~11] 다음 시를 읽고, 물음에 답하시오.

가 나뭇잎이 벌레 먹어서 예쁘다
귀족의 손처럼 상처 하나 없이
매끈한 것은
어쩐지 베풀 줄 모르는
손 같아서 밉다
떡갈나무잎에 벌레 구멍이 뚫려서
그 구멍으로 하늘이 보이는 것은 예쁘다
상처가 나서 예쁘다는 것은
잘못인 줄 안다
그러나 남을 먹여 가며
살았다는 흔적은
별처럼 아름답다.

주관식

01 다음에서 이 시에 대한 설명으로 알맞은 것을 모두 고르시오.

> ㉠ '나'는 '당신'과 이별했다.
> ㉡ '나'를 잊지 못하는 '당신'의 마음이 드러난다.
> ㉢ '나'는 '당신'에 대한 마음을 직설적으로 표현한다.
> ㉣ '나'는 불특정한 미래에 '당신'을 만날 상황을 가정
> 하여 말하고 있다.

나 ㉠가야 할 때가 언제인가를
분명히 알고 가는 이의
뒷모습은 ㉡얼마나 아름다운가.

봄 한철
격정을 인내한
㉢나의 사랑은 지고 있다.

분분한 낙화……
결별이 이룩하는 축복에 싸여
지금은 가야 할 때,

무성한 녹음과 그리고
머지않아 열매 맺는
가을을 향하여

㉣나의 청춘은 꽃답게 죽는다.

헤어지자.
㉤섬세한 손길을 흔들며
하롱하롱 꽃잎이 지는 어느 날

나의 사랑, 나의 결별,
샘터에 물 고이듯 성숙하는
내 영혼의 슬픈 눈.

02 이 시에서 운율을 형성하는 방법으로 알맞은 것은?
① 연의 구분 없이 산문처럼 구성하고 있다.
② 각 연을 모두 동일한 명사로 종결하고 있다.
③ 의성어와 의태어를 반복하여 활용하고 있다.
④ 동일한 단어와 비슷한 문장 구조를 반복하고 있다.
⑤ 4음보의 율격을 반복하여 규칙적으로 끊어 읽을
수 있다.

03 이 시를 감상한 학생의 반응으로 가장 적절한 것은?
① '당신'을 원망하는 말하는 이의 마음이 느껴져.
② '당신'에 대한 말하는 이의 애절한 마음이 전해져서
마음이 아팠어.
③ 말하는 이는 시간은 오래 걸렸지만, 이제는 '당신'
을 잊은 것 같아.
④ '당신'의 질책과 비난을 두려워하는 말하는 이의 모
습이 표현되어 있어.
⑤ '당신'을 잊고 새로운 시작을 준비하는 말하는 이의
모습이 보기 좋았어.

05 (가), (나)의 공통점으로 적절한 것은?
₈₅
① 이별에 대한 말하는 태도가 드러난다.
② 말하고자 하는 바를 반대로 표현하고 있다.
③ 모순되는 말을 사용하여 시의 주제를 강조한다.
④ 사랑하는 사람에 대한 그리움의 정서가 드러난다.
⑤ 대상을 바라보는 시인의 부정적인 시선이 느껴진다.

06 (가)에 대한 설명으로 적절하지 않은 것은?
₉₀
① '남을 먹여 가며 살았다는 흔적'의 아름다움을 '별'에 비유했다.
② '귀족의 손처럼 상처 하나 없이 매끈한 것'을 부정적으로 생각한다.
③ '떡갈나무잎'에 뚫린 '벌레 구멍'은 나뭇잎이 벌레를 먹여 살린 흔적이다.
④ 벌레 구멍으로 보이는 '하늘'은 말하는 이가 지향하는 삶의 이상향을 의미한다.
⑤ '벌레 구멍'이 뚫린 '나뭇잎'은 겉모습은 초라하지만 자신의 것을 남에게 베푸는 가치 있는 존재이다.

07 (가)에서 말하는 이가 '벌레 먹은 나뭇잎'을 대하는 태도를 쓰시오.
₈₅
〔서술형〕

----

08 (나)의 말하는 이에 대한 설명으로 가장 적절한 것은?
₉₀
① 이별을 받아들이지 못하고 있다.
② 당신을 잊지 않으려고 노력하고 있다.
③ 떠나가는 사람에 대한 미련을 보인다.
④ 자연의 섭리에 순응하는 태도를 보인다.
⑤ 자연 현상과 사랑을 대조적으로 바라보고 있다.

09 (나)에서 말하고자 하는 바로 가장 알맞은 것은?
₉₀
① 이별은 사람을 성숙하게 한다.
② 늦봄에 떨어지는 낙화는 아름답다.
③ 다른 사람에게 베푸는 삶을 살아야 한다.
④ 목표를 세우고 그것을 이루기 위해 노력해야 한다.
⑤ 청춘은 인생에서 단 한 번뿐이므로 소중하게 생각해야 한다.

10 (나)에서 '영혼의 성숙'을 의미하는 시어를 찾아 쓰시오.
₈₅
〔주관식〕

11 ㉠~㉢에 대한 설명으로 적절하지 않은 것은?
₈₅
〔고난도〕
① ㉠: 이별의 상황을 의미한다.
② ㉡: 이별을 긍정적으로 바라보는 태도를 드러낸다.
③ ㉢: 낙화를 바라보며 자신의 이별을 인식하고 있다.
④ ㉣: '나의 청춘'도 꽃처럼 열매를 기약하며 죽는다는 의미이다.
⑤ ㉤: 사랑하는 이에게 작별을 고하는 말하는 이의 모습을 비유적으로 표현한 것이다.

12 다음에 대한 설명으로 알맞은 것은?
₈₀

> 작고도 큰 눈물 한 방울

① 같은 글자를 반복하여 제시함으로써 운율을 형성했다.
② 의미상 서로 어울리지 않는 말을 결합하여 새로운 의미를 만들어 냈다.
③ 사람이 아닌 것을 사람에 빗대어 표현하여 대상을 인상적으로 표현했다.
④ 표현하고자 하는 바와 반대로 표현하여 전달하고자 하는 의미를 강조했다.
⑤ 대상의 이미지가 구체적으로 떠오르도록 촉각적인 표현을 사용하여 대상을 구체적으로 묘사했다.

[13~16] 다음 글을 읽고, 물음에 답하시오.

가 양반이란, 선비를 높여서 부르는 말이다.

강원도 정선군에 한 양반이 살고 있었다. 이 양반은 어질고 글 읽기를 좋아하여, 군수가 새로 부임할 때마다 몸소 그 집을 찾아가서 인사를 드렸다. 그런데 이 양반은 가난하여 해마다 관청의 환곡(還穀)을 꾸어다 먹었다. 그 빚을 갚지 못하고 해마다 쌓여서 천 섬에 이르렀다.

나 강원도 감사가 정선 고을을 돌아보다가 환곡 장부를 조사하고 크게 노하였다.

"어떤 놈의 양반이 나라의 곡식을 축냈단 말이냐?"

감사는 그 양반을 잡아 가두라고 명했다. 군수는 그 양반이 가난해서 빚을 갚지 못하는 것을 딱하게 여겨 차마 가두지는 못하였다. 그러나 군수도 양반의 빚을 해결할 방법은 없었다.

양반은 빚을 갚을 길이 없어서 밤낮으로 울기만 하였다. 그의 아내가 양반을 몰아붙였다.

"당신은 평소에 글 읽기만 좋아하더니, 환곡을 갚는 데는 전혀 도움이 안 되는구려. 쯧쯧, 양반이라니……, 한 푼어치도 안 되는 그놈의 양반!"

다 그때 그 마을에 사는 부자가 그 양반의 소문을 듣고 가족과 의논하였다.

"양반은 아무리 가난해도 늘 귀한 대접을 받고, 우리는 아무리 잘살아도 항상 천한 대접을 받는다. 양반이 아니므로 말이 있어도 말을 타지 못한다. 또한 양반만 보면 굽실거리며 제대로 숨소리도 내지 못하고, 뜰아래 엎드려 절해야 하고, 코를 땅에 박고 무릎으로 기어가야 한다. 우리 신세가 가엾지 않느냐? 지금 저 양반이 환곡을 갚지 못해서 아주 난처하다고 한다. 그 형편으로는 도저히 양반의 신분을 지키지 못할 것이다. 그러니 우리가 그의 양반을 사서 양반 신분으로 살아 보자."

부자는 곧 양반을 찾아가 환곡을 대신 갚아 주겠다고 청하였다. 양반은 크게 기뻐하며 승낙하였다. 부자는 즉시 관청에 가서, 양반 대신 환곡을 갚았다.

라 군수는 감탄해서 말하였다.

"군자로구나, 부자여! 양반이로구나, 부자여! 부자이면서도 재물을 아끼지 않으니 의로운 일이요, 남의 어려움을 도와주니 어진 일이요, 천한 것을 싫어하고 귀한 것을 바라니 지혜로운 일이다. 이야말로 진짜 양반이로구나! 그러나 양반을 사고팔면서 증서를 작성하지 않았으니, 소송(訴訟)의 꼬투리가 될 수 있다. 그러니 고을 사람들을 불러 모아 증인으로 세우고, 증서를 만들어서 양반을 사고판 일을 모두에게 알리도록 하자. 나도 당연히 증서에 서명을 하겠다."

13 이 글을 통해 알 수 있는 당시의 시대적 상황으로 적절하지 않은 것은?
(90)

① 신분 계급이 존재했다.
② 신분 매매가 비밀리에 이루어졌다.
③ 평민이지만 부를 쌓은 사람들이 있었다.
④ 경제적 형편이 어려운 양반 계층이 있었다.
⑤ 나라에서 백성에게 곡식을 빌려주기도 했다.

14 이 글의 내용과 일치하는 것은?
(85)

① 부자는 빚이 많지만 이를 갚을 능력이 없다.
② 양반은 평소 글을 읽지 않고 게으른 생활을 한다.
③ 부자와 양반은 경제적인 능력은 동일하지만 신분이 다르다.
④ 감사는 양반을 가두라고 했으나 군수는 양반을 가두지 못했다.
⑤ 부자가 양반의 환곡을 대신 갚은 사실을 안 군수는 부자를 꾸짖었다.

⟨주관식⟩

15 이 글에서 다음과 같은 역할을 하는 등장인물을 쓰시오.
(85)

> 무능한 양반을 직접적으로 비판하고, 양반 계층의 권위를 부정함.

16 이 글에 등장하는 군수에 대한 설명으로 가장 적절한 것은?
(80)

① 게으른 양반을 도와준 부자를 비판한다.
② 끊임없이 학문에 정진하는 부자를 예찬한다.
③ 천한 신분을 마다하지 않는 부자를 존경한다.
④ 부자와 양반 사이의 거래가 무효임을 선언한다.
⑤ 양반과 부자 사이의 신분 매매를 증명하는 증서를 작성한다.

[17~20] 다음 글을 읽고, 물음에 답하시오.

가 군수는 관청으로 돌아와서, ⊙고을의 양반과 농사꾼, 장인(匠人), 장사치들까지 모조리 불러 모았다. 그리고 부자를 높은 자리에 앉히고, 양반을 낮은 자리에 세워 두고는 다음과 같이 증서를 작성하였다.

나 건륭(乾隆) 10년(1745년, 영조 21년) 9월에 이 증서를 만드노라. / 이 문서는 천 섬으로 양반을 사고팔아서 환곡을 갚은 것을 증명한다.

양반이란 여러 가지로 일컬어진다. 글을 읽으면 선비라 하고, 벼슬을 하면 대부(大夫)라 하고, 덕이 뛰어나면 군자라고 한다. 무관은 서쪽에 늘어서고 문관은 동쪽에 늘어서는데, 이것이 바로 양반이다. 따라서 선비, 대부, 군자, 무관, 문관 가운데에서 좋을 대로 부르면 된다.

더러운 일을 딱 끊고, 옛사람을 본받고, ⓛ높은 뜻을 가져야 한다. 매일 새벽에 일어나 등잔을 켜고서, 눈은 가만히 코끝을 내려 보고 발꿈치를 궁둥이에 모으고 앉아, ⓒ얼음 위에 박 밀듯이 《동래박의(東萊博義)》를 줄줄 외워야 한다. 배고픔과 추위를 참고 견디며, 가난 타령은 아예 하지 말아야 한다. 어금니를 딱딱 마주치고 뒤통수를 톡톡 두드리며, 침을 입 안에 머금고 가볍게 양치질하듯이 삼켜야 한다. 소맷자락으로 털모자를 닦아 먼지를 떨어내어, 모자에 물결무늬가 뚜렷하게 해야 한다.

다 호장(戶長)이 증서를 다 읽고 나자, 부자는 어처구니가 없어서 한참이나 멍하니 있다가 말하였다.

"양반이라는 게 겨우 요것뿐입니까? ⓔ저는 양반이 신선 같다고 들었는데, 정말 이렇다면 너무 재미가 없는걸요. 원하옵건대 제게 이익이 되도록 문서를 고쳐 주십시오."

그래서 문서를 다시 작성하였다.

라 언제나 종들이 양산을 받쳐 주므로 귀밑이 희어지고, 설렁줄만 당기면 종들이 '예이.' 하므로 뱃살이 처진다. 방에서는 귀걸이로 치장한 기생과 노닥거리고, 뜰에서는 남아도는 곡식으로 학(鶴)을 기른다.

벼슬을 아니 하고 시골에 묻혀 살더라도 모든 일을 제멋대로 할 수 있다. 강제로 이웃의 소를 끌어다 먼저 자기 땅을 갈고, 마을의 일꾼을 잡아다 먼저 자기 논의 김을 맨들, 누가 감히 나에게 대들겠느냐? 네놈들 코에 잿물을 들이붓고, 머리끄덩이를 잡아 휘휘 돌리고, 귀밑 수염을 다 뽑아도 누가 감히 나를 원망하겠느냐?

마 부자는 증서 내용을 듣고 있다가 혀를 내둘렀다.

ⓜ"그만두시오, 그만두시오. 참으로 맹랑하구먼. 나를 도둑놈으로 만들 작정입니까?"

부자는 머리를 흔들면서 떠나 버렸다. 그러고는 죽을 때까지 다시는 양반이 되고 싶다는 말을 입에 올리지 않았다.

17 (나), (라)에서 비판하고자 한 양반의 모습을 알맞게 짝지은 것은?

	(나)	(라)
①	평민들을 천하게 여기는 모습	무위도식하며 비생산적인 모습
②	관념이나 허례허식에 얽매여 있는 모습	다른 사람의 말에 빈정거리며 조롱하는 모습
③	겉치레와 형식적인 관념에 얽매여 있는 모습	실생활과 동떨어진 글공부만 하는 모습
④	학문보다는 부의 축적을 중요하게 여기는 모습	예절과 법도를 지키지 않는 모습
⑤	체면을 지키기 위해 허례허식에 얽매여 있는 모습	개인적인 이익만을 취하며 부당한 특권을 남용하는 모습

고난도

18 ⊙~ⓜ에 대한 설명으로 적절하지 않은 것은?
① ⊙: 사농공상(士農工商)이 모두 모였음을 보여 준다.
② ⓛ: 경제적으로 부유해져야 한다는 의미이다.
③ ⓒ: 멈춤이 없이 유창하게 책을 외운다는 의미이다.
④ ⓔ: 부자가 평소에 양반을 어떻게 생각해 왔는지 알 수 있다.
⑤ ⓜ: 부당한 횡포를 일삼는 양반을 풍자하고자 한 작가의 의도가 드러난다.

19 이 글에 사용된 풍자의 효과로 가장 알맞은 것은?
① 양반의 처지를 실감나게 묘사한다.
② 독자가 양반에 대해 연민을 느끼게 한다.
③ 부자와 양반의 대조적인 입장을 분명하게 드러낸다.
④ 직접적인 비판보다 양반을 더욱 인상 깊게 비판한다.
⑤ 양반을 대하는 평민들의 입장을 구체적으로 드러낸다.

20 작가가 이 글을 쓴 의도로 가장 알맞은 것은?
① 평민 계층의 경제력을 조롱하기 위해서
② 양반으로서의 자부심을 표현하기 위해서
③ 지조 있는 양반의 모습을 칭찬하기 위해서
④ 양반의 모순을 지적하고 이를 개선하기 위해서
⑤ 신분 제도를 위협하는 요소를 제거하기 위해서

[21~24] 다음 글을 읽고, 물음에 답하시오.

가 전차가 왔다. 김 첨지는 원망스럽게 전차 타는 이를 노리고 있었다. 그러나 그의 예감은 틀리지 않았다. 전차가 빡빡하게 사람을 싣고 움직이기 시작하였을 제 타고 남은 손 하나가 있었다. 굉장하게 큰 가방을 들고 있는 걸 보면 아마 붐비는 차 안에 짐이 크다 하여 차장에게 밀려 내려온 눈치였다. 김 첨지는 대어 섰다. / "인력거를 타시랍시오?" / 한동안 값으로 승강이를 하다가 육십 전에 인사동까지 태워다 주기로 하였다. 인력거가 무거워지며 그의 몸은 이상하게도 가벼워졌다. 그러고 또 인력거가 가벼워지니 몸은 다시금 무거워졌건만 이번에는 마음조차 초조해 온다. 집의 광경이 자꾸 눈앞에 어른거려 인제 요행을 바랄 여유도 없었다.

나 그는 두리번두리번 사면을 살피었다. 그 모양은 마치 자기 집 — 곧 불행을 향하고 달려가는 제 다리를 제 힘으로는 도저히 어찌할 수가 없으니 누구든지 나를 좀 잡아 다고, 구해 다고 하는 듯하였다.

그럴 즈음에 마침 길가 선술집에서 그의 친구 치삼이가 나온다. 그의 우글우글 살찐 얼굴에 주홍이 돋는 듯, 온 턱과 뺨을 시커멓게 구레나룻이 덮였거든, 노르탱탱한 얼굴이 바짝 말라서 여기저기 고랑이 파이고 수염도 있대야 턱 밑에만 마치 솔잎 송이를 거꾸로 붙여 놓은 듯한 김 첨지의 풍채하고는 기이한 대상을 짓고 있었다.

"여보게, 김 첨지. 자네 문안 들어갔다 오는 모양일세그려. 돈 많이 벌었을 테니 한잔 빨리게."

뚱뚱보는 말라깽이를 보던 말에 부르짖었다. 그 목소리는 몸집과 딴판으로 연하고 싹싹하였다. ⓘ김 첨지는 이 친구를 만난 게 어떻게 반가운지 몰랐다. 자기를 살려 준 은인이나 무엇같이 고맙기도 하였다.

다 "이 오라질 놈들 같으니. 이놈, 내가 돈이 없을 줄 알고." 하자마자 허리춤을 흠칫흠칫하더니 일 원짜리 한 장을 꺼내어 중대가리 앞에 펄쩍 집어 던졌다. 그 사품에 몇 푼 은전이 잘그랑하며 떨어진다. / "여보게, 돈 떨어졌네. 왜 돈을 막 끼었나?"

이런 말을 하며 치삼은 일변 돈을 줍는다. 김 첨지는 취한 중에도 돈의 거처를 살피려는 듯이 눈을 크게 떠서 땅을 내려 보다가 불시에 제 하는 짓이 너무 더럽다는 듯이 고개를 소스라치자 더욱 성을 내며,

"봐라, 봐! 이 더러운 놈들아! 내가 돈이 없나. 다리 뼉다구를 꺾어 놓을 놈들 같으니."

하고 치삼의 주워 주는 돈을 받아,

ⓛ"이 원수엣돈! 이 육시를 할 돈!"

하면서 팔매질을 친다. 벽에 맞아 떨어진 돈은 다시 술 끓이는 양푼에 떨어지며 정당한 매를 맞는다는 듯이 쨍하고 울었다.

---

21 이 글의 내용과 일치하지 않는 것은?

① 김 첨지는 돈을 팔매질 쳤다.
② 김 첨지는 얼굴이 우글우글 살찐 치삼이를 만났다.
③ 인력거가 무거워지면 김 첨지의 몸은 가벼워졌다.
④ 김 첨지는 전차에서 밀려 내려온 손님을 인사동까지 태워다 주기로 했다.
⑤ 치삼이는 노르탱탱한 얼굴이 바짝 마르고, 수염이 솔잎 송이를 거꾸로 붙여 놓은 듯이 났다.

22 고난도 (나)의 서술상의 특징으로 적절하지 않은 것은?

① 인물의 심리를 직접 제시하여 인물의 정서를 파악하기 쉽다.
② 공간적 배경이 구체적으로 제시되어 현장감을 느낄 수 있다.
③ 인물 간 팽팽한 갈등을 통해 사건 전개에 긴장감을 높이고 있다.
④ 비유적인 표현을 사용하여 인물의 모습을 실감나게 표현하고 있다.
⑤ 인물의 외양을 대조적으로 묘사하여 인물 간의 차이를 극대화하고 있다.

23 김 첨지가 ⓘ과 같이 생각한 이유로 가장 적절한 것은?

① 집에 늦게 들어갈 수 있기 때문에
② 오랜만에 친구와 술을 마시고 싶었기 때문에
③ 아내가 아프다는 것을 친구에게 알려야 했기 때문에
④ 친구에게 돈을 많이 번 것을 자랑하고 싶었기 때문에
⑤ 친구가 자신의 불행을 해결해 줄 것이라고 생각했기 때문에

24 서술형 다음을 참고하여 김 첨지가 ⓛ과 같이 말한 이유를 쓰시오.

그의 아내가 기침으로 쿨룩거리기는 벌써 달포가 넘었다. 조밥도 굶기를 먹다시피 하는 형편이니 물론 약 한 첩 써 본 일이 없다. 구태여 쓰려면 못 쓸 바도 아니로되 그는 병이란 놈에게 약을 주어 보내면 재미를 붙여서 자꾸 온다는 자기의 신조(信條)에 어디까지 충실하였다.

[25~28] 다음 글을 읽고, 물음에 답하시오.

가 김 첨지는 취중에도 설렁탕을 사 가지고 집에 다다랐다. 집이라 해도 물론 셋집이요, 또 집 전체를 세 든 게 아니라 안과 뚝 떨어진 행랑방 한 칸을 빌려 든 것인데 물을 길어 대고 한 달에 일 원씩 내는 터이다. 만일 김 첨지가 주기를 띠지 않았던들 한 발을 대문 안에 들여놓았을 제 그곳을 지배하는 무시무시한 정적 — 폭풍우가 지나간 뒤의 바다 같은 정적에 다리가 떨리었으리라. 쿨룩거리는 기침 소리도 들을 수 없다. 그르렁거리는 숨소리조차 들을 수 없다. 다만 이 무덤 같은 침묵을 깨뜨리는 — 깨뜨린다느니보다 한층 더 침묵을 깊게 하고 불길하게 하는 빡빡 하는 그윽한 소리, 어린애의 젖 빠는 소리가 날 뿐이다. 만일 청각이 예민한 이 같으면 그 빡빡 소리는 빨 따름이요, 꿀떡꿀떡하고 젖 넘어가는 소리가 없으니, 빈 젖을 빤다는 것도 짐작할는지 모르리라.

나 혹은 김 첨지도 이 불길한 침묵을 짐작했는지도 모른다. 그렇지 않으면 대문에 들어서자마자 전에 없이,

"이년, 남편이 들어오는데 나와 보지도 안 해, 이년!"

이라고 고함을 친 게 수상하다. 이 고함이야말로 제 몸을 엄습해 오는 무시무시한 증을 쫓아 버리려는 (㉠)인 까닭이다.

다 하여간 김 첨지는 방문을 왈칵 열었다. 구역을 나게 하는 추기 — 떨어진 삿자리 밑에서 올라온 먼지내, 빨지 않은 기저귀에서 나는 똥내와 오줌내, 가지각색 때가 켜켜이 앉은 옷 내, 병인의 땀 썩은 내가 섞인 추기가 무딘 김 첨지의 코를 찔렀다.

방 안에 들어서며 설렁탕을 한구석에 놓을 사이도 없이 주정꾼은 목청을 있는 대로 다 내어 호통을 쳤다.

"이년, 주야장천(晝夜長川) 누워만 있으면 제일이야. 남편이 와도 일어나지를 못해!"

라고 소리와 함께 발길로 누운 이의 다리를 몹시 찼다. 그러나 발길에 차이는 건 사람의 살이 아니고 나뭇등걸과 같은 느낌이 있었다. 이때에 빡빡 소리가 응아 소리로 변하였다. 개똥이가 물었던 젖을 빼어 놓고 운다. 운대도 온 얼굴을 찡그려 붙여서 운다는 표정을 할 뿐이다. 응아 소리도 입에서 나는 것이 아니고 마치 배 속에서 나는 듯하였다. 울다가 목도 잠겼고 또 울 기운조차 시진한 것 같다.

라 "이 눈깔! 이 눈깔! 왜 나를 바라보지 못하고 천장만 보느냐? 응."

하는 말끝엔 목이 메었다. 그러자 산 사람의 눈에서 떨어진 닭똥 같은 눈물이 죽은 이의 뻣뻣한 얼굴을 어룽어룽 적신다. 문득 김 첨지는 미친 듯이 제 얼굴을 죽은 이의 얼굴에 한데 비비대며 중얼거렸다.

"설렁탕을 사다 놓았는데 왜 먹지를 못하니, 왜 먹지를 못하니? 괴상하게도 오늘은 운수가 좋더니만……."

25 이 글에 대한 설명으로 적절하지 <u>않은</u> 것은?

① (가)에서 김 첨지는 아내의 인기척 대신 무덤 같은 침묵을 느낀다.

② (나)에서 김 첨지는 일부러 큰 소리로 고함을 친다.

③ (다)에서 집에 들어선 김 첨지는 구역나게 하는 추기를 느낀다.

④ (다)에서 김 첨지는 아내로부터 나뭇등걸과 같은 느낌을 받고 안도의 한숨을 내쉰다.

⑤ (라)에서 결국 설렁탕을 먹지 못하고 죽는 아내의 모습은 결말의 비극성을 강조한다.

26 (가)의 상황을 고려할 때, ㉠에 들어갈 사자성어로 가장 적절한 것은?

① 선견지명(先見之明)

② 속수무책(束手無策)

③ 유구무언(有口無言)

④ 자포자기(自暴自棄)

⑤ 허장성세(虛張聲勢)

27 다음 중 (다)의 서술상 특징을 모두 고른 것은?

ⓐ 미각적 심상을 통해 아내의 죽음을 예측한다.

ⓑ 후각적 심상을 통해 장면의 비극성을 고조시킨다.

ⓒ 청각적 심상을 통해 상황의 비참함을 생생하게 전달한다.

ⓓ 촉각적 심상을 통해 서술자의 객관적 시각을 강조한다.

① ⓐ, ⓑ   ② ⓐ, ⓒ   ③ ⓑ, ⓒ

④ ⓑ, ⓓ   ⑤ ⓒ, ⓓ

28 이 글의 제목인 '운수 좋은 날'에 대한 설명으로 알맞지 <u>않은</u> 것은?

① 아내의 죽음이 지니는 비극성을 더욱 강조한다.

② 겉으로 드러나는 의미와 실제로 표현하려는 의미가 다르다.

③ 김 첨지의 하루가 비참하고 불행한 날이라는 의미를 강조한다.

④ 모순이 되는 표현을 사용하여 전달하고자 하는 주제를 강조한다.

⑤ 1920년대 일제 강점기 하층민의 비참한 생활상을 효과적으로 드러낸다.

01 시로 표현하기

01 (　　　)은 시를 읽을 때 느껴지는 말의 가락으로, 같은 소리나 단어, 일정한 글자 수의 반복 등을 통해 형성된다.

02 실제로 표현하고자 하는 의도와 반대되는 말로 표현하는 것을 (　　　)라고 한다.

03 역설은 겉으로는 논리적으로 (　　　)되거나 불합리해 보이지만, 그 속에 삶의 진실을 담고 있는 표현 방법이다.

04 반어와 역설에 대한 설명으로 맞으면 ○표, 틀리면 ×표 하시오.
(1) 반어와 역설은 모두 말하는 이의 의도를 강조하는 효과가 있다.　　　　　　　　　　(　　　)
(2) 반어를 사용하면 대상을 희화화하여 사회의 부조리에 대한 비판 의식을 드러내는 데 효과적이다.　(　　　)
(3) 역설은 속마음과 반대되는 표현을 활용한다는 점에서 반어와 유사하다.　　　　　　　(　　　)
(4) 역설을 사용하면 참신하고 인상적인 느낌을 준다.
　　　　　　　　　　　　　　　　(　　　)

〈먼 후일〉

05 이 시의 말하는 이는 사랑하는 '당신'과 (　　　)했다.

06 이 시에 대한 설명으로 맞으면 ○표, 틀리면 ×표 하시오.
(1) 남성적 어조로 사랑하는 임을 잊지 못하는 그리움에 대해 이야기하고 있다.　　　　　　(　　　)
(2) 3음보의 율격과 동일한 시어의 반복을 통해 운율을 형성한다.　　　　　　　　　　(　　　)
(3) 실제로 표현하고자 하는 속마음과 반대되는 말로 표현하여 말하는 이의 진심을 강조한다.　(　　　)

07 다음은 이 시에서 운율이 느껴지는 이유이다. 빈칸에 알맞은 말을 쓰시오.
(1) 일정한 (　　　)으로 끊어 읽는 3음보의 율격에서 (　　　)과 규칙성을 느낄 수 있다.
(2) 각 연에서 '(　　　)'라는 말을 반복하여 말에 담긴 의미를 강조한다.
(3) (　　　)개의 글자 수로 이루어진 행, 비슷한 (　　　)를 반복하여 규칙적인 느낌을 준다.

08 '잊었노라'라는 표현을 통해 말하는 이가 전달하고자 하는 생각을 쓰시오.

〈낙화〉

09 다음은 이 시에 대한 설명이다. 〈보기〉에서 빈칸에 알맞은 말을 골라 쓰시오.
┤보기├
열매　　축복　　낙화　　성숙　　결별

(1) '결별'을 '(　　　)'으로 여기는 역설적인 표현을 사용했다.
(2) '(　　　)'을 통해 영혼의 (　　　)을 이룰 수 있다는 삶의 깨달음을 형상화했다.
(3) '(　　　)'라는 자연 현상과 '결별'이라는 인간의 삶을 연관 지어 시상을 전개했다.
(4) 꽃이 진 후 '(　　　)'를 맺는 것처럼 이별은 사람의 내면적 성장을 이룬다는 깨달음을 표현했다.

10 이 시에 대한 설명으로 맞으면 ○표, 틀리면 ×표 하시오.
(1) 말하는 이는 임을 잊지 못하고 그리워하고 있다.(　　　)
(2) 말하는 이는 공간의 이동에 따라 시상을 전개하고 있다.　　　　　　　　　　(　　　)
(3) 이별에 대한 긍정적인 수용과 극복의 과정을 다루고 있다.　　　　　　　　　　(　　　)
(4) 말하는 이는 자연 현상에서 이별의 의미를 깨닫고 있다.　　　　　　　　　　(　　　)

11 다음에 사용된 표현 방법을 〈보기〉에서 고르시오.
┤보기├
㉠ 역설법　㉡ 의인법　㉢ 설의법　㉣ 직유법

(1) 결별이 이룩하는 축복에 싸여　　　　(　　　)
(2) 샘터에 물 고이듯 성숙하는 / 내 영혼의 슬픈 눈
　　　　　　　　　　　　　　　　(　　　)
(3) 헤어지자. / 섬세한 손길을 흔들며 / 하롱하롱 꽃이 지는 어느 날　　　　　　　　(　　　)
(4) 가야 할 때가 언제인가를 / 분명히 알고 가는 이의 / 뒷모습은 얼마나 아름다운가.　(　　　)

12 다음에 대한 설명으로 맞으면 ○표, 틀리면 ×표 하시오.
결별이 이룩하는 축복

(1) 의미상 서로 어울리지 않는 말을 결합하여 새로운 의미를 만들어 냈다.　　　　　　(　　　)
(2) 영혼을 성숙하게 하는 계기가 되는 결별은 불행이 아니라 오히려 축복이 될 수 있다는 의미이다.　(　　　)

13 풍자에 대한 설명으로 맞으면 ○표, 틀리면 ×표 하시오.

(1) 대상의 부정적인 면을 직접 나열하는 표현 방법이다. ( )

(2) 대상을 간접적으로 비판하여 잘못을 바로잡고 상황을 개선하고자 한다. ( )

(3) 부정적인 현상이나 모순에 대해 웃음을 유발하면서 비판하는 표현 방법이다. ( )

(4) 부정적인 대상을 희화화하여 독자가 부정적인 대상에 대해 연민을 느끼게 한다. ( )

〈양반전〉

14 이 글에 대한 설명으로 맞으면 ○표, 틀리면 ×표 하시오.

(1) 주인공이 직접 자신의 이야기를 하고 있다. ( )

(2) 양반의 권위가 점차 사라지며 엄격한 신분 질서가 붕괴되기 시작하는 사회적 배경을 반영한다. ( )

(3) 양반과 부자를 통해 신분 제도의 모순을 제시하며 신분제 폐지를 주장한다. ( )

(4) 조선 후기 시대상을 반영하여 사회·경제적으로 성장한 평민 계층이 소설에 등장한다. ( )

(5) 무능하고 부도덕한 양반의 모습과 이를 선망의 대상으로 삼고 신분 상승을 노리는 평민 계급을 함께 비판한다. ( )

15 이 소설의 내용을 참고하여 다음 빈칸에 알맞은 말을 쓰시오.

- 정선 고을의 한 양반이 가난하여 ( )을 갚지 못해 곤경에 빠짐.
- 같은 마을에 사는 부자가 양반 대신 빚을 갚고 ( )의 신분을 삼.
- 군수가 양반을 사고판 ( )를 만들 것을 제안함.
- 군수는 ( ) 번에 걸쳐 양반 매매 증서를 작성함.
- 부자가 두 번째 증서의 내용을 듣고 양반이 되는 것을 ( )함.

16 다음은 이 소설에 반영된 시대적 상황을 정리한 것이다. 빈칸에 알맞은 말을 쓰시오.

(1) 엄격했던 ( )가 붕괴되기 시작했다.

(2) ( )으로 신분을 사고파는 것이 가능했다.

(3) 조선 후기 경제적으로 몰락하는 ( )이 생겨났다.

(4) 사회·경제적으로 성공한 ( ) 계층이 등장했다.

17 다음은 이 소설에 대한 설명이다. 〈보기〉에서 다음 빈칸에 알맞은 단어를 골라 쓰시오.

보기
풍자 허례허식 수탈 의무

(1) 첫 번째 증서는 양반이 지켜야 할 ( )와 관련된 내용을 담고 있다.

(2) 첫 번째 증서에는 무위도식하며 ( )만을 중시하는 양반의 모습이 나타나 있다.

(3) 두 번째 증서에는 부당한 특권을 이용하여 백성을 ( )하는 양반의 모습이 나타나 있다.

(4) 신분 매매 증서의 내용을 들은 부자가 양반이 되기를 포기하는 것을 통해 당시 양반들의 모습을 ( )하고 있다.

18 다음은 이 소설의 등장인물을 정리한 것이다. 빈칸에 알맞은 말을 쓰시오.

양반	• 경제적으로 ( )하며 현실 대응 능력이 없음. • 가장 신랄한 풍자의 대상이 됨.
아내	무능한 양반을 ( )하고 양반 계층의 권위를 부정함.
부자	• 조선 후기에 새롭게 등장한 신흥 세력의 전형 • 경제력을 바탕으로 ( ) 상승을 꾀하지만, 양반의 실상을 알고 이를 포기함.
( )	양반과 부자 사이의 신분 매매 증서를 작성함.

19 다음과 같은 양반 아내의 말을 통해 작가가 비판하고자 한 양반의 모습을 쓰시오.

"당신은 평소에 글 읽기만 좋아하더니, 환곡을 갚는 데는 전혀 도움이 안 되는구려. 쯧쯧, 양반이라니…… 한 푼어치도 안 되는 그놈의 양반!"

20 이 소설에서 양반을 비판하는 작가의 의식을 대변하는 인물을 모두 쓰시오.

21 작가는 양반의 ( )을 지적하고 이를 ( )하기 위해 이 소설을 창작했다.

22 이 소설에서 풍자는 ( )인 비판보다 대상을 더욱 인상 깊게 비판하며, 독자에게 ( )을 주면서도 현실을 바로 볼 수 있는 ( )을 갖게 한다.

01 읽기의 가치와 중요성

1. 읽기의 가치와 중요성

- 읽기를 활용하여 여가를 즐기고 마음의 휴식을 느낌.
- 글 속에서 다양한 삶의 모습을 접하며 자신을 성찰할 수 있음.
- 읽기를 통해 인류가 오랫동안 축적해 온 지식과 경험을 얻을 수 있음.
- 읽기를 통해 몰랐던 사실을 새롭게 깨닫고 더욱 높은 수준의 ① [　　　]를 만들어 갈 수 있음.

2. 읽기의 생활화

- 읽기에 긍정적인 태도를 지니고 일상생활에서 꾸준히 글을 읽는 습관을 길러야 함.
- 자신이 흥미나 관심을 느끼는 글 또는 자신의 수준에 맞는 책을 골라 읽는 습관을 길러야 함.
- 독서 모임, 독서 토론, 책과 관련된 장소 탐방 등 꾸준히 할 수 있는 독서 활동을 찾아 실천해야 함.

핵심 정리

● 맛있는 책, 일생의 보약 ●

갈래	수필(경수필)	성격	회상적
제재	도서반 활동을 통해 느낀 깨달음		
주제	읽기의 가치와 중요성		
특징	・글쓴이는 박지원의 고전 소설을 읽으며 읽기의 가치와 중요성을 깨달음. ・글쓴이가 소설가가 될 수 있었던 계기가 드러남. ・자신의 경험을 바탕으로 독서가 인간다운 삶을 가능하게 하는 길임을 강조함.		

1. 이 글의 구성

처음	중학교 3학년 때 특별 활동 시간에 도서반에서 책을 읽는 활동을 하게 됨.
중간	박지원의 고전 소설을 읽으며 책을 읽는 즐거움을 느낌.
끝	읽기는 더욱 높은 차원의 인간다운 삶으로 나아가는 길이라는 것을 깨달음.

2. 글쓴이가 고전을 읽으며 느낀 즐거움

- 무협지와 달리 읽을수록 새로운 맛이 우러나옴.
- 문장이 단단하고 품위 있으며 아름다움.
- 정신세계가 더 넓어지고 수준이 높아지는 듯함.
- 글을 쓴 사람의 숨결이 전해짐.
- 우리 조상이 쓴 것이라는 뿌듯함을 느낌.

3. 글쓴이의 경험이 삶에 미친 영향

특별 활동 시간에 박지원의 책을 읽음.	→	독서의 가치와 중요성을 깨닫고 ② [　　　]의 길을 걷게 됨.

4. 글쓴이가 말하는 책 읽기의 가치

・지극한 정신문화를 체험할 수 있음. ・인간다운 삶을 살고 드높은 가치를 추구하는 길을 보여 줌. ・인간만이 알고 있는 진정한 인간으로 나아가는 통로임.	⇨	책 속에 길이 있음.

---

1 (　　　)는 인간의 정신을 성장하게 하고 삶의 질을 높여 주는 활동이다.

2 읽기에 긍정적인 태도를 지니고 일상생활에서 꾸준히 글을 읽는 습관을 길러 읽기를 (　　　)해야 한다.

3 이 글의 글쓴이에 대한 설명으로 맞으면 ○표, 틀리면 ×표 하시오.
  (1) 중학교에 입학하기 전부터 글쓴이는 고전을 즐겨 읽었다. (　　　)
  (2) 고전은 글쓴이가 진로를 결정하는 데 영향을 미쳤다. (　　　)
  (3) 글쓴이는 소설가가 되기 위해 고전을 찾아 읽었다. (　　　)

4 글쓴이는 특별 활동 시간에 (　　　)의 고전 소설을 읽었다.

5 다음에서 글쓴이가 고전을 읽으며 느낀 즐거움을 모두 고르시오.

  ㉠ 글을 쓴 사람의 숨결이 전해졌다.
  ㉡ 읽고 나면 주인공의 이름만 기억에 남았다.
  ㉢ 우리 조상이 쓴 것이라는 뿌듯함을 느꼈다.
  ㉣ 무협지와 같이 읽을수록 새로운 맛이 우러나왔다.
  ㉤ 정신세계가 더 넓어지고 수준이 높아지는 듯했다.
  ㉥ 보석처럼 단단하고 품위 있는 문장이 아름다웠다.

6 글쓴이는 특별 활동 시간에 고전을 읽은 경험을 통해 독서의 (　　　)와 (　　　)을 깨닫고 소설가가 되었다.

단원 종합 문제 기출 예상

[01~10] 다음 글을 읽고, 물음에 답하시오.

가 사방이 산으로 둘러싸인 곳에서 태어나 아침에 눈을 떠서 저녁에 감을 때까지 늘 산을 보아야 하는 곳에서 중학교 1학년 까지를 보내고 2학년 봄, 서울의 남쪽 관악산이 올려다보이는 중학교에 전학을 했다. 담임 선생님은 미술 선생님이었는데 특별 활동 시간으로 산악반을 맡고 있기도 했다. 매주 화요일 6교시, 일주일에 단 한 시간 활동하는 그 '특별'한 '활동'은 내 취향과는 아무런 상관 없이 시간 내내 산과 학교 사이를 뛰어 오가는 산악반으로 정해졌다.

나 3학년이 되면서 비로소 내가 좋아하는 특별 활동을 선택할 기회가 왔다. 나는 산악반의 경험에 비추어, 되도록 몸을 많이 움직이지 않는 특별 활동반을 점찍었는데 그게 바로 도서반이었다. 도서반 담당 선생님은 특별 활동의 첫날, 도서반이 할 일을 아주 짧고 쉽게 설명해 주었다.

"여러분 곁에는 책이 있다. 그 책 중에서 자기 마음에 드는 책을 골라서 읽고 수업이 끝나는 종소리가 울리면 가면 된다."

그리고 선생님 본인이 마음에 드는 책을 골라서 자리를 잡고 읽는 것으로 시범을 보여 주었다. 나는 책을 고르러 가는 아이들의 뒤를 따라가서 ㉠한자로 제목이 씌어 있어서 아이들이 거의 손을 대지 않는 책 가운데 하나를 꺼내 들었다.

다 그 책은 《한국 고전 문학 전집》 같은 묵직한 제목 아래 편집된 수십 권의 연속물 가운데 한 권이었다. 반드시 읽어야 한다는 것을 강조하는 고전 대부분이 그렇듯 책 표지는 사람의 손을 거의 거치지 않아서 깨끗했다. 지은이는 '박지원', 내가 처음으로 펴 든 대목은 〈허생전〉이었다.

라 나이가 두 자리 숫자가 되면서 무협지에 빠지기 시작해서 전학 오기 전 국내에 출간된 대부분의 무협지를 읽었다고 생각하고 있던 내게, 한문 문장을 번역한 예스러운 문체는 별 거부감이 없었다. 내용 역시 익숙했다. '허생'이라는 인물이 깊고 고요한 곳에 숨어 있으면서 실력을 쌓은 뒤에 일단 세상에 나갈 일이 생기자 한바탕 멋지게 세상을 뒤흔들어 놓고는 다시 제자리로 돌아온다. 무협지에서도 흔히 볼 수 있는 방식이었다.

마 〈허생전〉 다음에는 〈호질〉, 〈양반전〉도 있었다. 책이 꽤 두꺼웠으니 박지원의 저작 가운데 상당 부분이 책에 들어 있었을 것이다. 그런데 그 책 속의 주인공들은 내가 읽었던 수많은 무협지의 주인공과는 달라도 많이 달랐다. 무협지를 읽고 나면 주인공 이름 말고는 기억에 남는 게 없는데, 박지원의 소설은 주인공이 다음에 어떻게 되었을지 궁금해지고 내가 주인공이라면 어떻게 했을지 자꾸만 생각하게 만들었다. 한두 번 씹으면 단맛이 다 빠져 버리는 무협지와는 달리 그 책의 내용은 읽을수록 새로운 맛이 우러나왔다. 보석처럼 단단하고 품위 있는 문장은 아름답기까지 했다. 책을 읽으면서 내 정신세계가 무슨 ㉡보약을 먹은 듯이 한층 더 넓어지고 수준이 높아지는 듯한 느낌이 들었다. 일주일에 단 한 시간, 도서관에서 단 한 권의 책을 거듭 펴서 읽었을 뿐인데도.

바 중학교 3학년 1학기 특별 활동 시간에 나는 몇백 년 전 글을 쓴 사람의 숨결이 글을 다리로 하여 내게로 건너와 느껴지는 경험을 처음 해 보았다. 무엇보다 중요한 것은 그것이 무척 재미있었다는 것이다. 읽으면 내 피와 살이 되는 고전, 맛있는 고전, 내가 재미를 들인 최초의 고전이 우리의 조상이 쓴 것이라는 데에서 나오는 뿌듯함까지 맛볼 수 있었다.

3학년 2학기가 되었을 때 특별 활동 시간은 없어졌다. 내가 1학기의 특별 활동 시간에 읽은 것은 박지원의 책이 전부였다. 하지만 내가 지금 소설을 쓰고 있는 것은 바로 그 책 때문이라고 생각한다. ㉢특별하지 않은 특별 활동 시간에 읽은 아주 특별한 그 책이 내 일생을 바꾸었다.

사 누구에게나 그런 일이 일어날 수 있다. 모르고 지나갈 수도 있다. 어떤 책을 계기로 인간의 지극한 정신문화, 그 높고 그윽한 세계에 닿고 그의 일원이 되는 것은 겪어 보지 못한 사람은 알 수 없는 행복을 안겨 준다. 이 세상에 인간으로 나서 인간으로 살면서 인간다운 삶을 살고 드높은 가치를 추구하는 길을 책이 보여 준다. 책은 지구상에서 인간이라는 종(種)만이 알고 있는, 진정한 인간으로 나아가는 통로이다. 그래서 사람들은 말하는지도 모른다. 책 속에 길이 있다고.

---

01 이 글에 대한 설명으로 가장 적절한 것은?
80
① 올바른 독서 방법을 체계적으로 설명하고 있다.
② 자신의 경험을 통해 얻은 깨달음을 제시하고 있다.
③ 책에서 읽은 내용을 통해 사회 현실을 비판하고 있다.
④ 유명한 소설가의 삶을 객관적으로 평가하고 있다.
⑤ 다양한 표현 방법을 활용하여 등장인물의 외양을 자세히 묘사하고 있다.

02 (다)의 내용을 고려할 때, ㉠에서 짐작할 수 있는 고전에 대한 아이들의 생각은?
90
① 무협지와 비슷한 점이 많군.
② 내용이 어렵고 지루할 것 같아.
③ 문장이 아름답고 단단할 것 같아.
④ 중학생이라면 반드시 읽어야 하는 책이야.
⑤ 인간다운 삶을 살 수 있는 길을 안내해 줄 거야.

03 (라)의 내용을 참고할 때, 글쓴이가 고전을 낯설게 여기지 않은 이유로 알맞은 것은? (정답 2개)

① 무협지와 고전 모두 한문으로 쓰였기 때문이다.
② 반드시 읽어야 하는 내용을 다루고 있었기 때문이다.
③ 무협지와는 달리 유명한 인물이 작품에 등장했기 때문이다.
④ 인물의 행적과 사건 전개 방식이 무협지와 비슷했기 때문이다.
⑤ 한문 문장을 번역한 예스러운 문체가 평소 읽었던 무협지와 비슷했기 때문이다.

04 글쓴이가 비교한 무협지와 고전의 특징으로 가장 적절한 것은?

	무협지	고전
①	현대적인 문체	예스러운 문체
②	영웅적 인물이 등장함.	평범한 인물이 등장함.
③	한두 번 읽으면 싫증이 남.	읽을수록 어렵게 느껴짐.
④	지은이가 분명하게 밝혀져 있음.	지은이가 밝혀져 있지 않음.
⑤	주인공의 이름 외에는 기억에 남는 내용이 없음.	내가 주인공이라면 어떻게 했을지 자꾸만 생각하게 만듦.

05 글쓴이가 고전을 읽으며 한 생각으로 보기 어려운 것은?

① 작품의 내용이 무척 재미있군.
② 고단한 삶의 현실을 잠시 잊을 수 있군.
③ 이러한 책을 우리 조상이 쓴 것이라니 뿌듯하군.
④ 몇백 년 전 글을 쓴 사람의 숨결이 전해지는 것 같군.
⑤ 나의 정신세계가 넓어지고 높아지는 듯한 느낌이군.

06 글쓴이가 ⓛ과 같이 표현한 이유로 가장 적절한 것은?

① 고전과 무협지의 차이점을 강조하기 위해서
② 독서는 인간만이 누릴 수 있는 가치 있는 활동이기 때문에
③ 고전은 우리 선조들이 직접 창작한 작품이라는 것을 강조하기 위해서
④ 고전의 영향으로 소설가의 길을 걷게 되어 부와 명예를 얻을 수 있게 되었기 때문에
⑤ 책을 읽으며 정신세계가 한층 더 넓어지고 수준이 높아지는 듯한 느낌이 들었기 때문에

07 (바)의 내용을 참고할 때, ⓒ의 의미로 가장 알맞은 것은?

① 나눔의 중요성을 깨닫게 되었다.
② 현재의 직업을 선택하는 계기가 되었다.
③ 보약을 먹은 것처럼 건강을 되찾게 되었다.
④ 특별 활동으로 취향에 맞는 반을 선택하게 되었다.
⑤ 여러 분야의 책을 다양하게 읽어야겠다고 다짐하는 계기가 되었다.

서술형

08 글쓴이가 중학교 3학년 때 경험한 내용을 구체적으로 쓰고, 이를 통해 얻게 된 깨달음을 쓰시오.

_____

_____

09 이 글을 읽고 보인 반응으로 가장 적절한 것은?

① 읽기의 가치와 중요성에 대해 생각해 보는 계기가 되었어.
② 고전 소설이 현대 소설보다 재미있다는 것을 알게 되었어.
③ 소설가가 되려면 어려서부터 준비해야 한다는 것을 알게 되었어.
④ 고전을 읽기 위해서 한자 공부를 열심히 해야겠다는 생각이 들었어.
⑤ 진정한 성공을 위해서는 숨어서 실력을 키우는 과정이 필수라는 것을 깨닫게 되었어.

10 다음 중 글쓴이가 가장 바람직하다고 여길 만한 독서 태도를 가진 사람은?

① 자신의 수준보다 어려운 책을 선택하여 읽는 사람
② 일상생활에서 늘 책을 가까이하는 습관을 가진 사람
③ 한글로 된 책 보다는 영어로 된 책을 골라 읽는 사람
④ 한 권의 책을 모두 읽기보다는 요약본을 찾아 읽는 사람
⑤ 자신에게 필요한 책 외에는 가치가 없다고 생각하는 사람

02 다양한 표현 활용하여 글 쓰기

시험 포인트

1. 속담, 격언이나 명언, 관용 표현의 정의

속담	예로부터 전해 오는, 짧으면서도 교훈을 담고 있는 말
격언, 명언	오랜 역사적 생활 체험을 통해 이루어진 인생의 교훈이나 경계 등을 간결하게 표현한 짧은 글
①	둘 이상의 단어가 합쳐져 원래의 뜻과는 전혀 다른 새로운 뜻으로 굳어져서 쓰이는 표현

2. 다양한 표현을 활용했을 때의 효과

- 글의 표현이 다채로워진다.
- 독자의 흥미와 관심을 불러일으킬 수 있다.
- 글쓴이의 의도를 효과적으로 전달할 수 있다.
- 글쓴이의 생각과 느낌, 경험을 더욱 인상 깊고 생생하게 표현할 수 있다.

핵심 정리

1. 현지가 조사한 표현의 종류와 의미

서당 개 삼 년에 풍월을 읊는다.	속담, 어떤 분야의 지식과 경험이 전혀 없는 사람이라도 그 부문에 오래 있으면 얼마간의 지식과 경험을 갖게 됨.
황금 보기를 돌같이 하라.	명언, 고려 말기의 명장이자 재상인 최영에게 아버지가 유언으로 남긴 말로, 청렴결백하게 살아가라는 의미
코를 납작하게 만들다.	관용 표현, '기를 죽이다'라는 의미

2. 현지가 활용한 표현의 종류와 그 의미

- 속담

울며 겨자 먹기.	싫은 일을 억지로 마지못해 함.
누워서 떡 먹기.	하기가 매우 쉬운 것
급히 먹는 밥이 목이 멘다.	너무 급히 서둘러 일을 하면 잘못하고 실패하게 됨.

- 격언이나 명언

건강한 신체에 건강한 정신이 깃든다.	완전한 건강이란 육체와 정신이 함께 건강한 상태를 의미하는 것임을 표현한 말

- 관용 표현

혀를 차다.	마음이 언짢거나 유감의 뜻을 나타내다.
숨이 턱에 닿다.	몹시 숨이 차다.
씻은 듯이	아주 깨끗하게

- 참신한 발상을 통한 참신한 표현

지금은 쉼표가 필요할 때	비유를 활용해 주제를 인상 깊고 참신하게 표현함.
쉬어라, 좀 더 쉬어라, 충분히 쉬고 공부하라.	명언을 창의적으로 재해석하고 변형하여 표현함.

3. 현지가 글을 쓰면서 활용한 다양한 표현의 적절성

- 내용에 어울리는 속담과 관용 표현을 적절하게 인용함.
- 명언을 창의적으로 재해석하여 만든 새로운 표현으로 글에서 전달하고자 하는 ② 를 효과적으로 뒷받침함.

---

1 다음에 해당하는 표현을 쓰시오.

(1) 예로부터 전해 오는, 짧으면서도 교훈을 담고 있는 말 (   )

(2) 둘 이상의 단어가 합쳐져 원래의 뜻과는 전혀 다른 새로운 뜻으로 굳어져서 쓰이는 표현 (   )

(3) 오랜 역사적 생활 체험을 통해 이루어진 인생의 교훈이나 경계 등을 간결하게 표현한 짧은 글 (   )

2 글을 쓸 때 다양한 표현을 활용하면 (   )의 흥미와 관심을 불러일으킬 수 있고, (   )의 생각과 느낌, 경험을 효과적으로 전달할 수 있다.

3 다음 표현을 그 의미와 바르게 연결하시오.

㉠ 울며 겨자 먹기.　·　　·ⓐ 몹시 숨이 차다.

㉡ 숨이 턱에 닿다.　·　　·ⓑ 싫은 일을 억지로 마지못해 함.

㉢ 급히 먹는밥이 목이 멘다.　·　　·ⓒ 너무 급히 서둘러 일을 하면 잘못하고 실패하게 됨.

4 현지가 사용한 표현에 대한 설명으로 맞으면 ○표, 틀리면 ×표 하시오.

(1) 현지는 내용에 어울리는 속담과 관용 표현을 적절하게 사용했다. (   )

(2) 현지는 '매우 하기 쉬운 것'이라는 의미를 표현하기 위해 '씻은 듯이'라는 관용 표현을 사용했다. (   )

단원 종합 문제 기출 예상

[01~04] 다음 글을 읽고, 물음에 답하시오.

가 태경: 현지야, 어제 아버지와 등산 다녀왔다며?

현지: 응, 처음에는 억지로 따라가서 싫었는데, 막상 산에 오르니 기분이 상쾌해져서 좋았어.

태경: 국어 시간에 수필을 쓸 때 너는 그 경험을 소재로 삼으면 되겠네.

현지: 운동도 하고 글감도 찾고, 한마디로 ㉠꿩 먹고 알 먹기이지.

태경: 꿩 먹고 알 먹기? 너 그런 표현도 쓸 줄 알아?

현지: 글을 쓸 때 다양한 표현을 활용하면 좋을 것 같아서 조사 좀 해 봤지. 한번 볼래?

> **속담** 예로부터 전해 오는, 짧으면서도 교훈을 담고 있는 말.
> **예** 서당 개 삼 년에 풍월을 읊는다.
>
> **격언이나 명언** 오랜 역사적 생활 체험을 통해 이루어진 인생의 교훈이나 경계 등을 간결하게 표현한 짧은 글.
> **예** ㉡황금 보기를 돌같이 하라.
>
> **관용 표현** 둘 이상의 단어가 합쳐져 원래의 뜻과는 전혀 다른 새로운 뜻으로 굳어져서 쓰이는 표현.
> **예** 코를 납작하게 만들다.

태경: 글을 쓸 때 활용할 수 있는 표현이 다양하구나. 나는 이번에 충치 때문에 겪은 일을 글로 쓰려고 하는데, 네가 찾은 명언을 바꿔서 "초콜릿 보기를 돌같이 하라."라고 제목을 붙이면 재미있겠다.

현지: 오, 정말 참신하다! 나도 다양한 표현을 더 찾아보고, 너처럼 나만의 멋진 표현을 만들어 활용해야겠어.

나

처음	☆ 아버지와 등산하게 된 이유 　주말에 시험공부를 하려고 했는데, 아버지께서 등산을 가자고 하셔서 동네 뒷산에 억지로 따라갔다.
중간	☆ 등산하면서 느낀 어려움 　급하게 올라가려니 힘들어서 포기하고 중간에 내려가고 싶었다. ☆ 아버지의 가르침 　아버지께서 가르쳐 주신 대로 천천히 걸으니 계단을 올라가는 것이 힘들지 않았다. ☆ 정상에 올라 느낀 상쾌함 　정상에 올라 탁 트인 풍경을 바라보니 시험공부 때문에 쌓인 스트레스가 풀리고 머리가 맑아지는 것 같았다.
끝	☆ 등산을 다녀와서 깨달은 점 　공부하느라 마음의 여유를 잃었던 나 자신을 되돌아볼 수 있었다.

01 (가)를 통해 알 수 있는 내용이 아닌 것은?

① 글을 쓸 때에는 다양한 표현을 활용할 수 있다.

② 속담에는 예로부터 전해 오는 조상들의 교훈이 담겨 있다.

③ 관용 표현은 원래의 뜻과는 다른 새로운 뜻으로 굳어져 쓰인다.

④ 유명한 사람이 남긴 명언을 임의대로 바꾸어 표현하는 것은 바람직하지 않다.

⑤ 글을 쓸 때 활용할 수 있는 표현에는 속담, 격언이나 명언, 관용 표현 등이 있다.

02 고난도 다음 중 ㉠과 같은 의미가 아닌 것은?

① 누워서 떡 먹기.

② 일석이조(一石二鳥)

③ 일거양득(一擧兩得)

④ 굿도 보고 떡도 먹는다.

⑤ 알로 먹고 꿩으로 먹는다.

03 다음 중 ㉡의 의미로 가장 알맞은 것은?

① 진실하고 솔직해라.

② 청렴결백하게 살아가라.

③ 스스로 노력하는 자에게 복이 따른다.

④ 생활 속에서 항상 목적과 수단을 구분하라.

⑤ 한 분야에 오래 있으면 자연히 그 부문에 관한 지식을 갖게 된다.

04 (나)에 다음 표현을 활용하는 방법으로 가장 적절한 것은?

> 건강한 신체에 건강한 정신이 깃든다.

① '처음'에서 산에 억지로 따라가는 것이 불만인 '나'의 마음을 재미있게 표현하기 위해 활용해야겠어.

② '중간'에서 급하게 산을 오르다 호흡이 가빠져서 힘들었던 순간을 생생하게 묘사하는 데 활용해야겠어.

③ '중간'에 활용하면 '노력이 무엇보다 중요하다.'는 주제를 인상적으로 전달할 수 있겠어.

④ '중간'에 활용하면 정상에 올라 느꼈던 상쾌함을 더욱 멋지게 표현할 수 있겠어.

⑤ '끝'에서 아버지와 함께 한 등산을 후회하는 표현을 만들 때 활용하면 좋겠어.

[05~09] 다음 글을 읽고, 물음에 답하시오.

가

아버지와 함께 한 등산

지난 일요일 아침, 아버지께서 내 방문을 두드리시더니 아침을 먹고 같이 동네 뒷산에 가자고 하셨다. 나는 시험공부 때문에 시간이 없어서 안 된다고 버텼지만, 결국 울며 겨자 먹기로 아버지를 따라나섰다.

나 아버지께서 산을 오르다 보이는 나무를 가리키며 말을 거셨지만 나는 들은 척도 하지 않고 앞만 보고 걸어 올라갔다. 빨리 등산을 끝내고 집에 가고 싶은 마음뿐이었다. 아버지는 나의 이런 모습에 ㉠혀를 차시며 말씀하셨다.

"현지야, 등산은 그렇게 경주하듯이 하는 게 아니다."

그런 아버지께 이 정도는 **누워서 떡 먹기**라고 으스대며 앞서가는 것도 잠시, 경사진 길을 올라가다 보니 숨이 턱에 닿아 걸음이 느려졌다. 올라갈수록 운동화가 천근만근 무겁게 느껴졌다. 뒤따라오시던 아버지께 이제 더는 못 가겠다고, 그만 내려가자고 ㉡떼를 썼다.

다 아버지는 힘들어지면 잠깐 쉬었다가 올라가자고 하셨다. 더는 못 올라갈 것 같았지만, 아버지의 숨소리에 내 호흡을 맞추고 걷다 보니 어느새 정상이 눈앞에 있었다. 아버지는 ㉢"급히 먹는 밥이 목이 멘다."라는 속담처럼 너무 서두르면 오히려 목표를 이룰 수 없다는 것을 알려주고 싶으셨던 것이 아닐까?

라 산 정상에 올라 탁 트인 마을 풍경을 바라보니 시험공부 때문에 쌓인 스트레스가 씻은 듯이 사라졌다. 시원한 바람에 머리가 맑아지는 것을 느끼며 ㉣"건강한 신체에 건강한 정신이 깃든다."라는 말을 실감했다.

마 아버지와 등산을 하면서 적당한 휴식이 목표를 달성하는 데 도움이 된다는 것을 깨달았다. 독일의 정치인 비스마르크는 ㉤"청년들이여 일하라, 좀 더 일하라, 끝까지 열심히 일하라."라고 말했다. 나는 "쉬어라, 좀 더 쉬어라, 충분히 쉬고 공부하라."라고 말하고 싶다. 우리에게는 지금 쉼표가 필요하기 때문이다.

05 이 글의 제목(ⓐ)과 다음(ⓑ)을 비교한 내용으로 가장 적절한 것은?
(90)

지금은 쉼표가 필요할 때

① ⓐ를 ⓑ로 바꿔 쓰면 글의 주제가 달라질 것이다.
② ⓐ보다 ⓑ가 더 독자의 관심과 흥미를 끌 수 있다.
③ ⓐ보다 ⓑ가 사실을 담백하게 표현하는 장점이 있다.
④ ⓑ에 비해 ⓐ가 글의 내용을 비유적으로 표현한다.
⑤ ⓑ에 비해 ⓐ가 등산을 하며 깨달은 점을 더욱 효과적으로 드러낼 수 있다.

06 ㉠~㉤ 중, 〈보기〉와 같은 표현의 종류에 해당하는 것은?
(80)

┤ 보기 ├

'발이 넓다.'라는 표현을 살펴보면 원래는 '발의 넓이가 넓다.'라는 뜻이지만 관용적으로 쓰일 때에는 '아는 사람이 많다.'라는 새로운 의미를 갖는다.

① ㉠ ② ㉡ ③ ㉢ ④ ㉣ ⑤ ㉤

주관식

07 다음에서 (나)의 '누워서 떡먹기'에 대한 설명으로 알맞은 것을 모두 고르시오.
(90)

ⓐ 하기가 매우 쉬운 것을 비유적으로 이르는 표현이다.
ⓑ 현지의 태도를 못마땅해 하는 아버지의 심리가 생생하게 드러나는 표현이다.
ⓒ 글의 주제를 강조하기 위해 현지가 새롭게 만들어 낸 참신하고 창의적인 표현이다.
ⓓ 산에 오르는 일을 쉽게 여긴 현지의 태도를 인상적이고 간결하게 나타내는 표현이다.

08 이 글의 주제로 가장 알맞은 것은?
(90)
① 최선이 언제나 좋은 결과로 이어지지는 않는다.
② 적당한 휴식은 목표를 달성하는 데 도움이 된다.
③ 목표를 이루기 위해서는 힘과 정성을 쏟아 노력해야 한다.
④ 성공이란 열정을 잃지 않고 실패를 거듭할 수 있는 능력이다.
⑤ 무슨 일이든지 오랫동안 꾸준히 노력하면 마침내 성공하게 된다.

서술형

09 (마)에서 현지가 이 글의 주제를 전달하기 위해 사용한 표현을 찾아 쓰고, 이 표현이 적절한지 평가하여 서술하시오.
(85)

선택 학습 기출 예상

[01~10] 다음 글을 읽고, 물음에 답하시오.

가 음악인 전제덕: 책을 처음 펼쳤을 때 보이는 차례를 굉장히 중요하게 생각합니다. 작가들이 차례의 제목을 대충 붙여 놓았다고 생각하지 않거든요. 제목 속에 먼 미래도 보이고, 가까운 앞날도 보이는 것 같아서 일단 그 제목들을 상당히 중요하게 생각합니다. 그리고 좀 긴 책은 작가 서문을 꼭 보지요. 작가가 이야기하고 싶은 것들이 서문 안에 얼마만큼은 들어가 있다고 보거든요.

나 영화 평론가 이동진: 땅을 깊게 파려면 일단 넓게 파야 해요. 처음부터 깊게만 파려고 하면, 깊이 파는 데 한계가 있어요. 저는 독서도 똑같다고 생각해요. 예를 들어서 좋은 영화 평론가가 되려면 영화책만 100권을 읽을 게 아니라, 영화책 10권, 소설책 20권, 시집 10권, 자연 과학서 10권, 이런 식으로 100권을 봐야 한다고 봐요. 하나만 아는 것은 아무것도 모르는 것과 같으니까요.

다 물리학자 정재승: 저는 책들과 책들 사이의 관계에 굉장히 관심이 많아요. 책의 지도를 머릿속에 그린다고 할까요? 이 책은 이 책 자체로서 의미가 있다기보다는, 그전에 나온 책을 극복하고자, 혹은 지지하고자, 그것이 진실이 아님을 밝히고자 나오는 등 책들 사이에 연관 관계가 있거든요. 때로는 한 작가가 쓴 책들이 서로 연결되기도 하고, 한 주제의 책들이 또 다시 연결되기도 하고……. 그런 (㉠), 그것이 제가 평소에 하는 독서법입니다.

라

마

주관식

01 다음에서 '음악인 전제덕'이 책을 읽기 전 중요하게 살펴보는 것을 모두 고르시오.
(85)

ⓐ 책의 종류 ⓑ 책의 가격 ⓒ 책의 차례
ⓓ 작가의 서문 ⓔ 출판사의 인지도

서술형

02 '영화 평론가 이동진'이 독서하는 방법을 쓰시오.
(90)

_____

_____

03 (다)의 내용을 고려할 때, ㉠에 들어가기에 가장 알맞은 독서법은?
(80)
① 책에 담긴 의미를 생각하며 읽는 것
② 책의 내용을 필사(筆寫)하며 읽는 것
③ 책의 내용을 비판적인 시각으로 바라보는 것
④ 책들의 관계를 따라가면서 계속 책을 읽는 것
⑤ 전공 분야인 물리학과 관련이 있는 책을 전문적으로 읽는 것

04 (가)~(다)를 읽은 후의 반응으로 적절하지 않은 것은?
(90)
① '음악인 전제덕'처럼 책을 읽기 전에 책의 차례를 먼저 봐야겠어.
② '음악인 전제덕'처럼 작가의 서문을 읽으며 작가가 이야기하고 싶은 것이 무엇인지 살펴봐야겠어.
③ '영화 평론가 이동진'처럼 시집을 위주로 책을 읽어야겠어.
④ '물리학자 정재승'처럼 한 작가가 쓴 여러 책을 읽어봐야겠어.
⑤ '물리학자 정재승'처럼 책들 사이의 관계에 관심을 가져봐야겠어.

05 (라), (마)의 공통점으로 알맞은 것은?
(85)
① 개인의 이익을 위해 홍보하는 광고이다.
② 공공의 이익을 목적으로 하는 광고이다.
③ 기업에 대한 좋은 인상을 심어 주기 위한 광고이다.
④ 청각적 요소를 위주로 공공의 이익을 추구하기 위한 광고이다.
⑤ 상품에 대한 정보를 전달하며 소비자가 상품을 구매하도록 설득하는 광고이다.

06 (라), (마)와 같은 광고에 대한 설명으로 가장 적절한 것은?
⑨⓪

① 대화, 독백 등 다양한 말하기 방식을 사용한다.

② 음성 표현과 효과음, 배경 음악 등을 사용한다.

③ 주로 동영상으로 제시하므로 광고 내용을 이야기 형태로 제시하는 경우가 많다.

④ 깊은 인상을 남기기 위해 영상을 중심으로 문자와 음성을 동시에 결합하여 표현한다.

⑤ 비유적 표현이나 재미있는 광고 문구를 만들어 활용하거나, 글꼴이나 글자 크기, 색깔 등을 조절하여 제시한다.

07 (라)에 대한 설명으로 가장 알맞은 것은?
⑧⑤

① 인터넷 매체의 신속성을 고려하여 만들어졌다.

② 인터넷 댓글 문화를 개선하려는 의도를 담고 있다.

③ 독자의 머릿속에 강한 인상을 남기기 위해 비속어를 활용하고 있다.

④ 사람들에게 널리 알려진 명언을 인용하여 기획 의도를 인상적으로 전달하고 있다.

⑤ '윗글'과 '아랫글'을 서로 대비되도록 표기하여 올바른 문화 전승의 태도를 강조하고 있다.

★ 🔖서술형
08 (라)에 사용된 광고 문구의 시각적 특징을 쓰고, 그 효과를 서술하시오.
⑨⓪

🎓고난도
09 다음 중 (마)에 사용된 단어의 관계와 같은 것은?
⑧⓪

① 윗물이 맑아야 아랫물이 맑다.

② 내 마음은 호수요 그대 노 저어 오오.

③ 흐르는 세월은 멈출 수 없지만 흐르는 물은 멈출 수 있습니다.

④ 은지는 배를 키우는 과수원에 가기 위해 배를 타고 강을 건넜다.

⑤ 머리가 좋아야 공부를 잘한다는 말을 듣고 그는 머리를 끄덕였다.

🔖주관식
10 (마)의 광고를 통해 해결하고자 하는 문제를 4어절로 쓰시오.
⑧⑤

11 다음 중 읽기를 생활화하지 못한 사람은?
⑧⓪

① 하루에 10분씩 꾸준히 책을 읽는 민재

② 독서 토론 동아리를 만들어 운영하는 하늘

③ 동네 도서관의 행사에 정기적으로 참여하는 수영

④ 평소 재미없는 책도 끝까지 읽으려고 노력하는 나경

⑤ 학교 과제를 위해 교과서를 그대로 암기하는 경아

🔖신유형
12 다음 중 속담을 적절히 활용하여 독서를 생활화하기 위한 다짐을 표현한 것은?
⑧⓪

① 지금 내가 읽는 책들이 나의 미래를 만든다!

② 내 꿈을 이룰 수 있는 책을 찾아 열심히 읽자!

③ 가랑비에 옷 젖듯이 10분씩 꾸준히 책을 읽는 습관을 기르자.

④ 입에 쓴 약이 몸에 좋다! 흥미를 느낄 만한 책만 선별하여 읽자!

⑤ 고래 싸움에 새우 등 터진다. 재미없는 책도 끝까지 읽으려고 노력하자.

13 다음에 대한 설명으로 가장 적절한 것은?
⑧⓪

> 흐르는 세월은 멈출 수 없지만 흐르는 물은 멈출 수 있습니다.   – 대한민국 공익 광고제 학생부 동상 수상작

① 대비되는 표현을 사용하여 주제를 더욱 강조하고 있다.

② 동음이의어를 사용하여 주제를 재미있게 전달하고 있다.

③ 의인법을 사용하여 사람이 아닌 것을 사람처럼 표현하고 있다.

④ 직유법을 사용하여 원관념과 보조 관념 사이의 관계를 강조하고 있다.

⑤ 속담을 참신하게 바꾼 표현을 사용하여 보는 이의 흥미를 유발하고 있다.

대단원 종합 문제

[01~05] 다음 글을 읽고, 물음에 답하시오.

가 사방이 산으로 둘러싸인 곳에서 태어나 아침에 눈을 떠서 저녁에 감을 때까지 늘 산을 보아야 하는 곳에서 중학교 1학년까지를 보내고 2학년 봄, 서울의 남쪽 관악산이 올려다보이는 중학교에 전학을 했다. 담임 선생님은 미술 선생님이었는데 특별 활동 시간으로 산악반을 맡고 있기도 했다. 매주 화요일 6교시, 일주일에 단 한 시간 활동하는 그 '특별'한 '활동'은 내 취향과는 아무런 상관 없이 시간 내내 산과 학교 사이를 뛰어 오가는 산악반으로 정해졌다.

나 ㉠3학년이 되면서 비로소 내가 좋아하는 특별 활동을 선택할 기회가 왔다. 나는 산악반의 경험에 비추어, 되도록 몸을 많이 움직이지 않는 특별 활동반을 점찍었는데 그게 바로 도서반이었다. 도서반 담당 선생님은 특별 활동의 첫날, ㉡도서반이 할 일을 아주 짧고 쉽게 설명해 주었다.

"여러분 곁에는 책이 있다. 그 책 중에서 자기 마음에 드는 책을 골라서 읽고 수업이 끝나는 종소리가 울리면 가면 된다."

그리고 선생님 본인이 마음에 드는 책을 골라서 자리를 잡고 읽는 것으로 시범을 보여 주었다. 나는 책을 고르러 가는 아이들의 뒤를 따라가서 한자로 제목이 씌어 있어서 ㉢아이들이 거의 손을 대지 않는 책 가운데 하나를 꺼내 들었다.

다 그 책은 《한국 고전 문학 전집》 같은 묵직한 제목 아래 편집된 수십 권의 연속물 가운데 한 권이었다. 반드시 읽어야 한다는 것을 강조하는 고전 대부분이 그렇듯 책 표지는 사람의 손을 거의 거치지 않아서 깨끗했다. ㉣지은이는 '박지원', 내가 처음으로 펴 든 대목은 〈허생전〉이었다.

라 나이가 두 자리 숫자가 되면서 무협지에 빠지기 시작해서 전학 오기 전 국내에 출간된 대부분의 무협지를 읽었다고 생각하고 있던 내게, 한문 문장을 번역한 예스러운 문체는 별 거부감이 없었다. 내용 역시 익숙했다. '허생'이라는 인물이 깊고 고요한 곳에 숨어 있으면서 실력을 쌓은 뒤에 일단 세상에 나갈 일이 생기자 한바탕 멋지게 세상을 뒤흔들어 놓고는 다시 제자리로 돌아온다. ㉤무협지에서도 흔히 볼 수 있는 방식이었다.

주관식

01 다음에서 이 글의 갈래상의 특징으로 알맞은 것을 모두 고르시오.

> ⓐ 허구적으로 이야기를 꾸민 문학 양식이다.
> ⓑ 글쓴이의 개성과 가치관이 두드러지게 나타난다.
> ⓒ 일상생활에서 경험할 수 있는 다양한 일들을 소재로 한다.
> ⓓ 자연이나 인생에 대하여 일어나는 감흥과 사상 등을 함축적이고 운율 있는 언어로 표현한다.

02 글쓴이가 경험한 내용으로 알맞지 않은 것은?

① 고전 소설 중 박지원의 〈허생전〉을 가장 먼저 읽었다.
② 고전 소설을 읽으며 글의 구성 방식이 무협지와 비슷하다고 생각했다.
③ 중학교 3학년 특별 활동 시간에 도서반에서 책을 읽는 활동을 하게 되었다.
④ 중학교 2학년 때 전학 후 처음 한 특별 활동은 자신의 취향과는 상관이 없었다.
⑤ 고전 소설을 읽으며 문체가 낯설게 느껴졌지만 계속해서 읽다보니 고전의 문체에 익숙해졌다.

03 글쓴이가 도서반을 선택한 이유로 가장 알맞은 것은?

① 산악반과 비슷한 활동을 했기 때문에
② 평소에 독서에 관심이 많았기 때문에
③ 담임 선생님이 맡고 있던 특별 활동반이기 때문에
④ 친구들이 가장 많이 선택한 특별 활동반이었기 때문에
⑤ 몸을 많이 움직이지 않는 특별 활동반을 선택하고 싶었기 때문에

04 ㉠~㉤에 대한 설명으로 알맞은 것은?

① ㉠: 글쓴이가 산악반 활동을 하게 된 이유이다.
② ㉡: 고전을 찾아 읽고 이해하는 일을 의미한다.
③ ㉢: 고전에 대한 글쓴이의 편견이 드러난다.
④ ㉣: 글쓴이가 허생의 경제관을 본받고자 〈허생전〉을 선택했음을 알 수 있다.
⑤ ㉤: 한 인물이 숨어 지내다가 실력을 쌓은 뒤에 세상에 나아가 한바탕 세상을 뒤흔들고 다시 제자리로 돌아오는 방식을 의미한다.

서술형

05 (라)에서 글쓴이가 고전에 거부감을 느끼지 않은 이유를 두 가지 쓰시오.

가 〈허생전〉 다음에는 〈호질〉, 〈양반전〉도 있었다. 책이 꽤 두꺼웠으니 박지원의 저작 가운데 상당 부분이 책에 들어 있었을 것이다. 그런데 그 책 속의 주인공들은 내가 읽었던 수많은 무협지의 주인공과는 달라도 많이 달랐다. 무협지를 읽고 나면 주인공 이름 말고는 기억에 남는 게 없는데, 박지원의 소설은 주인공이 다음에 어떻게 되었을지 궁금해지고 내가 주인공이라면 어떻게 했을지 자꾸만 생각하게 만들었다. 한두 번 씹으면 단맛이 다 빠져 버리는 무협지와는 달리 그 책의 내용은 읽을수록 새로운 맛이 우러나왔다. 보석처럼 단단하고 품위 있는 문장은 아름답기까지 했다. 책을 읽으면서 내 정신세계가 무슨 보약을 먹은 듯이 한층 더 넓어지고 수준이 높아지는 듯한 느낌이 들었다. 일주일에 단 한 시간, 도서관에서 단 한 권의 책을 거듭 펴서 읽었을 뿐인데도.

나 중학교 3학년 1학기 특별 활동 시간에 나는 몇백 년 전 글을 쓴 사람의 숨결이 글을 다리로 하여 내게로 건너와 느껴지는 경험을 처음 해 보았다. 무엇보다 중요한 것은 그것이 무척 재미있었다는 것이다. 읽으면 내 피와 살이 되는 고전, 맛있는 고전, 내가 재미를 들인 최초의 고전이 우리의 조상이 쓴 것이라는 데에서 나오는 뿌듯함까지 맛볼 수 있었다.

다 3학년 2학기가 되었을 때 특별 활동 시간은 없어졌다. 내가 1학기의 특별 활동 시간에 읽은 것은 박지원의 책이 전부였다. 하지만 내가 지금 소설을 쓰고 있는 것은 바로 그 책 때문이라고 생각한다. 특별하지 않은 특별 활동 시간에 읽은 아주 특별한 그 책이 내 일생을 바꾸었다.

라 누구에게나 그런 일이 일어날 수 있다. 모르고 지나갈 수도 있다. 어떤 책을 계기로 인간의 지극한 정신문화, 그 높고 그윽한 세계에 닿고 그의 일원이 되는 것은 겪어 보지 못한 사람은 알 수 없는 행복을 안겨 준다. 이 세상에 인간으로 나서 인간으로 살면서 인간다운 삶을 살고 드높은 가치를 추구하는 길을 책이 보여 준다. 책은 지구상에서 인간이라는 종(種)만이 알고 있는, 진정한 인간으로 나아가는 통로이다. 그래서 사람들은 말하는지도 모른다. 책 속에 길이 있다고.

06 이 글의 특징으로 가장 알맞은 것은?
(85)
① 글쓴이의 경험을 통해 얻게 된 깨달음이 나타난다.
② 소설가가 될 수 있는 방법을 구체적으로 제시했다.
③ 과장과 익살을 통해 학창 시절의 추억을 표현했다.
④ 고전 문학과 현대 문학의 공통점과 차이점을 제시했다.
⑤ 어른이 된 글쓴이가 어린 시절의 자신에게 가르침을 주는 구조이다.

07 고전을 읽은 후에 든 글쓴이의 생각으로 알맞지 않은 것은?
(90)
① 읽는 즐거움이 있다.
② 문장이 품위 있고 아름답다.
③ 주인공의 이름만 기억에 남는다.
④ 읽을수록 새로운 맛이 우러난다.
⑤ 글을 쓴 사람의 숨결이 전해진다.

 주관식

08 이 글에서 글쓴이가 제시한 읽기의 가치를 모두 고르시오.
(95)

ⓐ 지극한 정신문화를 체험할 수 있다.
ⓑ 안정된 직업을 가질 수 있는 길이다.
ⓒ 진정한 인간으로 나아가는 통로이다.
ⓓ 인간다운 삶을 살 수 있는 길을 보여 준다.

고난도

09 이 글의 글쓴이가 공감할 만한 내용으로 가장 적절할 것은?
(85)
① 자기의 마음을 반성하고 살피는 습관을 가져야 한다.
② 책 읽기를 통해 삶을 더욱 의미 있게 만들 수 있다.
③ 자신의 이익보다는 다른 이의 이익을 위해 살아야 한다.
④ 정독(精讀)보다는 다독(多讀)하는 태도를 지향해야 한다.
⑤ 새로운 분야를 개척하는 데 독서를 수단으로 활용해야 한다.

10 읽기의 생활화에 대한 설명으로 적절하지 않은 것은?
(90)
① 스스로 읽고 싶은 책을 찾아서 꾸준히 읽는 습관을 기른다.
② 읽기를 생활화하기 위해서는 읽기에 대해 긍정적인 태도를 가지고 책을 꾸준히 읽어야 한다.
③ 읽기를 생활화하면 몰랐던 사실을 새롭게 깨닫고 더욱 높은 수준의 정신세계를 만들어 나갈 수 있다.
④ 책에서 다양한 삶의 모습을 접하는 것은 불가능하므로 일상생활 속에서 체험을 통해 경험을 쌓는 것이 중요하다.
⑤ 읽기를 통해 다른 사람들의 다양한 경험과 생각을 접함으로써 책을 읽는 사람 역시 자신의 삶을 풍성하고 의미 있게 만들 수 있다.

[11~14] 다음 글을 읽고, 물음에 답하시오.

아버지와 함께 한 등산

지난 일요일 아침, 아버지께서 내 방문을 두드리시더니 아침을 먹고 같이 동네 뒷산에 가자고 하셨다. 나는 시험공부 때문에 시간이 없어서 안 된다고 버텼지만, 결국 ㉠울며 겨자 먹기로 아버지를 따라나섰다.

아버지께서 산을 오르다 보이는 나무를 가리키며 말을 거셨지만 나는 들은 척도 하지 않고 앞만 보고 걸어 올라갔다. 빨리 등산을 끝내고 집에 가고 싶은 마음뿐이었다. 아버지는 나의 이런 모습에 언짢아하시며 말씀하셨다.

"현지야, 등산은 그렇게 경주하듯이 하는 게 아니다."

그런 아버지께 ㉡이 정도는 쉬운 일이라고 으스대며 앞서가는 것도 잠시, 경사진 길을 올라가다 보니 숨이 턱에 닿아 걸음이 느려졌다. 올라갈수록 운동화가 천근만근 무겁게 느껴졌다. 뒤따라오시던 아버지께 이제 더는 못 가겠다고, 그만 내려가자고 떼를 썼다.

"너무 급하게 올라와서 힘든 거다. 천천히 쉬엄쉬엄 걸어 보자."

아버지는 힘들어지면 잠깐 쉬었다가 올라가자고 하셨다. 더는 못 올라갈 것 같았지만, 아버지의 숨소리에 내 호흡을 맞추고 걷다 보니 어느새 정상이 눈앞에 있었다. 아버지는 "급히 먹는 밥이 목이 멘다."라는 속담처럼 너무 서두르면 오히려 목표를 이룰 수 없다는 것을 알려주고 싶으셨던 것이 아닐까?

산 정상에 올라 탁 트인 마을 풍경을 바라보니 시험공부 때문에 쌓인 스트레스가 모두 사라졌다. 시원한 바람에 머리가 맑아지는 것을 느끼며 "건강한 신체에 건강한 정신이 깃든다."라는 말을 실감했다.

아버지와 등산을 하면서 적당한 휴식이 목표를 달성하는 데 도움이 된다는 것을 깨달았다. 독일의 정치인 비스마르크는 "청년들이여 일하라, 좀 더 일하라, 끝까지 열심히 일하라."라고 말했다. 나는 "쉬어라, 좀 더 쉬어라, 충분히 쉬고 공부하라."라고 말하고 싶다. 우리에게는 지금 쉼표가 필요하기 때문이다. 다음 주에는 내가 먼저 아버지께 뒷산에 오르자고 말씀드려야겠다.

11 ⭐
(90) 다양한 표현을 활용하여 글을 쓸 때 고려해야 할 점으로 가장 적절한 것은?
① 최대한 많은 표현을 활용해야 한다.
② 명언은 변형하거나 수정해서는 안 된다.
③ 글의 내용과 의도에 맞게 표현해야 한다.
④ 자신이 직접 만든 참신한 표현만 활용해야 한다.
⑤ 독자의 흥미를 끌 수 있는 자극적인 표현을 활용해야 한다.

12 다음은 이 글을 쓰기 위해 작성한 개요이다. 글의 내용과
(85) 일치하지 않는 것은?

처음	• 아버지와 등산하게 된 이유 주말에 시험공부를 하려고 했는데, 아버지께서 등산을 가자고 하셔서 동네 뒷산에 억지로 따라갔다. ·············· ①
중간	• 등산하면서 느낀 어려움 급하게 올라가려니 힘들어서 포기하고 중간에 내려오게 되었다. ·············· ② • 아버지의 가르침 아버지께서 가르쳐 주신 대로 천천히 걸으니 계단을 올라가는 것이 힘들지 않았다. ········· ③ • 정상에 올라 느낀 상쾌함 정상에 올라 탁 트인 풍경을 바라보니 시험공부 때문에 쌓인 스트레스가 풀리고 머리가 맑아지는 것 같았다. ·············· ④
끝	• 등산을 다녀와서 깨달은 점 공부하느라 마음의 여유를 잃었던 나 자신을 되돌아볼 수 있었다. ·············· ⑤

13 ⭐
(90) ㉠에 대한 설명으로 가장 적절한 것은?
① 익살과 재치가 담긴 널리 알려진 말이다.
② 예로부터 전해 오는, 짧으면서도 교훈을 담고 있는 말이다.
③ 한자 네 자로 이루어졌으며, 교훈이나 유래를 담고 있는 말이다.
④ 둘 이상의 단어가 합쳐져 원래의 뜻과는 전혀 다른 새로운 뜻으로 굳어져서 쓰이는 말이다.
⑤ 오랜 역사적 체험을 통해 이루어진 인생의 교훈이나 경계 등을 간결하게 표현한 짧은 글이다.

14 고난도
(85) ㉡을 대신할 수 있는 표현으로 가장 적절한 것은?
① 누운 소 타기
② 바늘 가는 데 실 간다.
③ 가까이 앉아야 정이 두터워진다.
④ 사나운 개도 먹여 주는 사람은 안다.
⑤ 하나를 가르치자면 열 백을 알아야 한다.

[15~18] 다음 글을 읽고, 물음에 답하시오.

가　　　　　　　지금은 쉼표가 필요할 때

　지난 일요일 아침, 아버지께서 내 방문을 두드리시더니 아침을 먹고 같이 동네 뒷산에 가자고 하셨다. 나는 시험공부 때문에 시간이 없어서 안 된다고 버텼지만, 결국 울며 겨자 먹기로 아버지를 따라나섰다.

나　아버지께서 산을 오르다 보이는 나무를 가리키며 말을 거셨지만 나는 들은 척도 하지 않고 앞만 보고 걸어 올라갔다. 빨리 등산을 끝내고 집에 가고 싶은 마음뿐이었다. 아버지는 나의 이런 모습에 혀를 차시며 말씀하셨다.

　"현지야, 등산은 그렇게 경주하듯이 하는 게 아니다."

다　그런 아버지께 이 정도는 누워서 떡 먹기라고 으스대며 앞서가는 것도 잠시, 경사진 길을 올라가다 보니 숨이 턱에 닿아 걸음이 느려졌다. 올라갈수록 운동화가 천근만근 무겁게 느껴졌다. 뒤따라오시던 아버지께 이제 더는 못 가겠다고, 그만 내려가자고 떼를 썼다.

　"너무 급하게 올라와서 힘든 거다. 천천히 쉬엄쉬엄 걸어 보자."

라　아버지는 힘들어지면 잠깐 쉬었다가 올라가자고 하셨다. 더는 못 올라갈 것 같았지만, 아버지의 숨소리에 내 호흡을 맞추고 걷다 보니 어느새 정상이 눈앞에 있었다. 아버지는 "급히 먹는 밥이 목이 멘다."라는 속담처럼 너무 서두르면 오히려 목표를 이룰 수 없다는 것을 알려주고 싶으셨던 것이 아닐까?

마　산 정상에 올라 탁 트인 마을 풍경을 바라보니 시험공부 때문에 쌓인 스트레스가 ㉠아주 깨끗하게 사라졌다. 시원한 바람에 머리가 맑아지는 것을 느끼며 （　㉡　）라는 말을 실감했다.

바　아버지와 등산을 하면서 적당한 휴식이 목표를 달성하는 데 도움이 된다는 것을 깨달았다. 독일의 정치인 비스마르크는 "청년들이여 일하라, 좀 더 일하라, 끝까지 열심히 일하라."라고 말했다. 나는 "쉬어라, 좀 더 쉬어라, 충분히 쉬고 공부하라."라고 말하고 싶다. 우리에게는 지금 쉼표가 필요하기 때문이다. 다음 주에는 내가 먼저 아버지께 뒷산에 오르자고 말씀드려야겠다.

★15　다음 중 이 글에 사용되지 않은 표현은?
(95)
① '몹시 숨이 차다'는 의미의 관용 표현
② 기존의 명언을 새롭게 변형한 참신한 표현
③ 싫은 일을 억지로 마지못해 함을 이르는 속담
④ '마음이 언짢거나 유감의 뜻을 나타내다.'라는 뜻의 관용 표현
⑤ '무슨 일이든 오래 보고 들으면 지식을 갖게 된다.'는 뜻의 속담

16 〔고난도〕　다음 중 ㉠를 바꾸어 쓰기에 적절한 관용 표현을 포함하고 있는 문장은?
(85)
① 경제가 눈에 띄게 성장했다.
② 그는 임원이 되더니 목에 힘을 주고 다닌다.
③ 며칠 만에 어머니의 병이 씻은 듯이 나았다.
④ 이제는 어깨를 펴고 또렷한 목소리로 말할 수 있다.
⑤ 선생님의 말에 갑자기 찬물을 끼얹은 듯 잠잠해졌다.

★17　다음 중 ㉡에 들어갈 표현으로 가장 적절한 것은?
(90)
① 구르는 돌은 이끼가 안 낀다.
② 열 번 찍어 아니 넘어가는 나무 없다.
③ 건강한 신체에 건강한 정신이 깃든다.
④ 부모 말을 들으면 자다가도 떡이 생긴다.
⑤ 성공한 사람이 아니라 가치 있는 사람이 되기 위해 힘쓰라.

18 　이 글에서 (바)의 역할로 가장 알맞은 것은?
(80)
① 중심이 되는 문제 상황을 제시한다.
② 글쓴이의 주장에 대한 근거를 제시한다.
③ 설명할 대상과 글을 쓰는 이유를 제시한다.
④ 글쓴이가 경험한 내용을 구체적으로 제시한다.
⑤ 경험을 통해 글쓴이가 느낀 깨달음을 제시한다.

19 〔고난도〕　다음 표현에 대한 설명으로 알맞은 것은? (정답 2개)
(90)
> ⓐ 코를 납작하게 만들다.
> ⓑ 서당 개 삼 년에 풍월을 읊는다.
> ⓒ 천재는 1퍼센트의 영감과 99퍼센트의 노력으로 이루어진다.
> 　　　　　　　　　　　　　　　　　– 에디슨

① ⓐ~ⓒ는 모두 노력의 중요성을 강조하는 표현이다.
② ⓐ는 '코가 판판하고 얇으면서 좀 넓어지다'라는 의미이다.
③ ⓐ는 두 개 이상의 낱말이 굳어져 한 낱말처럼 쓰이므로 그 표현을 마음대로 바꾸어 쓸 수 없다.
④ ⓑ는 예로부터 전해 내려오는 교훈을 포함한 짧은 말이다.
⑤ ⓒ는 수양을 쌓은 사람일수록 남 앞에서 자기를 내세우지 않는다는 것을 비유적으로 이르는 말이다.

[20~24] 다음 글을 읽고, 물음에 답하시오.

가 음악인 전제덕: 책을 처음 펼쳤을 때 보이는 차례를 굉장히 중요하게 생각합니다. 작가들이 차례의 제목을 대충 붙여 놓았다고 생각하지 않거든요. 제목 속에 먼 미래도 보이고, 가까운 앞날도 보이는 것 같아서 일단 그 제목들을 상당히 중요하게 생각합니다. 그리고 좀 긴 책은 작가의 (㉠)을 꼭 보지요. 작가가 이야기하고 싶은 것들이 (㉠) 안에 얼마만큼은 들어가 있다고 보거든요.

나 영화 평론가 이동진: 땅을 깊게 파려면 일단 넓게 파야 해요. 처음부터 깊게만 파려고 하면, 깊이 파는 데 한계가 있어요. 저는 독서도 똑같다고 생각해요. 예를 들어서 좋은 영화 평론가가 되려면 영화책만 100권을 읽을 게 아니라, 영화책 10권, 소설책 20권, 시집 10권, 자연 과학서 10권, 이런 식으로 100권을 봐야 한다고 봐요. 하나만 아는 것은 아무것도 모르는 것과 같으니까요.

다 책 읽기는 타자(他者)라는 거울을 빌려서 자기를 비춰 보는 과정이라고 할 수 있습니다. 자기를 돌아보고 성찰하면서 자기 생각을 확장하는 것이지요. 또 새로운 것과 접속하고 자기 삶의 쇄신을 이루어 가는 과정이기도 하고요. 책 읽기를 통해 자기 삶을 보다 의미 있게 만들어 갑니다. 또 나뿐만 아니라 남에게도 도움이 되는 이타주의적인 삶의 중요성을 깨우칠 수도 있습니다. 한마디로 책 읽기란 좀 더 나은 사람이 되려는 하나의 방식이라고 생각합니다.

라

마

20 (가)의 내용을 고려했을 때, ㉠에 공통적으로 들어갈 내용으로 가장 적절한 것은?
① 경력
② 서문
③ 기존 작품
④ 독서 방법
⑤ 이름과 나이

21 (나)에서 강조하는 독서 방법으로 가장 알맞은 것은?
① 편독(偏讀)하지 않고 두루 읽는다.
② 최대한 빠른 속도로 반복하여 읽는다.
③ 뜻을 새겨 가며 자세히 정독(精讀)한다.
④ 한 권의 책을 처음부터 끝까지 훑어 읽는다.
⑤ 필요하거나 중요한 부분만 가려 뽑아 읽는다.

22 읽기의 가치에 대해 (다)와 가장 유사한 생각을 가진 사람은?
① 동민: 책이 나의 삶에 큰 영향을 미치지는 못하는 것 같아.
② 희지: 책 읽기는 전문성을 갖추기 위해 꼭 필요한 과정이야.
③ 서연: 책을 읽으면 사회에 대해 비판적인 통찰력을 가질 수 있어.
④ 성민: 책을 많이 읽으면 다른 사람에게 나의 지식을 뽐낼 수 있어.
⑤ 은비: 책 읽기를 통해 자신의 삶을 더욱 풍성하고 의미 있게 만들 수 있어.

23 (라)에 대한 설명으로 알맞지 않은 것은?
① 공공의 이익을 목적으로 하는 광고이다.
② 신문이나 잡지 등에 게재되는 인쇄 광고이다.
③ 속담을 변형하여 기획 의도를 인상적으로 전달한다.
④ 다의어와 비유적 표현을 활용한 창의적 발상이 나타난다.
⑤ 광고 문구의 형태를 댓글이 연이어 달리는 모양으로 구성했다.

서술형

24 (마)에서 말하고자 하는 바를 한 문장으로 쓰시오.

신유형

25 다음 중 다양한 표현을 적절하게 사용하지 못한 것은?
① 운동도 하고 글감도 찾고, 이게 바로 일석이조야.
② 제가 글이 짧아서 적당한 감사의 말씀이 떠오르지 않네요.
③ 천 리 길도 한 걸음부터니까 차근차근 공부를 시작해 보자!
④ 서로 협력하자는 의미를 담아 우리 반 급훈을 '누워서 떡 먹기'로 하자.
⑤ 하늘은 스스로 돕는 자를 돕는다잖아. 포기하지 말고 끝까지 노력하면 좋은 결과가 있을 거야.

01 읽기의 가치와 중요성

01 다음은 읽기의 가치에 대한 설명이다. 빈칸에 알맞은 말을 쓰시오.

(1) 읽기를 통해 몰랐던 (   )을 새롭게 깨달을 수 있다.

(2) 읽기를 활용하여 (   )를 즐기고 마음의 휴식을 느낄 수 있다.

(3) 글 속에서 다양한 삶의 모습을 접하며 자신을 (   ) 할 수 있다.

(4) 읽기를 통해 더욱 높은 수준의 (   ) 세계를 만들어 갈 수 있다.

(5) 읽기를 통해 인류가 오랫동안 축적해 온 지식과 (   )을 얻을 수 있다.

02 읽기를 (   )하기 위해서는 읽기에 긍정적인 태도를 가지고 일상생활에서 꾸준히 글을 읽는 습관을 길러야 한다.

〈맛있는 책, 일생의 보약〉

03 이 글은 글쓴이의 경험과 깨달음이 담긴 (   )이다.

04 다음은 이 글의 내용을 정리한 것이다. 빈칸에 알맞은 말을 쓰시오.

처음	중학교 3학년 ( ) 시간에 도서반에서 책을 읽는 활동을 하게 됨.
중간	( )의 고전 소설을 읽으며 책을 읽는 즐거움을 느낌.
끝	읽기는 더욱 높은 차원의 인간다운 삶으로 나아가는 ( )이라는 것을 깨닫게 됨.

05 이 글의 글쓴이에 대한 설명으로 맞으면 ○표, 틀리면 ×표 하시오.

(1) 선생님의 권유로 독서를 생활화하는 습관을 갖게 되었다. (   )

(2) 평소 한문 문장을 번역한 예스러운 문체에 거부감을 가지고 있지 않았다. (   )

(3) 중학교 2학년 때에는 산악반, 3학년 때에는 도서반 활동을 했다. (   )

(4) 중학교 시절, 산과 학교 사이를 뛰어 오가는 시간을 좋아했다. (   )

06 글쓴이는 나이가 두 자리 숫자가 되면서 (   )에 빠지기 시작해서 전학 오기 전 국내에 출간된 대부분의 (   )를 읽었다.

07 이 글의 내용을 참고하여 다음 빈칸에 알맞은 말을 쓰시오.

(1) 글쓴이는 책 읽기를 (   )을 먹는 것에 빗대어 표현했다.

(2) 글쓴이는 중학교 시절 특별 활동 시간에 (   )을 읽은 경험이 현재의 직업을 결정하는 데 영향을 미쳤음을 밝히고 있다.

(3) 글쓴이는 책이 지구상에서 인간이라는 종만이 알고 있는, 진정한 인간으로 나아가는 (   )라고 말하고 있다.

08 이 글의 내용과 일치하면 ○표, 일치하지 않으면 ×표 하시오.

(1) 글쓴이가 도서반에서 읽은 고전은 〈허생전〉이 전부였다. (   )

(2) 도서반 담당 선생님은 본인이 마음에 드는 책을 골라 아이들에게 소리내어 읽어 주는 시범을 보여 주었다. (   )

(3) 아이들이 고전은 거의 읽지 않아 고전의 책 표지는 깨끗했다. (   )

(4) 〈허생전〉은 인물이 깊고 고요한 곳에 숨어 있으면서 실력을 쌓은 뒤 세상에 나갈 일이 생겼을 때 멋지게 세상을 뒤흔들어 놓고 다시 제자리로 돌아오는 구조이다. (   )

09 다음은 고전에 대한 글쓴이의 생각이다. 빈칸에 알맞은 말을 쓰시오.

(1) 보석처럼 단단하고 품위 있는 (   )이 아름답다.

(2) 책의 내용이 읽을수록 (   )이 우러나온다.

(3) 책을 읽으면서 (   )가 한층 더 넓어지고 (   )이 높아지는 듯한 느낌이 든다.

(4) (   )이 다음에 어떻게 되었을지 궁금해지고 내가 (   )이라면 어떻게 했을지 자꾸만 생각하게 만든다.

10 다음 빈칸에 공통적으로 들어갈 말을 한 단어로 쓰시오.

> 글쓴이는 (   )이 인간다운 삶을 추구하는 길을 보여 주며, 독자들도 하루 빨리 (   ) 속에서 길을 찾을 수 있기를 바라고 있다.

02 다양한 표현 활용하여 글 쓰기

11 다음에 해당하는 표현을 각각 쓰시오.
(1) 예로부터 전해지는, 조상들의 지혜와 교훈이 담긴 짧은 말 ( )
(2) 둘 이상의 단어가 합쳐져 원래의 뜻과는 전혀 다른 새로운 뜻으로 굳어져서 쓰이는 말 ( )
(3) 오랜 역사적 생활 체험을 통하여 이루어진 인생에 대한 교훈이나 경계 따위를 간결하게 표현한 짧은 글 ( )

12 다양한 표현을 활용하여 글을 쓸 때에는 글의 ( )과 의도에 맞게 표현하는 것이 중요하다.

13 다양한 표현을 활용하여 글을 썼을 때의 효과로 맞으면 ○표, 틀리면 ×표 하시오.
(1) 독자의 흥미와 관심을 불러일으킬 수 있다. ( )
(2) 글쓴이의 의도를 효과적으로 전달하기 어렵다. ( )
(3) 글쓴이의 생각이나 느낌을 더 인상 깊게 표현할 수 있다. ( )
(4) 창의적 발상으로 자신만의 참신한 표현을 만들면 전달하고자 하는 바를 인상적으로 전달할 수 있다. ( )

14 다음 밑줄 친 부분을 대신할 수 있는 관용 표현을 쓰시오.

> 제가 워낙 <u>아는 것이 없어서</u> 적당한 감사의 말씀이 떠오르지 않네요.

〈지금은 쉼표가 필요할 때〉

15 다음은 글을 쓰기 전 현지가 조사한 다양한 표현에 대한 설명이다. 빈칸에 알맞은 말을 쓰시오.
(1) '코를 납작하게 만들다.'는 '( ).'라는 의미의 관용 표현이다.
(2) '( ) 보기를 ( )같이 하라.'는 고려 말기의 명장이자 재상인 최영에게 아버지가 유언으로 남긴 말로, ( )하게 살아가라는 의미를 담은 명언이다.
(3) '서당 개 삼년에 풍월을 읊는다.'는 어떤 분야의 지식과 경험이 전혀 없는 사람이라도 그 부문에 ( ) 있으면 얼마간의 지식과 경험을 갖게 된다는 것을 비유적으로 이르는 ( )이다.

16 한 가지 일을 하여 두 가지 이상의 이익을 보게 됨을 비유적으로 이르는 속담을 쓰시오.

17 다음은 현지가 글을 쓸 때 활용하려는 표현의 종류와 의미를 정리한 것이다. 빈칸에 알맞은 말을 쓰시오.

활용하려는 표현	종류	의미
울며 겨자 먹기	( )	싫은 일을 억지로 마지못해 함.
( )	관용 표현	몹시 숨이 차다.
급히 먹는 밥이 목이 멘다.	( )	너무 급히 서둘러 일을 하면 잘못하고 ( )하게 됨.
건강한 신체에 건강한 정신이 깃든다.	명언	완전한 건강이란 ( )와 ( )이 함께 건강한 상태를 의미함.

18 다음은 현지가 글을 고쳐 쓴 내용이다. 〈보기〉에서 빈칸에 알맞은 표현을 찾아 쓰시오.

> ┤보기├
> 씻은 듯이   숨이 턱에 닿다
> 혀를 차다   누워서 떡 먹기

(1) '쉬운 일'을 ( )로 고쳐 쓰면 보다 간결하고 인상적으로 표현할 수 있다.
(2) '( )'는 산 정상에 올라 후련했던 순간을 구체적으로 전달하기에 적절한 관용 표현이다.
(3) '( )'는 급하게 산에 오르다가 숨이 찬 현지의 상황에 잘 어울리는 관용 표현이다.
(4) '( )'는 산을 급히 오르는 현지의 태도를 마음에 들어 하지 않는 아버지의 심리를 생생하게 표현하기에 적절한 관용 표현이다.

19 현지는 이 글을 통해 ( )은 목표를 달성하는 데 도움을 준다는 주제를 전달하고 있다.

20 다음은 다양한 표현을 활용하여 쓴 글을 평가하는 기준이다. 빈칸에 알맞은 말을 쓰시오.
(1) 속담, 격언이나 ( ), 관용 표현 등을 활용하여 인상적으로 표현했는가?
(2) 창의적인 발상으로 자신만의 ( ) 표현을 만들어 적절하게 활용했는가?

01 한글의 창제 원리와 우수성

핵심 정리

1. 한글의 창제 정신

자주정신	한자가 아닌 우리의 독창적인 문자가 필요함.
애민 정신	한자를 모르는 백성이 자신의 뜻을 표현하지 못하는 것이 안타까움.
① ____ 정신	모든 사람이 쉽게 익혀 날마다 편리하게 쓰도록 함.

2. 자음자의 제자 원리

• 상형: ② ____ 의 모양을 본떠서 기본 자음자 5개를 만듦.

자음 기본자	제자 원리
ㄱ	혀뿌리가 목구멍을 막는 모양을 본뜸.
ㄴ	혀끝이 윗잇몸에 닿는 모양을 본뜸.
ㅁ	입 모양을 본뜸.
ㅅ	이의 모양을 본뜸.
ㅇ	목구멍의 모양을 본뜸.

• 가획: 자음 기본자에 획을 더하여 'ㅋ, ㄷ, ㅌ, ㅂ, ㅍ, ㅈ, ㅊ, ㆆ, ㅎ'을 만듦.

3. 모음자의 제자 원리

• 상형: 천지인(하늘, 땅, 사람)을 본떠서 모음 기본자 3개를 만듦.

모음 기본자	제자 원리
·	③ ____ 의 둥근 모양을 본뜸.
ㅡ	땅의 평평한 모양을 본뜸.
ㅣ	서 있는 사람의 모양을 본뜸.

• ④ ____ : 모음 기본자를 합하여 다른 모음 'ㅏ, ㅓ, ㅗ, ㅜ, ㅑ, ㅕ, ㅛ, ㅠ'를 만듦.

4. 자음자를 모음자에 붙여 쓰는 방식
모음자는 자음자의 오른쪽이나 아래쪽에 붙여 모아씀.

5. 한글의 우수성

• 적은 수의 글자로 수많은 음절을 표현할 수 있어 효율적임.
• 글자가 체계적으로 만들어져 배우고 기억하기 쉬움.
• 정보를 효율적으로 입력할 수 있음.
• 정보를 빠르게 파악할 수 있음.
• 정보를 전달하는 데 실용적임.

1 한글이 창제되기 전에는 우리말을 표기할 고유한 문자가 없어서 ( )를 사용해 문자 생활을 했다.

2 다음과 관련 있는 한글의 창제 정신을 쓰시오.
(1) 한자를 모르는 백성이 자신의 뜻을 표현하지 못하는 것이 안타깝다. ( )
(2) 모든 사람이 쉽게 익혀 날마다 편리하게 쓰도록 하겠다. ( )
(3) 우리말은 중국 말과 달라, 한자가 아닌 우리의 독창적인 문자가 필요하다. ( )

3 한글의 자음 기본자는 ( )의 모양을 본떠서 만들었다.

4 다음에 해당하는 자음 기본자를 쓰시오.
(1) 입 모양을 본뜸. ( )
(2) 이의 모양을 본뜸. ( )
(3) 목구멍의 모양을 본뜸. ( )
(4) 혀끝이 윗잇몸에 닿는 모양을 본뜸. ( )
(5) 혀뿌리가 목구멍을 막는 모양을 본뜸. ( )

5 'ㅋ, ㄷ, ㅌ, ㅂ, ㅍ, ㅈ, ㅊ, ㆆ, ㅎ'은 자음 기본자에 ( )을 더하여 만든 글자이다.

6 다음에 해당하는 모음 기본자를 쓰시오.
(1) 땅의 평평한 모양을 본뜸. ( )
(2) 하늘의 둥근 모양을 본뜸. ( )
(3) 사람의 서 있는 모양을 본뜸. ( )

7 자음과 모음 기본자를 만드는 데 공통적으로 적용된 제자 원리는?

8 한글에 대한 설명으로 맞으면 ○표, 틀리면 ×표 하시오.
(1) 한글은 소리를 나타내는 문자이다. ( )
(2) 한글은 글자의 모양을 통해 글자들의 관계나 소리의 특징을 짐작할 수 있다. ( )
(3) 한글은 하나의 글자가 다양한 소리를 가지고 있다. ( )
(4) 한글은 초성, 중성, 종성을 합쳐서 어절 단위로 모아쓰기를 한다. ( )

단원 종합 문제 기출 예상

[01~03] 다음 글을 읽고, 물음에 답하시오.

나 ㉠우리나라 말이 중국과 달라 한자와는 서로 통하지 않으므로, 어리석은 백성이 말하고자 하는 바가 있어도 끝내 제 뜻을 펴지 못하는 사람이 많으니라. 내가 이것을 가엾게 여겨 새로 스물여덟 글자를 만드니, ㉡모든 사람으로 하여금 쉽게 익혀서 날마다 쓰는 데 편리하게 하고자 할 따름이니라.

01 (가)에서 알 수 있는 한글 창제 이전의 문자 생활에 대한 설명으로 적절하지 <u>않은</u> 것은?
85
① 우리말을 표기할 문자가 없어서 한자를 사용했다.
② 평민들은 한자로 전해지는 정보를 얻기가 어려웠다.
③ 한자를 모르는 평민들을 위해 국가에서 교육을 실시했다.
④ 양반들은 한자로 자신의 생각을 표현하는 데 큰 문제가 없었다.
⑤ 평민들은 자신이 전달하고 싶은 내용이 있어도 한자로 표현하기가 어려웠다.

02 세종 대왕이 한글을 창제한 이유를 밝힌 글인 (나)에서 알 수 있는 내용으로 적절하지 <u>않은</u> 것은?
90
① 세종 대왕은 백성을 위해 스물여덟 개의 글자를 만들었다.
② 백성들이 한글을 쉽게 익힐 수 있도록 문자 교육을 실시하고자 했다.
③ 백성들 중에는 한자를 몰라 자신의 뜻을 제대로 전달하지 못하는 사람이 많았다.
④ 세종 대왕은 모든 사람들이 한글을 쉽게 익혀 날마다 쓰는 데 편리하게 하고자 했다.
⑤ 세종 대왕은 백성들이 글을 통해 자신의 뜻을 제대로 전달하지 못하는 것을 안타까워했다.

⫘주관식
03 ㉠, ㉡에서 알 수 있는 한글의 창제 정신을 각각 쓰시오.
95
• ㉠: _____ • ㉡:

⫘주관식
04 다음 중 자음 기본자와 그 제자 원리가 알맞게 연결된 것을 모두 고르시오.
95

> ㉠ ㄱ: 입 모양을 본뜸.
> ㉡ ㅅ: 이의 모양을 본뜸.
> ㉢ ㅁ: 목구멍의 모양을 본뜸.
> ㉣ ㄴ: 혀끝이 윗잇몸에 닿는 모양을 본뜸.
> ㉤ ㅇ: 혀뿌리가 목구멍을 막는 모양을 본뜸.

05 한글 자음자에 대한 설명으로 적절하지 <u>않은</u> 것은?
90
① 글자의 모양과 소리가 관련이 없다.
② 가획의 원리로 설명할 수 없는 글자들도 있다.
③ 발음 기관의 모양을 본떠 자음 기본자를 만들었다.
④ 창제 당시의 자음자와 현재 사용하는 자음자는 일치하지 않는다.
⑤ 같은 글자를 가로로 나란히 붙여 써서 다른 글자를 만들기도 했다.

고난도
06 다음 자음자에 대한 설명으로 알맞지 <u>않은</u> 것은?
85
① ㄸ: 같은 글자를 가로로 나란히 붙여 썼다.
② ㄳ: 서로 다른 글자를 가로로 나란히 붙여 썼다.
③ ㅿ: 소리의 세기와 관련 없이 획을 더하여 만들었다.
④ ㅊ: 이의 모양을 본뜬 자음 기본자에 획을 더해서 만들었다.
⑤ ㅋ: 하늘의 모양을 본뜬 자음 기본자에 획을 더해서 만들었다.

07 한글 창제 당시 만들어진 자음자 중, 현재 사용되지 않는 자음자와 그 이름이 모두 바르게 제시된 것은?
85
① ㅿ(반치음), ㆆ(여린히읗), ㆁ(옛이응)
② ㅿ(반치음), ㆁ(옛이응), ㆆ(여린히읗)
③ ㅿ(옛이응), ㆁ(여린히읗), ㆆ(옛이응)
④ ㅿ(옛이응), ㆁ(반치음), ㆆ(여린히읗)
⑤ ㅿ(여린히읗), ㆁ(옛이응), ㆆ(반치음)

⫘주관식
08 다음 모음 기본자가 만들어진 창제 원리를 쓰시오.
90

 · — ㅣ

09

★ 95

다음 ㉠~㉢에 들어갈 자음자를 알맞게 짝지은 것은?

- ㄴ → ㄷ → (㉠)
- ㅅ → (㉡) → ㅊ
- ㄱ → (㉢)

	㉠	㉡	㉢
①	ㄹ	ㅈ	ㅌ
②	ㄹ	△	ㅋ
③	ㅌ	△	ㅎ
④	ㅌ	ㅈ	ㅋ
⑤	ㅌ	ㅈ	ㄹ

10

90

한글 모음자에 대한 설명으로 적절하지 <u>않은</u> 것은?

① 모음 기본자는 상형의 원리로 만들었다.
② 모음의 제자 원리에는 상형과 합성이 있다.
③ 모음 기본자를 결합하여 만든 모음자도 있다.
④ 모음 기본자는 발음 기관의 모양을 본떠 만들었다.
⑤ 모음자는 자음자의 오른쪽이나 아래쪽에 붙여 모아쓴다.

11

90

다음 모음자에 대한 설명으로 알맞지 <u>않은</u> 것은?

① ㆍ: 하늘의 둥근 모양을 본떴다.
② ㅡ: 땅의 평평한 모양을 본떴다.
③ ㅗ: 모음 기본자를 결합하여 만들었다.
④ ㅛ: 모음 기본자를 결합하여 만든 'ㅓ'에 다시 모음 기본자 'ㆍ'를 합하여 만들었다.
⑤ ㅠ: 모음 기본자를 결합하여 만든 'ㅜ'에 다시 모음 기본자 'ㆍ'를 합하여 만들었다.

12

 고난도

85

다음에서 설명하는 자음자와 모음자가 모두 사용된 것은?

- 혀뿌리가 목구멍을 막는 모양을 본떠 만든 자음 기본자에 획을 더해 만든 자음자
- 사람이 서 있는 모양을 본떠 만든 모음 기본자의 오른쪽에 'ㆍ'를 합하여 만든 모음자

① 다리   ② 터널   ③ 가마니
④ 카메라   ⑤ 코끼리

13

85

한글과 한자에 대한 설명으로 적절하지 <u>않은</u> 것은?

① 한자는 글자의 개수가 매우 많다.
② 한글은 소리를 나타내는 문자이다.
③ 한자는 의미를 나타내는 문자이다.
④ 한글은 적은 수의 글자로 수많은 음절을 표현할 수 있어 효율적이다.
⑤ 한자는 글자의 모양을 통해 글자들의 관계나 소리의 특징을 짐작할 수 있다.

14

90

한글과 영어 알파벳에 대한 설명으로 적절하지 <u>않은</u> 것은?

① 한글은 글자와 소리가 거의 일대일로 대응한다.
② 영어 알파벳은 글자의 모양과 소리가 관련이 없다.
③ 한글은 글자 모양에서 소리의 특징을 짐작할 수 있다.
④ 영어 알파벳은 하나의 글자가 다양한 소리로 발음된다.
⑤ 한글과 영어 알파벳은 모두 음절 단위로 모아쓰기를 한다.

 서술형

15

85

다음에서 영어 알파벳과 비교하여 알 수 있는 한글의 장점을 서술하시오.

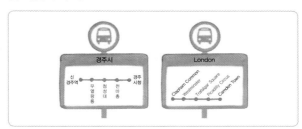

16

★ 95

한글의 우수성에 대한 설명으로 적절하지 <u>않은</u> 것은?

① 컴퓨터 자판에서 한자나 일본의 문자보다 정보 입력 속도가 빠르다.
② 단어 단위로 모아쓰기 때문에 글에 담긴 정보를 빠르게 파악할 수 있다.
③ 글자 수가 적어서 컴퓨터 자판에 거의 모든 글자를 배열해서 입력할 수 있다.
④ 체계적인 창제 원리를 적용하여 적은 수의 글쇠로도 정보를 효율적으로 입력할 수 있다.
⑤ 모아쓰기의 방식을 통해 가로쓰기와 세로쓰기를 자유롭게 할 수 있어서 정보를 전달하는 데 실용적이다.

02 마음을 나누는 대화

1. 의미 공유 과정으로서 듣기·말하기의 특성
· 듣기·말하기 과정에서 말하는 이와 듣는 이는 자신의 생각을 조정하거나 정리함.
· 듣기·말하기 과정에서 말하는 이와 듣는 이는 서로의 반응을 바탕으로 새로운 의미를 생성해 나감.
· 말하는 이와 듣는 이는 언어적·준언어적·비언어적 표현을 통해 생각이나 감정을 주고받으며 의미를 만들어 나감.

2. 공감하며 대화하기
상대의 감정을 이해하고 상대의 ① 에서 문제를 바라보며 협력적으로 소통하는 대화

3. 공감하며 대화하는 방법
· 상대의 상황과 처지를 이해하며 대화함.
· 상대와 눈을 맞추고 지속적으로 관심을 표현하며 대화함.
· 상대의 말을 반복하거나 요약·정리하고 상대의 말에 적극적으로 반응함.
· 상대의 말을 분석하거나 비판하지 않고 대화함.

1. 남학생과 여학생의 대화에 드러나는 문제와 해결 방안
여학생이 다른 생각을 하느라 남학생의 말을 주의 깊게 듣지 못함.	➡	· 상대의 말에 귀 기울이는 자세가 필요함. · 상대를 존중하며 상대의 반응에 적절하게 대응하는 자세가 필요함.

2. 서율이와 재경이의 대화에서 알 수 있는 여행의 의미
맛있는 음식을 먹거나 멋진 풍경을 즐기면서 편하게 쉬는 것	➡	다양한 즐거움을 주는 것
여러 곳을 다니면서 다양한 사람을 만나는 것		

말하는 이와 듣는 이는 대화하면서 자신의 생각을 바꾸거나 조정해 나감.

3. 소정이와 지혁이가 의미를 공유하는 과정
② 을 적극적으로 활용하여 이야기를 나누고, 상대가 하는 말에 적절하게 반응하며 의미를 함께 구성해 나감.

4. 준희와 한솔이의 대화의 문제점
한솔이가 오늘 도서관이 문을 닫았다는 준희의 말을 주의 깊게 듣지 않고, 모둠 회의 전까지 자료를 찾을 방법을 고민하는 준희에게 지금 도서관에서 책을 빌리면 되지 않느냐고 말함.

5. 효진이가 지애의 감정에 공감하며 대화하기 위해 사용한 방법
· 무슨 고민 있어? · 좀 더 자세히 이야기해 볼래?	➡	적절히 ③ 하여 상대가 편하게 말을 이어갈 수 있도록 도와줌.
· 친구랑 다퉈서 고민이구나. · 저런, 친구가 네 마음을 알아주지 않아서 속상했겠네. 그렇지만 친구에게 상처를 주는 말을 한 것은 후회되겠다.	➡	상대의 말을 반복하거나 정리해서 말하며 자신이 상대를 이해하고 있음을 표현함.

1 다음은 의미 공유 과정으로서 듣기·말하기의 특성이다. 빈칸에 알맞은 말을 쓰시오.
(1) 듣기·말하기는 말하는 이와 듣는 이가 협력적으로 ( )하며 의미를 주고받는 의미 공유 과정이다.
(2) 듣기·말하기 과정에서 말하는 이와 듣는 이는 자신의 생각을 ( )하거나 ( )한다.
(3) 듣기·말하기 과정에서 말하는 이와 듣는 이는 서로의 ( )을 바탕으로 새로운 의미를 만들어간다.

2 ( )하며 대화하기란 상대의 감정을 이해하고 상대의 관점에서 문제를 바라보며 협력적으로 소통하는 것이다.

3 공감하며 대화할 때에는 상대의 말을 ( )하거나 ( )하지 않고 듣는다.

4 다음 대화에 드러난 여학생의 문제점을 쓰시오.
남학생: 이번 학급 행사에서 사용할 물품을 준비해야겠어. 이따가 문구점에 준비물 사러 같이 가자.
여학생: 응, 뭐라고? 잠깐 딴생각을 해서 못 들었어. 미안해.

5 효진이와 지애의 대화에 나타난 효진이의 대화 태도로 맞으면 ○표, 틀리면 ×표 하시오.
(1) 상대의 말을 주의 깊게 듣지 않고 조언했다. ( )
(2) 상대의 말을 반복, 정리하여 자신이 상대를 이해하고 있음을 표현했다. ( )

단원 종합 문제 기출 예상

01 의미 공유 과정으로서의 듣기·말하기에 대한 설명으로 적절하지 <u>않은</u> 것은?

① 말하는 이와 듣는 이가 협력적으로 상호 작용하며 의미를 주고받는다.

② 의미를 공유하는 대화를 통해 자신이 가지고 있던 생각을 바꾸기는 어렵다.

③ 말하는 이와 듣는 이는 서로의 반응을 바탕으로 새로운 의미를 생성해 나간다.

④ 말하는 이와 듣는 이는 상대가 하는 말에 적절하게 반응하며 의미를 구성해 나간다.

⑤ 말하는 이와 듣는 이는 자신의 배경지식을 적극적으로 활용하며 의미를 공유해 나간다.

서술형

02 다음 대화에서 듣기·말하기가 원활하게 이루어지기 위해 여학생에게 필요한 자세를 쓰시오.

> 남학생: 이번 학급 행사에서 사용할 물품을 준비해야겠어. 이따가 문구점에 준비물 사러 같이 가자.
>
> 여학생: 응, 뭐라고? 잠깐 딴생각을 해서 못 들었어. 미안해.
>
> 남학생: 괜찮아. 그럴 수도 있지. 수업 다 끝나고 학급 행사 준비물 사러 같이 갈래?
>
> 여학생: 아, 그 이야기였구나. 당연히 같이 갈 수 있지.

03 다음 중 상대의 감정을 고려한 대화가 <u>아닌</u> 것은?

① 지민: 실수로 친구의 펜을 잃어버렸어.
　재연: 친구가 속상해할까 봐 걱정이 되겠구나.

② 소진: 늦게까지 한 숙제를 깜박하고 안 가지고 왔어.
　범진: 저런, 정말 속상하겠다.

③ 현우: 대회를 앞두고 꾸준히 연습했더니 기록이 좋아졌어.
　민지: 연습한 보람이 있어서 기뻤겠구나.

④ 혜진: 엄마가 약속을 안 지키셔서 엄마에게 화를 냈어.
　정우: 엄마께 화를 내는 건 옳지 못한 행동이야.

⑤ 성진: 내일 국어 시간에 발표를 해야 하는데, 잘할 수 있을지 너무 걱정 돼.
　현아: 아, 정말 많이 떨리겠다. 너무 걱정 마. 잘할 수 있을 거야.

[04~05] 다음 글을 읽고, 물음에 답하시오.

지혁: 소정아, 주말에 뭐 했어?

소정: 마을 장터에 갔다가 새것은 아니지만 괜찮아 보이는 책을 한 권 샀어.

지혁: 마을 장터에서 그런 책을 팔기도 해?

소정: 응. 책뿐만 아니라 자신이 쓰지 않는 물건은 무엇이든 팔던데?

지혁: ㉠아하, 사회 시간에 배운 아나바다 운동 같은 거구나. "아껴 쓰고, 나눠 쓰고, 바꿔 쓰고, 다시 쓰자."라는 의미였지?

소정: 맞아. 그러고 보니 이번 마을 장터가 바로 아나바다 운동이었네. 너도 비슷한 경험이 있어?

지혁: 나는 물건을 사 본 적은 없는데, 아무도 타지 않아서 먼지만 쌓이던 우리 집 자전거를 사촌 동생에게 준 적이 있어. 동생이 무척 좋아하면서 매일 타고 다닌대. 이런 것도 아나바다 운동이지?

소정: ㉡그럼. 쓸모없던 자전거를 누가 다시 잘 쓸 수 있게 된 거니까. 〈중략〉

지혁: 네 말을 듣고 보니 마을 장터와 같은 아나바다 운동이 자원을 절약하는 좋은 방법이라는 것을 알겠어. 나도 진작 알았더라면 마을 장터에 갔을 텐데 아쉽다.

소정: 그래? 잘됐다. 매달 두 번째 주말에 마을 장터가 열린대. 다음에 같이 가 볼래?

지혁: 좋아. 다음에 같이 가서 내게 필요한 물건이 있는지 찾아 봐야겠다.

04 이 대화에 대한 설명으로 알맞지 <u>않은</u> 것은?

① 소정이와 지혁이는 대화를 나누며 아나바다 운동의 의미를 공유했다.

② 소정이와 지혁이는 다음에 열리는 마을 장터에 함께 가기로 약속했다.

③ 지혁이는 소정이의 이야기를 듣고 마을 장터에 가지 못한 것을 아쉬워했다.

④ 소정이는 지혁이의 이야기를 듣고 마을 장터가 아나바다 운동이라는 것을 깨달았다.

⑤ 지혁이가 질문하자 소정이는 주말에 사촌 동생에게 타지 않는 자전거를 준 이야기를 했다.

서술형

05 ㉠과 ㉡에서 소정이와 지혁이가 의미를 공유한 방법을 쓰시오.

[06~10] 다음 글을 읽고, 물음에 답하시오.

가 준희: 내일 국어 모둠 회의 때 자료를 찾아 가야 하는데, 오늘 도서관이 문을 닫았어. 이번 주까지 국어 수행 평가 과제를 제출해야 하는데 어떻게 하지?

한솔: 국어 수행 평가 과제는 다음 주까지잖아.

준희: 그런가? 그래도 내일 모둠 회의 전까지 자료를 찾아야 하는데.

한솔: 사회 수행 평가는 이번 주까지인데, 국어 수행 평가는 다음 주까지가 맞을 거야.

준희: 제출 기한에 여유가 있는 것은 다행이지만 내일 모둠 회의가 잘 진행되려면 자료를 찾아야 할 것 같아. 자료 검색은 다 했고 도서관에서 책만 빌리면 되는데 무슨 방법이 없을까?

한솔: ⓐ검색을 다 했으니까 지금 도서관에서 책을 빌리면 되잖아.

준희: 오늘 도서관 쉬는 날이라니까.

나 지애: 효진아, 내 이야기 좀 들어 줄래?

효진: 무슨 고민 있어? 편하게 말해 봐.

지애: 사실은 친구랑 조금 다퉜어.

효진: ㉠친구랑 다퉈서 고민이구나. ㉡좀 더 자세히 이야기해 볼래?

지애: 내가 휴대 전화가 없어져서 걱정하고 있었거든. 그런데 친구는 같이 걱정해 주기는커녕 내가 물건을 잘 잃어버린다고 타박만 하지 뭐야. 그래서 나도 모르게 친구에게 심한 말을 해 버렸어.

효진: (㉢고개를 끄덕이며) ㉣저런, 친구가 네 마음을 알아주지 않아서 속상했겠네. 그렇지만 친구에게 상처를 주는 말을 한 것은 후회되겠다.

지애: 속상하기도 하고, 친구와 멀어지게 된 것 같아 괴로워. 사과하고 싶은데 어떻게 해야 할지 모르겠어.

효진: (㉤부드럽게 눈을 맞추며) 그래, 답답하겠다. 그 친구에게 네 마음을 솔직하게 이야기해 보면 어떨까?

06 **(가)에 대한 설명으로 적절하지 <u>않은</u> 것은?**
85

① 준희는 내일 국어 모둠 회의 전까지 자료를 찾아야 한다.

② 준희는 이번 주까지 국어 수행 평가 과제를 제출해야 한다.

③ 한솔이는 준희에게 국어 수행 평가 과제 제출 기한을 알려 주었다.

④ 준희는 자료 검색은 다 했지만, 도서관이 쉬는 날이어서 책을 빌릴 수가 없는 상황이다.

⑤ 한솔이는 도서관이 쉬는 날이어서 책을 빌릴 수 없다는 준희의 말을 주의 깊게 듣지 않았다.

07 **원활한 대화를 위해 ⓐ를 알맞게 바꿔 말한 것은? (정답 2개)**
85

① 아직도 자료 준비를 하지 않았다니, 쯧쯧.

② 선생님께 내일 모둠 회의를 못하겠다고 말씀드려.

③ 전자 도서관에서 필요한 책을 찾아보는 건 어떨까?

④ 미리 좀 하지. 너는 매번 이렇게 급하게 준비하더라.

⑤ 내일 모둠 회의에 필요한 자료를 준비하지 못할까 봐 정말 걱정이겠구나.

08 **(나)에 나타난 지애의 고민으로 알맞은 것은?**
80

① 효진이에게 사과할 방법을 고민하고 있다.

② 친구의 걱정을 해결할 방법을 고민하고 있다.

③ 자신이 상처를 준 친구에게 사과할 방법을 고민하고 있다.

④ 자신의 잃어버린 휴대 전화를 찾을 방법을 고민하고 있다.

⑤ 자신의 잘못을 뉘우치며 물건을 잃어버리지 않는 방법을 고민하고 있다.

주관식

09 **(나)에서 효진이가 지애의 말에 공감하고 있음을 드러내기 위해 사용한 비언어적 표현의 종류를 두 가지 쓰시오.**
90

10 **㉠~㉤에 대한 설명으로 적절하지 <u>않은</u> 것은?**
95

① ㉠: 지애의 말을 반복하여 자신이 지애의 말을 이해하고 있음을 표현하고 있다.

② ㉡: 지애의 상황을 해결할 방법을 제시하고 있다.

③ ㉢: 지애는 비판받을지도 모른다는 두려움에서 벗어나 자신의 잘못을 이야기할 용기를 얻었을 것이다.

④ ㉣: 지애의 말을 정리하며 자신이 지애의 상황과 감정을 이해하고 있음을 표현하고 있다.

⑤ ㉤: 지애는 효진이가 자신을 존중하고 있다고 느꼈을 것이다.

11 **다음 중 상대의 말을 듣는 바람직한 태도가 <u>아닌</u> 것은?**
90

① 상대의 말을 주의 깊게 듣는다.

② 상대의 말을 반복, 정리하며 공감을 표현한다.

③ 적절한 표정과 몸짓으로 상대에게 공감을 표현한다.

④ '그래?', '정말?'과 같이 호응하며 공감을 표현한다.

⑤ 상대의 말에서 문제점을 찾고 그에 대한 해결책을 제시한다.

선택학습 기출 예상

[01~06] 다음 글을 읽고, 물음에 답하시오.

가 세종 대왕은 어떤 원리로 한글을 만들었을까요? 1940년 《훈민정음》 해례본을 발견하기 전까지 사람들은 한글의 기원과 관련해 여러 의견을 내놓았어요. 몽골이나 인도의 문자를 본떴다는 설도 있었지요. 세종 대왕이 훈민정음을 만드는 동안 몽골의 파스파 문자나 인도의 산스크리트 문자 등 주변 국가의 문자에 관한 정보를 수집했기 때문이에요. 실제로 글자 몇 개는 닮기도 했고요. 문창살을 보고 만들었다는 등의 허황된 소리를 생각하면 문자 모방설은 그나마 근거가 있는 주장이에요. 앞서 예로 든 글자들은 모두 훈민정음처럼 소리글자였거든요.

나 이러한 설들은 《훈민정음》 해례본이 발견되면서 잠잠해졌어요. 이 책의 설명에 따르면 자음의 기본자는 발음 기관을 본떠 만들었어요. 각각 이, 목구멍, 입 모양을 본뜬 '(㉠)', '(㉡)', '(㉢)'과 혀뿌리가 목구멍을 막는 모습을 본뜬 '(㉣)', 혀끝이 윗잇몸에 닿는 모습을 본뜬 '(㉤)', 이렇게 다섯 개예요. 모음 역시 하늘(·), 땅(—), 사람(ㅣ)을 본떴어요. 과거 동양 철학에서는 하늘과 땅, 사람이 만물의 근본이라고 생각했기 때문에 그 세 가지를 본뜬 것이에요. 이 기본자들에 획을 더하거나 이들을 서로 조합하여 다른 글자들을 만들어 나간 것이 바로 한글이에요.

다 현재 지구상에 남아 있는 글자 중에 이처럼 창제 원리와 거기에 담긴 철학적 원리가 자세히 기록된 것은 없어요. 타이 문자나 키릴 문자처럼 작자와 만든 과정이 알려진 글자는 몇 개 있지만, 훈민정음처럼 철학적 원리와 사용법, 보기 등을 자세히 기록하여 책으로 펴내기까지 한 글자는 없지요. 그래서 유네스코가 《훈민정음》 해례본을 세계 기록 유산으로 지정한 것이랍니다.

01 《훈민정음》 해례본이 발견되기 전, 한글이 몽골이나 인도 문자를 본떴다는 설이 있었던 이유로 적절한 것은?
① 세종 대왕이 몽골이나 인도 문자의 우수성을 인정했기 때문에
② 몽골이나 인도 문자가 한글보다 글자의 수가 더 많았기 때문에
③ 몽골, 인도 문자, 한글 모두 음절 단위로 모아쓰기를 했기 때문에
④ 몽골이나 인도 문자가 한글보다 더 먼저 만들어진 문자였기 때문에
⑤ 세종 대왕이 주변 국가의 문자에 관한 정보를 수집했고, 몇 개의 글자가 닮았기 때문에

02 세종 대왕이 한글을 만든 원리가 밝혀진 계기로 가장 알맞은 것은?
① 1940년에 《훈민정음》 해례본이 발견되었다.
② 한글의 제자 원리에 대한 연구가 시작되었다.
③ 주변 국가의 문자와 한글의 관계를 연구했다.
④ 《훈민정음》 해례본이 세계 기록 유산으로 지정되었다.
⑤ 한글의 모음이 동양 철학에서 중시하는 하늘, 땅, 사람을 본떴다.

03 한글에 대한 설명으로 적절하지 않은 것은?
① 세종 대왕이 주변 국가의 글자를 모방해서 만들었다.
② 파스파 문자, 산스크리트 문자와 같이 소리글자이다.
③ 자음 기본자는 발음 기관의 모양을 본떠 만들었다.
④ 모음 기본자는 하늘, 땅, 사람의 모양을 본떠 만들었다.
⑤ 기본자에 획을 더하거나 서로 조합하여 다른 글자를 만들었다.

04 ㉠~㉤에 들어갈 자음 기본자를 알맞게 짝지은 것은?

	㉠	㉡	㉢	㉣	㉤
①	ㅇ	ㅅ	ㅁ	ㄱ	ㄴ
②	ㅇ	ㅁ	ㄱ	ㄴ	ㅅ
③	ㅅ	ㅇ	ㅁ	ㄴ	ㄱ
④	ㅅ	ㅁ	ㄱ	ㅇ	ㄴ
⑤	ㅅ	ㅇ	ㅁ	ㄱ	ㄴ

주관식

05 (나)에서 모음 기본자를 하늘, 땅, 사람의 모양을 본떠 만든 이유를 찾아 쓰시오.

06 이 글의 내용을 참고할 때, 다음 중 만든 사람과 만든 과정이 알려진 문자를 모두 고른 것은?

| ⓐ 한글 | ⓑ 키릴 문자 | ⓒ 타이 문자 |
| ⓓ 파스파 문자 | ⓔ 산스크리트 문자 |

① ⓐ, ⓑ, ⓒ ② ⓐ, ⓑ, ⓔ ③ ⓑ, ⓒ, ⓓ
④ ⓑ, ⓓ, ⓔ ⑤ ⓒ, ⓓ, ⓔ

[07~11] 다음 글을 읽고, 물음에 답하시오.

앞부분의 줄거리 석환이는 과학 고등학교에 가라는 엄마 몰래 영화감독이 되기 위해 준비를 하던 중에 그 사실을 들켜서 엄마, 누나와 심하게 갈등하게 된다.

석환: 대학에도 영화를 공부하는 학과가 있어요. 또 제가 하려는 일은 영화배우 이런 게 아니라 영화를 제작하고 배급하는 일이고요.

누나: (말을 자르고 끼어들며) 야, 윤석환, 너도 곧 고등학생 될 거잖아? 나는 고3 되는 거고. 너 이럴 때 아니야. 남들보다 더 열심히 공부해도 모자랄 판에 이러고 있는 게 말이 되냐?

엄마: 그래, 네 누나 말이 맞아, 너도 이제 공부할 시기라고.

석환: 혼자 있고 싶어요. / 엄마: 뭐? / 석환: 나가세요.

누나: 윤석환, 너 엄마한테 말버릇이 이게 뭐야?

석환: 엄마, 저는 엄마를 이해할 수가 없어요.

누나: 야, 난 네가 이해가 안 된다. 우리 때문에 엄마가 얼마나 힘들게 일하시는 줄 알아? 없는 형편에 과외비, 학원비 갖다 바쳤는데, 너라는 애는 어떻게 이럴 수가 있니? 공부하는 척 문 닫고 들어앉아 시나리오나 쓰고, 영화 잡지나 읽고. 그런 너를 어떻게 이해해?

석환: 누나는 좀 가만히 있어. 엄마! 저는 영화감독이 되고 싶어요.

엄마: ㉠누가 영화감독 하지 말라고 했니? 엄마도 네가 원하는 것을 하면서 살았으면 좋겠어. 하지만 세상은 그렇게 하고 싶은 것 다 하고 살 수가 없어. 너 도대체 왜 그러니? 조금만 더 하면 잘할 수 있는 애가, 응?

석환: (잠시 침묵) 네, 알겠어요. 그러니까 나가 주세요.

---

07 이 대화에 드러난 인물들이 원하는 것을 알맞게 짝지은 것은? ⑧⑤

	석환	엄마, 누나
①	영화감독이 되는 것	공부에 전념하는 것
②	영화배우가 되는 것	영화감독이 되는 것
③	공부에 전념하는 것	영화감독이 되는 것
④	영화감독이 되는 것	영화배우가 되는 것
⑤	과학 고등학교에 진학하는 것	공부에 전념하는 것

⭐ **서술형**

08 이 대화에 나타난 석환이의 말하기 태도의 문제점을 서술하시오. ⑨⑤

---

09 ㉠과 〈보기〉를 비교한 것으로 적절하지 않은 것은? ⑧⑤

│ 보기 │

엄마: (고개를 끄덕이며) 그렇구나. 영화 잡지를 읽고 시나리오를 쓰는 연습을 해야 한다는 것은 이해해. 그런데 엄마는 네가 그런 공부에만 집중하다가 지금 너의 본분인 학업을 게을리하지는 않을지 조금 걱정이 되는구나.

① ㉠에서 엄마는 석환이의 생각을 이해하려 하지 않고 있다.

② ㉠에서 엄마는 자신이 생각하는 대로 석환이가 따라와 주기를 바라고 있다.

③ 〈보기〉에서 엄마는 석환이의 관점에서 상황을 바라보며 공감하려는 태도를 보이고 있다.

④ 〈보기〉에서 엄마는 고개를 끄덕이는 몸짓으로 석환이의 생각을 이해하고 있다는 것을 표현하고 있다.

⑤ 〈보기〉에서 엄마는 석환이의 생각이 잘못되었다는 것을 지적하며 석환이가 생각을 바꾸기를 바라고 있다.

⭐ **주관식**

10 누나의 말하기 태도의 문제점을 모두 고르시오. ⑨⑤

ⓐ 석환이의 말에 아무런 반응을 보이지 않는다.

ⓑ 석환이의 말을 끝까지 듣지 않고 중간에 가로챈다.

ⓒ 석환이의 생각을 이해하려는 태도를 보이지 않는다.

ⓓ 석환이를 바라보지 않고 다른 곳을 보며 이야기한다.

ⓔ 석환이의 수준을 고려하지 않고 전문어를 지나치게 많이 사용한다.

---

11 이 대화가 원활하게 이루어지기 위해 누나가 석환이에게 할 수 있는 말로 가장 알맞은 것은? ⑧⑤

① (크게 웃으며) 영화감독은 아무나 되니? 그게 얼마나 어려운 일인지 알기나 해?

② (팔짱을 낀 채로) 학생의 본분은 공부야. 다른 데 신경 쓰지 말고 공부하는 데 최선을 다하자.

③ (고개를 가로저으며) 진로를 직접 결정하기에는 넌 아직 어려. 엄마랑 누나 말 듣는 게 좋을 거야.

④ (석환이를 부드럽게 바라보며) 너는 곧 고등학생이 되잖아. 공부만 하기에도 시간이 너무 부족해.

⑤ (석환이의 머리를 쓰다듬으며) 벌써 네 진로를 고민하고 꿈을 이루기 위해 노력하고 있다니 멋있다.

대단원 종합 문제

[01~02] 다음 글을 읽고, 물음에 답하시오.

가
한자로 쓰여 있어 읽을 수가 없네. 한자를 배울 처지도 아닌데.

농사법을 알려 주는 훌륭한 책이 새로 나왔군!

나 ㉠우리나라 말이 중국과 달라 한자와는 서로 통하지 않으므로, ㉡어리석은 백성이 말하고자 하는 바가 있어도 끝내 제 뜻을 펴지 못하는 사람이 많으니라. 내가 이것을 가엾게 여겨 새로 스물여덟 글자를 만드니, ㉢모든 사람으로 하여금 쉽게 익혀서 날마다 쓰는 데 편리하게 하고자 할 따름이니라.

01 (가)를 통해 알 수 있는 한글이 창제되기 전의 문자 생활로 알맞지 않은 것은?
85
① 한자를 사용해 문자 생활을 했다.
② 평민들은 한자 교육을 받기가 쉽지 않았다.
③ 평민들은 한자로 된 글을 읽는 것에 어려움이 있었다.
④ 국가에서는 평민에게 정보를 전달하지 않으려고 했다.
⑤ 양반들은 한자를 통해 정보를 전달받는 것에 문제가 없었다.

02 ㉠~㉢에 드러나는 한글의 창제 정신을 알맞게 짝지은 것은?
95

	㉠	㉡	㉢
①	자주정신	실용 정신	애민 정신
②	자주정신	애민 정신	실용 정신
③	애민 정신	실용 정신	자주정신
④	애민 정신	자주정신	실용 정신
⑤	실용 정신	애민 정신	자주정신

03 다음 중 가획의 원리에 따라 만든 것은?
90
① ㄱ   ② ㄴ   ③ ㅡ
④ ㅅ   ⑤ ㅎ

04 한글에 대한 설명으로 알맞지 않은 것은?
90
① 소리를 나타내는 문자이다.
② 초성, 중성, 종성을 합쳐서 모아쓴다.
③ 체계적이고 과학적인 원리로 만들어졌다.
④ 적은 수의 글자로 많은 음절을 표현할 수 있다.
⑤ 음절 단위로 모아쓰기 때문에 가로쓰기는 가능하지만 세로쓰기는 불가능하다.

⭐ 주관식
05 다음 ㉠~㉢에 들어갈 알맞은 자음자를 각각 쓰시오.
95

제자 원리	자음 기본자
혀뿌리가 목구멍을 막는 모양을 본떴다.	ㄱ
혀끝이 윗잇몸에 닿는 모양을 본떴다.	(㉠)
입 모양을 본떴다.	ㅁ
이의 모양을 본떴다.	(㉡)
목구멍의 모양을 본떴다.	(㉢)

06 다음 중 오늘날 사용되지 않는 자음자를 모두 고른 것은?
85

ㆁ   ㄹ   ㅿ   ㅃ   ㆆ   ㅍ

① ㆁ, ㆆ, ㅍ   ② ㆁ, ㅿ, ㆆ
③ ㄹ, ㅿ, ㅃ   ④ ㅿ, ㅃ, ㆆ
⑤ ㅿ, ㅃ, ㅍ

07 다음에서 설명하고 있는 자음자가 사용된 단어는?
80

혀뿌리가 목구멍을 막는 모양을 본떠 만든 자음 기본자에 획을 더해 만든 자음자이다.

① 고구마   ② 꽃망울   ③ 코끼리
④ 다리미   ⑤ 자동차

3. 생각과 감정을 나누다

08 가획의 원리에 따라 다음 ㉠~㉣에 들어갈 자음자를 알맞게 짝지은 것은?

- ㄱ → (㉠)
- ㄴ → (㉡) → ㅌ
- (㉢) → ㅈ → ㅊ
- ㅇ → (㉣) → ㅎ

	㉠	㉡	㉢	㉣
①	ㅋ	ㄸ	ㅿ	ㆁ
②	ㅋ	ㄷ	ㅅ	ㆆ
③	ㅋ	ㄷ	ㅅ	ㆁ
④	ㄲ	ㄷ	ㅿ	ㆆ
⑤	ㄲ	ㄸ	ㅅ	ㆁ

09 고난도

한글의 자음자에 대한 설명으로 적절하지 <u>않은</u> 것은?

① 자음 기본자는 발음 기관의 모양을 합성하여 만들었다.

② 'ㅋ, ㄷ, ㅌ'은 자음 기본자에 가획하여 만들어진 자음자이다.

③ 소리가 비슷한 한글의 자음자는 비슷한 모양으로 만들어졌다.

④ 한글 창제 당시에 만들어진 자음자 중 현재 사용되지 않는 자음자도 있다.

⑤ 같은 글자나 서로 다른 글자를 가로로 나란히 붙여 자음자를 만들기도 했다.

10 주관식

다음 ㉠~㉢에 들어갈 알맞은 말을 각각 쓰시오.

제자 원리	모음 기본자
그 모양이 둥근 것은 (㉠)을 본떠서이다.	·
그 모양이 평평한 것은 (㉡)을 본떠서이다.	―
그 모양이 서 있음은 (㉢)을 본떠서이다.	ㅣ

11 주관식

모음 기본자를 한 번 합성하여 만든 모음자를 모두 쓰시오.

12 한글의 모음자에 대한 설명으로 적절하지 <u>않은</u> 것은?

① 모음 기본자는 3개이다.

② 모음 기본자 중 '·'만 오늘날 사용되지 않는다.

③ 모음자는 상형과 합성의 원리에 따라 만들어졌다.

④ 모음자는 자음자의 오른쪽이나 위쪽에 붙여 모아 쓴다.

⑤ 'ㅑ, ㅕ, ㅛ, ㅠ'는 각각 'ㅏ, ㅓ, ㅗ, ㅜ'에 '·'를 합하여 만들었다.

13 주관식

다음에서 설명하는 자음자와 모음자를 각각 쓰시오.

㉠ 입 모양을 본떠 만든 기본자에 획을 한 번 더하여 만든 자음자

㉡ 'ㄴ'에 획을 한 번 더한 후 같은 글자를 가로로 나란히 붙여 쓴 자음자

㉢ 사람이 서 있는 모양을 본떠 만든 기본자에 '·'를 오른쪽에 합하여 만든 모음자

- ㉠: 　　　 - ㉡: 　　　 - ㉢:

14 주관식

다음을 통해 알 수 있는 한글의 창제 원리를 각각 쓰시오.

㉠ ㅣ + · → ㅏ 　　　 ㉡ ㄴ + 획 추가 → ㄷ

· + ― → ㅗ 　　　 ㅁ + 획 추가 → ㅂ

- ㉠: 　　　　　　 - ㉡:

15 한글과 영어 알파벳을 비교한 내용으로 적절하지 <u>않은</u> 것은?

① 한글 'ㅏ'는 한 가지로 소리로만 발음된다.

② 영어 알파벳은 'a'는 여러 가지 소리로 발음된다.

③ 한글 자음자는 소리가 비슷한 글자들끼리 모양이 비슷하다.

④ 영어 알파벳 자음은 모양이 비슷한 글자들끼리 소리의 특징이 비슷하다.

⑤ 한글 자음자는 글자의 모양을 통해 글자들의 관계나 소리의 특징을 짐작할 수 있다.

가 한글의 창제 방식은 매우 간결하고 효율적이다. 한글 자음과 모음의 기본자는 상형의 원리로 만들어졌는데, 가획과 합성 등의 원리에 따라 적은 수의 기본자로부터 확장되어 다른 글자들이 만들어졌다. 한글은 이렇게 만들어진 자음자와 모음자를 결합하여 수많은 음절을 표현할 수 있다.

나 적은 수의 자음자와 모음자를 조합하여 수많은 음절을 표현하는 한글의 운용 방식은 글쇠 수가 제한된 컴퓨터 자판이나 휴대 전화 자판에서 빛을 발한다. 크기가 작은 휴대 전화의 경우 한글의 창제 원리를 적용하면 적은 수의 글쇠로도 정보를 효율적으로 입력할 수 있다. 컴퓨터로 정보를 입력하는 경우에도 한자나 일본의 문자보다 한글을 사용할 때 정보 입력 속도가 훨씬 빠르다는 사실은 정보화 시대에 두드러지는 한글의 장점을 잘 보여 준다.

다 한글은 초성과 중성, 종성을 합쳐서 음절 단위로 모아쓴다. 예를 들어, 영어 알파벳은 'cloud'라고 풀어쓰지만, 한글은 'ㄱㅜㄹㅡㅁ'이라고 풀어쓰지 않고 '구름'이라고 모아쓴다. 사람이 한눈에 파악할 수 있는 글자 수는 제한적이어서 자음자와 모음자를 풀어쓸 때보다 음절 단위로 모아쓸 때 한번에 더 많은 정보를 인식할 수 있다. 그래서 영어 알파벳으로 쓴 글보다 한글로 쓴 글에 담긴 정보를 더 빠르게 파악할 수 있다. 또한 모아쓰기 방식 덕분에 한글은 글자를 가로나 세로 방향으로 자유롭게 쓸 수 있어서 정보를 전달하는 데에도 실용적이라고 할 수 있다.

라 재경: 서율아, 너는 여행이 뭐라고 생각해?

서율: 맛있는 음식을 먹거나 멋진 풍경을 즐기면서 편하게 쉬는 것이 여행이지.

재경: 그렇구나. 나는 여러 곳을 다니면서 다양한 사람을 만나는 것이 여행이라고 생각해.

서율: 네 말을 들으니까 여행에 그런 의미도 있겠다는 생각이 들어. 여행은 정말 다양한 즐거움을 주는 것 같아.

16 **(가)~(다)의 내용과 일치하지 않는 것은?**

① 한글은 영어와 달리 음절 단위로 모아쓴다.
② 한글의 창제 방식은 매우 간결하고 효율적이다.
③ 모아쓰기보다는 풀어쓰기가 정보를 전달하는 데 효율적이다.
④ 한글은 적은 수의 자음자와 모음자를 조합하여 수많은 음절을 표현할 수 있다.
⑤ 컴퓨터로 정보를 입력할 때 한글을 사용하면 빠른 속도로 정보를 입력할 수 있다.

17 **(가)~(다)의 내용을 바탕으로 할 때, 정보화 시대에 두드러지는 한글의 우수성으로 알맞지 않은 것은?**

① 한자나 일본의 문자보다 정보 입력 속도가 빠르다.
② 사람이 한눈에 파악할 수 있는 글자의 수를 늘릴 수 있다.
③ 음절 단위로 모아쓰기 때문에 한번에 더 많은 정보를 인식할 수 있다.
④ 글쇠 수가 제한된 컴퓨터 자판이나 휴대 전화 자판에서 활용하기에 효율적이다.
⑤ 가로 방향이나 세로 방향으로 자유롭게 쓸 수 있어서 정보를 전달하기에 실용적이다.

18 **(라)에 대한 설명으로 적절하지 않은 것은?**

① 재경이와 서율이는 여행을 주제로 대화를 나누고 있다.
② 대화를 나누기 전, 재경이와 서율이가 생각하는 여행의 의미는 서로 달랐다.
③ 대화를 나누면서 재경이는 여행에 대한 서율이의 생각을 조정하도록 설득했다.
④ 대화를 나누기 전, 재경이는 여행이란 '여러 곳을 다니면서 다양한 사람을 만나는 것'이라고 생각했다.
⑤ 대화를 나누기 전, 서율이는 여행이란 '맛있는 음식을 먹거나 멋진 풍경을 즐기면서 편하게 쉬는 것'이라고 생각했다.

주관식

19 **(라)에서 재경이와 대화를 나눈 후 서율이가 조정한 '여행'의 의미를 찾아 쓰시오.**

20 **듣기·말하기가 원활하게 이루어지기 위해 필요한 태도를 모두 고른 것은?**

> ㉠ 듣는 이는 상대의 말을 주의 깊게 듣는다.
> ㉡ 말하는 이와 듣는 이는 서로를 존중하는 태도를 갖는다.
> ㉢ 말하는 이는 듣는 이의 반응과는 상관 없이 자신의 생각을 모두 전달한다.
> ㉣ 듣는 이는 상대의 상황과 처지를 이해하며 고개를 끄덕이거나 시선을 맞춘다.
> ㉤ 듣는 이는 말하는 이가 편하게 말을 이어 갈 수 있도록 아무런 반응을 보이지 않는다.

① ㉠, ㉡, ㉣   ② ㉠, ㉡, ㉤   ③ ㉠, ㉢, ㉣
④ ㉡, ㉢, ㉣   ⑤ ㉢, ㉣, ㉤

[21~23] 다음 글을 읽고, 물음에 답하시오.

가 지혁: 소정아, 주말에 뭐 했어?

소정: 마을 장터에 갔다가 새것은 아니지만 괜찮아 보이는 책을 한 권 샀어.

지혁: 마을 장터에서 그런 책을 팔기도 해?

소정: 응. 책뿐만 아니라 자신이 쓰지 않는 물건은 무엇이든 팔던데?

지혁: 아하, 사회 시간에 배운 아나바다 운동 같은 거구나. "아껴 쓰고, 나눠 쓰고, 바꿔 쓰고, 다시 쓰자."라는 의미였지?

소정: 맞아. 그러고 보니 이번 마을 장터가 바로 아나바다 운동이었네. 너도 비슷한 경험이 있어?

지혁: 나는 물건을 사 본 적은 없는데, 아무도 타지 않아서 먼지만 쌓이던 우리 집 자전거를 사촌 동생에게 준 적이 있어. 동생이 무척 좋아하면서 매일 타고 다닌대. 이런 것도 아나바다 운동이지?

소정: 그럼. 쓸모없던 자전거를 누가 다시 잘 쓸 수 있게 된 거니까.

지혁: 그러네. 너는 마을 장터에서 책을 사 보니까 어땠어?

소정: 처음에는 남이 보던 책을 산다는 것이 내키지 않았지만 값이 싸고 책 상태도 깨끗해 보이길래 한번 사 봤거든. 정작 책을 읽어 보니 아무렇지도 않더라고. 누구에게는 필요 없던 물건이 다른 사람에게는 유용하게 쓰일 수도 있는 것 같아.

지혁: 네 말을 듣고 보니 마을 장터와 같은 아나바다 운동이 자원을 절약하는 좋은 방법이라는 것을 알겠어. 나도 진작 알았더라면 마을 장터에 갔을 텐데 아쉽다.

소정: 그래? 잘됐다. 매달 두 번째 주말에 마을 장터가 열린대. 다음에 같이 가 볼래?

지혁: 좋아. 다음에 같이 가서 내게 필요한 물건이 있는지 찾아봐야겠다.

나

다

21 (가)에서 지혁이와 소정이가 의미를 공유하는 과정에 대한 설명으로 적절하지 <u>않은</u> 것은?

① 소정이는 지혁이에게 마을 장터에서 책을 산 일을 이야기했다.

② 지혁이는 사촌 동생에게 타지 않는 자전거를 준 경험을 떠올렸다.

③ 소정이에게 마을 장터 이야기를 들은 지혁이는 아나바다 운동을 떠올렸다.

④ 소정이는 지혁이가 자전거를 사촌 동생에게 준 것도 아나바다 운동이라고 생각했다.

⑤ 소정이는 지혁이의 말을 듣고 마을 장터가 자원을 절약하는 좋은 방법이라는 것을 깨달았다.

22 (나), (다)의 대화 상황에 대한 설명으로 알맞지 <u>않은</u> 것은?

① (나)의 왼쪽 상황에서 선혜는 엄마의 말을 듣고도 휴대 전화만 보고 있다.

② (나)의 왼쪽 상황에서 선혜의 엄마는 선혜가 자신을 무시한다는 느낌이 들었을 것이다.

③ (나)의 오른쪽 상황에서 엄마는 선혜가 자신의 말을 주의 깊게 듣고 있다고 느꼈을 것이다.

④ (다)의 왼쪽 상황에서 재영이의 친구는 존중받지 못한다는 느낌이 들었을 것이다.

⑤ (다)의 오른쪽 상황에서 재영이는 턱을 괸 채 무표정한 얼굴로 친구의 말을 듣고 있다.

서술형

23 (나), (다)에서 바람직한 듣기 태도를 각각 고르고, 이를 바탕으로 바람직한 듣기 태도에 대해 쓰시오.

_____

_____

_____

24 다음 중 공감하며 대화하는 방법을 <u>잘못</u> 이해한 사람은?

① 상대의 처지와 상황을 이해하는 태도가 필요해.

② 상대와 눈을 맞추고 관심을 표현하며 대화해야 해.

③ 상대의 말에 대답을 하거나 맞장구를 치는 행동을 삼가고, 진지하게 대화해야 해.

④ 상대를 비방하거나 지적하기보다는 상대의 관점에서 문제를 바라보도록 해야 해.

⑤ 상대가 계속해서 말을 이어 나갈 수 있도록 적절한 질문을 해 주는 것도 좋은 방법이야.

[25~29] 다음 글을 읽고, 물음에 답하시오.

가 1940년《훈민정음》해례본을 발견하기 전까지 사람들은 한글의 기원과 관련해 여러 의견을 내놓았어요. 몽골이나 인도의 문자를 본떴다는 설도 있었지요. 세종 대왕이 훈민정음을 만드는 동안 몽골의 파스파 문자나 인도의 산스크리트 문자 등 주변 국가의 문자에 관한 정보를 수집했기 때문이에요. 실제로 글자 몇 개는 닮기도 했고요. 문창살을 보고 만들었다는 등의 허황된 소리를 생각하면 문자 모방설은 그나마 근거가 있는 주장이에요. 앞서 예로 든 글자들은 모두 훈민정음처럼 소리글자였거든요.

나 이러한 설들은 《훈민정음》해례본이 발견되면서 잠잠해졌어요. 이 책의 설명에 따르면 자음의 기본자는 발음 기관을 본떠 만들었어요. 〈중략〉 모음 역시 하늘(ㆍ), 땅(ㅡ), 사람(ㅣ)을 본떴어요. 과거 동양 철학에서는 하늘과 땅, 사람이 만물의 근본이라고 생각했기 때문에 그 세 가지를 본뜬 것이에요. 이 ㉠기본 글자들에 획을 더하거나 이들을 서로 조합하여 다른 글자들을 만들어 나간 것이 바로 한글이에요.

현재 지구상에 남아 있는 글자 중에 이처럼 창제 원리와 거기에 담긴 철학적 원리가 자세히 기록된 것은 없어요. 타이 문자나 키릴 문자처럼 작자와 만든 과정이 알려진 글자는 몇 개 있지만, 훈민정음처럼 철학적 원리와 사용법, 보기 등을 자세히 기록하여 책으로 펴내기까지 한 글자는 없지요. 그래서 유네스코가 《훈민정음》해례본을 세계 기록 유산으로 지정한 것이랍니다.

다 석환: 대학에도 영화를 공부하는 학과가 있어요. 또 제가 하려는 일은 영화배우 이런 게 아니라 영화를 제작하고 배급하는 일이고요.

누나: (말을 자르고 끼어들며) 야, 윤석환, 너도 곧 고등학생 될 거잖아? 나는 고3 되는 거고. 너 이럴 때 아니야. 남들보다 더 열심히 공부해도 모자랄 판에 이러고 있는 게 말이 되냐?

엄마: 그래, 네 누나 말이 맞아, 너도 이제 공부할 시기라고.

석환: 혼자 있고 싶어요. / 엄마: 뭐? / 석환: 나가세요.

누나: 윤석환, 너 엄마한테 말버릇이 이게 뭐야?

석환: 엄마, 저는 엄마를 이해할 수가 없어요.

누나: 야, 난 네가 이해가 안 된다. 우리 때문에 엄마가 얼마나 힘들게 일하시는 줄 알아? 없는 형편에 과외비, 학원비 갖다 바쳤는데, 너라는 애는 어떻게 이럴 수가 있니? 공부하는 척 문 닫고 들어앉아 시나리오나 쓰고, 영화 잡지나 읽고. 그런 너를 어떻게 이해해? / 석환: 누나는 좀 가만히 있어. 엄마! 저는 영화감독이 되고 싶어요.

엄마: 누가 영화감독 하지 말라고 했니? 엄마도 네가 원하는 것을 하면서 살았으면 좋겠어. 하지만 세상은 그렇게 하고 싶은 것 다 하고 살 수가 없어. 너 도대체 왜 그러니? 조금만 더 하면 잘할 수 있는 애가, 응?

25 (가), (나)의 내용과 일치하지 않는 것은?

① 타이 문자나 키릴 문자는 작자와 만든 과정이 알려진 문자이다.
② 몽골의 파스파 문자, 인도의 산스크리트 문자는 모두 뜻글자이다.
③ 과거 동양 철학에서는 하늘, 땅, 사람을 만물의 근본이라고 생각했다.
④ 1940년 《훈민정음》해례본이 발견되면서 한글의 창제 원리가 밝혀졌다.
⑤ 세종 대왕은 훈민정음을 만드는 동안 주변 국가의 문자에 관한 정보를 수집했다.

 주관식

26 다음에서 ㉠의 원리로 만들어진 글자가 아닌 것을 모두 고르시오.

| ㄱ | ㅋ | ㄴ | ㄷ | ㅌ | ㅁ | ㅂ |
| ㅍ | ㅅ | ㅈ | ㅊ | ㅇ | ㆆ | ㅎ |

서술형

27 (나)를 참고하여, 유네스코가 《훈민정음》해례본을 세계 기록 유산으로 지정한 이유를 쓰시오.

_____

28 (다)의 대화에 대한 설명으로 적절하지 않은 것은?

① 엄마와 누나는 석환이가 공부에 더 집중하기를 바라고 있다.
② 누나는 석환이의 말을 끝까지 듣지 않고 중간에 끼어들며 말하고 있다.
③ 석환이는 영화를 제작하고 배급하는 일을 하는 영화감독이 되고 싶어 한다.
④ 엄마는 석환이의 입장을 이해하는 태도를 보이며 석환이가 꿈을 이룰 수 있도록 도우려고 한다.
⑤ 석환이는 "혼자 있고 싶어요.", "나가세요."라고 말하며 대화를 이어 나가려는 태도를 보이지 않는다.

 서술형

29 (다)에서 상대에게 공감하며 대화하기 위해 석환이, 엄마, 누나에게 공통적으로 필요한 태도를 서술하시오.

_____

01 한글의 창제 원리와 우수성

01 한글이 창제되기 이전의 문자 생활에 대한 설명으로 맞으면 ○표, 틀리면 ×표 하시오.
(1) 한자를 사용하여 문자 생활을 했다. ( )
(2) 양반과 평민 모두 한자를 통해 의사소통을 하는 데 큰 불편함이 없었다. ( )
(3) 평민들은 글로 전해지는 지식과 정보를 얻기가 어려웠다. ( )
(4) 평민들은 한자로 자신이 전달하고 싶은 내용을 전달할 수 있었다. ( )

02 다음은 한글의 창제 원리에 대한 설명이다. 관계있는 것끼리 연결하시오.
(1) 실용 정신 •
(2) 자주정신 •
(3) 애민 정신 •
• ㉠ 글을 모르는 백성이 글로 자신의 뜻을 표현하지 못하는 것이 안타까움.
• ㉡ 모든 사람으로 하여금 쉽게 익혀서 날마다 편리하게 쓰도록 하겠음.
• ㉢ 우리말과 중국의 말이 달라서 우리의 독창적인 문자가 필요함.

03 한글의 자음과 모음의 기본자를 만드는 데 공통적으로 적용된 제자 원리를 쓰시오.

04 자음 기본자 'ㄱ, ㄴ, ㅁ, ㅅ, ㅇ'은 ( )의 모양을 본떠 만들었다.

05 〈보기〉에서 다음 빈칸에 들어갈 알맞은 말을 골라 쓰시오.
┤ 보기 ├
목구멍 입 이 혀뿌리 윗잇몸
(1) ㄱ: ( )가 목구멍을 막는 모양을 본떠 만들었다.
(2) ㄴ: 혀끝이 ( )에 닿는 모양을 본떠 만들었다.
(3) ㅁ: ( ) 모양을 본떠 만들었다.
(4) ㅅ: ( )의 모양을 본떠 만들었다.
(5) ㅇ: ( )의 모양을 본떠 만들었다.

06 ( )의 원리는 자음 기본자에 획을 더하여 다른 글자를 만드는 것이다.

07 가획의 원리를 바탕으로, 다음 빈칸에 들어갈 알맞은 자음자를 쓰시오.
(1) ㄱ → ( ) (2) ㄴ → ( ) → ㅌ
(3) ㅁ → ㅂ → ( ) (4) ( ) → ㆆ → ㅎ

08 다음은 모음 기본자의 제자 원리에 대한 설명이다. 관계있는 것끼리 연결하시오.
(1) • •
(2) ㅣ •
(3) ㅡ •
• ㉠ 땅의 평평한 모양을 본뜸.
• ㉡ 하늘의 둥근 모양을 본뜸.
• ㉢ 서 있는 사람의 모양을 본뜸.

09 다음 모음자에 공통적으로 적용된 제자 원리를 쓰시오.
┌─────────────────────────────┐
│ ㅓ ㅏ ㅗ ㅜ ㅕ ㅑ ㅛ ㅠ │
└─────────────────────────────┘

10 모음자는 자음자의 ( )이나 ( )에 붙여 모아쓴다.

11 다음은 한글과 한자를 비교한 내용이다. 빈칸에 알맞은 말을 쓰시오.

한글	• ( )를 나타내는 문자이다. • 한자보다 글자 수가 ( ). • 적은 수의 글자로 수많은 ( )을 표현할 수 있어 효율적이다.
한자	• ( )를 나타내는 문자이다. • 글자의 개수가 매우 ( ).

12 다음은 한글과 영어 알파벳을 비교한 내용이다. 빈칸에 알맞은 말을 쓰시오.

한글	• 글자와 소리가 거의 ( )로 대응한다. • 글자의 모양을 통해 글자들의 ( )나 소리의 특징을 짐작할 수 있다.
영어 알파벳	• 하나의 글자가 ( ) 발음된다. • 글자의 ( )과 소리가 관련이 없다.

13 한글은 ( ) 단위로 ( )를 하기 때문에 정보를 빠르게 파악할 수 있고, 정보를 전달하는 데에도 실용적이다.

14 듣기·말하기 과정에서 말하는 이와 듣는 이는 언어적·( )·( ) 표현을 통해 생각이나 감정을 주고받으며 의미를 만들어 나간다.

15 듣기·말하기가 원활하게 이루어지기 위해 필요한 자세에 대한 설명으로 맞으면 ○표, 틀리면 ×표 하시오.
(1) 상대의 말에 귀 기울이는 자세가 필요하다. ( )
(2) 상대를 존중하며 상대의 반응에 적절하게 대응하는 자세가 필요하다. ( )
(3) 상대의 생각을 자신의 생각과 같아지도록 바꾸려고 노력하는 자세가 필요하다. ( )

〈남학생과 여학생의 대화〉
16 남학생과 여학생의 대화에 대한 설명으로 맞으면 ○표, 틀리면 ×표 하시오.
(1) 여학생이 딴생각을 하느라 남학생의 말을 주의 깊게 듣지 못했다. ( )
(2) 남학생과 여학생의 듣기·말하기가 원활하게 이루어지기 위해서는 상대의 말에 귀 기울이는 자세, 상대를 존중하며 상대의 반응에 적절하게 대응하는 자세가 필요하다. ( )

〈서율이와 재경이의 대화〉
17 서율이와 재경이의 대화 주제는 ( )의 의미이다.

18 대화 전에 서율이가 생각한 여행의 의미를 쓰시오.

19 대화를 나눈 후 서율이가 조정한 여행의 의미를 쓰시오.

〈소정이와 지혁이의 대화〉
20 〈보기〉에서 빈칸에 들어갈 알맞은 말을 골라 쓰시오.

┌─ 보기 ─┐
마을 장터   책   아나바다   자전거
└────────┘

(1) 소정이는 마을 장터에서 ( )을 샀다.
(2) 소정이의 말을 듣고 지혁이는 사회 시간에 배운 ( ) 운동을 떠올렸다.
(3) 소정이의 질문을 듣고 지혁이는 타지 않는 ( )를 사촌 동생에게 준 경험을 떠올렸다.
(4) 소정이와 지혁이는 다음에 열리는 ( )에 함께 가기로 약속했다.

21 〈보기〉를 바탕으로 다음 빈칸에 알맞은 말을 쓰시오.

(1) (가): 엄마의 말을 듣고도 ( )만 바라보고 있다.
(2) (나): 턱을 괸 채 ( )을 맞추지 않고 ( )한 얼굴을 하고 있다.
(3) 상대의 말을 들을 때에는 ( ) 쪽으로 몸을 향하여 ( )하며 듣고, 상대와 자연스럽게 ( )을 맞추어 상대의 말에 ( )을 나타내며 들어야 한다.

〈준희와 한솔이의 대화〉
22 준희와 한솔이의 대화에 대한 설명으로 맞으면 ○표, 틀리면 ×표 하시오.
(1) 한솔이는 오늘 도서관이 문을 닫았다는 준희의 말을 주의 깊게 듣지 않았다. ( )
(2) 한솔이는 준희의 관점에서 문제를 바라보며 준희에게 공감하는 태도를 표현했다. ( )

〈효진이와 지애의 대화〉
23 효진이와 지애의 대화에 대한 설명으로 맞으면 ○표, 틀리면 ×표 하시오.
(1) 효진이의 시선이나 몸짓을 통해 지애는 효진이가 자신을 존중하고 있다고 느꼈을 것이다. ( )
(2) 효진이는 지애의 문제 상황을 분석하고, 앞으로 지애가 개선해야 할 점에 대해 조언했다. ( )
(3) 지애는 효진이와 대화를 한 후 친구에게 자신의 마음을 말할 용기를 얻게 되었을 것이다. ( )

24 공감을 표현하는 방법에 대한 설명으로 맞으면 ○표, 틀리면 ×표 하시오.
(1) 준비물을 집에 놓고 와서 속상하다고 말하는 친구에게 "잘 챙겼어야지. 쯧쯧."이라고 말하는 것은 친구의 상황과 감정을 이해하고 있음을 표현하는 것이다. ( )
(2) 주말에 가족 여행을 다녀왔다는 친구의 말을 들으면서 "어디에 다녀왔어?", "좋았겠다."와 같이 지속적으로 관심을 표현하며 반응할 수 있다. ( )

01 작품의 재발견 _ 완득이

1. 재구성 한번 구성하였던 것을 다시 새롭게 구성함. 문학 작품을 다른 갈래로 고쳐 쓰는 일

2. 문학 작품을 재구성할 때 주의할 점
- 바꾸고자 하는 매체나 갈래의 특성을 고려해야 함.
- 새로운 상상과 가치를 반영하기 위해 내용을 추가하거나 원작의 내용을 삭제할 수도 있음.

3. 재구성된 작품을 원작과 비교하며 감상하기
- 재구성된 작품을 원작과 비교하여 내용과 표현의 변화 양상을 파악함.
- 재구성된 작품에 나타난 관점의 변화나 그에 따른 형식과 맥락, 매체 등의 변화 양상을 파악함.
- 재구성된 작품에 반영된 새로운 상상과 ① [＿＿＿]를 파악함.

핵심 정리

갈래	뮤지컬 대본	성격	사실적, 교훈적, 희망적
제재	완득이의 성장 과정		
주제	주변 사람들과 진심으로 마음을 나누고 킥복싱을 통해 삶의 목표를 찾아가는 완득이의 성장 과정		
특징	• 고등학생 완득이의 아픔과 성장 과정을 그려 냄. • 꿈을 찾지 못하고 방황하는 청소년의 모습, 다문화 가정의 모습, 장애인 가정의 현실 등 우리 사회의 여러 측면을 두루 담아내면서도 밝은 희망을 보여 줌. • 노래와 춤을 적극적으로 활용하여 신나고 흥겨운 무대를 만듦.		

1. 이 뮤지컬 대본의 짜임

발단	아버지, 민구 삼촌과 사는 완득이가 담임 선생님에게 어머니 소식을 들음.
전개	[3~5장] 완득이가 담임 선생님의 주선으로 어머니를 만나지만 쉽게 마음을 열지 못함.
절정	완득이가 같은 반 친구 윤하와 가까워지고, 담임 선생님의 권유로 킥복싱을 시작함.
하강	[8~9장] 완득이가 자신을 찾아온 어머니에게 분홍색 구두를 선물하며 조금씩 마음을 열어 감.
대단원	[11장] 완득이가 킥복싱 시합에서 지지만 자신을 응원하는 사람들에게 고마움을 느끼며 세상 앞에 당당하게 서게 됨.

2. 원작 소설 〈완득이〉와 뮤지컬 대본 〈완득이〉의 비교

	원작 소설 〈완득이〉	뮤지컬 대본 〈완득이〉
표현 방식	완득이가 ② [＿＿＿]가 되어 사건을 설명함.	서술자 없이 인물의 대사와 행동으로 사건을 전개함.
	완득이가 자신의 심리를 직접 서술함.	대사와 노래를 통해 등장인물의 심리를 제시함.
내용	어머니가 완득이를 찾아와 편지를 건네고 대화를 마친 뒤 떠남.	어머니가 완득이에게 운동화와 편지를 건네고 아버지의 등장으로 황급히 떠남.
	완득이의 킥복싱 첫 경기 날을 간략히 제시함.	완득이가 경기를 치르는 모습을 구체적으로 제시함.

1 한번 구성하였던 것을 다시 새롭게 구성한다는 뜻으로, 문학 작품을 다른 갈래로 고쳐 쓰는 것을 (   )이라고 한다.

2 문학 작품을 재구성할 때에는 바꾸고자 하는 (   )나 (   )의 특성을 고려해야 한다.

3 재구성된 작품을 원작과 비교하며 감상하는 방법에 대한 설명으로 맞으면 ○표, 틀리면 ×표 하시오.
(1) 재구성된 작품에 반영된 새로운 상상과 가치를 파악하며 읽는다. (   )
(2) 재구성된 작품을 원작과 비교하며 변화된 내용의 단점을 파악하며 읽는다. (   )
(3) 재구성된 작품에 나타난 관점, 맥락, 매체 등의 변화 양상을 파악하며 읽는다. (   )

4 뮤지컬 대본 〈완득이〉에서는 대사와 행동, (   )를 통해 등장인물의 심리를 드러냈다.

5 뮤지컬 대본 〈완득이〉에 대한 설명으로 맞으면 ○표, 틀리면 ×표 하시오.
(1) 완득이와 완득이의 아버지는 오래전에 집을 나간 어머니를 만나고 싶어 했다. (   )
(2) 어머니는 완득이를 찾아와 운동화와 편지를 건네며 자신의 마음을 표현했다. (   )
(3) 가게 주인은 완득이와 어머니의 관계를 알고 있었다. (   )
(4) 처음에는 어머니에게 거부감을 보였던 완득이는 점차 어머니에게 마음을 열어 간다. (   )
(5) 완득이의 킥복싱 경기 날을 간략하게 제시했다. (   )

단원 종합 문제 기출 예상

[01~04] 다음 글을 읽고, 물음에 답하시오.

가 어머니: ……. 잘 지냈어요?

7. 마주치지 않을게요 / 배경 음악

어머니: 잘 커 줘서 고마워요. 나는 그냥 한 번만…….

어머니, 들고 온 종이 가방들을 완득이에게 건넨다.

어머니: 이거……. (포장을 뜯으며) 요즘 남자아이들한테 제일 인기 있는 거래요.

어머니가 상자를 뜯으면 ㉠운동화가 나타난다.

어머니: 신어 봐요……. 신어 보세요.

완득: 필요 없으니까, 가져가세요.

어머니: (품 안에서 ㉡흰 봉투를 꺼내 건네며) 이거…… 말로는 잘 못 하겠어서…… 너무 미안해서…….

나 아버지: 이게 뭐야!

아버지, 운동화를 옥탑방 밖으로 내던진다.

완득: (말리며) 왜 이러세요. 아버지, 왜 이러세요.

민구 삼촌: 이, 이러지 마! 싸, 싸우, 싸우지 마!

아버지: 여기가 어디라고 찾아와! 자식 놈 버리고 저 혼자 호강 하겠다고 도망쳐 놓고 여기가 어디라고 다시 와! 당신이 완 득이 얼굴 볼 자격이 있다고 생각해? 어서 나가! 우리 집에서 당장 나가!

어머니, ㉢신발을 신을 겨를도 없이 맨발로 도망치듯 ㉣옥탑방 에서 뛰쳐나간다.

완득, 어머니 신발을 챙겨 들고 어머니를 쫓아간다.

8. 엄마 향기 – 완득, 어머니

[완득] 방에서 ㉤이상한 향기가 났던 것 같아.
무슨 향인지는 모르겠지만 어쩐지 익숙한
나 혼자 있을 때와는 달랐던 이 향기.
화장도 안 했는데 도대체 무슨 향일까,
다른 사람들은 다 알고 있는 이 향기.
나만 지금껏 몰랐던 걸까, / 이런 게 바로, 바로.

완득, 어머니가 건넨 흰 봉투를 꺼내 읽는다.

[어머니] 잊고 살지 않았어요. 많이 보고 싶었어요.
난 나쁜 여자예요. 정말 미안해요.
혹시 전화할 수 있다면 꼭 해 주세요.
안 해도 돼. 그런데 한번 꼭 듣고 싶어요.
목소리 한번 꼭 듣고 싶어요.
옆에 있어 주지 못해서 미안해요. 미안해요.

완득: 보고 싶었다면 날 버리고 가지 말았어야지요…….

01 이와 같은 글에 대한 설명으로 적절하지 않은 것은?
① 연극적 요소에 음악적 요소가 더해졌다.
② 무대 공연을 전제로 하는 문학 작품이다.
③ 서술자 없이 대사와 행동으로 사건이 진행된다.
④ 소설에 비해 시간적, 공간적 제약에서 자유롭다.
⑤ 무대에서 배우가 해야 할 행동을 지시문으로 제시한다.

02 이 글에서 알 수 있는 내용으로 알맞지 않은 것은?
① 어머니는 아들을 그리워했다.
② 어머니는 아들과 대화하고 싶어 한다.
③ 아버지는 어머니에 대해 적대감을 갖고 있다.
④ 완득이는 아들로서 자격이 없다고 자책하고 있다.
⑤ 민구 삼촌은 어머니에게 화를 내는 아버지를 말리고 있다.

03 ㉠~㉤에 대한 설명으로 적절하지 않은 것은?
① ㉠은 완득이에 대한 어머니의 사랑과 미안한 마음을 보여 준다.
② ㉡에는 완득이에게 전하고 싶은 어머니의 마음이 적힌 편지가 들어 있다.
③ ㉢은 아버지와의 만남을 기다렸던 어머니의 마음을 보여 준다.
④ ㉣은 완득이의 집안 형편이 그리 좋지 못함을 알 수 있는 공간적 배경이다.
⑤ ㉤은 완득이가 느낀 엄마의 향기를 의미한다.

04 〈보기〉는 (다)에 해당하는 원작 소설의 일부이다. 〈보기〉와 (다)를 비교하여 소설과 뮤지컬 대본에서 등장인물의 심리를 제시하는 방법을 쓰시오.

> **보기**
> 방에서 이상한 냄새가 나는 것 같다. 무슨 냄새인지는 모르겠다. 어쨌든 나 혼자 있을 때와는 다른 냄새다. 화장도 안 했는데 무슨 냄새일까. 이런 게 어머니 냄새라는 걸까. 그분이 먹었던 라면 그릇이 전과 달라 보였다.

[05~09] 다음 글을 읽고, 물음에 답하시오.

가 완득: 이백사십짜리 구두 보여 주세요.

어머니: (㉠) 아니에요. 괜찮아요. 이러지 말아요.

완득: (어머니 단화를 가리키며) 이렇게 납작한 거 말고요. 굽 있는 것으로 보여 주세요. (뭔가 발견하고는) 이거 괜찮겠네요. 이것으로 보여 주세요.

가게 주인: 가만 보니 저쪽 사람 같은데, 학생하고 많이 닮았네. 신어 봐요. 이백사십, 굽 높은 거.

　　가게 주인, 굽이 7센티미터나 되는 분홍색 구두를 내민다. 어머니가 머뭇거린다.

가게 주인: 사 준다고 할 때 얼른 신어. 학생이 예쁘고 좋은 것으로도 골랐네. 그런데, 둘이 무슨 사이야?

　　어머니, 가게 주인의 말에 당황해 얼른 구두를 신는다.

나 완득이가 링 구석에서 휘청이며 무너지고, 관장은 링 중앙으로 수건을 던지려 한다.

관장: 완득아, 이제 그만하자.

완득: 관장님, 절대 수건 던지지 마세요. 끝까지 버틸 수 있게 해 주세요.

　　완득, 관장의 손에서 수건을 빼앗아 땀을 닦고는 멀리 내던진다.

완득: (도내 챔피언에게) 야, 난 시합에서 져도 상관없어.

도내 챔피언: ? / 완득: 네가 내 갈비뼈를 박살 내도 상관없고 네가 날 케이오(KO)로 이기든, 판정으로 이기든 난 상관없어. 극적인 역전승 따위를 바라는 게 아니야. 난 내가 버틸 수 있는 그 순간까지 최선을 다해 버틸 테니까, (가드를 올리고서는) 봐주지 마라. 날 이겨 봐!

　　도내 챔피언이 완득이에게 달려든다. 두 선수의 합이 계속된다. 완득이의 옆구리에 다시금 킥이 꽂히고 다운. 심판의 카운트가 시작된다.

♪ 19. 괜찮아(완득아, 괜찮아) – 완득, 전체 ♪

관장: 완득아! 정신 차려! 완득아! 완득아! 눈 좀 떠 봐, 인마!

　　심판의 카운트가 모두 끝나고 관중석에서는 환호성이 터져 나온다. 심판이 쓰러진 완득이의 상태를 살핀다.

　　완득이의 눈앞이 흐려진다. 완득이가 웃는다.

다 어머니: 완득아…….

　　완득, 어머니와 눈이 마주친다.

완득: ……. 이제 어디도 가지 마세요……. 내가 힘들 때, 주저앉고 싶을 때 응원받고 싶은 사람, 안겨 보고 싶은 사람이 있어요……. 아버지, 민구 삼촌, 관장님, 똥주 선생님, 윤하, 친구들, 그리고…… 엄마…, 엄마……, 엄마!

★05 (가)의 내용을 고려할 때 ㉠에 들어갈 지시문으로 가장 적절한 것은?

① 큰소리치며　　　　② 손사래 치며

③ 감격한 표정으로　　④ 무서운 표정으로

⑤ 울먹이는 목소리로

주관식

06 (가)에서 다음에 해당하는 2어절의 말을 찾아 쓰시오.

> 우리 사회에 다문화 가정과 외국인 노동자에 대한 편견이 존재함을 알 수 있는 표현

고난도

07 (나), (다)를 공연하기 위해 관계자들이 떠올렸을 생각으로 적절하지 않은 것은?

① 조명 담당: 완득이의 표정이 관객들에게 잘 보이도록 조명을 비추어야겠군.

② 소품 담당: 수건, 글러브, 선수 유니폼 등 킥복싱에서 사용하는 소품을 준비해야겠군.

③ 완득이 역 배우: 관장과 대화할 때에는 포기하지 않겠다는 의지가 느껴지도록 말해야겠군.

④ 연출 담당: 완득이가 도내 챔피언에게 지고 슬퍼하는 표정이 부각되도록 무대를 연출해야겠군.

⑤ 음향 담당: 킥복싱 시합에서 상대방을 칠 때 나는 펀치 소리와 관중이 내지르는 환호성 등을 준비해야겠군.

★ 서술형

08 다음은 (나), (다)에 해당하는 원작 소설이다. 이를 참고하여 완득이의 첫 경기 장면을 소설과 뮤지컬 대본에서 각각 어떻게 표현했는지 비교하여 쓰시오.

> 내 인생의 정식 첫 시합날. 1라운드에서 또다시 티케이오(TKO)로 패한 날, 관장님이 떠났다.

_____

_____

주관식

09 (다)에서 완득이가 어머니를 완전히 받아들였음을 보여 주는 말을 찾아 쓰시오.

02 우리가 만드는 연극

1. 연극 배우가 각본에 따라 어떤 사건이나 인물을 말과 동작으로 관객에게 보여 주는 무대 예술

2. 연극 대본의 특징
- 무대 상연의 문학
- 대사와 행동의 문학
- 현재 진행형의 문학
- 대립과 갈등의 문학

3. 연극 대본의 구성 요소

해설	막이 오르기 전후에 배경, 등장인물, 무대 장치 등을 설명함.
①	• 대화: 등장인물들이 주고받는 대사 • 독백: 상대역 없이 혼자 말하는 대사 • 방백: 무대 위 다른 사람들에게는 들리지 않고 관객에게만 들리는 것으로 약속된 대사
지시문	• 무대 지시문: 무대 장치, 분위기, 효과음, 조명 등을 지시함. • 동작 지시문: 등장인물의 표정, 행동, 몸짓 등을 지시함.

4. 연극을 공연하는 과정

주제 정하기	연극에서 전달하고 싶은 내용을 결정함.
대본 만들기	• 대본 만드는 방법 논의하기 • 등장인물의 성격과 주요 갈등 만들기 • 이야기를 장면으로 구성하기 • 장면속 연극 요소를 살려 장면을 대본으로 만들기
역할 정하기	연기, 무대 장치와 조명, 배경 음악과 음향, 의상과 분장, 소품 등 각자 연극 공연에서 맡을 역할을 정함.
세부 연습하기	각자 맡은 역할에 따라 장면별로 세부 연습을 진행함.
최종 연습하기	공연에 앞서 최종 연습을 하며 준비한 내용을 점검함.
공연하기	준비한 연극을 공연함.
평가하기	연극을 준비하고 공연하는 과정에서의 잘된 점과 개선할 점 등을 생각해 봄.

5. 연극 대본 작성 시 유의점
- 무대나 관객 등의 실제 공연 상황을 고려하여 대본을 작성한다.
- 연극의 공연 시간을 고려하여 대본을 적절한 길이로 작성한다.
- 인물의 특징과 개성, 인물 간의 갈등이 분명하게 드러나도록 대사를 작성한다.
- 막이 오르기 전에 필요한 무대 장치, 인물, 배경 등을 설정하며 ② □□□을 작성한다.
- 인물의 말투, 표정, 동작과 무대 장치, 조명, 음향, 배우들의 등장과 퇴장을 고려하며 지시문을 작성한다.

---

1 (　　　)은 배우가 각본에 따라 어떤 사건이나 인물을 말과 동작으로 관객에게 보여 주는 예술이다.

2 연극 대본의 구성 요소를 모두 쓰시오.

3 연극의 지시문에는 무대 장치, 분위기, 효과음, 조명 등을 지시하는 (　　　) 지시문과 등장인물의 표정, 행동, 몸짓 등을 지시하는 (　　　) 지시문이 있다.

4 다음은 연극을 공연하는 과정이다. 빈칸에 알맞은 말을 각각 쓰시오.

> 주제 정하기 → (　　　　) → 역할 정하기 → 세부 연습하기 → (　　　　) → 공연하기 → 평가하기

5 연극 대본에서 각 장면을 구성할 때에는 (　　　)의 진행과 해결이 뚜렷하게 드러나야 한다.

6 음향은 연극 속 상황의 (　　　)을 높이고 관객이 연극에 (　　　)할 수 있도록 도와준다.

7 연극에 대한 설명으로 맞으면 ○표, 틀리면 ×표 하시오.
(1) 연극은 소설과 달리 등장인물의 수에 제약이 있다. (　　)
(2) 연출을 맡은 사람은 연극을 전체적으로 조정한다. (　　)
(3) 연기를 맡은 배우는 그 인물의 성격에 어울리는 의상을 준비해야 한다. (　　)
(4) 배경 음악을 맡은 사람은 각 장면의 내용과 분위기에 맞는 음악을 준비하도록 한다. (　　)

단원 종합 문제 기출 예상

[01~04] 다음 글을 읽고, 물음에 답하시오.

가 등장인물의 성격과 주요 갈등 만들기

● 중심인물

인물	극에서 표현할 특성
순돌	소작인의 아들로, 순박하고 순진지만 어리숙하고 눈치가 없어서 점순이의 마음을 이해하지 못함.
점순	마름의 딸로, 거침이 없고 당당하며 자신의 마음을 적극적으로 표현함.

● 주변 인물

인물	극에서 표현할 특성
점순이의 어머니	점순이에게 결혼 이야기를 꺼내어 점순이의 내적 갈등을 부추김.

● 인물 간의 관계와 주요 갈등

점순이의 마음을 알지 못하는 순돌이와 그런 순돌이를 괴롭히는 점순이 사이의 갈등

나 이야기를 장면으로 구성하기

장면 1	장면 2
어느 날, 점순이가 일하고 있는 순돌이에게 감자를 내밀지만 순돌이는 이를 거절한다. 창피함을 느낀 점순이는 순돌이가 괘씸하다.	다음 날 점순이는 보란 듯이 자기 집 봉당에서 순돌이네 씨암탉을 때린다. 화가 난 순돌이는 점순이와 거친 말을 주고받는다.

다 장면 속 연극 요소 살리기

장면 1	점순이가 순돌이에게 감자를 내밀지만 순돌이가 거절함.	
등장인물	점순, 순돌	**장소** 순돌이네 집 앞마당
배경	여기저기 꽃이 피고, 초가집이 모여 있는 농촌의 봄 풍경을 그림으로 그려서 보여 줌.	
장면에 어울리는 소리	멀리서 들리는 새 소리와 소 울음소리로 농촌임을 드러냄. 순돌이가 울타리를 엮는 동작에 맞춰서 나뭇가지 부딪히는 소리를 들려줌.	
등장인물의 동선	순돌이는 무대 왼쪽의 순돌이네 집 앞마당에 있고, 점순이가 무대 오른쪽에서부터 순돌이를 향해 다가감.	
등장인물의 말과 행동	• 점순이가 치마 속에 감자를 숨기고 순돌이에게 다가감. • 순돌이는 점순이가 다가오는 줄 모르고 울타리를 엮는 데 열중함. • 점순이는 긴장한 모습으로 순돌이에게 계속 말을 걺. • 순돌이는 점순이에게 무뚝뚝하게 대답하며 울타리를 엮는 일에만 집중함.	

01 (가)~(다)와 같은 일을 해야 하는 연극 공연 과정으로 알맞은 것은?

① 주제 정하기   ② 대본 만들기
③ 역할 정하기   ④ 세부 연습하기
⑤ 최종 연습하기

02 (가)~(다)를 바탕으로 연극 공연을 준비할 때 고려할 점으로 적절하지 **않은** 것은?

① 순돌이의 순박한 성격이 드러나는 의상을 준비한다.
② '장면 1'에서는 감자를 거절당한 점순이의 창피함을 효과적으로 표현한다.
③ '장면 2'에서는 순돌이와 점순이의 갈등이 해결되는 과정을 구체적으로 보여 준다.
④ 새 소리와 소 울음소리, 나뭇가지 부딪히는 소리 등을 준비하여 연극의 사실성을 높인다.
⑤ 순돌이를 좋아하는 점순이와 이 마음을 눈치채지 못하는 순돌이 사이의 갈등이 드러나도록 한다.

03 (가)~(다)에 대한 설명으로 적절하지 **않은** 것은?

① (가): 인물 간의 관계를 중심으로 주요 갈등을 설정한다.
② (나): 인물의 상황, 사건 등을 바탕으로 장면을 구성한다.
③ (나): 내용에 따라 장면의 수를 조정한다.
④ (다): 각 장면에 필요한 연극의 요소를 구체적으로 설정한다.
⑤ (다): 인물의 특징과 개성, 인물 간의 갈등이 분명하게 드러나도록 대사를 작성한다.

04 (나)와 같이 이야기를 장면으로 구성할 때 유의해야 할 점으로 가장 적절한 것은?

① 등장인물의 외양을 구체적으로 묘사한다.
② 원작의 사건 진행 과정이 그대로 드러나도록 장면을 구성한다.
③ 갈등의 진행과 해결 과정이 뚜렷하게 드러나야 한다는 점을 인식한다.
④ 구체적인 지시문을 제시하여 배우가 섬세하게 연기할 수 있도록 한다.
⑤ 어떤 문학 작품을 각색할지 결정하고, 연극의 주제가 구체적으로 드러나도록 한다.

● 장면을 대본으로 만들기

등장인물　순돌, 점순, 점순이의 어머니

배경　한적한 농촌 마을

　옹기종기 모여 있는 초가집과 꽃이 핀 농촌의 봄 풍경을 보여 주는 그림이 무대 뒤쪽에 걸려 있다. 무대의 왼쪽에 순돌이네 집, 오른쪽에 점순이네 집이 있다.

1장 순돌이네 집 앞마당

　순돌이네 집 쪽의 조명이 밝아지면 점순이가 치마 속에 감자를 숨기고 무대 오른쪽에서 살금살금 등장한다. 순돌, 울타리를 엮는 데 열중하느라 점순이가 다가오는 줄도 모른다.

점순: (긴장된 표정으로 헛기침을 하다가 결심한 듯) 얘! 뭐 하니?

순돌: (점순이를 흘깃 쳐다본 뒤 무뚝뚝한 목소리로) 보면 모르냐? (다시 하던 일에 열심이다.)

점순: (사근사근한 목소리로) 그 일, 재미있니?

　순돌, 점순이의 말을 들은 체 만 체하고 묵묵히 울타리만 엮는다.

점순: (순돌이에게 좀 더 다가가 다정한 목소리로) 한여름이나 되거든 하지 벌써 울타리를 하니?

　순돌, 고개를 돌려 점순이를 빤히 쳐다본다.

점순: (과장된 목소리로) 까르르.

　순돌, 아무 반응 없이 다시 묵묵히 울타리를 엮는다.
　점순, 주위를 두리번거리다 순돌이 쪽으로 좀 더 가까이 다가간다.

05 대본을 작성할 때 유의할 점으로 적절하지 않은 것은?

① 무대나 관객 등의 실제 공연 상황을 고려하여 대본을 작성한다.

② 등장인물의 심리를 섬세하게 묘사하기 위해 최대한 길게 작성한다.

③ 인물의 특징과 개성, 인물 간의 갈등이 분명하게 드러나도록 대사를 작성한다.

④ 막이 오르기 전에 필요한 무대 장치, 인물, 배경 등을 설정하며 해설을 작성한다.

⑤ 인물의 말투, 표정, 동작과 무대 장치, 조명, 음향, 배우들의 등장과 퇴장을 고려하며 지시문을 작성한다.

06 연극 공연을 준비할 때 다음과 같은 일을 해야 하는 역할을 쓰시오.

- 무대가 전환되는 장면 정리하기
- 장면별 무대 장치 준비하기
- 장면별 조명 활용 계획 세우기
- 조명 기구 준비하기

07 이 글로 연극 공연을 준비할 때 연출이 지시할 수 있는 내용으로 알맞지 않은 것은?

① 순돌이 역 배우는 무심한 말투로 이야기하세요.

② 의상 담당은 소박하고 허름한 의상을 준비하세요.

③ 무대 장치 담당은 꽃이 핀 농촌을 표현한 그림을 준비하세요.

④ 조명 담당은 따뜻한 봄날을 표현하는 밝은 조명을 준비하세요.

⑤ 음향 담당은 점순이가 순돌이에게 말을 거는 부분에서 사용할 '사람들이 웅성거리는 소리'를 준비하세요.

08 이 글을 〈보기〉의 원작 소설과 비교하여 이해한 내용으로 적절하지 않은 것은?

┤ 보기 ├

　계집애가 나물을 캐러 가면 갔지 남 울타리 엮는 데 쌩이질을 하는 것은 다 뭐냐. 그것도 발소리를 죽여 가지고 등 뒤로 살며시 와서,

　"얘! 너 혼자만 일하니?" 〈중략〉

　"그럼 혼자 하지 떼루 하듸?"

　내가 이렇게 내배앝는 소리를 하니까,

　"너 일하기 좋니?" / 또는,

　"한여름이나 되거든 하지 벌써 울타리를 하니?"

　잔소리를 두루 늘어놓다가 남이 들을까봐 손으로 입을 틀어막고는 그 속에서 깔깔댄다. 별로 우스울 것도 없는데 날씨가 풀리더니 이 놈의 계집애가 미쳤나 하고 의심하였다.

　　　　　　　　　　　　　　- 김유정, 〈동백꽃〉

① 점순이와 '나'의 성격은 그대로 유지했군.

② 점순이와 '나' 사이의 대화를 일부 바꾸어 제시했군.

③ 점순이가 '나'에게 먼저 말을 거는 행동은 동일하게 제시했군.

④ 점순이가 '나'를 좋아하는 심리가 잘 드러나도록 각색했군.

⑤ 점순이와 '나' 사이의 관계를 바꾸어 사건에 흥미를 더했군.

선택 학습 기출 예상

[01~05] 다음 글을 읽고, 물음에 답하시오.

어두운 방 안엔
빠알간 숯불이 피고,

외로이 늙으신 할머니가
애처로이 잦아드는 어린 목숨을 지키고 계시었다.

이윽고 ㉠눈 속을
아버지가 약을 가지고 돌아오시었다.

아 아버지가 눈을 헤치고 따 오신
그 붉은 산수유 열매—

나는 한 마리 ㉡어린 짐생,
젊은 아버지의 서느런 옷자락에
열로 상기한 볼을 말없이 부비는 것이었다.

이따금 뒷문을 눈이 치고 있었다.
그날 밤이 어쩌면 성탄제의 밤이었을지도 모른다.

어느새 나도
그때의 아버지만큼 나이를 먹었다.

옛것이라곤 찾아볼 길 없는
㉢성탄제 가까운 도시에는
이제 반가운 ㉣그 옛날의 것이 내리는데,

서러운 서른 살 나의 이마에
불현듯 아버지의 서느런 옷자락을 느끼는 것은,

눈 속에 따 오신 산수유 붉은 알알이
㉤아직도 내 혈액 속에 녹아 흐르는 까닭일까.

01
이 시에 대한 설명으로 알맞지 <u>않은</u> 것은?

① 어린 시절 말하는 이는 열병을 앓은 적이 있다.
② 옛날의 아버지만큼 나이가 든 말하는 이는 도시에 살고 있다.
③ 현재 말하는 이는 성탄제 무렵 도시에서 내리는 눈을 바라보고 있다.
④ 현재 말하는 이는 힘들었던 아버지의 삶을 떠올리며 안타까워하고 있다.
⑤ 어린 시절 말하는 이를 위해 아버지가 눈을 헤치고 산수유 열매를 따 왔다.

02

이 시의 표현상 특징으로 적절하지 <u>않은</u> 것은?

① 말하는 이가 표면에 드러난다.
② 색채 대비를 통해 선명한 이미지를 드러낸다.
③ 과거와 현재의 상황을 대조하여 주제를 형상화한다.
④ 상징적인 소재를 통해 현실 극복 의지를 보여 준다.
⑤ 촉각적 심상을 활용하여 그리움의 정서를 드러낸다.

03
㉠~㉤에 대한 설명으로 적절하지 <u>않은</u> 것은?

① ㉠은 약을 구하기 위해 아버지가 겪었던 시련과 고난을 의미한다.
② ㉡은 말하는 이가 보호를 받아야 할 연약한 존재였음을 의미한다.
③ ㉢은 어린 시절 말하는 이가 있었던 시간적, 공간적 배경을 의미한다.
④ ㉣은 과거를 회상하게 하는 '눈'이다.
⑤ ㉤은 아버지의 사랑이 말하는 이의 마음속에 살아 있음을 의미한다.

04

다음에 해당하는 시어를 찾아 쓰시오.

> 색채감이 두드러지는 소재로, 말하는 이에 대한 아버지의 헌신적이고 순수한 사랑을 의미함.

05
이 시를 다음과 같은 소설로 재구성할 때 했을 법한 생각으로 알맞지 <u>않은</u> 것은?

> 한밤중 아들이 갑작스럽게 열이 오른다. 오랫동안 쌓인 눈 때문에 도시의 큰 병원으로 갈 수도 없다. 아버지는 산수유 열매를 떠올리고 길을 나선다. 눈보라가 심해져 산속에서 길을 잃지만, 그 옛날 자신의 아버지와 함께한 추억이 있는 장군 바위 근처에서 산수유 열매를 구한다.

① 눈 때문에 병원에 갈 수 없는 상황이라는 것을 구체적으로 제시해야지.
② 아버지와 아들 사이의 갈등이 어떻게 해결되었는지 섬세하게 묘사해야지.
③ 아버지가 아들을 위해 산수유 열매를 구하는 장면을 중심으로 표현해야지.
④ 아버지가 장군 바위에서 자신의 아버지와 함께한 추억을 떠올리는 장면을 추가해야지.
⑤ 산수유 열매를 따러 나간 아버지가 눈보라가 심해져 산속에서 길을 잃는 내용을 추가해야지.

[06~08] 다음 글을 읽고, 물음에 답하시오.

가 놀부는 마음보가 시커먼 놈이라 흥부 오는 싹을 보면 구박이 이만저만 아닐 것이다. 흥부는 형을 만나기도 전에 예전에 맞던 생각을 하니 겁이 저절로 났다. 온몸을 떨며 공손히 마루 아래에 서서 두 손을 마주 잡고 절하며 문안을 드린다.

이럴 때 다른 사람 같으면 와락 뛰어 내려와서 부축하여 올라가며 이렇게 위로했을 것이다.

"형제간에 마루 아래에서 인사를 하다니 이게 무슨 말이냐?"

나 그러나 놀부는 워낙 도리를 모르는 놈이라 흥부가 곡식이나 돈을 구걸하러 온 것인 줄 지레짐작하고 못 본 체 딴청을 피운다. 흥부가 여러 번 말을 걸자 그제서야 겨우 묻는다.

"네가 누구인고?" / 흥부는 기가 막힌다.

"내가 흥부올시다." / 놀부가 와락 소리 지르며 되묻는다.

"흥부가 어떤 놈인고?"

"애고, 형님, 이것이 무슨 말씀이오? 마오, 마오, 그리 마오. 비나이다, 비나이다, 형님께 비나이다. 세 끼 굶고 누운 자식 살려 낼 길이 전혀 없어 염치를 불고하고 형님 댁에 왔습니다. 형제의 정을 생각하여 벼나 쌀이나 아무것이라도 주시면 품을 판들 못 갚으며 일을 한들 거저야 먹겠습니까? 아무쪼록 형제의 정을 생각하여 죽는 목숨 살려 주십시오."

다 이처럼 애걸하지만 놀부 하는 꼴이 어처구니없다. 사나운 범같이 날뛰며 모진 눈을 부릅뜨고 핏대를 올리며 나무란다.

"너도 참 염치없는 놈이다. 내 말을 들어 보아라. 하늘은 먹을 것이 없는 인간을 낳지 않고, 땅은 이름 없는 풀을 만들지 않는다 했으니 누구나 제 먹을 것은 타고나는 법이다. 그런데 너는 어찌 그리 복이 없어 하고한 날 내게 와서 이리 보채느냐? 여러 소리 듣기 싫다." / 그래도 흥부는 울면서 애걸한다.

"어린 자식들 데리고 굶다 못하여 형님 처분만 바라고 염치를 돌아보지 않고 왔습니다. 만일 양식을 못 주겠거든 돈 서 돈만 주시면 하루라도 살겠습니다."

라 그러나 놀부는 더욱 화를 내며 나무란다.

"이놈아, 들어 보아라. 쌀이 아무리 많다고 해도 너 주려고 섬을 헐며, 벼가 많다고 하여 너 주려고 노적을 헐며, 돈이 많이 있다 한들 너 주자고 돈꿰미를 헐며, 곡식 가루나 주고 싶어도 너 주자고 큰독에 가득한 걸 떠내며, 옷가지나 주려 한들 너 주자고 행랑채에 있는 아랫것들을 벗기며, 찬밥을 주려 한들 너 주자고 마루 아래 청삽사리를 굶기며, 술지게미나 주려 한들 새끼 낳은 돼지를 굶기며, 콩이나 한 섬 주려 한들 농사지을 황소가 네 필인데 너를 주고 소를 굶기겠느냐. 염치없고 생각 없는 놈이로다."

"아무리 그렇더라도 죽는 동생 한 번만 살려 주십시오."

06 이 글에 대한 설명으로 적절하지 <u>않은</u> 것은?

① 조선 후기 판소리계 소설이다.
② 해학적이고 풍자적인 성격이 드러난다.
③ 선인과 악인을 대조하여 주제를 강조한다.
④ 작중 인물이 사건을 객관적으로 관찰한다.
⑤ 조선 후기 경제적으로 몰락한 양반의 삶이 드러난다.

07 이 글의 등장인물에 대한 설명으로 적절하지 <u>않은</u> 것은?

① 놀부는 흥부가 자신을 찾아온 이유를 짐작하고 있다.
② 놀부는 흥부를 때문에 노적과 돈꿰미를 헌 적이 있다.
③ 흥부는 집에서 굶고 있을 어린 자식들을 걱정하고 있다.
④ 흥부는 예전에 놀부에게 맞은 일을 떠올리며 불안해했다.
⑤ 놀부는 자신의 동생인 흥부를 모른 체하며 박대하고 있다.

08 다음은 (나)를 낭독극 대본으로 구성한 것이다. 사건의 전개 상황을 고려할 때, ㉠에 들어갈 지시문으로 가장 적절한 것은?

> 해설자: 그러나 놀부는 워낙 도리를 모르는 놈이라 / 흥부가 곡식이나 돈을 구걸하러 온 것인 줄 / 지레짐작하고 / (강조하여) 못 본 체 딴청을 피운다. // 흥부가 여러 번 말을 걸자 / 그제서야 겨우 묻는다.
>
> 놀부: (짐짓 모른 체하며, 천천히) 네가 누구인고? (놀라는 효과음)
>
> 해설자: 흥부는 기가 막힌다.
>
> 흥부: (㉠   ) 내가 흥부올시다.
>
> 해설자: 놀부가 (목소리를 키워) 와락 소리 지르며 되묻는다.
>
> 놀부: (정말 모르는 듯 시치미를 떼며) 흥부가 어떤 놈인고?
>
> 흥부: (애걸하는 목소리로) 애고, 형님, 이것이 무슨 말씀이오? / 마오, 마오, 그리 마오. / 비나이다, 비나이다, 형님께 비나이다.

① 큰 소리로 한 글자씩
② 당황해서 작은 목소리로
③ 목소리를 키워 강조하며
④ 화를 내며 훈계하는 듯이
⑤ 어이없다는 듯이 크게 웃으며

[01~04] 다음 글을 읽고, 물음에 답하시오.

가 똥주: 완득아. 어머님이 널 보고 싶어 하신다.

완득: 도대체 무슨 증거로 제 어머니라고 하세요?

똥주: 사진 봤어. 너 돌 때 찍은 가족사진. 아버님은 그대로더라.

　완득, 자리에서 일어난다.

완득: 왜 남의 집 일에 끼어드세요?

똥주: 뭐?

완득: 저는요, 엄마 젖이 아니라 아버지가 춤추던 카바레 누나들이 주는 과자나 사탕 먹고 컸어요.

나 어머니: 잘 커 줘서 고마워요. 나는 그냥 한 번만…….

　어머니, 들고 온 종이 가방들을 완득이에게 건넨다.

어머니: 이거……. (포장을 뜯으며) 요즘 남자아이들한테 제일 인기 있는 거래요.

　어머니가 상자를 뜯으면 운동화가 나타난다.

어머니: 신어 봐요……. 신어 보세요.

완득: 필요 없으니까, 가져가세요.

어머니: (품 안에서 ㉠흰 봉투를 꺼내 건네며) 이거…… 말로는 잘 못 하겠어서…… 너무 미안해서…….

다 8. 엄마 향기 – 완득, 어머니

[완득] 방에서 이상한 향기가 났던 것 같아.
무슨 향인지는 모르겠지만 어쩐지 익숙한
나 혼자 있을 때와는 달랐던 이 향기.
화장도 안 했던데 도대체 무슨 향일까,
다른 사람들은 다 알고 있는 이 향기.
나만 지금껏 몰랐던 걸까,
이런 게 바로, 바로.

라 똥주, 완득이 어머니가 사 온 빨간 운동화를 건넨다.

똥주: 챙겨. 한 짝 마저 찾느라고 온 동네 다 뒤졌다. 하여튼 어르신들 참 부지런해요. 뭐든 내놨다 하면 바로바로 치워 주셔. (사이) 완득아, 네 어머니…… 나라가 가난해서 그렇지 거기서는 배울 만큼 배우신 분이다. 혹시나 세상 모두가 외면한 대도 넌 그러면 안 돼. 어머니다. 네 어머니. 알았어?

완득: …….

똥주: 감동했나?

　똥주, 옥탑방 안으로 들어간다.

　완득, 주위를 두리번거리고는 새 운동화로 갈아 신어 본다. 한참이나 벗었다가 신어 보기를 반복한다.

　마냥 신기하기만 하다.

01 이와 같은 글에 대한 이해로 가장 적절한 것은?
95
① 공간이나 시간의 제약에서 자유롭군.
② 등장인물의 성격이 직접적으로 제시되는군.
③ 노래를 통해 등장인물의 심리가 드러나는군.
④ 인물 간의 대립과 갈등은 두드러지지 않는군.
⑤ 사건의 진행보다는 음악 공연이 주된 목적이군.

02 이 글의 등장인물에 대한 설명으로 적절하지 않은 것은?
80
① 완득이는 어머니가 준 빨간 운동화를 신어 보았다.
② 어머니는 가난한 나라에서 한국으로 온 외국인이다.
③ 완득이에게는 어린 시절, 어머니의 보살핌을 받은 기억이 없다.
④ 똥주 선생님은 완득이가 어머니를 가족으로 받아들이기를 바라고 있다.
⑤ 어머니는 자신을 만나 준 것에 보답으로 완득이에게 운동화를 선물했다.

03 사건 전개 과정을 고려할 때, ㉠에 든 편지에 적혀 있을 법한 내용이 아닌 것은?
85
① 완득이와 가깝게 지내고 싶은 소망
② 늘 완득이를 보고 싶어 했던 그리움
③ 어머니로서의 역할을 제대로 못한 미안함
④ 외국인을 차별하는 한국 사회에 대한 분노
⑤ 어린 완득이를 두고 떠난 것에 대한 죄책감

04 서술형
95
(가)와 (다), (라)의 내용을 비교하여 어머니를 대하는 완득이의 태도 변화를 서술하시오.

[05~08] 다음 글을 읽고, 물음에 답하시오.

가 아무도 없는 체육관에서 샌드백을 치는 완득이. 링 위에 지쳐 드러눕는다. 소리친다. / 지친 몸을 일으켜 다시 자세를 잡는다.

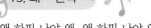
15. 왜 – 완득

왜 하필 나야 왜, 왜 하필 나야 왜, 왜 하필 나야 왜.

(왜 하필 너에게 왜)

왜 하필 나야 왜, 왜 하필 나야 왜, 왜 하필 나야 왜.

(왜 하필 너에게 왜)

누가 뭐라든 누가 욕하든 나 반드시 이긴다.

킥복싱이든 내 인생이든 나 이기고 말 거야.

누가 뭐라든 누가 욕하든 반드시 이긴다.

킥복싱이든 내 인생이든.

누가 뭐라든 누가 욕하든, 누가 뭐라든 누가 욕하든

나 이기고 말 거야, 나 반드시, 나 반드시.

나 반드시 이기고 말 거야. / 난 반드시 세상을 이긴다.

그때 철문이 '끼익' 열리는 소리가 들리고, 어머니가 조심스럽게 들어온다.

어머니: 걱정했어요…… 혹시나 해서 여기 와 봤어요…… 아버지를 만났거든요……. / 완득: …….

어머니: 불쑥 찾아와 미안해요……. ㉠며칠 동안 학교도 안 나오고 어디 있었던 거예요……. 걱정했어요.

나 완득: …… 대회 준비한다고요 …….

어머니: 힘들었겠네요……. (㉡도시락 보따리를 내밀며) 대회 나가려면 잘 먹어야지요. 고기 좀 구웠어요.

완득: 한국에 밥하러 왔어요? / 어머니: 아 …… 미안해요 …….

완득: …… 뭐가 미안해요 / 어머니: 그 …… 그냥 …….

완득: ……. 그리고요, ㉢저한테 존댓말 좀 쓰지 마세요.

어머니: ……. / 완득: …… 따라오세요. / 어머니: 네?

완득: (어머니의 손을 낚아채고는) 따라오시라고요.

다 완득: 이백사십짜리 구두 보여 주세요.

어머니: (손사래 치며) 아니에요. 괜찮아요. 이러지 말아요.

완득: (어머니 단화를 가리키며) 이렇게 납작한 거 말고요. 굽 있는 것으로 보여 주세요. (뭔가 발견하고는) 이거 괜찮겠네요. 이것으로 보여 주세요.

가게 주인: ㉣가만 보니 저쪽 사람 같은데, 학생하고 많이 닮았네. 신어 봐요. 이백사십, 굽 높은 거. 〈중략〉

어머니: 고…… 고…… 고마워…….

완득, 봉투에 담긴 어머니의 헤진 분홍색 신발을 꺼내 보인다.

완득: 분홍색 좋아하시는 거 맞지요? 이건 제가 가져갈게요.

㉤어머니, 턱을 파르르 떨지만 애써 참는다.

---

05 (가)~(다)를 통해 알 수 있는 이 글의 특성으로 알맞지 않은 것은? [90]

① (가): 작품의 주인공인 완득이가 서술자가 되어 사건을 설명한다.

② (가): 등장인물의 심리가 배우가 부르는 노래를 통해 드러나기도 한다.

③ (나): 인물의 대사와 행동으로 사건이 진행된다.

④ (나): 인물 간의 대화를 통해 등장인물의 심리를 파악할 수 있다.

⑤ (다): 배우가 등장인물의 행동을 연기하여 보여 줄 수 있도록 지시문을 제시한다.

06 (가)에 나타난 완득이의 심정으로 가장 적절한 것은? [85]

① 진심으로 엄마를 받아들인다.

② 갑자기 나타난 어머니로 인해 기뻐한다.

③ 어머니를 만나게 한 똥주 선생님을 원망한다.

④ 자신을 둘러싼 환경에 맞서겠다는 의지를 다진다.

⑤ 반드시 킥복싱 챔피언이 되어 부모님께 효도하겠다는 꿈을 드러낸다.

07 ㉠~㉤에 대한 설명으로 적절하지 않은 것은? [90]

① ㉠: 어머니가 완득이를 걱정했음을 알 수 있다.

② ㉡: 어머니에게 마음을 연 완득이가 어머니를 위해 준비한 것이다.

③ ㉢: 완득이가 어머니에게 점차 마음을 열고 있음을 보여 준다.

④ ㉣: 가게 주인이 다문화 가정에 대해 편견을 갖고 있는 인물이라는 것을 알 수 있다.

⑤ ㉤: 어머니가 완득이의 선물에 감동했다는 것을 알 수 있다.

08 (다)에서 완득이가 어머니에게 분홍색 구두를 선물하는 이유로 가장 알맞은 것은? [90]

① 다문화 가정을 바라보는 편견을 깨기 위해서이다.

② 어머니에게 안쓰러움과 고마움을 느꼈기 때문이다.

③ 킥복싱을 반대하는 어머니를 설득하기 위해서이다.

④ 어려서부터 어머니를 보고 싶어 했던 자신의 마음을 표현하기 위해서이다.

⑤ 어머니 곁에 있어 주지 못했던 자신의 미안한 마음을 표현하기 위해서이다.

[09~12] 다음 글을 읽고, 물음에 답하시오.

가 실내 체육관. 종이 울린다. 심판이 완득이와 상대 선수를 링 중앙으로 부른다. / 상대 선수에게 정신없이 맞기 시작하는 완득이의 시야가 흐려진다. / 옆구리에 킥이 꽂힌다.

똥주: (난입하며) 인마, 도완득! 지면 안 돼! 힘내라, 도완득!

완득이가 링 구석에서 휘청이며 무너지고, 관장은 링 중앙으로 수건을 던지려 한다.

관장: 완득아, 이제 그만하자.

완득: 관장님, 절대 수건 던지지 마세요. 끝까지 버틸 수 있게 해 주세요.

완득, 관장의 손에서 수건을 빼앗아 땀을 닦고는 멀리 내던진다.

완득: (도내 챔피언에게) 야, 난 시합에서 져도 상관없어.

나 관장: 완득아! 정신 차려! 완득아! 완득아! 눈 좀 떠 봐, 인마!

심판의 카운트가 모두 끝나고 관중석에서는 환호성이 터져 나온다. 심판이 쓰러진 완득이의 상태를 살핀다.

완득이의 눈앞이 흐려진다. **완득이가 웃는다.**

다 완득, 어머니와 눈이 마주친다.

완득: ……. 이제 어디도 가지 마세요……. 내가 힘들 때, 주저앉고 싶을 때 응원받고 싶은 사람, 안겨 보고 싶은 사람이 있어요……. 아버지, 민구 삼촌, 관장님, 똥주 선생님, 윤하, 친구들, 그리고…… 엄마……, 엄마……, 엄마!

라 등장인물 순돌, 점순, 점순이의 어머니

  배경   한적한 농촌 마을

옹기종기 모여 있는 초가집과 꽃이 핀 농촌의 봄 풍경을 보여 주는 그림이 무대 뒤쪽에 걸려 있다. 무대의 왼쪽에 순돌이네 집, 오른쪽에 점순이네 집이 있다.

🎬 1장 순돌이네 집 앞마당

순돌이네 집 쪽의 조명이 밝아지면 점순이가 치마 속에 감자를 숨기고 무대 오른쪽에서 살금살금 등장한다. 순돌, 울타리를 엮는 데 열중하느라 점순이가 다가오는 줄도 모른다.

점순: (긴장된 표정으로 헛기침을 하다가 결심한 듯) 얘! 뭐 하니?

순돌: (점순이를 흘낏 쳐다본 뒤 무뚝뚝한 목소리로) ㉠보면 모르냐? (다시 하던 일에 열심이다.)

점순: (사근사근한 목소리로) 그 일, 재미있니?

순돌, 점순이의 말을 들은 체 만 체하고 묵묵히 울타리만 엮는다.

점순: (순돌이에게 좀 더 다가가 다정한 목소리로) 한여름이나 되거든 하지 벌써 울타리를 하니?

---

09 서술형
다음은 (가)~(다)에 해당하는 원작 소설이다. 이를 참고하여 (가)~(다)에서 완득이의 경기 장면을 구체적으로 제시한 효과를 쓰시오.

> 내 인생의 정식 첫 시합날. 1라운드에서 또다시 티케이오(TKO)로 패한 날, 관장님이 떠났다.

10 (가)의 내용을 고려할 때, (나)에서 완득이가 웃는 이유로 가장 적절한 것은?

① 이제 모든 것이 끝났다는 허탈함 때문에
② 시합에서 졌어도 관객들이 환호성을 보내 주었기 때문에
③ 경기에서 끝까지 포기하지 않고 최선을 다했기 때문에
④ 간절히 바라던 챔피언과의 시합을 할 수 있었기 때문에
⑤ 챔피언과 대등한 경기를 펼쳤다는 만족감이 들었기 때문에

11 (라)의 내용을 고려할 때, ㉠에 어울리는 목소리로 알맞은 것은?

① 반가운 목소리 ② 무뚝뚝한 목소리
③ 빈정거리는 목소리 ④ 놀라는 듯한 목소리
⑤ 속상해하는 목소리

12 (라)를 공연하기 위해 세운 계획으로 적절하지 않은 것은?

① 조명을 밝게 하여 봄날의 따뜻한 분위기를 조성해야겠군.
② 울타리를 엮을 때 나는 효과음을 적절하게 활용해야겠군.
③ 무대 뒤편에는 그림을 걸어 공간적 배경을 알려 주어야겠군.
④ 점순이는 순돌이에 대한 호감이 드러나는 표정을 지어야겠군.
⑤ 점순이를 보며 부끄러워하는 순돌이의 표정을 생생하게 표현해야겠군.

13 연극을 공연하는 과정 중 ㉠에 들어갈 단계를 쓰시오.

이야기 구성하기	연극 준비하기	연극 공연하기
㉠ → 대본 만들기	→ 역할 정하기 → 세부 연습하기 → 최종 연습하기	→ 공연하기 → 평가하기

14 연극의 대본을 작성하는 과정에서 유의해야 점으로 적절하지 <u>않은</u> 것은?

① 대사: 인물의 특징과 개성이 분명하게 드러나도록 작성한다.

② 대본의 길이: 연극의 공연 시간을 고려하여 적절한 길이로 작성한다.

③ 지시문: 인물의 말투, 표정, 동작과 무대 장치 등을 고려하여 작성한다.

④ 해설: 무대 장치, 조명, 음향, 배우들의 등장과 퇴장을 고려하여 작성한다.

⑤ 갈등 관계: 교훈적인 주제를 전달하기 위해 인물 간의 갈등은 최대한 드러나지 않도록 작성한다.

15 다음은 연극 공연에서 배우를 맡은 사람이 해야 할 일이다. ㉠, ㉡에 들어갈 알맞은 말을 각각 쓰시오.

- 자신이 연기할 인물 이해하기
  - 등장인물의 (㉠) 분석하기
  - 등장인물의 역할을 장면에 따라 정리하기
- 대본 연습하기
  - 다른 배우들과 함께 대사 연습하기
  - 무대 (㉡) 정리하기

16 다음 중 연극 공연에서 무대 장치를 담당한 사람이 해야 할 일로 적절한 것은?

① 무대가 전환되는 장면을 정리한다.

② 무대 위에서 어떻게 움직일지를 정리한다.

③ 극에 사실감을 더해 주는 음향을 준비한다.

④ 주요 장면의 내용에 맞는 음악을 준비한다.

⑤ 장면별로 필요한 소품을 목록으로 정리한다.

17 다음 중 연극 공연에서 음향이 주는 효과로 알맞지 <u>않은</u> 것은?

① 연극 속 상황의 사실성을 높인다.

② 연극의 주제를 직접적으로 전달한다.

③ 연극의 내용을 실감 나게 표현해 준다.

④ 관객이 연극에 몰입할 수 있도록 도와준다.

⑤ 극의 분위기를 전달하거나 사건을 암시한다.

18 연극 공연 전 최종 연습을 하며 맡은 역할에 따라 점검해야 할 내용으로 적절하지 <u>않은</u> 것은?

① 의상 담당: 동작 연기와 동선이 자연스러운가?

② 배우: 입장과 퇴장이 원활하게 이루어지는가?

③ 배우: 대사를 숙지하고 정확한 발음으로 전달하는가?

④ 무대 장치 담당: 극의 분위기에 어울리는 무대 장치를 마련했는가?

⑤ 배경 음악 담당: 극의 분위기와 사건의 진행에 맞는 배경 음악을 준비했는가?

[19~22] 다음 글을 읽고, 물음에 답하시오.

가 어두운 방 안엔
빠알간 숯불이 피고,

외로이 늙으신 할머니가
애처로이 잦아드는 어린 목숨을 지키고 계시었다.

이윽고 눈 속을
아버지가 약을 가지고 돌아오시었다.

아 아버지가 눈을 헤치고 따 오신
그 붉은 산수유 열매—

나는 한 마리 어린 짐생,
젊은 아버지의 서느런 옷자락에
열로 상기한 볼을 말없이 부비는 것이었다.

이따금 뒷문을 눈이 치고 있었다.
그날 밤이 어쩌면 성탄제의 밤이었을지도 모른다.

어느새 나도
그때의 아버지만큼 나이를 먹었다.

옛것이라곤 찾아볼 길 없는
성탄제 가까운 도시에는
이제 ㉠반가운 그 옛날의 것이 내리는데,

서러운 서른 살 나의 이마에
불현듯 아버지의 서느런 옷자락을 느끼는 것은,

눈 속에 따 오신 산수유 붉은 알알이
아직도 내 혈액 속에 녹아 흐르는 까닭일까.

나 놀부는 워낙 도리를 모르는 놈이라 흥부가 곡식이나 돈을 구걸하러 온 것인 줄 지레짐작하고 못 본 체 딴청을 피운다. 흥부가 여러 번 말을 걸자 그제서야 겨우 묻는다.

"네가 누구인고?"
흥부는 기가 막힌다.
"내가 흥부올시다."
놀부가 와락 소리 지르며 되묻는다.
㉡"흥부가 어떤 놈인고?"
"애고, 형님, 이것이 무슨 말씀이오? 마오, 마오, 그리 마오. 비나이다, 비나이다, 형님께 비나이다. 세끼 굶고 누운 자식 살려 낼 길이 전혀 없어 염치를 불고하고 형님 댁에 왔습니다. 형제의 정을 생각하여 벼나 쌀이나 아무것이라도 주시면 품을 판들 못 갚으며 일을 한들 거저야 먹겠습니까? 아무쪼록 형제의 정을 생각하여 죽는 목숨 살려 주십시오."
이처럼 애걸하지만 놀부 하는 꼴이 어처구니없다. 사나운 범 같이 날뛰며 모진 눈을 부릅뜨고 핏대를 올리며 나무란다.
"너도 참 염치없는 놈이다. 내 말을 들어 보아라. 하늘은 먹을 것이 없는 인간을 낳지 않고, 땅은 이름 없는 풀을 만들지 않는다 했으니 누구나 제 먹을 것은 타고나는 법이다. 그런데 너는 어찌 그리 복이 없어 하고한 날 내게 와서 이리 보채느냐? 여러 소리 듣기 싫다."
그래도 흥부는 울면서 애걸한다.
"어린 자식들 데리고 굶다 못하여 형님 처분만 바라고 염치를 돌아보지 않고 왔습니다. 만일 양식을 못 주겠거든 돈 서 돈만 주시면 하루라도 살겠습니다."

19 (가)에 대한 설명으로 적절하지 않은 것은?
① 어른이 된 말하는 이는 삭막한 도시에 살고 있다.
② 어른이 된 말하는 이는 어린 시절을 회상하고 있다.
③ 어른이 된 말하는 이는 아버지의 사랑과 정성을 떠올리며 그리움을 느끼고 있다.
④ 할머니는 산수유 열매를 따러 간 말하는 이의 아버지를 걱정하느라 잠을 이루지 못했다.
⑤ 어린 시절 말하는 이는 열병을 앓다가 아버지가 구해 온 산수유 열매를 먹은 적이 있다.

주관식
20 (가)에서 과거 회상의 매개체인 ㉠이 의미하는 것을 찾아 쓰시오.

21 (나)를 연극으로 공연하려고 할 때, 그 계획으로 적절하지 않은 것은?
① 흥부는 누추한 복장을 입어 가난한 형편임을 보여 주자.
② 무대 공간을 놀부의 집으로 꾸미되 부잣집으로 묘사해야 해.
③ 놀부는 포악하고 이기적인 성격이 드러나도록 연기해야 해.
④ 놀부와 흥부가 만나는 기쁨을 강조할 수 있는 배경 음악을 사용하자.
⑤ 놀부가 흥부를 모른 체하는 장면에서는 흥부가 깜짝 놀라는 효과음을 사용하는 게 좋겠어.

22 (나)를 낭독극으로 읽을 때, ㉡에 가장 어울리는 목소리는?
① 화가 난 듯한 큰 목소리
② 매몰찬 날카로운 목소리
③ 당황한 듯한 작은 목소리
④ 화가 나서 크게 꾸짖는 목소리
⑤ 모르는 듯 시치미 떼는 목소리

01 다음은 작품을 재구성하는 방법과 그 효과에 대한 설명이다. 빈칸에 알맞은 말을 쓰시오.

(1) 원작을 (　　　)할 때에는 새로운 내용을 추가하거나 원작의 내용을 삭제하기도 한다.

(2) 원작을 재구성할 때에는 바꾸고자 하는 매체나 갈래의 (　　　)을 고려해야 한다.

(3) 재구성된 작품을 원작과 비교하여 감상할 때에는 내용과 표현의 변화, (　　　)의 변화나 그에 따른 형식과 맥락, 매체 등의 변화 양상을 파악해야 한다.

(4) 재구성된 작품이 원작과 어떻게 다른지 비교하며 감상하면 재구성된 작품에 반영된 새로운 (　　　)과 (　　　)를 이해할 수 있다.

02 뮤지컬 대본에 대한 설명으로 맞으면 ○표, 틀리면 ×표 하시오.

(1) 무대 공연을 목적으로 한다. (　　)

(2) 등장인물의 행동이 문장으로 서술된다. (　　)

(3) 관객을 대상으로 현재화된 사건이 진행된다. (　　)

(4) 연극적 요소에 음악적 요소가 결합되어 있다. (　　)

(5) 서술자가 등장인물의 심리를 직접 제시한다. (　　)

(6) 소설에 비해 시간적, 공간적 제약이 비교적 많다. (　　)

〈완득이〉

03 다음은 뮤지컬 대본 〈완득이〉에 대한 설명이다. 빈칸에 들어갈 알맞은 말을 쓰시오.

(1) 완득이를 찾아온 어머니는 (　　　)와 편지를 건네며 자신의 마음을 표현한다.

(2) 완득이는 어머니가 떠난 뒤 옥탑방에 남은 어머니의 (　　　)를 느끼며 어머니에게 서서히 마음의 문을 연다.

(3) 다문화 가정 출신인 완득이는 (　　　)을 하면서 세상에 당당하게 맞서기 시작한다.

(4) 완득이는 챔피언과의 킥복싱 경기를 (　　　)하지 않았다.

(5) 킥복싱 시합이 끝난 후 완득이는 어머니를 (　　　)라고 부른다.

04 뮤지컬 대본 〈완득이〉에 대한 설명으로 맞으면 ○표, 틀리면 ×표 하시오.

(1) 똥주 선생님은 완득이가 어머니를 이해하고 받아들이기를 바란다. (　　)

(2) 완득이는 항상 어머니를 그리워했다. (　　)

(3) 어머니가 완득이에게 준 흰 봉투에는 돈이 들어 있었다. (　　)

(4) 완득이가 킥복싱을 하는 문제로 아버지와 어머니가 갈등했다. (　　)

(5) 완득이는 첫 킥복싱 시합에서 진 뒤 억울해서 목 놓아 울었다. (　　)

05 〈보기〉에서 다음 빈칸에 알맞은 소재를 찾아 쓰시오.

┤ 보기 ├

운동화　　분홍색 구두　　킥복싱

(1) (　　　)는 완득이에 대한 어머니의 미안함과 사랑을 드러낸다.

(2) (　　　)은 완득이가 목표 없이 방황했던 과거의 상황을 극복하는 계기이다.

(3) (　　　)는 어머니에 대한 완득이의 안쓰러움과 고마움을 드러낸다.

06 〈보기〉는 뮤지컬 대본 〈완득이〉에 나오는 노래들이다. 다음 설명에 해당하는 노래를 찾아 쓰시오.

┤ 보기 ├

7. 마주치지 않을게요　　　8. 엄마 향기
15. 왜　　　　　　　　　19. 괜찮아

(1) 자신을 둘러싼 환경에 당당하게 맞서겠다는 완득이의 의지를 담고 있다. (　　　　　)

(2) 늘 완득이를 보고 싶어 했으면서도 쉽게 다가갈 수 없었던 어머니의 마음이 드러난다.
(　　　　　)

(3) 어머니를 처음 마주한 뒤 완득이가 어머니의 향기를 떠올리며 마음이 흔들리는 상황을 나타낸다.
(　　　　　)

(4) 시합에서 진 뒤에도 최선을 다했다는 만족감을 느끼고, 주변 사람들의 소중함을 깨달은 완득이의 성장을 보여 준다. (　　　　　)

07 다음 중 원작 소설 〈완득이〉에 대한 설명으로 알맞은 것을 모두 고르시오.

┌──────────────────────────────┐
│ ㉠ 등장인물의 심리가 직접 서술된다.
│ ㉡ 어머니는 완득이가 끓인 라면을 함께 먹는다.
│ ㉢ 등장인물의 행동을 지시하는 지시문을 제시한다.
│ ㉣ 어머니가 완득이와 대화를 마친 뒤 옥탑방을 나간다.
│ ㉤ 인물의 대사로 사건이 전개되며 서술자는 따로 없다.
└──────────────────────────────┘

02 우리가 만드는 연극

08 다음은 연극 대본에 대한 설명이다. 빈칸에 알맞은 말을 쓰시오.

(1) 무대 공연을 목적으로 쓰인 연극의 대본을 (　　　)이라고 한다.

(2) 연극 대본은 (　　　), 대사, 지시문으로 구성된다.

(3) 대사는 대화, 독백, (　　　)으로 구분된다.

(4) 지시문은 무대 장치, 분위기, 효과음, 조명 등을 지시하는 (　　　) 지시문과 등장인물의 표정, 행동, 몸짓 등을 지시하는 (　　　) 지시문으로 구분된다.

09 연극 대본에 대한 설명으로 맞으면 ○표, 틀리면 ×표 하시오.

(1) 반드시 새로운 이야기를 창작해야 한다. (　　)

(2) 중심인물의 상황, 중심인물이 겪는 사건 등을 생각하며 주요 장면을 구성한다. (　　)

(3) 예상 관객과 공연 장소 등을 고려하여 적절한 길이로 작성한다. (　　)

(4) 연극 속 상황에 어울리는 효과음이나 배경 음악을 적절하게 사용한다. (　　)

10 〈보기〉는 연극을 공연하는 과정이다. 다음과 관련 있는 과정을 찾아 쓰시오.

┤ 보기 ├
평가하기　대본 만들기　역할 정하기　공연하기
세부 연습하기　최종 연습하기　주제 정하기

(1) 준비한 공연을 연극함. (　　　　　)

(2) 공연에서 맡을 역할을 정함. (　　　　　)

(3) 연극에서 전달하고 싶은 내용을 결정함.
(　　　　　)

(4) 공연에 앞서 준비한 내용을 점검함.(　　　　　)

(5) 각자 맡은 역할에 따라 장면별로 연습을 진행함.
(　　　　　)

(6) 연극을 준비하고 공연하는 과정에서의 잘된 점과 개선할 점 등을 생각해 봄. (　　　　　)

(7) 대본 만드는 방법을 논의하고 이야기를 장면으로 구성하여 장면 속 연극 요소를 살려 대본을 만듦.
(　　　　　)

11 직접 연극 대본을 창작하고 공연하면 친구들과 (　　　)하며 (　　　)하는 능력을 기를 수 있고, 다른 사람의 삶에 대해 폭넓게 (　　　)하고 공감할 수 있다.

〈연극을 준비하고 공연하기〉

12 다음은 대본을 만들 때 유의해야 할 점이다. 빈칸에 알맞은 말을 쓰시오.

(1) 인물의 특징과 개성, 인물 간의 갈등이 분명하게 드러나도록 (　　　)를 작성한다.

(2) 막이 오르기 전에 필요한 무대 장치, 인물, 배경 등을 설정하여 (　　　)을 작성한다.

(3) 인물의 말투, 표정, 동작과 무대 장치, 조명, 음향, 배우들의 등장과 퇴장을 고려하며 (　　　)을 작성한다.

13 연극 공연을 위해 맡은 역할과 해야 할 일에 대한 설명으로 맞으면 ○표, 틀리면 ×표 하시오.

(1) 연출은 연극을 전체적으로 조정한다. (　　)

(2) 배우는 등장인물의 성격을 분석하고 역할을 장면별로 정리한다. (　　)

(3) 배우는 등장인물의 특징을 드러낼 수 있는 의상과 분장을 준비한다. (　　)

(4) 음향 담당은 배우의 등장과 퇴장 등을 고려하여 무대 동선을 정리한다. (　　)

(5) 소품 담당은 주요 장면의 내용과 분위기를 부각할 수 있는 음악을 준비한다. (　　)

14 효과음은 연극 속 상황의 (　　　)을 높이고 (　　　)이 연극에 몰입할 수 있도록 도와준다.

15 다음 중 무대 장치와 조명을 담당하는 사람이 최종 연습을 하며 점검해야 할 사항을 모두 고르시오.

㉠ 대사를 숙지하고 정확한 발음으로 전달하는가?
㉡ 배우의 동선과 장면에 맞게 조명을 조작했는가?
㉢ 극의 분위기에 어울리는 무대 장치를 마련했는가?
㉣ 배우의 대사와 동작에 맞추어 음향을 활용했는가?
㉤ 준비한 무대 장치를 장면에 따라 적절하게 바꿨는가?
㉥ 극의 분위기와 사전의 진행에 맞는 배경 음악을 준비했는가?

체크체크

| 국어 2-2 |

실전 모의고사

실전 모의고사 ①회

[01~07] 다음 시를 읽고, 물음에 답하시오.

먼 훗날 당신이 찾으시면
그때에 내 말이 ㉠'잊었노라'

당신이 속으로 나무라면
'무척 그리다가 잊었노라'

그래도 당신이 나무라면
'믿기지 않아서 잊었노라'

㉡오늘도 어제도 아니 잊고
먼 훗날 그때에 '잊었노라'

---

01 이 시의 표현상 특징으로 가장 적절한 것은?

① 역설적인 표현을 사용하여 주제를 강조했다.
② 직설적인 표현으로 말하는 이의 감정을 표현했다.
③ 설의적인 표현을 사용하여 독자의 호기심을 유발했다.
④ 속마음과 반대되는 말로 말하는 이의 진심을 강조했다.
⑤ 시간의 흐름에 따라 변화하는 말하는 이의 심정을 드러냈다.

02 이 시의 말하는 이에 대한 설명으로 알맞지 <u>않은</u> 것은?

① '당신'을 잊지 못하고 있다.
② 사랑하는 '당신'과 헤어진 상황이다.
③ '당신'에 대한 간절한 그리움을 나타내고 있다.
④ 이별을 통해 성숙해질 것이라고 생각하고 있다.
⑤ 오랜 시간이 지나도 '당신'을 잊을 수 없다고 말하고 있다.

03 이 시를 낭송할 때, 가장 어울리는 목소리는?

① 밝고 명랑한 목소리
② 쌀쌀맞고 냉정한 목소리
③ 간절하고 안타까운 목소리
④ 긍정적이고 희망찬 목소리
⑤ 기쁨과 존경이 가득 찬 목소리

04 이 시의 말하는 이의 심정과 관계가 깊은 사자성어는?

① 오매불망(寤寐不忘)
② 주마가편(走馬加鞭)
③ 절차탁마(切磋琢磨)
④ 삼고초려(三顧草廬)
⑤ 위편삼절(韋編三絶)

05 이 시에서 운율을 형성하는 요소와 그 효과로 알맞지 <u>않은</u> 것은?

① 같은 단어를 반복하여 규칙성이 느껴진다.
② 3음보의 율격이 반복되어 음보율이 느껴진다.
③ 비슷한 문장 구조를 반복하여 규칙적인 느낌을 준다.
④ 각 행에서 대체로 일정한 글자 수를 반복하여 리듬감이 느껴진다.
⑤ 의성어와 의태어를 반복적으로 사용하여 대상의 모습을 구체적으로 묘사한다.

서술형

06 이 시에서 ㉠을 반복한 효과를 두 가지 쓰시오.

_____

_____

07 다음 상황에서 ㉡에 사용된 표현 방법을 활용하여 엄마가 할 수 있는 말로 가장 알맞은 것은?

> (아들이 공놀이를 하다가 창문을 깨서 화가 난 상황)
> 엄마: _____

① 어디 안 다쳤니?
② 아주 잘했다, 잘했어.
③ 얼른 주변을 정리하렴.
④ 네가 또 그럴 줄 알았어.
⑤ 공놀이하지 말라고 몇 번이나 말했잖니.

[08~13] 다음 시를 읽고, 물음에 답하시오.

㉠가야 할 때가 언제인가를
분명히 알고 가는 이의
뒷모습은 얼마나 아름다운가.

봄 한철
격정을 인내한
나의 사랑은 지고 있다.

㉡분분한 낙화……
결별이 이룩하는 축복에 싸여
지금은 가야 할 때,

무성한 녹음과 그리고
머지않아 열매 맺는
㉢가을을 향하여

㉣나의 청춘은 꽃답게 죽는다.

헤어지자.
㉤섬세한 손길을 흔들며
하롱하롱 꽃잎이 지는 어느 날

나의 사랑, 나의 결별,
샘터에 물 고이듯 성숙하는
내 영혼의 슬픈 눈.

---

08 이 시에 대한 설명으로 적절하지 않은 것은?
① 의태어를 사용하여 경쾌한 분위기를 조성한다.
② 역설적 표현을 사용하여 주제를 강조하고 있다.
③ 꽃이 지는 모습을 통해 이별의 의미를 형상화하고 있다.
④ 독백적 어조를 통해 말하는 이의 정서를 표현하고 있다.
⑤ 감각적 이미지를 사용하여 삶에 대한 깨달음을 표현하고 있다.

09 결별을 대하는 말하는 이의 태도로 가장 적절한 것은?
① 이별은 안타깝고 고통스럽다.
② 이별도 노력하면 막을 수 있다.
③ 이별은 사람을 내적으로 성숙하게 한다.
④ 다시 만날 것을 기약하며 이별해야 한다.
⑤ 이별이 오지 않도록 현재의 사랑에 최선을 다해야 한다.

10 ㉠~㉤에 대한 설명으로 적절하지 않은 것은?
① ㉠: 이별의 상황을 의미한다.
② ㉡: 꽃잎이 흩날리며 떨어지는 모습을 의미한다.
③ ㉢: '열매'를 맺는 성숙의 계절을 의미한다.
④ ㉣: 현실에 좌절한 말하는 이의 모습을 나타낸다.
⑤ ㉤: 낙화의 모습을 의인화하여 표현한다.

주관식

11 말하는 이가 자연 현상을 통해 표현하려는 의미를 다음과 같이 정리할 때, ⓐ, ⓑ에 알맞은 말을 각각 쓰시오.

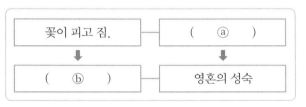

서술형

12 이 시에서 '결별이 이룩하는 축복'에 사용된 표현 방법을 쓰고, 이와 같은 표현을 사용했을 때의 효과를 두 가지 쓰시오.
조건 사용된 표현 방법의 개념을 쓸 것

----

13 이 시를 읽고 난 후의 반응으로 알맞지 않은 것은?
① 유진: 자연 현상과 인간의 삶을 연관 지어 표현한 것이 인상적이었어.
② 은지: 말하는 이는 꽃잎이 어지럽게 흩날리며 떨어지는 장면을 바라보고 있어.
③ 희진: 임을 그리워하며 임이 돌아오기를 바라는 말하는 이의 처지가 안타까웠어.
④ 성민: 이별의 참된 의미를 알고 받아들일 때 이별이 아름다울 수 있다는 것을 깨달았어.
⑤ 지혜: 이별은 영혼을 성숙하게 하는 계기가 되기 때문에 불행이 아니라 오히려 축복이 될 수 있어.

[14~17] 다음 글을 읽고, 물음에 답하시오.

가 양반이란, 선비를 높여서 부르는 말이다.

강원도 정선군에 한 양반이 살고 있었다. 이 양반은 어질고 글 읽기를 좋아하여, 군수가 새로 부임할 때마다 몸소 그 집을 찾아가서 인사를 드렸다. 그런데 이 양반은 가난하여 해마다 관청의 환곡(還穀)을 꾸어다 먹었다. 그 빚을 갚지 못하고 해마다 쌓여서 천 섬에 이르렀다.

나 강원도 감사가 정선 고을을 돌아보다가 환곡 장부를 조사하고 크게 노하였다.

"어떤 놈의 양반이 나라의 곡식을 축냈단 말이냐?"

감사는 그 양반을 잡아 가두라고 명했다. 군수는 그 양반이 가난해서 빚을 갚지 못하는 것을 딱하게 여겨 차마 가두지는 못하였다. 그러나 군수도 양반의 빚을 해결할 방법은 없었다.

양반은 빚을 갚을 길이 없어서 밤낮으로 울기만 하였다. 그의 아내가 양반을 몰아붙였다.

"당신은 평소에 글 읽기만 좋아하더니, 환곡을 갚는 데는 전혀 도움이 안 되는구려. 쯧쯧, 양반이라니……, 한 푼어치도 안 되는 그놈의 양반!"

다 그때 그 마을에 사는 부자가 그 양반의 소문을 듣고 가족과 의논하였다.

"양반은 아무리 가난해도 늘 귀한 대접을 받고, 우리는 아무리 잘살아도 항상 천한 대접을 받는다. 양반이 아니므로 말이 있어도 말을 타지 못한다. 또한 양반만 보면 굽실거리며 제대로 숨소리도 내지 못하고, 뜰아래 엎드려 절해야 하고, 코를 땅에 박고 무릎으로 기어가야 한다. 우리 신세가 가엾지 않으냐? 지금 저 양반이 환곡을 갚지 못해서 아주 난처하다고 한다. 그 형편으로는 도저히 양반의 신분을 지키지 못할 것이다. 그러니 우리가 그의 양반을 사서 양반 신분으로 살아 보자."

라 군수는 환곡을 갚게 된 사정을 알아보려고 양반을 찾아갔다. 그런데 뜻밖에 양반이 벙거지에 잠방이를 입고, 길에 엎드려 '소인(小人), 소인.' 하며 자신을 낮추지 않는가? 그뿐만 아니라 양반은 감히 군수를 쳐다보지도 못하였다. 군수가 깜짝 놀라 양반을 붙들고 물었다.

"그대는 어째서 이런 짓을 하시오?"

양반은 더욱 벌벌 떨면서 머리를 땅에 조아리며 아뢰었다.

"황송하옵니다. 소인이 저 자신을 욕되게 하려는 것이 아닙니다. 환곡을 갚느라고 이미 양반을 팔았으니, 이제는 이 마을의 부자가 양반입니다. 소인이 어찌 다시 양반 행세를 하겠습니까?"

---

14 이 글에 대한 설명으로 가장 적절한 것은?

① 역순행적 구성으로 사건 전개에 변화를 주었다.

② 실존 인물을 내세워 이야기를 사실적으로 전개했다.

③ 장면의 빈번한 전환을 통해 사건의 긴장감을 높였다.

④ 시대 상황을 반영하여 조선 후기 양반 사회를 신랄하게 풍자했다.

⑤ 작가가 생각하는 이상적인 사회를 제시하여 주제 의식을 강조했다.

15 이 글의 내용과 일치하는 것은?

① 군수는 양반이 되려는 부자를 비판한다.

② 양반은 돈으로 신분을 사려는 부자를 비난한다.

③ 감사는 환곡을 갚지 못하는 양반에게 연민을 느낀다.

④ 양반은 자신의 능력으로 빚을 갚을 수 없다고 생각한다.

⑤ 군수는 양반의 상황을 이해하지 못하고 그를 냉정하게 대한다.

16 〈보기〉를 참고하여 이 글을 감상한 내용으로 적절하지 **않은** 것은?

┤ 보기 ├

〈양반전〉은 조선 후기의 신분 질서 변동과 밀접한 관련이 있다. 임진왜란과 병자호란 이후, 경제적으로 몰락한 양반이 생기고, 상공업이 발달함에 따라 새롭게 부를 축적한 평민층이 등장하게 되었다. 경제력을 갖추게 된 평민들은 점차 신분 상승을 꾀하게 되었다.

① 환곡을 갚을 능력이 없는 양반은 경제적으로 몰락한 양반에 해당되는구나.

② 양반은 부자에게 자신의 신분을 팔았지만 여전히 권력을 가지고 있겠구나.

③ 양반과 부자의 신분 매매는 조선 후기의 신분 질서 변동의 모습을 보여 주는구나.

④ 부자는 경제력을 갖추고 있는데 천한 대접을 받는 현실 때문에 신분 상승을 꾀하게 된 것이구나.

⑤ 부자는 양반의 환곡을 대신 갚아 줄 만큼 돈이 많은 것으로 보아 새롭게 부를 축적한 평민에 해당되겠구나.

주관식

17 이 글에서 다음 설명에 해당하는 인물을 쓰시오.

- 현실적인 생활 능력을 중시함.
- 양반의 무능력함과 비생산성을 비판함.

[18-21] 다음 글을 읽고, 물음에 답하시오.

가 군수는 관청으로 돌아와서, 고을의 양반과 농사꾼, 장인(匠人), 장사치들까지 모조리 불러 모았다. 그리고 ㉠부자를 높은 자리에 앉히고, 양반을 낮은 자리에 세워 두고는 다음과 같이 증서를 작성하였다.

나 이 문서는 천 섬으로 양반을 사고팔아서 환곡을 갚은 것을 증명한다. 양반이란 여러 가지로 일컬어진다. 글을 읽으면 선비라 하고, 벼슬을 하면 대부(大夫)라 하고, 덕이 뛰어나면 군자라고 한다. 〈중략〉

더러운 일을 딱 끊고, 옛사람을 본받고, 높은 뜻을 가져야 한다. 매일 새벽에 일어나 등잔을 켜고서, ㉡눈은 가만히 코끝을 내려 보고 발꿈치를 궁둥이에 모으고 앉아, 얼음 위에 박 밀듯이 《동래박의(東萊博義)》를 줄줄 외워야 한다. 배고픔과 추위를 참고 견디며, 가난 타령은 아예 하지 말아야 한다. 어금니를 딱딱 마주치고 뒤통수를 톡톡 두드리며, 침을 입 안에 머금고 가볍게 양치질하듯이 삼켜야 한다. 소맷자락으로 털모자를 닦아 먼지를 떨어내어, 모자에 물결무늬가 뚜렷하게 해야 한다.

다 호장(戶長)이 증서를 다 읽고 나자, ㉢부자는 어처구니가 없어서 한참이나 멍하니 있다가 말하였다.

"양반이라는 게 겨우 요것뿐입니까? 저는 양반이 신선 같다고 들었는데, 정말 이렇다면 너무 재미가 없는걸요. 원하옵건대 제게 이익이 되도록 문서를 고쳐 주십시오."

그래서 문서를 다시 작성하였다.

라 ㉣문과의 홍패(紅牌)는 팔뚝만 하지만, 여기에 온갖 물건이 갖추어져 있으니, 그야말로 돈 자루다. 서른에야 진사가 되어 첫 벼슬을 얻더라도, 오히려 이름난 음관(蔭官)이 되어 높은 벼슬자리에 오를 수 있다. 언제나 종들이 양산을 받쳐 주므로 귀밑이 희어지고, 설령줄만 당기면 종들이 '예이.' 하므로 뱃살이 처진다. 방에서는 귀걸이로 치장한 기생과 노닥거리고, 뜰에서는 남아도는 곡식으로 학(鶴)을 기른다.

벼슬을 아니 하고 시골에 묻혀 살더라도 모든 일을 제멋대로 할 수 있다. 강제로 이웃의 소를 끌어다 먼저 자기 땅을 갈고, 마을의 일꾼을 잡아다 먼저 자기 논의 김을 맨들, 누가 감히 나에게 대들겠느냐? ㉤네놈들 코에 잿물을 들이붓고, 머리끄덩이를 잡아 휘휘 돌리고, 귀밑 수염을 다 뽑아도 누가 감히 나를 원망하겠느냐?

마 부자는 증서 내용을 듣고 있다가 혀를 내둘렀다.

"그만두시오, 그만두시오. 참으로 맹랑하구먼. 나를 도둑놈으로 만들 작정입니까?"

부자는 머리를 흔들면서 떠나 버렸다. 그러고는 죽을 때까지 다시는 양반이 되고 싶다는 말을 입에 올리지 않았다.

18 ㉠~㉤에 대한 설명으로 알맞지 <u>않은</u> 것은?

① ㉠: 부자가 양반의 신분을 샀기 때문이다.

② ㉡: 양반이 지켜야 하는 규범에 해당한다.

③ ㉢: 증서 내용에 담긴 양반의 횡포에 항의하고 있다.

④ ㉣: 양반 신분만으로 특권을 누릴 수 있다는 의미이다.

⑤ ㉤: 양반이 횡포를 부려도 문제가 없는 현실을 보여 준다.

19 (나), (라)에 나타난 양반의 모습을 알맞게 짝지은 것은?

	(나)	(라)
①	체면을 중시함.	외국 문물에만 관심이 많음.
②	관념과 형식에 얽매임.	백성을 괴롭힘.
③	관념과 형식에 얽매임.	출세에 관심이 없음.
④	실생활에 관심이 많음.	백성을 괴롭힘.
⑤	실생활에 관심이 많음.	외국 문물에만 관심이 많음.

20 〈보기〉를 참고할 때, 이 글에 사용된 표현 방법에 대한 설명으로 알맞은 것은?

┤ 보기 ├

〈양반전〉은 조선 후기 양반 사회를 신랄하게 풍자한 박지원의 단편 소설로, 집권층의 허례허식과 위선을 비판하는 작가 의식이 잘 드러난다.

① 진심과 반대로 표현하여 주제를 강조한다.

② 모순된 말을 결합하여 삶의 진실을 전달한다.

③ 독자의 웃음을 유발하여 대상을 간접적으로 비판한다.

④ 대상을 희화화하여 독자들이 대상에 연민을 느끼게 한다.

⑤ 대상을 직접적으로 비판하면서 사회 개혁 방향을 제시한다.

주관식

21 (마)에서 다음 설명에 해당하는 단어를 찾아 쓰시오.

양반을 풍자하는 태도가 절정에 이른 부분으로, 양반을 바라보는 작가의 비판적인 시각을 드러낸다.

[22~26] 다음 글을 읽고, 물음에 답하시오.

가 ⓐ나뭇잎이 벌레 먹어서 예쁘다
귀족의 손처럼 상처 하나 없이
매끈한 것은
어쩐지 베풀 줄 모르는
손 같아서 밉다
떡갈나뭇잎에 벌레 구멍이 뚫려서
그 구멍으로 하늘이 보이는 것은 예쁘다
상처가 나서 예쁘다는 것은
잘못인 줄 안다
그러나 남을 먹여 가며
살았다는 흔적은
별처럼 아름답다.

나 새침하게 흐린 품이 눈이 올 듯하더니 눈은 아니 오고 얼다가 만 ㉠비가 추적추적 내리는 날이었다.
이날이야말로 동소문 안에서 인력거꾼 노릇을 하는 김 첨지에게는 오래간만에도 닥친 ㉡운수 좋은 날이었다.

다 첫 번에 삼십 전, 둘째 번에 오십 전 — 아침 댓바람에 그리 흉치 않은 일이었다. 그야말로 재수가 옴 붙어서 근 열흘 동안 돈 구경도 못 한 김 첨지는 십 전짜리 ㉢백동화 서 푼, 또는 다섯 푼이 찰깍하고 손바닥에 떨어질 제 거의 눈물을 흘릴 만큼 기뻤었다. 더구나 이날 이때에 이 팔십 전이란 돈이 그에게 얼마나 유용한지 몰랐다. 컬컬한 목에 모주 한잔도 적실 수 있거니와 그보다도 앓는 아내에게 ㉣설렁탕 한 그릇도 사다 줄 수 있음이다.

라 "남대문 정거장까지 말씀이십니까?"
하고 ㉤김 첨지는 잠깐 주저하였다. 그는 이 우중(雨中)에 우장(雨裝)도 없이 그 먼 곳을 철벅거리고 가기가 싫었음일까? 처음 것, 둘째 것으로 그만 만족함이었을까? 아니다, 결코 아니다. 이상하게도 꼬리를 맞물고 덤비는 이 행운 앞에 조금 겁이 났음이다.

22 (가)에서 전달하고자 하는 바로 알맞은 것은?
① 매끈한 나뭇잎이 더 아름답다.
② 남에게 베푸는 삶이 아름답다.
③ 내면보다는 겉모습이 더 중요하다.
④ 인위적인 것보다는 자연적인 것이 아름답다.
⑤ 사랑과 희생을 통해 어려움을 극복할 수 있다.

23 (가)에서 '벌레 먹은 나뭇잎'을 대하는 말하는 이의 태도를 서술하시오.

_____

_____

24 ⓐ와 같은 표현 방법이 사용된 것은?
① 우리가 물이 되어 만난다면 / 가문 어느 집에선들 좋아하지 않으랴.
② 나 두 야 간다 / 나의 이 젊은 나이를 / 눈물로야 보낼 거냐 / 나 두 야 가련다
③ 뵈오려 안 뵈는 님, 눈 감으니 보이시네. / 감아야 보이신다면 소경 되어지이다.
④ 죽는 날까지 하늘을 우러러 / 한 점 부끄럼이 없기를, / 잎새에 이는 바람에도 / 나는 괴로워했다.
⑤ 일어서라 풀아 / 일어서라 풀아 / 땅 위 거름이란 거름 다 모아 / 구름송이 하늘 구름송이들 다 끌어들여

25 (나)~(라)에 대한 설명으로 가장 적절한 것은?
① 농민들의 고단한 삶의 모습을 다루고 있다.
② 광복 이후의 사회상이 사실적으로 반영되어 있다.
③ 작품 밖 서술자가 인물의 내면까지 서술하고 있다.
④ 인물 간의 대화를 통해 외적 갈등이 고조되고 있다.
⑤ 무더운 여름을 계절적 배경으로 설정하여 힘겨운 분위기를 조성하고 있다.

26 ㉠~㉤에 대한 설명으로 적절하지 않은 것은?
① ㉠: 어둡고 음산한 분위기를 형성한다.
② ㉡: 손님을 연이어 태운 행운을 의미한다.
③ ㉢: 시대적 배경을 드러내 주는 소재이다.
④ ㉣: 아내에 대한 김 첨지의 사랑을 드러낸다.
⑤ ㉤: 앞서 번 돈에 만족한 김 첨지의 심리를 드러낸다.

[27~30] 다음 글을 읽고, 물음에 답하시오.

가 그 학생을 태우고 나선 김 첨지의 다리는 이상하게 거뿐하였다. 달음질을 한다느니보다 거의 나는 듯하였다. 바퀴도 어떻게 속히 도는지, 구른다느니보다 마치 얼음을 지쳐 나가는 스케이트 모양으로 미끄러져 가는 듯하였다. 언 땅에 비가 내려 미끄럽기도 하였지만.

이윽고 끄는 이의 다리는 무거워졌다. 자기 집 가까이 다다른 까닭이다. 새삼스러운 염려가 그의 가슴을 눌렀다.

"오늘은 나가지 말아요. 내가 이렇게 아픈데!"

이런 말이 잉잉 그의 귀에 울렸다. 그리고 병자의 움푹 들어간 눈이 원망하는 듯이 자기를 노리는 듯하였다.

나 한 걸음, 두 걸음 집이 가까워 갈수록 그의 마음조차 괴상하게 누그러웠다. 그런데 그 누그러움은 안심에서 오는 게 아니요, ⊙자기를 덮친 무서운 불행을 빈틈없이 알게 될 때가 박두한 것을 두려워하는 마음에서 오는 것이다. 그는 불행이 닥치기 전 시간을 얼마쯤이라도 늘이려고 버르적거렸다. 기적에 가까운 벌이를 하였다는 기쁨을 할 수 있으면 오래 지니고 싶었다.

다 그럴 즈음에 마침 길가 선술집에서 그의 친구 치삼이가 나온다. 〈중략〉

"여보게, 김 첨지. 자네 문안 들어갔다 오는 모양일세그려. 돈 많이 벌었을테니 한잔 빨리게."

뚱뚱보는 말라깽이를 보던 맡에 부르짖었다. 그 목소리는 몸집과 딴판으로 연하고 싹싹하였다. 김 첨지는 이 친구를 만난 게 어떻게 반가운지 몰랐다. 자기를 살려 준 은인이나 무엇같이 고맙기도 하였다.

라 "봐라, 봐! 이 더러운 놈들아! 내가 돈이 없나. 다리 뻑다구를 꺾어 놓을 놈들 같으니."

하고 치삼의 주워 주는 돈을 받아,

"이 원수엣돈! 이 육시를 할 돈!"

하면서 팔매질을 친다. 벽에 맞아 떨어진 돈은 다시 술 끓이는 양푼에 떨어지며 정당한 매를 맞는다는 듯이 쨍하고 울었다.

마 "이 눈깔! 이 눈깔! 왜 나를 바라보지 못하고 천장만 보느냐? 응."

하는 말끝엔 목이 메었다. 그러자 산 사람의 눈에서 떨어진 닭똥 같은 눈물이 죽은 이의 뻣뻣한 얼굴을 어룽어룽 적신다. 문득 김 첨지는 미친 듯이 제 얼굴을 죽은 이의 얼굴에 한데 비비대며 중얼거렸다.

"설렁탕을 사다 놓았는데 왜 먹지를 못하니, 왜 먹지를 못하니? 괴상하게도 오늘은 운수가 좋더니만……."

---

27 (가)에 나타난 김 첨지의 심리 상태를 알맞게 짝지은 것은?

	집과 거리가 멀어질 때	집과 거리가 가까워질 때
①	가뿐함	초조함
②	불안함	행복함
③	초조함	불안함
④	행복함	원망스러움
⑤	원망스러움	즐거움

28 이 글의 내용을 참고할 때, ⊙이 의미하는 바로 알맞은 것은?

① 아내의 죽음
② 치삼이와의 만남
③ 불의의 인력거 사고
④ 양푼에 떨어지는 돈
⑤ 계속해서 이어지는 행운

29 이 글의 내용을 참고할 때, '운수 좋은 날'이라는 제목에서 주제를 효과적으로 드러내기 위해 사용한 표현 방법으로 알맞은 것은?

① 두 대상의 차이점을 부각하여 의미를 강조했다.
② 사람이 아닌 것을 사람처럼 나타내어 비유적으로 표현했다.
③ 글의 내용과 반대되는 말로 표현하여 비극적 정서를 강조했다.
④ 사회의 모순을 비판하기 위해 웃음을 유발하는 방법을 사용했다.
⑤ 겉으로는 모순되고 불합리하지만 그 안에 삶의 진리를 담고 있는 표현을 사용했다

30 이 글에 대한 감상으로 적절하지 <u>않은</u> 것은?

① 김 첨지가 사랑하는 아내가 결국 죽다니, 참 안됐어.
② 돈에 대한 분노와 원망으로 김 첨지는 돈을 팔매질 친 것 같아.
③ 주인공 김 첨지는 도시 하층민의 삶의 모습을 보여 주는 전형적인 인물이야.
④ 김 첨지가 화가 난 이유는 뚱뚱보 때문에 집에 바로 갈 수 없게 되었기 때문이야.
⑤ 김 첨지가 사 온 설렁탕을 아내가 결국 먹지 못 한 것을 통해 비극성이 더 고조되고 있어.

실전 모의고사 **2** 회

[01~10] 다음 글을 읽고, 물음에 답하시오.

가 사방이 산으로 둘러싸인 곳에서 태어나 아침에 눈을 떠서 저녁에 감을 때까지 늘 산을 보아야 하는 곳에서 중학교 1학년까지를 보내고 2학년 봄, 서울의 남쪽 관악산이 올려다보이는 중학교에 전학을 했다. 담임 선생님은 미술 선생님이었는데 특별 활동 시간으로 산악반을 맡고 있기도 했다. 매주 화요일 6교시, 일주일에 단 한 시간 활동하는 그 '특별'한 '활동'은 내 취향과는 아무런 상관 없이 시간 내내 산과 학교 사이를 뛰어 오가는 산악반으로 정해졌다.

나 3학년이 되면서 비로소 내가 좋아하는 특별 활동을 선택할 기회가 왔다. 나는 산악반의 경험에 비추어, 되도록 몸을 많이 움직이지 않는 특별 활동반을 점찍었는데 그게 바로 도서반이었다. ㉠도서반 담당 선생님은 특별 활동의 첫날, 도서반이 할 일을 아주 짧고 쉽게 설명해 주었다.

"여러분 곁에는 책이 있다. 그 책 중에서 자기 마음에 드는 책을 골라서 읽고 수업이 끝나는 종소리가 울리면 가면 된다."

그리고 선생님 본인이 마음에 드는 책을 골라서 자리를 잡고 읽는 것으로 시범을 보여 주었다. 나는 책을 고르러 가는 아이들의 뒤를 따라가서 한자로 제목이 씌어 있어서 아이들이 거의 손을 대지 않는 책 가운데 하나를 꺼내 들었다.

다 그 책은 《한국 고전 문학 전집》 같은 묵직한 제목 아래 편집된 수십 권의 연속물 가운데 한 권이었다. 반드시 읽어야 한다는 것을 강조하는 고전 대부분이 그렇듯 책 표지는 사람의 손을 거의 거치지 않아서 깨끗했다. 지은이는 '박지원', 내가 처음으로 펴 든 대목은 ㉡〈허생전〉이었다.

나이가 두 자리 숫자가 되면서 무협지에 빠지기 시작해서 전학 오기 전 국내에 출간된 대부분의 무협지를 읽었다고 생각하고 있던 내게, 한문 문장을 번역한 예스러운 문체는 별 거부감이 없었다. 내용 역시 익숙했다. '허생'이라는 인물이 깊고 고요한 곳에 숨어 있으면서 실력을 쌓은 뒤에 일단 세상에 나갈 일이 생기자 한바탕 멋지게 세상을 뒤흔들어 놓고는 다시 제자리로 돌아온다. 무협지에서도 흔히 볼 수 있는 방식이었다.

라 〈허생전〉 다음에는 〈호질〉, 〈양반전〉도 있었다. 책이 꽤 두꺼웠으니 ㉢박지원의 저작 가운데 상당 부분이 책에 들어 있었을 것이다. 그런데 ⓐ그 책 속의 주인공들은 내가 읽었던 수많은 무협지의 주인공과는 달라도 많이 달랐다. 무협지를 읽고 나면 주인공 이름 말고는 기억에 남는 게 없는데, 박지원의 소설은 주인공이 다음에 어떻게 되었을지 궁금해지고 내가 주인공이라면 어떻게 했을지 자꾸만 생각하게 만들었다.

한두 번 씹으면 단맛이 다 빠져 버리는 무협지와는 달리 그 책의 내용은 읽을수록 새로운 맛이 우러나왔다. 보석처럼 단단하고 품위 있는 문장은 아름답기까지 했다. 책을 읽으면서 내 정신세계가 무슨 ㉣보약을 먹은 듯이 한층 더 넓어지고 수준이 높아지는 듯한 느낌이 들었다. 일주일에 단 한 시간, 도서관에서 단 한 권의 책을 거듭 펴서 읽었을 뿐인데도.

마 중학교 3학년 1학기 특별 활동 시간에 나는 몇백 년 전 글을 쓴 사람의 숨결이 글을 다리로 하여 내게로 건너와 느껴지는 경험을 처음 해 보았다. 무엇보다 중요한 것은 그것이 무척 재미있었다는 것이다. 읽으면 내 피와 살이 되는 고전, 맛있는 고전, 내가 재미를 들인 최초의 고전이 우리의 조상이 쓴 것이라는 데에서 나오는 뿌듯함까지 맛볼 수 있었다.

㉤3학년 2학기가 되었을 때 특별 활동 시간은 없어졌다. 내가 1학기의 특별 활동 시간에 읽은 것은 박지원의 책이 전부였다. 하지만 내가 지금 소설을 쓰고 있는 것은 바로 그 책 때문이라고 생각한다. 특별하지 않은 특별 활동 시간에 읽은 아주 특별한 그 책이 내 일생을 바꾸었다.

바 누구에게나 그런 일이 일어날 수 있다. 모르고 지나갈 수도 있다. 어떤 책을 계기로 인간의 지극한 정신문화, 그 높고 그윽한 세계에 닿고 그의 일원이 되는 것은 겪어 보지 못한 사람은 알 수 없는 행복을 안겨준다. 이 세상에 인간으로 나서 인간으로 살면서 인간다운 삶을 살고 드높은 가치를 추구하는 길을 책이 보여 준다. 책은 지구상에서 인간이라는 종(種)만이 알고 있는, 진정한 인간으로 나아가는 통로이다. 그래서 사람들은 말하는지도 모른다. ⓑ책 속에 길이 있다고.

01 이와 같은 글에 대한 설명으로 알맞지 않은 것은?

① 누구나 쓸 수 있는 비전문적인 글이다.
② 신변잡기(身邊雜記)적인 성격을 갖는다.
③ 일정한 형식을 따르지 않고 자유롭게 쓴다.
④ 작가의 개성이나 가치관이 두드러지게 나타난다.
⑤ 일상에서 얻은 깨달음을 작가의 상상력을 바탕으로 표현한다.

서술형

02 이 글의 글쓴이가 경험한 '산악반'과 '도서반' 활동의 차이점을 서술하시오.

조건 1. 각각의 활동을 하게 된 이유와 관련지어 쓸 것
2. 도서반 활동의 의미를 밝힐 것

03 글쓴이 '나'에 대한 설명으로 가장 적절한 것은?

① 도서반에서 어떤 책을 읽어야 할지 몰라 당황했다.

② 무협지를 읽으며 읽기의 가치에 대해 알게 되었다.

③ 특별 활동 시간, 독서를 통해 고전의 매력을 발견하게 되었다.

④ 반드시 읽어야 한다고 강조되는 책들에 대한 거부감이 있었다.

⑤ 〈허생전〉을 읽고 고전은 어렵고 지루하다는 생각을 하게 되었다.

04 ㉠~㉤에 대한 설명으로 가장 적절한 것은?

① ㉠은 글쓴이가 중학교 시절 내내 본받고자 노력한 인물이다.

② ㉡은 글쓴이가 처음이자 마지막으로 읽은 고전이다.

③ ㉡은 ㉢ 중 하나이다.

④ ㉣은 무협지에 대한 글쓴이의 긍정적 시선을 비유적으로 표현한 것이다.

⑤ ㉤ 때문에 글쓴이는 산악반을 선택하게 되었다.

05 무협지와 고전에 대한 글쓴이의 생각으로 가장 알맞은 것은?

① 무협지와 고전은 비슷한 점이 전혀 없군.

② 무협지를 많이 읽었더니 고전의 문체가 익숙하군.

③ 무협지는 넓게, 고전은 깊게 읽어야 재미있게 읽을 수 있군.

④ 고전은 무협지와 달리 인물의 행적에 따라 사건이 전개되는군.

⑤ 고전과 달리 무협지는 읽으면 읽을수록 새로운 매력이 느껴지는군.

06 글쓴이가 ⓐ와 같이 생각한 이유와 관계 깊은 고전의 특징으로 알맞은 것은?

① 수많은 인물이 주인공으로 등장한다.

② 미완성 결말로 독자의 궁금증을 자아낸다.

③ 주인공과 관련하여 계속 생각하게 만든다.

④ 주인공의 이름 말고는 기억에 남는 것이 없다.

⑤ 무협지와 달리 주인공이 비범한 영웅의 모습으로 표현된다.

07 글쓴이가 생각하는 고전 읽기의 즐거움과 거리가 먼 것은?

① 옛 조상들의 숨결을 느낄 수 있다.

② 읽을수록 새로운 맛이 우러나온다.

③ 정신세계가 넓어지는 듯한 느낌이 든다.

④ 우리 선조들이 썼다는 뿌듯함이 느껴진다.

⑤ 생활에 적용할 수 있는 실용적인 지식을 배울 수 있다.

⟨서술형⟩

08 (바)의 내용을 바탕으로 ⓑ의 의미를 서술하시오.

_____

_____

09 이 글에 드러나는 글쓴이의 가치관으로 알맞은 것은?

① 수단을 가리지 않고 목적만 이루면 된다.

② 진로는 아주 어릴 때부터 스스로 정해야 한다.

③ 어떠한 경우라도 공부를 게을리 해서는 안 된다.

④ 책 읽기를 통해 삶을 더욱 의미 있게 만들 수 있다.

⑤ 삶을 풍성하게 하기 위해서는 직접적인 경험을 해야 한다.

10 이 글을 읽은 학생들의 반응으로 가장 적절한 것은?

① 고전은 재미는 없지만 공부가 되므로 반드시 읽어야겠군.

② 읽기는 더욱 높은 차원의 인간다운 삶으로 나아가는 길이군.

③ 선생님이 책을 선정하는 기준을 본받아 나도 책을 선정해야겠군.

④ 고전 작품을 잘 이해하기 위해서는 먼저 무협지를 많이 읽어야 하는군.

⑤ 글쓴이처럼 나의 수준보다 다소 어렵고 낯선 작품을 골라 읽어야겠군.

[11~21] 다음 글을 읽고, 물음에 답하시오.

가 태경: 현지야, 어제 아버지와 등산 다녀왔다며?

현지: 응. 처음에는 억지로 따라가서 싫었는데, 막상 산에 오르니 기분이 상쾌해져서 좋았어.

태경: 국어 시간에 수필을 쓸 때 너는 그 경험을 소재로 삼으면 되겠네.

현지: 운동도 하고 글감도 찾고, 한마디로 (㉠)이지.

태경: (㉠)? 너 그런 표현도 쓸 줄 알아?

현지: 글을 쓸 때 ㉡다양한 표현을 활용하면 좋을 것 같아서 조사 좀 해 봤지. 한번 볼래?

> **속담** 예로부터 전해 오는, 짧으면서도 교훈을 담고 있는 말.
>
> **격언이나 명언** 오랜 역사적 생활 체험을 통해 이루어진 인생의 교훈이나 경계 등을 간결하게 표현한 짧은 글.
>
> ㉢**관용 표현** 둘 이상의 단어가 합쳐져 원래의 뜻과는 전혀 다른 새로운 뜻으로 굳어져서 쓰이는 표현.

태경: 글을 쓸 때 활용할 수 있는 표현이 다양하구나. 나는 이번에 충치 때문에 겪은 일을 글로 쓰려고 하는데, 네가 찾은 명언을 바꿔서 "초콜릿 보기를 돌같이 하라."라고 제목을 붙이면 재미있겠다.

현지: 오, 정말 참신하다! 나도 다양한 표현을 더 찾아보고, 너처럼 나만의 멋진 표현을 만들어 활용해야겠어.

나 지금은 쉼표가 필요할 때

지난 일요일 아침, 아버지께서 내 방문을 두드리시더니 아침을 먹고 같이 동네 뒷산에 가자고 하셨다. 나는 시험공부 때문에 시간이 없어서 안 된다고 버텼지만, ㉣결국 울며 겨자 먹기로 아버지를 따라나섰다.

아버지께서 산을 오르다 보이는 나무를 가리키며 말을 거셨지만 나는 들은 척도 하지 않고 앞만 보고 걸어 올라갔다. 빨리 등산을 끝내고 집에 가고 싶은 마음뿐이었다. 아버지는 나의 이런 모습에 ㉤혀를 차시며 말씀하셨다.

"현지야, 등산은 그렇게 경주하듯이 하는 게 아니다."

그런 아버지께 이 정도는 누워서 떡 먹기라고 으스대며 앞서 가는 것도 잠시, 경사진 길을 올라가다 보니 숨이 턱에 닿아 걸음이 느려졌다. 올라갈수록 운동화가 천근만근 무겁게 느껴졌다. 뒤따라오시던 아버지께 이제 더는 못 가겠다고, 그만 내려가자고 떼를 썼다.

"너무 급하게 올라와서 힘든 거다. 천천히 쉬엄쉬엄 걸어 보자."

아버지는 힘들어지면 잠깐 쉬었다가 올라가자고 하셨다. 더는 못 올라갈 것 같았지만, 아버지의 숨소리에 내 호흡을 맞추고 걷다 보니 어느새 정상이 눈앞에 있었다. 아버지는 "급히 먹는 밥이 목이 멘다."라는 속담처럼 너무 서두르면 오히려 목표를 이룰 수 없다는 것을 알려주고 싶으셨던 것이 아닐까?

산 정상에 올라 탁 트인 마을 풍경을 바라보니 시험공부 때문에 쌓인 스트레스가 씻은 듯이 사라졌다. 시원한 바람에 머리가 맑아지는 것을 느끼며 "건강한 신체에 건강한 정신이 깃든다."라는 말을 실감했다.

아버지와 등산을 하면서 적당한 휴식이 목표를 달성하는 데 도움이 된다는 것을 깨달았다. 독일의 정치인 비스마르크는 "청년들이여 일하라, 좀 더 일하라, 끝까지 열심히 일하라."라고 말했다. 나는 "쉬어라, 좀 더 쉬어라, 충분히 쉬고 공부하라."라고 말하고 싶다. 우리에게는 지금 쉼표가 필요하기 때문이다. 다음 주에는 내가 먼저 아버지께 뒷산에 오르자고 말씀드려야겠다.

✍주관식

11 ㉠에 알맞은 속담을 쓰고, 그 뜻을 쓰시오.

• 속담:

• 뜻:

12 ㉡에 대한 설명으로 적절하지 **않은** 것은?

① 글을 쓸 때 ㉡을 활용할 수 있다.

② ㉡을 활용하면 읽는 이의 관심과 흥미를 불러일으킬 수 있다.

③ 글을 쓸 때 창의적 발상으로 ㉡을 만들어 활용할 수도 있다.

④ ㉡을 활용하면 자신의 생각이나 느낌, 경험을 더욱 생생하고 풍성하게 전달할 수 있다.

⑤ 글쓴이의 생각이나 느낌, 경험을 더욱 인상 깊게 나타내기 위해서는 ㉡의 종류를 최소화해야 한다.

13 다음은 ㉢에 해당하는 표현이다. 그 의미가 올바르지 **않은** 것은?

	표현	의미
①	땀을 흘리다.	건강이 나빠지다.
②	숨이 턱에 닿다.	몹시 숨이 차다.
③	코를 납작하게 하다.	기를 죽이다.
④	발이 넓다.	사귀어 아는 사람이 많아 활동 범위가 넓다.
⑤	머리를 맞대다.	어떤 일을 의논하거나 결정하기 위해 서로 마주 대하다.

14 (나)와 같은 글을 읽는 방법이 아닌 것은?

① 글쓴이의 생각과 느낀 점을 파악하며 읽는다.
② 글에 사용된 다양한 표현 방법을 파악하며 읽는다.
③ 글에 담긴 경험을 자신의 삶에 비추어 보며 읽는다.
④ 글에 나타난 정보를 의견과 근거로 구분하며 읽는다.
⑤ 글쓴이가 전달하고자 하는 깨달음을 파악하며 읽는다.

15 주관식 (나)에 대한 설명으로 알맞은 것을 모두 고르시오.

ⓐ 반어를 활용하여 글쓴이의 생각을 인상 깊게 전달하고 있다.
ⓑ 경험을 통한 깨달음이 잘 드러나는 제목을 활용하고 있다.
ⓒ 산 정상의 모습을 구체적으로 묘사하여 생생하게 전달하고 있다.
ⓓ 명언을 창의적으로 재해석한 새로운 표현을 사용하여 주제를 뒷받침하고 있다.

16 ㉣을 통해 알 수 있는 현지의 심정으로 가장 알맞은 것은?

① 아버지를 따라나서지 않은 것을 후회한다.
② 아버지와 함께 시간을 보내는 것이 어색하다.
③ 시험공부를 하고 싶지 않아 일부러 산에 간다.
④ 겉으로는 싫은 티를 내도 등산 가는 것이 좋다.
⑤ 등산을 하기 싫지만 마지못해 아버지를 따라 나선다.

17 ㉤에 대한 설명으로 알맞지 않은 것은?

① '마음이 언짢거나 유감의 뜻을 나타내다.'라는 뜻이다.
② 아버지에 대한 현지의 불만을 간결하고 인상적으로 드러낸다.
③ 둘 이상의 단어가 결합하여 새로운 의미를 만들어 낸 표현이다.
④ 현지의 태도를 마음에 들어 하지 않는 아버지의 심리를 생생하게 표현한다.
⑤ '우리의 싸움을 본 동네 사람들은 눈살을 찌푸리고 혀를 찼다.'와 같이 활용할 수 있다.

18 주관식 (나)에서 다음에 해당하는 표현을 각각 찾아 쓰시오.

(1) '아주 깨끗하게'라는 뜻의 관용 표현으로, 정상에 오른 순간 현지가 느낀 후련함을 더욱 구체적이고 실감 나게 나타냄. ( )
(2) 완전한 건강이란 육체와 정신이 함께 건강한 상태를 의미하는 것임을 표현하는 명언으로, 정상에 오른 현지의 상쾌한 기분을 표현함.

( )

19 서술형 (나)에서 현지가 명언을 변형하여 창의적으로 표현한 이유를 두 가지 쓰시오.

조건 현지가 활용한 명언을 포함하여 쓸 것

....

....

20 (나)에서 글쓴이가 말하고자 하는 바로 알맞은 것은?

① 일의 승패보다는 그 과정이 더 중요하다.
② 등산도 공부와 마찬가지로 노력이 필요하다.
③ 새로운 도전을 위해서는 두려움을 버려야 한다.
④ 적당한 휴식은 목표를 달성하는 데 도움이 된다.
⑤ 긍정적인 태도로 어려움을 이겨내기 위해 노력해야 한다.

21 (나)를 고쳐 쓰는 방법으로 가장 적절한 것은?

① 구체적인 시간과 지명을 제시하여 객관적 정보를 전달하고 싶어.
② 글의 주제를 고려하여 시험공부를 한 방법을 구체적으로 제시하고 싶어.
③ '눈 깜짝할 사이'라는 관용 표현을 활용해서 현지가 정상에 오른 순간을 표현하고 싶어.
④ '머리가 가볍다'라는 관용 표현을 사용해서 산을 급하게 오른 현지의 상황을 인상 깊게 드러내고 싶어.
⑤ '울며 겨자 먹기'를 삭제하여 등산을 통해 스트레스가 풀리고 머리가 맑아진 현지의 느낌을 더욱 생생하게 전달하고 싶어.

[22~26] 다음 글을 읽고, 물음에 답하시오.

가 음악인 전제덕: 책을 처음 펼쳤을 때 보이는 차례를 굉장히 중요하게 생각합니다. 작가들이 차례의 제목을 대충 붙여 놓았다고 생각하지 않거든요. 제목 속에 먼 미래도 보이고, 가까운 앞날도 보이는 것 같아서 일단 그 제목들을 상당히 중요하게 생각합니다. 그리고 좀 긴 책은 작가 서문을 꼭 보지요. 작가가 이야기하고 싶은 것들이 서문 안에 얼마만큼은 들어가 있다고 보거든요.

영화 평론가 이동진: 땅을 깊게 파려면 일단 넓게 파야 해요. 처음부터 깊게만 파려고 하면, 깊이 파는 데 한계가 있어요. 저는 독서도 똑같다고 생각해요. 예를 들어서 좋은 영화 평론가가 되려면 영화책만 100권을 읽을 게 아니라, 영화책 10권, 소설책 20권, 시집 10권, 자연 과학서 10권, 이런 식으로 100권을 봐야 한다고 봐요. 하나만 아는 것은 아무것도 모르는 것과 같으니까요.

물리학자 정재승: 저는 책들과 책들 사이의 관계에 굉장히 관심이 많아요. 책의 지도를 머릿속에 그린다고 할까요? 이 책은 이 책 자체로서 의미가 있다기보다는, 그전에 나온 책을 극복하고자, 혹은 지지하고자, 그것이 진실이 아님을 밝히고자 나오는 등 책들 사이에 연관 관계가 있거든요. 때로는 한 작가가 쓴 책들이 서로 연결되기도 하고, 한 주제의 책들이 또다시 연결되기도 하고…… 그런 책들의 관계를 따라가면서 계속 책을 읽는 것, 그것이 제가 평소에 하는 독서법입니다.

나

다

📝주관식

22 (가)에서 다음과 같은 방법으로 책을 읽는 인물을 각각 쓰시오.

(1) 책의 차례, 작가의 서문을 읽으며 작가가 하고 싶은 이야기가 무엇인지 파악함. (　　　　　　　)

(2) 작가가 쓴 책, 같은 주제의 책 등 책들 사이의 연관 관계를 따라가면서 계속 책을 읽음.
(　　　　　　　)

(3) 다양한 분야의 책을 폭넓게 읽음.
(　　　　　　　)

23 (가)의 내용을 참고할 때, 다음 중 바람직한 독서 방법이 아닌 것은? (정답 2개)

① 유명인의 독서 방법을 그대로 모방하는 것
② 자신의 수준을 고려하여 책을 선정하여 읽는 것
③ 책을 읽기 전에 책의 차례와 서문을 읽어 보는 것
④ 책을 직접 읽지 않고 책 제목을 보면서 내용을 상상하고 이야기를 직접 만들어 보는 것
⑤ 인터넷에서 서평을 연재하는 블로그를 활용하여 나와 같은 책을 읽은 사람들과 감상을 공유하는 것

24 읽기를 생활화하기 위한 중학교 2학년 학생의 독서 좌우명으로 알맞지 않은 것은?

① 가리지 말고 골고루 맛있게 읽자!
② 천 리 길도 한 걸음부터! 유아 수준의 동화책부터 다시 읽자!
③ 가랑비에 옷 젖듯이 하루에 10분씩 꾸준히 책을 읽는 습관을 기르자.
④ 입에 쓴 약이 몸에도 좋다! 재미없는 책도 끝까지 읽으려고 노력하자.
⑤ 지금 내가 읽는 책들이 미래의 나를 만든다. 내 꿈을 이룰 수 있는 책을 찾아 열심히 읽자.

25 (나)에 대한 설명으로 알맞지 않은 것은?

① 기존의 속담을 변형하여 활용하고 있다.
② 창의적인 표현으로 주제를 전달하고 있다.
③ 소리는 같지만 뜻이 다른 낱말을 활용하고 있다.
④ 인터넷 댓글 문화를 개선하려는 의도를 전달하고 있다.
⑤ 광고 문구를 댓글이 계속 달리는 모양으로 구성하고 있다.

📝서술형

26 (다)에서 활용한 표현 방법과 이를 통해 전달하고자 한 바를 쓰시오.

조건 표현상의 특징과 관계된 용어를 밝힐 것

01 다음은 세종 대왕이 훈민정음을 창제한 취지를 밝힌 글이다. 이를 통해 알 수 있는 내용이 <u>아닌</u> 것은?

> 우리나라 말이 중국과 달라 한자와는 서로 통하지 않으므로, 어리석은 백성이 말하고자 하는 바가 있어도 끝내 제 뜻을 펴지 못하는 사람이 많으니라. 내가 이것을 가엾게 여겨 새로 스물여덟 글자를 만드니, 모든 사람으로 하여금 쉽게 익혀서 날마다 쓰는 데 편리하게 하고자 할 따름이니라.

① 우리나라 말을 한자로 표현하는 데 한계가 있었다.
② 한자를 모르는 백성들은 글로 자신의 뜻을 전달하기가 어려웠다.
③ 세종 대왕은 한자를 몰라 어려움을 겪는 백성들을 가엾게 여겼다.
④ 중국말과 잘 통할 수 있도록 한자와 비슷하게 스물여덟 글자를 만들었다.
⑤ 세종 대왕은 모든 사람들이 한글을 쉽게 익히고 편리하게 쓰기를 바랐다.

주관식

02 훈민정음의 창제 정신을 세 가지 쓰시오.

03 다음에 해당하는 자음 기본자를 각각 쓰시오.
(1) 혀뿌리가 목구멍을 막는 모양을 본떴다. (　　)
(2) 혀끝이 윗잇몸에 닿는 모양을 본떴다. (　　)
(3) 입 모양을 본떴다. (　　)
(4) 이의 모양을 본떴다. (　　)
(5) 목구멍의 모양을 본떴다. (　　)

04 다음 자음자에 대한 설명으로 알맞지 <u>않은</u> 것은?
① ㅿ : 현대에는 사용되지 않는 자음자이다.
② ㄲ : 같은 글자를 가로로 나란히 붙여 썼다.
③ ㅼ : 서로 다른 글자를 가로로 나란히 붙여 썼다.
④ ㅈ : ㅊ에 획을 더하여 다른 자음자를 만든 것이다.
⑤ ㅋ : 자음 기본자에 획을 더해서 만든 것이다.

주관식

05 다음 ㉠~㉢에 들어갈 알맞은 모음 기본자를 각각 쓰시오.

제자 원리	모음 기본자
그 모양이 둥근 것은 하늘을 본떠서이다.	(㉠)
그 모양이 평평한 것은 땅을 본떠서이다.	(㉡)
그 모양이 서 있음은 사람을 본떠서이다.	(㉢)

06 자음자와 모음자의 제자 원리에 대한 설명으로 적절하지 <u>않은</u> 것은?
① 모음자는 기본자를 서로 합성하여 다른 글자를 만들었다.
② 자음자는 기본자에 획을 더하는 가획의 원리로 다른 글자를 만들었다.
③ 자음자는 같은 글자를 세로로 붙여 쓰는 방법으로 다른 글자를 만들었다.
④ 자음자는 서로 다른 글자를 가로로 나란히 붙여 쓰는 방법으로 다른 글자를 만들었다.
⑤ 모음자는 기본자들을 합성하여 만든 글자에 다시 'ㆍ'를 합성하여 다른 글자를 만들었다.

07 다음 ㉠~㉤에 들어갈 알맞은 말이 <u>아닌</u> 것은?

> 선생님: 한자는 각 글자가 (㉠)을/를 나타내는 문자입니다. 세상에 존재하는 의미의 수만큼 글자가 많이 필요하지요. 알려진 글자 수가 5만 자에 이른다고 해요. / 학생: 와!
> 선생님: 반면에 한글은 (㉡)을/를 나타내는 문자라서 한자보다 글자 수가 (㉢).
> 학생: 한글은 (㉣) 수의 글자를 조합해서 (㉤) 소리를 나타낼 수 있는 문자로군요!

① ㉠: 의미
② ㉡: 소리
③ ㉢: 많지요.
④ ㉣: 적은
⑤ ㉤: 많은

08 한글에 대한 설명으로 알맞지 <u>않은</u> 것은?
① 하나의 글자가 다양하게 발음된다.
② 체계적으로 만들어져 배우고 기억하기가 쉽다.
③ 적은 수의 글자로 수많은 음절을 표현할 수 있다.
④ 음절 단위로 모아쓰기 때문에 정보를 빠르게 파악할 수 있다.
⑤ 글자의 모양을 통해 글자의 관계나 소리의 특징을 짐작할 수 있다.

[09~11] 다음 글을 읽고, 물음에 답하시오.

가 지식과 정보가 사회의 중심이 되는 정보화 시대에는 정보를 효율적으로 생산하고 활용할 수 있는 능력이 중요하다. 한글은 정보화 시대에 어떤 장점이 있을까?

나 한글의 창제 방식은 매우 간결하고 효율적이다. 한글 자음과 모음의 기본자는 상형의 원리로 만들어졌는데, 가획과 합성 등의 원리에 따라 적은 수의 기본자로부터 확장되어 다른 글자들이 만들어졌다. 한글은 이렇게 만들어진 자음자와 모음자를 결합하여 수많은 음절을 표현할 수 있다.

다 적은 수의 자음자와 모음자를 조합하여 수많은 음절을 표현하는 한글의 운용 방식은 글쇠 수가 제한된 컴퓨터 자판이나 휴대 전화 자판에서 빛을 발한다. ⓐ크기가 작은 휴대 전화의 경우 한글의 창제 원리를 적용하면 적은 수의 글쇠로도 정보를 효율적으로 입력할 수 있다. 컴퓨터로 정보를 입력하는 경우에도 한자나 일본의 문자보다 한글을 사용할 때 정보 입력 속도가 훨씬 빠르다는 사실은 정보화 시대에 두드러지는 한글의 장점을 잘 보여 준다.

라 한글은 초성과 중성, 종성을 합쳐서 음절 단위로 모아쓴다. 예를 들어, 영어 알파벳은 'cloud'라고 풀어쓰지만, 한글은 'ㄱㅜㄹㅡㅁ'이라고 풀어쓰지 않고 '구름'이라고 모아쓴다. 사람이 한눈에 파악할 수 있는 글자 수는 제한적이어서 자음자와 모음자를 풀어쓸 때보다 음절 단위로 모아쓸 때 한번에 더 많은 정보를 인식할 수 있다. 그래서 영어 알파벳으로 쓴 글보다 한글로 쓴 글에 담긴 정보를 더 빠르게 파악할 수 있다. 또한 모아쓰기 방식 덕분에 한글은 글자를 가로나 세로 방향으로 자유롭게 쓸 수 있어서 정보를 전달하는 데에도 실용적이라고 할 수 있다.

09 이 글의 내용과 일치하지 <u>않는</u> 것은?
① 사람이 한눈에 파악할 수 있는 글자의 수는 제한적이다.
② 한글은 일본의 문자 다음으로 정보의 입력 속도가 빠르다.
③ 한글은 적은 수의 글자를 조합하여 수많은 음절을 만든다.
④ 한글은 영어 알파벳보다 글에 담긴 정보를 더 빠르게 파악할 수 있다.
⑤ 한글 자음자와 모음자는 기본자로부터 가획, 합성 등의 원리에 따라 다른 글자들을 만들었다.

🖋서술형
10 이 글의 내용을 바탕으로 ⓐ의 이유를 서술하시오.

🖋주관식
11 (라)의 내용을 바탕으로 '무지개'를 풀어쓰기와 모아쓰기의 방식으로 각각 쓰시오.
· 풀어쓰기: _____
· 모아쓰기: _____

12 다음에 공통적으로 적용된 원리로 알맞은 것은?

| ㅣ + · → ㅏ   · + ㅡ → ㅗ |

① 기본자를 합하여 만드는 합성의 원리
② 천지인의 모양을 본떠 만드는 상형의 원리
③ 기본자에 획을 추가하여 만드는 가획의 원리
④ 같은 글자를 나란히 써서 만드는 병서의 원리
⑤ 기본자의 모양을 달리하여 만드는 이체의 원리

13 다음을 통해 알 수 있는 원리로 만들어진 글자가 <u>아닌</u> 것은?

| · ㄴ + 획 추가 → ㄷ |
| · ㅁ + 획 추가 → ㅂ |

① ㄲ   ② ㅍ   ③ ㅈ
④ ㅊ   ⑤ ㅌ

14 다음 버스 노선 안내판의 쓰기 방식을 통해 알 수 있는 한글의 특징으로 가장 적절한 것은?

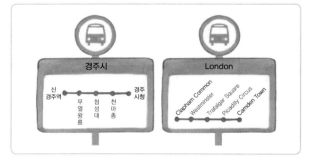

① 의미를 나타내는 문자이다.
② 단어 단위로 띄어쓰기를 한다.
③ 글자 모양이 소리의 특징과 관련이 없다.
④ 하나의 글자가 두 가지 소리로 발음된다.
⑤ 음절 단위로 모아쓰기 때문에 가로쓰기와 세로쓰기를 자유롭게 할 수 있다.

[15~18] 다음 글을 읽고, 물음에 답하시오.

가 남학생: 이번 학급 행사에서 사용할 물품을 준비해야겠어. 이따가 문구점에 준비물 사러 같이 가자.

여학생: 응, 뭐라고? 잠깐 딴생각을 해서 못 들었어. 미안해.

남학생: 괜찮아. 그럴 수도 있지. 수업 다 끝나고 학급 행사 준비물 사러 같이 갈래?

여학생: 아, 그 이야기였구나. 당연히 같이 갈 수 있지.

나 재경: 서율아, 너는 여행이 뭐라고 생각해?

서율: 맛있는 음식을 먹거나 멋진 풍경을 즐기면서 편하게 쉬는 것이 여행이지.

재경: 그렇구나. 나는 여러 곳을 다니면서 다양한 사람을 만나는 것이 여행이라고 생각해.

서율: 네 말을 들으니까 여행에 그런 의미도 있겠다는 생각이 들어. 여행은 정말 다양한 즐거움을 주는 것 같아.

다 지혁: 소정아, 주말에 뭐 했어?

소정: 마을 장터에 갔다가 새것은 아니지만 괜찮아 보이는 책을 한 권 샀어.

지혁: 마을 장터에서 그런 책을 팔기도 해?

소정: 응. 책뿐만 아니라 자신이 쓰지 않는 물건은 무엇이든 팔던데?

지혁: 아하, 사회 시간에 배운 아나바다 운동 같은 거구나. "아껴 쓰고, 나눠 쓰고, 바꿔 쓰고, 다시 쓰자."라는 의미였지?

소정: 맞아. 그리고 보니 이번 마을 장터가 바로 아나바다 운동이었네. 너도 비슷한 경험이 있어?

지혁: 나는 물건을 사 본 적은 없는데, 아무도 타지 않아서 먼지만 쌓이던 우리 집 자전거를 사촌 동생에게 준 적이 있어. 동생이 무척 좋아하면서 매일 타고 다닌대. 이런 것도 아나바다 운동이지?

소정: 그럼. 쓸모없던 자전거를 누가 다시 잘 쓸 수 있게 된 거니까.

지혁: 그러네. 너는 마을 장터에서 책을 사 보니까 어땠어?

소정: 처음에는 남이 보던 책을 산다는 것이 내키지 않았지만 값이 싸고 책 상태도 깨끗해 보이길래 한번 사 봤거든. 정작 책을 읽어 보니 아무렇지도 않더라고. 누구에게는 필요 없던 물건이 다른 사람에게는 유용하게 쓰일 수도 있는 것 같아.

지혁: 네 말을 듣고 보니 마을 장터와 같은 아나바다 운동이 자원을 절약하는 좋은 방법이라는 것을 알겠어. 나도 진작 알았더라면 마을 장터에 갔을 텐데 아쉽다.

소정: 그래? 잘됐다. 매달 두 번째 주말에 마을 장터가 열린대. 다음에 같이 가 볼래?

지혁: 좋아. 다음에 같이 가서 내게 필요한 물건이 있는지 찾아봐야겠다.

2D서술형
15 (가)에 나타난 여학생의 듣기 태도의 문제점을 쓰시오.

16 (나)를 통해 알 수 있는 듣기·말하기의 특성으로 가장 적절한 것은?
① 대화를 통해 자신의 생각을 바꾸거나 조정한다.
② 듣는 이는 말하는 이가 하는 말을 모두 수용한다.
③ 갈등을 줄이기 위해 가능한 상대의 의견에 동의한다.
④ 대화를 통해 상대의 생각을 자신의 생각에 일치시킨다.
⑤ 상대의 생각을 틀렸을 때에는 이를 논리적으로 지적한다.

17 (다)에서 알 수 있는 내용이 아닌 것은?
① 아나바다 운동의 좋은 점
② 소정이가 주말에 다녀온 곳
③ 주말 장터가 열리는 시기와 장소
④ 지혁이가 사촌 동생에게 준 물건
⑤ 사회 시간에 배운 아나바다 운동의 의미

18 (다)에 대한 설명으로 적절하지 않은 것은?
① 소정이와 지혁이는 협력하여 의미를 공유하고 있다.
② 지혁이는 소정이의 말을 듣고 아나바다 운동에 대한 배경지식을 떠올렸다.
③ 소정이는 지혁이의 말에 적절하게 반응했지만, 지혁이는 소정이의 말에 적절하게 반응하지 않았다.
④ 소정이는 지혁이에게 아나바다에 대한 이야기를 듣고 마을 장터가 아나바다 운동이라는 것을 깨달았다.
⑤ 지혁이는 대화를 통해 자신이 타지 않는 자전거를 사촌 동생에게 준 것도 아나바다 운동이라고 생각했다.

[19~21] 다음 글을 읽고, 물음에 답하시오.

가 준희: 내일 국어 모둠 회의 때 자료를 찾아 가야 하는데, 오늘 도서관이 문을 닫았어. 이번 주까지 국어 수행 평가 과제를 제출해야 하는데 어떻게 하지?

한솔: 국어 수행 평가 과제는 다음 주까지잖아.

준희: 그런가? 그래도 내일 모둠 회의 전까지 자료를 찾아야 하는데.

한솔: 사회 수행 평가는 이번 주까지인데, 국어 수행 평가는 다음 주까지가 맞을 거야.

준희: 제출 기한에 여유가 있는 것은 다행이지만 내일 모둠 회의가 잘 진행되려면 자료를 찾아야 할 것 같아. 자료 검색은 다 했고 도서관에서 책만 빌리면 되는데 무슨 방법이 없을까?

한솔: 검색을 다 했으니까 지금 도서관에서 책을 빌리면 되잖아.

준희: 오늘 도서관 쉬는 날이라니까.

나 지애: 효진아, 내 이야기 좀 들어 줄래?

효진: 무슨 고민 있어? 편하게 말해 봐.

지애: 사실은 친구랑 조금 다퉜어.

효진: 친구랑 다퉈서 고민이구나. 좀 더 자세히 이야기해 볼래?

지애: 내가 휴대 전화가 없어져서 걱정하고 있었거든. 그런데 친구는 같이 걱정해 주기는커녕 내가 물건을 잘 잃어버린다고 타박만 하지 뭐야. 그래서 나도 모르게 친구에게 심한 말을 해 버렸어.

효진: (고개를 끄덕이며) 저런, 친구가 네 마음을 알아주지 않아서 속상했겠네. 그렇지만 친구에게 상처를 주는 말을 한 것은 후회되겠다.

지애: 속상하기도 하고, 친구와 멀어지게 된 것 같아 괴로워. 사과하고 싶은데 어떻게 해야 할지 모르겠어.

효진: (부드럽게 눈을 맞추며) 그래, 답답하겠다. 그 친구에게 네 마음을 솔직하게 이야기해 보면 어떨까?

지애: 그러고 싶지만 친구가 들어 주지 않을까 봐 겁이 나.

효진: 그럴 수도 있겠어. 하지만 그 친구도 너와 같은 고민을 하고 있을지도 모르잖아. 용기를 내서 먼저 말해 보는 것이 어때?

19 (가)의 내용과 일치하지 <u>않는</u> 것은?

① 사회 수행 평가의 제출 기한은 이번 주까지이다.

② 국어 수행 평가 과제는 제출 기한이 다음 주까지이다.

③ 준희는 내일 국어 모둠 회의 때 필요한 자료를 찾아야 한다.

④ 한솔이는 준희의 말을 주의 깊게 들으며 함께 고민하고 있다.

⑤ 도서관이 문을 닫아서 준희는 현재 책을 빌릴 수 없는 상황이다.

20 (나)에서 지애가 친구와 다툰 이유를 쓰시오.

....

....

21 (나)에서 효진이가 공감하며 대화한 방법에 대한 설명으로 적절하지 <u>않은</u> 것은?

① 고개를 끄덕이며 지애의 감정을 이해하고 있음을 표현했다.

② 지애와 부드럽게 눈을 맞추며 지애의 말에 집중하고 있음을 드러냈다.

③ 적절한 질문을 던지며 지애가 편안하게 말을 이어 갈 수 있도록 도왔다.

④ 지애의 말을 반복하거나 정리하면서 지애를 이해하고 있음을 표현했다.

⑤ 비슷한 자신의 경험을 언급하며 문제를 해결할 수 있는 구체적인 해결 방법을 제시했다.

22 선혜의 듣기 태도에 대한 설명으로 가장 적절한 것은?

 ↔

① 왼쪽 상황에서는 엄마의 말을 웃으며 듣고 있다.

② 오른쪽 상황에서는 엄마의 말에 집중하지 않았다.

③ 왼쪽 상황에서는 엄마에게 너무 많은 정보를 전달했다.

④ 오른쪽 상황에서는 엄마의 말에 적극적으로 반응하지 않았다.

⑤ 왼쪽 상황에서는 엄마의 말을 듣고도 휴대 전화만 바라보고 있다.

23 재영이에게 필요한 듣기 태도로 알맞은 것은? (정답 2개)

① 상대의 말에 관심을 표현하며 들어야 한다.

② 상대가 요청하는 것을 모두 들어주어야 한다.

③ 큰 소리로 웃으며 상대의 말에 반응해야 한다.

④ 상대 쪽으로 몸을 향하고 집중해서 들어야 한다.

⑤ 자신이 하던 일을 계속하며 상대와 대화해야 한다.

[24~28] 다음 글을 읽고, 물음에 답하시오.

가 세종 대왕은 어떤 원리로 한글을 만들었을까요? 1940년 《훈민정음》 해례본을 발견하기 전까지 사람들은 한글의 기원과 관련해 여러 의견을 내놓았어요. 몽골이나 인도의 문자를 본떴다는 설도 있었지요. 세종 대왕이 훈민정음을 만드는 동안 몽골의 파스파 문자나 인도의 산스크리트 문자 등 주변 국가의 문자에 관한 정보를 수집했기 때문이에요. 실제로 글자 몇 개는 닮기도 했고요. 문창살을 보고 만들었다는 등의 허황된 소리를 생각하면 문자 모방설은 그나마 근거가 있는 주장이에요. 앞서 예로 든 글자들은 모두 훈민정음처럼 (㉠)글자였거든요.

나 이 책의 설명에 따르면 자음의 기본자는 (㉡)을 본떠 만들었어요. 각각 이, (㉢), 입 모양을 본뜬 'ㅅ', 'ㅇ', 'ㅁ'과 (㉣)가 목구멍을 막는 모습을 본뜬 'ㄱ', 혀끝이 윗잇몸에 닿는 모습을 본뜬 'ㄴ', 이렇게 다섯 개예요. 모음 역시 하늘(·), 땅(ㅡ), 사람(ㅣ)을 본떴어요. 과거 동양 철학에서는 하늘과 땅, 사람이 만물의 근본이라고 생각했기 때문에 그 세 가지를 본뜬 것이에요. 이 기본자들에 (㉤)을 더하거나 이들을 서로 조합하여 다른 글자들을 만들어 나간 것이 바로 한글이에요.

다 현재 지구상에 남아 있는 글자 중에 이처럼 창제 원리와 거기에 담긴 철학적 원리가 자세히 기록된 것은 없어요. 타이 문자나 키릴 문자처럼 작자와 만든 과정이 알려진 글자는 몇 개 있지만, 훈민정음처럼 철학적 원리와 사용법, 보기 등을 자세히 기록하여 책으로 펴내기까지 한 글자는 없지요. 그래서 유네스코가 《훈민정음》 해례본을 세계 기록 유산으로 지정한 것이랍니다.

라 석환: 대학에도 영화를 공부하는 학과가 있어요. 또 제가 하려는 일은 영화배우 이런 게 아니라 영화를 제작하고 배급하는 일이고요.

누나: (말을 자르고 끼어들며) 야, 윤석환, 너도 곧 고등학생 될 거잖아? 나는 고3 되는 거고. 너 이럴 때 아니야. 남들보다 더 열심히 공부해도 모자랄 판에 이러고 있는 게 말이 되냐?

엄마: 그래, 네 누나 말이 맞아, 너도 이제 공부할 시기라고.

석환: 혼자 있고 싶어요.

엄마: 뭐? / 석환: 나가세요.

누나: 윤석환, 너 엄마한테 말버릇이 이게 뭐야?

석환: 엄마, 저는 엄마를 이해할 수가 없어요.

누나: 야, 난 네가 이해가 안 돼. 우리 때문에 엄마가 얼마나 힘들게 일하시는 줄 알아? 없는 형편에 과외비, 학원비 갖다 바쳤는데, 너라는 애는 어떻게 이럴 수가 있니? 공부하는 척 문 닫고 들어앉아 시나리오나 쓰고, 영화 잡지나 읽고. 그런 너를 어떻게 이해해?

석환: 누나는 좀 가만히 있어. 엄마! 저는 영화감독이 되고 싶어요.

24 (가)~(다)의 내용과 일치하지 않는 것은?

① 《훈민정음》 해례본은 1940년에 발견되었다.

② 《훈민정음》 해례본을 통해 한글이 만들어진 원리가 밝혀졌다.

③ 유네스코에서는 《훈민정음》 해례본을 세계 기록 유산으로 지정했다.

④ 《훈민정음》 해례본이 발견되기 전까지는 한글의 기원에 관련된 여러 가지 의견이 있었다.

⑤ 타이문자와 키릴문자는 한글과 같이 철학적 원리와 사용법, 보기 등이 자세히 기록되어 있다.

서술형

25 (나)의 내용을 바탕으로 한글 모음 기본자를 하늘, 땅, 사람의 모습을 본떠 만든 이유를 쓰시오.

_____

_____

26 ㉠~㉤에 들어갈 말로 적절하지 않은 것은?

① ㉠: 의미　　　　② ㉡: 발음 기관

③ ㉢: 목구멍　　　④ ㉣: 혀뿌리

⑤ ㉤: 획

서술형

27 (라)에서 석환이의 대화 태도에 나타난 문제점을 쓰시오.

_____

_____

28 (라)의 석환이의 상황과 처지에 공감하는 엄마의 말로 가장 적절한 것은?

① (큰 소리로 웃으며) 네가 영화감독이 된다고? 정말 기가 막힌다.

② (팔짱을 낀 채로) 난 도대체 네가 영화감독이 왜 되려는지 잘 모르겠다.

③ (고개를 갸우뚱하며) 영화감독 되기가 얼마나 어려운데. 네 적성에 잘 맞는지 다시 고려해 봐.

④ (석환이의 머리를 쓰다듬으며) 벌써 네 진로를 고민하고 꿈을 이루기 위해 노력하고 있다니, 멋있다.

⑤ (부드럽게 눈을 맞추며) 나도 네가 원하는 걸 했으면 좋겠어. 그런데 네가 좋아하는 것만을 하며 살 수는 없어.

실전 모의고사 **4** 회

[01~05] 다음 글을 읽고, 물음에 답하시오.

 똥주: 완득아. 어머님이 널 보고 싶어 하신다.

완득: 도대체 무슨 증거로 제 어머니라고 하세요?

똥주: 사진 봤어. 너 돌 때 찍은 가족사진. 아버님은 그대로더라.

　완득, 자리에서 일어난다.

완득: 왜 남의 집 일에 끼어드세요? / 똥주: 뭐?

완득: 저는요, 엄마 젖이 아니라 아버지가 춤추던 카바레 누나
　　들이 주는 과자나 사탕 먹고 컸어요.

 7. 마주치지 않을게요 – 어머니

사는 내내 보고팠지만 내 두 눈 앞에 서 있지만
불러 볼 수 있을까, 안아 볼 수 있을까, 난…… 난…….
하루 종일 곁을 맴돌아도 저만치 내 앞에 있어도
문득 마주칠까 봐 겁이 났어요, 난…….

마주치지 않을게요.
숨을 쉬는 내내 보고픈 그 얼굴
무엇과도 바꿀 수 없는 얼굴
눈 감아도 눈 떠 봐도 하염없이 떠오르는 그 얼굴.

 어머니: ……. 잘 지냈어요?

 마주치지 않을게요 / 배경 음악

어머니: 잘 커 줘서 고마워요. 나는 그냥 한 번만…….

　어머니, 들고 온 종이 가방들을 완득이에게 건넨다.

어머니: 이거……. (포장을 뜯으며) 요즘 남자아이들한테 제일
　　인기 있는 거래요.

　어머니가 상자를 뜯으면 운동화가 나타난다.

어머니: 신어 봐요……. 신어 보세요.

완득: 필요 없으니까, 가져가세요.

 완득: 이백사십짜리 구두 보여 주세요.

어머니: (손사래 치며) 아니에요. 괜찮아요. 이러지 말아요.

완득: (어머니 단화를 가리키며) 이렇게 납작한 거 말고요. 굽 있
　　는 것으로 보여 주세요. (뭔가 발견하고는) 이거 괜찮겠네요.
　　이것으로 보여 주세요.

가게 주인: 가만 보니 저쪽 사람 같은데, 학생하고 많이 닮았네.
　　신어 봐요. 이백사십, 굽 높은 거.

　가게 주인, 굽이 7센티미터나 되는 분홍색 구두를 내민다.
　어머니가 머뭇거린다.

01 이와 같은 글에 대한 설명으로 적절하지 <u>않은</u> 것은?

① 무대 상연을 전제로 한다.

② 현재화된 이야기로 진행된다.

③ 인물 간의 대립과 갈등이 드러난다.

④ 연극적 요소와 음악적 요소가 결합된다.

⑤ 주로 서술자가 등장해 사건과 상황을 설명한다.

02 사건 전개 과정을 고려할 때, (나)에 가장 어울리는 목소리
는?

① 격렬한 목소리

② 슬프고 애절한 목소리

③ 명랑하고 흥겨운 목소리

④ 경건하고 엄숙한 목소리

⑤ 부드럽고 몽환적인 목소리

03 〈보기〉는 (다)에 해당하는 원작 소설이다. 〈보기〉를 (다)와
같이 재구성하면서 달라진 점으로 가장 적절한 것은?

┤ 보기 ├

　그분은 축축 늘어지는 천 가방에서 하얀 봉투를 꺼
냈다.
　"이거……." / "그런 거 필요 없는데요."
　나 줄 돈 있으면 신발이나 새로 사 신으세요. 요즘
은 애들도 저런 거 안 신어요.
　"말로는 잘 못 하겠어서…… 너무 미안해서…….
　"필요 없으니까, 가져가세요."
　그분은 기어이 봉투를 내려놓고 방을 나갔다.

① 인물 간의 관계가 다르게 설정된다.

② 상황을 대하는 인물들의 태도가 바뀐다.

③ 인물이 겪는 내적 갈등이 외적 갈등으로 바뀐다.

④ 인물의 심리가 서술자에 의해 직접적으로 제시된다.

⑤ 배우가 등장인물의 행동을 연기하도록 지시문을
　제시한다.

🖊주관식

04 (다)에서 완득이에 대한 어머니의 사랑이 드러나는 소재를
찾아 쓰시오.

🖊서술형

05 (가), (라)에서 어머니를 대하는 완득이의 태도를 비교하여
서술하시오.

[06~10] 다음 글을 읽고, 물음에 답하시오.

가 어머니: 완득이가 하고 싶어 하는 거, 제일 잘할 수 있는 거 하게 허락해 주세요……. 싫어도 싫다는 말을 못 해. 아파도 아프다는 말을 못 해. 아니 안 한대요. 모든 걸 다 속에 담아 두고서는 앓고만 있대요. 누가 먼저 말을 걸지 않으면 하루 종일 말 한마디도 안 한다는 거 아세요?

아버지: 누가 그런 소리를 해! / 어머니: ……. 이동주 선생님이요.

아버지: 그 선생이 뭘 안다고 그런 소리를 해!

나 완득: (도내 챔피언에게) 야, 난 시합에서 져도 상관없어.

도내 챔피언: ? / 완득: 네가 내 갈비뼈를 박살 내도 상관없고 네가 날 케이오(KO)로 이기든, 판정으로 이기든 난 상관없어. 극적인 역전승 따위를 바라는 게 아니야. 난 내가 버틸 수 있는 그 순간까지 최선을 다해 버틸 테니까, (가드를 올리고서는) 봐주지 마라. 날 이겨 봐!

도내 챔피언이 완득이에게 달려든다. 두 선수의 합이 계속된다. 완득이의 옆구리에 다시금 킥이 꽂히고 다운. 심판의 카운트가 시작된다.

다 19. 괜찮아(완득아, 괜찮아) – 완득, 전체

관장: 완득아! 정신 차려! 완득아! 완득아! 눈 좀 떠 봐, 인마!

심판의 카운트가 모두 끝나고 관중석에서는 환호성이 터져 나온다. 심판이 쓰러진 완득이의 상태를 살핀다.

완득이의 눈앞이 흐려진다. ㉠완득이가 웃는다.

[완득]	[전체]
나약한 나를 때려눕힌 속 시원한 케이오(KO).	
괜찮아, 도전했으니, 언젠가는 챔피언.	괜찮아…….
짜증만 가득했던 내 작은 세상	
이겨 내야만 해, 질 수는 없어, 더 이상.	괜찮아…….
온 세상이 짜증이 나 미칠 것만 같았지.	
다들 웃고 사는데 왜 나만 이러는지.	괜찮아…….
쓰러져 보니 알겠어, 소중한 존재들.	
날 일으켜 줘, 내 아픔과 소원을.	괜찮아…….

라 완득, 어머니와 눈이 마주친다.

완득: ……. 이제 어디도 가지 마세요……. 내가 힘들 때, 주저앉고 싶을 때 응원받고 싶은 사람, 안겨 보고 싶은 사람이 있어요……. 아버지, 민구 삼촌, 관장님, 똥주 선생님, 윤하, 친구들, 그리고…… 엄마……, 엄마……, 엄마!

완득이의 '엄마'라는 말에 가슴이 무너지고 눈시울이 붉어지는 어머니.

06 뮤지컬 대본과 소설을 비교한 내용으로 적절하지 않은 것은?

① 뮤지컬 대본에는 서술자가 없지만, 소설에는 서술자가 있다.

② 뮤지컬 대본과 소설은 모두 갈등이 이야기 전개에 중요한 역할을 한다.

③ 뮤지컬 대본은 시간적, 공간적 제약이 많지만, 소설은 시간적, 공간적 제약이 없다.

④ 뮤지컬 대본은 상상을 통해 만든 이야기지만, 소설은 작가의 체험을 표현한 이야기이다.

⑤ 뮤지컬 대본은 '발단-전개-절정-하강-대단원'으로 구성되지만, 소설은 '발단-전개-위기-절정-결말'로 구성된다.

07 이 글의 내용과 일치하지 않는 것은?

① 완득이는 도내 챔피언과의 경기에서 패배했다.

② 관중들은 모두 완득이가 도내 챔피언을 이기기를 응원했다.

③ 완득이가 킥복싱을 하는 문제로 아버지와 어머니가 싸웠다.

④ 완득이는 킥복싱 경기를 통해 주변 사람들의 소중함을 깨달았다.

⑤ 도내 챔피언은 시합에서 져도 상관없다는 완득이의 말을 잘 이해하지 못했다.

08 이 글의 내용을 고려할 때, ㉠의 이유로 가장 적절한 것은?

① 어머니와 함께 살 수 있다는 기쁨 때문에

② 자신의 킥복싱 수준을 객관적으로 파악했기 때문에

③ 시합을 포기하지 않고 끝까지 최선을 다했기 때문에

④ 너무 쉽게 져 버린 상황이 어이없게 느껴졌기 때문에

⑤ 챔피언과 대등한 실력을 보여 주었다는 만족감 때문에

09 (다)를 통해 드러내고자 한 내용으로 가장 알맞은 것은?

① 완득이가 방황했던 구체적인 모습

② 킥복싱 경기를 통한 아버지와 어머니의 화해

③ 완득이가 킥복싱 챔피언이 되기 위해 노력할 일

④ 다문화 가정에 대한 편견으로 인해 상처받은 완득이의 모습

⑤ 꿈을 포기하지 않겠다는 완득이의 의지와 주변 사람들의 소중함을 깨달은 완득이의 성장

주관식

10 (라)에서 완득이가 어머니를 완전히 받아들였음을 드러내는 말을 찾아 쓰시오.

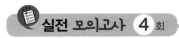

[11~15] 다음 글을 읽고, 물음에 답하시오.

가 등장인물의 성격과 주요 갈등 만들기

● 중심인물

인물	극에서 표현할 특성
순돌	소작인의 아들로, 순박하고 순진하지만 어리숙하고 눈치가 없어서 점순이의 마음을 이해하지 못함.
점순	마름의 딸로, 거침이 없고 당당하며 자신의 마음을 적극적으로 표현함.

● 주변 인물

인물	극에서 표현할 특성
점순이의 어머니	점순이에게 결혼 이야기를 꺼내어 점순이의 내적 갈등을 부추김.

● 인물 간의 관계와 주요 갈등

점순이의 마음을 알지 못하는 순돌이와 그런 순돌이를 괴롭히는 점순이 사이의 갈등

나 이야기를 장면으로 구성하기

장면 1
어느 날, 점순이가 일하고 있는 순돌이에게 감자를 내밀지만 순돌이는 이를 거절한다. 창피함을 느낀 점순이는 순돌이가 괘씸하다.

장면 2
다음 날 점순이는 보란 듯이 자기 집 봉당에서 순돌이네 씨 암탉을 때린다. 화가 난 순돌이는 점순이와 거친 말을 주고받는다.

다 장면 속 연극 요소 살리기

장면 1	점순이가 순돌이에게 감자를 내밀지만 순돌이가 거절함.		
등장인물	점순, 순돌	장소	순돌이네 집 앞마당
배경	여기저기 꽃이 피고, 초가집이 모여 있는 농촌의 봄 풍경을 그림으로 그려서 보여 줌.		
장면에 어울리는 소리	멀리서 들리는 새 소리와 소 울음소리로 농촌임을 드러냄. 순돌이가 울타리를 엮는 동작에 맞춰서 나뭇가지 부딪히는 소리를 들려줌.		
등장인물의 동선	순돌이는 무대 왼쪽의 순돌이네 집 앞마당에 있고, 점순이가 무대 오른쪽에서부터 순돌이를 향해 다가감.		
등장인물의 말과 행동	• 점순이가 치마 속에 감자를 숨기고 순돌이에게 다가감. • 순돌이는 점순이가 다가오는 줄 모르고 울타리를 엮는 데 열중함. • 점순이는 긴장한 모습으로 순돌이에게 계속 말을 걺. • 순돌이는 점순이에게 무뚝뚝하게 대답하며 울타리를 엮는 일에만 집중함.		

11 다음은 연극을 준비하고 공연하는 과정을 정리한 것이다. 빈칸에 들어갈 알맞은 말을 쓰시오.

> 주제 정하기 → 대본 만들기 → ( ) → 세부 연습하기 → 최종 연습하기 → 공연하기 → 평가하기

12 (가)를 바탕으로 연극을 준비할 때, 연출 내용으로 알맞지 않은 것은?

① 점순이는 순돌이에게 자신의 마음을 적극적으로 표현하도록 한다.

② 점순이와 순돌이가 함께 위기를 극복하고자 하는 자세가 돋보이도록 한다.

③ 점순이 어머니의 결혼 이야기를 들은 점순이는 고민에 빠진 듯한 표정을 짓는다.

④ 순돌이는 점순이의 마음을 눈치채지 못하고 무뚝뚝하게 점순이를 대하도록 한다.

⑤ 순박하고 순진한 순돌이의 특성을 고려하여 순돌이의 옷차림은 수수하게 준비한다.

13 (나)의 '장면 1'과 '장면 2'에 나타나는 주요 갈등 양상은?

① 인물과 인물의 갈등
② 인물과 운명의 갈등
③ 인물과 사회의 갈등
④ 인물의 심리적 갈등
⑤ 집단과 집단의 갈등

14 (다)를 작성하는 방법으로 적절하지 않은 것은?

① 장면에 어울리는 음향을 정리한다.

② 연극의 요소를 구체적으로 정리한다.

③ 구체적인 시간적, 공간적 배경을 설정한다.

④ 장면의 중심 내용을 효과적으로 전달할 수 있도록 작성한다.

⑤ 인물의 동선을 정리하고 구체적인 지시문과 대사를 설정한다.

15 연극 대본을 작성할 때 주의해야 할 점을 '갈등'을 중심으로 서술하시오.

[16~17] 다음 글을 읽고, 물음에 답하시오.

등장인물　순돌, 점순, 점순이의 어머니

배경　한적한 농촌 마을

　⊙옹기종기 모여 있는 초가집과 꽃이 핀 농촌의 봄 풍경을 보여 주는 그림이 무대 뒤쪽에 걸려 있다. 무대의 왼쪽에 순돌이네 집, 오른쪽에 점순이네 집이 있다.

📽 1장 순돌이네 집 앞마당

　순돌이네 집 쪽의 조명이 밝아지면 ⓒ점순이가 치마 속에 감자를 숨기고 무대 오른쪽에서 살금살금 등장한다. 순돌, 울타리를 엮는 데 열중하느라 점순이가 다가오는 줄도 모른다.

점순: (ⓒ긴장된 표정으로 헛기침을 하다가 결심한 듯) 얘! 뭐 하니?

순돌: (ⓔ점순이를 흘낏 쳐다본 뒤 무뚝뚝한 목소리로) 보면 모르냐? (다시 하던 일에 열심이다.)

점순: (사근사근한 목소리로) 그 일, 재미있니?

　순돌, 점순이의 말을 들은 체 만 체하고 묵묵히 울타리만 엮는다.

점순: (ⓜ순돌이에게 좀 더 다가가 다정한 목소리로) 한여름이나 되거든 하지 벌써 울타리를 하니?

　순돌, 고개를 돌려 점순이를 빤히 쳐다본다.

점순: (과장된 목소리로) 까르르.

　순돌, 아무 반응 없이 다시 묵묵히 울타리를 엮는다.

　점순, 주위를 두리번거리다 순돌이 쪽으로 좀 더 가까이 다가간다.

16 ⊙~ⓜ에 대한 설명으로 적절하지 않은 것은?

① ⊙: 평화롭고 한적한 시골 분위기를 형성한다.

② ⓒ: 배우들끼리 미리 동선을 정리해 두어야 한다.

③ ⓒ: 순돌이 역 배우만 눈치채고 관객들은 눈치채지 못하게 한다.

④ ⓔ: 점순이의 행동에 관심 없다는 표정이 어울린다.

⑤ ⓜ: 순돌이에 대한 호감이 표정에 드러나야 한다.

17 이와 같은 연극의 대본을 작성할 때 유의해야 할 점으로 적절하지 않은 것은?

① 공연 시간을 고려하여 적절한 길이로 작성한다.

② 갈등이 분명하게 드러나도록 장면을 구성한다.

③ 등장인물의 성격과 특성이 관객에게 잘 전달되도록 작성한다.

④ 연극 속 상황과 등장인물의 행동에 어울리는 지시문을 제시한다.

⑤ 실제 공연 상황을 고려하여 관객이 좋아할 만한 대사 위주로 구성한다.

18 연극을 준비하고 공연하는 과정에서 필요한 역할과 그에 대한 설명으로 적절하지 않은 것은?

① 배우: 다른 배우들과 대사를 연습하고 무대 동선을 정리한다.

② 작가: 공연을 전체적으로 조정하면서 대본을 수정·보완한다.

③ 조명 담당: 장면별로 내용과 분위기에 어울리는 조명 활용 계획을 세운다.

④ 무대 장치 담당: 무대가 전환되는 장면을 정리하고 장면별로 무대 장치를 준비한다.

⑤ 배경 음악 담당: 등장인물의 감정, 장면의 내용과 분위기에 맞는 배경 음악을 준비한다.

19 〈보기〉는 '최종 연습하기' 단계에서 점검해야 할 사항이다. 다음 ⊙에 들어갈 내용으로 가장 적절한 것은?

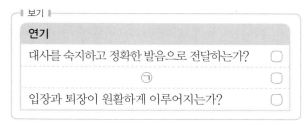

연기	
대사를 숙지하고 정확한 발음으로 전달하는가?	☐
⊙	☐
입장과 퇴장이 원활하게 이루어지는가?	☐

① 동작 연기와 동선이 자연스러운가?

② 인물에 어울리는 분장을 준비했는가?

③ 대사와 동작에 맞는 음향이 이루어졌는가?

④ 장면에 따라 소품을 적절하게 활용했는가?

⑤ 장면의 분위기에 어울리는 의상을 마련했는가?

🖊서술형
20 다음 ⊙에 들어갈 말과 그것이 연극에서 나타내는 효과에 대해 서술하시오.

[21~25] 다음 글을 읽고, 물음에 답하시오.

어두운 방 안엔
빠알간 숯불이 피고,

외로이 늙으신 할머니가
애처로이 잦아드는 어린 목숨을 지키고 계시었다.

이윽고 눈 속을
아버지가 약을 가지고 돌아오시었다.

아 아버지가 눈을 헤치고 따 오신
그 ㉠붉은 산수유 열매―

㉡나는 한 마리 어린 짐생,
젊은 아버지의 서느런 옷자락에
열로 상기한 볼을 말없이 부비는 것이었다.

이따금 뒷문을 눈이 치고 있었다.
그날 밤이 어쩌면 성탄제의 밤이었을지도 모른다.

어느새 나도
그때의 아버지만큼 나이를 먹었다.

옛것이라곤 찾아볼 길 없는
성탄제 가까운 도시에는
이제 ㉢반가운 그 옛날의 것이 내리는데,

서러운 서른 살 나의 이마에
㉣불현듯 아버지의 서느런 옷자락을 느끼는 것은,

눈 속에 따 오신 산수유 붉은 알알이
㉤아직도 내 혈액 속에 녹아 흐르는 까닭일까.

21 이 시의 말하는 이에 대한 설명으로 적절하지 <u>않은</u> 것은?
① 말하는 이는 어렸을 적 열병을 앓았다.
② 어린 시절의 말하는 이는 할머니, 아버지와 함께 지냈다.
③ 어른이 된 말하는 이는 어린 시절의 기억을 떠올리고 있다.
④ 어린 시절의 말하는 이는 아버지를 위해 산수유 열매를 따 왔다.
⑤ 어른이 된 말하는 이는 각박한 도시에 내리는 눈을 바라보고 있다.

22 ㉠~㉤에 대한 이해로 적절하지 <u>않은</u> 것은?
① ㉠: '나'의 병이 치유되기를 바라는 아버지의 마음을 알 수 있는 소재로군.
② ㉡: '나'가 보호받아야 할 연약한 존재라는 것을 알 수 있군.
③ ㉢: 어린 시절 내렸던 것과 같은 '눈'을 의미하는군.
④ ㉣: 삭막한 도시에서 미래에 대한 희망을 느끼는 모습을 표현했군.
⑤ ㉤: 아버지의 사랑이 '나'의 마음속에 살아 있음을 의미하는군.

23 다음에 해당하는 소재로 가장 적절한 것은?

> • 과거 산수유 열매를 구하러 간 아버지에게 고난과 시련을 주는 존재임.
> • 과거와 현재를 이어 주는 매개체의 역할을 함.

① 눈   ② 숯불   ③ 혈액
④ 성탄제   ⑤ 산수유 열매

24 이 시에서 말하고자 하는 바로 가장 알맞은 것은?
① 아버지가 경험한 삶의 고난
② 열병을 심하게 앓았던 경험
③ 자연에 동화되고 싶은 소망
④ 쓸쓸했던 어린 시절에 대한 기억
⑤ 아버지의 헌신적인 사랑과 정성을 향한 그리움

25 이 시를 영화로 재구성할 때 어울리는 장면이 <u>아닌</u> 것은?
① 빨간 숯불이 피어 있는 어두운 방
② 아픈 어린 아이를 간호하고 있는 할머니
③ 성탄제가 가까워 올 무렵 눈이 내리는 도시
④ 산수유 열매를 찾아 산속을 헤매는 아버지
⑤ 나이든 아버지의 옷자락에 얼굴을 부비는 어른

가 놀부는 마음보가 시켜먼 놈이라 흥부 오는 싹을 보면 구박이 이만저만 아닐 것이다. 흥부는 형을 만나기도 전에 예전에 맞던 생각을 하니 겁이 저절로 났다. 온몸을 떨며 공손히 마루 아래에 서서 두 손을 마주 잡고 절하며 문안을 드린다.

나 그러나 놀부는 워낙 도리를 모르는 놈이라 흥부가 곡식이나 돈을 구걸하러 온 것인 줄 지레짐작하고 못 본 체 딴청을 피운다. 흥부가 여러 번 말을 걸자 그제서야 겨우 묻는다.

⊙"네가 누구인고?"

흥부는 기가 막힌다.

"내가 흥부올시다."

놀부가 와락 소리 지르며 되묻는다.

"흥부가 어떤 놈인고?"

"애고, 형님, 이것이 무슨 말씀이오? 마오, 마오, 그리 마오. 비나이다, 비나이다, 형님께 비나이다. 세끼 굶고 누운 자식 살려 낼 길이 전혀 없어 염치를 불고하고 형님 댁에 왔습니다. 형제의 정을 생각하여 벼나 쌀이나 아무것이라도 주시면 품을 판들 못 갚으며 일을 한들 거저야 먹겠습니까? 아무쪼록 형제의 정을 생각하여 죽는 목숨 살려 주십시오."

다 이처럼 애걸하지만 놀부 하는 꼴이 어처구니없다. 사나운 범같이 날뛰며 모진 눈을 부릅뜨고 핏대를 올리며 나무란다.

"⊙너도 참 염치없는 놈이다. 내 말을 들어 보아라. 하늘은 먹을 것이 없는 인간을 낳지 않고, 땅은 이름 없는 풀을 만들지 않는다 했으니 누구나 제 먹을 것은 타고나는 법이다. 그런데 너는 어찌 그리 복이 없어 하고한 날 내게 와서 이리 보채느냐? 여러 소리 듣기 싫다."

그래도 흥부는 울면서 애걸한다.

"어린 자식들 데리고 굶다 못하여 형님 처분만 바라고 염치를 돌아보지 않고 왔습니다. 만일 양식을 못 주겠거든 돈 서 돈만 주시면 하루라도 살겠습니다."

라 그러나 놀부는 더욱 화를 내며 나무란다.

"이놈아, 들어 보아라. 쌀이 아무리 많다고 해도 너 주려고 섬을 헐며, 벼가 많다고 하여 너 주려고 노적을 헐며, 돈이 많이 있다 한들 너 주자고 돈꿰미를 헐며, 곡식 가루나 주고 싶어도 너 주자고 큰독에 가득한 걸 떠내며, 옷가지나 주려 한들 너 주자고 행랑채에 있는 아랫것들을 벗기며, 찬밥을 주려 한들 너 주자고 마루 아래 청삽사리를 굶기며, 술지게미나 주려 한들 새끼 낳은 돼지를 굶기며, 콩이나 한 섬 주려 한들 농사지을 황소가 네 필인데 너를 주고 소를 굶기겠느냐. 염치없고 생각 없는 놈이로다."

"아무리 그렇더라도 죽는 동생 한 번만 살려 주십시오."

놀부는 화를 더럭 내어 벼락같은 소리로 하인 마당쇠를 부른다.

26 이 글에 대한 설명으로 적절하지 않은 것은?
① 조선 후기 판소리계 소설이다.
② 선인과 악인을 대조하여 주제를 부각한다.
③ 표면적으로는 형제간의 우애에 대해 이야기한다.
④ 대상의 외양을 묘사하여 부정적인 인물을 풍자한다.
⑤ 이면적으로는 조선 후기에 몰락하기 시작한 양반의 모습과 비참한 서민의 생활상에 대해 이야기한다.

27 이 글의 등장인물에 대한 설명으로 적절하지 않은 것은?
① 흥부는 집에서 굶고 있는 가족들을 걱정한다.
② 놀부는 모습이 많이 바뀐 흥부를 알아보지 못한다.
③ 흥부는 곡식을 꾸려다가 오히려 화를 당하지 않을까 불안해한다.
④ 놀부는 물러나지 않고 끝까지 곡식을 얻으려는 흥부에게 화가 난다.
⑤ 흥부는 놀부에게 곡식을 얻으려고 하고, 놀부는 곡식을 얻으러 온 흥부를 박대한다.

28 〈보기〉에 나타난 이 글의 결말을 고려할 때, 다음 중 이 글의 주제를 가장 잘 나타내는 사자성어는?

보기
착한 흥부는 제비 다리를 치료해 준 덕분에 큰 부자가 되고, 심술 많은 놀부는 더 많은 재산을 탐내 제비 다리를 부러뜨렸다가 온갖 귀신과 도깨비들에게 재산을 모두 빼앗긴다.

① 권선징악(勸善懲惡)　② 붕우유신(朋友有信)
③ 상부상조(相扶相助)　④ 십시일반(十匙一飯)
⑤ 일편단심(一片丹心)

29 이 글을 낭독극으로 공연할 때, 고려할 내용으로 적절하지 않은 것은?
① 인물이 처한 상황　② 인물의 심리와 감정
③ 인물의 성격과 특징　④ 상황에 어울리는 말투
⑤ 인물에 어울리는 의상

주관식
30 이 글을 낭독극으로 공연 할 때, ⊙과 ⊙에 어울리는 목소리를 각각 쓰시오.
• ⊙:
• ⊙:

memo

기초부터 다지는 중학 국어 공부력!

국어 실력이 쑥쑥!

함께해 볼까?

중학

기초 바탕

시작은 하루 국어
중1~3 (시/소설(개념)/소설(작품)/문법/비문학/수필)
★☆☆☆☆
1일 6쪽, 4주 완성으로 국어를 쉽고 재밌게!

내신 기초

7일 끝 국어
중2~3 (천재 박영목 / 천재 노미숙, 학기별)
★★☆☆☆
7일이면 끝나는 중간·기말 대비서

내신 심화

중학 국어전략
중1~중3 (학년별)
★★★☆☆
9종 교과서 대비 내신 공통서

중학 일등전략 국어
중1~3 (문학①, ②, ③, 문법①, ②, ③)
★★★★☆
영역별 심화 학습이 가능한 내신서

공부력 향상

문학 DNA 깨우기
예비중~중3 (기본 개념 / 감상 원리 / 기출 유형)
★★★☆☆
교과서 작품을 활용한 문학 독해서

비문학 독해 DNA 깨우기
예비중~중3 (독해 기초 / 독해 원리 / 독해 기술 / 기출 유형)
★★★☆☆
기초부터 심화까지 단계별 독해 원리

어휘 DNA 깨우기
중1~3 (기본편 / 실력편)
★★☆☆☆
퀴즈로 익히는 1,347개 중학 필수 어휘

문법 완성

문법 DNA 깨우기
중1~3 (1권)
★★★☆☆
중학 교과서 필수 문법 총정리

재미있는 국어문법
중1~고1 (단행본)
★★★☆☆
중고등 국어 문법이 한 권에 쏙!

#차원이_다른_클라쓰
#강의전문교재
#중등교재

수학교재

개념 학습서
┗ 짤강수학   중1~3(학기별)
┗ 체크체크 베미직 수학   중1~3(학기별)

베스트셀러 수학 기본서
┗ 체크체크 수학   중1~3(학기별)

문제 유형서
┗ 유형체크N제   중1~3(학기별)

계산 집중 연습 문제집
┗ 더블클릭   중1~3(학기별)

끝까지 답을 찾는 수학의 힘
┗ 수학미 힘(말파/베타/감마)   중1~3(학기별)

수학 전문 기출문제집
┗ 올백 수학 기출문제집   중1~3(학기별 중간, 기말/중1-2학기 제외)

체크체크

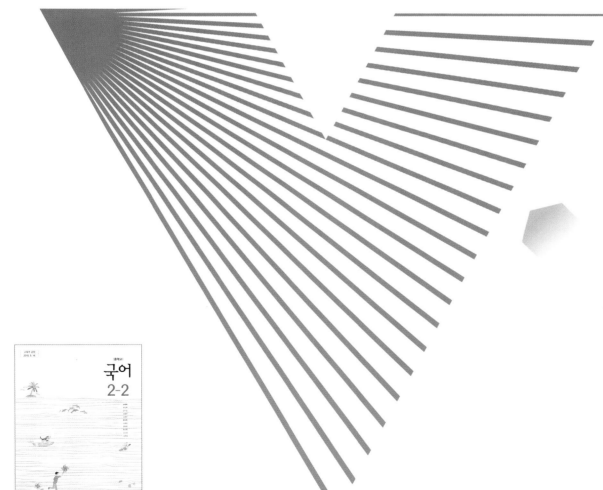

국어
2-2

천재 | 노미숙

국어
중학
2-2

천재교육

정답과 해설의
체크 포인트 3가지

1. 혼자서도 이해할 수 있는 친절한 문제 풀이

2. 문제 해결에 필요한 Clinic 오답 강의

3. 예시 답안과 채점 기준 제시로
   실전 서술형 문항 완벽 대비

체크체크

| 국어 2-2 |

정답과 해설

천재 노미숙 교과서

1 | 표현의 빛깔

01 시로 표현하기 _ 먼 후일

바로바로 개념 체크   p.08

1 ⑤ **2** (1) ○ (2) × (3) ○ **3** 역설 **4** 역설

1 운율은 시를 읽을 때 느껴지는 말의 가락으로 같은 소리나 단어, 일정한 글자 수의 반복 등을 통해 형성된다. 반어와 역설을 사용하는 것은 시의 운율과는 관련이 없다.

2 반어는 실제로 표현하고자 하는 의도와 반대되는 말로 나타내는 표현 방법으로, 반어를 활용하여 표현하면 말하는 이의 의도와 주제를 더욱 강조할 수 있다.

3 역설은 모순된 표현 속에 삶의 진실이나 진리가 담겨 있는 표현 방법이다.

4 '슬픔'이 '찬란'하다고 하는 것은 모순되어 보이지만 이를 통해 봄은 찬란하지만 모란이 빨리 져 말하는 이에게 슬픔과 아쉬움을 주는 계절이기도 하다는 것을 표현하고 있다.

소단원 체크   p.09

1 ② **2** ④ **3** ①

1 이 시의 말하는 이는 사랑하는 사람인 '당신'과 이별한 후 '당신'을 잊지 못하고 그리워하고 있다.

2 이 시는 '당신'을 잊지 못하는 마음을 반어를 활용하여 반복적으로 표현했지만 논리적으로 모순이 되는 표현인 역설을 활용한 것은 아니다.

3 〈보기〉에는 '당신'을 잊지 못하는 마음을 '잊었노라'라고 표현하는 반어가 사용되었다.

소단원 마무리   p.10

이별, 반복, 음보율, 잊었노라, 주제, 애절한

학습 활동 엿보기   p.11-12

3, 구조, 음악성, 강조, 이별, 진심, 주제

학습 활동 응용 문제 | p.11-12 |

1 ① **2** ④ **3** ③ **4** ⑤ **5** ② **6** ② **7** 반어

1 ㉠에서는 '먼 훗날 ∨ 당신이 ∨ 찾으시면 / 그때에 ∨ 내 말이 ∨ "잊었노라"와 같이 3음보의 율격이 반복되어 운율을 형성한다.

2 말하는 이는 사랑하는 '당신'과 이별했지만 '당신'을 잊지 못하고 몹시 그리워하고 있는 마음을 '잊었노라'와 같이 반대로 표현했다.

3 '잊었노라'는 반어적 표현으로, 말하는 이가 '당신'을 잊을 수 없음을 강조하여 나타낸다.

4 이 시의 말하는 이는 먼 훗날에도 '당신'을 잊을 수 없다는 것을 반어적으로 표현하고 있다.

5 제시된 시는 각 연의 끝에서 같은 단어, 각 연의 2행에서 3음보와 같은 글자 수, 1연과 2연에서 유사한 문장 구조를 반복하여 운율을 형성하고 있으나 의문형 표현을 활용하지는 않았다.

6 반어를 사용한다고 해서 말의 가락(운율)을 형성할 수 있는 것은 아니다.

7 자신의 물건을 잃어버려 속상한 심정을 '괜찮노라'라고 표현한 것은 자신의 심정과 반대로 표현한 것이므로 반어가 사용된 것이다.

01 시로 표현하기 _ 낙화

소단원 체크   p.13

1 ② **2** ② **3** ⑤

1 '봄 한철'은 꽃이 피어나는 시기로, 이별하기 전 사랑이 충만한 시간, 화려한 청춘 시절을 의미한다.

2 이 시는 꽃이 떨어지는 자연 현상(낙화)을 '이별'이라는 인간의 삶과 연관 지어 표현하고 있다.

3 ㉠에는 '결별'과 '축복'이라는 의미상 어울리지 않는 단어를 결합하여 새로운 의미를 만들어 내는 역설이 사용되었다.

소단원 마무리   p.14

아름다움, 성숙, 이별, 열매, 깨달음, 영혼, 강조

학습 활동 엿보기   p.15-17

꽃잎, 성숙, 새로운, 축복, 강조

학습 활동 응용 문제 | p.15-17 |

1 ⑤ **2** ③ **3** ④ **4** 역설 **5** ① **6** ③ **7** ① **8** ②

생각 모으기 운율, 반어, 모순, 개성, 반대, 강조, 의지, 강조

1 말하는 이는 꽃이 떨어지는 모습을 보면서 꽃이 지는 것이 '열매'라는 결과로 이어지는 것처럼 이별을 통해 삶(영혼)의 성숙을 이룰 수 있다는 삶의 진리를 깨닫고 있다.

2 '열매'는 낙화의 결과로 얻어지는 것이므로 '결별'을 통해 얻을 수 있는 '영혼의 성숙'을 의미한다.

3 ㉠은 의미상 서로 어울리지 않는 말을 결합하여 겉보기에는 논리적으로 모순되는 것 같으나 그 속에 '결별은 삶(영혼)을 성숙하게 한다.'는 의미를 담고 있다.

4 '결별'과 '축복'이라는 서로 어울리지 않는 말을 결합하여 새로운 의미를 강조하는 역설이 사용되었다.

5 이 시의 말하는 이는 결별은 슬프고 고통스러운 체험이지만 이러한 체험을 통해 삶(영혼)의 성숙을 이룰 수 있다는 것을 깨달았다.

6 이 시에서 '결별'을 '축복'이라고 표현한 이유는 결별은 삶(영혼)을 성숙하게 하는 계기가 되므로 '결별'이 오히려 '축복'이 될 수 있음을 강조하기 위해서이다.

7 밑줄 친 부분에서는 작으면서 크다는 역설적인 표현을 활용하여 크기가 작은 눈물 한 방울에 자신의 감정이 모두 담겨 있다는 것을 표현했다.

8 '우리들의 청춘은 아름답다.'에는 모순된 표현을 통해 의미를 전달하는 역설이 사용되지 않았다.

01 이 시는 '당신'을 잊지 못하고 그리워하는 마음을 표현하고 있으나 과장된 표현은 나타나지 않는다.

02 3연의 '믿기지 않아서 잊었노라.'는 '당신'과의 이별을 믿을 수 없고, 계속해서 '당신'을 잊지 못하는 말하는 이의 마음이 반대로 표현된 것이다.

03 이 시에서 각 연의 끝에서 반복되면서 운율을 형성하는 '잊었노라'는 '당신'을 잊지 못하는 화자의 마음을 반대로 표현한 것이다.

04 이 시에서는 '당신', '잊었노라'와 같은 단어와 '~면 / ~ 잊었노라'와 같은 유사한 문장 구조를 반복하고 있으나 '그때에 내 말이'라는 시구를 각 연에서 반복한 것은 아니다.

05 이 시는 3음보의 규칙적인 율격을 반복하여 운율을 형성하고 있다.

06 ㉠의 '잊었노라'는 표면적으로는 '당신'을 잊었다는 의미이지

만, 이면적으로는 오랜 시간이 지나도 결코 '당신'을 잊을 수 없다는 것을 의미하는 반어적 표현이다.

07 ㉡에는 '당신'을 결코 잊을 수 없는 화자의 마음을 '잊었노라'라고 표현하는 반어가 사용되었다. 이를 통해 말하는 이의 진심을 강조하고 인상 깊게 전달할 수 있다.

채점 요소	배점	총점
㉡에 사용된 표현 방법이 반어임을 쓰고, 그 개념을 씀.	2점	
반어를 사용한 효과를 적절히 씀.	2점	4점
문장이 어색하거나 맞춤법이 틀린 것이 있음.	−1점	

08 이 시는 다양한 표현 방법을 사용하여 시의 주제를 강조하고 있지만 시의 처음과 끝에 같은 내용을 반복하지는 않았다.

09 '가을'은 낙화의 결과로 열매를 맺는 '성숙의 계절'을 의미한다.

10 이 시의 말하는 이는 늦은 봄 꽃잎이 어지럽게 흩날리며 떨어지는 장면을 바라보며 결별을 통해 삶(영혼)의 성숙을 이룰 수 있다는 깨달음을 얻고 있다.

11 ㉢은 역설을 사용했지만 이는 이별의 슬픔이 아니라 '이별을 통한 영혼의 성숙'이라는 깨달음을 드러내고 있다.

12 ⑤에는 음식물 쓰레기를 함부로 버리는 사람을 해학적으로 비판하는 풍자가 사용되었다.

13 이 시의 말하는 이는 '결별'에 대해 '축복'이라고 역설적으로 인식하고 있는데 이를 통해 자연 현상에서 얻은 깨달음을 강조하여 드러내고 있다.

채점 요소	배점	총점
'결별이 이룩하는 축복'을 씀.	2점	
역설이 사용되었음을 쓰고, 그 개념과 효과를 적절히 씀.	3점	5점
문장이 어색하거나 맞춤법이 틀린 것이 있음.	−1점	

02 이야기로 표현하기 _ 양반전

바로바로 개념 체크   p.20

1 풍자   **2** ③   **3** ②

1 풍자는 부정적인 현상이나 모순 등을 다른 것에 빗대어 비웃으면서 표현하는 방법이다.

2 대상에 대한 호감과 연민을 바탕으로 하는 것은 해학으로, 풍자는 대상에 대한 비판을 바탕으로 한다.

3 풍자는 대상에 대한 비판을 바탕으로 하기 때문에 대상의 처지에 공감하는 부분을 찾는 것은 풍자가 사용된 소설을 감상하는 방법과 거리가 멀다.

1 양반이라는 신분이 환곡을 갚는 데 전혀 도움이 안 된다며 양반을 비판한 인물은 양반의 아내이다.

2 양반의 아내는 양반이 빚을 갚는 데 전혀 도움이 안 된다며 양반의 무능력함과 비생산성을 비판하고 있다.

3 양반은 아무리 가난해도 늘 귀한 대접을 받고, 부자는 아무리 잘살아도 항상 천한 대접을 받았기 때문에 부자는 양반의 신분을 사고자 했다.

4 양반은 자신의 양반 신분을 부자에게 판 후 자신은 이제 양반이 아니라고 생각했기 때문에 군수 앞에서 자신을 낮췄다.

5 (다), (라)를 통해 신분을 사고파는 양반과 부자의 모습을 확인할 수 있다.

6 군수는 양반과 부자가 신분을 매매했다는 사실을 듣고 증서를 작성하자고 제안한 것이지 부자에게 양반의 신분을 살 것을 제안한 것은 아니다.

7 첫 번째 증서에 양반은 추워도 화로에 곁불을 쬐지 말라고 써 있다.

8 첫 번째 증서에는 양반이 체면 때문에 일상생활의 불편함을 감수하는 모습이 나타나 있다.

9 첫 번째 증서에서는 양반으로서 지켜야 할 덕목과 행실을 나열하여 체면을 지키기 위해 허례허식에 얽매여 있는 양반의 모습을 비판한다.

10 첫 번째 증서의 내용을 들은 부자는 증서에 양반이 지켜야 할 사항만 나열되어 있고 누릴 수 있는 특권에 대한 언급이 없었기 때문에 문서를 고쳐 달라고 요구했다.

11 양반은 과거 시험에 합격했음을 증명하는 홍패를 통해 부당한 이익을 취하고 있는 것이지 홍패를 숨겨야 막대한 이익을 취할 수 있는 것은 아니다.

12 두 번째 증서에서는 신분을 이용해 개인적인 이익을 취하고 부당한 특권을 남용하는 양반의 모습을 비판하고 있다.

13 양반 매매 증서의 내용을 들은 부자는 양반의 허례허식과 부도덕함을 깨닫고 양반이 되기를 포기했다.

14 부자는 특권을 취하고 횡포를 일삼는 양반을 '도둑놈'이라 칭한다. 이를 통해 '도둑놈'과 다를 바 없는 당시 양반들의 모습을 비판하는 작가의 시각을 알 수 있다.

시험 포인트 p.21~25
01 환곡, 희화화, 비판   02 허례허식, 남용, 횡포
03 간접적, 비판적
생각 모으기 비판, 웃음, 강조, 직접, 빗대어, 웃음, 간접

교과서 날개 p.21~25
1 평소 천한 대접을 받는 것에 한이 맺혀서이다.   2 자기 대신 환곡을 갚아 준 부자에게 양반 신분을 팔아서 자신은 이제 양반이 아니라고 생각했기 때문이다.   3 언행을 조심하고 예의범절을 엄격하게 지켜야 한다. / 글 읽기에 힘쓰고 물욕을 버려야 한다. / 실속 없이 예절과 법도를 지키며 실생활과 동떨어진 글공부를 해야 한다.   4 신분을 이용해 부당한 특권을 누리고 횡포를 부리는 모습   5 양반은 부당한 특권을 누리며 횡포를 일삼는 부도덕한 존재라고 여겼기 때문이다.

소설 한눈에 보기 p.26
환곡, 군수

소단원 마무리 p.27
풍자, 아내, 경제력, 증서, 신분, 겉치레, 남용

학습 활동 엿보기 p.28~30
양반 신분, 비판, 양반 신분, 체면, 횡포, 몰락, 경제력, 무능, 도둑, 웃음, 비판, 간접적

학습 활동 응용 문제 | p.28~30
1 ②   2 양반 아내   3 ④   4 ④   5 ⑤   6 ③   7 ①   8 풍자, 직접적으로, 개선   9 ④   10 ②, ⑤

1 양반 아내는 글 읽기가 빚을 갚는 데 전혀 도움이 되지 않는다며 양반을 비판한다.

2 양반의 아내는 환곡을 갚지 못하고 울기만 하는 양반을 신랄하게 비판하며 작가의 목소리를 대변한다.

3 ㉠에서는 비생산적이고 체면과 형식을 중시하는 양반의 모습을 알 수 있다.

4 이 글에서는 양반이 환곡을 꾸어다가 먹고 갚지 못해 많은 빚을 지게 되었다는 내용이 제시되었을 뿐 이를 통해 환곡의 이자가 지나치게 높았다는 점은 알 수 없다.

5 이 글은 의도를 직접 말하지 않고 다른 것에 빗대어 표현하는 풍자의 방법을 사용하여 양반의 허례허식과 부도덕한 모습을 비판하고 있다.

6 ㉠의 양반 아내의 말은 무능하고 비생산적인 양반의 모습을 비판하는 내용이므로 한심해하는 말투, 무시하고 조롱하는 말투가 어울린다.

7 작가는 양반을 '도둑놈'이라고 한 부자의 말을 통해 부당한 특권을 누리며 횡포를 일삼는 부도덕한 양반의 모습을 비판하고 있다.

8 사회의 부정적 현상이나 모순 등을 다른 것에 빗대어 비웃으

면서 비판하는 것은 풍자로, 풍자는 직접적으로 말하지 않고 돌려서 표현하며, 사회의 부정적 현상이나 모순이 개선되기를 바라는 의도를 담고 있다.

9 풍자를 사용하여 대상이나 상황을 비판할 때에는 대상이나 상황을 과장되게 표현하여 대상을 풍자할 수도 있다.

10 풍자를 사용하면 직접적인 비판보다 대상을 더욱 인상 깊게 비판할 수 있고, 독자에게 웃음을 주면서도 현실을 바로 볼 수 있는 통찰력을 갖게 할 수 있다.

소단원 종합 문제
p.31~33

01 ⑤　**02** ④　**03** ③　**04** 양반이 군수 앞에서 자신을 '소인'이라고 낮춘 이유는 환곡을 갚느라고 부자에게 양반의 신분을 팔았기 때문이다.　**05** ④　**06** ①　**07** ③　**08** ④　**09** ④　**10** ③　**11** ④　**12** ④　**13** (다)에서는 부정적인 현상이나 모순 등을 직접 말하지 않고 다른 것에 빗대어 비웃으면서 비판하는 '풍자'의 방법으로 양반을 비판하고 있다. 이와 같은 풍자를 사용하면 직접적인 비판보다 대상을 더욱 인상 깊게 비판할 수 있고, 독자가 현실을 바로 볼 수 있는 통찰력을 갖게 할 수 있다.

01 양반은 부자에게 자신의 신분을 팔아 빚을 갚았을 뿐, 양반이 아내의 비판을 받아들여 아내와 함께 빚을 갚고자 노력한 모습은 나타나지 않는다.

02 "한 푼어치도 안 되는 그놈의 양반!"이라고 양반을 비판하는 아내를 통해 작가는 무능하고 비생산적인 양반의 모습을 비판하고 있다.

03 부자가 돈이 많았어도 항상 천한 대접을 받은 것으로 볼 때, 물질적 가치가 정신적 가치보다 더 높게 인정받은 것은 아니다.

04 양반은 벙거지에 잠방이를 입고, 길에 엎드려 군수에게 '소인, 소인.' 하며 자신을 낮췄다. 이는 부자에게 자신의 신분을 팔았기 때문이다.

채점 요소	배점	총점
자신을 낮춘 표현으로 '소인'을 씀.	2점	
부자에게 양반의 신분을 팔았기 때문임을 씀.	3점	5점
문장이 어색하거나 맞춤법이 틀린 것이 있음.	-1점	

05 (나)에서 양반이라면 얼음에 박 밀듯이 《동래박의》를 줄줄 외워야 한다는 것을 확인할 수 있다. '얼음에 박 밀듯이'는 '말이나 글을 거침없이 줄줄 내리읽거나 내리외우는 모양을 비유적으로 이르는 말'이다.

06 부자가 양반의 환곡을 갚아 주고 양반에게서 신분을 샀기 때문에 군수는 부자를 높은 자리에 앉히고 양반을 낮은 자리에 세워 둔 것이다.

07 '양반은 얼어 죽어도 짚불은 안 쬔다.'는 '아무리 궁하거나 다급한 경우라도 체면을 깎는 짓은 하지 아니한다는 말'로 체면을 중시하는 양반의 모습과 관련된 속담이다.

08 (나)는 양반으로서 지켜야 할 덕목과 행실을 나열한 신분 매매 증서의 내용으로, 체면을 지키기 위해 허례허식에 얽매여 있는 양반의 모습을 열거하여 비생산적이고 체면과 형식에 얽매여 있는 양반의 모습을 비판하고 있다.

09 규범에만 얽매여 있는 양반의 모습이 나열되어 있는 신분 매매 증서의 내용을 들은 부자는 자신에게 이익이 되도록 문서를 고쳐 달라고 요구했다.

10 (나)의 '글만 대충 읽어도 크게 되면 문과에 급제하고, 작아도 진사가 된다.'는 것을 통해 양반은 열심히 공부하지 않아도 과거에 급제할 수 있음을 알 수 있다.

11 신분을 이용해 백성을 괴롭히고 부당한 특권을 남용하는 양반의 모습이 담겨 있는 두 번째 증서의 내용을 들은 부자는 양반을 도둑놈 같다고 말하며 양반이 되기를 포기했다.

12 이 글은 신분 매매 증서를 통해 겉치레와 관념에만 얽매여 있는 양반의 모습, 신분을 이용해 백성을 괴롭히고 부당한 특권을 남용하는 양반의 모습을 풍자하고 있는 것이지 양반 계층의 특권 의식을 강화하고 있는 것은 아니다.

13 (다)에서 부자는 양반을 '도둑놈'이라고 언급하며 비판하고 있다. 이는 풍자를 사용한 것으로, 풍자를 사용하면 대상을 인상 깊게 비판할 수 있고, 독자가 현실을 바로 볼 수 있는 통찰력을 갖게 할 수 있다.

채점 요소	배점	총점
비판하고자 하는 대상으로 '양반'을 씀.	1점	
대상을 비판하는 방식으로 '풍자'를 쓰고, 그 개념을 정확히 씀.	2점	5점
풍자를 사용했을 때의 효과를 두 가지 씀.	2점	
문장이 어색하거나 맞춤법이 틀린 것이 있음.	-1점	

체크샘과 함께 선택 학습
p.34~47

활동 1 역설을 활용하여 개성 있게 표현하기

선택 학습 문제 |　**1** ①　**2** ③

1 ㉠에 사용된 표현 방법은 역설로, '나뭇잎이 벌레 먹어서 예쁘다'라는 모순된 표현을 통해 '남에게 베푸는 삶의 가치'라는 시의 주제를 강조하고 있다.

2 이 시는 남에게 베푸는 삶의 가치, 남과 더불어 사는 삶의 아름다움에 대해 이야기하고 있다.

선택 학습 문제 | 1 ③　2 ①　3 ①　4 ④　5 ④　6 ④　7 ①, ④
8 ②　9 ①　10 ①　11 ④　12 ①　13 ④　14 ⑤　15 ④　16 ①
17 ⑤　18 아내의 죽음　19 ①　20 ⑤　21 막걸리　22 ④　23 ③
24 ②　25 ③　26 ③　27 ②, ⑤　28 굿은비는 의연히 추적추적 내린다.
29 ①　30 ②　31 ⑤　32 ④　33 ②　34 설렁탕　35 ③

1 이 글에 등장인물의 생김새를 바탕으로 인물 사이의 갈등을 강조하는 부분은 나타나 있지 않다.

2 '첩'은 '약봉지에 싼 약의 뭉치를 세는 단위'로 시대적 배경을 나타내는 단어가 아니다.

3 김 첨지는 조밥도 굶기를 먹다시피 하는 가난한 형편이다.

4 김 첨지는 겉으로는 아내에게 화를 내고 있지만 속으로는 아내를 위해 설렁탕을 살 생각을 하고 있다.

5 이 글에 사용된 비속어는 일제 강점기 하층민의 삶을 사실적으로 표현하여 작품에 현실감을 더한다.

6 김 첨지의 행운은 아침에 팔십 전을 번 것으로 끝나지 않고 남대문 정거장까지 가는 손님을 또 태우게 되었다.

7 남대문 정거장까지 가자는 손님을 맞은 김 첨지는 계속되는 행운에 겁이 나기도 하고, 일찍 돌아오라고 부탁한 아내의 모습이 떠올라 잠깐 주저했다.

8 김 첨지는 일을 나가지 말라고 애원하는 아내의 말을 뒤로하고 먹고살기 위해 일을 하러 나갔다.

9 김 첨지는 연이은 행운에도 불구하고 아픈 아내를 떠올리며 아내의 상태를 걱정하고 있다.

10 남대문 정거장까지 가는 학생을 태운 김 첨지는 큰돈을 벌 수 있게 되어 그 얼굴에 숨길 수 없는 기쁨이 넘쳐흘렀다.

11 김 첨지는 아내에 대한 근심과 걱정을 잊기 위해 다리를 재게 놀렸다.

12 김 첨지는 일 원 오십 전이나 되는 큰돈을 벌자 어린 손님에게 몇 번 허리를 굽히며 깍듯이 인사를 할 정도로 기분이 좋았다.

13 '일 원 오십 전'은 김 첨지가 평소에는 벌 수 없는 큰돈으로 김 첨지에게 기쁨을 주지만, 아내에게 벌어다 주기로 약속한 돈은 아니다.

14 일본식 버들고리짝을 든 사람은 난봉 여학생인 듯한 이로, 인력거를 태우려고 하는 김 첨지를 무시하는 태도를 보였다.

15 (사)~(자)에 억압된 현실에 대해 저항하는 인물은 등장하지 않는다.

16 김 첨지는 자신에게 닥쳐올 불행을 예감하고 그 불행에 다닥치기 전 시간을 늘이려고 버르적거렸다.

17 김 첨지는 인력거의 무게가 무거워지면 돈을 번다는 생각에 몸이 가벼워지고, 인력거의 무게가 가벼워지면 아내에 대한 걱정에 몸이 다시 무거워짐을 느꼈다.

18 김 첨지는 아내의 죽음이라는 자신을 덮친 무서운 불행을 예감하고 불안함을 느꼈다.

19 살찐 얼굴에 구레나룻이 시커먼 치삼이와 달리, 노르탱탱한 얼굴에 얼굴이 바짝 마르고 수염도 빈약한 김 첨지의 모습은 김 첨지의 비참한 삶을 효과적으로 보여 주고 있다.

20 김 첨지는 아픈 아내가 죽었을지도 모른다는 불안감 때문에 집에 들어가는 것을 늦추고 싶어 하던 차에 치삼이를 만나 기뻐하고 있다.

21 김 첨지는 (카)에서 계속해서 막걸리를 마시며 불안감을 해소하려 하고 있다. 막걸리를 마신 김 첨지는 아내에 대한 걱정을 일시적으로 잊고, 돈(가난)에 대해 울분을 터뜨리게 된다.

22 김 첨지는 사람들에게 많은 돈을 벌었다고 큰소리를 치지만 사람들이 믿지 않자 돈을 집어 던진다.

23 (타)에서 김 첨지는 가난과 아내의 병이 돈 때문이라고 생각하고 돈을 팔매질 친다.

24 김 첨지가 돈을 팔매질 치는 행동에서 돈에 대한 하층민의 울분을 알 수 있다.

25 ⓒ은 김 첨지가 태우려던 손님이 한 말이 듣기 싫은 소리였다는 것을 의미하는 것이지 김 첨지가 아내에 대한 불안감을 떨치기 위해 한 행동은 아니다.

26 (하)에서 김 첨지는 집에 있는 아내가 죽었을까 봐 불안해 한다.

27 (하)의 김 첨지와 치삼이의 대화에서는 아픈 아내를 두고 나와 술을 마신 것에 대한 김 첨지의 자책감과 아내의 죽음에 대한 불안감이 드러난다.

28 추적추적 내리는 굿은비는 불길한 분위기를 형성하고 비극적 사건을 암시한다.

29 김 첨지가 취중에도 설렁탕을 잊지 않고 사 간 것은 아내가 먹고 싶어 한 음식이었기 때문이다.

30 ⓛ은 개똥이가 엄마의 빈 젖을 빠는 소리로, 청각적 심상을 통해 아내의 죽음이라는 사건의 비극성을 고조시킨다.

31 집에 돌아온 김 첨지는 엄습해 오는 무시무시한 불안감을 쫓아 버리기 위해 큰소리를 쳤다.

32 (더)에서 김 첨지는 정적으로 인한 불안감 속에서 구역을 나게 하는 추기를 느끼며 호통을 치고, 불안감을 느끼며 아내의 다리를 발로 찬다. 이를 통해 아내의 죽음을 확인하고 있으므로 안락함을 느끼지는 않았다.

33 오랜만에 손님을 연달아 태우며 많은 돈을 버는 행운이 김 첨지에게 이어지는 동안 아내는 집에서 홀로 죽었다.

34 설렁탕조차 마음껏 먹을 수 없는 김 첨지 아내의 모습에서 하층민의 가난한 생활상을 알 수 있고, 취중에도 아내를 생각해서 설렁탕을 사 오는 김 첨지의 모습을 통해 아내에 대한 김 첨지의 사랑을 알 수 있다. 또한 김 첨지가 사 온 설렁탕을 결국 아내가 먹지 못하게 된 것은 결말의 비극성을 강조한다.

35 '운수 좋은 날'이라는 이 글의 제목은 아내가 죽은 비극적인 날을 반어적으로 표현한 것으로 작품의 비극성을 강조하고 있다.

교과서 날개
p.35~46

1 아픈 아내에게 약은커녕 밥도 제대로 먹이지 못할 정도로 가난하다. **2** 계속되는 행운이 조금 겁이 났고 집에 일찍 돌아오라고 부탁한 아픈 아내의 모습이 떠올랐기 때문이다. **3** 아픈 아내의 상태가 걱정되고 불안했을 것이다. **4** 인력거를 빠르게 몰며 집에서 멀어지면 머리에 떠오르는 근심과 걱정을 잊을 수 있기 때문이다. **5** 아내의 죽음을 확인하게 될까 봐 두렵고 불안한 마음을 치삼이를 만나 잠시나마 잊을 수 있어서이다. / 집에 들어가서 아내의 죽음을 마주하게 될까 봐 두려운 상황에서 집에 들어갈 시간을 늦출 수 있어서이다. **6** 가난 때문에 느끼는 서글픈 마음이 드러난다. / 돈을 벌기 위해 아픈 아내를 두고 일하러 나와야 했기에 돈을 원망하는 마음이 드러난다. **7** 아내가 설렁탕을 먹을 수 있기를 간절히 바랐을 것이다. / 아내가 죽었을까 봐 불안했을 것이다. **8** 아내의 죽음을 의미한다.

잠깐 어휘 학습
p.48

① 시로 표현하기

(1) 작별 (2) 송별 (3) 석별

② 이야기로 표현하기

미소(微笑)−소리 없이 빙긋이 웃음. 또는 그런 웃음, 실소(失笑)−어처구니가 없어 저도 모르게 웃음이 툭 터져 나옴. 또는 그 웃음, 냉소(冷笑)−쌀쌀한 태도로 비웃음. 또는 그런 웃음, 폭소(爆笑)−웃음이 갑자기 세차게 터져 나옴. 또는 그 웃음, 미소, 폭소

대단원 마무리 체크
p.49~50

01 운율, 반복 **02** 반어 **03** 역설 **04** ㉠, ㉢, ㉣, ㉤ **05** 이별, 그리워 **06** 잊었노라 **07** 잊었다, 없다 **08** (1) 주제 (2) 애절한 **09** 가정, 반복 **10** 임을 잊지 못하고 그리워하는 마음 **11** 꽃잎 **12** ㉠, ㉡, ㉢ **13** (1) ○ (2) ○ (3) × (4) ○ **14** (1) 새로운 (2) 결별, 성숙, 축복 (3) 참신한, 강조 **15** ㉠, ㉢, ㉣ **16** '결별'을 통해 영혼의 성숙을 이룰 수 있다는 삶의 깨달음 **17** 풍자 **18** 개선 **19** (1) 인상 (2) 웃음 (3) 통찰력 **20** ㉠-㉢-㉣-㉡ **21** (1) ○ (2) ○ (3) ○ (4) ○ (5) × **22** (양반의) 아내 **23** 부자 **24** 허례허식 **25** ㉠, ㉡ **26** (1) ○ (2) ○ (3) × **27** ㉡, ㉢, ㉣ **28** 겉치레, 관념, 신분, 남용 **29** 웃음, 비판 **30** 양반들의 무능과 비생산성, 허례허식과 횡포에 대한 풍자

대단원 종합 문제
p.51~56

01 ④ **02** 잊었노라 **03** ④ **04** ③ **05** ⑤ **06** '잊었노라'는 표면적으로는 '당신'을 잊었다는 말이지만 이면적으로는 오랜 시간이 지나도 결코 '당신'을 잊을 수 없다는 의미로, 이와 같이 반어를 활용하면 임을 그리워하는 마음을 간절하게 표현하여 주제를 강조할 수 있고, 직설적인 표현으로는 나타내기 어려운 애절한 감정을 효과적으로 표현할 수 있다. **07** ④ **08** ① **09** ① **10** ③ **11** ② **12** 꽃이 지는 것이 '열매'라는 결과로 이어지듯이, 이별은 슬프고 고통스러운 체험이지만 그러한 체험을 통해 삶(영혼)의 성숙을 이룰 수 있다. **13** ⑤ **14** ③ **15** ① **16** 평소에 천한 대접을 받는 것에 한이 맺혔기 때문이다. **17** ㉠, ㉡ **18** ⑤ **19** ④ **20** 양반을 '도둑놈'이라고 하며 양반이 되기를 거부하는 부자의 모습을 통해 양반의 부당한 특권과 횡포를 비판하고 있다. **21** ③ **22** ② **23** ② **24** ⑤ **25** ① **26** ④ **27** ④ **28** 제목 '운수 좋은 날'은 겉으로는 김 첨지에게 행운이 계속되어 돈을 많이 벌게 된 날을 의미하지만, 실제로는 아내가 죽은 불행하고 비참한 날을 가리킨다. 즉 불행한 날을 '운수 좋은 날'이라는 반어를 사용하여 표현함으로써 아내의 죽음이 지니는 비극성을 더욱 강조하는 한편, 일제 강점기 하층민의 비참한 삶의 모습을 강조한다.

01 (나)에는 '(나뭇잎이) 남을 먹여 가며 살았다'에서 사람이 아닌 것을 사람처럼 표현하는 의인법이 사용되었지만, (가)에는 의인법이 사용되지 않았다.

02 (가)는 '당신'을 잊지 못하고 그리워하는 말하는 이의 마음을 '잊었노라'라고 반대로 표현함으로써 '당신'을 잊지 못하는 말하는 이의 마음을 강조하고 있다.

03 (가)는 불특정한 미래에 '당신'을 다시 만날 상황을 가정하고 그때에 '잊었노라'라고 말하겠다고 표현하여 '당신'을 결코 잊을 수 없다는 속마음을 강조하고 있으나, 이는 운율 형성 방법과는 관계가 없다.

04 (나)는 벌레에게 자신이 가진 것을 베푼 '벌레 먹은 나뭇잎'을 통해 '남과 더불어 사는 삶의 아름다움', '남에게 베푸는 삶의 가치'에 대해 말하고 있다. '벌레'에 대한 부정적인 태도가 드러나는 것은 아니다.

05 ㉠은 역설로, 벌레 먹어서 구멍이 뚫린 나뭇잎은 초라하고 보잘것없어 보이지만 다른 존재를 위해 베풀 줄 아는 아름다운 존재라는 점을 효과적으로 표현한다.

06 '잊었노라'는 반어를 활용한 표현으로 표면적 의미와 이면적 의미가 다르다. 이와 같은 반어를 활용하면 주제를 강조할 수 있고, 드러내고자 하는 감정을 효과적으로 표현할 수 있다.

채점 요소	배점	총점
'잊었노라'의 표면적·이면적 의미를 적절하게 씀.	2점	
반어를 활용했을 때의 효과를 적절하게 씀.	3점	5점
문장이 어색하거나 맞춤법이 틀린 것이 있음.	−1점	

07 이 시는 낙화를 통해 지금이 이별의 때임을 인식하고 이별을 통해 영혼의 성숙을 이룰 수 있다는 것을 말하고 있을 뿐 청춘 시절로 돌아가고 싶은 말하는 이의 바람은 나타나지 않는다.

08 이 시에 표현하고자 하는 바를 반대로 말하는 '반어'는 사용되지 않았다.

> **➕ Clinic 오답 강의**
>
> ② '결별이 이룩하는 축복'에서 역설이 사용되었다.
> ③ '꽃'을 나의 사랑, '낙화'를 나의 결별에 빗대어 표현한 은유법이 사용되었다.
> ④ '샘터에 물 고이듯 성숙하는'에 직유법이 사용되었다.
> ⑤ '가야 할 때가 언제인가를 / 분명히 알고 가는 이의 / 뒷모습은 얼마나 아름다운가'에 설의법이 사용되었다.

09 이 시에서 꽃이 피는 것은 '사랑'을, 꽃이 지는 것은 '이별'을 의미한다.

10 ㉠은 '결별'과 '축복'이라는 서로 어울리지 않는 말을 결합한 역설로, 독자에게 참신한 느낌을 주고, 전달하고자 하는 의미를 더욱 강조해 준다.

11 '열매'는 낙화의 결과로 얻어지는 것으로, '이별'이라는 아픈 체험을 통한 영혼의 성숙을 의미한다.

12 말하는 이는 꽃이 피고 지는 것을 사랑과 이별, 열매를 맺는 것을 영혼의 성숙과 연관 지어 이별을 통해 삶(영혼)의 성숙을 이룰 수 있다는 깨달음을 얻었다.

채점 요소	배점	총점
이별을 통해 삶(영혼)의 성숙을 이룰 수 있다는 내용을 씀.	3점	3점
문장이 어색하거나 맞춤법이 틀린 것이 있음.	-1점	

13 이 글에서 군수가 백성을 착취하는 모습은 찾아볼 수 없으며, 이 글의 가장 신랄한 풍자의 대상은 '양반'이다.

14 양반의 아내는 글 읽기가 빚을 갚는 데 전혀 도움이 되지 않음을 이야기하며 양반의 무능함을 직접적으로 비판하고 있다.

15 부자에게 자신의 신분을 판 양반은 더 이상 자신은 양반이 아니라고 생각하여 군수에게 머리를 조아리고 자신을 낮췄다.

16 부자는 아무리 잘살아도 항상 천한 대접을 받는 것에 한이 맺혀서 양반의 환곡을 대신 갚아 주고 양반의 신분을 샀다.

채점 요소	배점	총점
평소에 천한 대접을 받은 것에 한이 맺혔다는 내용을 씀.	3점	3점
문장이 어색하거나 맞춤법이 틀린 것이 있음.	-1점	

17 (가)는 양반으로서 지켜야 할 덕목과 행실을 나열하여 체면을 지키기 위해 허례허식을 따르는 양반의 모습을 그리고 있다. 이를 통해 겉치레와 형식적인 관념에만 얽매여 있는 양반의 모습을 풍자하고 있다.

18 (나)에서는 다른 계층에게 횡포를 부리는 양반의 모습이 나타나지만 이로 인한 평민의 억울함을 직접적으로 제시하지는 않았다.

19 (가)에서는 겉치레와 관념에만 얽매여 있는 비생산적인 양반의 모습을, (나)에서는 특권을 남용하는 양반의 모습을 풍자하고 있는 것을 통해 작가가 양반을 비판적으로 바라보고 있다는 것을 알 수 있다.

20 부자는 (나)의 증서 내용을 듣고 부당한 특권을 누리며 횡포를 일삼는 양반을 부도덕한 존재라고 여겨 양반이 되기를 거부한다.

채점 요소	배점	총점
양반의 부당한 특권과 횡포를 비판하고 있다는 내용을 씀.	3점	5점
'도둑놈'이라는 단어를 언급함.	2점	
문장이 어색하거나 맞춤법이 틀린 것이 있음.	-1점	

21 (다)에서 김첨지는 난봉 여학생인 듯한 손님에게 인력거를 타겠느냐고 했으나, 손님은 김 첨지에게 태깔(교만한 태도)을 빼며 김 첨지를 거들떠보지도 않았다.

22 ㉡에서 김 첨지는 일을 나가지 말라는 아내의 말에 욕을 하며 돈을 벌기 위해 일을 나가야 한다고 퉁명스럽게 이야기하고 있으므로 친절하게 이야기하는 것과는 거리가 멀다.

23 (나)에서 손님을 태우고 걸음이 거뿐했던 김 첨지는 자기 집 가까이 다다르자 나가지 말라고 했던 아내가 걱정되어 다리가 무거워졌다.

24 손님을 태우기 위한 경쟁이 심했기 때문에 다른 인력거꾼의 등쌀이 무서웠던 김 첨지는 전차 정류장에서 조금 떨어지게 인력거를 세워 놓고 손님을 기다렸다.

25 ㉠에서 김 첨지는 '자기를 덮친 불행', 즉 아내의 죽음을 알게 될 때가 다가온 것을 느끼고 두려워하고 있다.

26 풍채와 달리 연하고 싹싹한 목소리를 갖고 있는 인물은 '치삼'이다.

27 가난과 아내의 병이 모두 돈 때문이라고 생각한 김 첨지는 울분을 느껴 돈을 팔매질 친다.

28 이 글은 아내가 죽은 비참한 날을 '운수 좋은 날'이라고 반대로 표현한 반어를 사용함으로써 아내의 죽음이 지니는 비극성과 일제 강점기 하층민의 비참한 삶을 강조하고 있다.

채점 요소	배점	총점
제목에 사용된 표현 방법으로 '반어'를 씀.	1점	5점
제목을 통해 겉으로 드러나는 의미와 실제로 표현하려는 의미를 적절하게 씀.	2점	
제목에서 반어를 사용한 효과를 적절하게 씀.	2점	
문장이 어색하거나 맞춤법이 틀린 것이 있음.	-1점	

잠깐! 서술형 특강
p.57-58

01 (1) 말하는 이는 사랑하는 '당신'과 헤어졌으나 '당신'을 잊지 못하고 그리워하고 있는 상황이다. (2) ㉠과 같이 반어를 사용하여 표현하면 〈보기〉에 비해 '당신'을 그리워하는 마음을 간절하게 표현함으로써 주제를 강조할 수 있고, 직설적인 표현으로는 나타내기 어려운 애절한 감정을 효과적으로 표현할 수 있다. (3) 3음보의 규칙적인 율격, 같거나 비슷한 단어, 글자 수의 반복, 유사한 문장 구조의 반복을 통해 운율을 형성함으로써 음악성과 규칙성을 느낄 수 있다. **02** (1) 말하는 이는 사랑과 이별을 '꽃이 피고 지는 것'으로, 영혼의 성숙을 '열매를 맺는 것'으로 표현하여 꽃이 지는 것이 '열매'라는 결과로 이어지듯이 이별은 고통스러운 체험이지만 이를 통해 삶(영혼)의 성숙을 이룰 수 있다는 것을 표현했다. (2) ㉠에서는 겉으로는 모순되거나 불합리해 보이지만 실제로는 그 안에 삶의 진실을 담고 있는 표현 방법인 역설을 사용하여 참신하고 인상적인 느낌을 주며 전달하고자 하는 의미를 강조하고 있다. **03** (1) 자신이 진 빚조차 해결하지 못하는 무능하고 비생산적인 양반의 모습과 허울뿐인 양반의 권위를 비판하고자 했다. (2) 체면을 지키기 위한 허례허식에 얽매여 있는 양반의 모습(겉치레와 형식적인 관념에만 얽매여 있는 양반의 모습)을 비판하고자 했다. **04** (1) 개인적인 이익만을 취하며 부당한 특권을 남용하고, 다른 계층에 횡포를 부리는 양반의 모습(신분을 이용해 백성을 괴롭히고 부당한 특권을 남용하는 양반의 모습)을 비판하고자 했다. (2) 양반을 '도둑놈'이라고 표현하며 양반이 되기를 거부하는 부자의 모습을 통해 양반에 대한 비판적인 시각이 드러난다.

01 (1) 말하는 이는 사랑하는 사람인 '당신'과 이별했으나 '당신'을 잊지 못하고 있다.

채점 요소	배점	총점
말하는 이가 사랑하는 '당신'과 헤어진 상황임을 씀.	2점	4점
사랑하는 '당신'을 잊지 못하고 그리워하고 있다는 내용을 씀.	2점	
문장이 어색하거나 맞춤법이 틀린 것이 있음.	-1점	

(2) ㉠은 〈보기〉의 '잊지 못했노라'를 반어를 사용하여 '잊었노라'라고 표현하여 '당신'을 결코 잊을 수 없는 마음을 강조했다.

채점 요소	배점	총점
㉠에 사용된 표현 방법이 '반어'임을 씀.	2점	
반어를 사용하여 표현했을 때의 효과를 적절하게 씀.	3점	5점
문장이 어색하거나 맞춤법이 틀린 것이 있음.	-1점	

(3) 이 시는 3음보 율격의 반복, 같은 단어의 반복, 3·3·4개의 글자 수로 이루어진 행의 반복, '……면 / …… '잊었노라'와 같은 비슷한 문장 구조를 반복하여 운율을 형성하고 있다.

채점 요소	배점	총점
이 시에서 운율을 형성한 방법을 두 가지 씀.	2점	
운율을 통해 음악성과 규칙성을 느낄 수 있다는 내용을 씀.	2점	4점
문장이 어색하거나 맞춤법이 틀린 것이 있음.	-1점	

02 (1) 이 시의 말하는 이는 자연 현상을 통해 이별이 삶을 성숙하게 한다는 삶의 깨달음을 얻고 있다.

채점 요소	배점	총점
'꽃이 피고 지는 것', '열매를 맺는 것'의 의미를 적절히 씀.	2점	
이별을 통해 삶(영혼)의 성숙을 이룰 수 있다는 내용을 씀.	3점	5점
문장이 어색하거나 맞춤법이 틀린 것이 있음.	-1점	

(2) ㉠은 의미상 어울리지 않는 말을 결합하여 새로운 의미를 만들어 내는 역설을 통해 참신하고 인상적인 느낌을 주며, 주제를 강조하고 있다.

채점 요소	배점	총점
㉠에 사용된 표현 방법이 '역설'임을 쓰고, 그 개념을 씀.	3점	
역설을 사용하여 표현했을 때의 효과를 적절히 씀.	3점	6점
문장이 어색하거나 맞춤법이 틀린 것이 있음.	-1점	

03 (1) 양반의 아내는 빚을 갚지 못해 울기만 하는 양반에게 ㉠과 같이 말하며 양반의 무능하고 비생산적인 모습, 허울뿐인 양반의 권위를 비판하고 있다.

채점 요소	배점	총점
양반의 무능하고 비생산적인 모습, 허울뿐인 양반의 권위를 비판하고자 했다는 내용을 씀.	3점	3점
문장이 어색하거나 맞춤법이 틀린 것이 있음.	-1점	

(2) (나)는 첫 번째 증서의 내용으로 겉치레와 형식적인 관념에만 얽매여 있는 양반의 모습을 풍자하고 있다.

채점 요소	배점	총점
허례허식(겉치레와 형식적인 관념)에만 얽매여 있는 양반의 모습을 비판하고자 했다는 내용을 씀.	3점	3점
문장이 어색하거나 맞춤법이 틀린 것이 있음.	-1점	

04 (1) (가)는 신분을 이용해 백성을 괴롭히고 부당한 특권을 남용하는 양반의 모습을 풍자하고 있다.

채점 요소	배점	총점
신분을 이용해 백성을 괴롭히고 부당한 특권을 남용하는 양반의 모습을 비판하고자 했다는 내용을 씀.	3점	3점
문장이 어색하거나 맞춤법이 틀린 것이 있음.	-1점	

(2) 양반을 '도둑놈'이라고 말하는 부자의 말을 통해 양반에 대한 작가의 비판적인 시각을 알 수 있다.

채점 요소	배점	총점
부당한 특권과 횡포를 비유적으로 표현한 단어로 '도둑놈'을 씀.	2점	
양반을 비판적으로 바라본다는 작가의 시각을 씀.	3점	5점
문장이 어색하거나 맞춤법이 틀린 것이 있음.	-1점	

2 | 읽고 쓰는 즐거움

01 읽기의 가치와 중요성

바로바로 개념 체크 p.62

1 ①, ④ **2** (1) ○ (2) ○ (3) ○ (4) × **3** 생활화

1 수필은 글쓴이의 주관적인 생각, 체험 등을 일정한 형식 없이 자유롭게 쓴 글이다.

2 읽기를 통해 다양한 지식과 경험을 얻을 수 있고, 글 속에서 다양한 삶의 모습을 접할 수 있다. 또한 자신의 수준에 맞는 글을 꾸준히 읽는 습관을 길러 읽기를 생활화해야 한다.

3 읽기의 생활화란 읽기의 가치와 중요성을 이해하고 읽기를 바라보는 긍정적인 관점을 형성하여 평소 글을 꾸준히 읽는 태도를 말한다.

소단원 체크 p.63~65

1 ③ **2** ① **3** 한문 문장을 번역한 예스러운 문체, 인물의 행적과 사건 전개 방식 **4** ①, ④ **5** ① **6** 소설가가 되는 계기가 되었다. **7** ③
8 ②

1 (나)에서 글쓴이는 되도록 몸을 많이 움직이지 않는 특별 활동반을 점찍었는데, 그것이 도서반이었다.

2 (나)에서 '나'는 아이들이 거의 손을 대지 않는 고전을 꺼내 들었다.

3 고전과 무협지는 모두 한문 문장을 번역한 듯한 예스러운 문체를 가지고 있다. 또한 깊고 고요한 곳에 숨어 있으면서 실력을 쌓은 뒤 세상에 나와 세상을 뒤흔들어 놓고는 다시 제자리로 돌아오는 인물의 행적과 사건 전개 방식이 비슷하다.

4 글쓴이는 고전은 주인공과 관련하여 계속 생각하게 하며, 읽을수록 새로운 맛이 우러나오고, 보석처럼 단단하고 품위 있는 문장은 아름답기까지 하다고 생각했다. 또한 고전을 읽으면 정신세계가 한층 더 넓어지고 수준이 높아지는 듯하다고 느꼈다.

5 글쓴이는 ㉠을 읽으면서 정신세계가 보약을 먹은 듯이 한층 더 넓어지고 수준이 높아지는 듯하다고 느꼈다.

6 중학교 3학년 특별 활동 시간에 읽은 '박지원'의 책을 통해 글쓴이는 소설가의 길을 걷게 되었다.

7 (바)에서는 책이 인간다운 삶을 추구하는 길을 보여 주며 진정한 인간으로 나아가는 통로라는 책 읽기의 가치와 중요성을 제시하고 있다.

8 ㉠은 책 읽기의 가치에 대한 명언으로, 책이 진정한 인간으로 나아가는 통로임을 의미한다.

01 도서반   **02** 한문, 주인공, 보약

03 정신문화, 통로, 길

생각 모으기   ○, ○, ×, ○, 지식, 가치

교과서 날개   p.63~65

1 고전은 어렵고 지루하다는 편견 때문에 학생들이 고전에는 거의 손을 대지 않았기 때문이다.   **2** 책을 읽으면서 정신세계가 한층 더 넓어지고 수준이 높아지는 듯한 느낌이 들었기 때문이다.

수필 한눈에 보기   p.66

〈허생전〉, 무협지, 책

소단원 마무리   p.67

도서반, 즐거움, 길, 예스러운, 보약, 정신문화, 진정한

학습 활동 엿보기   p.68~72

책, 소설가, 가치, 통로, 의미

학습 활동 응용 문제 | p.68~72

1 ①	**2** ③	**3** ①	**4** ⑤	**5** ④	**6** ④	**7** ②	**8** ③	**9** ⑤
10 ④	**11** ②	**12** ②, ③	**13** ③	**14** ⑤	**15** ㉣-㉢-㉤-㉡-㉥-㉠			
16 ⑤								

1 글쓴이는 도서반 활동을 하는 시간 동안 마음에 드는 책을 골라 읽으며 고전을 접하게 되었다.

2 글쓴이는 고전은 읽을수록 새로운 맛이 우러나온다고 말하고 있을 뿐, 읽을수록 더 어렵게 느껴진다고 하지는 않았다.

3 글쓴이가 특별 활동 시간에 읽은 박지원의 소설은 글쓴이가 소설가가 되는 계기가 되었다.

4 글쓴이는 '읽기'는 지극한 정신문화를 체험할 수 있게 하며, 인간다운 삶을 사는 길을 보여 주고, 진정한 인간으로 나아가는 통로가 된다고 생각했다. 인간의 슬픔을 극대화하거나, 인간의 한계를 깨닫게 한다고 생각하지는 않았다.

5 읽기를 통해 새로운 분야에 흥미를 느낄 수 있으며, 사회 문제를 바라보는 관점을 형성할 수도 있다. 독서량을 두고 친구들과 경쟁하는 것은 읽기의 가치와 중요성과는 거리가 멀다.

6 읽기를 생활화하는 태도는 시험이나 수행 평가, 숙제 때문에 꼭 읽어야 하는 책만 읽는 것이 아니라, 평소 일상생활 속에서 독서 활동을 꾸준히 실천하는 것을 의미한다.

7 글을 읽을 때에는 글에서 강조하는 글쓴이의 생각을 그대로 수용하기보다는 비판적인 관점에서 점검하며 읽어야 한다.

8 독서 활동 일지를 정리하는 것은 독서 모임을 마친 후 해야 하는 활동이다.

9 독서 모임은 개인적 활동이 아닌 여럿이 하는 협력적 활동이므로 모둠원의 흥미와 관심사를 고려하여 읽을 책을 선정해야 한다. '발췌독'이란 글에서 필요하거나 중요한 부분을 찾아 골라 읽는 방법이다.

10 친구들과 독서 대화를 나누기 위해 준비할 때에는 책과 관련된 내용을 준비해야 한다.

11 책에 대한 감상을 나누는 독서 대화 단계에서는 책을 읽은 후의 감상이나 새롭게 알게 된 부분, 의문이 생겼던 부분 등을 이야기할 수 있다. 모둠원의 취향에 맞는 책을 고르는 방법은 책을 선정할 때 이야기할 내용이다.

12 독서 대화를 통해 책에 대한 감상을 친구들과 나누면 책의 내용을 깊이 있게 이해할 수 있고, 능동적인 읽기 태도를 기를 수 있다.

13 독서 대화는 친구들과 대화를 나누며 책의 내용을 더 깊이 있게 이해하기 위한 활동이므로, 글쓴이의 생각과 자신의 생각을 비교하는 것은 적절하지만 자신의 생각이 옳다고 주장하는 것은 바람직한 대화 태도로 보기 어렵다.

14 독서 모임 소식지에는 활동 사진, 독후 활동, 읽은 책의 내용, 앞으로의 활동 계획 등을 언급할 수 있다. 도서의 구입 경로 및 가격은 독서 모임의 활동과는 직접적인 관련이 없기 때문에 독서 모임 소식지에 담을 내용으로 적절하지 않다.

15 독서 모임을 만들어 책을 읽을 때에는 일반적으로 '독서 모임 만들기 → 도서 목록 만들기 → 독서 대화 준비하기 → (친구들과) 독서 대화하기 → 독서 모임 소식지 만들기 → 점검하기'의 단계를 거친다.

16 읽기를 생활화하기 위해서는 자신의 수준에 맞는 도서를 선정하여 읽는 것이 바람직하다.

소단원 종합 문제   p.73~74

01 ①, ②   **02** ④   **03** ③   **04** ④   **05** ③   **06** ②, ④   **07** ③
08 ③   **09** ①   **10** 글쓴이는 특별 활동 시간에 고전을 읽은 경험을 통해 읽기의 가치와 중요성을 깨달았다.

---

01 이 글은 중학교 3학년 특별 활동 시간에 도서반 활동을 하며 고전 작품을 접하고, 책을 읽는 즐거움을 깨달았던 경험을 바탕으로 쓴 수필이다. ⑤ 건의문은 수필에 해당하지 않는다.

02 이 글에서는 중학교 시절 특별 활동 시간에 도서반에서 박지원의 고전 소설을 읽은 글쓴이의 경험을 주로 이야기한다.

03 '나'는 몸을 많이 움직였던 산악반의 경험에 비추어, 되도록 몸을 많이 움직이지 않는 특별 활동반으로 도서반을 선택했다.

04 글쓴이가 고른 책은 한자로 제목이 씌어 있어서 아이들이 거의 손을 대지 않은 책이었다. 이를 통해 고전은 어렵고 지루하다는 편견 때문에 학생들이 고전에는 거의 손을 대지 않아 그 책 표지가 깨끗했다는 것을 알 수 있다.

05 (라)의 내용을 참고할 때 고전과 무협지는 한문을 번역한 예스러운 문체, 인물의 행적을 중심으로 한 사건 전개 방식이 비슷하다는 것을 알 수 있다.

06 ② (나)에서 글쓴이는 고전 속에 담겨 있는 숨결을 느꼈다는 것을 확인할 수 있다. ④ (라)에서 책이 이 세상에 인간으로 나서 인간으로 살면서 인간다운 삶을 살고 드높은 가치를 추구하는 길을 보여 준다는 것을 알 수 있다.

07 글쓴이는 도서반 활동 시간에 읽은 박지원의 작품을 통해 보석처럼 단단하고 품위 있는 문장은 아름답기까지 하고, 읽으면 정신세계가 보약을 먹은 듯이 한층 더 넓어지고 수준이 높아지는 듯한 고전의 매력과 가치를 발견했다.

08 글쓴이는 중학교 3학년 특별 활동 시간에 도서반에서 박지원의 고전 작품을 읽은 경험을 통해 독서의 가치와 중요성을 깨닫고 소설가의 길을 걷게 되었다.

09 (라)에서 글쓴이는 책이 인간다운 삶을 추구하는 길을 보여 주며 진정한 인간으로 나아가는 통로임을 깨닫고 있기 때문에 ㉠에는 독서의 가치와 중요성을 강조하는 '책 속에 길이 있다'가 가장 어울린다.

> **✚ Clinic 오답 강의**
> ② 어떤 분야에 대하여 지식과 경험이 전혀 없는 사람이라도 그 부문에 오래 있으면 얼마간의 지식과 경험을 갖게 됨.
> ③ 자신이 잘 알고 가까이 있는 것보다는 잘 모르고 멀리 있는 것을 더 좋은 것인 줄로 앎.
> ④ 의욕이 없는 일에는 열성이 나오지 않음.
> ⑤ 듣기만 하는 것보다는 직접 보는 것이 확실함.

10 글쓴이는 특별 활동 시간에 박지원의 고전을 읽은 경험을 통해 읽기의 가치와 중요성을 깨달았고, 이 영향으로 소설가가 되었다.

채점 요소	배점	총점
글쓴이가 특별 활동 시간에 고전을 읽었다는 내용을 씀.	1점	
글쓴이가 고전을 읽으며 읽기의 가치와 중요성을 깨달았다는 내용을 씀.	2점	3점
문장이 어색하거나 맞춤법이 틀린 것이 있음.	-1점	

02 다양한 표현 활용하여 글 쓰기

바로바로 개념 체크   p.75

1 (1) 속담 (2) 관용 표현   **2** ③   **3** ㉢-㉣-㉤-㉡-㉠

1 속담은 예로부터 전해지는 조상들의 지혜와 교훈이 담긴 말이고, 관용 표현은 둘 이상의 단어가 합쳐져서 원래의 뜻과는 전혀 다른 새로운 뜻으로 굳어져서 쓰이는 표현이다.

2 다양한 표현을 활용하여 글을 쓰면 설명하기 복잡한 상황을 보다 명료하게 전달할 수 있다.

3 다양한 표현을 활용하여 글을 쓸 때에는 '글감 정하기 – 내용 마련하기 – 다양한 표현을 활용하여 글 쓰기 – 고쳐쓰기 – 평가하기'의 단계를 거친다.

지금은 쉼표가 필요할 때   p.76-82

청렴결백, 기, 흥미, 의도, 숨, 명언, 속담, 상황, 깨달은 점, 관심, 깨달은 점, 관용 표현, 속담, 인상적, 아주 깨끗하게, 구체적, 명언, 휴식, 휴식, 창의, 주제

소단원 체크   p.76-82

1 속담, 격언이나 명언, 관용 표현   **2** ③, ⑤   **3** ⑤   **4** ①   **5** ③   **6** ⑤
7 ①   **8** ②   **9** ③   **10** ④   **11** (1) 혀를 차다. (2) 씻은 듯이   **12** ⑤
13 ③   **14** 누워서 떡 먹기   **15** ⑤   **16** ④   **17** ③   **18** ⑤   **19** ⑤
20 ③   **21** 속담   **22** ㉢, ㉣

1 글을 쓸 때 활용할 수 있는 다양한 표현에는 속담, 격언이나 명언, 관용 표현 등이 있다.

2 ㉠은 한 가지 일을 하여 두 가지 이상의 이익을 보게 됨을 비유적으로 이르는 속담으로, 속담은 예로부터 전해져 내려오는 말이다. ① 명언 ④ 유행어

3 제시된 표현은 관용 표현으로, 관용 표현은 둘 이상의 단어가 합쳐져 원래의 뜻과는 전혀 다른 새로운 뜻으로 굳어져서 쓰이는 표현이다.

4 ②~⑤는 노력의 필요성(중요성)에 관한 표현들이다. ①은 아무리 쉬운 일이라도 서로 힘을 합하면 훨씬 쉽다는 협력의 중요성을 강조하는 속담으로, 노력을 강조하는 것은 아니다.

5 글을 쓸 때 속담, 격언이나 명언, 관용 표현, 참신한 표현 등의 다양한 표현을 활용하면 생각이나 느낌을 더 인상 깊게 표현할 수 있고, 독자의 흥미와 관심을 불러일으킬 수 있으며, 의도를 효과적으로 전달할 수 있다. 다양한 표현을 활용한다고 해서 글의 짜임을 체계적으로 드러낼 수 있는 것은 아니다.

6 현지는 산에 급하게 오르다 호흡이 가빠져서 힘들었던 순간을 생생하게 묘사하기 위해 '숨이 턱에 닿다.'라는 관용 표현을 활용하고자 했다.

7 ㉠에는 '싫은 일을 억지로 마지못해 함.'을 나타내는 속담인 '울며 겨자 먹기.'가 가장 적절하다.

> **✚ Clinic 오답 강의**
> ② 어려운 일을 겪고 난 뒤에는 반드시 좋은 일이 생김.
> ③ 거의 다 된 일을 끝판에 망치게 됨.
> ④ 상황에 전혀 어울리지 않거나 차림새가 다른 경우를 비유적으로 표현함.
> ⑤ 간절히 원하거나 적극적으로 요구하는 사람에게 무엇인가를 더 줌.

8 ㉡은 너무 급히 서둘러 일을 하면 잘못하고 실패하게 됨을 비유적으로 이르는 말이기 때문에 '급한 일일수록 서두르기보다는 여유를 가지고 차근차근 해 나가는 것이 더 낫다.'는 의미의 '급할수록 돌아가라.'로 대신할 수 있다.

> ✚ **Clinic 오답 강의**
>
> ① 우선 절박한 문제를 처리하여 해결함.
> ③ 아무리 사소한 것이라도 그것이 거듭되면 무시하지 못할 정도로 크게 됨.
> ④ 제일 급하고 일이 필요한 사람이 그 일을 서둘러 하게 되어 있음.
> ⑤ 아무리 훌륭하고 좋은 것이라도 다듬고 정리하여 쓸모 있게 만들어 놓아야 값어치가 있음.

9 현지는 자신의 의도를 효과적으로 전달하기 위해 여러 가지 표현을 수정하였으나 아버지의 말씀을 삭제하지는 않았다.

10 '씻은 듯이'는 '아주 깨끗하게'라는 뜻의 관용 표현으로, 정상에 오른 순간 현지가 느낀 후련함을 구체적이고 실감 나게 나타낸다.

11 (1) 현지는 '혀를 차다.'라는 관용 표현을 사용하여 현지의 태도를 마음에 들어 하지 않는 아버지의 심리를 더욱 생생하고 구체적으로 표현했다. (2) 현지는 '씻은 듯이'라는 관용 표현을 사용하여 정상에 오른 순간 느낀 후련함을 더욱 구체적이고 실감 나게 나타냈다.

12 ㉡은 유명한 사람의 명언을 활용하여 현지가 새롭게 만들어 낸 참신한 표현으로, 독자의 흥미를 끌 수 있고 적당한 휴식의 필요성을 강조하려는 현지의 의도를 잘 드러내 준다. ⑤는 속담에 대한 설명이다.

13 현지는 자신의 경험을 통해 깨달은 적당한 휴식의 중요성에 대해 이야기하고 있다.

14 ㉠에는 '하기가 매우 쉬운 것'을 비유적으로 이르는 표현이 들어가는 것이 알맞다.

15 현지는 주말에 아버지를 따라 마지못해 가게 된 등산을 통해 적당한 휴식은 목표를 달성하는 데 도움을 준다는 깨달음을 얻었다.

16 현지는 '울며 겨자 먹기, 급히 먹는 밥이 목이 멘다.'와 같은 속담(③), '건강한 신체에 건강한 정신이 깃든다.'는 명언(②), '혀를 차다, 숨이 턱에 닿다, 씻은 듯이'와 같은 관용 표현(⑤), '지금은 쉼표가 필요할 때, 쉬어라, 좀 더 쉬고 공부하라.'와 같은 참신한 표현(①)을 활용하고 있다. ④는 은어에 대한 설명으로, 이 글에 은어는 사용되지 않았다.

17 다양한 표현을 사용하여 자신의 감상을 표현한 글을 평가하기 위해서는 내용과의 관련성, 의미의 명확성, 표현의 참신성 등을 고려해야 한다.

18 현지는 비스마르크의 '청년들이여 일하라, 좀 더 일하라, 끝까지 열심히 일하라.'라는 명언을 창의적으로 재해석하여 '쉬어라, 좀 더 쉬어라, 충분히 쉬고 공부하라.'로 참신하게 표현했다.

19 내용 마련하기 단계에서는 글에 담을 내용을 바탕으로 개요를 작성하고 글에 활용할 다양한 표현을 떠올린다.

20 제시된 글에서는 히포크라테스의 명언을 바꾼 "공연은 짧고, 감동은 길다."라는 창의적인 표현을 활용하여 공연의 감동을 표현했다.

21 '가는 날이 장날'은 일을 보러 가니 공교롭게 장이 서는 날이라는 뜻으로, 어떤 일을 하려고 하는데 뜻하지 않은 일을 공교롭게 당함을 비유적으로 이르는 속담이다.

22 다양한 표현을 활용하여 자신의 감상을 담은 글을 쓰기 위해서는 자신의 의도를 효과적으로 전달하고, 자신의 생각이나 느낌을 생생하게 표현할 수 있는 표현을 적절하게 활용해야 한다.

소단원 마무리   p.83

울며 겨자 먹기, 실패, 정신, 관용 표현, 혀를 차다, 흥미, 인상, 휴식, 재해석

생각 모으기   관용 표현, 참신, 의도, 참신, 관심, 흥미, 의미

소단원 종합 문제   p.84~85

01 ①   **02** ③   **03** ①   **04** 독자의 흥미와 관심을 불러일으킬 수 있다. / 생각이나 느낌을 좀 더 인상 깊게 표현할 수 있다. / 글을 통해 드러내고 싶은 의도를 좀 더 효과적으로 전달할 수 있다.   **05** ②   **06** ①, ②   **07** ①
08 ①   **09** ⓐ는 오랜 역사적 생활 체험을 통해 이루어진 인생의 교훈이나 경계 등을 간결하게 표현한 명언이고, ⓑ는 ⓐ를 창의적으로 재해석하여 만든 새로운 표현이다. 이 글에서는 ⓑ와 같은 표현을 사용하여 글의 주제를 효과적으로 전달하고 있다.

---

01 ㉠은 한 가지 일을 하여 두 가지 이상의 이익을 보게 됨을 비유적으로 이르는 속담이다.

> ✚ **Clinic 오답 강의**
>
> ② ㉡: 어떤 분야의 지식과 경험이 전혀 없는 사람이라도 그 부문에 오래 있으면 얼마간의 지식과 경험을 갖게 된다는 것을 비유적으로 이르는 속담
> ③ ㉢: 고려 말기의 명장이자 재상인 최영에게 아버지가 유언으로 남긴 말로, 청렴결백하게 살아가라는 의미의 명언
> ④ ㉣: '기를 죽이다.'라는 뜻의 관용 표현
> ⑤ ㉤: '황금 보기를 돌같이 하라.'라는 명언을 창의적으로 바꾼 표현

02 ⓐ에는 싫은 일을 억지로 마지못해 함을 비유적으로 이르는 '울며 겨자 먹기.'를 활용하는 것이 자연스럽다.

03 '누이 좋고 매부 좋고'는 어떤 일에 있어 서로 다 이롭고 좋음을 비유적으로 이르는 속담으로, 등산하면서 느낀 어려움을 강조하기에 적절하지 않다.

04 글에 다양한 표현을 활용하면 생각이나 느낌, 경험을 더욱 인상 깊고 생생하게 표현할 수 있고, 독자의 관심과 흥미를 불러일으킬 수 있으며, 글쓴이의 의도를 효과적으로 전달할 수 있다.

채점 요소	배점	총점
다양한 표현을 활용했을 때의 효과를 두 가지 씀.	3점	3점
문장이 어색하거나 맞춤법이 틀린 것이 있음.	-1점	

05 이 글은 글쓴이의 경험을 통해 적당한 휴식의 필요성(적당한 휴식은 목표를 달성하는 데 도움이 된다.)에 대해 이야기하고 있다.

06 글의 내용을 사실 그대로 표현한 '아버지와 함께 한 등산'보다 비유적 표현을 사용한 '지금은 쉼표가 필요할 때'를 사용하면 독자의 관심과 흥미를 끌 수 있고, 글쓴이가 전달하려는 내용을 보다 효과적으로 드러낼 수 있다.

07 ㉠의 '언짢아하시며'를 대신하기 위해서는 '마음이 언짢거나 유감의 뜻을 나타내다.'라는 의미의 '혀를 차다.'라는 관용 표현을 사용하는 것이 자연스럽다.

> ✚ **Clinic 오답 강의**
> ② '눈을 흘기다'는 원래 단어의 뜻 그대로 사용되기 때문에 관용 표현이 아니다.
> ③ '거드름을 피우거나 남을 깔보는 듯한 태도를 취하다.'라는 의미의 관용 표현이다.
> ④ 상대편은 마음에 없는데 자기 스스로 요구하여 대접을 받는 경우를 비유적으로 이르는 속담이다.
> ⑤ 매우 위태로운 처지에 놓여 있음을 비유적으로 이르는 속담이다.

08 ㉡은 하기가 매우 쉬운 것을 비유적으로 이르는 속담으로, 산에 오르는 일을 쉽게 여긴 현지의 태도를 간결하고 인상적으로 나타낸다. ㉢은 '아주 깨끗하게'라는 뜻의 관용 표현으로, 정상에 오른 순간 현지가 느낀 후련함을 더욱 구체적이고 실감 나게 나타낸다.

09 ⓐ는 비스마르크가 남긴 명언, ⓑ는 창의적인 발상을 바탕으로 ⓐ를 변형하여 만든 참신한 표현이다.

채점 요소	배점	총점
ⓐ가 명언임을 밝히고, 그 개념을 적절히 서술함.	2점	
ⓑ가 ⓐ를 재해석하여 만든 창의적 표현임을 서술함.	2점	7점
ⓑ를 사용하여 글의 주제를 효과적으로 전달함을 씀.	3점	
문장이 어색하거나 맞춤법이 틀린 것이 있음.	−1점	

체크샘과 함께 **선택 학습** p.86~87

활동 1 나에게 맞는 책 읽기 방법 찾기

선택 학습 문제 | **1** ④ **2** 영화 평론가 이동진

1 (가)에서 '음악인 전제덕'은 책의 차례, 작가의 서문을 통해 작가가 하고 싶은 이야기가 무엇인지 파악하며 읽는다는 것을 알 수 있다.

2 (나)에서 영화 평론가 이동진은 넓고 다양한 분야의 책을 고르게 읽어야 한다고 말했다.

활동 2 광고를 모방하여 자신의 생각과 느낌 표현하기

선택 학습 문제 | **1** ② **2** ③

1 (가)는 예로부터 전해 오는 속담을 변형한 참신한 표현을, (나)는 동음이의어를 활용한 참신한 표현을 활용하여 주제를 전달하고 있다.

---

2 (나)에서는 소리는 같지만 뜻이 다른 동음이의어를 활용하여 주제를 효과적으로 드러내고 있다. ① 유의어, ② 반의어, ④ 상위어, ⑤ 다의어

잠깐 어휘 학습 p.88

① 읽기의 가치와 중요성

(가): 등화가친(燈火可親), (나): 위편삼절(韋編三絶)

② 다양한 표현 활용하여 글 쓰기

글이 짧다. – 글을 모르거나 아는 것이 넉넉하지 못하다, 얼음에 박 밀듯 – 말이나 글을 거침없이 줄줄 내리읽거나 내리외는 모양을 비유적으로 이르는 말, 붓을 대다. – 글이나 글씨를 쓰다, 박, 짧다

대단원 마무리 체크 p.89~90

01 읽기 **02** (1) 성찰 (2) 휴식 (3) 지식, 경험 (4) 정신세계 **03** (1) ○ (2) × (3) ○ **04** 수필 **05** 편견 **06** 〈허생전〉 **07** (1) × (2) ○ (3) × (4) ○ (5) ○ **08** 보약 **09** 소설가 **10** (1) 숨결 (2) 문장 (3) 뿌듯함 (4) 새로운 (5) 수준 **11** 한문, 무협지, 고전, 고전 **12** (1) 정신 문화 (2) 진정한 (3) 길 **13** 통로 **14** ㉠-㉣-㉡-㉢ **15** (1) 속담 (2) 관용 표현 (3) 격언이나 명언 **16** (1) 의도 (2) 흥미, 관심 (3) 인상 **17** (1) ㉠ (2) ㉡ (3) ㉢ **18** (1) ○ (2) ○ (3) × (4) ○ **19** (1) ㉠ (2) ㉡ (3) ㉢ (4) ㉣ **20** (1) 관심 (2) 깨달은 점 **21** 명언, 필요성 **22** (1) 경험 (2) 짜임새 (3) 인상적 (4) 참신한

대단원 종합 문제 p.91~94

01 ①, ③ **02** ④ **03** ④ **04** ⑤ **05** ②, ③ **06** ④ **07** 보약 **08** ③ **09** ③ **10** 주인공의 이름만 기억에 남는 무협지와 달리 고전은 주인공과 관련하여 계속 생각하게 한다. 또한 한두 번 씹으면 단맛이 빠져 버리는 무협지와 달리 고전은 읽을수록 새로운 맛이 우러나온다. **11** ④ **12** ⑤ **13** ①, ⑤ **14** ⑤ **15** 적당한 휴식은 목표를 달성하는 데 도움이 된다. **16** ④ **17** ⑤ **18** ③ **19** ④

01 이 글은 읽기의 가치와 중요성을 깨달은 글쓴이의 경험을 담은 수필이다. ①은 소설, ③은 전기문의 특성이다.

02 (다)에서 글쓴이가 고전 작품으로 박지원의 〈허생전〉을 처음 읽었다는 것을 알 수 있다.

03 ㉠은 글쓴이가 읽은 고전 작품으로, 무협지를 많이 읽었던 글쓴이는 고전 작품의 문체와 사건 전개 방식에 별다른 거부감이 없었다.

04 글쓴이는 마음에 드는 책을 골라서 자리를 잡고 읽으라는 선생님의 말씀에 아이들이 거의 손을 대지 않은 책 가운데 하나를 꺼내 들었다.

05 읽기를 생활화하려면 자신의 수준에 맞는 책을 골라 읽어야 한다. 또한 좋은 글을 읽음으로써 삶의 가치관이나 진로가 달라질 수 있다.

06 한두 번 씹으면 단맛이 다 빠져 버리는 무협지와는 달리 고전의 내용은 읽을수록 새로운 맛이 우러나왔다.

07 (가)에서 글쓴이는 책을 읽으면서 정신세계가 넓어지고 수준이 높아지는 것을 정신세계가 '보약'을 먹는 것에 빗대어 표현했다.

08 ㉠의 앞뒤 문맥과 '책 속에 길이 있다.'라는 표현을 고려했을 때, ㉠에는 읽기의 가치와 중요성을 강조하는 '진정한 인간으로 나아가는 통로'라는 구절이 들어가는 것이 가장 적절하다.

09 (나)에서 글쓴이는 특별 활동 시간에 읽은 고전 소설 때문에 지금 소설을 쓰고 있다고 말하고 있다.

10 (가)에서 글쓴이는 무협지와 달리 고전은 주인공과 관련하여 계속 생각나게 하고, 읽을수록 새로운 맛이 우러나온다고 말하고 있다.

채점 요소	배점	총점
고전은 주인공과 관련하여 계속 생각하게 한다는 내용을 씀.	2점	
고전은 읽을수록 새로운 맛이 우러나온다는 내용을 씀.	2점	5점
무협지와 비교하여 서술함.	1점	
문장이 어색하거나 맞춤법이 틀린 것이 있음.	-1점	

11 이 글은 글쓴이의 경험을 바탕으로 깨달음을 전달하는 수필이다. 글쓴이의 생각을 논리적으로 전개하여 주장을 강조하고 있는 것은 아니다.

12 ㉠은 하기가 매우 쉬운 것을 비유적으로 이르는 속담으로, 산에 오르는 일을 쉽게 여기는 글쓴이의 태도를 간결하고 인상적으로 나타낸다.

13 '울며 겨자 먹기'는 마지못해 아버지를 따라나선 글쓴이('나')의 심정을 드러내는 속담이다. '씻은 듯이'는 정상에 오른 순간 글쓴이('나')가 느낀 후련함을 구체적이고 실감 나게 나타내는 관용 표현이다.

14 '어느새'는 '어느 틈에 벌써'라는 의미의 단어이고, '눈 깜짝할 사이'는 '매우 짧은 순간'을 나타내는 관용 표현이다.

➕ Clinic 오답 강의
① 산 넘어 산: 어떤 일의 형세가 갈수록 점점 더 힘어지는 것을 비유적으로 이르는 말
② 눈 둘 곳을 모르다.: 어리둥절하거나 어색하여 눈길을 어디에 두어야 할지 모르다.
③ 눈에 익다: 여러 번 보아서 익숙하다.
④ 눈길을 끌다: 호기심을 일으켜 보게 하다.

15 (라)에서 명언을 변형한 참신한 표현인 '쉬어라, 좀 더 쉬어라, 충분히 쉬고 공부하라.'를 통해 글쓴이가 말하고자 하는 바를 알 수 있다.

16 '영화 평론가 이동진'은 자신이 관심 있는 특정 분야의 책만 보는 것이 아니라 넓고 다양한 분야의 책을 고르게 읽는다고 했다.

17 (다)에서는 동음이의어 '내복(內服)'을 활용하고 있을 뿐 오랜 역사적 생활 체험을 통해 이루어진 인생의 교훈이나 경계 등을 간결하게 표현한 격언이나 명언을 활용하지는 않았다.

18 '황금 보기를 돌같이 하라.'는 고려 말기의 명장이자 재상인 최영에게 아버지가 유언으로 남긴 말로, 청렴결백하게 살아가라는 의미를 담고 있는 명언이다.

➕ Clinic 오답 강의
① '한 가지 일을 하여 두 가지 이상의 이익을 보게 됨.'을 의미하는 속담
② '글을 모르거나 아는 것이 넉넉하지 못하다.'는 의미의 관용 표현
④ '기를 죽이다.'라는 의미의 관용 표현
⑤ 어떤 분야에 대하여 지식과 경험이 전혀 없는 사람이라도 그 부문에 오래 있으면 얼마간의 지식과 경험을 갖게 된다는 의미의 속담

19 제시된 표현들은 모두 둘 이상의 단어가 합쳐져 원래의 뜻과는 전혀 다른 새로운 뜻으로 굳어져서 쓰이는 관용 표현이다. ① 사자성어, ② 명언, ③ 속담, ⑤ 격언이나 명언

잠깐! 서술형 특강
p.95-96

01 (1) 일반 학생들은 고전에 대해 어렵고 지루하다는 편견을 가지고 있다. (2) 무협지를 많이 읽은 경험이 있는 글쓴이는 한문을 번역한 예스러운 문체에 대한 거부감이 없었고, 고전의 인물의 행적을 중심으로 한 사건 전개 방식이 무협지와 유사하여 익숙하게 느껴졌기 때문이다. **02** (1) 보석처럼 단단하고 품위 있는 문장은 아름답기까지 하다. / 고전을 읽으면 정신세계가 보약을 먹은 듯이 한층 더 넓어지고 수준이 높아지는 듯하다. (2) 고전 소설을 읽고 읽기의 가치와 중요성을 깨달은 글쓴이는 독서가 인간다운 삶을 가능하게 하는 길임을 강조하고 있다. **03** (1) ·㉠: 속담, 예로부터 전해 오는 짧으면서도 교훈을 담고 있는 말이다. ·㉡: 명언(격언), 오랜 역사적 생활 체험을 통해 이루어진 인생의 교훈이나 경계 등을 간결하게 표현한 짧은 글이다. ·㉢: 관용 표현, 둘 이상의 단어가 합쳐져 원래의 뜻과는 전혀 다른 새로운 뜻으로 굳어져서 쓰이는 표현이다. (2) 독자의 관심이나 흥미를 불러일으킬 수 있다. / 글쓴이의 의도를 효과적으로 전달할 수 있다. / 생각이나 느낌, 경험을 더욱 인상 깊고 생생하게 표현할 수 있다. **04** (1) 독자의 관심을 끌고, 글쓴이가 깨달은 점을 더 효과적으로 드러낼 수 있다. (2) '혀를 차시며'는 '마음이 언짢거나 유감의 뜻을 나타낸다.', '숨이 턱에 닿아'는 '몹시 숨이 차다.', '씻은 듯이'는 '아주 깨끗하게'라는 의미이다.

01 (1) 고전은 어렵고 지루하다는 편견 때문에 학생들이 고전에는 거의 손을 대지 않아 고전의 책 표지 대부분이 깨끗했다.

채점 요소	배점	총점
일반 학생들은 고전은 어렵고 지루하다는 편견을 가지고 있다는 내용을 씀.	3점	3점
문장이 어색하거나 맞춤법이 틀린 것이 있음.	-1점	

(2) 글쓴이는 많은 무협지를 읽은 경험이 있었기 때문에, 한문을 번역한 예스러운 문체와 내용 전개 방식이 무협지와 유사한 고전 작품을 낯설게 여기지 않았다.

채점 요소	배점	총점
무협지를 많이 읽은 글쓴이는 한문을 번역한 예스러운 문체에 대한 거부감이 없었다는 내용을 씀.	2점	
무협지와 고전은 인물의 행적을 중심으로 한 사건 전개 방식이 유사하여 익숙하게 느껴졌다는 내용을 씀.	2점	4점
문장이 어색하거나 맞춤법이 틀린 것이 있음.	-1점	

02 (1) 글쓴이는 고전을 읽으며 보석처럼 단단하고 품위 있는 문장이 아름답다고 생각했다. 또한 책을 읽으면서 정신세계가 무슨 보약을 먹은 듯이 한층 더 넓어지고 수준이 높아지는 듯한 느낌이 들었다.

채점 요소	배점	총점
보석처럼 단단하고 품위 있는 문장이 아름답기까지 하다는 내용을 씀.	2점	
고전을 읽으면 정신세계가 보약을 먹은 듯이 한층 더 넓어지고 수준이 높아진다는 내용을 씀.	2점	4점
문장이 어색하거나 맞춤법이 틀린 것이 있음.	-1점	

(2) 박지원의 고전 소설을 읽으며 책 읽기의 가치를 깨달은 글쓴이는 '책 속에 길이 있다.'는 표현을 통해 독서가 진정한 인간으로 나아가는 통로라는 것을 강조하고 있다.

채점 요소	배점	총점
고전 소설을 읽으며 읽기의 가치와 중요성을 깨달았다는 내용을 씀.	3점	
독서가 인간다운 삶을 가능하게 하는 길임을 강조하고 있다는 내용을 씀.	3점	6점
문장이 어색하거나 맞춤법이 틀린 것이 있음.	-1점	

03 (1) ㉠은 어떤 분야의 지식과 경험이 전혀 없는 사람이라도 그 부문에 오래 있으면 얼마간의 지식과 경험을 갖게 된다는 것을 비유적으로 말하는 속담이고, ㉡은 청렴결백하게 살아가라는 의미를 담고 있는 명언(격언)이다. ㉢은 '기를 죽이다.'라는 의미의 관용 표현이다.

채점 요소	배점	총점
㉠이 속담임을 쓰고, 속담의 개념을 씀.	2점	
㉡이 명언(격언)임을 쓰고, 명언(격언)의 개념을 씀.	2점	6점
㉢이 관용 표현임을 쓰고, 관용 표현의 개념을 씀.	2점	
문장이 어색하거나 맞춤법이 틀린 것이 있음.	-1점	

(2) 글을 쓸 때 속담, 명언(격언), 관용 표현, 창의적 표현 등 다양한 표현을 활용하면 글을 통해 드러내고 싶은 의도를 좀 더 인상 깊고 효과적으로 전달할 수 있다.

채점 요소	배점	총점
다양한 표현을 활용했을 때의 효과를 두 가지 씀.	각 2점	4점
문장이 어색하거나 맞춤법이 틀린 것이 있음.	-1점	

04 (1) '아버지와 함께 한 등산'은 사실을 담백하게 기술하고 있는 제목이고, '지금은 쉼표가 필요할 때'는 독자의 관심을 끌고 등산을 하며 깨달은 점을 더 효과적으로 드러내는 제목이다.

채점 요소	배점	총점
독자의 관심을 끌 수 있다는 내용을 씀.	2점	
글쓴이가 깨달은 점을 더 효과적으로 드러낼 수 있다는 내용을 씀.	2점	4점
문장이 어색하거나 맞춤법이 틀린 것이 있음.	-1점	

(2) 속담, 격언이나 명언, 관용 표현 등 다양한 표현을 사용하면 전달하려는 내용을 생생하고, 효과적으로 드러낼 수 있다.

채점 요소	배점	총점
관용 표현으로 '혀를 차시며', '숨이 턱에 닿아', '씻은 듯이'를 찾음.	각 1점	
관용 표현의 의미를 각각 적절히 씀.	각 1점	6점
문장이 어색하거나 맞춤법이 틀린 것이 있음.	-1점	

3 | 생각과 감정을 나누다

01 한글의 창제 원리와 우수성

바로바로 **개념** 체크   p.100

1 애민 정신   **2** ㄱ, ㄴ, ㅁ, ㅅ, ㅇ   **3** ①   **4** (1) 하늘 (2) 땅 (3) 사람
5 ⑤

1 한글의 창제 정신에는 자주정신, 애민 정신, 실용 정신이 있다.

2 상형의 원리에 따라 자음 기본자 'ㄱ, ㄴ, ㅁ, ㅅ, ㅇ'을 만들었다.

3 'ㄴ'은 자음 기본자로, 상형의 원리에 따라 만들어졌다.

4 '·'는 하늘을, 'ㅡ'는 땅을, 'ㅣ'는 사람을 본떠서 만들었다.

5 한글은 글자와 소리가 거의 일대일로 대응하여 배우고 기억하기 쉽다.

한글의 창제 배경과 창제 원리 이해하기   p.101~104

한자, 한문, 지식, 정보, 백성, 뜻, ㅁ, ㅇ, 발음 기관, ㄷ, 가로, 하늘, ㅡ, 사람, ㅗ, ㅜ, ㅏ, ㅓ, ㅛ, ㅠ, ㅑ, ㅕ, 오른, 아래, 오른, 아래

한글의 우수성 탐구하기   p.104~107

소리, [아], 모양, 일대일, 발음 기관, 기본자, 가획자, 가획, 관계, 소리, 창제 원리, 모아쓰기, 합성, 가획, 음절, 가로쓰기, 세로쓰기, 가로쓰기, 적은, 글자 수, 발음

소단원 체크   p.101~107

1 한자   **2** ④   **3** ④   **4** 자주정신   **5** (1) × (2) ○   **6** ②   **7** ⑤
8 ③   **9** ㄲ, ㅃ, ㄹ, ㅉ   **10** ⑤   **11** 하늘, 땅, 사람   **12** ②   **13** ③
14 ③   **15** ①   **16** ⑤   **17** 모양   **18** ②   **19** ⑤   **20** ⑤   **21** 음절
22 ⑤   **23** (1) ㅣ, · (2) ㅡ, · (3) ·, ㅡ   **24** ①   **25** ④   **26** ⑤

생각 모으기   애민, 발음 기관, 소리, 정보화, 획

1 한글이 창제되기 전에는 한자를 사용해 문자 생활을 했기 때문에 평민들은 문자 생활을 하기가 어려웠다.

2 평민들은 한문 교육을 받을 시간적·물질적 여유가 없었기 때문에 한글 창제 이전에는 문자 생활이 어려웠을 것이다. 따라서 평민과 양반 계층이 한자를 통해 편리하게 의사소통을 했다는 것은 적절하지 않다.

3 세종 대왕은 한자를 모르는 백성이 자신의 뜻을 표현하지 못하는 것을 가엾게 여겨 한글을 창제하여 모든 사람이 쉽게 익혀 쓰도록 한 것이다.

4 우리말이 중국 말과 달라 한자로는 통하지 않기 때문에 우리만의 독창적인 문자가 필요하다는 것에서 한글의 자주정신을 알 수 있다.

5 한글의 자음 기본자는 상형의 원리에 따라 발음 기관의 모양을 본떠서 만들었다.

6 'ㄴ'은 혀끝이 윗잇몸에 닿는 모양을 본뜬 자음 기본자이다.

7 'ㅅ'은 획을 더해 만든 자음자가 아니라 이의 모양을 본떠서 만든 자음 기본자이다.

8 'ㄴ'에 획을 더하면 'ㄷ', 'ㅌ'이 되고, 'ㅅ'에 획을 더하면 'ㅈ', 'ㅊ'이 된다.

9 'ㄲ, ㅃ, ㅉ'은 같은 자음자를, 'ㄽ'은 다른 자음자를 가로로 나란히 붙여 쓴 글자이다.

10 'ㅿ(반치음)'은 소실된 문자로, 오늘날에는 사용되지 않는다.

11 모음 기본자 'ᆞ(아래아)'는 하늘, 'ㅡ'는 땅, 'ㅣ'는 사람을 본떠 만들었다.

12 'ㅣ'는 서 있는 사람의 모양을 본뜬 모음 기본자이다.

13 모음 기본자 'ㅡ'는 평평한 땅을 본떠서 만들었다.

14 자음 기본자는 발음 기관의 모양을, 모음 기본자는 하늘, 땅, 사람의 모양을 본뜬 상형의 원리에 따라 만들었다.

15 한글은 '소리'를 나타내는 문자로, 한자보다 글자 수가 적다.

16 한글은 소리와 글자가 거의 일대일로 대응하는 데 비해 영어 알파벳은 단어에 따라 그 발음이 달라진다.

17 한글의 모양을 보고 글자들의 관계나 소리의 특징을 짐작할 수 있는 이유는 한글은 소리가 비슷한 글자들끼리 그 모양이 비슷하기 때문이다.

18 'ㄷ'과 'ㅌ'은 'ㄴ'에 획을 더해 만든 글자로, 그 소리가 비슷하다.

19 한글은 소리를 나타내는 문자이기 때문에 글자의 모양을 통해 글자의 의미를 알 수는 없다.

20 한글은 적은 수의 자음자와 모음자를 조합하여 수많은 음절을 표현할 수 있기 때문에 글쇠 수가 제한된 컴퓨터 자판이나 휴대 전화 자판에서 효율적으로 정보를 입력할 수 있다.

21 한글은 초성, 중성, 종성을 합쳐서 음절 단위로 모아쓰기 때문에 풀어쓴 글자보다 한번에 더 많은 정보를 인식할 수 있다.

22 모음자 최소형 자판(천지인 자판)에서는 'ㅣ'를 누른 후 'ᆞ'를 누르면 'ㅏ'가 된다. 이는 모음 기본자를 합하여 다른 모음자를 만드는 합성의 원리가 적용된 것이다.

23 모음자 최소형 자판(천지인 자판)에서 'ㅣ, ᆞ'를 누르면 'ㅏ', 'ㅡ, ᆞ'를 누르면 'ㅜ', 'ᆞ, ㅡ'를 누르면 'ㅗ'가 입력된다.

24 자음자 최소형 자판(나랏글 자판)에서는 자음 기본자에 획을 더하여 다른 자음자를 만드는 가획의 원리가 적용되었다.

25 자음자 최소형 자판(나랏글 자판)은 자음 기본자에 획을 더하여 다른 자음자를 만들기 때문에 획을 더하여 만들어진 'ㅋ'은 자판에 배열되지 않는다.

26 사람이 한눈에 파악할 수 있는 글자 수는 제한적이어서 영어처럼 풀어쓸 때보다 한글처럼 음절 단위로 모아쓸 때 한번에 더 많은 정보를 인식할 수 있다.

소단원 종합 문제 p.108-109

01 ③ **02** ② **03** ② **04** (1) ㅁ (2) ㅅ (3) ㅇ (4) ㄴ (5) ㄱ **05** ②
06 ② **07** ⑤ **08** ㄷ, ㅂ, ㅈ, ㅋ, ㅌ, ㅍ, ㅎ **09** 'ᆞ'는 둥근 하늘을 본떴고, 'ㅡ'는 평평한 땅을 본떴고, 'ㅣ'는 사람을 본떠서 만들었다. 이를 통해 한글의 모음 기본자는 상형의 원리에 따라 만들어졌음을 알 수 있다. **10** ④
11 ⑤ **12** ① **13** ⑤ **14** ① **15** ③ **16** 모아쓰기란 초성, 중성, 종성을 합쳐서 음절 단위로 쓰는 것을 말한다. 모아쓰기를 하면 글에 담긴 정보를 빠르게 파악할 수 있고, 정보를 전달하는 데에도 실용적이다.

---

01 한글 창제 이전에는 우리말을 표기할 고유한 문자가 없어서 한자를 사용해 문자 생활을 했기 때문에 한문 교육을 받을 수 있었던 왕족이나 양반과 달리 한문 교육을 받을 시간적·물질적 여유가 없었던 평민들은 문자 생활을 하기가 어려웠다.

02 제 뜻을 펴지 못하는 사람들을 가엾게 여겨 한글을 창제했다는 것에서 애민 정신을 알 수 있다.

03 자음 기본자는 'ㄱ, ㄴ, ㅁ, ㅅ, ㅇ'으로 5개, 모음 기본자는 'ᆞ, ㅡ, ㅣ'로 3개이다.

04 'ㅁ'은 입 모양을, 'ㅅ'은 이의 모양을, 'ㅇ'은 목구멍의 모양을, 'ㄴ'은 혀끝이 윗잇몸에 닿는 모양을, 'ㄱ'은 혀뿌리가 목구멍을 막는 모양을 본떠 만들었다.

05 'ㄸ, ㅃ, ㅆ, ㅉ' 등과 같은 자음자는 같은 글자를 가로로 나란히 붙여 써서 만든 자음자이고, 'ㄽ, ㄺ, ㄼ'과 같은 자음자는 서로 다른 글자를 가로로 나란히 붙여 써서 만든 자음자이다.

06 'ㅿ(반치음)', 'ㆁ(옛이응)', 'ㆆ(여린히읗)'은 오늘날 사용하지 않는 자음자이다.

07 'ㅏ, ㅓ, ㅗ, ㅜ'는 모음 기본자를 합하여 만든 모음자이고, 'ㅡ'는 땅의 평평한 모양을 본뜬 모음 기본자이다.

08 'ㄱ, ㅁ, ㅅ'은 자음 기본자이고, 'ㄹ'은 모양을 달리하여 만든 이체자이다. 'ㅋ'은 'ㄱ', 'ㅎ'은 'ㅇ', 'ㄷ, ㅌ'은 'ㄴ', 'ㅂ, ㅍ'은 'ㅁ', 'ㅈ'은 'ㅅ'에 획을 더하여 만든 가획자이다.

09 모음 기본자는 하늘, 땅, 사람의 모양을 본뜨는 상형의 원리로 만들어졌다. 'ㆍ'는 하늘의 둥근 모양을, 'ㅡ'는 땅의 평평한 모양을, 'ㅣ'는 사람이 서 있는 모양을 본떴다.

채점 요소	배점	총점
모음 기본자가 각각 무엇을 본떠 만든 것인지 씀.	3점	
한글의 모음 기본자가 상형의 원리에 따라 만들어졌다는 내용을 씀.	2점	5점
문장이 어색하거나 맞춤법이 틀린 것이 있음.	−1점	

10 한자는 의미를 나타내는 문자이고, 한글은 소리를 나타내는 문자이다.

11 한글은 소리를 나타내는 문자이기 때문에 뜻을 나타내는 문자인 한자에 비해 글자 수가 적으며, 적은 수의 글자를 조합해서 많은 단어를 표현할 수 있다.

12 한글은 글자와 소리가 거의 일대일로 대응하여 배우고 기억하기가 쉽지만 영어 알파벳은 글자의 모양과 소리가 관련이 없고, 하나의 글자가 다양하게 발음된다.

13 한글은 상형, 가획, 합성 등의 원리를 가지고 만들어진 체계적인 문자이다.

14 자음자 최소형 자판에서 자음자를 입력할 때에는 가획의 원리를, 모음자 최소형 자판에서 모음자를 입력할 때에는 합성의 원리를 적용하여 나머지 글자들을 입력한다.

15 한글은 자음자와 모음자를 음절 단위로 모아쓰기 때문에 영어 알파벳과 같이 풀어쓸 때보다 한번에 더 많은 정보를 인식할 수 있다.

16 한글은 초성, 중성, 종성을 음절 단위로 모아쓴다. 음절 단위로 모아쓰기를 하면 한번에 더 많은 정보를 인식할 수 있어서 글에 담긴 정보를 더 빠르게 파악할 수 있고, 정보를 실용적으로 전달할 수 있다.

채점 요소	배점	총점
모아쓰기의 개념을 정확하게 씀.	2점	
모아쓰기의 장점을 적절히 씀.	3점	5점
문장이 어색하거나 맞춤법이 틀린 것이 있음.	−1점	

문법 기초 다지기　p.110~111

1 훈민정음　**2** 한자　**3** (1)-ⓒ (2)-ㄱ (3)-ⓛ　**4** 발음 기관　**5** 상형, 가획　**6** (1)-ⓜ (2)-ⓔ (3)-ㄱ (4)-ㄴ (5)-ⓒ　**7** (1) ○ (2) ○ (3) × (4) ×
8 (1) ㅋ (2) ㄷ, ㅌ (3) ㅂ, ㅍ (4) ㅈ, ㅊ (5) ㆆ, ㅎ　**9** ㆁ, ㅿ, ㆆ　**10** 가로
11 하늘, 땅, 사람　**12** (1) × (2) × (3) × (4) ×　**13** (1) ㅓ (2) ㅜ (3) ㅑ (4) ㅠ
14 상형의 원리　**15** 오른, 아래　**16** 소리, 의미　**17** 음절　**18** (1) ○
(2) ○ (3) × (4) × (5) × (6) ○　**19** 제자 원리　**20** (1) ○ (2) × (3) ○ (4) ×
21 합성　**22** 가획　**23** 모아쓰기　**24** 가로쓰기, 세로쓰기, 효율적　**25** 관계, 소리　**26** 일대일

02 마음을 나누는 대화

바로바로 개념 체크　p.112

1 상호 작용　**2** ①　**3** ①

1 듣기·말하기를 통해 말하는 이와 듣는 이는 상호 작용하며 의미를 공유한다.

2 듣기·말하기 과정에서 말하는 이와 듣는 이는 자신의 생각을 조정하거나 정리할 수 있다.

3 공감하며 대화할 때에는 상대의 말을 분석하거나 비판하지 말아야 한다.

의미를 공유하며 듣고 말하기　p.113~116

존중, 즐거움, 조정, 경험, 아나바다 운동, 배경지식, 반응

공감하며 대화하기　p.116~119

관심, 무시, 시선, 상대, 눈, 관심, 주의, 이해, 집중, 반복

소단원 체크　p.113~121

1 ③　**2** ④　**3** 존중, 대응　**4** ②, ⑤　**5** 여러 곳을 다니면서 다양한 사람을 만나는 것　**6** 다양한 즐거움을 주는 것　**7** ⑤　**8** ③　**9** ③
10 ④　**11** ①　**12** ⑤　**13** ④　**14** ④　**15** ⑤　**16** ③　**17** ①
18 ⑤　**19** ④　**20** 고개, 시선　**21** ④, ⑤　**22** ⑤　**23** ④　**24** ②
25 ④　**26** ③　**27** ⑤

생각 모으기　공유, 의미, 관점, 공감, 공감

1 남학생은 여학생에게 수업이 끝난 후 학급 행사에 사용할 물품을 함께 사러 가자고 요청하고 있다.

2 여학생은 딴생각을 하느라 남학생의 말을 주의 깊게 듣지 못했다.

3 상대의 말에 귀 기울이고, 상대를 존중하며 상대의 반응에 적절하게 대응하면 듣기·말하기가 원활하게 이루어질 수 있다.

4 재경이와 대화를 하기 전에 서율이는 여행이란 맛있는 음식을 먹거나 멋진 풍경을 즐기면서 편하게 쉬는 것이라고 생각했다.

5 재경이는 여러 곳을 다니면서 다양한 사람을 만나는 것이 여행이라고 생각했다.

6 맛있는 음식을 먹거나 멋진 풍경을 즐기면서 편하게 쉬는 것이 여행이라고 생각했던 서율이는 재경이와의 대화 후 여행은 '다양한 즐거움을 주는 것'이라고 자신의 생각을 조정했다.

7 의미 공유 과정으로서의 듣기·말하기는 말하는 이와 듣는 이가 서로 생각과 감정 등을 주고받으며 자신의 생각을 바꾸거나 조정해 나간다.

8 지혁이의 '나도 진작 알았더라면 마을 장터에 갔을 텐데 아쉽다.'라는 말에서 지혁이는 마을 장터에 가지 못했다는 것을 알 수 있다.

9 지혁이는 마을 장터에 다녀왔다는 소정이의 말을 듣고 사회 시간에 배운 아나바다 운동을 떠올렸다.

10 소정이와 지혁이는 자신들의 배경지식을 적극적으로 활용하여 대화를 나누고, 상대가 하는 말에 적절하게 반응하고 대답하며 의미를 함께 구성해 나가고 있다.

11 소정이와 지혁이는 대화를 나누며 아나바다 운동의 의미를 공유했다.

12 대화를 통해 의미를 공유하기 위해서는 상대의 지식수준을 고려하여 적절한 배경지식을 적극적으로 활용하는 것이 좋다.

13 왼쪽 상황에서 선혜는 엄마의 말을 듣고도 휴대 전화만 바라보고 있으므로, 선혜의 엄마는 선혜가 자신의 말에 집중하지 않고, 자신을 무시한다는 느낌을 받았을 것이다.

14 (나)의 오른쪽 상황에서 재영이는 턱을 괸 채 상대와 시선을 맞추지 않고 무표정한 얼굴을 하고 있어 상대를 존중하지 않는 듯한 태도를 보이고 있다.

15 상대가 말할 때에는 상대와 자연스럽게 눈을 맞추고, 상대의 말에 관심을 나타내며 들어야 한다.

16 한솔이의 '국어 수행 평가는 다음 주까지가 맞을 거야.'라는 말을 통해 준희의 국어 수행 평가 과제는 다음 주까지 제출해야 한다는 것을 알 수 있다.

17 도서관이 문을 닫아서 모둠 회의 전까지 자료를 찾을 방법이 없어 고민하는 준희의 말을 한솔이가 주의 깊게 듣지 않았기 때문에 준희와 한솔이의 대화가 원활하게 이루어지지 않았다.

18 모둠 회의 전까지 자료를 찾을 방법을 고민하는 준희에게는 전자 도서관을 이용하는 것, 서점에서 책을 살펴보는 것과 같은 자료를 찾는 방법에 대해 말해 줄 수 있다.

19 지애는 친구와 다툰 후, 사과를 하고 싶은데 어떻게 해야 할지 몰라 고민하고 있다.

20 효진이는 고개를 끄덕이고 지애와 시선을 맞춤으로써 지애의 감정을 이해하고 지애의 말에 집중하고 있음을 드러냈다.

21 효진이는 적절히 질문을 하고, 지애의 말을 반복하고 정리하여 지애의 상황에 공감하고 있음을 표현했다.

22 공감하며 대화할 때에는 상대의 잘못된 점을 분석하거나 비판해서는 안 된다.

23 인상 깊은 경험에 대해 대화를 나눌 때는 다른 모둠원의 경험을 비판적으로 평가하기보다는 적극적으로 반응하고 공감하며 들어야 한다.

24 상대의 상황을 이해하고 공감하고 있다는 것을 표현하기 위해 구체적인 해결 방안을 제시해야 하는 것은 아니다.

25 대화를 할 때, 말하는 이는 듣는 이의 반응을 살피며 이야기해야 한다. 듣는 이의 반응과 상관 없이 일방적으로 자신이 할 말을 모두 하는 것은 공감하며 대화하는 태도가 아니다.

26 공감하며 대화하는 태도를 평가할 때에는 상대와 시선을 맞추며 듣는 이의 반응을 살폈는지, 적절하게 호응하며 내용에 어울리는 적절한 표정을 지었는지 등을 평가해야 한다.

27 시선을 맞추며 고개를 끄덕이는 것은 상대의 말에 공감하고 있다는 것을 드러내는 것이기 때문에 이러한 반응을 본 말하는 이는 자신감을 가지고 자신의 말을 이어 갈 수 있을 것이다.

소단원 마무리   p.122

아나바다, 배경지식, 자전거, 좋은 점, 배경지식, 의미, 몸짓, 이해, 시선, 집중, 질문, 반복, 정리, 주의, 존중, 협력적, 조정, 정리, 상황, 처지, 눈, 반응

소단원 종합 문제   p.123~124

01 ①   **02** 다양한 즐거움을 주는 것   **03** ①   **04** ①   **05** ㉠: 아나바다 운동, ㉡: 마을 장터   **06** ④   **07** ⑤   **08** ②   **09** 내일 모둠 회의에 필요한 자료를 준비하지 못할까 봐 걱정된다는 거지? 전자 도서관을 이용해서 필요한 자료를 출력할 수도 있고, 꼭 필요한 책은 서점에서 살펴볼 수도 있으니까 너무 걱정하지 마.

01 여학생은 딴생각을 하느라 학급 행사에서 사용할 물품을 함께 사러 가자는 남학생의 요청을 주의 깊게 듣지 못했지만 다시 듣고는 함께 갈 수 있다고 하며 남학생의 요청을 받아들였다.

02 맛있는 음식을 먹거나 멋진 풍경을 즐기면서 편하게 쉬는 것이 여행이라고 생각했던 서율이는 재경이와 생각을 주고받은 뒤 여행은 다양한 즐거움을 주는 것이라고 자신의 생각을 조정했다.

03 의미를 공유하는 듣기·말하기 과정은 말하는 이가 일방적으로 의미를 전달하는 과정이 아니라 서로 협력적으로 상호 작용하며 의미를 주고받는 과정이다.

04 지난 주말에 마을 장터에 가지 못한 것을 아쉬워한 사람은 지혁이다.

05 소정이와 지혁이는 대화를 통해 사회 시간에 배운 아나바다 운동의 의미를 공유하고, 다음에 열리는 마을 장터에 함께 가기로 약속했다.

06 ㉣에서 효진이는 지애의 말을 정리하며 자신이 지애의 말을 이해하고 있다는 것을 표현하고 있다.

07 효진이는 적절한 반응을 통해 지애의 말에 공감하고 있음을 드러냈다. 이러한 효진이와의 대화를 통해 지애는 친구에게 자신의 잘못을 이야기하고 사과할 용기를 얻게 되었을 것이다.

08 한솔이는 준희의 말을 주의 깊게 듣지 않고 도서관이 문을 닫아서 고민하는 준희에게 지금 도서관에서 책을 빌리면 되지 않느냐고 말했다.

09 한솔이가 준희의 고민에 공감한다면 준희의 감정을 바탕으로 고민을 해결하는 방법을 제시하거나 준희의 감정을 적절하게 수용하는 말을 할 수 있다.

채점 요소	배점	총점
준희의 말을 정리하고 반복하는 표현을 적절하게 씀.	2점	
준희의 고민에 대한 적절한 해결 방법을 제시함.	2점	4점
문장이 어색하거나 맞춤법이 틀린 것이 있음.	-1점	

체크샘과 함께 **선택 학습** p.125-126

활동 1 한글의 우수성 이해하기

선택 학습 문제ㅣ 1 ④ **2** ⑤ **3** (과거 동양 철학에서) 하늘, 땅, 사람이 만물의 근본이라고 생각했기 때문이다.

1 현재 지구상에 남아 있는 글자 중에서 창제 원리와 거기에 담긴 철학적 원리가 자세히 기록된 것은 한글뿐이다.

2 한글이 뛰어난 글자로 인정받는 이유는 창제 원리와 거기에 담긴 철학적 원리, 사용법, 보기 등이 자세하게 기록된 유일한 문자이기 때문이다.

3 세종 대왕은 과거 동양 철학에서 만물의 근본이라 생각했던 하늘, 땅, 사람의 모양을 본떠 모음 기본자를 만들었다.

활동 2 상대에게 공감하며 대화하기

선택 학습 문제ㅣ 1 ③

1 누나는 엄마와 같은 입장에서 석환이와 갈등하고 있는 것이지 엄마와 석환이의 갈등을 중재하고 있는 것은 아니다.

잠깐 **어휘 학습** p.127

❶ 한글의 창제 원리와 우수성

민심, 정의, 정의, 음악, 음악

❷ 마음을 나누는 대화

감동, 감정

대단원 **마무리 체크** p.128-129

01 문자, 한자 **02** 평민, 한문, 어려웠다 **03** (1) 자주정신 (2) 애민 정신 (3) 실용 정신 **04** (1) ○ (2) ○ (3) ○ (4) × (5) ○ (6) ○ **05** (1)-㉤ (2)-㉣ (3)-㉠ (4)-㉡ (5)-㉢ **06** (1) ○ (2) ○ (3) × (4) ○ (5) ○ (6) ○ (7) ○ **07** (1) 적다 (2) 소리, 의미 (3) 일대일, 다양하게 (4) 관계, 소리, 없다 **08** 음절, 효율 **09** 모아쓰기 **10** (1) ○ (2) ○ (3) × **11** 상호 작용, 공유 **12** 생각, 의미 **13** 공감, 반응 **14** (1) ○ (2) ○ (3) × (4) ○ (5) ○ (6) ○ (7) × **15** 풍경, 사람 **16** 즐거움, 조정 **17** 생각 **18** (1) 마을 장터 (2) 아나바다 (3) 경험 (4) 좋은 점 (5) 아나바다, 마을 장터 **19** 배경지식, 의미 **20** 도서관, 도서관 **21** (1) 고개, 이해, 용기 (2) 시선, 집중, 존중 **22** (1) 상황 (2) 눈, 관심 (3) 요약, 정리, 반응

대단원 **종합 문제** p.130-134

01 ⑤ **02** ⑤ **03** ③ **04** ④ **05** ② **06** ㅇ, ㅿ, ㆆ **07** 자음 기본자에 획을 더하여(가획하여) 만들었다. **08** ④ **09** ④ **10** ② **11** ② **12** ④ **13** 오른쪽, 아래쪽 **14** ㉠, ㉣, ㉤ **15** ① **16** 한글은 소리가 비슷한 글자들끼리 모양이 비슷해서 글자의 모양을 보고 글자들의 관계나 소리의 특징을 짐작할 수 있다. 이와 달리, 영어 알파벳은 소리가 비슷한 글자라도 모양이 전혀 달라서 글자의 모양을 보고 글자들의 관계나 특징을 짐작하기 어렵다. **17** ⑤ **18** ㉠: ㄱㅜㄹㅡㅁ, ㉡: 구름 **19** ⑤ **20** (1) 합성의 원리 (2) 가획의 원리 **21** 훈민정음 **22** ④ **23** ② **24** (사회 시간에 배운) 아나바다 운동의 의미 **25** ④ **26** ①, ④ **27** ③ **28** ④ **29** ③ **30** ④ **31** ④

01 한글이 창제되기 전까지는 한자를 사용해서 문자 생활을 했기 때문에 문자 생활에 어려움이 없었던 양반들과 달리 평민들은 문자를 통해 지식과 정보를 얻기가 어려웠다. 양반들이 평민들에게 한자를 가르쳐 주어 평민들이 편하게 문자 생활을 할 수 있었던 것은 아니다.

02 세종 대왕은 우리나라 말이 중국과 달라서 우리만의 독창적인 문자가 필요하다는 것을 인식하고(자주정신), 한자를 모르는 백성들이 자신의 뜻을 표현하지 못하는 것을 가엾게 여겨(애민 정신), 모든 사람으로 하여금 쉽게 익혀서 날마다 편리하게 쓰도록 하기 위해(실용 정신) 한글을 창제했다.

03 한글의 자음 기본자는 'ㄱ, ㄴ, ㅁ, ㅅ, ㅇ'이고, 모음 기본자는 'ㆍ, ㅡ, ㅣ'이다.

04 모음 기본자 'ㆍ, ㅡ, ㅣ'는 각각 하늘, 땅, 사람의 모양을 본떠 만들었다.

05 'ㅅ'은 이의 모양을 본떠서 만든 자음자이고, 'ㅃ'은 같은 글자를 가로로 나란히 붙여 써서 만든 자음자이다.

> ➕ **Clinic 오답 강의**
> ㉡ 'ㄱ'은 자음 기본자이다.
> ㉢ 'ㄲ'은 같은 글자를 가로로 나란히 붙여 쓴 자음자이다.
> ㉤ 'ㄵ'은 다른 글자를 가로로 나란히 붙여 쓴 자음자이다.

06 한글 창제 당시에 만들어진 자음자들은 오늘날 사용되는 자음자의 바탕이 되었다. 하지만 한글 창제 당시에 만들어진 자음자 중 'ㆁ(옛이응)', 'ㅿ(반치음)', 'ㆆ(여린히읗)'은 오늘날에는 사용되지 않는다.

07 'ㄴ'에 획을 더하여 'ㄷ, ㅌ'을, 'ㅅ'에 획을 더하여 'ㅈ, ㅊ'을, 'ㄱ'에 획을 더하여 'ㅋ'을, 'ㅇ'에 획을 더하여 'ㅎ'을 만들었다.

채점 요소	배점	총점
자음 기본자에 획을 더하여 만들었다는 내용을 씀.	3점	3점
문장이 어색하거나 맞춤법이 틀린 것이 있음.	−1점	

08 'ㅆ'은 'ㅅ'을 가로로 나란히 붙여 써서 만든 자음자이다. 'ㄷ'은 'ㄴ', 'ㅈ'은 'ㅅ', 'ㅋ'은 'ㄱ', 'ㅎ'은 'ㅇ'에 획을 더하여 만든 글자이다.

09 'ㄴ'에 가획하여 'ㄷ, ㅌ'을, 'ㅅ'에 가획하여 'ㅈ, ㅊ'을, 'ㅁ'에 가획하여 'ㅂ, ㅍ'을 만들었다.

10 'ㄸ, ㅃ, ㅆ, ㅉ'은 같은 글자를, 'ㅄ, ㄳ, ㄵ, ㄾ'은 서로 다른 글자를 가로로 붙여 쓰는 방식으로 만들어진 자음자이다.

11 모음자의 제자 원리에는 상형, 합성이 있다.

> **➕ Clinic 오답 강의**
> ① 자음 기본자는 상형, 'ㄷ, ㅌ, ㅂ, ㅍ'과 같은 자음자는 가획의 원리에 따라 만들어졌다.
> ③ 모음 기본자를 합성하여 'ㅏ, ㅓ, ㅗ, ㅜ'를 만들고, 여기에 다시 모음 기본자를 합하여 'ㅑ, ㅕ, ㅛ, ㅠ'를 만들었다.
> ④ 창제 당시에 만들어진 자음자 중 'ㆁ, ㆆ, ㅿ'은 오늘날 사용되지 않는다.
> ⑤ 《훈민정음》 해례본은 한글의 창제 원리, 철학적 원리, 사용법, 보기 등이 자세하게 기록되어 있어 세계 기록 유산으로 지정되었다. 현재 지구상에 남아 있는 글자 중 창제 원리와 거기에 담긴 철학적 원리가 한글과 같이 자세히 기록된 문자는 없다.

12 모음 기본자는 하늘, 땅, 사람의 모양을 본뜬 상형의 원리를 바탕으로 만들었다.

13 '하늘'의 '하'에서 모음자 'ㅏ'는 자음자 'ㅎ'의 오른쪽에, '늘'에서 모음자 'ㅡ'는 자음자 'ㄴ'의 아래쪽에 붙여 썼다.

14 한글은 한자에 비해 글자 수가 적으며 적은 수의 글자로 수많은 음절을 표현할 수 있는 효율적인 문자이다. 한자는 의미를 나타내기 때문에 세상에 존재하는 의미의 수만큼 글자가 많이 필요하다.

> **➕ Clinic 오답 강의**
> ㄴ 글자와 소리가 거의 일대일로 대응하는 것은 한글이다.
> ㄷ 한글은 소리를, 한자는 의미를 나타내는 문자이다.

15 'ㅏ'는 [아]라는 한 가지 소리로 발음되지만, 영어 알파벳 'a'는 단어에 따라 [애], [에이], [아ː] 등 그 발음이 다르다.

16 한글은 소리가 비슷한 글자들끼리 글자 모양이 서로 비슷하여 글자의 모양을 통해 글자들의 관계나 소리의 특징을 짐작할 수 있다.

채점 요소	배점	총점
한글은 글자의 모양을 보고 글자들의 관계나 소리의 특징을 짐작할 수 있다는 내용을 씀.	2점	4점
영어 알파벳은 글자의 모양을 보고 글자들의 관계나 소리의 특징을 짐작하기 어렵다는 내용을 씀.	2점	
문장이 어색하거나 맞춤법이 틀린 것이 있음.	−1점	

17 한글은 초성, 중성, 종성을 합쳐서 음절 단위로 모아쓰기 때문에 풀어쓰는 영어 알파벳에 비해 글에 담긴 정보를 더 빠르게 파악할 수 있다.

18 '구름'을 영어 알파벳같이 풀어쓰면 'ㄱㅜㄹㅡㅁ', 음절 단위로 모아쓰면 '구름'으로 표기한다.

19 한글은 가로나 세로 방향으로 자유롭게 쓸 수 있어서 정보를 전달하는 데 실용적이다.

20 (1)에는 모음 기본자를 합하여 다른 모음자를 만드는 합성의 원리가, (2)에는 자음 기본자에 획을 더하여 다른 자음자를 만드는 가획의 원리가 적용되었다.

21 '훈민정음'은 세종 대왕이 창제한 글자의 이름이다. 또한 세종 대왕은 한글을 창제한 후 《훈민정음》을 통해 한글의 창제 원리와 철학적 원리, 사용법, 보기 등을 기록으로 남겼다.

22 여학생은 남학생의 말에 귀 기울이지 않고 있었으므로 상대의 말에 집중하는 태도가 필요하다.

23 서울이는 여행의 의미에 대한 자신의 생각을 재경이가 생각하는 방향으로 바꾼 것이 아니라, 재경이의 생각을 받아들이며 대화하기 전에 가지고 있던 자신의 생각을 조정한 것이다.

24 지혁이는 마을 장터에서 책을 샀다는 소정이의 이야기를 들은 후 사회 시간에 배운 아나바다 운동을 떠올렸다.

25 ㄹ은 마을 장터에 다녀왔다는 소정이의 이야기를 듣고 자신이 마을 장터에 가지 못한 것을 아쉬워하고 있는 것이지 자신과 함께 가지 않은 소정이를 원망하고 있는 것은 아니다.

26 의미를 공유하며 대화할 때, 말하는 이와 듣는 이는 배경지식을 적극적으로 활용하여 이야기를 나누어야 한다. 또한 상대가 하는 말에 적절하게 반응하며 의미를 협력적으로 구성해 나가야 한다.

27 공감하며 대화할 때에는 상대의 말을 논리적으로 분석하여 비판하거나 해결책을 제시하는 것이 아니라 상대의 상황과 처지를 이해하고 상대의 관점에서 문제를 바라보며 상대의 마음에 공감해야 한다.

28 오른쪽 상황에서 엄마는 선혜가 엄마 쪽으로 몸을 돌려 엄마의 말에 반응을 보였기 때문에 선혜가 자신의 말에 집중한다고 느꼈을 것이다.

29 재영이는 말하는 이 쪽으로 몸을 돌려 상대의 말을 듣고 있으므로 말하는 이는 존중받는다는 느낌을 받았을 것이다.

30 효진이는 지애의 고민을 듣고 지애의 상황과 처지에 공감하기 위해 여러 가지 반응을 보이고 있다.

31 ㉠에서는 고개를 끄덕이며 지애의 말을 이해하고 있음을 드러내고, ㉡에서는 부드럽게 눈을 맞추며 지애의 말에 집중하고 있음을 드러내는 것이 가장 적절하다.

p.135~136

01 한자를 모르는 어리석은 백성이 말하고자 하는 바가 있어도 끝내 제 뜻을 펴지 못하는 경우가 많아 세종 대왕이 이를 가엾게 여기기 때문이다. / 말하고자 하는 바를 문자로 표현하지 못하는 백성들을 가엾게 여기는 애민 정신 때문이다.
02 ·㉠: 혀뿌리가 목구멍을 막는 모양을 본떴다. ·㉡: 입 모양을 본떴다. ·㉢: 자음 기본자는 발음 기관의 모양을 본떠 만들었다는 상형의 원리를 알 수 있다.
03 (1) 'ㆍ, ㅡ, ㅣ'는 각각 하늘, 땅, 사람의 모양을 본뜬 상형의 원리에 따라 만들었다. (2) 'ㅗ, ㅜ, ㅏ, ㅓ'는 모음 기본자를 합하여 다른 모음자를 만드는 합성의 원리에 따라 만들었다. **04** 하나의 글자가 다양하게 발음되는 영어 알파벳에 비해 한글은 글자와 소리가 거의 일대일로 대응하기 때문에 배우고 기억하기가 쉽다. **05** 한글은 창제 원리가 체계적이기 때문에 이를 컴퓨터나 휴대 전화 자판에 적용하면 적은 글쇠로도 정보를 효율적으로 입력할 수 있다. 또한 한글은 초성, 중성, 종성을 합쳐서 음절 단위로 모아쓰기 때문에 정보를 빠르게 파악할 수 있고, 정보를 전달하는 데에도 실용적이다. **06** (1) 듣기·말하기는 말하는 이와 듣는 이가 서로 협력적으로 상호 작용하며 공통의 의미를 구성하는 과정이다. (2) 배경지식을 적극적으로 활용하여 이야기를 나누고, 상대가 하는 말에 적절하게 반응하며 아나바다 운동의 의미를 공유했다. **07** 바람직한 듣기 태도를 보인 것은 (가)이다. (가)에서 재영이는 말하는 이 쪽으로 몸을 향해 말하는 이의 말을 경청하고 있지만, (나)에서 재영이는 턱을 괸 채 말하는 이와 시선을 맞추지 않고 무표정한 얼굴을 하고 있기 때문이다. **08** 효진이는 ㉠에서 고개를 끄덕이면서 지애의 말을 정리하여 자신이 지애의 감정에 공감하며 지애의 말을 이해하고 있음을 드러냈다. 또한 ㉡에서는 지애와 시선을 맞추며 지애의 말에 집중하고 있음을 드러냈다. 이를 통해 지애는 효진이가 자신을 존중하고 자신의 말을 경청하고 있다고 느꼈을 것이다.

01 한자를 몰라 문자 생활에 불편함을 겪는 백성들을 가엾게 여겨 세종 대왕은 애민 정신을 바탕으로 한글을 창제했다.

채점 요소	배점	총점
세종 대왕이 한글을 창제한 이유가 애민 정신 때문임을 적절히 씀.	4점	4점
문장이 어색하거나 맞춤법이 틀린 것이 있음.	−1점	

02 'ㄱ'은 혀뿌리가 목구멍을 막는 모양을, 'ㅁ'은 입 모양을 본떠 만들었다. 즉 자음 기본자는 모두 상형의 원리에 따라 발음 기관의 모양을 본떠 만들었다.

채점 요소	배점	총점
㉠에 혀뿌리가 목구멍을 막는 모양을 본떴다는 내용을 씀.	1점	
㉡에 입 모양을 본떴다는 내용을 씀.	1점	
자음 기본자가 발음 기관의 모양을 본떴다는 내용을 씀.	2점	6점
자음 기본자가 상형의 원리에 따라 만들어졌다는 내용을 씀.	2점	
문장이 어색하거나 맞춤법이 틀린 것이 있음.	−1점	

03 모음 기본자는 상형의 원리에 따라 천지인(天地人)을 본떠서 만들었고, 기본자 외의 다른 모음자는 모음 기본자를 결합하는 합성의 원리에 따라 만들었다.

채점 요소	배점	총점
(1)의 모음자를 상형의 원리에 따라 만들었다는 내용을 구체적으로 씀.	2점	
(2)의 모음자를 합성의 원리에 따라 만들었다는 내용을 구체적으로 씀.	2점	4점
문장이 어색하거나 맞춤법이 틀린 것이 있음.	−1점	

04 영어 알파벳 'a'는 단어에 따라 [애], [에이], [아ː] 등 그 발음이 다양하지만, 한글 'ㅏ'는 [아]라는 소리 한 가지로만 발음된다.

채점 요소	배점	총점
영어 알파벳은 하나의 글자가 여러 소리로 발음된다는 내용을 씀.	2점	
한글은 글자와 소리가 거의 일대일로 대응하기 때문에 배우고 기억하기 쉽다는 내용을 씀.	2점	4점
문장이 어색하거나 맞춤법이 틀린 것이 있음.	−1점	

05 한글의 창제 방식이 간결하고 효율적이기 때문에 적은 수의 글쇠로도 정보를 효율적으로 입력할 수 있다. 또한 한글은 모아쓰기를 하기 때문에 한번에 많은 정보를 인식할 수 있고, 정보를 전달하는 데에도 실용적이다.

채점 요소	배점	총점
한글의 창제 원리가 체계적이기 때문에 적은 글쇠로도 정보를 효율적으로 입력할 수 있다는 내용을 씀.	3점	
한글은 모아쓰기 때문에 정보를 빠르게 파악할 수 있고, 정보를 전달하는 데에도 실용적이라는 내용을 씀.	3점	6점
문장이 어색하거나 맞춤법이 틀린 것이 있음.	−1점	

06 (1) 지혁이와 소정이는 협력적으로 상호 작용하며 아나바다 운동의 의미를 공유했다.

채점 요소	배점	총점
듣기·말하기가 협력적으로 상호 작용하는 과정이라는 내용을 씀.	3점	
듣기·말하기가 공통의 의미를 구성하는 과정이라는 내용을 씀.	2점	5점
문장이 어색하거나 맞춤법이 틀린 것이 있음.	−1점	

(2) ㉠에서 지혁이는 자신의 배경지식을 적극적으로 활용하여 아나바다 운동을 떠올렸고, ㉡에서 지혁이는 소정이의 질문에 적절하게 반응하며 함께 의미를 구성해 나갔다.

채점 요소	배점	총점
배경지식을 적극적으로 활용하여 이야기를 나누었다는 내용을 씀.	2점	
상대의 말에 적절하게 반응하며 아나바다 운동의 의미를 공유했다는 내용을 씀.	2점	4점
문장이 어색하거나 맞춤법이 틀린 것이 있음.	−1점	

07 상대의 말을 들을 때에는 상대 쪽으로 몸을 향하여 집중하고, 상대와 자연스럽게 눈을 맞추어 상대의 말에 관심을 나타내며 들어야 한다.

채점 요소	배점	총점
바람직한 듣기 태도를 보인 것으로 (가)를 선택함.	1점	
(가)에서 재영이가 말하는 이 쪽으로 몸을 향했다, 상대의 말을 경청하고 있다는 내용을 씀.	2점	
(나)에서 재영이가 턱을 괸 채 말하는 이와 시선을 맞추지 않는다, 무표정한 얼굴을 하고 있다는 내용을 씀.	2점	5점
문장이 어색하거나 맞춤법이 틀린 것이 있음.	−1점	

08 효진이는 고개를 끄덕이고, 지애의 말을 정리·반복하였다. 또한 시선을 맞추며 지애의 말에 집중하고 있음을 드러냈다. 이를 통해 지애는 효진이가 자신을 존중하고 자신의 말을 경청하고 있다고 느꼈을 것이다.

채점 요소	배점	총점
효진이가 지애의 말에 공감을 표현하기 위해 ㉠, ㉡에서 사용한 방법을 적절히 씀.	3점	
지애는 효진이가 자신을 존중하고 자신의 말을 경청하고 있다고 느꼈다는 내용을 씀.	3점	6점
문장이 어색하거나 맞춤법이 틀린 것이 있음.	−1점	

4 | 함께 여는 세상의 창

01 작품의 재발견

바로바로 개념 체크　　　　　　　　p.140

1 재구성(각색)　　**2** ③　　**3** ⑤

1 재구성(각색)은 문학 작품을 다른 갈래의 문학 작품으로 고쳐 쓰는 것이다.

2 뮤지컬은 관객을 대상으로 무대 위에서 이루어지는 공연이므로 시간적, 공간적 제약이 비교적 많다.

3 현재화된 표현을 통해 이야기가 진행되는 것은 희곡이나 뮤지컬, 시나리오와 같은 극 문학의 특징이다. 소설은 현재화된 표현이 사용되지 않을 수도 있다.

소단원 체크　　　　　　　　　　p.141~152

1 ⑤　**2** ④　**3** ④　**4** ③　**5** ④　**6** ①, ③　**7** ②　**8** ④　**9** 운동화, 흰 봉투　**10** ⑤　**11** ②　**12** ⑤　**13** ①　**14** ②　**15** ③　**16** ①　**17** ②　**18** ③　**19** ④　**20** ②　**21** 저쪽 사람　**22** ④　**23** (분홍색) 구두　**24** ③　**25** ⑤　**26** ①　**27** ④　**28** ②　**29** ②　**30** ①　**31** ②　**32** ⑤　**33** 엄마　**34** ③　**35** ④　**36** ⑤　**37** 성장

1 '장면 번호(S#)'는 시나리오의 구성 단위이다. 이 글은 연극의 요소에 음악과 노래, 춤을 가미한 뮤지컬 대본으로, 구성 단위로는 '장'이 나타난다.

2 이 글은 뮤지컬 대본으로 주로 배우의 대사와 행동, 노래를 통해 사건이 전개된다. 지시문은 배우의 행동이나 무대 장치 등을 지시하는 역할을 한다.

3 이 글에 아버지가 어머니를 완득이 모르게 만났다는 내용은 나타나지 않는다.

4 (나)에서 똥주 선생님으로부터 어머니가 자신을 보고 싶어 한다는 소식을 들은 완득이는 자신을 떠난 어머니에 대해 거부감을 드러낸다.

5 '7. 마주치지 않을게요'는 아들을 간절히 그리워하면서도 차마 그 앞에 나설 수 없는 어머니의 마음을 담은 노래로, 애절하면서도 안타까운 분위기가 나타난다.

6 (다)의 노래에서 어머니는 숨을 쉬는 내내 완득이를 그리워해 왔지만 어머니로서의 역할을 하지 못했기 때문에 완득이 앞에 나설 수 없다는 죄책감을 갖고 있음을 알 수 있다.

7 완득이를 항상 그리워하며 잊지 못하는 어머니의 마음을 표현하기 위해서는 '자나 깨나 잊지 못함.'을 뜻하는 오매불망(寤寐不忘)이 가장 적절하다.

Clinic 오답 강의

① 연목구어: 도저히 불가능한 일을 굳이 하려 함을 비유적으로 이르는 말
③ 일석이조: 동시에 두 가지 이득을 봄을 이르는 말
④ 조삼모사: 간사한 꾀로 남을 속여 희롱함을 이르는 말
⑤ 표리부동: 겉으로 드러나는 언행과 속으로 가지는 생각이 다름을 이르는 말

8 (라)에서 어머니는 아들인 완득이를 오랜만에 만난 어색함과 자신이 어머니로서의 역할을 다하지 못한 것에 대한 죄책감과 미안함을 드러내고 있을 뿐 다시는 아들과 헤어지지 않겠다고 다짐하고 있는 것은 아니다.

9 완득이를 찾아온 어머니는 완득이에게 운동화와 흰 봉투(편지)를 건넨다. 이는 그동안 어머니로서 함께 있어 주지 못했던 미안함과 아들에 대한 사랑을 표현하는 것이다.

10 아버지가 나타나자 파르르 떨다가 뛰쳐나가는 어머니의 모습을 고려할 때, 어머니가 일부러 아버지의 귀가 시간에 맞추어 방문했다고 볼 수는 없다.

11 (바)에서는 어머니를 처음 마주한 뒤 마음이 흔들리는 완득이의 심리와 완득이 옆에 있어 주지 못한 것을 미안해하는 어머니의 심리를 드러낸다. ⑤ '전기성'은 전해져 내려오는 기이한 성질, 즉 비현실적인 성질을 뜻한다.

12 어머니의 편지에 사회에 대한 원망은 나타나지 않는다.

13 완득이는 오랜만에 어머니를 만났지만 이에 대한 감정 표현이나 제대로 된 대화도 나누지 못한 채 금방 헤어졌기 때문에 허무함을 느꼈다.

14 완득이는 겉으로는 어머니를 거부하고 있지만, 혼자서 어머니가 사 준 운동화를 신어 보는 것으로 보아 마음 깊은 곳에서는 어머니를 그리워하고 있음을 알 수 있다.

15 똥주 선생님이 ㉠과 같이 말한 이유는 완득이가 편견을 가지고 어머니를 업신여기거나 무시하지 않기를 바라서이다.

16 뮤지컬 대본은 소설과 달리 서술자가 따로 없고 인물의 대사와 노래 등을 통해 사건이 전개된다.

17 (자)에는 완득이가 킥복싱을 하는 것에 대한 어머니(개인)와 아버지(개인) 사이의 갈등이 나타난다.

18 "그 선생이 뭘 안다고 그런 소리를 해!"라고 한 것으로 보아 아버지는 이동주(똥주) 선생님을 신뢰하고 있다고 볼 수 없다.

19 완득이는 노래 '15. 왜'에서 자신을 둘러싼 환경에 굴하지 않고 당당하게 맞서겠다는 의지를 드러내고 있다.

20 뮤지컬 대본에서 사건은 주로 등장인물의 대사와 행동, 노래를 통해 전개된다.

21 가게 주인이 어머니를 보고 '저쪽 사람'이라고 지칭하는 것에는 동남아 외국인 노동자를 우리 사회 구성원과 다른 존재로 보는 편견이 깃들어 있다.

22 가게 주인이 "가만 보니 저쪽 사람 같은데, 학생하고 많이 닮았네."라고 말하는 것으로 보아, 가게 주인은 다문화 가정과 외국인 노동자에 대한 편견을 가지고 있는 인물이라는 것을 알 수 있다.

23 완득이가 어머니에게 선물한 분홍색 구두는 완득이가 어머니에게 마음을 열기 시작했음을 보여 주는 소재이다.

24 어머니와 완득이는 가게 주인에게 자신들의 관계를 말하지 못했다.

25 완득이는 어머니와의 관계를 묻는 가게 주인의 말에 대답하지 못했다. 다른 사람에게 어머니와 자신의 관계를 밝히는 것이 아직은 조심스럽고 망설여졌기 때문이다.

26 어머니는 자신이 준 음식에 대해 완득이가 짜다고 이야기하는 것에서 완득이가 자신에게 조금씩 마음을 열어 간다는 것을 알고 완득이에게 고마움을 느꼈을 것이다.

27 어머니가 "여자 친구 있다면서요?"라고 하자 완득이는 "똥주가 그래요?"라고 하고 있을 뿐 여자 친구가 있다고 자랑한 것은 아니다.

28 '11장'은 구성 단계상 대단원에 해당한다. 대단원에서는 갈등이 해소되고 주인공의 운명이 결정된다.

29 완득이는 상대 선수에게 맞고 쓰러져 시합에서 졌지만 끝까지 포기하지 않아 최선을 다했다는 만족감을 느낀 것이지 극적으로 승리한 것은 아니다.

30 경기 도중 수건을 링에 던지는 것은 기권하겠다는 의사 표현이다. 따라서 완득이가 관장의 수건을 빼앗아 멀리 던져 버리는 행동은 시합을 포기하지 않겠다는 의지를 드러내는 것이다.

31 (거)의 노래 '19. 괜찮아'에서는 세상과 당당하게 맞서고자 하는 완득이의 의지와 정신적으로 성장한 완득이의 모습을 볼 수 있다.

32 똥주 선생님은 완득이가 킥복싱을 배울 수 있도록 도움을 준 인물이므로, 킥복싱 시합을 통해 완득이가 똥주 선생님의 간섭에서 벗어난다는 것은 적절하지 않다.

33 완득이가 어머니를 '엄마'라고 부르는 것은 어머니를 마음으로 완전히 받아들였다는 것을 의미한다.

34 (너)의 노래 '햇살 1그램'에서는 주어진 환경에 좌절하지 않고 꿈을 이루기 위해 적극적으로 도전하겠다는 완득이의 의지를 알 수 있다.

35 ㉠은 자신을 받아들인 완득이에 대한 어머니의 감정이 드러나는 부분이므로 슬픔과는 거리가 멀다.

36 (너)에서 꿈을 향해 최선을 다하겠다는 완득이의 의지는 드러나지만 시합에서 지지 않겠다고 다짐하는 모습은 나타나지 않는다.

37 대단원에서는 킥복싱을 통해 삶의 목표를 찾는 완득이의 성장을 볼 수 있다.

시험 포인트   p.141~152

01 운동화, 향기, 미안해함
02 존댓말, 구두, 고마움, 안쓰러움, 저쪽 사람, 편견
03 성장, 엄마
생각 모으기   원작, 특성, 가치, 재구성

교과서 날개   p.141~152

1 갑작스러운 어머니의 소식에 당황스러웠을 것이다. / 어머니가 그동안 자신을 찾지 않았다는 점 때문에 쉽게 마음을 열기 힘들 것이다.   **2** 완득이에게 그동안 표현하지 못한 미안한 마음과 사랑하는 마음을 전하는 편지가 들어 있을 것이다.   **3** 존재도 모른 채 지내 온 어머니를 만났지만 그동안의 이야기를 나누며 눈물을 흘리거나 격정적인 감정을 표현하는 일 없이 금방 헤어졌기 때문이다.   **4** 완득이가 어머니를 이해하고 어머니의 존재를 받아들이기를 바라는 마음으로 운동화를 찾아 주었을 것이다.   **5** 아버지는 완득이가 킥복싱을 그만두기를 바라지만 어머니는 완득이가 하고 싶은 것을 할 수 있도록 허락해 주기를 바라기 때문이다.   **6** 목표를 이루기 위해 자신을 둘러싼 환경에 당당하게 맞서겠다는 의지를 담고 있다.   **7** 낡은 신발을 신고 다니면서도 자신에게 새 운동화를 선물한 어머니에게 안쓰러움과 고마움을 느꼈기 때문이다.   **8** 시합에서는 졌지만 끝까지 포기하지 않고 최선을 다했기 때문이다.   **9** 완득이는 어머니와 함께할 미래를 생각하며 희망적인 마음을, 어머니는 자신을 받아들인 완득이에게 고마움을 느꼈을 것이다.

대본 한눈에 보기   p.153

편지, 구두, 엄마

소단원 마무리   p.154

킥복싱, 구두, 킥복싱, 서술자, 심리, 운동화, 사랑, 구두, 의지

학습 활동 엿보기   p.155~157

구두, 목표, 마음, 대사, 노래, 운동화, 서술자, 노래, 제약, 관점, 강조

학습 활동 응용 문제 | p.155~157

1 ②   **2** ②   **3** ⑤   **4** ②   **5** ⑤   **6** ①   **7** ①   **8** 가치   **9** ④

1 완득이는 똥주 선생님에게 어머니에 대한 이야기를 듣고 처음에는 어머니의 존재를 받아들이지 못해 강하게 거부하다가, 어머니에게 구두를 선물하는 등 점차 마음을 연다.

2 노래 '7. 마주치지 않을게요'에는 어머니가 완득이를 늘 그리워했지만(ⓐ) 어머니로서의 역할을 하지 못했다는 자책감(ⓓ) 때문에 완득이 앞에 나서지 못했음이 드러난다.

3 완득이는 킥복싱 시합에서 상대 선수에게 수없이 맞으면서도 경기를 끝까지 포기하지 않았다.

4 어머니가 '나(완득이)'에게 준 봉투에는 편지만 들어 있었다.

5 대사와 노래로 등장인물의 심리를 제시하는 것은 뮤지컬 대본이다.

6 뮤지컬 대본에서는 주로 대사와 행동, 노래를 통해 내용을 전달한다.

7 뮤지컬 대본 〈완득이〉는 시간과 공간에 제약이 있어 사건을 압축적으로 보여 주거나 생략한다.

8 원작을 재구성한 작품에는 작가의 새로운 상상과 가치가 반영된다.

9 ㉠에서는 더 이상 포기하지 않고 세상과 당당하게 맞서겠다는 완득이의 의지와 정신적인 성장이 드러난다.

소단원 종합 문제 p.158-159

01 ② **02** ③ **03** ④ **04** (가)에서 어머니의 존재를 부정한 완득이가 (라)에서 어머니가 사 준 운동화를 신어 보는 것은 어머니에게 점차 마음을 열어 간다는 것을 의미한다. **05** ③ **06** ④ **07** 원작 소설에서는 완득이의 첫 경기 날을 간략하게 제시한 반면, 뮤지컬 대본인 이 글에서는 완득이가 경기를 치르는 모습을 구체적으로 생생하게 제시했다.

01 뮤지컬 대본은 무대 상연(공연)을 목적으로 하기 때문에 현재화된 표현을 사용하지만 소설은 현재화된 표현을 사용하지 않을 수도 있다.

02 ㉠은 어머니가 완득이에게 준 선물이고, ㉡은 완득이에 대한 어머니의 마음이 담긴 편지이므로 ㉠과 ㉡은 모두 완득이에 대한 어머니의 관심과 사랑을 보여 준다.

03 (다)에 완득이와 함께 살 수 없도록 만든 아버지를 원망하는 어머니의 모습은 나타나지 않는다.

04 어머니가 사 준 운동화를 몰래 신어 보는 것은 처음에 어머니의 존재를 부인했던 완득이가 어머니에 대해 점차 마음을 열어 간다는 것을 의미한다.

채점 요소	배점	총점
(가)에서 완득이가 어머니의 존재를 부인했다는 내용을 씀.	2점	
완득이가 어머니에 대해 마음을 열어 간다는 내용을 씀.	3점	5점
문장이 어색하거나 맞춤법이 틀린 것이 있음.	-1점	

05 완득이가 어머니에게 구두를 선물한 것은 어머니에게 점차 마음을 열어 가고 있음을 드러내는 행위이지, 자신의 경제적 능력을 보여 주려는 의도는 아니다.

06 ㉣에서 완득이가 웃는 것은 시합에서는 졌지만 끝까지 포기하지 않고 최선을 다했다는 뿌듯함 때문이지 시합에서 졌다는 허탈감 때문에 웃는 것은 아니다.

07 원작 소설은 경기 날 있었던 일과 경기 결과가 두 문장으로 간략하게 서술되고 있지만, 뮤지컬 대본에서는 완득이가 경기를 치르는 모습과 태도를 구체적인 장면으로 제시했다.

채점 요소	배점	총점
원작 소설에서는 완득이의 시합 장면을 간략하게 제시했다는 내용을 씀.	2점	
이 글에서는 완득이의 시합 장면을 구체적으로 제시했다는 내용을 씀.	2점	5점
대조를 활용한 완결된 한 문장으로 서술함.	1점	
문장이 어색하거나 맞춤법이 틀린 것이 있음.	-1점	

02 우리가 만드는 연극

바로바로 개념 체크 p.160

1 ③ **2** ⑤ **3** ⑤

1 연극은 일반적으로 '발단-전개-절정-하강-대단원'의 단계로 구성된다.

2 ㉠은 등장인물의 행동을 지시하는 동작 지시문이다.

3 원작 소설 읽기는 연극 대본을 창작하고 공연하는 과정에 해당하지 않는다. 원작 소설 없이 새로운 이야기를 담은 대본을 창작할 수도 있다.

소단원 체크 p.161-167

1 ②-㉤-㉢-㉥-㉧-㉡-㉠ **2** (1) ○ (2) × (3) ○ **3** ④ **4** 성격, 중심, 주변 **5** ② **6** ⑤ **7** ④ **8** ③ **9** ④ **10** ① **11** 지시문 **12** ③ **13** ② **14** ② **15** ① **16** ④ **17** ③ **18** ⑤ **19** ⑤ **20** ① **21** ⑤

생각 모으기 갈등, 등장인물, 지시문, 조정, 사실성

1 일반적으로 연극은 '주제 정하기-대본 만들기-역할 정하기-세부 연습하기-최종 연습하기-공연하기-평가하기'의 단계에 따라 공연된다.

2 연극의 주제를 정할 때에는 평소 관심사나 경험, 생각 등을 바탕으로 관객이 공감할 수 있는 것으로 정한다. 연극에는 서술자가 없기 때문에 서술자가 잘 표현할 수 있는 내용을 주제로 정해야 하는 것은 아니다.

3 대본을 작성한 후에 연극의 주제를 정하는 것이 아니라 주제를 먼저 정한 다음에 대본을 구체화해야 한다.

4 등장인물의 성격을 구체화하고 주요 갈등을 만들 때에는 사건의 중심이 되는 인물(중심인물)과 그 주변에 등장하는 인물(주변 인물)을 설정하고, 연극에서 표현할 각 인물의 특성을 설정한다.

5 연극을 통해 전달할 이야기를 장면으로 구성할 때에는 갈등의 진행과 해결 과정이 뚜렷하게 드러나도록 해야 한다.

6 '장면 속 연극 요소 살리기' 단계에서는 등장인물과 장소, 배경, 장면에 어울리는 소리, 등장인물의 동선, 말과 행동 등의 연극 요소를 구체적으로 설정해야 한다.

7 효과음을 사용하면 극중 상황에 대한 사실성과 현장감을 높여 관객이 연극에 더욱 몰입할 수 있다.

8 저녁 식사 중 아버지가 지아를 혼내고 있는 장면이므로, 효과음으로 새 소리와 소 울음소리를 제시하여 농촌임을 드러내는 것은 적절하지 않다.

9 장면을 대본으로 만들 때에는 연극의 공연 시간을 고려하여 적절한 길이로 써야 한다.

10 ㉠은 점순이에게 별다른 관심이 없는 순돌이의 심리를 보여 주는 행동이다.

11 연극의 구성 요소 중 지시문은 등장인물의 행동이나 말투, 무대 장치나 음향 효과 등을 지시하고 설명하는 부분으로, 무대 지시문과 동작 지시문이 있다.

12 인물의 동작, 조명 등을 지시하는 것은 지시문의 기능이다.

13 아버지가 성적과 관련된 이야기를 하면서 지아를 혼내고 있는 상황이므로 자신 없는 목소리로 말하는 것이 ㉠에 가장 어울린다.

14 실제로 연극 공연을 할 때에는 관객과 소통하면서 공연해야 하지만 연극 공연을 준비할 때 관객 역할이 필요한 것은 아니다.

15 연극 대본을 보강하고 수정하는 역할은 연출이 아니라 작가가 해야 할 역할이다. 연출은 연극을 전체적으로 조정한다.

16 배경 음악과 음향을 담당하는 역할을 맡은 사람은 등장인물의 감정, 장면의 내용과 분위기에 맞는 음악과 극에 사실감을 더해 주는 음향을 준비해야 한다.

17 등장인물에 어울리는 의상 준비는 소품이나 의상을 준비하는 역할을 맡은 사람이 해야 하는 일이다.

18 '세부 연습하기'는 연극에서 맡은 역할에 따라 장면마다 준비해야 하는 사항을 정리하고, 그 내용에 따라 실제로 세부 연습을 진행하는 활동이다.

19 '최종 연습하기'는 연극이 공연될 장소에서 처음부터 끝까지 실제 공연처럼 연습하며 준비한 내용을 최종 점검하는 과정이다.

20 연극이 끝난 뒤에 관객들의 질문에 대답하며 대화를 나눌 수도 있지만 '최종 연습하기' 과정에서 관객들과의 대화를 미리 점검할 필요는 없다.

21 연극 공연을 관람할 때에는 배우가 연기를 펼치고 옆 사람이 공연을 관람하는 데 방해가 되지 않도록 공연 관람 예절을 지켜야 한다.

소단원 마무리
p.168

대본, 갈등, 장면, 역할, 최종, 평가, 연출, 동선, 음향, 특징, 사실성, 관객

소단원 종합 문제
p.169-170

01 ④ **02** ② **03** ③ **04** 효과음은 극중 상황의 사실성을 높이고, 관객이 연극에 몰입할 수 있도록 도와준다. / 효과음은 극중 상황의 분위기를 전달하고 앞으로 일어날 사건을 암시하는 등 내용을 실감 나게 표현하여 관객의 몰입도를 높인다. **05** 희곡 **06** ② **07** ⑤ **08** ④ **09** ④ **10** ⑤

01 연극은 시간적, 공간적 제약이 있으며 장면 전환이나 등장인물의 수에서도 영화나 소설에 비해 제약이 심하다.

02 대본 만들기 과정에서는 '대본 만드는 방법 논의하기, 등장인물의 성격과 주요 갈등 만들기, 이야기를 장면으로 구성하기, 장면 속 연극 요소 살리기, 장면을 대본으로 만들기'와 같은 일을 해야 한다.

03 기존 문학 작품을 각색하여 연극 대본을 만들 때에는 원작의 사건 진행 과정을 그대로 따르지 않고 필요에 따라 내용을 추가하거나 삭제할 수 있다.

04 ㉠처럼 극중 상황에 어울리는 소리를 효과음이라고 한다. 효과음은 극중 상황에 사실성을 부여하고, 관객이 몰입할 수 있도록 돕는 역할을 한다. 또한 효과음은 연극의 분위기를 전달하고 앞으로 일어날 사건을 암시하여 내용을 실감 나게 표현한다.

채점 요소	배점	총점
㉠과 같은 것을 지칭하는 말로 '효과음'을 씀.	1점	
효과음의 역할을 〈조건 2〉에 따라 두 가지 씀.	각 2점	5점
문장이 어색하거나 맞춤법이 틀린 것이 있음.	-1점	

05 연극의 대본을 희곡이라고 한다.

06 연극의 대본인 희곡에는 서술자가 등장하지 않는다. 희곡에서 인물의 성격이나 심리는 배우의 대사와 행동을 통해 드러난다.

07 점순이는 순돌이에게 관심을 표현하기 위해 말을 걸고 있으므로 사근사근한(생김새나 성품이 상냥하고 시원스러운) 목소리로 말하는 것이 가장 적절하다.

08 점순이는 순돌이에게 먼저 다가가서 말을 건네고, 순돌이가 무뚝뚝하게 반응하는 데도 불구하고 계속 말을 건넨다. 이러한 상황으로 볼 때 점순이 역할의 배우가 소심한 성격이 드러나도록 조심스러운 표정과 목소리로 연기하는 것은 적절하지 않다.

09 최종 연습은 본 공연에 앞서 준비한 내용을 최종적으로 점검하는 단계이다. 관람 예절은 공연을 관람하는 관객에게 필요한 것이므로 최종 연습과는 관련이 없다.

10 순돌이가 묵묵히 울타리를 엮는 것과 '풍덩' 소리는 아무런 관련이 없으므로 이를 효과음으로 사용했다고 해서 주제를 잘 표현할 수 있는 것은 아니다.

체크샘과 함께 선택 학습
p.171-174

활동 1 시를 소설로 재구성하기

선택 학습 문제 | **1** ④ **2** ② **3** 어느새 **4** ④

1 말하는 이는 어린 시절 아버지가 자신에게 보여 준 것과 같은 사랑을 찾아볼 수 없는 현실 때문에 안타까워하고 있다. 과거와 달라진 아버지의 태도를 원망하고 있는 것은 아니다.

2 이 시에서 과거와 현재를 이어 주는 매개체는 '눈'이다. 말하는 이는 성탄제 가까운 어느 날 밤에 내리는 눈을 바라보며 어린 시절 아버지의 사랑을 떠올리고 있다.

3 이 시는 크게 과거(어린 시절)를 회상하는 1~6연과 현재를 표현하는 7~10연으로 나눌 수 있다.

4 시를 소설로 재구성하는 과정에서 담고자 하는 새로운 의미나 가치를 표현하기 위해 원래의 시에 드러나지 않은 인물 사이의 갈등이나 사건을 추가할 수 있다.

활동 2 고전 소설을 낭독극으로 공연하기

선택 학습 문제 | **1** ⑤ **2** ④ **3** ② **4** ②

1 이 글은 놀부의 집에서 일어난 사건을 전달하고 있으므로 공간이 빈번하게 전환되며 이야기가 전개되는 것은 아니다.

2 사건 전개 과정에서 놀부가 흥부의 사정을 안타까워하거나 가엾게 여기는 마음은 전혀 나타나지 않는다.

3 흥부가 놀부에게 어린 자식들 데리고 굶다 못하여 도움을 청하러 왔다고 이야기하는 부분이므로 울먹이는 목소리로 말하는 것이 가장 어울린다.

4 낭독극에서는 출연자의 말재주로 사건을 전달해야 하므로 낭독자의 말투와 어조 등을 지시하는 지시문을 상세하게 구성해야 한다. 낭독극은 무대에서 하는 공연이 아니기 때문에 장면 전환 시 필요한 무대 장치를 구체적으로 구성할 필요는 없다.

잠깐 어휘 학습   p.175

① 작품의 재발견
상상, 공상, 환상, 예상
② 우리가 만드는 연극
가로 열쇠 1-공연, 2-극장, 3-작가, 5-대본
세로 열쇠 4-무대, 6-연기

대단원 마무리 체크   p.176-177

01 재구성 **02** 추가, 상상 **03** (1) ○ (2) ○ (3) × (4) ○ **04** (1) × (2) ○ (3) × (4) ○ (5) × **05** 담임(똥주) 선생님 **06** 편지 **07** 가게 주인 **08** 킥복싱, 갈등 **09** (1)-ⓒ (2)-ㄱ (3)-ㄴ **10** 엄마 **11** 서술자, 대사, 지시문, 노래, 운동화, 옥탑방, 아버지, 라면 **12** 목표, 성장 **13** (1) ○ (2) ○ (3) × (4) × **14** 발단-전개-절정-하강-대단원 **15** (1)-ⓒ (2)-ㄴ (3)-ㄱ **16** 주제, 성격, 갈등, 장면, 조명, 의상, 장면, 점검, 평가 **17** (1) 무대 장치 (2) 갈등 (3) 지시문 (4) 관객 (5) 시간 **18** 사실성, 몰입 **19** ㄱ, ㄴ, ㄷ **20** (1) × (2) × (3) ○ (4) ○ **21** (1) × (2) ○ (3) ○ **22** 협력

대단원 종합 문제   p.178-181

01 ③ **02** ⑤ **03** ④ **04** (나)에서 배우의 연기와 함께 음악적 요소인 노래가 나타나기 때문에 뮤지컬 대본의 특징이 가장 두드러지게 나타난다. **05** ③ **06** ⑤ **07** ④ **08** ⑤ **09** ① **10** ③ **11** (나)와 같은 희곡은 시간적·공간적 제약이 있는 반면 소설은 이러한 제약이 없다. 또한 희곡은 등장인물의 대사와 행동을 통해 사건이 전달되는 반면 소설은 서술자를 통해 사건이 전달된다. **12** ⑤ **13** ④ **14** ⑤

01 이 글은 뮤지컬 대본으로, 소설과 마찬가지로 인물 간의 갈등과 대립을 중심으로 사건이 진행된다.

02 (나)에서 완득이는 자신을 찾아온 어머니를 예상치 않게 만난 것이지 똥주 선생님의 입장을 배려하여 만난 것은 아니다.

03 '7. 마주치지 않을게요'는 아들을 간절히 그리워하면서도 차마 그 앞에 나설 수 없는 어머니의 마음을 노래하고 있으므로 애절하면서도 안타까운 느낌이 드러나도록 불러야 한다.

04 이 글은 연극적 요소에 음악과 노래, 춤 등의 음악적 요소를 더한 뮤지컬 대본이다. 따라서 이 글의 갈래상 특징을 가장 잘 드러내는 부분은 음악적 요소(노래)가 나타나는 (나)이다.

채점 요소	배점	총점
이 글의 갈래가 뮤지컬 대본임을 씀.	1점	
뮤지컬 대본의 특징이 가장 두드러지는 것으로 (나)를 선택함.	1점	4점
(나)에 음악적 요소가 나타난다는 내용을 씀.	2점	
문장이 어색하거나 맞춤법이 틀린 것이 있음.	-1점	

05 ⓒ에서 어머니는 스스로 '엄마'라고 할 자격이 없다고 생각하기 때문에 대답을 안 하는 것이지 한국말을 잘 못해서 일부러 대답을 피하는 것은 아니다.

06 (라)에서 완득이는 도내 챔피언과 힘든 경기를 펼치지만 끝까지 포기하지 않는다. 이를 통해 세상과 당당하게 맞서며 성장하는 완득이의 모습을 볼 수 있다.

07 (마)에는 세상을 대하는 완득이의 의지와 성장이 드러날 뿐 도내 챔피언에 대한 원망은 드러나지 않는다.

08 (가)는 장면을 대본으로 만들기 위해 등장인물과 장소, 배경, 장면에 어울리는 소리, 등장인물의 동선, 말과 행동 등 연극의 요소를 설정하는 단계이므로 각 장면의 중심 내용을 효과적으로 전달할 수 있도록 연극의 요소를 구체적으로 정리해야 한다.

09 ㄱ과 같은 음향은 극의 분위기를 전달하거나 사건을 암시하는 등 내용을 실감 나게 표현해 준다. 또한 연극 속 상황의 사실성을 높이고 관객이 연극에 몰입할 수 있도록 도와준다.

10 연극의 대본을 쓸 때에는 막이 오르기 전에 필요한 무대 장치, 인물, 배경 등을 설정하는 해설을 작성해야 한다.

11 희곡은 소설과 달리 여러 가지 제약을 받으며, 서술자 없이 등장인물의 대사와 행동을 통해 사건이 전달된다.

채점 요소	배점	총점
(나)가 희곡임을 언급함.	1점	
희곡은 시간적·공간적 제약이 있는 반면 소설은 없다는 내용을 씀.	2점	
희곡은 등장인물의 대사와 행동을 통해, 소설은 서술자를 통해 사건이 전달된다는 내용을 씀.	2점	5점
문장이 어색하거나 맞춤법이 틀린 것이 있음.	-1점	

12 '아버지의 서느런 옷자락'은 말하는 이가 떠올리는 아버지의 사랑을 의미한다. 따라서 ⑩은 어른이 된 말하는 이가 내리는 눈을 바라보며 아버지의 사랑을 그리워하고 있는 것으로 볼 수 있다.

13 낭독극은 목소리만으로 이루어지는 공연이므로 인물의 처지를 드러내는 소품이나 무대 장치는 준비하지 않아도 된다.

14 (나)에 나타난 흥부와 놀부의 심리와 태도를 고려할 때 ⓐ에는 '모르는 듯 시치미를 떼며', ⓑ와 ⓒ에는 '애걸하는 목소리로', ⓓ에는 '큰소리로 화를 내며 훈계하는 듯이'의 지시문이 들어가는 것이 적절하다.

잠깐! 서술형 특강
p.182~183

01 (1) (가)에서 어머니의 존재를 거부하던 완득이가 (다)에서는 어머니에게 구두를 선물하고 있다. 이를 통해 완득이가 점차 어머니에게 마음을 열고 있음을 알 수 있다. (2) (나)에서는 완득이를 보고 싶어 하면서도 쉽게 다가가지 못하고 조심스러워하는 어머니의 심리를 알 수 있다. 이와 같이 뮤지컬 대본은 등장인물의 심리가 배우가 부르는 노래를 통해 드러나기도 한다. **02** (1) (가)는 주인공인 완득이가 서술자가 되어 사건을 설명하지만, (나)에서는 서술자 없이 인물의 행동과 대사로 사건이 전개된다. (2) (가)에서는 어머니가 완득이를 찾아와 편지(하얀 봉투)를 건넸지만, (나)에서는 어머니가 완득이를 찾아와 운동화와 편지(흰 봉투)를 건넸다. 또한 (가)에서는 어머니가 완득이를 찾아왔을 때 함께 라면을 끓여 먹지만 (나)에서는 이런 내용이 없다. **03** (1) 등장인물의 성격을 구체화하고 주요 갈등을 만든다. / 사건의 중심이 되는 인물과 그 주변에 등장하는 인물들을 설정하고, 연극에서 표현할 각 인물의 특성을 정한다. / 주제를 효과적으로 전달하기 위해 필요한 인물들 사이의 갈등을 만든다. (2) 연극 속 상황의 사실성을 높이고, 내용에 맞는 분위기를 조성하여 관객이 연극 내용에 몰입할 수 있도록 돕는다. **04** (1) 자신이 연기할 인물을 이해한다. / 등장인물의 성격을 분석한다. / 등장인물의 역할을 장면에 따라 정리한다. / 대본을 연습한다. / 다른 배우들과 함께 대사를 연습한다. / 무대 동선을 정리한다. (2) 무대나 관객 등 실제 연극의 공연 상황을 고려하여 작성하고, 연극의 공연 시간을 고려하여 적절한 길이로 작성한다.

01 (1) (가)에서 어머니가 만나고 싶어 한다는 똥주 선생님의 말을 듣고 부정적인 반응을 보인 완득이가 (다)에서는 어머니에게 구두를 선물하고 있다.

채점 요소	배점	총점
(가)에서 부정적인 반응을 보인 완득이가 (다)에서 어머니에게 구두를 선물한다는 내용을 씀.	3점	6점
완득이가 점차 어머니에게 마음을 열고 있다는 내용을 씀.	3점	
문장이 어색하거나 맞춤법이 틀린 것이 있음.	-1점	

(2) 뮤지컬은 연극적 요소에 음악적 요소가 결합된 갈래로, 등장인물의 심리가 노래를 통해 드러나기도 한다.

채점 요소	배점	총점
(나)에서 알 수 있는 어머니의 심리를 적절히 씀.	3점	6점
등장인물의 심리가 배우가 부르는 노래를 통해 드러나기도 한다는 내용을 씀.	3점	
문장이 어색하거나 맞춤법이 틀린 것이 있음.	-1점	

02 (1) 소설은 서술자가 사건을 제시하는 반면, 뮤지컬 대본은 서술자 없이 인물의 대사와 행동을 통해 사건이 전개된다.

채점 요소	배점	총점
(가)는 서술자가 사건을 설명한다는 내용을 씀.	2점	5점
(나)는 인물의 행동과 대사로 사건이 전개된다는 내용을 씀.	2점	
대조의 방식으로 서술함.	1점	
문장이 어색하거나 맞춤법이 틀린 것이 있음.	-1점	

(2) 문학 작품을 재구성하면서 인물이나 사건을 다른 관점으로 바라보거나 특정한 내용을 추가, 생략할 수 있다.

채점 요소	배점	총점
어머니가 (가)에서는 편지를, (나)에서는 운동화와 편지를 건넸다는 것을 씀.	2점	4점
어머니가 찾아왔을 때 (가)에서는 함께 라면을 끓여 먹지만, (나)에는 이런 내용이 없다는 것을 씀.	2점	
문장이 어색하거나 맞춤법이 틀린 것이 있음.	-1점	

03 (1) 등장인물의 성격과 주요 갈등을 만들 때에는 중심인물과 주변 인물의 특징을 정리하고, 이들의 관계를 중심으로 주요 갈등을 설정한다.

채점 요소	배점	총점
등장인물의 성격과 주요 갈등 만들기에서 해야 할 일을 적절히 씀.	각 2점	4점
문장이 어색하거나 맞춤법이 틀린 것이 있음.	-1점	

(2) 배경이나 음향은 연극 속 상황에 대한 사실성을 높여 관객이 연극에 몰입할 수 있도록 도와준다.

채점 요소	배점	총점
연극 속 상황의 사실성을 높인다는 내용을 씀.	2점	6점
내용에 맞는 분위기를 조성한다는 내용을 씀.	2점	
관객이 연극 내용에 몰입할 수 있도록 돕는다는 내용을 씀.	2점	
문장이 어색하거나 맞춤법이 틀린 것이 있음.	-1점	

04 (1) 연극 공연에서 배우 역할을 맡은 사람은 자신이 연기할 인물을 이해하고 대본을 연습해야 한다.

채점 요소	배점	총점
배우 역할을 맡은 사람이 해야 할 일을 적절히 씀.	각 2점	4점
문장이 어색하거나 맞춤법이 틀린 것이 있음.	-1점	

(2) 연극 대본을 작성할 때에는 실제 공연 상황과 연극 시간을 고려하여 적절한 길이로 작성해야 한다.

채점 요소	배점	총점
실제 공연 상황을 고려해야 한다는 내용을 씀.	2점	4점
공연 시간을 고려하여 대본을 적절한 길이로 작성한다는 내용을 씀.	2점	
문장이 어색하거나 맞춤법이 틀린 것이 있음.	-1점	

1 | 표현의 빛깔

01 시로 표현하기_먼 후일

서술형 특강   p.02

답으로 가는 길 | **1** 3음보   **2** 반어   **3** 당신   **4** 그리움

1 사랑하는 사람인 '당신'과 헤어졌으나 '당신'을 잊지 못하고 몹시 그리워하고 있다.   **2** 3음보의 율격이 반복된다. / 같은 단어가 반복된다. / 대개 3·3·4개의 글자 수로 이루어진 행이 반복된다. / '~면 ~ 잊었노라'와 같은 비슷한 문장 구조가 반복된다.   **3** 오랜 시간이 지나도 결코 '당신'을 잊을 수 없다.   **4** 임을 잊지 못하고 그리워하는 마음

논술형 **5** 예시 답 제시된 표현 방법은 반어로, 이 시에서는 반어를 활용하여 실제로 표현하고자 하는 속마음과 반대되는 말로 표현함으로써 말하는 이의 진심을 강조하고 인상 깊게 전달한다. / 임을 그리워하는 애절한 감정을 효과적으로 표현하여 주제를 강조한다.

채점 요소	배점	총점
제시된 표현 방법이 반어임을 씀.	2점	
말하는 이의 진심을 강조하고 인상 깊게 전달한다. 애절한 감정을 효과적으로 표현하여 주제를 강조한다는 내용을 씀.	각 3점	10점
맞춤법에 맞게 완성된 문장으로 씀.	2점	

01 시로 표현하기_낙화

서술형 특강   p.03

답으로 가는 길 | **1** (늦은) 봄   **2** 사랑과 이별   **3** (영혼의) 성숙   **4** 자연 현상, 이별

1 말하는 이는 늦은 봄 꽃잎이 어지럽게 흩날리며 떨어지는 장면을 바라보고 있다.   **2** 결별(이별)은 고통스럽고 힘든 체험이지만 그것을 경험하는 사람의 영혼(삶)을 성숙하게 하는 계기가 되므로 불행이 아니라 오히려 축복이 될 수 있다.   **3** '결별'을 통해 영혼의 성숙을 이룰 수 있다는 삶의 깨달음

논술형 **4** 예시 답 ㉮에 활용한 표현 방법은 역설로, 이 시에서는 '결별이 이룩하는 축복'이 역설에 해당한다. 이와 같은 역설을 활용하면 참신한 느낌을 주고, 전달하고자 하는 새로운 의미를 더욱 강조할 수 있다.

채점 요소	배점	총점
㉮에 활용한 표현 방법이 역설임을 쓰고, 이 시에서 '결별이 이룩하는 축복'을 찾아 씀.	2점	
참신한 느낌을 준다. 전달하고자 하는 새로운 의미를 더욱 강조한다는 내용을 씀.	각 3점	10점
맞춤법에 맞게 완성된 문장으로 씀.	2점	

02 이야기로 표현하기_양반전

서술형 특강   p.04~05

답으로 가는 길 | **1** 환곡   **2** (경제적으로) 무능함.   **3** 양반 신분   **4** 허례 허식   **5** 풍자   **6** 양반   **7** 도둑놈   **8** 어이가 없다는 말투 / 황당하다는 말투

1 자신이 진 빚조차 해결하지 못하는 무능하고 비생산적인 양반의 모습과 허울뿐인 양반의 권위를 비판한다.   **2** 평소 천한 대접을 받는 것에 한이 맺혔기 때문이다.   **3** 겉치레와 형식적인 관념에만 얽매여 있는 양반의 모습을 풍자하고 있다.

논술형 **4** 예시 답 밑줄 친 계층에 해당하는 인물은 경제력을 바탕으로 양반 신분을 사고자 한 '부자'이다. 이를 통해 경제적으로 몰락하는 양반이 생겨나고, 사회·경제적으로 성장하는 평민 계층이 등장하면서 엄격했던 신분 질서가 붕괴하기 시작한 당시 사회의 모습을 알 수 있다.

채점 요소	배점	총점
밑줄 친 계층에 해당하는 인물로 '부자'를 씀.	2점	
'부자'가 경제력을 바탕으로 양반 신분을 사고자 했다는 이유를 씀.	2점	10점
엄격했던 신분 질서가 붕괴하기 시작했다는 내용을 씀.	4점	
맞춤법에 맞게 완성된 문장으로 씀.	2점	

5 문서의 내용이 자신에게 이익이 되지 않는다고 생각했기 때문이다.   **6** 신분을 이용해 부당한 특권을 누리고 횡포를 부린다.   **7** 작가는 권력을 이용하여 무위도식하는 양반의 모습과 신분을 이용하여 백성을 수탈하는 양반의 횡포를 비판하고자 했다.

논술형 **8** 예시 답 이 글에서는 부정적인 현상이나 모순 등을 직접 말하지 않고 다른 것에 빗대어 비웃으면서 비판하는 풍자를 활용했다. 이와 같은 풍자를 활용하면 직접적인 비판보다 대상을 더욱 인상 깊게 비판할 수 있고, 웃음을 유발하여 독자가 즐거움을 느끼도록 하는 한편, 현실을 바로 볼 수 있는 통찰력을 갖게 할 수 있다.

채점 요소	배점	총점
이 글에서 '풍자'를 활용했다는 내용을 씀.	2점	
직접적인 비판보다 대상을 더욱 인상 깊게 비판할 수 있고, 웃음을 주면서도 현실을 바로 볼 수 있는 통찰력을 갖게 한다는 내용을 씀.	각 3점	10점
맞춤법에 맞게 완성된 문장으로 씀.	2점	

선택 학습   p.06~07

답으로 가는 길 | **1** 역설   **2** (벌레) 구멍   **3** 관심과 애정 어린 태도 / 따뜻하고 긍정적인 태도   **4** 반어   **5** 반어   **6** 설렁탕

1 나뭇잎이 벌레 먹어서 예쁘다   **2** '벌레 먹은 것'을 예쁘다고 표현하는 것은 모순되지만 이를 통해 벌레에게 자신이 가진 것을 베풀 줄 아는 나뭇잎이 아름답고 가치 있는 존재라는 것을 강조한다.   **3** 남에게 베푸는 삶의 가치, 남과 더불어 사는 삶의 아름다움

논술형 **4** 예시 답 '벌레 먹은 나뭇잎'과 '신발, 지우개, 할머니'는 겉모습은 초라하고 보잘것없어 보이지만 자신이 가진 것을 남에게 베푸는 아름답고 가치 있는 존재라는 공통점이 있다.

채점 요소	배점	총점
겉모습이 초라하고 보잘것없어 보인다는 내용을 씀.	4점	
자신이 가진 것을 남에게 베푸는 아름답고 가치 있는 존재라는 내용을 씀.	4점	10점
맞춤법에 맞게 완성된 문장으로 씀.	2점	

5 집에 가까워지면 아픈 아내를 염려하는 마음에 다리가 무거워지지만 집에서 멀어지면 아내 걱정에서 벗어나게 되어 걸음에 다시 신이 난다. **6** 가난 때문에 서글픈 마음이 들었기 때문이다. / 아픈 아내를 두고 돈을 벌기 위해 일하러 나와야 했기에 돈을 원망하는 마음이 들었기 때문이다.

논술형 **7** 예시 답 김 첨지의 비극적인 하루를 '운수 좋은 날'이라고 반대로 표현하는 반어를 통해 아내의 죽음이 지니는 비극성을 더욱 강조하고 싶었습니다.

채점 요소	배점	총점
제목에 사용된 표현 방법이 반어임을 씀.	4점	
아내의 죽음이 지니는 비극성을 강조하고자 한 작가의 의도를 씀.	4점	10점
맞춤법에 맞게 완성된 문장으로 씀.	2점	

2 | 읽고 쓰는 즐거움

01 읽기의 가치와 중요성

서술형 특강   p.08-09

답으로 가는 길 | **1** 산악반   **2** 박지원, 〈허생전〉   **3** 무협지   **4** 편견 **5** 이름, 단맛   **6** 보약   **7** 소설가   **8** 길

1 되도록 몸을 많이 움직이지 않는 특별 활동반을 점찍었는데, 그게 바로 도서반이었기 때문이다.   **2** 본인이 마음에 드는 책을 골라서 자리를 잡고 읽는 시범을 보여 주었다.

논술형 **3** 예시 답 고전과 무협지는 한문을 번역한 예스러운 문체와 인물이 깊고 고요한 곳에 숨어 있으면서 실력을 쌓은 뒤 세상에 나갈 일이 생기면 세상을 뒤흔들어 놓고 다시 제자리로 돌아오는 사건 전개 방식에서 공통점이 있다.

채점 요소	배점	총점
한문을 번역한 예스러운 문체를 사용한다는 내용을 씀.	4점	
인물이 깊고 고요한 곳에 숨어 있으면서 실력을 쌓은 뒤 세상에 나갈 일이 생기면 세상을 뒤흔들어 놓고 다시 제자리로 돌아오는 방식으로 사건 전개가 이루어진다는 내용을 씀.	4점	10점
맞춤법에 맞게 완성된 문장으로 씀.	2점	

4 주인공과 관련하여 계속 생각하게 하고, 읽을수록 새로운 맛이 우러나온다. **5** 자신이 재미를 들인 최초의 고전이 우리의 조상이 쓴 것이기 때문이다. **6** 특별 활동 시간에 읽은 고전의 영향으로 독서의 가치와 중요성을 깨닫고 소설가의 길을 걷게 되었다.

논술형 **7** 예시 답 읽기는 지극한 정신문화를 체험할 수 있게 하며 인간다운 삶을 살고 드높은 가치를 추구하는 길을 보여 준다. 또한 인간만이 알고 있는, 진정한 인간으로 나아가는 통로이기 때문에 가치 있고 중요한 것이다. 이와 같은 읽기를 생활화하는 방법으로는 독서 일기 쓰기, 독서 모임 만들기 등과 같은 독서 활동이 있다.

채점 요소	배점	총점
읽기의 가치와 중요성을 적절하게 제시함.	5점	
읽기를 생활화하는 방법을 두 가지 씀.	3점	10점
맞춤법에 맞게 완성된 문장으로 씀.	2점	

02 다양한 표현 활용하여 글 쓰기

서술형 특강   p.10-11

답으로 가는 길 | **1** 속담. 격언이나 명언, 관용 표현   **2** 관용 표현   **3** 아버지와 함께 등산을 한 경험   **4** 누워서 떡 먹기.   **5** 어느새   **6** 휴식

1 한 가지 일을 하여 두 가지 이상의 이익을 보게 됨을 비유적으로 이르는 말 **2** ㉡에 어울리는 표현은 '울며 겨자 먹기.'이다. 이 표현의 뜻은 '싫은 일을 억지로 마지못해 함을 비유적으로 이르는 말'로, 이 표현을 사용하면 마지못해 아버지를 따라나선 현지의 심정을 효과적으로 드러낼 수 있다. **3** 독자의 흥미와 관심을 불러일으킬 수 있다. / 생각이나 느낌을 좀 더 효과적으로 전달할 수 있다. / 글을 통해 드러내고 싶은 의도를 좀 더 효과적으로 전달할 수 있다.

논술형 **4** 예시 답 '중간 1'에는 '몹시 숨이 차다.'는 뜻의 관용 표현인 '숨이 턱에 닿다.'가 어울린다. 그 이유는 산에 급하게 오르다가 호흡이 가빠져서 힘들었던 순간을 생생하게 묘사할 수 있기 때문이다.

채점 요소	배점	총점
'숨이 턱에 닿다.'를 선택함.	2점	
'숨이 턱에 닿다.'가 관용 표현임을 밝히고, 그 뜻을 적절히 씀.	3점	10점
호흡이 가빠져서 힘들었던 순간을 생생하게 묘사할 수 있다는 내용을 씀.	3점	
맞춤법에 맞게 완성된 문장으로 씀.	2점	

5 '아주 깨끗하게'를 뜻하는 '씻은 듯이'로 바꾸어 쓰면 후련했던 순간을 더욱 구체적으로 전달할 수 있다. **6** 건강한 신체에 건강한 정신이 깃든다. **7** 명언을 변형하여 새로운 표현을 만들었다.

논술형 **8** 예시 답 '언짢아하시며'를 '마음이 언짢거나 유감의 뜻을 나타내다.'라는 뜻의 '혀를 차다.'라는 관용 표현으로 바꾸어 쓰면 현지의 태도를 마음에 들어 하지 않는 아버지의 심리를 더욱 생생하고 구체적으로 표현할 수 있다.

채점 요소	배점	총점
'혀를 차다.'의 표현의 종류와 의미를 적절히 씀.	4점	
'혀를 차다.'로 바꾸어 썼을 때의 효과를 적절히 씀.	4점	10점
맞춤법에 맞게 완성된 문장으로 씀.	2점	

선택 학습   p.12

답으로 가는 길 | **1** 책의 차례, 작가 서문   **2** 제목, 제목   **3** 댓글이 계속 달리는 모양으로 구성함.   **4** 겨울철 난방 에너지 위기

1 같은 작가가 쓴 책, 같은 주제의 책 등 책들 사이의 연관 관계를 따라가면서 계속 책을 읽는다. **2** 좋은 댓글을 달아 올바른 인터넷 댓글 문화를 만들자. **3** 동음이의어 '내복(內服)'을 활용하여 참신한 표현을 만들었다.

논술형 **4** 예시 답 익숙한 속담을 변형하여 '윗글'과 '아랫글'의 관계를 나타내는 표현을 만들어 사용하였으며, 이를 통해 인터넷 댓글 문화를 개선하려는 의도를 인상적으로 전달하고 있다.

채점 요소	배점	총점
속담을 변형하여 '윗글'과 '아랫글'의 관계를 나타내는 표현을 만들었다는 내용을 씀.	4점	
광고의 의도를 인상 깊게 전달한다는 내용을 씀.	4점	10점
맞춤법에 맞게 완성된 문장으로 씀.	2점	

3 | 생각과 감정을 나누다

01 한글의 창제 원리와 우수성

서술형 **특강**   p.13~14

답으로 가는 길 | **1** 발음 기관, 상형   **2** ㉠: ㄱ, ㉡: ㄴ, ㉢: ㅁ, ㉣: ㅅ, ㉤: ㅇ
3 상형   **4** ㉧: ·, ㉨: ㅡ, ㉩: ㅣ   **5** 상형의 원리   **6** 한글   **7** 음절

1 우리말은 중국 말과 달라 한자가 아닌 우리의 독창적인 문자가 필요하다는 것에서 자주정신, 글을 모르는 백성이 자신의 뜻을 표현하지 못하는 것이 안타까웠다는 것에서 애민 정신, 모든 사람으로 하여금 쉽게 익혀 날마다 편히 쓰도록 하겠다는 것에서 실용 정신을 알 수 있다.   **2** 자음 기본자에 획을 더하여 만드는 가획의 원리에 따라 만들어졌다.   **3** 기본 모음자를 결합하여 'ㅗ, ㅜ, ㅏ, ㅓ'를 만들고, 여기에 다시 모음 기본자를 합하여 'ㅛ, ㅠ, ㅑ, ㅕ'를 만드는 합성의 원리에 따라 만들어졌다.

논술형 **4 예시 답** 모음자는 '하'처럼 자음자의 오른쪽에 붙여 모아쓰거나, '늘'처럼 자음자의 아래쪽에 붙여 모아쓴다.

채점 요소	배점	총점
'하'처럼 자음자의 오른쪽에 붙여 모아쓴다는 내용을 씀.	4점	
'늘'처럼 자음자의 아래쪽에 붙여 모아쓴다는 내용을 씀.	4점	10점
맞춤법에 맞게 완성된 문장으로 씀.	2점	

5 적은 수의 자음자와 모음자를 조합하여 수많은 음절을 표현할 수 있기 때문이다.   **6** 글에 담긴 정보를 빠르게 파악할 수 있고, 가로나 세로 방향으로 자유롭게 쓸 수 있어서 정보를 전달하는 데에도 실용적이다.   **7** 한글은 소리가 비슷한 글자들끼리 모양이 비슷해서 글자의 모양을 보고 글자들의 관계나 소리의 특징을 짐작할 수 있다.

논술형 **8 예시 답** 가로쓰기만 할 수 있는 영어와는 달리 한글은 음절 단위로 모아쓰기가 가능하기 때문에 가로쓰기와 세로쓰기를 자유롭게 할 수 있어서 정보를 좁은 공간에 효율적으로 담을 수 있다.

채점 요소	배점	총점
영어는 가로쓰기만 가능하다는 내용을 씀.	2점	
한글은 가로쓰기와 세로쓰기를 자유롭게 할 수 있다는 내용을 씀.	3점	10점
한글은 좁은 공간에 정보를 효율적으로 담을 수 있다는 내용을 씀.	3점	
맞춤법에 맞게 완성된 문장으로 씀.	2점	

02 마음을 나누는 대화

서술형 **특강**   p.15~16

답으로 가는 길 | **1** 여행의 의미   **2** 즐거움   **3** (사회 시간에 배운) 아나바다 운동   **4** (타지 않는) 자전거   **5** 도서관이 문을 닫았기 때문에   **6** 친구
7 공감

1 말하는 이와 듣는 이는 대화하면서 자신의 생각을 바꾸거나 조정해 나간다.
2 누구에게는 필요 없던 물건이 다른 사람에게는 유용하게 쓰일 수 있다.

논술형 **3 예시 답** 자신의 배경지식을 적극적으로 활용하여 이야기를 나누고, 상대가 하는 말에 적절하게 반응하며 함께 의미를 구성해 나간다.

채점 요소	배점	총점
배경지식을 활용한다는 내용을 씀.	4점	
상대가 하는 말에 적절하게 반응한다는 내용을 씀.	4점	10점
맞춤법에 맞게 완성된 문장으로 씀.	2점	

4 내일 국어 모둠 회의 때 필요한 자료를 찾아야 하기 때문이다.   **5** 한솔이가 오늘 도서관이 문을 닫았다는 준희의 말을 주의 깊게 듣지 않고, 모둠 회의 전까지 자료를 찾을 방법을 고민하는 준희에게 지금 도서관에서 책을 빌리면 되지 않느냐고 말했기 때문이다.   **6** ㉠에서는 적절히 질문하여 지애가 편하게 말을 이어 갈 수 있도록 도와주었고, ㉡에서는 상대의 말을 반복하여 자신이 상대를 이해하고 있음을 표현했다.

논술형 **7 예시 답** '공감하며 대화하기'는 상대의 감정을 이해하고 상대의 관점에서 문제를 바라보며 협력적으로 소통하며 대화하는 것이다. 이와 같이 공감하며 대화하기 위해서는 상대의 상황과 처지를 이해하고, 상대와 눈을 맞추고 지속적으로 관심을 표현하며, 상대의 말을 요약·정리하고 상대의 말에 적극적으로 반응하며 대화해야 한다.

채점 요소	배점	총점
'감정', '관점', '협력적'을 사용하여 '공감하며 대화하기'의 개념을 적절히 씀.	4점	
공감하며 대화하는 방법을 적절히 씀.	각 2점	10점
맞춤법에 맞게 완성된 문장으로 씀.	2점	

선택 학습   p.17~18

답으로 가는 길 | **1** 소리   **2** 《훈민정음》 해례본   **3** 발음 기관   **4** 근본
5 더 열심히 공부하는 것   **6** 영화감독(영화를 제작하고 배급하는 일)   **7** 대화

1 세종 대왕이 훈민정음을 만드는 동안 몽골의 파스파 문자나 인도의 산스크리트 문자 등 주변 국가의 문자에 관한 정보를 수집했기 때문이다.   **2** 'ㄱ'은 혀뿌리가 목구멍을 막는 모습, 'ㄴ'은 혀끝이 윗잇몸에 닿는 모습, 'ㅁ'은 입 모양, 'ㅅ'은 이 모양, 'ㅇ'은 목구멍 모양을 본떠 만들었다.   **3** 기본자에 획을 더하거나 기본자를 서로 조합하여 다른 글자들을 만들었다.

논술형 **4 예시 답** 한글은 창제 원리와 거기에 담긴 철학 원리, 사용법, 보기 등이 밝혀진 유일한 문자인데, 이러한 내용이 자세하게 기록되어 있는 책이기 때문이다.

채점 요소	배점	총점
한글은 창제 원리와 거기에 담긴 철학적 원리, 사용법, 보기 등이 밝혀진 유일한 문자라는 내용을 씀.	4점	
《훈민정음》 해례본은 이러한 내용이 자세하게 기록되어 있는 책이라는 내용을 씀.	4점	10점
맞춤법에 맞게 완성된 문장으로 씀.	2점	

5 석환이는 영화를 제작하고 배급하는 영화감독이 되고 싶은데, 엄마와 누나는 석환이가 영화에 관심을 두기보다는 공부에 전념하기를 바라기 때문이다.
6 석환이의 말을 끝까지 듣지 않고 중간에 가로챘다.   **7** 석환이의 생각을 이해하려는 태도를 보이지 않는다.

논술형 **8 예시 답** ㉡에서 엄마는 석환이의 생각을 이해하려는 태도를 보이지 않고 자신의 생각을 강요했지만, 〈보기〉에서는 석환이의 상황과 처지를 이해하고 석환이에게 공감하는 태도가 드러난다.

채점 요소	배점	총점
㉡에서 엄마는 석환이의 생각을 이해하려는 태도를 보이지 않고 자신의 생각을 강요한다는 내용을 씀.	4점	
〈보기〉에서 엄마는 석환이의 상황과 처지를 이해하고, 석환이에게 공감하는 태도가 드러난다는 내용을 씀.	4점	10점
맞춤법에 맞게 완성된 문장으로 씀.	2점	

4 | 함께 여는 세상의 창

01 작품의 재발견_완득이

서술형 특강 p.19~20

답으로 가는 길 | **1** 뮤지컬 대본 　**2** 운동화 　**3** (분홍색) 구두 　**4** 관장
5 엄마 　**6** 재구성, 특성

1 노래와 배경 음악 같은 음악적 요소를 활용한다. 　**2** 완득이를 늘 보고 싶어 하면서도 쉽게 다가가지 못하고 조심스러워 한다. 　**3** 편견을 가지고 다문화 가정과 외국인 노동자를 바라본다.

논술형 **4** 예시 답 소설은 주인공인 완득이가 서술자가 되어 사건을 설명하지만, 뮤지컬 대본은 서술자 없이 인물의 대사와 행동을 통해 사건이 전개된다.

채점 요소	배점	총점
소설은 완득이가 서술자가 되어 사건을 설명한다는 내용을 씀.	4점	
뮤지컬 대본은 서술자 없이 인물의 대사와 행동을 통해 사건이 전개된다는 내용을 씀.	4점	10점
맞춤법에 맞게 완성된 문장으로 씀.	2점	

5 도내 챔피언과 힘든 경기를 펼치지만 결코 포기하지 않는 완득이의 모습을 통해 세상과 당당하게 맞서고자 하는 완득이의 태도를 알 수 있다. 　**6** 시합에서는 졌지만 끝까지 포기하지 않고 최선을 다했기 때문이다.

논술형 **7** 예시 답 〈보기〉에서 어머니의 소식을 처음 들은 완득이는 어머니를 완강히 거부했지만, (나)에서 완득이는 어머니에게 마음의 문을 열고 어머니를 완전히 받아들인다.

채점 요소	배점	총점
〈보기〉에서는 완득이가 어머니를 완강히 거부했다는 내용을 씀.	4점	
(나)에서는 완득이가 어머니에게 마음의 문을 열고 완전히 받아들였다는 내용을 씀.	4점	10점
맞춤법에 맞게 완성된 문장으로 씀.	2점	

02 우리가 만드는 연극

서술형 특강 p.21~22

답으로 가는 길 | **1** 주제 　**2** 대본 만들기 　**3** (인물과 인물 사이의) 외적 갈등 　**4** 해설 　**5** (동작) 지시문 　**6** 무뚝뚝한 　**7** 시간

1 등장인물의 수나 시간적·공간적 배경을 설정하는 데 제약이 있다는 점(연극 대본에는 여러 가지 제약이 따른다는 점)을 고려해야 한다. 　**2** 갈등의 진행과 해결 과정이 뚜렷하게 드러나도록 대본을 작성해야 한다. 　**3** 등장인물과 장소, 배경, 장면에 어울리는 소리, 등장인물의 동선 등 연극의 요소를 구체적으로 설정해야 한다.

논술형 **4** 예시 답 연극 속 상황의 사실성을 높여 관객들이 연극에 몰입할 수 있도록 돕는다.

채점 요소	배점	총점
연극 속 상황의 사실성을 높인다는 내용을 씀.	4점	
관객이 몰입할 수 있도록 돕는다는 내용을 씀.	4점	10점
맞춤법에 맞게 완성된 문장으로 씀.	2점	

5 인물의 특징과 개성, 인물 간의 갈등이 분명하게 드러나도록 대사를 작성한다. 　**6** 배우, 연출, 작가, 무대 장치 담당, 조명 담당, 배경 음악 담당, 의상 담당, 분장 담당 등 　**7** 장면의 공간적 배경이 한적한 농촌 마을이고 계절적 배경이 봄이므로, 봄날을 표현할 수 있도록 따뜻하고 밝은 조명을 비추는 것이 적절하다.

논술형 **8** 예시 답 배우는 자신이 연기할 인물을 이해하기 위해 자신이 맡은 인물의 성격을 분석하고 그 인물의 역할을 장면에 따라 정리해야 한다. 또한 다른 배우들과 함께 대사를 연습하며 무대 동선을 정리해야 한다.

채점 요소	배점	총점
등장인물의 성격을 분석하고 그 인물의 역할을 장면에 따라 정리한다는 내용을 씀.	4점	
다른 배우들과 함께 대사를 연습하며 무대 동선을 정리한다는 내용을 씀.	4점	10점
맞춤법에 맞게 완성된 문장으로 씀.	2점	

선택 학습 p.23~24

답으로 가는 길 | **1** '나', 아버지, 할머니 　**2** 붉은 산수유 열매 　**3** 눈
4 그리움 　**5** 놀부, 흥부 　**6** 사나운 범 　**7** 낭독극

1 1~6연에서 어린 시절 말하는 이는 열병을 앓다가 아버지가 따 온 산수유 열매를 먹고 열을 식히고 있다. 7~10연에서 현재 말하는 이는 성탄제 무렵 각박한 도시에 내리는 눈을 바라보며 어린 시절의 기억을 떠올리고 있다.
2 '나'는 가족의 보살핌을 받아야 하는 연약한 존재이다.

논술형 **3** 예시 답 산수유 열매를 구하러 나간 아버지가 눈보라가 심해져 산속에서 길을 잃는 것, 아버지가 자신의 아버지와 함께한 추억이 있는 장군 바위 근처에서 산수유 열매를 구한다는 것과 같은 내용이 새롭게 표현되었다. 이와 같이 시를 소설로 재구성하는 과정에서는 새로운 의미나 가치를 표현하기 위해 인물 사이의 갈등이나 사건을 새롭게 추가할 수 있다.

채점 요소	배점	총점
시와 비교하여 달라진 내용을 구체적으로 씀.	4점	
새로운 의미나 가치를 표현하기 위해 인물 사이의 갈등이나 사건을 새롭게 추가할 수 있다는 내용을 씀.	4점	10점
맞춤법에 맞게 완성된 문장으로 씀.	2점	

4 흥부가 놀부에게 곡식을 얻으러 온 상황에서 놀부가 흥부를 모르는 체하고 있으므로 흥부는 당황해서 작은 목소리로 말해야 한다. 　**5** 흥부는 곡식을 꾸려다가 오히려 화를 당할까 봐 온몸을 떨며 걱정하고 근심하는 모습으로, 곡식을 꾸어 달라는 흥부를 모르는 체하고 야박하게 대하는 놀부는 인정 없고 욕심 많은 모습으로 표현해야 장면을 효과적으로 표현할 수 있다.

논술형 **6** 예시 답 표면적으로는 형제간의 우애와 선악의 도덕적 관념에 대해 이야기하지만 이면적으로는 조선 후기에 몰락하기 시작한 양반의 모습과 비참한 서민의 생활상을 통해 신분 변동으로 인한 유랑 농민과 신흥 부농의 갈등에 대해 이야기한다.

채점 요소	배점	총점
표면적으로 형제간의 우애와 선악의 도덕적 관념에 대해 이야기한다는 내용을 씀.	4점	
이면적으로 신분 변동으로 인한 유랑 농민과 신흥 부농의 갈등에 대해 이야기한다는 내용을 씀.	4점	10점
맞춤법에 맞게 완성된 문장으로 씀.	2점	

1 | 표현의 빛깔

01 시로 표현하기 _ 먼 후일

◀ 확인 문제 | p.26 ▶

① 반대 ② 주제

1 운율 **2** 반어, 강조 **3** (1) 이별 (2) 반대 (3) 없다 **4** (1) × (2) ○
(3) × (4) × (5) ○ (6) ○ **5** 임을 잊지 못하고 그리워하는 마음

단원 종합 문제 기출 예상
p.27

01 ⑤ **02** ③ **03** 결코 당신을 잊을 수 없다. **04** ⑤ **05** ①
06 영화의 내용과 반대되는 제목을 사용하여 역사적 사건의 비극성을 더욱 심화하는 효과를 준다.

01 이 시는 동일한 단어의 반복, 3음보의 율격, 유사한 문장 구조와 3·3·4개의 글자 수를 반복하여 운율을 형성하고 있으나 1연과 마지막 연을 동일하게 반복하고 있지는 않다.

02 이 시의 말하는 이는 사랑하는 '당신'과 헤어졌지만 '당신'을 잊지 못하고 몹시 그리워하고 있다.

03 ㉠은 사랑하는 '당신'을 결코 잊을 수 없는 화자의 마음을 반어적으로 표현한 것이다.

04 이 시는 불특정한 미래에 '당신'을 만날 상황을 가정하고 그때에 '잊었노라'라고 말하겠다고 반복하여 표현함으로써 '당신'을 결코 잊을 수 없다는 속마음을 강조하고 있다.

05 ㉡은 떠나간 임을 결코 잊지 않겠다는 것을 반어를 사용하여 표현한 것이다. ①은 임이 떠난 슬픈 마음을 겉으로는 울지 않겠다고 표현하여 자신의 마음과 반대로 말하고 있다.

> **＋ Clinic 오답 강의**
> ②는 '정작으로 고와서 서러워라.'에서 역설을, ③은 '～ 모르겠는가,'에서 설의법을, ④는 '풀'을 사람에 비유한 의인법을 사용했으나 ㉡과 같은 반어가 사용된 것은 아니다. ⑤는 '나'가 당신을 사랑하는 까닭을 직접적으로 말한 것이지 반어를 사용한 것은 아니다.

06 시민의 숭고한 의지를 무참하게 짓밟은 사건을 반어를 사용하여 '화려한 휴가'라고 표현하면 역사적 사건의 비극성이 더욱 심화된다.

01 시로 표현하기 _ 낙화

◀ 확인 문제 | p.28 ▶

① 모순 ② 성숙

1 역설 **2** 참신, 강조 **3** (1) × (2) ○ (3) × (4) × (5) × (6) ○
4 (1)-㉢ (2)-㉠ (3)-㉡ **5** (1) 자연 현상 (2) 축복, 성숙 (3) 결별, 축복
6 '결별'을 통해 영혼의 성숙을 이룰 수 있다는 삶의 깨달음

단원 종합 문제 기출 예상
p.29

01 ⑤ **02** ⓐ, ⓒ **03** 결별이 이룩하는 축복 **04** ① **05** ④
06 ⓐ: 사랑과 이별, ⓑ: 영혼의 성숙(내면의 성장)

01 이 시의 말하는 이는 결별(이별)은 고통스럽고 힘든 체험이지만 그것을 경험하는 사람의 영혼(삶)을 성숙하게 하는 계기가 되므로 불행이 아니라 오히려 축복이 될 수 있다고 생각한다.

02 이 시는 자연 현상과 인간의 삶을 연관 지어 표현한 시로, '섬세한 손길을 흔들며 / 하롱하롱 꽃잎이 지는 어느 날'에서 꽃잎이 지는 모습을 이별할 때 손을 흔드는 사람의 모습에 비유했다.

> **＋ Clinic 오답 강의**
> ⓑ 이 시는 꽃잎이 떨어지는 늦봄을 계절적인 배경으로 하고 있다.
> ⓓ '나의 청춘'이 꽃답게 죽는 것(낙화)은 열매(영혼의 성숙)를 기약하는 것이다. 말하는 이는 이를 '결별이 이룩하는 축복'이라고 표현하므로 안타깝게 여긴다고 보기 어렵다.

03 의미상 서로 어울리지 않는 말을 결합하여 새로운 의미를 만들어 내는 것은 역설로, 이 시에서 역설이 사용된 부분은 '결별이 이룩하는 축복'이다.

04 ㉠은 이별의 때임을 인식하고 그것을 수용하는 태도를 나타낸 것이지 이별로 인한 내적 갈등을 표현한 것은 아니다.

05 이 시는 이별(결별)이라는 고통스럽고 힘든 체험을 통해서 사람의 영혼(삶)이 성숙할 수 있음을 이야기하고 있다.

06 이 시는 자연 현상과 인간의 삶을 연관 지어 인간이 사랑과 이별을 경험하는 과정을 꽃이 피었다 지고, 그 결과로 열매를 맺는 현상에 빗대어 표현했다.

02 이야기로 표현하기 _ 양반전

◀ 확인 문제 | p.30 ▶

① 웃음 ② 통찰력

1 풍자 **2** 현실 **3** (1) × (2) × (3) ○ (4) ○ (5) ○ **4** (1) 환곡
(2) 군수, 증서 (3) 양반, 양반 (4) 양반 **5** 부자, 도둑놈, 비판, 비판적
6 양반의 무능과 비생산성, 허례허식과 횡포에 대한 풍자

단원 종합 문제 기출 예상
p.31~32

01 ④ **02** ④ **03** ① **04** ④ **05** ③ **06** ③ **07** 부당한 특권을 누리며 횡포를 일삼는 부도덕한 양반이 '도둑놈'과 다를 바가 없다고 비판하고 있다. **08** ②

01 이 글은 강원도 정선군을 배경으로 조선 후기 사회적 상황을 반영하여 양반을 풍자하고 있는 소설이다. 주인공인 양반은 평범한 인물이기 때문에 비범한 능력을 가진 주인공이 문제를 해결하고 있다고 볼 수는 없다.

02 (나)에서 환곡을 갚지 못한 양반을 잡아 가두라고 한 인물은 강원도 감사이다. 군수는 환곡을 갚지 못한 양반을 불쌍히 여겼다.

03 ㉠에서 양반의 아내는 양반의 무능력함을 조롱하고, 무시하며 한심하다고 생각한다. ㉡에서 군수는 양반이 자신을 '소인'이라고 낮추어 지칭하는 것을 듣고 깜짝 놀라며 그 이유를 궁금해한다.

04 (다)에서 부자는 자신이 아무리 잘살아도 항상 천한 대접을 받는 것에 불만을 가지고 있음을 알 수 있다. 따라서 부자는 자신의 경제적 능력에 걸맞은 귀한 대접을 받기 위해 양반 신분을 사고자 한 것이다.

05 (다)에서 부자는 첫 번째 증서의 내용이 양반으로서의 규범에 대해서만 언급하고 있기 때문에 자신에게 이익이 되도록 문서의 내용을 고쳐 달라고 요구하고 있는 것이지 양반을 한심하게 생각하고 있는 것은 아니다.

06 부자는 조선 후기에 새롭게 등장한 신흥 세력의 전형으로, 경제력을 바탕으로 신분 상승을 꾀하지만, 양반의 실상을 알고 이를 포기한다.

07 (라)에는 신분을 이용하여 백성을 괴롭히고 횡포를 부리는 양반의 모습이 나타나 있다. 이를 '도둑놈'이라고 하는 (마)에서는 부당한 특권을 누리며 횡포를 일삼는 부도덕한 양반을 풍자하고 있음을 알 수 있다.

08 이 글과 〈보기〉는 모두 풍자를 사용하여 부정적인 현상이나 모순 등을 간접적으로 비판하고 있다.

05 '벌레 먹은 것'이 예쁘다는 표현은 얼핏 모순되어 보이지만, 벌레에게 자신이 가진 것을 베풀 줄 아는 나뭇잎이 아름답고 가치 있는 존재라는 의미를 담고 있다.

06 '낡아서 아름다운 내 신발'은 낡아서 구겨지고 지저분하지만 자신의 발을 보호해 준 신발의 가치를 역설을 통해 표현했다.

07 이 글은 3인칭 전지적 시점으로, 작품 밖의 서술자가 등장인물의 내면까지 들여다보며 서술하고 있다.

08 (가)에서 추적추적 내리는 비는 음산하고 쓸쓸한 분위기를 조성하고, 아내의 죽음이라는 작품의 비극적인 결말을 암시한다.

09 설렁탕을 한 그릇을 먹고 싶어 했던 인물은 김 첨지의 아내이다.

10 ㉠에서 김 첨지는 이상하게 행운이 맞물리는 것에 불안함을 느끼고 잠깐 주저하고 있다.

11 (다)에서 치삼이는 아내가 죽었다는 김 첨지의 말을 믿지 않는다.

12 ㉠에서 김 첨지는 아내가 죽었을 지도 모른다는 불길한 예감에 치삼이에게 아내가 죽었다고 이야기하는 것이다.

13 ㉡은 결국 설렁탕을 먹지 못하고 죽은 아내를 통해 결말의 비극성을 강조하는 역할을 한다.

14 이 글의 제목인 '운수 좋은 날'은 김 첨지의 상황을 반어적으로 표현한 것으로, 겉으로는 행운이 계속되어 돈을 많이 벌게 된 운수 좋은 날이지만 실제로는 아내가 죽은 불행하고 비참한 날이라는 의미이다. 김 첨지의 삶에서 돈의 중요성을 강조하는 것과는 거리가 멀다.

선택 학습 기출 예상 p.33-35

01 ② **02** ② **03** 이 시는 벌레 먹은 나뭇잎을 통해 남에게 베푸는 삶의 가치, 남과 더불어 사는 삶의 아름다움에 대해 말하고 있다. **04** ④ **05** 벌레에게 자신이 가진 것을 베풀 줄 아는 나뭇잎이 아름답고 가치 있는 존재 **06** ④ **07** ④ **08** (얼다가 만) 비 **09** ② **10** ④ **11** ③ **12** ④ **13** 먹고 싶어 하던 설렁탕을 먹지 못하고 죽은 아내를 통해 결말의 비극성을 강조한다. **14** ③

01 이 시는 '벌레 먹은 나뭇잎'과 '귀족의 손처럼 상처 하나 없이 매끈한 것'을 대조적으로 제시하여 남에게 베푸는 삶의 가치를 강조하고 있다.

02 이 시의 말하는 이는 '벌레 먹은 나뭇잎'을 따뜻하고 긍정적인 시선으로 바라보고 있다.

03 이 시는 자신의 것을 베풀어 벌레를 먹여 살리는 나뭇잎을 통해 남에게 베푸는 삶의 가치, 남과 더불어 사는 삶의 아름다움에 대해 말하고 있다.

04 이 시는 벌레 먹어서 구멍이 뚫린 나뭇잎은 초라하고 보잘것없어 보이지만 다른 존재를 위해 베풀 줄 아는 아름다운 존재라는 것을 말하고 있다.

대단원 종합 문제 p.36-41

01 ㉠, ㉣ **02** ④ **03** ② **04** '잊었노라'라는 반어적인 표현을 통해 당신을 결코 잊을 수 없다는 말하는 이의 진심을 전달한다. **05** ③ **06** ④ **07** 관심과 애정 어린 태도로 바라본다. / 따뜻하고 긍정적인 시선으로 바라본다. **08** ④ **09** ① **10** 열매 **11** ⑤ **12** ② **13** ② **14** ④ **15** (양반의) 아내 **16** ⑤ **17** ⑤ **18** ② **19** ④ **20** ⑤ **21** ⑤ **22** ③ **23** ① **24** 자신의 가난한 상황에 대해 화가 났기 때문이다. / 돈을 벌기 위해 아픈 아내를 두고 일하러 나와야 했기 때문이다. **25** ④ **26** ⑤ **27** ③ **28** ④

01 '나'는 이 시의 말하는 이로, 사랑하는 '당신'과 헤어졌지만 '당신'을 잊지 못하고 있다. 또한 '먼 훗날'이라는 불특정한 미래에 '당신'을 만날 상황을 가정하고 그때에 '잊었노라'라고 말하겠다고 반복하여 표현함으로써 '당신'을 결코 잊을 수 없다는 속마음을 강조하고 있다.

> **Clinic 오답 강의**
>
> ㉡ '당신'을 그리워하는 '나'의 마음이 드러난다.
> ㉢ '나'는 '당신'을 잊지 못하고 그리워하는 마음을 '잊었노라'라는 반어를 통해 표현함으로써 직설적인 표현으로는 나타내기 어려운 애절한 감정을 효과적으로 표현하고 있다.

02 이 시에서는 '잊었노라'라는 단어를 반복하고 있으며, '~면 / ~ '잊었노라''와 같은 비슷한 문장 구조를 반복하고 있다.

03 이 시에서는 '잊었노라'를 반복하여 임을 잊지 못하는 말하는 이의 애절한 마음을 강조하고 있다.

04 이 시는 실제로 표현하고자 하는 의도를 반대로 표현하는 반어를 사용하여 임을 결코 잊을 수 없는 말하는 이의 진심을 효과적으로 표현한다.

05 (가)에서는 '나뭇잎이 벌레 먹어서 예쁘다', (나)에서는 '결별이 이룩하는 축복에 싸여'라는 모순되는 말을 사용하여 시의 주제를 강조하고 있다.

06 '떡갈나무잎'에 뚫린 구멍은 나뭇잎이 자신의 것을 베풀어 벌레를 먹여 살린 흔적이다. 이는 자신이 가진 것을 베풀어 남을 먹여 살리는 존재의 아름다움을 강조한 것이다. 하지만 '하늘'이 말하는 이가 지향하는 삶의 이상향을 의미하는 것은 아니다.

07 말하는 이는 남에게 베푸는 삶을 사는 '벌레 먹은 나뭇잎'을 관심과 애정 어린 태도로 바라보며, 따뜻하고 긍정적인 시선으로 바라본다.

08 (나)의 말하는 이는 꽃이 피고 지는 자연의 섭리에 순응하고 있으며 인간 삶의 사랑과 이별 또한 자연 현상과 같다고 생각한다.

09 (나)의 말하는 이는 영혼을 성숙하게 하고, 내면을 성장하게 하는 이별을 긍정적으로 바라보고 있다.

10 '영혼의 성숙'은 이별의 결과로 얻어지는 것이므로 낙화의 결과 얻게 되는 '열매'가 이를 의미한다.

11 ⓒ은 꽃이 지는 모습을 손을 흔드는 사람의 모습에 비유(의인법)하여 표현한 것이다.

12 제시된 표현은 '작다'와 '크다'라는 의미상 서로 어울리지 않는 말을 결합하여 눈물 한 방울에 많은 감정이 담겨 있다는 새로운 의미를 만들어 냈다.

13 (라)에서 군수가 증인이 되어 신분 매매 증서를 작성하는 것으로 보아 당시 신분 매매는 공공연하게 이루어졌음을 알 수 있다.

14 (나)에서 감사는 양반을 잡아 가두라고 명했지만 군수는 양반을 딱하게 여겨 차마 양반을 가두지 못했다.

15 양반의 아내는 환곡을 갚지 못하고 밤낮으로 울기만 하는 양반을 보고 '한 푼어치도 안 되는 그놈의 양반!'이라고 하면서 양반의 무능하고 비생산적인 모습을 직접적으로 비판하고 있다.

16 (라)에서 군수는 양반과 부자가 신분을 매매했다는 것을 알고 이를 증명하는 증서를 작성하자고 제안한다.

17 (나)에서는 겉치레와 형식적인 관념에만 얽매여 있는 양반의 모습을, (라)에서는 신분을 이용해 백성을 괴롭히고 부당한 특권을 남용하는 양반의 모습을 풍자하고 있다.

18 ⓒ은 경제적으로 부유해져야 한다는 의미가 아니라 학문적으로 높은 수준을 유지하고, 큰 뜻을 가지고 있어야 함을 의미한다.

19 풍자를 사용하면 직접적인 비판보다 대상을 더욱 인상 깊게 비판하며, 웃음을 유발하여 독자가 즐거움을 느끼도록 하는 한편, 현실을 바로 볼 수 있는 통찰력을 갖게 한다.

20 이 글은 부정적인 현상이나 모순 등을 직접 말하지 않고 다른 것에 빗대어 비웃으면서 비판하는 풍자를 사용하여 양반의 모순을 지적하고 상황을 개선하고자 했다.

21 치삼이는 노르탱탱한 얼굴이 바짝 말라서 여기저기 고랑이 파이고 수염도 있대야 턱 밑에만 마치 솔잎 송이를 거꾸로 붙여 놓은 듯한 김 첨지의 풍채와 달리 우글우글 살찐 얼굴에 주홍이 돋는 듯, 온 턱과 뺨에 시커멓게 구레나룻이 덮였다.

22 (나)에서 김 첨지와 치삼이 사이의 갈등(인물 간 팽팽한 갈등)은 나타나지 않는다.

> **┿ Clinic 오답 강의**
> ① '김 첨지는 이 친구를 만난 게 어떻게 반가운지 몰랐다.'에서 김 첨지의 심리가 직접 제시되어 있어 김 첨지의 정서를 파악할 수 있다.
> ② (나)에는 '선술집'이라는 공간적 배경이 구체적으로 제시되어 있다.
> ④ '마치 솔잎 송이를 거꾸로 붙여 놓은 듯한'과 같은 비유적 표현(직유)을 사용하여 김 첨지의 모습을 실감 나게 표현하고 있다.
> ⑤ '그의 우글우글 살찐 얼굴에 ~ 기이한 대상을 짓고 있었다.'에서 말라깽이 김 첨지와 뚱뚱보 치삼이의 외양이 대조적으로 묘사되어 있다.

23 김 첨지는 아내의 죽음을 예감하고 집에 가기 두려워했기 때문에 치삼이를 만나 집에 갈 수 있는 시간을 늦출 수 있게 되어 치삼이가 자신을 살려 준 은인같이 고마웠다.

24 ⓒ에는 아픈 아내에게 약은커녕 끼니도 제대로 챙기지 못하는 가난한 상황에 대한 김 첨지의 분노와 원망이 담겨 있다.

25 (다)에서 김 첨지가 아내로부터 나뭇등걸과 같은 느낌을 받은 것은 아내의 죽음을 확인하는 것이므로 안도의 한숨을 내쉰다고 볼 수 없다.

26 (가)에서 무덤 같은 침묵에 불안함을 느낀 김 첨지가 (나)에서 허세를 부리는 장면이므로, ㄱ에는 실속은 없으면서 큰소리치거나 허세를 부린다는 의미인 '허장성세(虛張聲勢)'가 가장 적절하다.

> **┿ Clinic 오답 강의**
> ① 선견지명: 어떤 일이 일어나기 전에 미리 앞을 내다보고 아는 지혜
> ② 속수무책: 어찌할 도리가 없이 꼼짝 못 함.
> ③ 유구무언: 입은 있어도 말은 없다는 뜻으로, 변명을 못함을 이르는 말
> ④ 자포자기: 절망에 빠져 자신을 스스로 포기하고 돌아보지 아니함.

27 (다)에서는 구역을 나게 하는 추기를 통해 후각적 심상이 구체적으로 사용되었음을 알 수 있으며 이러한 후각적 심상은 아내의 죽음이라는 상황의 비극성을 고조시킨다. 또한 개똥이가 우는 청각적 심상을 통해 상황의 비참함을 생생하게 전달하고 있다.

28 이 글의 제목인 '운수 좋은 날'은 글의 내용과 반대되는 제목으로, 겉으로는 행운이 계속되어 돈을 많이 벌게 된 운수 좋은 날이지만 이면에는 아내가 죽은 불행하고 비참한 날이라는 의미를 반어적으로 전달하는 것이지 모순이 되는 표현을 사용한 것은 아니다.

대단원 마무리 체크   p.42-43

01 운율   **02** 반어   **03** 모순   **04** (1) ○ (2) × (3) × (4) ○   **05** 이별
06 (1) × (2) ○ (3) ○   **07** (1) 호흡, 음악성 (2) 잊었노라 (3) 3·3·4, 문장 구조   **08** 오랜 시간이 지나도 결코 '당신'을 잊을 수 없다.   **09** (1) 축복
(2) 결별, 성숙 (3) 낙화 (4) 열매   **10** (1) × (2) × (3) ○ (4) ○   **11** (1) ㉠
(2) ㉣ (3) ㉢ (4) ㉡   **12** (1) ○ (2) ○   **13** (1) × (2) ○ (3) × (4) ×   **14** (1) ×
(2) ○ (3) × (4) ○ (5) ○   **15** 환곡, 양반, 증서, 두, 포기   **16** (1) 신분 질서
(2) 돈 (3) 양반 (4) 평민   **17** (1) 의무 (2) 허례허식 (3) 수탈 (4) 풍자   **18** 무능,
비판, 신분, 군수   **19** 경제적으로 무능하고 비생산적인 양반의 모습
20 (양반의) 아내, 부자   **21** 모순, 개선   **22** 직접적, 웃음, 통찰력

2 | 읽고 쓰는 즐거움

01 읽기의 가치와 중요성

         확인 문제 | p.44

① 정신세계   ② 소설가

1 읽기   **2** 생활화   **3** (1) × (2) ○ (3) ×   **4** 박지원   **5** ㉠, ㉢, ㉣, ㉤
6 가치, 중요성

단원 종합 문제 기출 예상   p.45-46

01 ②   **02** ②   **03** ④, ⑤   **04** ⑤   **05** ②   **06** ⑤   **07** ②
08 글쓴이는 중학교 3학년 특별 활동 시간, 마음에 드는 책을 골라 읽는 도서반 활동을 통해 읽기의 가치와 중요성을 깨닫게 되었다.   **09** ①   **10** ②

01 글쓴이는 중학교 시절 도서반에서 활동하며 책을 읽었던 경험을 통해 깨닫게 된 읽기의 가치와 중요성을 제시하고 있다.

02 (다)를 통해 고전은 어렵고 지루하다는 편견 때문에 아이들이 고전에는 거의 손을 대지 않았을 것임을 짐작할 수 있다.

03 글쓴이는 전학 오기 전 국내에 출간된 대부분의 무협지를 읽었을 만큼 무협지에 익숙했기 때문에 한문 문장을 번역한 고

전의 예스러운 문체가 낯설지 않았다. 또한 숨어서 실력을 쌓은 인물이 세상에 나가 세상을 뒤흔들어 놓고 다시 제자리로 돌아오는 방식은 무협지에서도 흔히 볼 수 있는 방식이었기 때문에 고전을 낯설게 여기지 않았다.

04 주인공의 이름 외에는 기억에 남는 것이 없었던 무협지와 달리 고전인 박지원의 소설을 읽으면서 글쓴이는 주인공이 다음에 어떻게 되었을지 궁금해졌고, 내가 주인공이라면 어떻게 했을지 자꾸만 생각하게 되었다.

05 고전을 읽으며 재미를 느낀 글쓴이는 책을 읽으며 정신세계가 더 넓어지고 수준이 높아지는 듯하다는 생각을 했으며, 우리 조상이 쓴 것이라는 뿌듯함을 느꼈다. 책을 읽으며 고단한 삶의 현실을 잊을 수 있다는 생각은 하지 않았다.

06 글쓴이는 책을 읽으면서 정신세계가 한층 더 넓어지고 수준이 높아지는 듯한 느낌이 들었기 때문에 책을 읽는 것을 '보약'에 빗대어 표현했다.

07 (바)의 '내가 지금 소설을 쓰고 있는 것은 바로 그 책 때문이라고 생각한다.'를 통해 중학교 시절 고전을 읽은 경험이 글쓴이가 현재 소설가가 된 계기가 되었음을 알 수 있다.

08 글쓴이는 마음에 드는 책을 골라 읽는 도서반 활동을 통해 고전을 처음 접하게 되었고, 고전을 읽으며 읽기의 중요성과 가치를 깨닫게 되었다.

09 이 글은 중학교 특별 활동 시간에 도서반에서 고전을 읽은 글쓴이의 경험을 통해 읽기의 가치와 중요성에 대해 말하고 있다.

10 글쓴이는 읽기의 가치와 중요성을 깨닫고 독자들도 책 속에서 삶의 가치를 발견할 것을 당부하고 있으므로, 읽기를 생활화하는 독서 태도를 가장 바람직하다고 여길 것이다.

02 다양한 표현 활용하여 글 쓰기

         확인 문제 | p.47

① 관용 표현   ② 주제

1 (1) 속담 (2) 관용 표현 (3) 격언이나 명언   **2** 독자, 글쓴이   **3** ㉠-ⓑ,
㉡-ⓐ, ㉢-ⓒ   **4** (1) ○ (2) ×

단원 종합 문제 기출 예상   p.48-49

01 ④   **02** ①   **03** ②   **04** ④   **05** ②   **06** ①   **07** ⓐ, ⓓ
08 ②   **09** 현지는 비스마르크의 표현을 변형하여 '쉬어라, 좀 더 쉬어라, 충분히 쉬고 공부하라.'라고 표현했다. 이는 적당한 휴식의 필요성을 강조하려는 현지의 의도를 잘 드러내고 있으므로 적절하다.

01 '초콜릿 보기를 돌같이 하라.'와 같이 기존의 명언을 새롭게 변형한 참신한 표현을 활용하면 글의 내용을 더욱 인상적으로 전달할 수 있다.

02 ㉠은 '한 가지 일로 두 가지 이상의 이익을 보게 됨.'을 의미하는 표현이다. '누워서 떡 먹기.'는 '하기가 매우 쉬운 것을 비유적으로 이르는 말'이다. ② '일석이조', ③ '일거양득', ④ '굿도 보고 떡도 먹는다.', ⑤ '알로 먹고 꿩으로 먹는다.'는 모두 한 가지 일로 두 가지 이상의 이익을 얻음을 이르는 말이다.

03 ㉡은 고려 말기의 명장이자 재상인 최영에게 아버지가 유언으로 남긴 말로, 청렴결백하게 살아가라는 의미를 담고 있다.

04 '건강한 신체에 건강한 정신이 깃든다.'는 완전한 건강이란 육체와 정신이 함께 건강한 상태를 의미하는 것임을 표현하는 명언으로, 현지가 정상에 올라 느꼈던 상쾌함을 표현하기에 알맞다.

05 '아버지와 함께 한 등산'은 현지의 경험을 담백하게 표현하는 제목이고, '지금은 쉼표가 필요할 때'는 비유적인 표현을 활용하여 독자의 관심을 끌고 현지의 깨달은 점을 잘 드러낼 수 있는 제목이다.

06 〈보기〉에서 설명하고 있는 표현은 관용 표현이다. ㉠은 '마음이 언짢거나 유감의 뜻을 나타내다.'라는 관용 표현이다.

> ➕ **Clinic 오답 강의**
>
> ② '떼를 쓰다'는 '부당한 일을 해 줄 것을 억지로 요구하거나 고집하다.'라는 뜻으로 관용 표현이 아니다.
> ③ '급히 먹는 밥이 목이 멘다.'는 너무 서둘러 일을 하면 잘못하고 실패하게 됨을 비유적으로 이르는 속담이다.
> ④ '건강한 신체에 건강한 정신이 깃든다.'는 완전한 건강이란 육체와 정신이 함께 건강한 상태를 의미하는 것임을 표현한 명언이다.
> ⑤ '청년들이여 일하라, 좀 더 일하라, 끝까지 열심히 일하라.'는 일의 중요성을 강조하는 비스마르크의 명언이다.

07 '누워서 떡 먹기'는 하기가 매우 쉬운 것을 비유적으로 이르는 속담으로, 산에 오르는 일을 쉽게 여긴 현지의 태도를 간결하고 인상적으로 나타낸다.

08 이 글은 현지가 아버지와 함께 등산을 한 경험을 바탕으로 적당한 휴식은 목표를 달성하는데 도움을 준다는 깨달음을 담고 있다.

09 '쉬어라, 좀 더 쉬어라, 충분히 쉬고 공부하라.'는 현지가 글의 주제를 효과적으로 전달하기 위해 비스마르크의 명언을 새롭게 변형한 참신한 표현이다.

📖 선택 학습 기출 예상   p.50~51

01 ⓒ, ⓓ   **02** 자신이 관심 있는 특정 분야의 책만 보는 것이 아니라 넓고 다양한 분야의 책을 고르게 읽는다.   **03** ④   **04** ③   **05** ②   **06** ⑤   **07** ②   **08** 광고 문구의 형태를 댓글이 달리는 모양으로 구성하여 내용을 인상 깊고 참신하게 전달하고 있다.   **09** ④   **10** 겨울철 난방 에너지 위기   **11** ⑤   **12** ③   **13** ①

01 음악인 전제덕은 책을 읽기 전 책의 차례, 작가의 서문을 읽으며 작가가 하고 싶은 이야기가 무엇인지 파악한다고 하였다.

02 (나)에서 영화 평론가 이동진은 좋은 영화 평론가가 되려면 영화책만 100권을 읽는 것이 아니라 다양한 분야의 책으로 100권을 보는 것이 더 낫다고 이야기하면서 특정 분야의 책만 깊게 볼 것이 아니라 넓고 다양한 분야의 책을 고르게 읽는 독서 방법을 제시하고 있다.

03 (다)에서 물리학자 정재승은 '책들 사이의 연관 관계'에 관심이 많다고 하였으므로, ㉠에는 책들 사이의 연관 관계를 따라가며 계속 책을 읽는다는 내용이 가장 적절하다.

04 영화 평론가 이동진은 시집을 위주로 책을 읽은 것이 아니라 시집을 비롯한 다양한 분야의 책을 읽어야 함을 강조하고 있다.

05 (라)와 (마)는 시각적 요소를 위주로 하는 인쇄 광고로, 모두 공공의 이익을 추구하기 위한 공익 광고이다.

06 (라), (마)는 인쇄 광고이기 때문에 문자와 그림, 사진 등을 사용하여 주로 수용자의 시각에 호소한다.

07 (라)는 사람들에게 익숙한 속담을 변형하여 '윗글'과 '아랫글'의 관계를 나타내는 표현을 만들어 '좋은 댓글을 달아 올바른 인터넷 댓글 문화를 만들자.'는 주제를 전달하고 있다.

> ➕ **Clinic 오답 강의**
>
> ① (라)는 인쇄 광고이기 때문에 인터넷 매체의 신속성을 고려하여 만들어진 것은 아니다.
> ③ (라)에서는 비속어를 사용하지 않았다.
> ④ (라)에서는 속담을 활용하여 시각적으로 재구성한 것이지 명언을 인용한 것은 아니다.
> ⑤ (라)에서 올바른 문화 전승의 태도를 강조하고 있는 것은 아니다.

08 (라)에서는 기존의 속담 '윗물이 맑아야 아랫물이 맑다.'를 변형하여 '윗글'과 '아랫글'로 바꾸고 광고 문구의 형태를 댓글이 계속 달리는 모양으로 구성하여 내용을 참신하게 전달하고 있다.

09 (마)에서는 동음이의어 '내복(內服)'을 활용하여 참신한 표현을 만들어 제시하고 있다. ④ '배'는 각각 '과일'과 '운송 수단'을 의미하는 동음이의어이다.

> ➕ **Clinic 오답 강의**
>
> ① '윗물'과 '아랫물'은 서로 반대되는 말로, 반의어이다.
> ② '마음'을 '호수'에 빗댄 표현으로, 원관념과 보조 관념의 관계이다.
> ③ '흐르는'은 같은 의미로 사용되었다.
> ⑤ '머리'는 각각 '생각하고 판단하는 능력(주변 의미)', '사람이나 동물의 목 위의 부분(중심 의미)'을 의미하는 다의어이다.

10 (마)는 겨울철 난방 에너지 위기를 해결하기 위해 내복을 입자는 주제를 전달하는 공익 광고이다.

11 학교 과제를 위해 교과서를 그대로 암기하는 것은 읽기를 생활화한 것이라고 보기 어렵다.

12 '가랑비에 옷 젖는다.'는 '아무리 사소한 것이라도 그것이 거듭되면 무시하지 못할 정도로 크게 됨을 비유적으로 이르는 말'로, 독서를 생활화하기 위한 다짐을 표현하기에 적절한 속담이다.

①, ② 독서를 생활화하기 위한 다짐을 표현했지만 속담이 사용되지 않았다.
④ '입에 쓴 약이 몸에 좋다'는 '비판이나 꾸지람이 당장에 듣기에는 좋지 아니하지만 잘 받아들이면 본인에게 이로움을 이르는 속담으로, 이와 어울리는 다짐을 표현하려면 '재미없는 책도 끝까지 읽으려고 노력하자.'가 어울린다.
⑤ '고래 싸움에 새우 등 터진다.'는 '강한 자들끼리 싸우는 통에 아무 상관도 없는 약한 자가 중간에 끼어 피해를 입게 됨을 비유적으로 이르는 말'로, 독서를 생활화하기 위한 다짐과는 관련이 없다.

13 제시된 문구에서는 '세월'과 '물'을 각각 멈출 수 없는 것과 멈출 수 있는 것으로 대비하여 물을 아껴 써야 한다는 주제를 더욱 강조하고 있다.

대단원 종합 문제
p.52~56

01 ⓑ, ⓒ   **02** ⑤   **03** ⑤   **04** ⑤   **05** 한문을 번역한 예스러운 문체와 인물의 행적과 사건 전개 방식이 자신이 많이 읽었던 무협지와 비슷했기 때문이다.   **06** ①   **07** ③   **08** ⓐ, ⓒ, ⓓ   **09** ②   **10** ④   **11** ③   **12** ②   **13** ②   **14** ①   **15** ⑤   **16** ③   **17** ③   **18** ⑤   **19** ③, ④   **20** ②   **21** ①   **22** ⑤   **23** ④   **24** 겨울철 난방 에너지 위기를 해결하기 위해 내복을 입자.   **25** ④

01 이 글은 특별히 정해진 형식이나 소재가 없으며, 글쓴이의 개성과 가치관이 두드러지게 나타나는 수필이다. ⓐ는 소설, ⓓ는 시에 대한 설명이다.

02 글쓴이는 고전 소설의 문체가 자신이 많이 읽었던 무협지와 비슷했기 때문에 고전을 처음 접했을 때부터 고전 소설의 문체를 낯설게 느끼지 않았다.

03 자신의 취향과는 상관 없이 산과 학교 사이를 뛰어 오가는 산악반 활동을 했던 글쓴이는 되도록 몸을 많이 움직이지 않는 특별 활동반을 선택하고 싶었기 때문에 도서반을 선택했다.

04 한 인물이 숨어 지내다가 실력을 쌓은 뒤에 세상에 나아가 한바탕 세상을 뒤흔들고 다시 제자리로 돌아오는 고전의 내용 구성 방식은 무협지에서도 흔히 볼 수 있는 방식이었다.

㉠ 글쓴이가 특별 활동반으로 도서반을 선택할 수 있는 기회가 왔음을 알 수 있다.
㉡ 도서반에서 할 일은 자신이 좋아하는 책을 골라 읽는 것이다.
㉢ 고전은 어렵고 지루할 것이라는 아이들의 편견이 드러난다.
㉣ 글쓴이가 많은 고전 소설 중 〈허생전〉을 선택했다는 것을 알 수 있으나 허생의 경제관을 본받고자 〈허생전〉을 선택했다는 내용은 제시되지 않는다.

05 국내에서 출간된 대부분의 무협지를 읽은 글쓴이는 문체와 내용 구성 방식이 무협지와 비슷했던 고전에 거부감을 느끼지 않았다.

06 이 글에는 중학교 3학년 때 도서반에서 박지원의 고전 소설을 읽은 글쓴이의 경험과 이를 통한 깨달음이 구체적으로 드러나 있다.

07 (가)에서 읽고 나면 주인공의 이름만 기억에 남는 것은 무협지임을 알 수 있다.

08 고전을 읽은 경험이 글쓴이가 소설가가 되는 데 결정적인 영향을 미쳤다는 것은 알 수 있지만, 글쓴이는 읽기를 통해 안정된 직업을 가질 수 있다고 하지는 않았다.

09 (라)에서 읽기란 지극한 정신문화를 체험하게 하며, 드높은 가치를 추구하는 길을 보여 주고, 진정한 인간으로 나아가는 통로라고 말하고 있으므로 글쓴이는 책 읽기를 통해 삶을 더욱 의미 있게 만들 수 있다고 생각할 것이다.

10 책에는 다양한 경험과 생각이 드러나 있으므로 다른 사람들의 다양한 삶의 모습을 접할 수 있으며 다른 사람의 삶을 간접적으로 체험할 수 있다.

11 다양한 표현을 활용하여 글을 쓸 때에는 다양한 표현을 글의 내용과 의도에 맞게 활용하는 것이 중요하다.

12 현지는 산을 급하게 올라가려니 힘들어서 포기하고 중간에 내려오고 싶었지만 천천히 걸으며 올라가라는 아버지의 가르침에 따라 정상에 도착했다.

13 ㉠은 한 가지 일을 하여 두 가지 이상의 이익을 보게 됨을 비유적으로 이르는 속담으로, 예로부터 전해 오는, 짧으면서도 교훈을 담고 있는 말이다. ① 재담, ③ 사자성어, ④ 관용 표현, ⑤ 격언이나 명언

14 '누운 소 타기'는 하기가 매우 쉬운 것을 비유적으로 이르는 말로, '누워서 떡 먹기'와 같은 의미의 속담이다.

② 바늘 가는 데 실 간다.: 바늘이 가는 데 실이 항상 뒤따른다는 뜻으로, 사람의 긴밀한 관계를 비유적으로 이르는 말
③ 가까이 앉아야 정이 두터워진다.: 사람은 서로 가까이 있으면서 자주 접촉해야 정이 더 깊어진다는 말
④ 사나운 개도 먹여 주는 사람은 안다.: 아무리 사나운 개라도 저를 먹여 주는 사람만은 알아서 꼬리 치며 반갑게 대한다는 뜻으로, 자기에게 은혜를 베풀어 주는 고마운 사람을 알아보지 못하는 것은 짐승만도 못함을 이르는 말
⑤ 하나를 가르치면 열 백을 알아야 한다.: 남을 가르치기 위하여서는 남보다 훨씬 더 많이 알아야 한다는 말

15 ⑤는 '서당 개 삼 년에 풍월을 읊는다.'는 속담의 뜻으로 이 글에 사용되지 않았다.

① (다)에 사용된 '숨이 턱에 닿다.'에 대한 설명이다.
② (바)에 사용 된 '쉬어라, 좀 더 쉬어라, 충분히 쉬고 공부하라.'에 대한 설명이다.
③ (가)에 사용된 '울며 겨자 먹기'에 대한 설명이다.
④ (나)에 사용된 '혀를 차다.'에 대한 설명이다.

16 '아주 깨끗하게'를 대신하여 '씻은 듯이'와 같은 관용 표현을 사용하면 정상에 올랐을 때의 후련함을 더욱 구체적이고 실감 나게 표현할 수 있다.

① '눈에 띄게'는 '두드러지게 드러나다.'라는 의미의 관용 표현이다.
② '목에 힘을 주고'는 '거드름을 피우거나 남을 깔보는 듯한 태도를 취하다.'라는 의미의 관용 표현이다.
④ '어깨를 펴고'는 '굽힐 것이 없이 당당하다.'라는 의미와 관용 표현이다.
⑤ '찬물을 끼얹은 듯'은 많은 사람이 갑자기 조용해지거나 숙연해지는 모양을 비유적으로 이르는 관용 표현이다.

17 '건강한 신체에 건강한 정신이 깃든다.'는 고대 로마의 시인 유베날리스의 명언으로, 완전한 건강이란 육체와 정신이 함께 건강한 상태를 의미하는 것임을 표현한 말이다. 이를 사용하면 정상에 오른 현지의 상쾌한 기분을 효과적으로 표현할 수 있다.

┌─ **➕ Clinic 오답 강의**
│ ① 부지런하고 꾸준히 노력하는 사람은 침체되지 않고 계속 발전한다는 의미의 속담이다.
│ ② 아무리 뜻이 굳은 사람이라도 여러 번 권하거나 꾀고 달래면 결국은 마음이 변한다는 의미의 속담이다.
│ ④ 부모의 말을 잘 듣고 순종하면 좋은 일이 생긴다는 의미의 속담이다.
│ ⑤ 가치 있는 사람이 되어야 한다는 아인슈타인의 명언이다.
└─

18 (바)에는 아버지와의 등산을 통해 현지가 깨달은 적당한 휴식의 필요성이 제시되어 있다.

19 ⓐ는 '기를 죽이다'라는 의미의 관용 표현이다. ⓑ는 어떤 분야에 대해 아는 것이 아무것도 없는 사람이라도 그 분야에 오래 있으면 어느 정도 지식과 경험을 가질 수 있다는 의미의 속담이다. ⓒ는 노력의 중요성에 관해 에디슨이 남긴 명언이다.

20 (가)에는 책의 차례와 작가의 서문을 읽고 작가가 하고 싶은 이야기가 무엇인지 파악하며 읽는 독서 방법이 제시되어 있다.

21 영화 평론가 이동진의 독서 방법은 특정 분야의 책만 보는 것(편독)이 아니라 넓고 다양한 분야의 책을 고르게 읽는 것이다.

22 (다)에서 책 읽기는 자신을 돌아보고 성찰하면서 자기 생각을 확장하는 것, 새로운 것과 접속하고 자기 삶의 쇄신을 이루어 가는 과정이라고 했으므로, 책 읽기를 통해 자신의 삶을 더욱 풍성하고 의미 있게 만들 수 있다는 것이 읽기의 가치에 대한 (다)의 생각과 가장 유사하다.

23 (라)는 공공의 이익을 목적으로 하는 공익 광고로, 속담을 변형하고, 광고 문구의 형태를 댓글이 연이어 달리는 모양으로 구성하여 기획 의도를 인상적으로 전달하고 있다. 하지만 다의어와 비유적 표현을 활용한 창의적 발상이 나타나지는 않는다.

24 (마)는 동음이의어를 활용하여 겨울철 난방 에너지 위기를 해결하기 위해 내복을 입자는 주제를 전달하는 공익 광고이다.

25 서로 협력하자는 의미를 담아서는 '백지장도 맞들면 낫다.'라는 속담을 급훈으로 제안할 수 있다.

┌─ **➕ Clinic 오답 강의**
│ ① 한 가지 일을 하여 두 가지 이상의 이익을 보게 됨을 비유적으로 이르는 '일석이조'가 적절히 사용되었다.
│ ② 글을 모르거나 아는 것이 넉넉하지 못하다는 뜻의 '글이 짧다'가 적절히 사용되었다.
│ ③ 무슨 일이나 그 일의 시작이 중요하다는 뜻의 '천 리 길도 한 걸음부터'라는 속담이 적절히 사용되었다.
│ ⑤ 노력의 중요성을 강조하는 '하늘은 스스로 돕는 자를 돕는다.'라는 속담이 적절히 사용되었다.
└─

01 (1) 사실 (2) 여가 (3) 성찰 (4) 정신 (5) 경험   **02** 생활화   **03** 수필
04 특별 활동, 박지원, 길   **05** (1) × (2) ○ (3) ○ (4) ×   **06** 무협지, 무협지
07 (1) 보약 (2) 고전 (3) 통로   **08** (1) × (2) × (3) ○ (4) ○   **09** (1) 문장
(2) 새로운 맛 (3) 정신세계, 수준 (4) 주인공, 주인공   **10** 책   **11** (1) 속담
(2) 관용 표현 (3) 격언이나 명언   **12** 내용   **13** (1) ○ (2) × (3) ○ (4) ○
14 글이 짧다(짧아서)   **15** (1) 기를 죽이다 (2) 황금, 돌, 청렴결백 (3) 오래, 속담   **16** 꿩 먹고 알 먹기   **17** 속담, 숨이 턱에 닿다, 속담, 실패, 육체, 정신   **18** (1) 누워서 떡 먹기 (2) 씻은 듯이 (3) 숨이 턱에 닿다 (4) 혀를 차다
19 적당한 휴식   **20** (1) 명언 (2) 참신한

3 | 생각과 감정을 나누다

01 한글의 창제 원리와 우수성

① 실용 ② 발음 기관 ③ 하늘 ④ 합성

1 한자   **2** (1) 애민 정신 (2) 실용 정신 (3) 자주정신   **3** 발음 기관
4 (1) ㅁ (2) ㅅ (3) ○ (4) ㄴ (5) ㄱ   **5** 획   **6** (1) ― (2) · (3) ㅣ   **7** 상형
8 (1) ○ (2) ○ (3) × (4) ×

01 ③   **02** ②   **03** ㉠: 자주정신, ㉡: 실용 정신   **04** ㉡, ㉣   **05** ①
06 ⑤   **07** ②   **08** 상형의 원리   **09** ④   **10** ④   **11** ④   **12** ④
13 ⑤   **14** ⑤   **15** 한글은 음절 단위로 모아쓰기 때문에 가로쓰기와 세로쓰기를 자유롭게 할 수 있어서 정보를 효율적으로 담을 수 있다.   **16** ②

01 한문 교육을 받을 수 있었던 양반 계층과 달리 한문 교육을 받을 시간적, 물질적 여유가 없었던 평민들은 문자 생활을 하기가 어려웠다.

02 (나)에서 세종 대왕은 글을 모르는 백성이 글로 자신의 뜻을 표현하지 못하는 것을 안타깝게 여겨 한글을 창제했음을 알 수 있다. 하지만 백성들을 위해 문자 교육을 실시하고자 한 것은 아니다.

03 우리말은 중국 말과 달라, 한자가 아닌 우리의 독창적인 문자가 필요하다는 것에서 자주정신을, 모든 사람으로 하여금 글자를 쉽게 익혀서 날마다 편리하게 쓰도록 하겠다는 것에서 실용 정신을 알 수 있다.

04 'ㄱ'은 혀뿌리가 목구멍을 막는 모양을, 'ㅁ'은 입 모양을, 'ㅇ'은 목구멍의 모양을 본떠서 만들었다.

05 한글은 글자의 모양을 통해 글자들의 관계나 소리의 특징을 짐작할 수 있다.

06 'ㅋ'은 혀뿌리가 목구멍을 막는 모양을 본뜬 'ㄱ'에 획을 더해서 만든 글자이다.

07 한글 창제 당시 만들어진 자음자 중, ㅿ(반치음), ㆁ(옛이응), ㆆ(여린히읗)은 현재 사용되지 않는다.

08 'ㆍ'는 하늘의 둥근 모양을, 'ㅡ'는 땅의 평평한 모양을, 'ㅣ'는 사람이 서 있는 모양을 본떠 만들었다.

09 'ㄴ'에 가획하면 'ㄷ, ㅌ', 'ㅅ'에 가획하면 'ㅈ, ㅊ', 'ㄱ'에 가획하면 'ㅋ'이 된다.

10 모음자는 하늘, 땅, 사람의 모양을 본떠 만들었다. 발음 기관의 모양을 본떠 만든 것은 자음 기본자이다.

11 'ㅛ'는 모음 기본자를 결합하여 만든 'ㅗ'에 다시 모음 기본자 'ㆍ'를 합하여 만든 것이다.

12 혀뿌리가 목구멍을 막는 모양을 본떠 만든 자음 기본자 'ㄱ'에 획을 더해 만든 자음자는 'ㅋ'이고, 사람이 서 있는 모양을 본떠 만든 모음 기본자 'ㅣ'의 오른쪽에 'ㆍ'를 합하여 만든 모음자는 'ㅏ'이다.

13 한자는 의미를 나타내는 문자이다. 글자의 모양을 통해 글자들의 관계나 소리의 특징을 짐작할 수 있는 것은 한글이다.

14 한글은 초성, 중성, 종성을 합쳐 음절 단위로 모아쓰기를 하지만, 영어 알파벳은 모아쓰기를 하지 않는다.

15 한글은 초성, 중성, 종성을 음절 단위로 모아쓰기 때문에 가로쓰기와 세로쓰기를 자유롭게 할 수 있다. 이로 인해 한글은 정보를 효율적으로 전달할 수 있다.

16 한글은 초성, 중성, 종성을 음절 단위로 모아쓰기 때문에 정보를 빠르게 파악할 수 있고, 정보를 전달하는 데 실용적이다.

02 마음을 나누는 대화

| 확인 문제 | p.62 |

① 관점   ② 배경지식   ③ 질문

1 (1) 상호 작용 (2) 조정, 정리 (3) 반응   **2** 공감   **3** 분석, 비판
4 딴생각을 하느라 남학생의 말을 주의 깊게 듣지 못했다.   **5** (1) × (2) ○

단원 종합 문제 기출 예상   p.63~64

01 ②   **02** 상대의 말에 귀 기울이는 자세가 필요하다. / 상대를 존중하며 상대의 반응에 적절하게 대응하는 자세가 필요하다.   **03** ④   **04** ⑤
05 배경지식을 적극적으로 활용하며, 상대가 하는 말에 적절하게 반응했다.
06 ②   **07** ③, ⑤   **08** ③   **09** 몸짓, 시선   **10** ②   **11** ⑤

01 말하는 이와 듣는 이는 의미를 공유하는 대화를 통해 자신의 생각을 조정하거나 정리해 나간다.

02 여학생은 남학생의 말을 주의 깊게 듣지 못해 의사소통에 문제가 생겼다. 듣기·말하기가 원활하게 이루어지기 위해서는 상대의 말에 귀 기울이고, 상대를 존중하며 상대의 반응에 적절하게 대응하는 자세가 필요하다.

03 상대의 감정을 고려하며 대화할 때에는 상대의 말을 분석하거나 비판해서는 안 된다. ④ 엄마에게 화를 내는 것은 옳지 못한 행동이라고 말하는 것은 상대의 행동을 분석하며 비판한 것이므로 상대방의 감정을 고려한 것이 아니다.

04 지혁이는 소정이의 질문을 듣고 사촌 동생에게 타지 않는 자전거를 준 경험을 떠올렸다.

05 ㉠에서는 배경지식을 적극적으로 활용하고 있고, ㉡에서는 상대가 하는 말에 적절하게 반응하고 있다. 소정이와 지혁이는 이와 같은 과정을 통해 의미를 함께 구성하고 있다.

06 국어 수행 평가 과제 제출 기한은 다음 주까지만 준희는 내일 하는 국어 모둠 회의 전까지 자료를 찾아야 하는 상황이다.

07 대화가 원활하게 이루어지기 위해서 한솔이는 준희의 말을 주의 깊게 듣고, 준희의 관점에서 문제를 바라보며 준희에게 공감하는 태도를 드러내야 한다. 내일 모둠 회의에 필요한 자료를 준비하지 못할까 봐 걱정하고 있는 준희의 마음에 공감을 표현하거나 전자 도서관에서 자료를 찾아보는 것을 제안할 수 있다.

08 지애는 친구와 다투면서 심한 말을 한 것을 후회하면서, 친구에게 사과를 하고 싶은데 어떻게 해야 할지 몰라 고민하고 있다.

09 효진이는 고개를 끄덕이고(몸짓), 부드럽게 눈을 맞추며(시선) 지애의 말에 공감을 드러내고 있다.

10 ㉡은 지애가 편히 말을 이어갈 수 있도록 하는 질문이다.

11 상대의 말을 들을 때에는 상대의 상황을 고려하여 상대의 감정에 공감하고, 상대의 관점에서 문제를 바라보는 태도를 가져야 한다. 상대의 말에서 문제점을 찾아내는 것은 상대의 말을 듣는 바람직한 태도가 아니다.

선택 학습 기출 예상   p.65~66

01 ⑤   **02** ①   **03** ①   **04** ⑤   **05** 과거 동양 철학에서는 하늘과 땅, 사람이 만물의 근본이라고 생각했기 때문이다.   **06** ①   **07** ①   **08** 엄마, 누나와 대화를 이어 나가려 하지 않는다.   **09** ⑤   **10** ㉯, ㉰   **11** ⑤

01 세종 대왕은 훈민정음을 만드는 동안 몽골의 파스파 문자나 인도의 산스크리트 문자 등 주변 국가의 문자에 관한 정보를 수집했다. 또한 실제로 몇 개의 글자는 닮기도 했기 때문에 한글이 몽골이나 인도의 문자를 본떴다는 문자 모방설이 있었다.

02 1940년에 한글의 창제 원리와 철학적 원리가 담긴 《훈민정음》 해례본이 발견되면서 세종 대왕이 한글을 어떤 원리로 만들었는지가 자세하게 밝혀졌다.

03 세종 대왕이 한글을 만드는 동안 몽골의 파스파 문자나 인도의 산스크리트 문자 등 주변 국가의 문자에 관한 정보를 수집하기는 했지만, 주변 국가의 글자를 모방해서 한글을 만든 것은 아니다.

04 자음의 기본자에는 각각 이, 목구멍, 입 모양을 본뜬 'ㅅ', 'ㅇ', 'ㅁ'과 혀뿌리가 목구멍을 막는 모습을 본뜬 'ㄱ', 혀끝이 윗잇몸에 닿는 모습을 본뜬 'ㄴ'이 있다.

05 과거 동양 철학에서는 하늘과 땅, 사람을 만물의 근본이라고 생각했기 때문에 세종 대왕은 이 세 가지를 본떠 모음 기본자를 만들었다.

06 (다)에서 한글, 타이 문자, 키릴 문자는 만든 사람과 만든 과정이 알려진 문자라는 것을 알 수 있다. 그중에서도 한글은 철학적 원리와 사용법, 보기 등을 자세히 기록하여 책으로 펴내기까지 한 문자이다.

07 이 대화에는 영화감독이 되고 싶은 석환이와 과학 고등학교 진학을 목표로 석환이가 공부에 전념하기를 바라는 엄마, 누나 사이의 갈등이 드러난다.

08 석환이는 "혼자 있고 싶어요.", "나가세요."라고 말하며 엄마, 누나와 대화를 이어 나가려 하지 않는다.

09 〈보기〉에서 엄마는 고개를 끄덕이는 몸짓을 통해 석환이의 생각을 이해하고 있음을 표현하고 있다. 또한 영화감독이 되기 위해 영화 잡지를 읽고 시나리오 쓰는 연습을 해야 하는 석환이의 상황에 공감하고 있다.

10 '(말을 자르고 끼어들며)'에서 볼 수 있듯이 누나는 석환이의 말을 끝까지 듣지 않고 중간에 가로채고 있으며, "야, 난 네가 이해가 안 된다."라고 말하며 석환이의 생각을 이해하려는 태도를 보이지 않는다.

11 대화가 원활하게 이루어지기 위해서는 공감을 드러내는 몸짓과 함께 석환이의 상황을 이해하고 공감하려는 태도를 보이는 것이 적절하다.

🔊 대단원 종합 문제
p.67–71

01 ④　　**02** ②　　**03** ⑤　　**04** ⑤　　**05** ㉠: ㄴ, ㉡: ㅅ, ㉢: ㅇ　　**06** ②
07 ③　　**08** ②　　**09** ①　　**10** ㉠: 하늘, ㉡: 땅, ㉢: 사람　　**11** ㅏ, ㅓ, ㅗ, ㅜ
12 ④　　**13** ㉠: ㅂ, ㉡: ㄸ, ㉢: ㅏ　　**14** ㉠: 합성의 원리, ㉡: 가획의 원리
15 ④　　**16** ③　　**17** ③　　**18** ③　　**19** 다양한 즐거움을 주는 것　　**20** ①
21 ⑤　　**22** ④　　**23** (나)에서는 오른쪽 상황이, (다)에서는 왼쪽 상황이 바람직한 듣기 태도를 보여 준다. 상대의 말을 들을 때에는 상대 쪽으로 몸을 향하여 집중하고, 상대와 자연스럽게 눈을 맞추어 상대의 말에 관심을 나타내며 들어야 한다.　　**24** ③　　**25** ②　　**26** ㄱ, ㄴ, ㅁ, ㅅ, ㅇ　　**27** 훈민정음의 창제 원리와 거기에 담긴 철학적 원리, 사용법, 보기 등이 자세하게 기록되어 있는 책이기 때문이다.　　**28** ④　　**29** 석환이, 엄마, 누나는 상대의 상황과 처지를 이해하고 상대의 관점에서 문제를 바라보는 태도가 필요하다.

01 한글이 창제되기 전에는 우리말을 표기할 고유한 문자가 없었기 때문에 한자를 통해 지식과 정보를 전달할 수밖에 없었던 것이지 국가에서 평민에게 정보를 전달하지 않으려고 한 것은 아니다.

02 세종 대왕은 우리말이 중국 말과 달라 우리의 독창적인 문자가 필요하다는 것을 인식하고(자주정신), 글을 모르는 백성이 글로 자신의 뜻을 표현하지 못하는 것을 안타깝게 여겼으며(애민 정신), 모든 사람으로 하여금 쉽게 익혀서 날마다 편리하게 쓰도록(실용 정신) 하기 위해 한글을 창제했다.

03 ①~④는 상형의 원리 ⑤는 기획의 원리에 의해 만들어진 글자이다.

04 한글은 음절 단위로 모아쓰기 때문에 가로쓰기와 세로쓰기가 모두 가능하다.

05 자음 기본자 'ㄱ'은 혀뿌리가 목구멍을 막는 모양을, 'ㄴ'은 혀끝이 윗잇몸에 닿는 모양을, 'ㅁ'은 입 모양을, 'ㅅ'은 이의 모양을, 'ㅇ'은 목구멍의 모양을 본떴다.

06 'ㆁ(옛이응), ㅿ(반치음), ㆆ(여린히읗)'은 오늘날에는 사용되지 않는 자음자이다.

07 혀뿌리가 목구멍을 막는 모양을 본떠 만든 자음 기본자는 'ㄱ'이고, 여기에 획을 더해 만든 자음자는 'ㅋ'이다.

08 'ㄱ'에 가획하면 'ㅋ', 'ㄴ'에 가획하면 'ㄷ, ㅌ', 'ㅅ'에 가획하면 'ㅈ, ㅊ', 'ㅇ'에 가획하면 'ㆆ, ㅎ'이다.

09 한글의 자음 기본자는 발음 기관의 모양을 상형하여 만들었다.

10 모음 기본자 'ㆍ'는 하늘을, 'ㅡ'는 땅을, 'ㅣ'는 사람의 모양을 본떴다.

11 기본자 'ㆍ, ㅡ, ㅣ'를 한 번 합성하여 만들어진 모음자는 'ㅏ, ㅓ, ㅗ, ㅜ'이다.

12 모음자는 자음자의 오른쪽이나 아래쪽에 붙여 모아쓴다.

13 ㉠ 입 모양을 본떠 만든 기본자 'ㅁ'에 획을 한 번 더하여 만든 자음자는 'ㅂ'이다. ㉡ 'ㄴ'에 획을 한 번 더한 'ㄷ'을 가로로 나란히 붙여 쓴 자음자는 'ㄸ'이다. ㉢ 사람이 서 있는 모양을 본떠 만든 기본자 'ㅣ'의 오른쪽에 'ㆍ'를 합하여 만든 모음자는 'ㅏ'이다.

14 ㉠ 모음 기본자를 합하여 다른 모음자를 만드는 합성의 원리를 알 수 있다. ㉡ 자음 기본자에 획을 더하여 다른 자음자를 만드는 가획의 원리를 알 수 있다.

15 영어 알파벳은 하나의 글자가 다양하게 발음되며, 글자의 모양과 소리가 관련이 없다.

16 풀어쓰기보다는 모아쓰기가 정보를 전달하는 데 효율적이다.

17 사람이 한눈에 파악할 수 있는 글자 수는 제한적이어서 음절 단위로 모아쓰는 한글을 활용하면 한번에 더 많은 정보를 인식할 수 있는 것이지 사람이 한눈에 파악할 수 있는 글자의 수를 늘리는 것은 아니다.

18 재경이와 대화를 나누면서 서율이가 여행에 대한 자신의 생각을 자연스럽게 조정한 것이지 재경이가 서율이의 생각을 바꾸도록 설득한 것은 아니다.

19 서율이는 재경이의 말을 듣고 여행은 다양한 즐거움을 주는 것이라고 자신의 생각을 조정했다.

20 ⓒ 듣기·말하기가 원활하게 이루어지기 위해서 말하는 이는 듣는 이의 반응을 살피며 전달하려는 내용이나 전달 방법을 조정해야 한다. ⓓ 듣는 이는 말하는 이가 하는 말에 적절한 반응을 보이며 들어야 한다.

21 마을 장터와 같은 아나바다 운동이 자원을 절약하는 좋은 방법이라는 것을 깨달은 사람은 지혁이다.

22 (다)의 왼쪽 상황에서 재영이는 말하는 친구 쪽으로 몸을 향하고 친구의 말을 듣고 있기 때문에 친구는 재영이가 자신을 존중한다는 느낌이 들 것이다.

23 (나)는 엄마 쪽으로 몸을 돌려 관심을 표현하며 말을 듣고 있는 오른쪽 상황에서, (다)는 말하는 친구 쪽으로 몸을 향해 친구의 말을 듣고 있는 왼쪽 상황에서 바람직한 듣기 태도가 나타난다.

24 공감하며 대화할 때에는 상대방의 말을 요약·정리하고 상대의 말에 적극적으로 반응하며 대화해야 한다.

25 몽골의 파스파 문자, 인도의 산스크리트 문자, 한글은 모두 소리를 나타내는 소리글자이다.

26 'ㄱ, ㄴ, ㅁ, ㅅ, ㅇ'은 자음 기본자이다.

27 《훈민정음》 해례본은 훈민정음의 창제 원리와 거기에 담긴 철학적 원리, 사용법, 보기 등이 자세하게 기록되어 있는 책이다. 이러한 《훈민정음》 해례본을 높이 평가하여 유네스코에서는 《훈민정음》 해례본을 세계 기록 유산으로 지정했다.

28 (다)에서 엄마는 석환이의 생각을 이해하려는 태도를 보이지 않는다.

29 (다)에서 석환이, 엄마, 누나는 모두 자신들의 입장에서 문제를 바라보고 상대를 고려하지 않고 있다. 이 세 사람이 상대에게 공감하며 대화를 이어 나가기 위해서는 상대의 상황과 처지를 이해하고 상대의 관점에서 문제를 바라보는 태도가 필요하다.

⏰ **대단원 마무리 체크**   p.72~73

01 (1) ○ (2) × (3) ○ (4) ×   **02** (1)-ⓒ (2)-ⓓ (3)-ⓐ   **03** 상형의 원리
04 발음 기관   **05** (1) 혀뿌리 (2) 윗잇몸 (3) 입 (4) 이 (5) 목구멍   **06** 가획
07 (1) ㅋ (2) ㄷ (3) ㅍ (4) ㅇ   **08** (1)-ⓒ (2)-ⓓ (3)-ⓐ   **09** 합성의 원리
10 오른쪽, 아래쪽   **11** 소리, 적다, 음절, 의미, 많다   **12** 일대일, 관계, 다양하게, 모양   **13** 음절, 모아쓰기   **14** 준언어적, 비언어적   **15** (1) ○ (2) ○ (3) ×   **16** (1) ○ (2) ○   **17** 여행   **18** 맛있는 음식을 먹거나 멋진 풍경을 즐기면서 편하게 쉬는 것   **19** 다양한 즐거움을 주는 것   **20** (1) 책 (2) 아나바다 (3) 자전거 (4) 마을 장터   **21** (1) 휴대 전화 (2) 시선, 무표정 (3) 상대, 집중, 눈, 관심   **22** (1) ○ (2) ×   **23** (1) ○ (2) × (3) ○   **24** (1) × (2) ○

4 | 함께 여는 세상의 창

01 작품의 재발견 _ 완득이

◀ 확인 문제 | p.74 ▶

① 가치   ② 서술자

1 재구성   **2** 매체, 갈래   **3** (1) ○ (2) × (3) ○   **4** 노래   **5** (1) ×
(2) ○ (3) × (4) ○ (5) ×

💡 **단원 종합 문제** 기출 예상   p.75~76

01 ④   **02** ④   **03** ③   **04** 소설에서는 서술자가 등장인물의 심리를 서술하지만 뮤지컬 대본에서는 대사와 노래를 통해 등장인물의 심리가 제시된다.   **05** ②   **06** 저쪽 사람   **07** ④   **08** 원작 소설에서는 첫 경기 날을 요약해서 서술했는데, 뮤지컬 대본에서는 완득이가 경기를 치르는 모습과 태도를 현재 진행되고 있는 구체적인 장면으로 제시했다.   **09** 엄마

01 이 글은 무대 공연을 전제로 하는 뮤지컬 대본이기 때문에 소설에 비해 시간적, 공간적 제약을 많이 받는다.

02 (다)에서 완득이는 어머니를 만난 뒤 어머니의 향기를 느낀 것이지 아들로서 자격이 없다고 자책하고 있는 것은 아니다.

03 ⓒ은 예상치 못한 아버지의 등장에 놀란 어머니의 당황스러움을 보여 준다.

04 소설에서는 서술자가 등장인물의 심리를 직접 서술할 수 있지만, 서술자가 없는 뮤지컬 대본에서는 등장인물의 심리가 인물의 노래나 대사를 통해 드러난다.

05 (가)에서 어머니는 완득이가 신발을 사 준다는 것을 거절하고 있으므로 '손사래 치며'라는 동작 지시문이 들어가는 것이 가장 적절하다.

06 어머니를 '저쪽 사람'이라고 지칭하며 완득이와 어머니의 관계를 묻는 가게 주인의 모습에서 다문화 가정과 외국인 노동자를 바라보는 편견이 드러난다.

07 시합을 포기하지 않는 것이 완득이의 목표였기 때문에 완득이는 시합에서 졌음에도 불구하고 웃는다. 따라서 완득이가 시합에서 지고 슬퍼하는 모습을 연출하는 것은 적절하지 않다.

08 원작 소설에서는 완득이의 경기를 요약해서 서술했지만 뮤지컬 대본에서는 완득이의 경기를 구체적인 장면으로 제시했다. 이와 같이 작품을 재구성하면서 작가는 원작 소설을 변형하여 새로운 상상과 가치를 부여한다.

09 완득이가 어머니를 '엄마'라고 부르는 것은 어머니를 마음으로 완전히 받아들였음을 보여 준다.

02 우리가 만드는 연극

◀ 확인 문제 ┃ p.77 ▶

① 대사   ② 해설

1 연극   **2** 해설, 대사, 지시문   **3** 무대, 동작   **4** 대본 만들기, 최종 연습하기   **5** 갈등   **6** 사실성, 몰입   **7** (1) ○ (2) ○ (3) × (4) ○

단원 종합 문제 기출 예상   p.78~79

01 ②   **02** ③   **03** ⑤   **04** ③   **05** ②   **06** 무대 장치와 조명 담당
07 ⑤   **08** ⑤

01 대본 만들기 단계에서는 대본을 만드는 방법을 논의한 뒤, 등장인물의 성격과 주요 갈등을 만들고 이야기를 장면으로 구성하여 장면 속 연극 요소를 살려 장면을 대본으로 만들어야 한다.

02 '장면 2'에서는 점순이가 순돌이네 씨암탉을 때리고 이로 인해 순돌이와 거친 말을 주고받고 있으므로, 순돌이와 점순이의 갈등이 해결되는 과정을 구체적으로 보여 주는 것은 적절하지 않다.

03 인물의 특징과 개성, 인물 간의 갈등이 분명하게 드러나도록 대사를 작성하는 것은 장면을 대본으로 만드는 과정에서 주의해야 할 점이다. 장면 속 연극 요소 살리기의 과정에서 대사를 작성하는 것은 아니다.

04 이야기를 장면으로 구성할 때에는 갈등의 진행과 해결 과정이 뚜렷하게 드러나야 한다는 점을 인식하고, 장면마다 등장인물, 시간적·공간적 배경, 주요 사건 등을 정리해야 한다.

05 연극의 대본은 연극의 공연 시간을 고려하여 적절한 길이로 작성해야 한다.

06 연극 공연에서 무대 장치와 조명을 담당한 사람은 장면에 알맞은 무대 장치와 조명을 준비해야 한다.

07 점순이는 주위를 두리번거리다 사람이 없는 것을 확인하고 순돌이에게 가까이 다가가고 있기 때문에 점순이가 순돌이에게 말을 거는 부분에서 사람들이 웅성거리는 소리를 음향으로 사용할 필요는 없다.

08 점순이와 '나' 사이의 대화를 일부 바꾸어 제시했지만 점순이가 '나(순돌)'를 좋아하는 관계를 바꾼 것은 아니다.

선택 학습 기출 예상   p.80~81

01 ④   **02** ④   **03** ③   **04** (붉은) 산수유 열매   **05** ②   **06** ④
07 ②   **08** ②

01 현재 말하는 이는 아버지의 헌신적인 사랑과 정성을 그리워하고 있는 것이지 아버지의 삶을 안타까워하고 있는 것은 아니다.

02 '옛것이라곤 찾아볼 길 없는 / 성탄제 가까운 도시에는'에서 순수한 사랑, 정성을 찾을 수 없는 현실에 대한 안타까움은 나타나지만 이를 극복하려는 의지가 드러나지는 않는다.

> ✚ Clinic 오답 강의
>
> ① '나는 한 마리 어린 짐승', '어느새 나도'에서 말하는 이가 표면에 드러난다.
> ② '산수유 열매'와 '눈'에서 붉은색과 흰색의 색채 대비를 통해 선명한 이미지를 드러낸다.
> ③ 아버지의 헌신과 사랑을 느낄 수 있었던 과거(어린 시절)와 각박한 도시에 있는 현재를 대조적으로 제시하여 '아버지의 헌신적인 사랑과 정성을 향한 그리움'이라는 시의 주제를 효과적으로 드러낸다.
> ⑤ '불현듯 아버지의 서느런 옷자락을 느끼는 것은'에서 촉각적 심상(서느런)을 활용하여 아버지에 대한 그리움을 드러내고 있다.

03 ⓒ은 성탄제 무렵 각박한 도시에서 내리는 눈을 바라보며 어린 시절의 기억을 떠올리는, 어른이 된 말하는 이가 현재 있는 시간적, 공간적 배경을 의미한다.

04 '붉은' 색채감이 두드러지는 '붉은 산수유 열매'는 아버지가 눈을 헤치고 따온 것으로 아버지의 헌신적이고 순수한 사랑을 의미한다.

05 이 시와 제시된 글에는 아버지와 아들 사이의 갈등이 드러나지 않는다.

06 이 글은 서술자가 작품 밖에 위치해 있는 3인칭 전지적 시점의 소설이기 때문에 작중 인물이 사건을 객관적으로 관찰한다는 설명은 적절하지 않다.

07 (라)에서 놀부는 "벼가 많다고 하여 너 주려고 노적을 헐며, 돈이 많이 있다 한들 너 주자고 돈꿰미를 헐며"라고 말하며 흥부에게 곡식이나 돈을 빌려줄 수 없다고 말하고 있을 뿐, 흥부 때문에 노적과 돈꿰미를 헌 적이 있는 것은 아니다.

08 흥부가 곡식이나 돈을 구걸하러 왔다고 짐작하고 일부러 모른 체하는 놀부에게 말하고 있는 상황이므로 '당황해서 작은 목소리로' 말하는 것이 가장 적절하다.

대단원 종합 문제   p.82~86

01 ③   **02** ⑤   **03** ④   **04** (가)에서 어머니를 완강하게 거부하던 완득이의 마음이 (다), (라)에서는 조금씩 흔들리고 있다.   **05** ①   **06** ④   **07** ②
08 ②   **09** 세상에 당당하게 맞서고자 하는 완득이의 의지와 성장을 강조할 수 있다.   **10** ③   **11** ②   **12** ⑤   **13** 주제 정하기   **14** ⑤   **15** ㉠: 성격, ㉡: 동선   **16** ①   **17** ②   **18** ①   **19** ④   **20** 눈   **21** ④   **22** ⑤

01 이 글은 뮤지컬 대본으로, (다)에서 확인할 수 있듯이 대사나 행동뿐만 아니라 노래를 통해서도 인물의 심리가 드러난다.

> ✚ Clinic 오답 강의
>
> ① 뮤지컬 대본은 무대 공연을 위한 것이기 때문에 연극의 대본과 같이 공간이나 시간의 제약에서 자유롭지 못하다.
> ② 뮤지컬 대본에서 등장인물의 성격은 대사나 행동 등을 통해 간접적으로 제시된다.
> ④ 뮤지컬 대본은 소설이나 연극의 대본처럼 인물 간의 대립과 갈등이 두드러진다.
> ⑤ 소설이나 연극의 대본과 같이 사건의 진행이 뮤지컬 대본의 주된 목적이고 이를 극대화하기 위해 음악을 활용한다.

02 어머니는 완득이에게 미안함과 사랑을 표현하기 위해 운동화를 건넨 것이지 완득이가 자신을 만나 준 것에 대한 보답으로 운동화를 준 것은 아니다.

03 어머니는 완득이에 대한 미안함과 그리움을 말로는 잘 못 하겠어서 편지를 적어 온 것이므로 편지에 외국인을 차별하는 한국 사회에 대한 분노의 내용이 담겨 있을 것이라고 볼 수는 없다.

04 (다)에서 완득이는 어머니의 향기를 떠올리고 있으며, (라)에서는 어머니가 사 준 운동화를 신어 보고 있다. 이런 행동은 (가)에서 어머니를 완강하게 거부했던 완득이의 마음이 조금씩 흔들리고 있음을 나타낸다.

05 이 글은 뮤지컬 대본이기 때문에 서술자가 따로 없고 인물의 대사와 행동, 노래로 사건이 전개된다.

06 (가)에서 '킥복싱이든 내 인생이든 나 이기고 말 거야', '난 반드시 세상을 이긴다'라고 하는 것으로 보아, 완득이는 자신을 둘러싼 환경, 세상에 맞서겠다는 의지를 다지고 있음을 알 수 있다.

07 ㉡은 시합을 앞둔 완득이를 위해 어머니가 준비한 것이다.

08 완득이는 낡은 신발을 신고 다니는 어머니에 대한 안쓰러움과 자신을 챙겨 주는 어머니에 대한 고마움을 표현하기 위해 어머니에게 구두를 선물했다.

09 (가)~(다)에서는 완득이가 킥복싱 시합에서 실력이 부족함에도 끝까지 포기하지 않고 최선을 다하는 모습이 구체적으로 묘사되고 있다. 원작과 달리 완득이의 경기 장면이 구체적으로 제시된 것은 완득이의 정신적인 성장과 의지를 강조하려는 작가의 의도가 반영된 것이라고 할 수 있다.

10 (가)에서 "절대 수건 던지지 마세요. 끝까지 버틸 수 있게 해 주세요."라는 완득이의 말을 고려할 때, 완득이가 시합에 지고서도 웃는 이유는 경기에서 끝까지 포기하지 않고 최선을 다했다는 만족감 때문임을 알 수 있다.

11 점순이의 말에 별다른 반응 없이 하던 일만 묵묵히 하는 순돌이의 태도를 고려할 때, ㉠에는 무뚝뚝한 목소리가 가장 어울린다.

12 (라)에서 순돌이는 호감을 표현하는 점순이에게 무뚝뚝한 반응을 보이고 있으므로 점순이를 보며 순돌이가 부끄러운 표정을 짓는 것은 어울리지 않는다.

13 연극을 공연하기 위해서는 연극에서 전달하고 싶은 내용인 주제를 가장 먼저 정해야 한다.

14 연극의 대본을 작성할 때에는 인물의 특징과 개성, 인물 간의 갈등이 분명히 드러나도록 대사를 작성해야 한다. 인물 간의 갈등이 드러난다고 해서 교훈적인 주제를 전달할 수 없는 것은 아니다.

15 배우, 즉 연기를 담당한 사람은 등장인물의 성격을 분석하여 역할을 정리하고 대사를 연습해야 한다. 또한 다른 배우들과 함께 대사를 연습하며 입장과 퇴장이 원활하도록 무대 동선을 정리해야 한다.

16 연극 공연에서 무대 장치를 담당한 사람은 무대가 전환되는 장면을 정리하여 장면별로 무대 장치를 준비해야 한다.

> ➕ **Clinic 오답 강의**
>
> ② 배우가 해야 할 일이다.
> ③, ④ 배경 음악과 음향 담당이 해야 할 일이다.
> ⑤ 소품 담당이 해야 할 일이다.

17 음향은 연극 속 상황의 사실성을 높이고 관객이 연극에 몰입할 수 있도록 도와주며, 극의 분위기를 전달하거나 사건을 암시하는 등의 역할을 한다. 하지만 음향이 연극의 주제를 직접적으로 전달하는 것은 아니다.

18 동작 연기와 동선이 자연스러운지는 연기를 담당하는 배우가 점검해야 할 사항이다. 의상 담당은 등장인물에 어울리는 의상을 준비했는지, 장면에 따라 의상을 적절하게 활용했는지 등을 점검해야 한다.

19 할머니는 '애처로이 잦아드는 어린 목숨', 즉 어린 시절 말하는 이를 지키고 계신 것이지 산수유 열매를 따러 간 말하는 이의 아버지를 걱정하느라 잠을 이루지 못한 것은 아니다.

20 어른이 된 화자는 성탄제 가까운 도시에서 '반가운 그 옛날의 것', 즉 눈을 보며 어린 시절을 회상하고 있다.

21 놀부는 곡식이나 돈을 꾸러 온 흥부의 방문을 반가워하지 않으므로 놀부와 흥부가 만나는 기쁨을 강조하는 배경 음악을 사용하는 것은 적절하지 않다.

22 놀부는 "네가 누구인고?"라고 말하며 흥부를 모르는 체하고 있다. 놀란 흥부가 자신을 소개하자 놀부가 ㉡에서 또다시 모르는 척을 하는 상황이다. 따라서 '모르는 듯 시치미를 떼는 목소리'가 가장 어울린다.

🔔 대단원 마무리 체크   p.87~88

01 (1) 재구성 (2) 특성 (3) 관점 (4) 상상, 가치   **02** (1) ○ (2) × (3) ○
(4) ○ (5) × (6) ○   **03** (1) 운동화 (2) 향기 (3) 킥복싱 (4) 포기 (5) 엄마
04 (1) ○ (2) × (3) × (4) ○ (5) ×   **05** (1) 운동화 (2) 킥복싱 (3) 분홍색 구두
06 (1) 15. 왜 (2) 7. 마주치지 않을게요 (3) 8. 엄마 향기 (4) 19. 괜찮아
07 ㉠, ㉡, ㉣   **08** (1) 희곡 (2) 해설 (3) 방백 (4) 무대, 동작   **09** (1) ×
(2) ○ (3) ○ (4) ○   **10** (1) 공연하기 (2) 역할 정하기 (3) 주제 정하기 (4) 최
종 연습하기 (5) 세부 연습하기 (6) 평가하기 (7) 대본 만들기   **11** 소통, 협력,
이해   **12** (1) 대사 (2) 해설 (3) 지시문   **13** (1) ○ (2) ○ (3) × (4) × (5) ×
14 사실성, 관객   **15** ㉡, ㉢, ㉤

01 ④   **02** ④   **03** ③   **04** ①   **05** ⑤   **06** 각 연의 끝에서 '잊었노라'를 반복하여 규칙적인 느낌을 주고, '당신'을 잊을 수 없는 말하는 이의 마음을 강조한다.   **07** ②   **08** ①   **09** ③   **10** ④   **11** ⓐ: 사랑과 이별, ⓑ: 열매를 맺음.   **12** '결별'과 '축복'이라는 의미상 서로 어울리지 않는 말을 결합하여 새로운 의미를 만드는 역설을 사용했다. 역설을 사용하면 읽는 이에게 참신한 느낌을 주고, 전달하고자 하는 의미를 더욱 강조할 수 있다.   **13** ③   **14** ④   **15** ④   **16** ②   **17** (양반의) 아내   **18** ③   **19** ②   **20** ③   **21** 도둑놈   **22** ②   **23** '벌레 먹은 나뭇잎'을 관심과 애정 어린 태도로 바라본다. / 따뜻하고 긍정적인 시선으로 바라본다.   **24** ③   **25** ③   **26** ⑤   **27** ①   **28** ①   **29** ③   **30** ④

01 이 시는 실제로 표현하고자 하는 속마음과 반대되는 말로 표현함으로써 말하는 이의 진심을 강조하고 인상 깊게 전달한다.

02 말하는 이는 '당신'과 헤어졌으나 '당신'을 잊지 못하고 몹시 그리워하고 있을 뿐 이별을 통해 성숙해질 것이라고 생각하는 것은 아니다.

03 말하는 이는 임을 간절히 그리워하고 있으며 임과의 이별을 안타까워하고 있으므로, 간절하고 안타까운 목소리가 가장 어울린다.

04 이 시의 말하는 이는 임에 대한 그리움과 임을 잊지 않겠다는 태도를 보이고 있으므로 '자나 깨나 잊지 못함.'을 뜻하는 '오매불망'이 말하는 이의 심정과 관계가 깊다.

> **➕ Clinic 오답 강의**
> ② 주마가편: 잘하는 사람을 더욱 장려함.
> ③ 절차탁마: 부지런히 학문과 덕행을 닦음.
> ④ 삼고초려: 인재를 맞아들이기 위하여 참을성 있게 노력함.
> ⑤ 위편삼절: 책을 열심히 읽음.

05 이 시에서는 '당신이', '잊었노라'와 같은 단어와 비슷한 문장 구조의 반복, 3음보의 율격과 3·3·4개의 글자 수로 이루어진 행의 반복 등을 통해 운율을 형성하고 있다. 하지만 의성어와 의태어를 반복적으로 사용하고 있지는 않다.

06 이 시에서는 '당신'을 잊을 수 없는 마음을 반어적으로 표현하는 '잊었노라'를 반복하여 운율을 형성하고, '당신'에 대한 말하는 이의 그리움을 강조하고 있다.

07 ㉡에는 실제로 나타내고자 하는 의도와 반대되는 말로 표현하는 반어가 사용되었다. 엄마는 아들에게 화가 난 상황이므로 '아주 잘했다, 잘했어.'가 반어를 사용하여 말한 것이다.

08 이 시에는 '하롱하롱'이라는 의태어가 사용되었지만 이는 꽃잎이 떨어지는 이별의 상황을 나타낸 것이므로 경쾌한 분위기와는 거리가 멀다.

09 이 시에서는 결별(이별)을 통해 내면적 성숙을 이룰 수 있다고 말하고 있다.

10 ㉣은 '나의 청춘'도 낙화처럼 열매(영혼의 성숙)를 기약하며 죽는 것, 즉 내적 성장의 과정을 표현한 것이다.

11 이 시에서는 꽃이 피었다 지는 것을 사랑과 이별에, 열매를 맺는 것을 영혼의 성숙에 대응하여 표현했다.

12 '결별이 이룩하는 축복'은 역설을 사용한 것으로, 역설은 겉으로는 모순된 것처럼 보이지만 실제로는 그 안에 깊은 의미를 담고 있는 표현이다.

13 이 시에서는 이별한 임을 그리워하며 임이 돌아오기를 바라는 것이 아니라, 이별이 영혼(삶)을 성숙하게 하는 계기가 되므로 오히려 축복이라고 말하고 있다.

14 이 글은 엄격했던 신분 질서가 붕괴하기 시작한 조선 후기의 사회 상황을 반영하여 당대의 양반 사회를 신랄하게 풍자하고 있다.

15 (나)의 '양반은 빚을 갚을 길이 없어서 밤낮으로 울기만 하였다.'를 통해 양반이 자신의 능력으로 빚을 갚을 수 없다고 생각했음을 알 수 있다.

16 (라)에서 양반은 '소인'이라고 하며 자신을 낮추고 있다. 그러므로 신분을 팔았어도 양반이 권력을 가지고 있다는 감상은 적절하지 않다.

17 (나)에서 양반의 아내는 "한 푼어치도 안 되는 그놈의 양반!"이라고 하며 환곡을 갚을 능력이 없는 양반의 무능력함과 비생산성을 비판한다.

18 ㉢은 증서의 내용에 양반으로서 지켜야 할 덕목과 행실만 담겨 있는 것에 대한 반응일 뿐 양반의 횡포에 항의하는 모습은 아니다.

19 (나)에서는 양반이 체면을 중시하고 관념과 형식에 얽매여 있는 모습이, (라)에서는 양반이 자신의 이익을 위해 특권을 남용하고 백성을 괴롭히는 모습이 나타나 있다.

20 이 글은 양반을 조롱하고 희화화하는 풍자의 방식으로 웃음을 유발하면서 양반의 부정적인 모습을 간접적으로 비판하고 있다.

21 작가는 (마)에서 양반을 '도둑놈'이라고 하며 양반의 횡포와 부도덕함을 풍자하고 있다.

22 (가)에서는 벌레에게 자신이 가진 것을 베풀 줄 아는 나뭇잎이 아름답고 가치 있는 존재라는 것을 통해 남에게 베푸는 삶의 가치에 대해 말하고 있다.

23 (가)에서는 벌레 먹은 자국이 선명한 나뭇잎을 바라보는 말하는 이의 따뜻한 시선과 깊이 있는 통찰을 느낄 수 있다.

24 ⓐ에는 '벌레 먹은 것'이 '예쁘다'는 모순된 표현을 통해 벌레에게 자신이 가진 것을 베풀 줄 아는 나뭇잎이 아름답고 가치 있는 존재라는 것을 강조하는 '역설'이 사용되었다. ③의

'눈 감으니 보이시네'에서도 역설을 통해 임에 대한 그리움을 효과적으로 나타냈다.

25 (나)~(라)는 3인칭 전지적 시점으로 작품 밖 서술자가 인물의 내면까지 서술하고 있다.

> ✚ **Clinic 오답 강의**
> ① 농민들의 삶이 아니라 도시 하층민의 삶을 다루고 있다.
> ② 1920년대, 즉 일제 강점기의 시대상을 사실적으로 반영했다.
> ④ (나)~(라)에서는 김 첨지의 말이 나타나 있을 뿐, 외적 갈등의 고조는 찾아볼 수 없다.
> ⑤ (나)의 '눈이 올 듯하더니 눈은 아니 오고'에서 이 소설의 계절적 배경이 겨울임을 알 수 있다.

26 김 첨지는 계속 되는 행운에 겁이 났기 때문에 잠깐 주춤한 것이지 앞서 번 돈에 만족한 것은 아니다.

27 (가)에서 김 첨지는 아픈 아내를 염려하는 마음에 아내가 있는 집에 가까워지면 마음이 불안하고 초조해지면서 다리가 무거워진다. 하지만 집에서 멀어지면 잠시나마 아내 걱정에서 벗어나게 되어 걸음에 다시 신이 나며 가뿐해졌다.

28 김 첨지는 자신에게 닥칠 불행, 즉 아내의 죽음을 예감하고 집에 조금이라도 늦게 들어가기 위해 버르적거렸다.

29 이 글에서는 아내가 죽은 불행한 날을 반어적으로 '운수 좋은 날'이라고 표현함으로써 김 첨지의 불행을 더욱 강조하여 드러내고 있다.

30 (다)에서 김 첨지는 뚱뚱보(치삼이)를 만나 집에 갈 수 있는 시간을 늦출 수 있게 되자 무척 반가워하며 뚱뚱보(치삼이)에게 고마움을 느꼈다. 집에 가면 아내가 죽어 있을 것 같은 불길한 예감이 들었기 때문이다.

📋 실전 모의고사 **2** 회 p.96~100

01 ⑤ **02** 산악반 활동은 자신의 취향과 상관 없이 하게 된 것이지만 도서반 활동은 스스로 선택한 것으로 글쓴이에게 읽기의 가치와 중요성을 깨닫는 계기를 마련해 주었다. **03** ③ **04** ③ **05** ② **06** ③ **07** ⑤ **08** 책은 인간의 지극한 정신문화에 닿고 그의 일원이 되는 길, 인간다운 삶을 살고 드높은 가치를 추구하는 길을 보여 주며, 진정한 인간으로 나아가는 통로이다. **09** ④ **10** ② **11** ·속담: 꿩 먹고 알 먹기, ·뜻: 한 가지 일을 하여 두 가지 이상의 이익을 얻음. **12** ⑤ **13** ① **14** ④ **15** ⑥, ⓓ **16** ⑤ **17** ② **18** (1) 씻은 듯이 (2) 건강한 신체에 건강한 정신이 깃든다. **19** 현지는 "청년들이여 일하라, 좀 더 일하라, 끝까지 열심히 일하라."라는 명언을 변형하여 표현함으로써 독자의 관심과 흥미를 끌고, 적당한 휴식의 필요성을 강조하고자 했다. **20** ④ **21** ③ **22** (1) 음악인 전제덕 (2) 물리학자 정재승 (3) 영화 평론가 이동진 **23** ①, ④ **24** ② **25** ③ **26** 동음이의어 '내복'을 활용하여 '내복을 입어 겨울철 난방 에너지를 절감하자.'라는 내용을 전달하고 있다.

01 이 글은 읽기의 가치와 중요성에 대한 글쓴이의 경험과 깨달음을 담은 수필이다. 수필은 글쓴이의 체험과 경험을 바탕으로 쓰는 글이므로 작가의 상상력을 바탕으로 한다고 볼 수 없다. ② 수필은 일상생활의 무엇이든 글감이 될 수 있기 때문에 신변잡기적인 성격을 갖는다.

02 글쓴이의 취향과는 상관 없이 하게 된 산악반 활동과 달리 글쓴이는 도서반 활동에서 고전 작품을 읽으며 읽기의 가치와 중요성을 깨달았다.

03 글쓴이는 특별 활동 시간에 고전을 읽게 되었고, 이 과정에서 무협지와는 다른 고전의 매력을 발견했다.

04 글쓴이가 읽은 〈허생전〉은 박지원의 저작(예술이나 학문에 관한 책이나 작품 등을 지음. 또는 그 책이나 작품) 중 하나이다.

05 (다)에서 글쓴이는 고전의 한문을 번역한 예스러운 문체와 인물의 행적, 사건 전개 방식이 무협지와 비슷하다고 생각했다.

06 (라)에서 주인공의 이름만 기억에 남는 무협지와 달리 고전은 주인공과 관련하여 계속 생각하게 만들었다는 것을 알 수 있다.

07 (라)~(마)의 내용을 통해 글쓴이가 생각하는 고전 읽기의 즐거움을 확인할 수 있다. (라)~(마)에 고전을 읽으면 실용적인 지식을 배울 수 있다는 내용은 언급되지 않았다.

08 책에는 사람들이 쌓아온 지식과 정신문화가 담겨 있다. 이를 바탕으로 글쓴이는 (바)에서 인간의 지극한 정신문화에 닿고 그의 일원이 되는 길, 인간으로 나서 인간으로 살면서 인간다운 삶을 살고 드높은 가치를 추구하는 길을 책이 보여 준다고 말한다.

09 글쓴이는 중학교 3학년 때 도서반에서 고전 소설을 읽은 경험을 통해 읽기가 우리의 삶에서 지니는 가치와 중요성을 깨달았다.

10 글쓴이는 박지원의 고전 소설을 읽으며 읽기의 가치와 중요성을 깨닫게 되었고, 이를 통해 독서가 더욱 높은 차원의 인간다운 삶을 살게 하는 길임을 강조하고 있다.

11 ㉠에는 한 가지 일을 하여 두 가지 이상의 이익을 보게 됨을 이르는 '꿩 먹고 알 먹기'가 어울린다.

12 글을 쓸 때 다양한 표현을 활용하면 생각이나 느낌, 경험을 더욱 인상 깊고 생생하게 표현할 수 있기 때문에 이를 위해서는 다양한 표현의 종류를 최소화하기 보다는 적절하게 사용해야 한다.

13 '땀을 흘리다'는 '힘이나 노력을 많이 들이다.'라는 뜻의 관용 표현이다.

14 (나)는 다양한 표현 방법을 활용하여 글쓴이의 경험과 생각, 느낀 점 등을 표현한 글이다. ④는 주장하는 글을 읽는 방법에 해당한다.

15 ⓑ (나)에서는 등산을 하며 깨달은 점을 효과적으로 드러낼 수 있는 제목을 활용했다. ⓓ 비스마르크의 명언을 창의적으로 재해석한 "쉬어라, 좀 더 쉬어라, 충분히 쉬고 공부하라."라는 표현을 사용하여 주제를 뒷받침했다.

┼ **Clinic 오답 강의**

ⓐ (나)에서 반어를 활용하지는 않았다.
ⓒ 산 정상에 올랐을 때 머리가 맑아지는 듯한 느낌을 받았다고는 했지만, 산 정상의 모습을 구체적으로 묘사한 것은 아니다.

16 '울며 겨자 먹기'란 '싫은 일을 억지로 마지못해 함.'을 비유적으로 이르는 말로, 마지못해 아버지를 따라나선 현지의 심정을 효과적으로 드러낸다.

17 ⓔ은 '마음이 언짢거나 유감의 뜻을 나타내다.'라는 의미의 관용 표현으로, 현지의 태도를 마음에 들어 하지 않는 아버지의 심리를 더욱 생생하고 구체적으로 표현해 주는 것이지 아버지에 대한 현지의 불만을 드러내는 것은 아니다.

18 ⑴ 현지는 '아주 깨끗하게'라는 뜻의 관용 표현 '씻은 듯이'를 활용하여 정상에 오른 순간 느낀 후련함을 구체적이고 실감 나게 제시하고 있다. ⑵ 현지는 완전한 건강이란 육체와 정신이 함께 건강한 상태임을 나타내는 명언 '건강한 신체에 건강한 정신이 깃든다.'를 활용하여 정상에 올랐을 때의 상쾌한 기분을 표현했다.

19 현지는 독자의 관심을 끌고 글의 주제를 강조하기 위해 비스마르크의 명언을 활용하고 이를 창의적으로 재해석한 표현을 사용했다.

20 (나)는 글쓴이가 아버지와의 등산을 통해 깨닫게 된 '적당한 휴식의 필요성'에 대해 말하고 있다.

21 '눈 깜짝할 사이'라는 관용 표현을 활용하여 '눈 깜짝할 사이에 정상에 도착했다.'와 같이 정상에 오른 순간을 표현할 수 있다.

22 음악인 전제덕은 책을 읽기 전 책의 차례와 작가의 서문을 읽으며 작가가 하고 싶은 이야기가 무엇인지 파악했고, 영화 평론가 이동진은 넓고 다양한 분야의 책을 골고루 읽었다. 또한 물리학자 정재승은 책들 사이의 연관 관계를 따라가며 계속 책을 읽었다.

23 유명인의 독서 방법을 그대로 모방하는 것보다는 자신에게 맞는 독서 방법을 찾아야 하고, 책 제목을 보면서 책의 내용을 상상하는 것은 바람직하지만 그 후에는 책을 직접 읽어야 한다.

24 읽기의 생활화를 위해서는 자신의 수준과 관심, 흥미에 맞는 책을 찾아 꾸준히 읽어야 한다. 자신의 수준과 관계없이 유아 수준의 동화책부터 다시 읽어야 하는 것은 아니다.

25 (나)는 속담 "윗물이 맑아야 아랫물이 맑다."를 창의적으로 변형하여 '윗글이 맑아야 아랫글이 맑다.'라는 참신한 표현을 사용했으며, 광고 문구의 형태를 댓글이 계속 달리는 모양으로 구성하여 인터넷 댓글 문화를 개선하려는 의도를 전달하고 있다. 그러나 소리는 같지만 뜻은 다른 동음이의어를 활용한 부분은 찾을 수 없다.

26 (다)에서는 동음이의어 '내복'을 활용하여 겨울철 난방 에너지를 절감하자는 주장을 설득력 있게 전달하고 있다.

📋 **실전 모의고사 3 회**   p.101~105

01 ④   **02** 자주정신, 애민 정신, 실용 정신   **03** ⑴ ㄱ ⑵ ㄴ ⑶ ㅁ ⑷ ㅅ ⑸ ㅇ   **04** ④   **05** ㉠: ·, ㉡: ㅡ, ㉢: ㅣ   **06** ③   **07** ③   **08** ①   **09** ②   **10** 한글은 적은 수의 자음자와 모음자를 조합하여 수많은 음절을 표현할 수 있기 때문이다.   **11** ·풀어쓰기: ㅁㅜㅈㅣㄱㅐ, ·모아쓰기: 무지개   **12** ①   **13** ①   **14** ⑤   **15** 딴생각을 하느라 남학생의 말을 주의 깊게 듣지 못했다.   **16** ①   **17** ③   **18** ③   **19** ④   **20** 휴대 전화가 없어져서 속상한 지애에게 지애의 친구가 물건을 잘 잃어버린다고 타박했기 때문이다.   **21** ⑤   **22** ⑤   **23** ①, ④   **24** ⑤   **25** 과거 동양 철학에서는 하늘, 땅, 사람이 만물의 근본이라고 생각했기 때문이다.   **26** ①   **27** 석환이는 "혼자 있고 싶어요.", "나가세요."라고 말하며 엄마, 누나와 대화를 이어 나가려 하지 않고 있다.   **28** ④

---

01 한글은 한자와 비슷하게 만든 것이 아니라 새롭게 스물여덟 글자를 만든 것이다.

02 훈민정음은 한자가 아닌 우리의 독창적인 문자가 필요하다는 자주정신, 한자를 모르는 백성이 자신의 뜻을 표현하지 못하는 것이 안타깝다는 애민 정신, 모든 사람이 쉽게 익혀 날마다 편리하게 쓰도록 하겠다는 실용 정신을 바탕으로 창제되었다.

03 자음 기본자 'ㄱ, ㄴ, ㅁ, ㅅ, ㅇ'은 각각 '혀뿌리가 목구멍을 막는 모양', '혀끝이 윗잇몸에 닿는 모양', '입 모양', '이의 모양', '목구멍의 모양'을 본떠 만들었다.

04 'ㅅ'에 획을 더하여 'ㅈ'을, 'ㅈ'에 획을 더하여 'ㅊ'을 만든 것이지 'ㅊ'에 획을 더하여 'ㅈ'을 만든 것은 아니다.

05 하늘의 둥근 모양을 본떠 '·'를, 땅의 평평한 모양을 본떠 'ㅡ'를, 사람이 서 있는 모양을 본떠 'ㅣ'를 만들었다.

06 자음자는 같은 글자 또는 서로 다른 글자를 가로로 나란히 붙여 쓰는 방법으로 다른 글자를 만들었다.

07 한글은 소리를 나타내는 문자이기 때문에 한자보다 글자 수가 적다.

08 한글은 글자와 소리가 거의 일대일로 대응해서 배우기가 쉽다.

09 한글, 한자, 일본의 문자 중 정보의 입력 속도가 가장 빠른 것은 한글이다.

10 한글은 적은 수의 자음자와 모음자를 조합하여 수많은 음절을 표현할 수 있기 때문에 크기가 작은 휴대 전화에서 적은 글쇠로도 정보를 효율적으로 입력할 수 있다.

11 '구름'을 풀어쓰면 'ㄱㅜㄹㅡㅁ', 모아쓰면 '구름'이라고 쓰는 것처럼 '무지개'를 풀어쓰면 'ㅁㅜㅈㅣㄱㅐ', 모아쓰면 '무지개'라고 쓴다.

12 'ㅏ, ㅗ'에는 모음 기본자를 합하여 다른 모음자를 만드는 합성의 원리가 적용되었다.

13 'ㄲ'은 같은 글자를 가로로 나란히 붙여 써서 만든 글자로, 제시된 가획의 원리에 따라 만들어진 글자가 아니다.

14 한글은 음절 단위로 모아쓰기 때문에 가로쓰기와 세로쓰기를 자유롭게 할 수 있어 좁은 공간에 정보를 효율적으로 담을 수 있다.

15 (가)에서 여학생은 잠깐 딴생각을 하느라 학급 행사에서 사용할 물품을 사러 같이 가자는 남학생의 말을 주의 깊게 듣지 못했다.

16 (나)에서 서율이는 대화를 통해 자신이 가지고 있던 여행에 대한 생각을 조정했다. 이를 바탕으로 듣기·말하기를 통해 자신의 생각을 바꾸거나 조정한다는 것을 알 수 있다.

17 (다)에서 주말 장터는 매달 두 번째 주말에 열린다는 것(시기)은 알 수 있지만, 어디에서 열리는지 그 장소는 알 수 없다.

18 소정이와 지혁이는 모두 상대가 하는 말에 적절하게 반응하며 함께 의미를 구성해 나가고 있다.

19 한솔이는 도서관이 문을 닫아 책을 빌릴 수 없어서 걱정하고 있는 준희의 말을 주의 깊게 듣지 않았다.

20 지애가 휴대 전화가 없어져서 걱정하고 있을 때, 지애의 친구가 지애에게 물건을 잘 잃어버린다고 타박했기 때문에 둘은 다투게 되었다.

21 효진이는 지애의 말에 공감하며 대화하고 있지만 비슷한 자신의 경험을 언급하지는 않았다.

22 왼쪽 상황에서 선혜는 엄마의 말을 듣고도 휴대 전화만 바라보고 있고, 오른쪽 상황에서 선혜는 엄마 쪽으로 몸을 돌려 관심을 표현하며 엄마의 말을 듣고 있다.

23 상대의 말을 들을 때에는 상대 쪽으로 몸을 향하여 집중하고, 상대의 말에 관심을 표현하며 들어야 한다.

24 타이문자과 키릴문자는 작자와 만든 과정이 알려지기는 했지만 훈민정음처럼 철학적 원리와 사용법, 보기 등이 자세히 기록되어 있지는 않다.

25 (나)에서 과거 동양 철학에서 하늘, 땅, 사람이 만물의 근본이라고 생각했기 때문에 이 세 가지를 본떠 모음 기본자를 만들었다는 것을 알 수 있다.

26 훈민정음(한글)은 소리를 나타내는 소리글자이다.

27 석환이는 자신에게 공감하지 못하는 엄마, 누나와 대화를 이어 나가려 하지 않는다.

28 엄마가 ④와 같이 말한다면 자신의 꿈을 위해 노력하는 석환이의 모습을 격려하고, 석환이의 상황과 처지에 공감한다는 것을 표현할 수 있다.

실전 모의고사 4 회
p.106~111

01 ⑤ **02** ② **03** ⑤ **04** 운동화 **05** (가)에서는 어머니의 존재를 완강하게 거부하지만 (라)에서는 어머니에게 점차 마음을 열고 있다. **06** ④ **07** ② **08** ③ **09** ⑤ **10** 엄마 **11** 역할 정하기 **12** ② **13** ① **14** ⑤ **15** 갈등의 진행과 해결 과정이 분명하게 드러나도록 대본을 작성한다. **16** ③ **17** ⑤ **18** ② **19** ① **20** 효과음 – 효과음은 연극 속 상황의 사실성을 높이고, 관객이 연극에 몰입할 수 있도록 도와준다. **21** ④ **22** ④ **23** ① **24** ⑤ **25** ⑤ **26** ④ **27** ② **28** ① **29** ⑤ **30** ·㉠: 모르는 듯 시치미를 떼는 목소리, ·㉡: 큰소리로 화를 내며 훈계하는 목소리

01 뮤지컬 대본은 대체로 인물의 대사와 행동, 노래를 통해 사건이 진행된다.

02 (나)에서는 아들을 간절히 그리워하면서도 차마 그 앞에 나서지 못하는 어머니의 마음이 드러나므로, 슬프고 애절한 목소리가 가장 어울린다.

03 〈보기〉는 서술자에 의해 사건이 진행되고 있는 반면 (다)는 배우가 등장인물의 행동을 직접 연기하여 보여 줄 수 있도록 지시문을 제시한다.

04 어머니가 완득이에게 준 운동화에는 완득이에 대한 어머니의 사랑과 미안함이 담겨 있다.

05 (가)에서 완득이는 어머니가 자신을 보고 싶어 한다는 똥주 선생님의 말을 듣고 어머니를 완강하게 거부한다. 하지만 (라)에서 완득이는 어머니에게 분홍색 구두를 선물하며 점차 어머니에게 마음을 열어 간다.

06 뮤지컬 대본과 소설은 모두 갈등과 대립을 중심으로 하는 상상을 통해 만든 이야기이다.

07 (다)에서 도내 챔피언의 승리가 확정되자 관중석에서 환호성이 터져 나오는 것으로 보아, 관중들이 모두 완득이가 도내 챔피언을 이기기를 응원했다고 보기는 어렵다.

08 완득이가 시합에서 지고도 웃는 이유는 시합을 포기하지 않고 끝까지 최선을 다했다는 만족감을 느꼈기 때문이다.

09 (다)의 '19. 괜찮아'에서는 도전했으니 언젠가는 챔피언이 되겠다는 완득이의 의지와 주변 사람들의 소중함을 깨닫는 완득이의 성장이 드러난다.

10 킥복싱 시합에서 진 완득이가 어머니를 '엄마'라고 부르는 것은 어머니를 완전히 마음으로 받아들였다는 것을 의미한다.

11 연극을 공연하는 과정은 '주제 정하기 → 대본 만들기 → 역할 정하기 → 세부 연습하기 → 최종 연습하기 → 공연하기 → 평가하기'의 과정을 거친다.

12 점순이의 마음을 알지 못하는 순돌이와 그런 순돌이를 괴롭히는 점순이 사이의 갈등이 주요 갈등이므로, 점순이와 순돌이가 함께 위기를 극복하고자 하는 장면을 연출하는 것은 어울리지 않는다.

13 (나)의 '장면 1'과 '장면 2'에는 점순이(인물)와 순돌이(인물) 사이의 외적 갈등이 주로 나타난다.

14 (다)는 대본을 작성하기 전 장면의 연극 요소를 정리한 것이므로 이 단계에서 구체적인 지시문과 대사를 설정해야 하는 것은 아니다.

15 연극 대본을 작성할 때에는 갈등의 진행과 해결 과정이 분명하게 드러나도록 작성해야 한다.

16 ⓒ은 행동 지시문으로 순돌이는 눈치채지 못하지만 관객들은 눈치채는 행동이다.

17 연극의 대본에서 등장인물의 대사는 인물의 성격과 특성, 갈등 상황 등이 잘 드러나도록 작성해야 하는 것이지 관객이 좋아할 만한 대사 위주로 구성할 필요는 없다.

18 대본을 수정하고 보완하는 일은 작가가 해야 할 일이지만, 공연을 전체적으로 조정하는 일은 연출이 해야 할 일이다.

19 ㉠에는 배우의 연기와 관련된 점검 사항이 들어가야 한다. ②는 분장, ③은 음향, ④는 소품, ⑤는 의상과 관련된 점검 내용이다.

20 '풍덩'과 같은 음향을 효과음이라고 한다. 효과음은 연극 속 상황의 사실성을 높이고, 관객이 연극에 몰입할 수 있도록 돕는 효과가 있다.

21 열병을 앓는 말하는 이를 위해 아버지가 산수유 열매를 따 온 것이지 말하는 이가 아버지를 위해 산수유 열매를 따 온 것은 아니다.

22 ㉣은 말하는 이가 '눈'을 통해 어린 시절 경험했던 아버지의 사랑을 떠올리는 모습으로, 미래에 대한 희망을 느끼는 모습이라고는 볼 수 없다.

23 '눈'은 산수유 열매를 따러 나간 아버지에게 시련과 고난을 주는 존재이자 어른이 된 말하는 이가 과거를 떠올리는 매개체이다.

24 말하는 이는 자신을 위해 '붉은 산수유 열매'를 구해 오신 아버지의 헌신적인 사랑과 정성을 그리워하고 있다.

25 '불현듯 아버지의 서느런 옷자락을 느끼는 것'은 어른이 된 말하는 이가 어린 시절 아버지에 대한 그리움을 표현한 구절이다.

26 이 글에서 부정적인 인물인 놀부의 외양을 묘사하는 부분은 나타나지 않는다.

27 (나)에서 놀부는 곡식을 얻으러 온 흥부를 일부러 모르는 체하고 있는 것이지 흥부의 모습이 많이 바뀌어 알아보지 못하는 것은 아니다.

28 착한 흥부는 복을 받고 악한 놀부는 벌을 받는다는 결말은 '권선징악(착한 일을 권장하고 악한 일을 징계함.)'을 보여 준다.

> ✚ **Clinic 오답 강의**
> ② 붕우유신: 벗과 벗 사이에는 믿음이 있어야 함.
> ③ 상부상조: 서로서로 도움.
> ④ 십시일반: 여러 사람이 조금씩 힘을 합하면 한 사람을 돕기 쉬움을 이르는 말
> ⑤ 일편단심: 진심에서 우러나오는 변치 아니하는 마음을 이르는 말

29 낭독극은 주로 출연자의 목소리 연기를 중심으로 진행되므로 인물에 어울리는 의상은 고려할 필요가 없다.

30 ㉠은 놀부가 곡식을 얻으러 온 흥부를 일부러 모르는 체하는 부분이므로 '모르는 듯 시치미를 떼는 목소리'가 어울리고, ㉡은 놀부가 흥부에게 야박하게 대하는 부분이므로 '큰소리로 화를 내며 훈계하는 목소리'가 어울린다.

두렵지
않은

중학 DNA 깨우기 시리즈

문학 DNA 깨우기

(예비중~중3)

기본 개념/감상 원리/기출 유형
교과서 작품을 활용한 문학 독해서

비문학 독해 DNA 깨우기

(예비중~중3)

독해 기초/독해 원리/독해 기술/기출 유형
기초부터 심화까지 단계별 독해 원리

문법 DNA 깨우기

(중1~중3)

중학 교과서 필수 문법 총정리

어휘 DNA 깨우기

(중1~중3)

기본/실력
퀴즈로 익히는 1,347개 중학 필수 어휘

정답은
이안에
있어!

전과목교재

내신 기본서 시리즈
└ **체크체크**

- **국어**   중1~3(공통편/교과서편)
- **사회·역사**   중1~3(학기서/연간서)
- **과학**   중1~3(학기서/연간서)

베스트셀러 기출문제집
└ **올백 기출문제집**   중1~3(학기별 중간, 기말/중1-2학기 제외)

수준별 내신 대비 시리즈
└ 국어전략·영어전략·수학전략   중1~3
└ 일등전략(국/영/수/사/과)   중1~3

영역별 중학 과학 기본서
└ **ESC 과학**   중1~3(물/화/생/지 영역별)

영어교재

실전 대비 종합서
└ **체크체크 영어**   중1~3(학기용)

영문법 기초서
└ **Grammar tab**   예비중

우리가 찾던 바로 모든 교재
└ **바로 시리즈**

- **바로 문장 쓰는 문법**   예비중~중3(Level 1~3)
- **바로 문제 푸는 문법**   예비중~중3(Level 1~3)
- **바로 읽는 배경지식 독해**   예비중~중3(Level 1~4)
- **바로 읽는 구문 독해**   중1~3(Level 1~3)
- **바로 VOCA 〈중학〉**   예비중~중3(기본/실력/완성)
- **바로 Listening 중학영어듣기 모의고사**   중1~3(학년별)

워크북형 어휘서
└ **MY VOCA 1800**   예비중~중2(Starter, Level 1~3)

찐 천재님들의 거짓없는 솔직 후기

천재교육 도서의 사용 후기를 남겨주세요!

이벤트 혜택

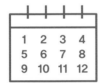

매월

100명 추첨

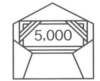

상품권 5천원권

이벤트 참여 방법

STEP 1
온라인 서점 또는 블로그에 리뷰(서평) 작성하기!

STEP 2
왼쪽 QR코드 접속 후 작성한 리뷰의 URL을 남기면 끝!

※ 상기 내용은 변동될 수 있으며, 자세한 내용은 QR코드 페이지를 참고해주세요.